C++
Lernen und professionell anwenden

Ulla Kirch
Peter Prinz

C++
Lernen und professionell anwenden

mitp

Bibliografische Information der Deutschen Nationalbibliothek
Die Deutsche Nationalbibliothek verzeichnet diese Publikation in der Deutschen Nationalbibliografie;
detaillierte bibliografische Daten sind im Internet über <http://dnb.d-nb.de> abrufbar.

Bei der Herstellung des Werkes haben wir uns zukunftsbewusst für umweltverträgliche und wiederverwertbare Materialien entschieden.
Der Inhalt ist auf elementar chlorfreiem Papier gedruckt.

ISBN 978-3-95845-808-6
8., aktualisierte Auflage 2018

www.mitp.de
E-Mail: mitp-verlag@sigloch.de
Telefon: +49 7953 / 7189 - 079
Telefax: +49 7953 / 7189 - 082

Lektorat: Sabine Schulz
Sprachkorrektorat: Petra Heubach-Erdmann
Coverbild: © Bruno Passigatti / stock.adobe.com
Satz: III-satz, Husby, www.drei-satz.de
Druck: Impress Media GmbH, Mönchengladbach

Vivi und Jeany gewidmet

Inhaltsverzeichnis

Einleitung

Dieses Buch wendet sich an jeden Leser, der die Programmiersprache C++ neu lernen oder vertiefen möchte, egal ob Anfänger oder fortgeschrittener C++-Programmierer.

C++ ist eine weitgehend plattformunabhängige Sprache. Die Sprachbeschreibung basiert auf der ISO-Norm 14882, die 1998 von der International Organization for Standardization verabschiedet wurde. Dieser traditionelle ISO-Standard wird von allen gängigen C++-Compilern unterstützt. Auch Sprachelemente aus den Standards von 2011, *kurz*: C++11, (wie z.B. Threads, Smart Pointer und Hash-Tabellen) und von 2014, *kurz*: C++14, (wie z.B. Ableitung von Return-Typen und generische Lambdas) werden heute von aktuellen Compilern unterstützt. Diese früheren Standards werden im Buch der Einfachheit halber mit „C++-Standard" bezeichnet. Neue Sprachelemente aus dem Standard von 2017, *kurz*: **C++17**, (wie z.B. Structured Bindings, Faltung von Parameterpacks und die Filesystem-Bibliothek) werden noch nicht von allen C++-Compilern unterstützt. Sie werden im Buch deshalb mit C++17 gekennzeichnet.

Die *Kapitel* dieses Buches sind so angeordnet, dass der Leser von elementaren Sprachkonzepten bis hin zur professionellen Software-Entwicklung geführt wird. Hierbei werden alle Sprachelemente umfassend behandelt. Die Reihenfolge der Darstellung orientiert sich am Ziel, von Anfang an sinnvolle Programme schreiben zu können.

Jede *Doppelseite* im Buch ist wie folgt gegliedert: Auf der rechten Seite sind die Sprachelemente beschrieben, die durch Grafiken und C++-Programme auf der linken Seite illustriert werden. Die Beispielprogramme sind so ausgewählt, dass sie eine typische Anwendung für das jeweilige Sprachelement zeigen. Darüber hinaus machen Filterprogramme und Fallstudien den Leser mit einem breiten Anwendungsspektrum vertraut.

Um eine leistungsfähige Programmiersprache zu beherrschen, ist viel eigene Erfahrung durch selbständiges Entwickeln von Programmen erforderlich. Am Ende jedes Kapitels sind deshalb *Übungen* formuliert, zu denen auf den folgenden Seiten *Musterlösungen* angegeben sind. Der Leser kann damit seine erreichten Fähigkeiten testen und das Verständnis von C++ vertiefen.

Im *Anhang* sind nützliche Informationen wie z.B. die binäre Zahlendarstellung, Präprozessor-Direktiven und die Vorrangtabelle für Operatoren zusammengestellt. Das Buch soll damit auch den geübten C++-Programmierer begleiten, der ein gut strukturiertes und verständliches Nachschlagewerk zur Hand haben will.

Die Entwicklungsumgebung Visual Studio Community von Microsoft ist unter

www.visualstudio.com

zum Download kostenlos verfügbar. Damit können Sie auf einem Windows-System (ab Windows 7, Service Pack 1) Ihre Programme erstellen und testen.

Hinweise zur Installation und Verwendung des Compilers finden Sie im Anhang des Buches. Es kann aber auch jeder andere C++-Compiler verwendet werden, beispielsweise der GNU-Compiler unter Linux. Die Programmbeispiele und Lösungen zu den Aufgaben stehen für Sie beim mitp-Verlag unter

www.mitp.de/808

zum Download bereit.

Wir bedanken uns bei allen, die an der Entstehung des Buches mitgewirkt haben, insbesondere bei Frau Schulz vom mitp-Verlag für die konstruktive Zusammenarbeit, und auch bei unseren Kindern, die uns oft genug in Ruhe lassen konnten.

Dem Leser wünschen wir **viel Spaß mit C++**!

Ulla Kirch   *Peter Prinz*
kirch@hm.edu   *prinz_peter@t-online.de*

Kapitel 1

Grundlagen

Dieses Kapitel beschreibt die grundlegenden Eigenschaften der objektorientierten Programmiersprache C++. Außerdem werden die Schritte vorgestellt, die zur Erstellung eines lauffähigen C++-Programms erforderlich sind. Diese Schritte können Sie auf Ihrem System anhand von einführenden Beispielen nachvollziehen. Die Beispiele dienen auch dazu, die grundlegende Struktur eines C++-Programms darzustellen.

Entwicklung und Eigenschaften von C++

Charakteristische Eigenschaften

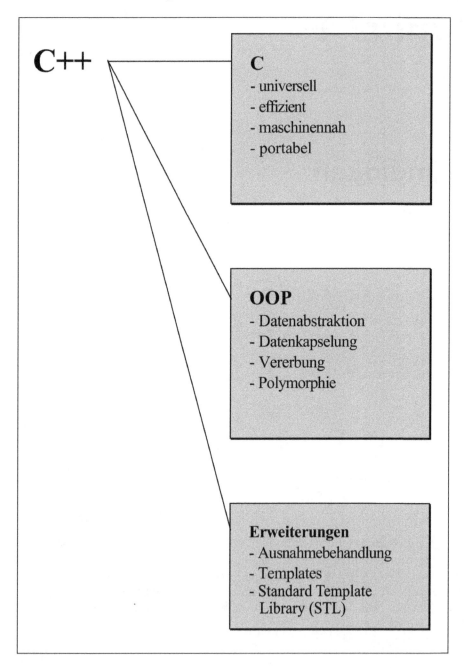

Historisches

Die Programmiersprache C++ wurde von Bjarne Stroustrup und seinen Mitarbeitern in den Bell Laboratories (AT&T, USA) entwickelt, um Simulationsprojekte objektorientiert und effizient implementieren zu können. Frühe Versionen, die zunächst als „C mit Klassen" bezeichnet wurden, gibt es seit 1980. Der Name C++ weist darauf hin, dass C++ aus der Programmiersprache C hervorgegangen ist: ++ ist der Inkrementoperator von C.

Schon 1989 wurde ein ANSI-Komitee (**A**merican **N**ational **S**tandards **I**nstitute) gebildet, um die Programmiersprache C++ zu standardisieren. Hierbei geht es darum, dass möglichst viele Compilerbauer und Software-Entwickler sich auf eine einheitliche Sprachbeschreibung einigen, um die Bildung von Dialekten und „Sprachverwirrungen" zu vermeiden.

Anfang 1998 wurde von der ISO (International Organization for Standardization) der Standard für C++ (14882) verabschiedet, der inzwischen mehrfach erweitert und zuletzt 2017 ergänzt wurde. Der neueste Standard von 2017 wird auch kurz mit C++17 bezeichnet.

Eigenschaften von C++

C++ ist keine rein objektorientierte Sprache, sondern eine Hybridsprache (= „Mischsprache"): Sie enthält die Programmiersprache C als Teilmenge. Damit hat man zunächst alle Möglichkeiten, die auch C bietet:

- universell einsetzbare, modulare Programme

- effiziente, maschinennahe Programmierung

- Portabilität, d.h. Übertragbarkeit von Programmen auf verschiedene Rechner

Insbesondere kann die umfangreiche in C entwickelte Software auch in C++-Programmen verwendet werden.

C++ unterstützt die Konzepte der objektorientierten Programmierung, nämlich:

- *Datenabstraktion*, d.h. Bildung von Klassen zur Beschreibung von Objekten

- *Datenkapselung* für den kontrollierten Zugriff auf die Daten von Objekten

- *Vererbung* durch Bildung abgeleiteter Klassen (auch mehrfach)

- *Polymorphie* (griech. „Vielgestaltigkeit"), d.h. die Implementierung von Anweisungen, die zur Laufzeit verschiedene Wirkungen haben können

C++ wurde um zusätzliche Sprachelemente erweitert, wie z.B. Referenzen, Templates und Ausnahmebehandlung (engl. Exception Handling). Auch wenn diese Sprachelemente keinen direkten Bezug zur Objektorientierung haben, sind sie für deren effiziente Implementierung wichtig.

Objektorientierte Programmierung

Traditionelles Konzept

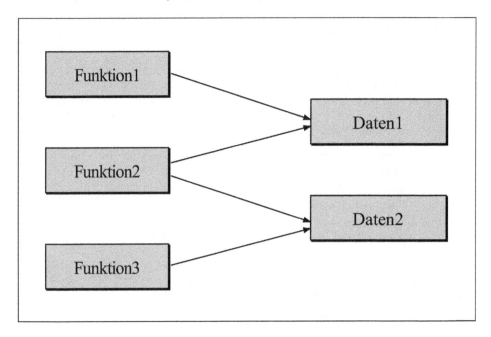

Objektorientiertes Konzept

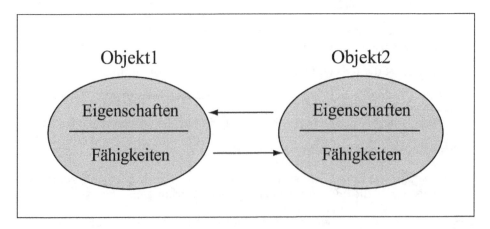

Klassische, prozedurale Programmierung

Die traditionelle, prozedurale Programmierung trennt Daten und Funktionen (= Unterprogramme, Prozeduren), die diese Daten bearbeiten. Dies hat wichtige Konsequenzen für den Umgang mit den Daten in einem Programm:

- Der Programmierer muss selbst dafür sorgen, dass Daten vor ihrer Verwendung mit geeigneten Anfangswerten versehen sind und dass beim Aufruf einer Funktion korrekte Daten übergeben werden.

- Wird die Darstellung der Daten geändert, z.B. ein Datensatz erweitert, so müssen auch die zugehörigen Funktionen entsprechend angepasst werden.

Beides ist natürlich fehleranfällig und nicht besonders wartungsfreundlich.

Objekte

Die objektorientierte Programmierung (OOP) stellt die *Objekte* in den Mittelpunkt, d.h. die Dinge, um die es bei der jeweiligen Problemstellung geht. Ein Programm zur Verwaltung von Konten beispielsweise arbeitet mit Kontoständen, Kreditlimits, Überweisungen, Zinsberechnungen usw. Ein Objekt, das ein Konto in einem Programm darstellt, besitzt dann die Eigenschaften und Fähigkeiten, die für die Kontoverwaltung wichtig sind.

Die Objekte in der OOP bilden eine Einheit aus Daten (= Eigenschaften) und Funktionen (= Fähigkeiten). Mit einer Klasse wird ein Objekt-Typ definiert, der sowohl die Eigenschaften als auch die Fähigkeiten von Objekten dieses Typs festlegt. Die Kommunikation zwischen Objekten erfolgt dann durch „Nachrichten", die die Fähigkeiten von Objekten aktivieren.

Vorteile der OOP

Für die Software-Entwicklung hat die objektorientierte Programmierung wesentliche Vorteile:

- **geringere Fehleranfälligkeit:** Ein Objekt kontrolliert den Zugriff auf seine Daten selbst. Insbesondere kann es fehlerhafte Zugriffe abwehren.

- **gute Wiederverwendbarkeit**: Ein Objekt verwaltet sich selbst. Es kann deshalb wie ein Baustein in beliebigen Programmen eingesetzt werden.

- **geringer Wartungsaufwand:** Ein Objekt kann die interne Darstellung seiner Daten an neue Anforderungen anpassen, ohne dass ein Anwendungsprogramm etwas davon merkt.

Erstellen eines C++-Programms

Übersetzen eines C++-Programms

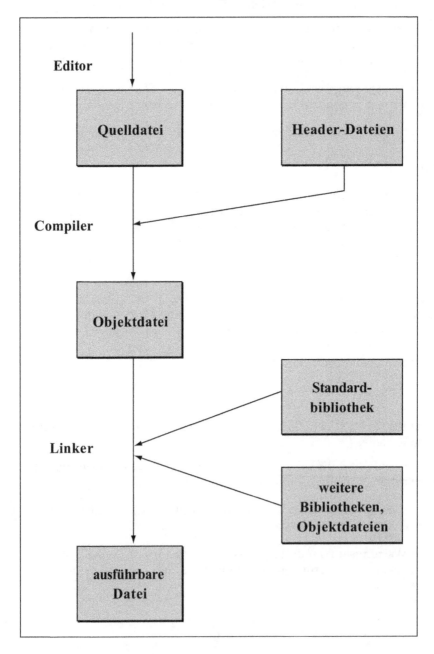

Zum Erstellen und Übersetzen eines C++-Programms sind folgende drei Schritte notwendig:

1. Das C++-Programm wird mit einem Texteditor in eine Datei eingegeben. Anders gesagt: Der *Quellcode* wird in einer *Quelldatei* abgelegt.

   Bei größeren Projekten ist es üblich, *modular* zu programmieren. Dabei wird der Quellcode auf mehrere Quelldateien verteilt, die getrennt bearbeitet und übersetzt werden.

2. Die Quelldatei wird dem *Compiler* zur Übersetzung gegeben. Geht alles gut, so erhält man eine Objektdatei, die den *Maschinencode* enthält. Eine Objektdatei heißt auch *Modul*.

3. Schließlich bindet der *Linker* die Objektdatei mit anderen Modulen zu einer *ausführbaren Datei*. Die Module bestehen aus Funktionen der Standardbibliothek oder selbsterstellten, schon früher übersetzten Programmteilen.

Im *Namen* der Quelldateien muss die richtige Endung angegeben werden. Diese hängt vom jeweiligen Compiler ab. Die gebräuchlichsten Endungen sind .cpp und .cc.

Vor dem eigentlichen Kompiliervorgang können *Header-Dateien*, auch Include-Dateien genannt, in die Quelldatei kopiert werden. Header-Dateien sind Textdateien mit Informationen, die in verschiedenen Quelldateien gebraucht werden, wie z.B. Typdefinitionen oder die Deklaration von Variablen und Funktionen. Die Namen von Header-Dateien enden entweder mit .h oder haben keine Endung.

Die *C++-Standardbibliothek* enthält fertige Funktionen und Klassen, die standardisiert sind und die jeder Compiler zur Verfügung stellt.

Moderne Compiler bieten eine *integrierte Entwicklungsumgebung*, die die obigen drei Schritte zusammenfasst. Von einer einheitlichen Benutzeroberfläche aus wird das Programm editiert, kompiliert, gelinkt und ausgeführt. Außerdem können weitere Tools, wie z.B. ein Debugger, gestartet werden.

Wichtig: Enthält die Quelldatei auch nur einen *Syntaxfehler*, so zeigt dies der Compiler mit einer *Fehlermeldung* an. Darüber hinaus können weitere Fehlermeldungen ausgegeben werden, die darauf beruhen, dass der Compiler versucht, trotz des Fehlers weiter zu übersetzen. Beginnen Sie also immer mit der Korrektur des ersten Fehlers in einem Programm.

Neben den eigentlichen Fehlermeldungen gibt der Compiler auch *Warnungen* aus. Eine Warnung zeigt keinen Syntaxfehler an, sondern ist lediglich ein Hinweis auf einen möglichen logischen Fehler, wie beispielsweise die Verwendung einer nicht initialisierten Variablen.

Ein erstes C++-Programm

Beispielprogramm

```cpp
#include <iostream>
using namespace std;

int main()
{
    cout << "Viel Spaß mit C++!" << endl;
    return 0;
}
```

Bildschirmausgabe

```
Viel Spaß mit C++!
```

Die Struktur der Funktion main()

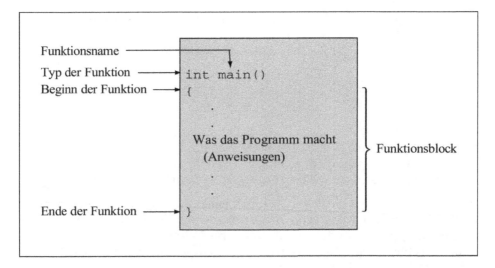

Ein C++-Programm besteht aus Objekten mit ihren *Elementfunktionen* und aus *globalen Funktionen,* die zu keiner Klasse gehören. Jede Funktion löst eine bestimmte Aufgabe und kann andere Funktionen aufrufen. Sie ist entweder selbsterstellt oder eine fertige Routine aus der Standardbibliothek. Die globale Funktion main() muss immer selbst geschrieben werden und hat eine besondere Rolle: Sie bildet das Hauptprogramm.

Anhand des nebenstehenden kurzen Beispielprogramms lassen sich bereits die wichtigsten Elemente eines C++-Programms erkennen. Das Programm enthält nur die Funktion main() und gibt eine Meldung auf dem Bildschirm aus.

Die erste Zeile beginnt mit einem Doppelkreuz # und ist daher für den *Präprozessor* bestimmt. Der Präprozessor ist Teil der ersten Übersetzungsphase, in der noch kein Objektcode erzeugt wird. Mit

```
#include <dateiname>
```

kopiert der Präprozessor die genannte Datei an diese Stelle in den Quellcode. Dadurch stehen dem Programm alle Informationen zur Verfügung, die in dieser Datei enthalten sind.

Die Header-Datei iostream enthält Vereinbarungen für die Ein-/Ausgabe mit Streams. Der Begriff *Stream* (dt. Strom) spiegelt die Situation wider, dass Zeichenfolgen wie ein Datenstrom behandelt werden.

Die in C++ vordefinierten Namen befinden sich im Namensbereich std (standard). Die anschließende using-Direktive erlaubt, die Namen aus dem Namensbereich *(Namespace)* std direkt zu verwenden.

Die Programmausführung beginnt mit der ersten Anweisung in der Funktion main(), die daher in jedem C++-Programm vorhanden sein muss. Nebenstehend ist die Struktur der Funktion dargestellt. Sie unterscheidet sich, abgesehen vom feststehenden Namen, nicht von der Struktur anderer Funktionen.

In unserem Beispiel enthält die Funktion main() zwei *Anweisungen.* Die erste

```
cout << "Viel Spaß mit C++!" << endl;
```

gibt den Text Viel Spaß mit C++! auf dem Bildschirm aus. Der Name cout (console output) bezeichnet ein Objekt, das die Ausgabe durchführt.

Die beiden Kleiner-Zeichen << deuten an, dass die Zeichen in den Ausgabestrom „geschoben" werden. Mit endl (end of line) wird anschließend ein Zeilenvorschub ausgelöst. Die zweite Anweisung

```
return 0;
```

beendet die Funktion main() und damit das Programm. Dabei wird der Wert 0 dem aufrufenden Programm als Exit-Code zurückgegeben. Es ist üblich, den Exit-Code 0 zu verwenden, wenn das Programm korrekt abgelaufen ist.

Beachten Sie, dass die Anweisungen mit einem Semikolon enden. Die kürzeste Anweisung besteht übrigens nur aus einem Semikolon und bewirkt nichts.

Struktur einfacher C++-Programme

Ein C++-Programm mit mehreren Funktionen

```cpp
/*********************************************************
   Ein Programm mit mehreren Funktionen und Kommentaren
 *********************************************************/

#include <iostream>
using namespace std;

void linie(), meldung();                // Prototypen

int main()
{
   cout << "Hallo! Das Programm startet in main()."
        << endl;
   linie();
   meldung();
   linie();
   cout << "Jetzt am Ende von main()." << endl;

   return 0;
}

void linie()                // Eine Linie ausgeben.
{
   cout << "-------------------------------" << endl;
}

void meldung()                // Eine Meldung ausgeben.
{
   cout << "In der Funktion meldung()." << endl;
}
```

Bildschirmausgabe

```
Hallo! Das Programm startet in main().
-------------------------------
In der Funktion meldung().
-------------------------------
Jetzt am Ende von main().
```

Das nebenstehende Beispiel zeigt, wie ein C++-Programm strukturiert ist, das aus mehreren Funktionen besteht. Die Reihenfolge, in der Funktionen definiert werden, ist in C++ nicht vorgeschrieben. Zum Beispiel könnte auch zuerst die Funktion `meldung()`, dann die Funktion `linie()` und schließlich die main-Funktion geschrieben werden.

Üblicherweise wird die Funktion `main()` zuerst angegeben, da sie den Programmablauf steuert. Es werden also Funktionen aufgerufen, die erst später definiert werden. Dies ist möglich, da der Compiler mit dem *Prototyp* einer Funktion die notwendigen Informationen erhält.

Neu in diesem Beispiel sind die *Kommentare*. Jede Zeichenfolge, die durch `/* . . . */` eingeschlossen ist oder mit `//` beginnt, ist ein Kommentar.

Beispiele: `/* Ich darf mehrere Zeilen lang sein */`
`// Ich bin ein Einzeilen-Kommentar`

Beim Einzeilen-Kommentar ignoriert der Compiler ab den Zeichen `//` alle Zeichen bis zum Zeilenende. Kommentare, die sich über mehrere Zeilen erstrecken, sind bei der Fehlersuche nützlich, um ganze Programmteile auszublenden. Jede der beiden Kommentarformen kann auch benutzt werden, um die andere auszukommentieren.

Zum *Layout* einer Quelldatei: Der Compiler bearbeitet jede Quelldatei sequenziell und zerlegt den Inhalt in „Token" (kleinste Bestandteile), wie z.B. Funktionsnamen und Operatoren. Token können durch beliebig viele Zwischenraumzeichen getrennt sein, also durch Leer-, Tabulator- oder Newline-Zeichen. Es kommt daher nur auf die Reihenfolge des Quellcodes an, nicht auf ein bestimmtes Layout, wie etwa die Aufteilung in Zeilen und Spalten. Beispielsweise ist

```
void meldung
    (  ){ cout <<
    "In der Funktion meldung()." <<
endl;}
```

zwar eine schlecht lesbare, aber korrekte Definition der Funktion `meldung()`.

Eine Ausnahme hinsichtlich des Layouts bilden die Präprozessor-Direktiven, die stets eine eigene Zeile einnehmen. Dem Doppelkreuz # zu Beginn einer Zeile dürfen nur Leer- und Tabulatorzeichen vorangehen.

Zur besseren Lesbarkeit von C++-Programmen ist es von Vorteil, einen einheitlichen Stil in der Darstellung beizubehalten. Dabei sollten Einrückungen und Leerzeilen gemäß der Programmstruktur eingefügt werden. Außerdem ist eine großzügige Kommentierung wichtig.

Übungen

Programm-Listing zur 3. Aufgabe

```cpp
#include <iostream>
using namespace std;

void pause();          // Prototyp

int main()
{
   cout << endl << "Lieber Leser, "
        << endl << "goennen Sie"
        << " sich jetzt eine ";
   pause();
   cout << "!" << endl;

   return 0;
}

void pause()
{
   cout << "PAUSE";
}
```

1. Aufgabe

Erstellen Sie ein C++-Programm, das den folgenden Text auf dem Bildschirm ausgibt:

```
Moegen
taeten wir schon wollen,
aber koennen
haben wir uns nicht getraut!
```

Verwenden Sie den Manipulator endl an den entsprechenden Stellen.

2. Aufgabe

Das folgende Programm enthält lauter Fehler:

```
*/ Hier sollte man die Brille nicht vergessen //
#include <stream>
int main
{
    cout << "Wenn dieser Text",
    cout >> " auf Ihrem Bildschirm erscheint, ";
    cout << " endl;"
    cout << 'können Sie sich auf die Schulter '
         << "klopfen!"  << endl.
    return 0;
)
```

Korrigieren Sie die Fehler, und testen Sie die Lauffähigkeit des Programms.

3. Aufgabe

Was gibt das nebenstehende C++-Programm auf dem Bildschirm aus?

Lösungen

Zur 1. Aufgabe:

```cpp
// Auf geht's !

#include <iostream>
using namespace std;

int main()
{
    cout << "Moegen " << endl;
    cout << "taeten wir schon wollen" << endl;
    cout << "aber koennen " << endl;
    cout << "haben wir uns nicht getraut!" << endl;

    return 0;
}
```

Zur 2. Aufgabe:

Die korrigierten Stellen sind unterstrichen.

```cpp
/* Hier sollte man die Brille nicht vergessen */
#include <iostream>

using namespace std;
int main()
{
    cout << "Wenn dieser Text";
    cout << " auf Ihrem Bildschirm erscheint, ";
    cout << endl;
    cout << "können Sie sich auf die Schulter "
        << "klopfen!" << endl;
    return 0;

}
```

Zur 3. Aufgabe:

Die Bildschirmausgabe des Programms beginnt in einer neuen Zeile:

```
Lieber Leser,
goennen Sie sich jetzt eine PAUSE!
```

Kapitel 2

Elementare Datentypen, Konstanten und Variablen

In diesem Kapitel werden Sie die grundlegenden Typen und Objekte kennenlernen, mit denen ein Programm arbeitet.

Elementare Datentypen

Übersicht *)

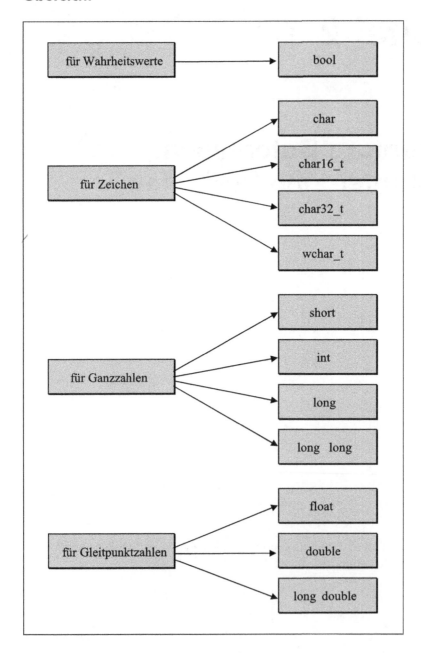

*) Ohne den Datentyp void, der später behandelt wird.

Ein Programm benutzt zur Lösung einer Aufgabe verschiedenartige Daten, z.B. Zeichen, Ganzzahlen oder Gleitpunktzahlen. Da diese vom Computer unterschiedlich bearbeitet und gespeichert werden, muss der *Typ* der Daten bekannt sein. Ein Datentyp bestimmt:

1. die Art der internen Darstellung der Daten

2. die Größe des dazu benötigten Speicherplatzes

Beispielsweise kann eine ganze Zahl wie -1000 in zwei oder vier Bytes gespeichert werden. Wenn diese Speicherstelle wieder gelesen wird, ist es wichtig, die richtige Anzahl an Bytes zu lesen. Außerdem muss der Inhalt, also das gelesene Bitmuster, richtig interpretiert werden, nämlich als ganze Zahl mit Vorzeichen.

Der C++-Compiler kennt die nebenstehend aufgeführten elementaren Datentypen, auf denen alle weiteren Datentypen (Vektoren, Zeiger, Klassen, ...) aufbauen.

Der Datentyp bool

Das Ergebnis eines Vergleichs oder einer logischen Verknüpfung mit UND bzw. ODER ist ein Wahrheitswert (*boolescher Wert*), der wahr oder falsch sein kann. Zur Darstellung boolescher Werte gibt es in C++ den Typ bool. Ein Ausdruck vom Typ bool besitzt entweder den Wert true (wahr) oder false (falsch). Dabei wird true intern durch den numerischen Wert 1 und false durch 0 repräsentiert.

Die Datentypen für Zeichen

Jedem Zeichen ist eine ganze Zahl, der so genannte *Zeichencode*, zugeordnet, beispielsweise dem Zeichen A der Code 65. Die Zuordnung ist durch den verwendeten Zeichensatz definiert.

In C++ ist nicht festgelegt, welcher Zeichensatz zu verwenden ist. Üblich ist ein Zeichensatz, der den *ASCII-Code* (American Standard Code for Information Interchange) enthält. Dieser 7-Bit-Code definiert die Codes von 33 Steuerzeichen (Codes 0-31 u. 127) und 95 druckbaren Zeichen (Codes 32-126).

Mit dem Typ char („character") werden Zeichencodes in einem Byte (= 8 Bits) gespeichert. Das genügt für einen erweiterten Zeichensatz, z.B. für den ANSI-Zeichensatz, der außer den Zeichen des ASCII-Codes weitere Zeichen, wie etwa deutsche Umlaute, enthält.

Der Typ wchar_t („wide character type") ist mindestens 2 Bytes (= 16 Bits) groß. Dieser Typ ist geeignet, die Codes aller Zeichen zu speichern, die bei der Ausführung des Programms vorkommen können.

Mit den neuen Typen char16_t und char32_t unterstützt C++ die *Unicode-Standards* UTF-16 und UTF-32 („*Unicode transformation formats*"). Unicode wird von allen modernen Systemen verwendet und die Codierung stimmt mit der des Standards ISO 10646 überein. In der Version 6.0 von 2011 umfasst der Unicode mehr als 100.000 Zeichen aus nahezu allen Schriften der Welt.

Elementare Datentypen (Fortsetzung)

Die ganzzahligen Datentypen

Typ	Speicherplatz	Wertebereich (dezimal)
char	1 Byte	-128 bis +127 bzw. 0 bis 255
unsigned char	1 Byte	0 bis 255
signed char	1 Byte	-128 bis +127
int	2 Byte bzw. 4 Byte	-32768 bis +32767 bzw. -2147483648 bis +2147483647
unsigned int	2 Byte bzw. 4 Byte	0 bis 65535 bzw. 0 bis 4294967295
short	2 Byte	-32768 bis +32767
unsigned short	2 Byte	0 bis 65535
long	4 Byte	-2147483648 bis +2147483647
unsigned long	4 Byte	0 bis 4294967295
long long	8 Byte	-9223372036854775808 bis +9223372036854775807
unsigned long long	8 Byte	0 bis 18446744073709551615

Beispielprogramm

```cpp
#include <iostream>
#include <climits>          // Definition von INT_MIN, ...
using namespace std;

int main()
{
  cout << "Wertebereiche der Typen int und unsigned int"
       << endl << endl;
  cout << "Typ              Minimum            Maximum"
       << endl
       << "-----------------------------------------------"
       << endl;

  cout << "int              " <<   INT_MIN << "              "
                              <<   INT_MAX << endl;

  cout << "unsigned int     " << "              0            "
                              << UINT_MAX << endl;
  return 0;
}
```

Ganzzahlige Datentypen

Für das Arbeiten mit ganzen Zahlen stehen die Datentypen `short`, `int`, `long` und `long long` zur Verfügung. Sie unterscheiden sich durch ihre Wertebereiche. In der nebenstehenden Tabelle sind die ganzzahligen Datentypen mit dem üblichen Speicherbedarf und dem entsprechenden Wertebereich zusammengestellt.

Der Datentyp `int` „integer" ist bestmöglich an den Rechner angepasst, da seine Länge der eines Maschinenregisters entspricht. Auf 16-Bit-Rechnern ist also `int` gleichwertig mit `short`, auf 32-Bit-Rechnern ist `int` gleichwertig mit `long`.

In C++ werden Zeichencodes wie gewöhnliche Ganzzahlen behandelt. Daher kann auch mit Variablen vom Typ `char` wie mit Variablen vom Typ `int` gerechnet werden. `char` ist ein ganzzahliger Datentyp mit der Größe 1 Byte. Daraus ergibt sich ein Wertebereich von -128 bis +127 bzw. von 0 bis 255, je nachdem, ob der Compiler den Typ `char` mit oder ohne Vorzeichen interpretiert. Dies ist in C++ nicht festgelegt.

Die Zeichentypen `char16_t`, `char32_t` und `wchar_t` entsprechen jeweils einem anderen ganzzahligen Typ. So ist `wchar_t` gewöhnlich als `unsigned short` definiert.

Die Modifizierer signed und unsigned

Die Datentypen `short`, `int` und `long` werden standardmäßig mit Vorzeichen interpretiert, wobei intern das höchstwertige Bit das Vorzeichen bestimmt. Diesen ganzzahligen Datentypen kann das Schlüsselwort `unsigned` vorangestellt werden. Die Größe des benötigten Speicherplatzes bleibt dabei erhalten. Nur der Wertebereich ändert sich, da das höchstwertige Bit nicht mehr als Vorzeichen-Bit fungiert. Das Schlüsselwort `unsigned` allein kann als Abkürzung für `unsigned int` verwendet werden.

Auch der Datentyp `char` wird normalerweise mit Vorzeichen interpretiert. Da dies aber nicht festgelegt ist, steht zusätzlich das Schlüsselwort `signed` zur Verfügung. Man unterscheidet also die drei Datentypen `char`, `signed char` und `unsigned char`.

 In C++ ist die Größe der ganzzahligen Datentypen nicht festgelegt. Es gilt aber die Reihenfolge

> `char <= short <= int <= long <= long long`

Außerdem ist der Typ `short` mindestens 2 Byte und der Typ `long` mindestens 4 Byte lang.

Die aktuellen Wertebereiche können der Header-Datei `climits` entnommen werden. In dieser Datei sind Konstanten wie `CHAR_MIN`, `CHAR_MAX`, `INT_MIN`, `INT_MAX` usw. definiert, die den kleinsten bzw. größten Wert beinhalten. Das nebenstehende Programm gibt den Wert dieser Konstanten für die Datentypen `int` und `unsigned int` aus.

Elementare Datentypen (Fortsetzung)

Die Datentypen für Gleitpunktzahlen

Typ	Speicherplatz	Wertebereich	kleinste positive Zahl	Genauigkeit (dezimal)
float	4 Bytes	± 3.4E+38	1.2E-38	6 Stellen
double	8 Bytes	± 1.7E+308	2.3E-308	15 Stellen
long double	10 Bytes	± 1.1E+4932	3.4E-4932	19 Stellen

  Zur Darstellung der Gleitpunktzahlen wird üblicherweise das IEEE-Format (IEEE = Institute of Electrical and Electronical Engineers) verwendet. Von dieser Darstellung wird in der obigen Tabelle ausgegangen.

Die arithmetischen Typen

Arithmetic types

Integral types
```
    bool,
    char, signed char, unsigned char,
    wchar_t, char16_t, char32_t
    short, unsigned short,
    int, unsigned int,
    long, unsigned long, long long, unsigned long long
```

Floating point types
```
    float,
    double
    long double
```

  Für die arithmetischen Typen sind die arithmetischen Operatoren definiert, das heißt, mit Variablen dieses Typs kann gerechnet werden.

Typen für Gleitpunktzahlen

Zahlen mit gebrochenem Anteil werden in C++ mit einem Dezimalpunkt geschrieben und daher Gleitpunktzahlen genannt. Im Unterschied zu den ganzen Zahlen können Gleitpunktzahlen nur mit einer bestimmten Genauigkeit gespeichert werden. Zum Arbeiten mit Gleitpunktzahlen stehen die drei folgenden Typen zur Verfügung:

`float`	für einfache Genauigkeit
`double`	für doppelte Genauigkeit
`long double`	für sehr hohe Genauigkeit

Der Wertebereich und die Genauigkeit dieser Datentypen ergeben sich aus der Größe des Speicherplatzes und aus der internen Darstellung.

Die Genauigkeit wird in „Anzahl der Dezimalziffern" angegeben. So bedeutet „6 Stellen genau", dass zwei Gleitpunktzahlen, die sich innerhalb der ersten sechs Dezimalziffern unterscheiden, auch verschieden gespeichert werden können. Umgekehrt ist beispielsweise bei einer Genauigkeit von sechs Stellen nicht garantiert, dass die Zahlen 12.3456 und 12.34561 unterscheidbar sind. Dabei kommt es nur auf die Ziffernfolge an, nicht aber auf die Position des Punktes.

Sollten maschinenabhängige Größen der Gleitpunktdarstellung in einem Programm wichtig sein, so können die entsprechenden Werte der Header-Datei `cfloat` entnommen werden.

Für den interessierten Leser ist im Anhang dieses Buches ein Abschnitt enthalten, der die binäre Zahlendarstellung im Rechner beschreibt, und zwar sowohl für ganze Zahlen als auch für Gleitpunktzahlen.

Der Operator sizeof

Der benötigte Speicherplatz für Objekte eines bestimmten Datentyps kann mit dem `sizeof`-Operator ermittelt werden:

```
sizeof(name)
```

gibt die Größe eines Objekts mit der Anzahl der Bytes an, wobei `name` den Typ oder das Objekt bezeichnet. Beispielsweise hat `sizeof(int)` je nach Rechner den Wert 2 oder 4. Dagegen ist `sizeof(float)` stets 4.

Klassifizierung

Die elementaren Datentypen in C++ bestehen aus den ganzzahligen Typen (engl. *integral types*), den Gleitpunkttypen (engl. *floating point types*) und dem Typ `void`. Die Typen für Ganzzahlen und Gleitpunktzahlen werden zusammen auch als arithmetische Typen (engl. *arithmetic types*) bezeichnet, da für diese Datentypen die arithmetischen Operatoren definiert sind.

Der Typ `void` wird unter anderem für Ausdrücke benötigt, die keinen Wert darstellen. So kann z.B. ein Funktionsaufruf den Typ `void` besitzen.

Konstanten

Beispiele für ganzzahlige Konstanten

In jeder Zeile dieser Tabelle ist derselbe Wert verschieden dargestellt.

Dezimal	oktal	hexadezimal	Datentyp
16	020	0x10	int
255	0377	0Xff	int
32767	077777	0x7FFF	int
32768U	0100000U	0x8000U	unsigned int
100000	0303240	0x186A0	int (auf 32/64-Bit-) long (auf 16-Bit-Rechnern)
10L	012L	0xAL	long
27UL	033ul	0x1bUL	unsigned long
2147483648	020000000000	0x80000000	unsigned long

1. In C++ kann das Hochkomma ' als Trenner von Ziffern verwendet werden. Beispielsweise ist 1 Million als 1'000'000 darstellbar.

2. Mit dem Präfix 0b oder 0B kann in C++ eine Zahl auch binär (Basis 2) geschrieben werden. Beispielsweise stellt 0B101 die Zahl 5 dar.

Beispielprogramm

```cpp
// Hexadezimale Zahl dezimal ausgeben und umgekehrt.
//
#include <iostream>
using namespace std;

int main()
{
  // cout gibt ganze Zahlen standardmäßig dezimal aus:
  cout << "Wert von 0xFF = " << 0xFF << " dezimal"
       << endl;                  // Ausgabe: 255 dezimal
  // Der Manipulator hex stellt die Ausgabe auf
  // hexadezimal um (dec wieder auf dezimal):
  cout << "Wert von 27 = " << hex << 27 <<" hexadezimal"
       << endl;                  // Ausgabe: 1b hexadezimal

  return 0;
}
```

Eine Konstante, auch *Literal* genannt, ist eines der booleschen Schlüsselworte `true` oder `false`, eine Zahl, ein Zeichen oder eine Zeichenkette. Zeichenketten heißen auch Strings. Entsprechend unterscheidet man:

- *boolesche Konstanten*
- *numerische Konstanten*
- *Zeichenkonstanten*
- *String-Konstanten*

Jede Konstante repräsentiert einen Wert und besitzt deshalb – wie jeder Ausdruck in C++ – einen Typ. Um welchen Typ es sich dabei handelt, ergibt sich aus der Schreibweise der Konstanten.

Boolesche Konstanten

Für die beiden möglichen Werte eines booleschen Ausdrucks sind die Schlüsselworte `true` („wahr") und `false` („falsch") definiert. Beide Konstanten haben den Datentyp `bool`. Sie können z.B. benutzt werden, um Flags (= Schalter) zu setzen, die nur zwei Zustände darstellen.

Ganzzahlige Konstanten

Ganzzahlige numerische Konstanten können als gewöhnliche Dezimalzahlen, Oktalzahlen oder Hexadezimalzahlen dargestellt werden:

- Eine *dezimale Konstante* (Basis 10) beginnt mit einer von 0 verschiedenen, dezimalen Ziffer, z.B. 109 oder 987650.
- Eine *oktale Konstante* (Basis 8) beginnt mit einer führenden 0, z.B. 077 oder 01234567.
- Eine *hexadezimale Konstante* (Basis 16) beginnt mit den beiden Zeichen 0x oder 0X, z.B. 0x2A0 oder 0X4b1C. Die hexadezimalen Ziffern können groß- oder kleingeschrieben werden.

Ganzzahlige Konstanten sind in der Regel vom Typ `int`. Nur wenn der Wert der Konstanten für den Typ `int` zu groß ist, bekommt sie den nächst „größeren" Datentyp, der den Wert repräsentieren kann. Für dezimale Konstanten gilt die Abstufung:

```
int, long, unsigned long, long long, unsigned long long
```

Der Datentyp einer Konstanten kann auch direkt durch Anhängen der Buchstaben `L` oder `l` (für `long`), `LL` oder `ll` (für `long long`) und `U` oder `u` (für `unsigned`) festgelegt werden. So besitzen beispielsweise

`12L`	und	`12l`	den Typ `long`
`12LL`	und	`12ll`	den Typ `long long`
`12U`	und	`12u`	den Typ `unsigned int`
`12UL`	und	`12ul`	den Typ `unsigned long`

45

Konstanten (Fortsetzung)

Beispiele für Gleitpunktkonstanten

In jeder Spalte der folgenden Tabelle ist derselbe Wert verschieden dargestellt.

5.19	12.	0.75	0.00004
0.519E1	12.0	.75	0.4e-4
0.0519e2	.12E+2	7.5e-1	.4E-4
519.0E-2	12e0	75E-2	4E-5

Der C++-Standard erlaubt das Trennzeichen ' auch in Gleitpunktkonstanten. So kann die Zahl 0.00004 auch als 0.000'04 oder 0.00'00'4 geschrieben werden.

Beispiele für Zeichenkonstanten

Konstante	Zeichen	Wert der Konstanten (ASCII-Code dezimal)
'A'	Großbuchstabe A	65
'a'	Kleinbuchstabe a	97
' '	Leerzeichen	32
'.'	Punkt	46
'0'	Ziffer 0	48
'\0'	Stringende-Zeichen	0

Interne Darstellung einer String-Konstanten

String-Konstante: "Hallo!"

Im Speicher abgelegt als Byte-Folge:

'H'	'a'	'l'	'l'	'o'	'!'	'\0'

Gleitpunktkonstanten

Gleitpunktzahlen werden immer dezimal dargestellt, wobei der gebrochene Anteil durch einen Punkt vom ganzzahligen Anteil getrennt ist. Es ist auch die exponentielle Schreibweise möglich.

Beispiele: 27.1 1.8E-2 // Typ: double

Hierbei stellt 1.8E-2 den Wert $1.8*10^{-2}$ dar. Für E darf auch e geschrieben werden. Zur Unterscheidung von Gleitpunktzahlen und ganzzahligen Konstanten ist der Dezimalpunkt oder die Angabe von E bzw. e stets notwendig.

Jede Gleitpunktkonstante besitzt den Typ double. Der Typ kann aber durch Anhängen von F oder f als float, durch Anhängen von L oder l als long double festgelegt werden.

Zeichenkonstanten

Eine Zeichenkonstante ist ein Zeichen, das in *einfachen* Anführungszeichen eingeschlossen ist. Zeichenkonstanten haben den Typ char.

Beispiel: 'A' // Typ: char

Der numerische Wert ist der Zeichencode, durch den das Zeichen repräsentiert wird. Im ASCII-Code besitzt beispielsweise die Konstante 'A' den Wert 65.

String-Konstanten

Im Zusammenhang mit dem Stream cout haben Sie bereits String-Konstanten kennengelernt. String-Konstanten bestehen aus einer Folge von Zeichen, die in *doppelten* Anführungszeichen eingeschlossen sind.

Beispiel: "Heute ist ein schöner Tag!"

Intern wird die Zeichenfolge ohne Anführungszeichen, aber mit einem *Stringende-Zeichen* \0 gespeichert. Dabei steht \0 für ein Byte mit dem numerischen Wert 0, das heißt, alle Bits sind im Byte auf 0 gesetzt. Ein String benötigt deshalb ein Byte mehr Speicherplatz als die Anzahl der Zeichen, die er enthält. Der *leere String* "" belegt genau ein Byte.

Das Stringende-Zeichen \0 ist von der Ziffer 0 zu unterscheiden, die einen von null verschiedenen Zeichencode besitzt. So besteht der String

Beispiel: "0"

aus zwei Bytes: Das erste Byte enthält den Code für das Zeichen 0 (im ASCII-Code: 48) und das zweite Byte den Wert 0.

Das Stringende-Zeichen \0 ist ein Beispiel für eine Escape-Sequenz. Escape-Sequenzen werden im Folgenden besprochen.

Escape-Sequenzen

Einzelzeichen	Bedeutung	ASCII-Wert (dezimal)
\a	alert (BEL)	7
\b	backspace (BS)	8
\t	horizontal tab (HT)	9
\n	line feed (LF)	10
\v	vertical tab (VT)	11
\f	form feed (FF)	12
\r	carriage return (CR)	13
\"	"	34
\'	'	39
\?	?	63
\\	\	92
\0	Stringende-Zeichen	0
\ooo (bis zu drei Oktalziffern)	numerischer Wert eines Zeichens	ooo (oktal!)
\xhh (Folge von Hex-Ziffern)	numerischer Wert eines Zeichens	hh (hexadezimal!)

Beispielprogramm

```cpp
#include <iostream>
using namespace std;

int main()
{
   cout << "\nDies ist\t ein String\n\t\t"
           " mit \"vielen\" Escape-Sequenzen!\n";
   return 0;
}
```

Ausgabe des Programms:

```
Dies ist        ein String
mit             "vielen" Escape-Sequenzen!
```

Verwendung von Steuerzeichen und Sonderzeichen

Grafisch nicht darstellbare Zeichen können als *Escape-Sequenzen* angegeben werden, z.B. \t für das Tabulatorzeichen.

Die Wirkung der Steuerzeichen ist geräteabhängig. Zum Beispiel ist die Wirkung von \t abhängig von der Einstellung für die Tabulatorbreite. Diese ist gewöhnlich 8. Sie kann aber auch einen anderen Wert haben.

Eine Escape-Sequenz beginnt stets mit \ (Backslash) und repräsentiert ein Einzelzeichen. Die standardisierten Escape-Sequenzen, ihre Bedeutung und ihr dezimaler Wert sind nebenstehend aufgelistet.

Mit den oktalen und hexadezimalen Escape-Sequenzen kann ein beliebiger Zeichencode erzeugt werden. So könnte z.B. im ASCII-Code das Zeichen A (dezimal 65) auch durch \101 (drei Oktalziffern) oder \x41 (zwei Hex-Ziffern) dargestellt werden. Üblicherweise werden Escape-Sequenzen nur für nicht druckbare Zeichen und Sonderzeichen benutzt. Beispielsweise beginnen die Steuerkommandos für den Bildschirmtreiber und den Drucker mit dem Zeichen ESC (dezimal 27), das durch \33 oder \x1b dargestellt wird.

Escape-Sequenzen werden in Zeichen- und in String-Konstanten verwendet.

Beispiele: '\t'   "\tHallo\n\tAnton!"

Die Zeichen ', " und \ verlieren ihre Sonderbedeutung durch einen vorangestellten Backslash, das heißt, sie sind durch \', \" bzw. \\ darstellbar.

In Strings sollten bei oktalen Escape-Sequenzen stets drei Oktalziffern angegeben werden, z.B. \033 statt \33. Dadurch wird vermieden, dass eine eventuell nachfolgende Ziffer zur Escape-Sequenz gerechnet wird. Bei einer hexadezimalen Escape-Sequenz gibt es keine maximale Anzahl von Ziffern. Die Folge von Hex-Ziffern endet mit dem ersten Zeichen, das keine Hex-Ziffer ist.

Das nebenstehende Beispielprogramm demonstriert die Verwendung von Escape-Sequenzen in einem String. Neu ist außerdem, dass der String sich über zwei Zeilen erstreckt: String-Konstanten, die nur durch Zwischenraumzeichen getrennt sind, werden zu *einem* String zusammengezogen.

Eine andere Möglichkeit, einen String in der nächsten Zeile fortzusetzen, besteht darin, als letztes Zeichen \ (Backslash) in der Zeile einzugeben, die Return-Taste zu drücken und in der nächsten Zeile den String weiterzuschreiben.

Beispiel: "Ich bin ein sooooo\
        langer String"

Hierbei ist zu beachten, dass in der zweiten Zeile die führenden Leerzeichen auch zum String gehören. Daher ist im Allgemeinen die erste Methode vorzuziehen, nämlich den String mit " zu schließen und mit " wieder zu öffnen.

Namen

Schlüsselworte in C++

alignas	continue	friend	register	true
alignof	decltype	goto	reinterpret_cast	try
asm	default	if	return	typedef
auto	delete	inline	short	typeid
bool	do	int	signed	typename
break	double	long	sizeof	union
case	dynamic_cast	mutable	static	unsigned
catch	else	namespace	static_assert	using
char	enum	new	static_cast	virtual
char16_t	explicit	noexcept	struct	void
char32_t	export	nullptr	switch	volatile
class	extern	operator	template	wchar_t
const	false	private	this	while
constexpr	float	protected	thread_local	
const_cast	for	public	throw	

Beispiele für Namen

gültig:

a	DM	dm	VOID
_var	SetTextColor		
B12	top_of_window		
ein_sehr_langer_name123467890			

ungültig:

goto	586_cpu	Hans-Otto
zähler	true	US$

Zulässige Namen

In einem Programm werden z.B. Variablen und Funktionen über *Namen* angesprochen. Für die Bildung von Namen, auch Bezeichner (engl. identifier) genannt, gelten folgende Regeln:

- Ein Name besteht aus einer Folge von Buchstaben, Ziffern oder Unterstrichen (_). Deutsche Umlaute und der Buchstabe ß sind nicht zulässig. Groß- und Kleinbuchstaben werden unterschieden.

- Das erste Zeichen muss ein Buchstabe oder Unterstrich sein.

- Ein Name kann beliebig lang sein. Alle Zeichen sind signifikant.

- Jedes Schlüsselwort in C++ ist reserviert und darf nicht als Name benutzt werden.

Die C++-Schlüsselworte sowie Beispiele für gültige und ungültige Namen sind nebenstehend aufgelistet.

Der C++-Compiler benutzt systemintern Namen, die mit zwei Unterstrichen oder mit einem Unterstrich und einem nachfolgenden Großbuchstaben beginnen. Um Verwechslungen mit diesen Namen zu vermeiden, sollte der Unterstrich nicht als erstes Zeichen verwendet werden.

Der Linker beachtet in der Regel nur eine begrenzte Anzahl von Zeichen, beispielsweise nur die ersten acht Zeichen eines Namens. Aus diesem Grund sollten Namen für globale Objekte, wie z.B. Funktionsnamen, so gewählt werden, dass die ersten acht Zeichen signifikant sind.

Konventionen

In C++ ist es üblich, für die Namen von Variablen und Funktionen kleine Buchstaben zu benutzen. Mit einigen Variablennamen wird eine bestimmte Verwendung assoziiert.

Beispiele:	`c, ch`	für Zeichen
	`i, j, k, l, m, n`	für ganze Zahlen, besonders Indizes
	`x, y, z`	für Gleitpunktzahlen

Zur besseren Lesbarkeit von Programmen sollten im Allgemeinen aber längere „sprechende" Namen gewählt werden, wie beispielsweise `start_index` oder `startIndex` für den ersten Index aus einem Bereich.

Bei Software-Projekten sind gewöhnlich bestimmte Namenskonventionen einzuhalten. Beispielsweise werden für Namen von Variablen bestimmte Präfixe vorgegeben, aus denen der Typ der Variablen hervorgeht.

Variablen

Beispielprogramm

```cpp
// Definition und Verwendung von Variablen
#include <iostream>
using namespace std;

int gVar1;                  // globale Variablen,
int gVar2 = 2;              // explizite Initialisierung

int main()
{
   char ch('A');  // lokale Variable mit Initialisierung
                  // oder:  char ch = 'A';

   cout << "Wert von gVar1:  " << gVar1  << endl;
   cout << "Wert von gVar2:  " << gVar2  << endl;
   cout << "Zeichen in ch :  " << ch     << endl;

   int summe, zahl = 3;    // lokale Variablen mit
                           // und ohne Initialisierung
   summe = zahl + 5;
   cout << "Wert von summe:  " << summe  << endl;

   return 0;
}
```

Bildschirmausgabe

```
Wert von gVar1:  0
Wert von gVar2:  2
Zeichen in ch :  A
Wert von summe:  8
```

 Über cout können außer Strings alle Werte mit einem elementaren Datentyp ausgegeben werden. Die Ausgabe von ganzen Zahlen erfolgt standardmäßig dezimal.

 C++ ermöglicht die „automatische" Typableitung: Wird eine Variable in der Definition initialisiert, so kann der Compiler den Typ der Variablen automatisch aus dem Typ des Initialisierungswertes ableiten. Statt des Typs wird dann das Schlüsselwort auto angegeben. Ein Beispiel:
```cpp
auto z = 1.0;    // double-Variable, da 1.0 double.
```

Daten wie Zahlen, Zeichen oder ganze Datensätze werden in *Variablen* gespeichert, damit sie in einem Programm verarbeitet werden können. Variablen heißen auch *Objekte*, insbesondere dann, wenn sie vom Typ einer Klasse sind.

Definition von Variablen

Bevor eine Variable in einem Programm benutzt werden kann, muss sie definiert werden. Bei der *Definition*, auch *Vereinbarung* genannt, wird der Datentyp der Variablen festgelegt und der entsprechende Speicherplatz reserviert. Mit dem Namen der Variablen wird dieser Speicherplatz angesprochen. Eine einfache Definition hat folgende

Syntax: `typ name1 [, name2 ... ];`

Dadurch werden die in der Liste `name1 [, name2 ...]` angegebenen Namen als Variablen mit dem Datentyp `typ` vereinbart. In einer Syntaxbeschreibung bedeuten die Klammern `[ ... ]`, dass dieser Teil optional ist, d.h. fehlen kann. In einer Definition können also eine oder mehrere Variablen angegeben werden.

Beispiele: `char c;`
`int i, zaehler;`
`double x, y, size;`

Variablen dürfen in einem Programm außerhalb oder innerhalb von Funktionen definiert werden. Der Unterschied ist folgender:

- Eine außerhalb jeder Funktion definierte Variable ist *global*, d.h. in allen Funktionen verwendbar.

- Eine innerhalb einer Funktion definierte Variable ist *lokal*, d.h. nur in derselben Funktion verwendbar.

Lokale Variablen werden normalerweise unmittelbar hinter einer sich öffnenden geschweiften Klammer – etwa am Beginn einer Funktion – definiert. Sie können aber überall da stehen, wo eine Anweisung erlaubt ist. So lassen sich Variablen an der Stelle vereinbaren, an der sie direkt verwendet werden.

Initialisierung

Bei der Definition kann eine Variable initialisiert werden, d.h. einen Anfangswert erhalten. Die Initialisierung erfolgt, indem hinter dem Variablennamen

- ein Gleichheitszeichen (=) und ein Anfangswert angegeben werden oder

- der Anfangswert in runde oder geschweifte Klammern eingeschlossen wird.

Beispiele: `char c = 'a';`
`double x(1.75), y{-2.5};`

Nicht explizit initialisierte *globale* Variablen werden mit 0 vorbelegt. Dagegen haben nicht initialisierte *lokale* Variablen einen undefinierten Anfangswert.

Die Schlüsselworte const und volatile

Beispielprogramm

```cpp
// Umfang und Fläche eines Kreises mit Radius 1.5

#include <iostream>
using namespace std;

const double pi = 3.141593;

int main()
{
   double flaeche, umfang, radius = 1.5;

   flaeche = pi * radius * radius;
   umfang = 2 * pi * radius;

   cout << "\nKreisberechnung\n" << endl;

   cout << "Radius:    " << radius   << endl
        << "Umfang:    " << umfang   << endl
        << "Flaeche:   " << flaeche  << endl;

   return 0;
}
```

 Eine Gleitpunktzahl wird über cout standardmäßig mit maximal
sechs Ziffern ohne abschließende 0-Ziffern ausgegeben.

Bildschirmausgabe

```
Kreisberechnung

Radius:         1.5
Umfang:     9.42478
Flaeche:    7.06858
```

Ein Datentyp kann mit den Schlüsselworten `const` und `volatile` modifiziert werden.

Konstante Objekte

Das Schlüsselwort `const` wird verwendet, um ein „Read-only"-Objekt anzulegen. Da ein solches Objekt konstant ist, also nachträglich nicht mehr geändert werden kann, muss es bei der Definition initialisiert werden.

Beispiel: `const double pi = 3.1415947;`

Damit kann der Wert von `pi` durch das Programm nicht mehr verändert werden. Auch versehentlich gesetzte Anweisungen wie

```
pi = pi + 2.0;                               // unzulässig
```

erzeugen eine Fehlermeldung.

Volatile-Objekte

Mit dem selten benutzten Schlüsselwort `volatile` werden Variablen definiert, die nicht nur durch das Programm selbst, sondern auch durch andere Programme und Ereignisse von außerhalb veränderbar sind. Solche Ereignisse können etwa durch Interrupts einer Hardware-Uhr hervorgerufen werden.

Beispiel: `volatile unsigned long  clock_ticks;`

Auch wenn das Programm selbst die Variable nicht verändert, muss der Compiler davon ausgehen, dass sich der Wert der Variablen seit dem letzten Zugriff verändert haben kann. Der Compiler erzeugt daher einen Maschinencode, der bei jedem lesenden Zugriff auf die Variable den Wert erneut einliest (und nicht mit dem zuvor gelesenen Wert weiterarbeitet.)

Es ist auch möglich, in einer Variablendefinition die Schlüsselworte `const` und `volatile` zu kombinieren.

Beispiel: `volatile const unsigned time_to_live;`

Nach dieser Definition kann die Variable `time_to_live` zwar nicht durch das Programm, jedoch durch ein Ereignis von außerhalb verändert werden.

Übungen

Bildschirmausgabe zur 2. Aufgabe

```
ICH
        "SAUSE"
                \HIN\
        UND
/HER/
```

Zur 3. Aufgabe

Definition und Initialisierung von Variablen:

```
int a(2.5);                         const long breite;

int b = '?';                        char c('\'');

char z(500);                        unsigned char ch = '\201';

int big = 40000;                    unsigned size(40000);

double fläche(1.2E+5);              float val = 12345.12345;
```

1. Aufgabe

Mit dem sizeof-Operator kann die Anzahl der Bytes ermittelt werden, die Variablen eines bestimmten Datentyps im Hauptspeicher belegen. Beispielsweise hat `sizeof(short)` den Wert 2.

Schreiben Sie ein C++-Programm, das für jeden elementaren Datentyp die Größe des benötigten Speicherplatzes auf dem Bildschirm ausgibt.

2. Aufgabe

Schreiben Sie ein C++-Programm, das die nebenstehende Bildschirmausgabe erzeugt.

3. Aufgabe

Welche der nebenstehenden Variablendefinitionen ist nicht zulässig oder nicht sinnvoll?

4. Aufgabe

Erstellen Sie ein C++-Programm, in dem zwei Variablen für Gleitpunktzahlen definiert und mit den Werten

    123.456 und 76.543

initialisiert werden. Anschließend ist die Summe und die Differenz der beiden Zahlen am Bildschirm auszugeben.

Lösungen

Zur 1. Aufgabe:

```cpp
#include <iostream>
using namespace std;

int main()
{
    cout << "\nGroesse der elementaren Datentypen\n"
         << " Typ              Anzahl Bytes\n"
         << "---------------------------------" << endl;
    cout << " char:           " << sizeof(char) << endl;
    cout << " short:          " << sizeof(short)<< endl;
    cout << " int:            " << sizeof(int)  << endl;
    cout << " long:           " << sizeof(long) << endl;
    cout << " long long:      " << sizeof(long long) << endl;
    cout << " float:          " << sizeof(float)<< endl;
    cout << " double:         " << sizeof(double)<<endl;
    cout << " long double:    " << sizeof(long double)
         << endl;

    return 0;
}
```

Zur 2. Aufgabe:

```cpp
// Benutzung von Escape-Sequenzen

#include <iostream>
using namespace std;

int main()
{
    cout << "\n\n\t ICH"              // Statt der Tabs
            "\n\n\t\t \"SAUSE\""       // können auch
            "\n\n\t\t\t \\HIN\\"       // entsprechend
            "\n\n\t\t UND"             // viele Blanks
            "\n\n\t /HER/" << endl;    // ausgegeben
                                       // werden.
    return 0;
}
```

Lösungen (Fortsetzung)

Zur 3. Aufgabe:

Unzulässig oder nicht sinnvoll sind:

```
int a(2.5);              // 2.5 ist keine Ganzzahl.
const long breite;       // Initialisierung fehlt.
char z = 500;            // Der Wert 500 ist zu groß
                         // für ein Byte.
int big(40000);          // Vorsicht! Auf 16-Bit-Systemen
                         // sind int-Werte <= 32767.
double fläche(1.2E+5);   // Das Zeichen ä ist in
                         // Namen nicht erlaubt.
float val = 12345.12345; // Die Genauigkeit von float
                         // beträgt nur sechs Stellen.
```

Zur 4. Aufgabe:

```
// Definition und Initialisierung von Variablen

#include <iostream>
using namespace std;

int main()
{
   float x = 123.456F,              // oder double
         y = 76.543F,
         summe;

   summe = x + y;

   cout << "Summe:        "
        << x << " + " << y << " = " << summe << endl;

   cout << "Differenz:    "
        << x << " - " << y << " = " << (x - y) << endl;

   return 0;
}
```

Kapitel 3

Verwenden von Funktionen und Klassen

Dieses Kapitel beschreibt, wie

- Standardfunktionen deklariert und aufgerufen sowie

- Standardklassen eingesetzt

werden können. Hierbei wird auch die Verwendung der Standard-Header-Dateien beschrieben. Außerdem wird zum erstenmal mit String-Variablen gearbeitet, d.h. mit Objekten der Standardklasse `string`.

Die Definition eigener Funktionen und Klassen wird in einem späteren Kapitel vorgestellt.

Deklaration von Funktionen

Beispiel für den Prototyp einer Funktion

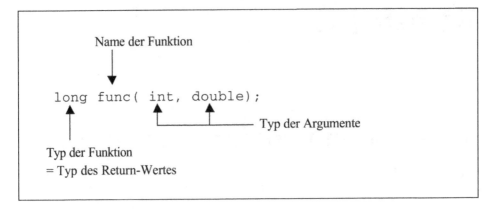

Der vorstehende Prototyp liefert dem Compiler folgende Informationen:

- func ist der Name einer Funktion.

- Die Funktion wird mit zwei Argumenten aufgerufen:
  Das erste Argument besitzt den Typ int, das zweite den Typ double.

- Der Return-Wert der Funktion ist vom Typ long.

Prototypen mathematischer Standardfunktionen

```
double sin( double);            // Sinus

double cos( double);            // Cosinus

double tan( double);            // Tangens

double atan( double);           // Arcustangens

double atan2( double, double);  // Arcustangens

double sqrt( double);           // Wurzel

double pow( double, double);    // Potenzieren

double exp( double);            // Exponentialfunktion

double ldexp( double, double);  // Exponentialfunktion

double log( double);            // Logarithmus

double log10( double);          // Logarithmus
```

Deklarationen

Alle Namen (= Bezeichner, engl. *identifier*), die in einem Programm vorkommen, müssen dem Compiler bekannt sein. Andernfalls erzeugt er eine Fehlermeldung. Das bedeutet, dass alle Namen, die keine Schlüsselworte sind, vor ihrer Verwendung *deklariert*, d.h. dem Compiler bekannt gemacht werden müssen.

Jede Definition einer Variablen oder einer Funktion stellt auch eine Deklaration dar. Umgekehrt ist aber nicht jede Deklaration auch eine Definition. Will man beispielsweise eine schon vorhandene Funktion aus einer Bibliothek verwenden, so muss die Funktion zwar deklariert, aber nicht neu definiert werden.

Deklaration von Funktionen

Eine Funktion besitzt wie eine Variable einen Namen und einen Datentyp. Der Typ der Funktion ist der Typ des *Return-Wertes*, also des Wertes, den die Funktion zurückgibt. Außerdem ist wichtig, welchen Typ die Argumente der Funktion haben müssen. In einer *Funktionsdeklaration* wird daher dem Compiler

- der Name und Typ der Funktion und

- der Datentyp jedes Arguments

bekannt gemacht. Man nennt dies auch den *Prototyp* einer Funktion.

Beispiele:
```
int toupper(int);
double pow(double, double);
```

Damit erhält der Compiler die Information, dass die Funktion `toupper()` vom Typ `int` ist, also einen Return-Wert vom Typ `int` liefert, und ein Argument vom Typ `int` erwartet. Die zweite Funktion `pow()` ist vom Typ `double` und wird mit zwei Argumenten vom Typ `double` aufgerufen. Den Datentypen der Argumente dürfen Namen folgen, die jedoch nur die Bedeutung eines Kommentars haben.

Beispiele:
```
int toupper(int zeichen);
double pow(double base, double exponent);
```

Für den Compiler sind diese Prototypen gleichbedeutend mit denen im vorangegangenen Beispiel. Beide Funktionen sind Standardfunktionen.

Die Prototypen der Standardfunktionen müssen nicht – und sollten auch nicht – selbst angegeben werden. Sie sind bereits in Standard-Header-Dateien enthalten. Wird die entsprechende Header-Datei mit der `#include`-Direktive in eine Quelldatei kopiert, so kann die Funktion sofort verwendet werden.

Beispiel:
```
#include <cmath>
```

Anschließend stehen in der Quelldatei alle mathematischen Standardfunktionen wie `sin()`, `cos()`, `pow()` usw. zur Verfügung. Weitere Details zu Header-Dateien finden Sie später in diesem Kapitel.

Aufruf von Funktionen

Beispielprogramm

```
//  Berechnung von Potenzwerten
//  mit der Standardfunktion pow()

#include <iostream>        // Deklaration von cout
#include <cmath>           // Prototyp von pow(), also
                           // double pow( double, double);
using namespace std;

int main()
{
  double x = 2.5, y;

  // Anhand des Prototyps erzeugt der Compiler den
  // richtigen Aufruf bzw. eine Fehlermeldung!

  // Berechnung von x hoch 3:
  y = pow("x", 3.0);   // Fehler! String ist keine Zahl.
  y = pow(x + 3.0);    // Fehler! Nur ein Argument
  y = pow(x, 3.0);     // ok! Return-Wert an y zuweisen.
  y = pow(x, 3);       // Auch ok! Compiler wandelt den
                       // int-Wert 3 in double um.

  cout << "2.5 hoch 3 ergibt:        "
       << y << endl;

  // Mit der Funktion pow() kann gerechnet werden:
  cout << "2 + (5 hoch 2.5) ergibt: "
       <<  2.0 + pow(5.0, x) << endl;

  return 0;
}
```

Bildschirmausgabe

```
2.5 hoch 3 ergibt:        15.625
2 + (5 hoch 2.5) ergibt:  57.9017
```

Funktionsaufruf

Ein *Funktionsaufruf* ist ein Ausdruck vom Typ der Funktion, dessen Wert der Return-Wert ist. Häufig wird der Return-Wert nur an eine passende Variable zugewiesen.

Beispiel: `y = pow( x, 3.0);`

Hier wird zunächst die Funktion `pow()` mit den Argumenten `x` und `3.0` aufgerufen und das Ergebnis, also die Potenz x^3, an `y` zugewiesen.

Da der Funktionsaufruf einen Wert darstellt, sind auch andere Operationen möglich. So kann z.B. mit dem Funktionsaufruf von `pow()` wie mit einem `double`-Wert gerechnet werden.

Beispiel: `cout << 2.0 + pow( 5.0, x);`

In dieser Anweisung wird zuerst die Zahl `2.0` zum Return-Wert von `pow(5.0,x)` hinzuaddiert und dann das Ergebnis mit `cout` ausgegeben.

Als *Argument* darf einer Funktion ein beliebiger Ausdruck übergeben werden, beispielsweise auch eine Konstante oder ein arithmetischer Ausdruck. Wichtig ist, dass die Datentypen der Argumente mit denen übereinstimmen, die die Funktion erwartet.

Anhand des Prototyps überprüft der Compiler den korrekten Aufruf der Funktion. Stimmt der Typ eines Arguments nicht exakt mit dem entsprechenden Typ im Prototyp überein, so nimmt der Compiler eine Typkonvertierung vor, sofern diese möglich ist.

Beispiel: `y = pow( x, 3);`   `// auch ok`

Als zweites Argument wird der Wert 3 vom Typ `int` übergeben. Da die Funktion aber einen `double`-Wert erwartet, nimmt der Compiler die Konvertierung von `int` nach `double` vor.

Wird eine Funktion mit einer falschen Anzahl von Argumenten aufgerufen oder ist die Konvertierung eines Arguments nicht möglich, so erzeugt der Compiler eine Fehlermeldung. Dadurch können Fehler beim Funktionsaufruf schon während der Erstellung erkannt und beseitigt werden und führen nicht zu Laufzeitfehlern.

Beispiel: `float x = pow(3.0 + 4.7);`   `// Fehler!`

Der Compiler wird hier die falsche Anzahl Argumente melden. Außerdem gibt der Compiler eine Warnung aus, da ein `double`, nämlich der Return-Wert von `pow()`, an eine `float`-Variable zugewiesen wird.

Der Typ void für Funktionen

Beispielprogramm

```
// Es werden drei Zufallszahlen ausgegeben

#include <iostream>   // Deklaration von cin und cout
#include <cstdlib>    // Prototypen von srand(), rand():
                      // void srand( unsigned int seed );
                      // int rand( void );
using namespace std;
int main()
{
   unsigned int keim;
   int z1, z2, z3;

   cout << "   --- Zufallszahlen  --- \n" << endl;
   cout << "Initialisierung des Zufallszahlengenerators\n"
        << "Geben Sie eine ganze Zahl ein: ";
   cin  >> keim;        // Eine ganze Zahl einlesen

   srand( keim);        // und damit den Zufallszahlen-
                        // generator initialisieren.

   z1 = rand();         // Drei Zufallszahlen erzeugen.
   z2 = rand();
   z3 = rand();

   cout << "\nDrei Zufallszahlen: "
        << z1 << "   " << z2 << "   " << z3 << endl;

   return 0;
}
```

 Mit der Anweisung cin >> keim; wird von der Tastatur eine ganze Zahl eingelesen, da keim vom Typ unsigned int ist.

Beispiel für eine Bildschirmausgabe

```
--- Zufallszahlen  ---

Initialisierung des Zufallszahlengenerators
Geben Sie eine ganze Zahl ein: 7777

Drei Zufallszahlen: 25435   6908   14579
```

Funktionen ohne Return-Wert

Es können auch Funktionen geschrieben werden, die eine bestimmte Aktion ausführen, aber keinen Wert an die aufrufende Funktion zurückgeben. Für derartige Funktionen, die in anderen Programmiersprachen auch Prozeduren heißen, gibt es den Typ void.

Beispiel: `void srand( unsigned int seed );`

Die Standardfunktion `srand()` initialisiert einen Algorithmus zur Erzeugung von „Zufallszahlen". Da die Funktion keinen Wert zurückgibt, hat sie den Typ void. Die Funktion erhält als Argument einen unsigned-Wert, den „Keim" (engl. *seed*) des Zufallszahlengenerators. Dieser wird als Parameter benutzt, um eine neue Folge von Zufallszahlen zu generieren.

Funktionen ohne Argumente

Erwartet eine Funktion kein Argument, so wird dies im Prototyp mit void deklariert oder die Klammern bleiben leer.

Beispiel: `int rand( void );    // oder:    int rand();`

Die Standardfunktion `rand()` wird ohne Argument aufgerufen und liefert eine Zufallszahl zwischen 0 und RAND_MAX. Die ganzzahlige Konstante RAND_MAX hat mindestens den Wert 32767. Durch wiederholten Aufruf der Funktion erhält man eine Folge von Zufallszahlen.

Zur Verwendung von srand() und rand()

Die Prototypen der Funktionen `srand()` und `rand()` befinden sich sowohl in der Header-Datei `cstdlib`, als auch in `stdlib.h`.

Aufrufe der Funktion `rand()` ohne einen vorhergehenden Aufruf von `srand()` erzeugen dieselbe Zahlenfolge, als ob zuvor die Anweisung

```
srand(1);
```

ausgeführt worden wäre. Soll nicht bei jedem Programmstart dieselbe Folge von „Zufallszahlen" erzeugt werden, muss die oben beschriebene Funktion `srand()` bei jedem Programmstart mit einem anderen Argumentwert aufgerufen werden.

Üblicherweise wird die aktuelle Zeit zur Initialisierung des Zufallszahlengenerators verwendet. Ein entsprechendes Beispiel finden Sie bei den Übungen des 6. Kapitels.

Header-Dateien

Verwendung von Header-Dateien

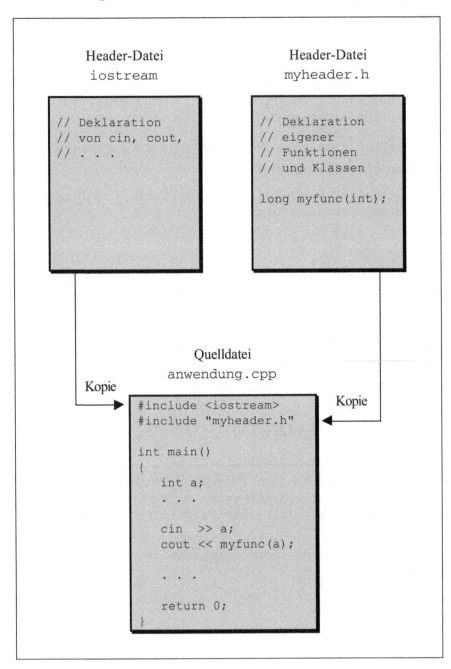

Arbeiten mit Header-Dateien

Header-Dateien sind Textdateien, die Deklarationen und Makros enthalten. Nach einer entsprechenden #include-Direktive stehen diese dann in jeder anderen Quelldatei, auch in einer anderen Header-Datei, zur Verfügung.

Bei der Verwendung von Header-Dateien ist Folgendes zu beachten:

- Header-Dateien sollten generell am Anfang eines Programms inkludiert werden, noch vor jeder anderen Deklaration.

- In einer #include-Direktive darf nur *eine* Header-Datei angegeben werden.

- Der Dateiname muss in spitzen Klammern < ... > oder in doppelten Hochkommas " ... " eingeschlossen sein.

Suche nach Header-Dateien

Die mit der Compilersoftware ausgelieferten Header-Dateien sind gewöhnlich in einem eigenen Verzeichnis, meist mit dem Namen include, abgelegt. Ist der Name einer Header-Datei innerhalb von spitzen Klammern < ... > angegeben, so wird üblicherweise nur dieses Verzeichnis nach der Header-Datei durchsucht, aber nicht das aktuelle Verzeichnis. Das beschleunigt die Suche nach den Header-Dateien.

Bei der Entwicklung eines C++-Programms werden gewöhnlich auch eigene Header-Dateien erstellt, und zwar im aktuellen Projekt-Verzeichnis. Damit der Compiler auch diese Dateien findet, muss in der #include-Direktive der Name der Header-Datei in doppelte Anführungszeichen eingeschlossen werden.

Beispiel: #include "project.h"

Der Compiler durchsucht dann zusätzlich das aktuelle Directory. Für selbsterstellte Header-Dateien wird in der Regel die Endung .h verwendet.

Definition der Standardklassen

Wie die Prototypen der Standardfunktionen sind auch die Definitionen der Standardklassen in Header-Dateien enthalten. Wird eine Header-Datei inkludiert, stehen die darin definierten Klassen und die evtl. deklarierten Objekte im Programm zur Verfügung.

Beispiel: #include <iostream>
          using namespace std;

Nach dieser Anweisung kann mit den Klassen istream und ostream sowie mit den schon definierten Streams cin und cout gearbeitet werden. Dabei ist cin ein Objekt der Klasse istream, cout ein Objekt der Klasse ostream.

Standard-Header-Dateien

Die Header-Dateien der C++-Standardbibliothek

algorithm	future	numeric	strstream
any(*)	initializer_list	optional(*)	system_error
array	iomanip	ostream	thread
atomic	ios	queue	tuple
bitset	iosfwd	random	typeindex
chrono	iostream	ratio	typeinfo
codecvt	istream	regex	type_traits
complex	iterator	scoped_allocator(*)	unordered_map
condition_variable	limits	set	unordered_set
dequeue	list	shared_mutex(*)	utility
exception	locale	sstream	valarray
execution(*)	map	stack	variant(*)
filesystem(*)	memory	stdexcept	vector
forward_list	memory_resource(*)	streambuf	
fstream	mutex	string	
functional	new	string_view(*)	

Hinweis: Die mit (*) gekennzeichneten Header-Dateien wurden mit C++17 eingeführt und werden noch nicht von allen Compilern unterstützt.

Die Header-Dateien der C-Standardbibliothek

assert.h	iso646.h	stdarg.h	tgmath.h
complex.h	limits.h	stdbool.h	time.h
ctype.h	locale.h	stddef.h	uchar.h
errno.h	math.h	stdint.h	wchar.h
fenv.h	setjmp.h	stdio.h	wctype.h
float.h	signal.h	stdlib.h	
inttypes.h	stdalign.h	string.h	

Die Header-Dateien der C++-Standardbibliothek sind nebenstehend zusammengestellt. Sie besitzen keine Kennung .h und nehmen sämtliche Deklarationen im eigenen Namensbereich std vor. Namensbereiche werden Sie in einem späteren Kapitel kennenlernen. Hier genügt es zu wissen, dass Bezeichner aus einem anderen Namensbereich nicht direkt angesprochen werden können. Nach der Direktive

Beispiel: `#include <iostream>`

würde der Compiler die Streams cin und cout also nicht kennen. Damit die Bezeichner aus dem Namensbereich std global verfügbar sind, muss eine *using*-Direktive angegeben werden.

Beispiel: `#include <iostream>`
`#include <string>`
`using namespace std;`

Anschließend können cin und cout ohne weitere Angaben wie gewohnt verwendet werden. Außerdem wurde noch die Header-Datei string inkludiert. Dadurch steht die Klasse string zur Verfügung, die in C++ zum komfortablen Umgang mit Strings definiert ist. Weitere Informationen dazu folgen auf den nächsten Seiten.

Die Header-Dateien der Programmiersprache C

Auch die Header-Dateien der Programmiersprache C sind in den C++-Standard übernommen worden. Damit stehen einem C++-Programm alle Funktionen der C-Standardbibliothek zur Verfügung.

Beispiel: `#include <math.h>`

Anschließend können die mathematischen Funktionen aufgerufen werden.

Alle in einer C-Header-Datei deklarierten Bezeichner sind global verfügbar. Das kann bei großen Programmen zu Namenskonflikten führen. Daher gibt es in C++ zu jeder C-Header-Datei name.h eine entsprechende Header-Datei cname, die dieselben Bezeichner in Namensbereich std deklariert. So ist Beispielsweise das inkludieren der Datei math.h äquivalent mit:

Beispiel: `#include <cmath>`
`using namespace std;`

Werden in einem Programm die elementaren Funktionen zur Manipulation von C-Strings aufgerufen, so muss die Datei string.h oder cstring inkludiert werden. Diese Header-Dateien stellen die Funktionalitäten der C-String-Bibliothek bereit. Sie ist unbedingt von der Header-Datei string zu unterscheiden, in der die Klasse string definiert ist.

Jeder Compiler bietet darüber hinaus weitere Header-Dateien für plattformabhängige Funktionalitäten. Hierzu gehören beispielsweise Grafikbibliotheken und Schnittstellen zur Datenbankanbindung.

Verwenden von Standardklassen

Beispielprogramm mit der Klasse string

```
// Mit Strings arbeiten.

#include <iostream>      // Deklaration von cin, cout
#include <string>        // Deklaration der Klasse string
using namespace std;

int main()
{
   // Vier Strings definieren:
   string prompt("Wie lautet Ihr Name:  "),
          name,                     // leer
          linie( 40, '-'),          // String mit 40 '-'
          gesamt = "Hallo ";        // auch möglich!

   cout << prompt;          // Eingabe-Aufforderung
   getline( cin, name);     // Name (eine Zeile) einlesen

   gesamt = gesamt + name;      // Strings verketten
                                // und zuweisen.

   cout << linie << endl        // Linie u. Name ausgeben
        << gesamt << endl;
   cout << "Ihr Name ist "      // Länge ausgeben
        << name.length() << " Zeichen lang!" << endl;
   cout << linie << endl;
   return 0;
}
```

 Für Objekte der Klasse string sind neben den Operatoren +, += für die Verkettung auch die Vergleichsoperatoren <, <=, >, >=, ==, != definiert. Strings können mit cout und dem Operator << ausgegeben werden.
Die Klasse string wird in einem späteren Kapitel noch im Detail behandelt.

Beispiel für eine Bildschirmausgabe

```
Wie lautet Ihr Name:  Peter Lustig
----------------------------------------
Hallo Peter Lustig
Ihr Name ist 12 Zeichen lang!
----------------------------------------
```

Die C++-Standardbibliothek definiert zahlreiche Klassen. Hierzu gehören beispielsweise die Stream-Klassen für die Ein-/Ausgabe, aber auch Klassen zur Darstellung von Strings oder zur Behandlung von Fehlersituationen.

Jede Klasse ist ein Datentyp mit bestimmten Eigenschaften und Fähigkeiten. Wie bereits erwähnt, werden die Eigenschaften der Klasse durch ihre *Datenelemente*, die Fähigkeiten durch *Methoden* dargestellt. Methoden sind Funktionen, die zu einer Klasse gehören und mit den Datenelementen bestimmte Operationen ausführen. Methoden werden auch *Elementfunktionen* genannnt.

Anlegen von Objekten

Ein *Objekt* ist eine Variable vom Typ einer Klasse. Man spricht auch von einer *Instanz* der Klasse. Beim Anlegen eines Objekts wird der Speicher für die Datenelemente bereitgestellt und mit geeigneten Anfangswerten versehen.

Beispiel:　　`string s("Ich bin ein String");`

Hier wird ein Objekt `s` vom Typ der Standardklasse `string` – kurz: ein *String* – definiert und mit der angegebenen String-Konstanten initialisiert. Ein Objekt der Klasse `string` verwaltet den erforderlichen Speicherplatz für die Zeichenfolge selbständig.

Es gibt im Allgemeinen verschiedene Möglichkeiten, ein Objekt einer Klasse zu initialisieren. So kann ein String auch mit einer bestimmten Anzahl eines Zeichens initialisiert werden. Dies zeigt auch das nebenstehende Beispiel.

Aufruf von Methoden

Für ein Objekt können alle Methoden aufgerufen werden, die in der entsprechenden Klasse „öffentlich" (engl. *public*) deklariert sind. Im Gegensatz zum Aufruf einer globalen Funktion erfolgt der Aufruf einer Methode immer für *ein bestimmtes Objekt*. Der Name des Objekts ist vor dem Namen der Methode, durch einen Punkt getrennt, anzugeben.

Beispiel:　　`s.length();`　　　　`// objekt.methode();`

Die Methode `length()` liefert die Länge eines Strings, d.h. die Anzahl der Zeichen in einem String. Für den oben definierten String `s` ist das der Wert 18.

Klassen und globale Funktionen

Für einige Standardklassen gibt es auch *global definierte Funktionen*, die bestimmte Operationen für ein *übergebenes* Objekt ausführen. So liest die globale Funktion `getline()` eine Textzeile von der Tastatur in einen String.

Beispiel:　　`getline(cin, s);`

Die Textzeile wird mit der Return-Taste abgeschlossen, das entsprechende Newline-Zeichen `'\n'` gelesen, aber nicht im String gespeichert.

Übungen

Bildschirmausgabe zur 1. Aufgabe

```
ZAHL                WURZEL


  4                 2
12.25               3.5
  0.0121            0.11
```

Listing zur 2. Aufgabe

```cpp
// Ein Programm mit Fehlern!

# include <iostream>, <string>
# include <stdlib>
# void srand( seed);

int main()
{
    string meldung "\nAus Fehlern wird man klug!";
    cout << meldung << endl;

    int len = length( meldung);
    cout << "Die Laenge des Strings: " << len << endl;

    // Und noch eine Zufallszahl:
    int a, b;
    a = srand(12.5);
    b = rand( a );
    cout << "\nZufallszahl: " << b << endl;

    return 0;
}
```

1. Aufgabe

Erstellen Sie ein Programm, das die Wurzeln der Zahlen

```
4,    12.25.     0.0121
```

berechnet und wie nebenstehend gezeigt ausgibt. Lassen Sie dann noch eine Zahl von der Tastatur einlesen und geben Sie ebenfalls die Wurzel dieser Zahl aus.

Zur Berechnung der Wurzel einer Zahl verwenden Sie die Funktion `sqrt()`, die in der Header-Datei `math.h` (oder auch `cmath`) mit folgendem Prototyp deklariert ist:

```
double sqrt( double x);
```

Der Return-Wert der Funktion `sqrt()` ist die Wurzel von x.

2. Aufgabe

Das nebenstehende Programm enthält mehrere **Fehler**! Korrigieren Sie die Fehler, und testen Sie die Lauffähigkeit des Programms.

3. Aufgabe

Erstellen Sie ein C++-Programm, in dem ein String mit der Zeichenkette

```
Schon wieder was dazugelernt!
```

definiert und die Länge des Strings auf dem Bildschirm ausgegeben wird.

Lesen Sie dann zwei Textzeilen von der Tastatur ein. Fügen Sie die beiden Strings so zu einem String zusammen, dass die beiden Teilstrings durch " * " getrennt sind. Geben Sie den neuen String am Bildschirm aus.

Lösungen

Zur 1. Aufgabe:

```cpp
// Wurzeln berechnen

#include <iostream>
#include <cmath>
using namespace std;

int main()
{
    double x1 = 4.0, x2 = 12.25, x3 = 0.0121;

    cout << "\n    ZAHL  \t WURZEL" << endl;
    cout << "\n    " << x1 << "    \t " << sqrt(x1)
         << "\n    " << x2 << "    \t " << sqrt(x2)
         << "\n    " << x3 << "    \t " << sqrt(x3) << endl;

    cout << "\nVon welcher Zahl soll die Wurzel "
                              "berechnet werden? ";
    cin  >> x1;

    cout << "\n    ZAHL  \t WURZEL" << endl;
    cout << "\n    " << x1 << "    \t " << sqrt(x1) << endl;

    return 0;
}
```

Zur 2. Aufgabe:

```cpp
// Das korrigierte Programm:

#include <iostream>        // Jeweils nur eine Header-Datei
#include <string>

#include <cstdlib>         // Prototypen der Funktionen
                           // void srand( unsigned int seed);
                           // int rand(void);
// oder:
// #include <stdlib.h>

using namespace std;       // Namen aus dem Namensbereich std
                           // global verfügbar machen.

int main()
{
```

```
    string meldung = "\nAus Fehlern wird man klug!";   // =
    cout << meldung << endl;

    int len = meldung.length();  // statt:  length(meldung);
    cout << "Die Laenge des Strings: " << len << endl;

    // Und noch eine Zufallszahl:
    int b;                         // a wird nicht gebraucht.
    srand(12);                     // statt:  a = srand(12.5);
    b = rand();                    // statt:  b = rand(a);

    cout << "\nZufallszahl: " << b << endl;

    return 0;
}
```

Zur 3. Aufgabe:

```
#include <iostream>    // Deklaration von cin, cout
#include <string>      // Deklaration der Klasse string
using namespace std;

int main()
{
    string meldung("Schon wieder was dazugelernt!\n"),
           prompt("Bitte zwei Zeilen Text eingeben:"),
           str1, str2, summe;

    cout << meldung << endl;     // Meldung ausgeben

    cout << "Die Laenge der Strings: " << meldung.length()
         << endl;

    cout << prompt << endl;      // Eingabe-Aufforderung

    getline( cin, str1);         // 1. Zeile einlesen
    getline( cin, str2);         // 2. Zeile einlesen

    summe = str1 + " * " + str2;  // Strings verketten,
                                  // zuweisen
    cout << summe << endl;        // und ausgeben.

    return 0;
}
```

Kapitel 4

Ein- und Ausgaben mit Streams

Dieses Kapitel beschreibt den Einsatz der Streams für die Ein- und Ausgabe. Der Schwerpunkt liegt dabei auf den Möglichkeiten zur Formatierung.

Streams

Stream-Klassen für die Ein- und Ausgabe

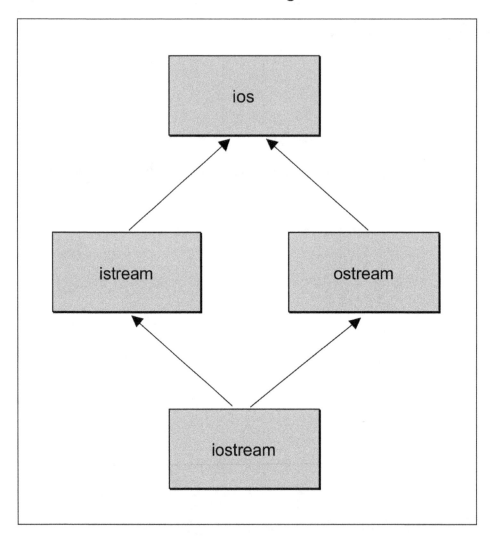

Die vier Standard-Streams

- **cin**   Objekt der Klasse istream für die Standardeingabe
- **cout**   Objekt der Klasse ostream für die Standardausgabe
- **cerr**   Objekt der Klasse ostream zur ungepufferten Fehlerausgabe
- **clog**   Objekt der Klasse ostream zur gepufferten Fehlerausgabe

I/O-Stream-Klassen

Mit der Entwicklung von C++ wurde ein neues Ein-/Ausgabe-System auf der Basis von Klassen implementiert. Es entstanden die *I/O-Stream-Klassen*, die in einer eigenen Bibliothek, der sog. *iostream-Bibliothek*, zur Verfügung stehen.

Das nebenstehende Diagramm zeigt eine sog. Klassenhierarchie, die durch Vererbung entsteht. Die Klasse `ios` ist die Basisklasse aller Stream-Klassen: Sie stellt die Eigenschaften und Fähigkeiten dar, die allen Streams gemeinsam sind. Dazu gehören im Wesentlichen die folgenden Aufgaben:

- Die Klasse `ios` verwaltet die Verbindung zum eigentlichen Datenstrom, der z.B. die Daten Ihres Programms in eine Datei oder auf dem Bildschirm ausgibt.

- Die Klasse `ios` stellt die grundlegende Funktionalität für die Formatierung der Daten zur Verfügung. Dazu werden eine Reihe von Flags definiert, die festlegen, wie z.B. Zeichen bei der Eingabe interpretiert werden.

Eine komfortable Schnittstelle für das Arbeiten mit Streams bieten die von `ios` abgeleiteten Klassen `istream` und `ostream`. Die Klasse `istream` ist für das Lesen und `ostream` ist für das Schreiben in Streams konzipiert. Hier sind beispielsweise die Operatoren `>>` und `<<` definiert.

Die Klasse `iostream` entsteht durch Mehrfachvererbung aus `istream` und `ostream`. Sie stellt damit die Funktionalität beider Klassen zur Verfügung.

Von den genannten Klassen sind weitere Stream-Klassen abgeleitet, beispielsweise für die Dateiverarbeitung. Das bedeutet, dass die hier beschriebenen Techniken auch beim Lesen und Schreiben in Dateien eingesetzt werden können. Diese Klassen, die z.B. auch Methoden für das Öffnen und Schließen von Dateien enthalten, werden in einem späteren Kapitel vorgestellt.

Standard-Streams

Die bereits bekannten Streams `cin` und `cout` sind Objekte vom Typ der Klasse `istream` bzw. `ostream`. Beim Programmstart werden diese beiden Objekte automatisch für das Lesen von der *Standardeingabe* bzw. für das Schreiben auf die *Standardausgabe* angelegt.

Die Standardeingabe ist normalerweise die Tastatur, die Standardausgabe der Bildschirm. Standardein- und -ausgabe können aber auch in Dateien umgelenkt werden. Dann werden Daten nicht von der Tastatur, sondern aus einer Datei eingelesen bzw. Daten nicht am Bildschirm angezeigt, sondern in eine Datei geschrieben.

Die zwei weiteren Standard-Streams `cerr` und `clog` werden dazu benutzt, um beim Auftreten eines Fehlers eine Meldung anzuzeigen. Die Anzeige erfolgt auch dann auf dem Bildschirm, wenn die Standardausgabe in eine Datei umgelenkt worden ist.

Formatierung und Manipulatoren

Beispiel für einen Manipulator-Aufruf

Hier wird der Manipulator showpos aufgerufen.

```
cout << showpos << 123;    // Ausgabe:  +123
```

Die vorstehende Anweisung ist äquivalent zu:
```
cout.setf( ios::showpos);
cout << 123;
```

Alle weiteren Ausgaben positiver Zahlen ebenfalls mit Vorzeichen:
```
cout << 22;                        // Ausgabe:  +22
```

Die Anzeige des positiven Vorzeichens kann durch den Manipulator
noshowpos wieder rückgängig gemacht werden:
```
cout << noshowpos << 123;  // Ausgabe:  123
```

Die letzte Anweisung ist äquivalent zu:
```
cout.unsetf( ios::showpos);
cout << 123;
```

Hinweise:

- Die Operatoren >> und << formatieren ihre Ein- bzw. Ausgabe gemäß den Einstellungen der Flags in der Basisklasse ios.

- Der Manipulator showpos ist eine Funktion, die ihrerseits die Methode cout.setf(ios::showpos); aufruft. Dabei ist ios::showpos das Flag showpos in der Klasse ios.

- Der Einsatz von Manipulatoren ist deutlich einfacher als die direkte Veränderung der Flags. Daher werden im folgenden die Manipulatoren beschrieben und nur in Ausnahmefällen die Methoden setf() und unsetf() verwendet.

- Für ältere Compiler, welche die Manipulatoren noch nicht unterstützen, müssen die Methoden setf() und unsetf() trotzdem verwendet werden.

Formatierungen

Beim Einlesen von der Tastatur muss festgelegt sein, wie die Eingabe zu interpretieren ist und welche Formate zulässig sind. Umgekehrt erfolgt die Ausgabe auf dem Bildschirm nach bestimmten Regeln, die die Darstellung z.B. von Gleitpunktzahl bestimmen.

Für derartige Formatierungen stellen die Stream-Klassen `istream` und `ostream` verschiedene Möglichkeiten zur Verfügung. So können beispielsweise Zahlen in einfacher Weise tabellarisch angezeigt werden.

In den vorhergehenden Kapiteln haben Sie die Streams `cin` und `cout` bereits in Anweisungen wie

```
cout << "Bitte eine Zahl eingeben: ";
cin  >> x;
```

kennengelernt. Im folgenden werden die wichtigsten Fähigkeiten der Streams systematisch beschrieben. Hierzu gehören:

- Die Operatoren >> und << für die formatierte Ein- und Ausgabe.

  Diese Operatoren sind für Ausdrücke mit einem elementaren Datentyp also für Zeichen, boolesche Werte und Zahlen sowie für Strings definiert.

- Manipulatoren, die in den Ein- bzw. Ausgabestrom „eingefügt" werden.

  Mit Manipulatoren können z.B. auf einfache Weise neue Formatierungen für nachfolgende Ein-/Ausgaben festgelegt werden. Ein bereits bekannter Manipulator ist `endl`, der bei der Ausgabe einen Zeilenvorschub auslöst.

- Weitere Methoden, z.B. um den Status des Streams abzufragen oder zu ändern sowie für die unformatierte Ein- und Ausgabe.

Flags und Manipulatoren

In welcher Form Zeichen ein- bzw. ausgegeben werden, wird auch durch so genannte *Flags* (dt. Schalter) in der Basisklasse `ios` gesteuert. Flags werden durch einzelne Bits innerhalb einer ganzzahligen Variablen repräsentiert, die eine spezielle Bedeutung haben. Ein gesetztes oder nicht gesetztes Bit legt z.B. fest, ob positive Zahlen mit oder ohne ein führendes Plus-Zeichen ausgegeben werden.

Jedes Flag besitzt eine *Standardeinstellung*. Damit ist z.B. von vornherein festgelegt, dass ganze Zahlen dezimal ausgegeben und positive Zahlen ohne Plus-Zeichen dargestellt werden.

Es ist möglich, einzelne Format-Flags zu verändern. Dafür gibt es z.B. die Methoden `setf()` und `unsetf()`. Auf einfachere Weise kann dies jedoch mit Hilfe von sog. *Manipulatoren* geschehen, die für alle wichtigen Flags definiert sind. Manipulatoren sind Funktionen, die in den Ein- bzw. Ausgabestrom „eingefügt" und dadurch aufgerufen werden.

Formatierte Ausgabe von Ganzzahlen

Manipulatoren zur Formatierung von Ganzzahlen

Manipulator	Wirkung
oct	Oktale Darstellung
hex	Hexadezimale Darstellung
dec	Dezimale Darstellung (Standard)
showpos	Positive Zahlen werden mit Vorzeichen ausgegeben.
noshowpos	Positive Zahlen werden ohne Vorzeichen ausgegeben (Standard).
uppercase	Bei der Ausgabe von Hexadezimalzahlen werden Großbuchstaben verwendet.
nouppercase	Bei der Ausgabe von Hexadezimalzahlen werden Kleinbuchstaben verwendet (Standard).

Beispielprogramm

```cpp
// Ganze Zahl dezimal einlesen und
// oktal, dezimal und hexadezimal ausgeben.

#include <iostream>     // Deklaration von cin, cout und
using namespace std;    // den Manipulatoren oct, ...

int main()
{
   int zahl;
   cout << "Eine ganze Zahl eingeben: ";
   cin >> zahl;

   cout << uppercase              // für Hex-Ziffern
        << " oktal  \t dezimal  \t hexadezimal\n "
        << oct << zahl << "         \t "
        << dec << zahl << "         \t "
        << hex << zahl << endl;

   return 0;
}
```

Formatierungsmöglichkeiten

Der Operator `<<` kann ganze Zahlen vom Typ `short`, `int`, `long` oder einem entsprechenden `unsigned`-Typ ausgeben. Dabei sind u.a. folgende Formatierungen möglich:

- Festlegung des Zahlensystems, in dem die Zahl dargestellt wird: dezimal, oktal oder hexadezimal

- Die Verwendung von Groß- statt Kleinbuchstaben für hexadezimale Ziffern

- Anzeige des Vorzeichens bei positiven dezimalen Zahlen

Außerdem kann eine Feldbreite festgelegt werden. Die Angabe einer Feldbreite ist auch bei der Ausgabe von Zeichen, Strings und Gleitpunktzahlen möglich und wird anschließend behandelt.

Zahlensystem

Standardmäßig werden ganze Zahlen dezimal dargestellt. Für den Wechsel in die oktale oder hexadezimale bzw. zurück in die dezimale Darstellung gibt es die Manipulatoren `oct`, `hex` und `dec`.

Beispiel: `cout << hex << 11;`   `// Ausgabe: b`

Die hexadezimalen Ziffern werden standardmäßig mit Kleinbuchstaben angezeigt, also mit a, b, ..., f. Sollen Großbuchstaben verwendet werden, so ermöglicht dies der Manipulator `uppercase`.

Beispiel: `cout << hex << uppercase << 11;` `// Ausgabe: B`

Der Manipulator `nouppercase` stellt die Ausgabe wieder auf Kleinbuchstaben um.

Negative Zahlen

Bei der Ausgabe von negativen Zahlen in *dezimaler* Darstellung wird deren Vorzeichen immer ausgegeben. Um auch positive Zahlen mit Vorzeichen zu versehen, kann der Manipulator `showpos` verwendet werden.

Beispiel: `cout << dec << showpos << 11;` `// Ausgabe: +11`

Mit `noshowpos` kann die ursprüngliche Einstellung wiederhergestellt werden.

Bei *oktaler* oder *hexadezimaler* Ausgabe wird das Bitmuster der angegebenen Zahl stets *ohne Vorzeichen* interpretiert! Es wird also das Bitmuster der Zahl in oktaler bzw. hexadezimaler Form angezeigt.

Beispiel: `cout << dec << -1 << "    " << hex << -1;`

Auf einem 32-Bit-System erzeugt diese Anweisung die Ausgabe:

```
-1    ffffffff
```

Formatierte Ausgabe von Gleitpunktzahlen

Manipulatoren zur Formatierung von Gleitpunktzahlen

Manipulator	Wirkung
showpoint	Der Dezimalpunkt wird stets angezeigt. Es werden so viele Ziffern angezeigt, wie es der eingestellten Genauigkeit entspricht.
noshowpoint	Abschließende Nullen hinter dem Dezimalpunkt werden nicht angezeigt. Folgt dem Dezimalpunkt keine Ziffer, wird der Dezimalpunkt nicht angezeigt. (Standardeinstellung)
fixed	Darstellung als Festpunktzahl
scientific	Darstellung in exponentieller Notation
setprecision(int n)	Setzt die Genauigkeit auf n

Methoden für die Genauigkeit

Methode	Wirkung
int precision(int n);	Setzt die Genauigkeit auf n
int precision() const;	Liefert den aktuellen Wert für die Genauigkeit zurück.

 Das Schlüsselwort const im Prototyp von precision() bedeutet, dass die Methode nur lesende Operationen ausführt.

Beispielprogramm

```
#include <iostream>
using namespace std;
int main()
{
   double x = 12.0;
   cout.precision(2);                 // Genauigkeit 2
   cout << " Standard:   " << x << endl;
   cout << " showpoint:  " << showpoint << x << endl;
   cout << " fixed:      " << fixed      << x << endl;
   cout << " scientific: " << scientific << x << endl;
   return 0;
}
```

Standardeinstellungen

Gleitpunktzahlen werden standardmäßig mit einer Genauigkeit von sechs Dezimalziffern ausgegeben. Hierbei wird ein Dezimalpunkt, also kein Komma, verwendet. Abschließende Nullen nach dem Dezimalpunkt werden nicht angezeigt. Folgt dem Dezimalpunkt keine Ziffer, so wird auch kein Dezimalpunkt angezeigt.

Beispiele:
```
cout << 1.0;          // Ausgabe: 1
cout << 1.234;        // Ausgabe: 1.234
cout << 1.234567;     // Ausgabe: 1.23457
```

Die letzte Anweisung zeigt, dass die siebte Ziffer nicht abgeschnitten wird, sondern dass gerundet wird. Bei sehr großen und sehr kleinen Zahlen wird die *exponentielle Darstellung* verwendet.

Beispiel:
```
cout << 1234567.8;    // Ausgabe: 1.23457e+06
```

Formatierungsmöglichkeiten

Die Standardeinstellungen können weitgehend angepasst werden. So kann

- der Wert für die Genauigkeit geändert,
- die Ausgabe des Dezimalpunkts mit abschließenden Nullen erzwungen und
- die Art der Darstellung (Festpunkt oder exponentiell) festgelegt werden.

Sowohl der Manipulator `setprecision()` als auch die Methode `precision()` setzen den Wert der Genauigkeit neu.

Beispiel:
```
cout << setprecision(3);  // Genauigkeit: 3
// oder:  cout.precision(3);
cout  << 12.34;           // Ausgabe: 12.3
```

Dabei ist zu beachten, dass für den Manipulator `setprecision()` die Header-Datei `iomanip` zu inkludieren ist. Das gilt für alle Standardmanipulatoren, die mit mindestens einem Argument aufgerufen werden.

Der Manipulator `showpoint` bewirkt, dass stets der Dezimalpunkt und abschließende Nullen angezeigt werden. Die Gesamtzahl der ausgegebenen Ziffern entspricht dann der aktuell eingestellten Genauigkeit (z. B. 6).

Beispiel:
```
cout << showpoint << 1.0; // Ausgabe: 1.00000
```

Oft ist jedoch die *Festpunktdarstellung* mit einer festgelegten Anzahl von Nachpunktstellen zweckmäßiger. Diese Darstellung wird mit dem Manipulator `fixed` erreicht. Dabei bestimmt die Genauigkeit die Anzahl der Nachpunktstellen. Im folgenden Beispiel wird der Standardwert 6 angenommen.

Beispiel:
```
cout << fixed << 66.0;    // Ausgabe: 66.000000
```

Der Manipulator `scientific` hingegen bestimmt, dass jede Gleitpunktzahl in exponentieller Schreibweise ausgegeben wird. Falls der Manipulator `fixed` noch nicht zur Verfügung steht, kann die Methode `setf()` wie folgt aufgerufen werden:
```
cout.setf(ios::fixed);
```

Ausgabe in Felder

Elementfunktionen zur Feldausgabe

Methode	Wirkung
`int width() const;`	Liefert die aktuelle Feldbreite
`int width(int n);`	Setzt die Feldbreite auf n
`int fill() const;`	Liefert das aktuell gesetzte Füllzeichen
`int fill( int ch);`	Setzt das Füllzeichen auf ch

Manipulatoren zur Feldausgabe

Manipulator	Wirkung
`setw(int n)`	Setzt die Feldbreite auf n
`setfill(int ch)`	Setzt das Füllzeichen auf ch
`left`	Linksbündige Ausgabe im Feld
`right`	Rechtsbündige Ausgabe im Feld
`internal`	Vorzeichen linksbündig, Wert rechtsbündig im Feld

 Die Manipulatoren `setw()` und `setfill()` sind in der Header-Datei `iomanip` deklariert.

Beispiele

```
#include <iostream>        // die notwendigen
#include <iomanip>         // Deklarationen
using namespace std;
```

1. Beispiel: `cout << '|' << setw(6) << 'X' << '|';`

Ausgabe: `|     X|`   `// X im Feld der Breite 6`

2. Beispiel: `cout << fixed << setprecision(2)`
                 `<< setw(10) << 123.4 << endl`
                 `<< "1234567890" << endl;`

Ausgabe: `123.40`   `// Feldbreite 10`
            `1234567890`

Der Operator << kann seine Ausgabe in *Ausgabefeldern* positionieren. Hierbei ist es möglich

- eine *Feldbreite* vorzugeben

- die *Ausrichtung* im Feld, z.B. rechtsbündig oder linksbündig, zu bestimmen

- ein *Füllzeichen* anzugeben, mit dem das Feld aufgefüllt wird

Feldbreite

Die Feldbreite ist die Anzahl der Zeichen, die ein Feld aufnehmen kann. Ist die auszugebende Zeichenfolge größer als die Feldbreite, wird die Ausgabe nicht abgeschnitten, sondern das Feld vergrößert. Es werden also mindestens so viele Zeichen ausgegeben, wie die Feldbreite vorgibt.

Die Feldbreite kann entweder mit der Methode `width()` oder mit dem Manipulator `setw()` gesetzt werden.

Beispiel: `cout.width(6);    // oder:  cout << setw(6);`

Eine Besonderheit der Feldbreite ist, dass sie nicht permanent ist: Die angegebene Feldbreite gilt stets nur für die nächste Ausgabe! Dies zeigen auch die nebenstehenden Beispiele. Im 1. Beispiel wird nur das Zeichen `'X'` in einem Feld der Breite 6 ausgegeben, nicht aber das Zeichen `'|'`.

Der Standardwert für die Feldbreite ist 0. Die aktuell gesetzte Feldbreite kann mit der Methode `width()` auch abgefragt werden. In diesem Fall wird `width()` ohne Argument aufgerufen.

Beispiel: `int feldbreite = cout.width();`

Füllzeichen und Ausrichtung

Ist das Feld größer als die auszugebende Zeichenfolge, so wird standardmäßig mit Blanks aufgefüllt. Ein neues Füllzeichen kann entweder mit der Methode `fill()` oder mit dem Manipulator `setfill()` festgelegt werden.

Beispiel: `cout << setfill('*') << setw(5) << 12;`
                 `// Ausgabe: ***12`

Das Füllzeichen bleibt so lange gültig, bis ein anderes Zeichen neu gesetzt wird.

Wie das vorhergehende Beispiel schon zeigt, erfolgt die Ausgabe in einem Feld standardmäßig „rechtsbündig". Weitere Möglichkeiten sind „linksbündig" und „intern". Hierfür gibt es die Manipulatoren `left` und `internal`. Der Manipulator `internal` setzt das Vorzeichen einer Zahl linksbündig und die Zahl rechtsbündig in ein Feld.

Beispiel: `cout.width(6); cout.fill('0');`
                 `cout << internal << -123; // Ausgabe: -00123`

Ausgabe von Zeichen, Strings und booleschen Werten

Beispielprogramm

```
// Ein Zeichen einlesen und den Zeichencode
// oktal, dezimal und hexadezimal ausgeben.

#include <iostream>      // Deklaration von cin, cout
#include <iomanip>       // Für Manipulatoren, die mit
                         // Argumenten aufgerufen werden.
#include <string>
using namespace std;

int main()

{
    int zahl = ' ';

    cout << "Das Leerzeichen hat den Zeichencode: "
         << zahl << endl;

    char ch;
    string prompt =
         "\nGeben Sie ein Zeichen und <Return> ein: ";

    cout << prompt;

    cin >> ch;                      // Zeichen einlesen
    zahl = ch;

    cout << "Das Zeichen " << ch
         << " hat den Zeichencode" << endl;

    cout << uppercase              // für Hex-Ziffern
         << "    oktal   dezimal  hexadezimal\n "
         << oct << setw(8) << zahl
         << dec << setw(8) << zahl
         << hex << setw(8) << zahl << endl;

    return 0;
}
```

Ausgabe von Zeichen und Zeichencodes

Der Operator << interpretiert eine Zahl mit dem Datentyp char als Zeichencode eines Zeichens und gibt das entprechende Zeichen aus:

Beispiel:
```
char ch = '0';
cout << ch << ' ' << 'A';
// Ausgabe der drei Zeichen: 0 A
```

Es ist auch möglich, den Zeichencode eines Zeichens auszugeben. Dazu wird der Zeichencode in einer int-Variablen gespeichert und diese ausgegeben.

Beispiel:
```
int code = '0';
cout << code;            // Ausgabe: 48
```

Das Zeichen '0' wird durch den ASCII-Code 48 repräsentiert. Weitere Beispiele enthält das nebenstehende Programm.

Ausgabe von Strings

Mit dem Operator << können sowohl String-Literale wie "Hallo" als auch String-Variablen ausgegeben werden. Dies wurde auch schon in früheren Beispielen verwendet. Wie bei den anderen Datentypen können auch Strings in Ausgabefelder positioniert werden.

Beispiel:
```
string s("Donau so blau");
cout << left                 // linksbündig
     << setfill('?')         // Füllzeichen ?
     << setw(20) << s ;      // Feldbreite 20
```

Hier wird also die Zeichenfolge "Donau so blau???????" ausgegeben. Mit dem Manipulator right kann wieder die rechtsbündige Ausrichtung im Feld eingestellt werden.

Ausgabe von booleschen Werten

Boolesche Werte gibt der Operator << standardmäßig ganzzahlig aus. Dabei steht der Wert 0 für false und der Wert 1 für true. Sollen statt dessen die Zeichenfolgen false bzw. true angezeigt werden, so muss das Flag ios::boolalpha gesetzt werden. Dies kann direkt mit der Methode setf() geschehen oder mit dem Manipulator boolalpha.

Beispiel:
```
bool ok = true;
cout << ok << endl                      // 1
     << boolalpha << ok << endl;        // true
```

Diese Einstellung kann mit dem Manipulator noboolalpha wieder rückgängig gemacht werden.

Formatierte Eingabe

Beispielprogramm

```cpp
// Eine Artikelbezeichnung und einen Preis einlesen

#include <iostream>      // Deklaration von cin, cout,...
#include <iomanip>       // Für den Manipulator setw()
#include <string>
using namespace std;

int main()
{
   string bezeichnung;
   double preis;

   cout << "\nGeben Sie die Artikelbezeichnung ein: ";

   // höchstens 16 Zeichen für die Bezeichnung einlesen:
   cin >> setw(16);         // oder:  cin.width(16);
   cin >> bezeichnung;
   cin.sync();     // Puffer leeren
   cin.clear();    // evtl. gesetzte Fehlerflags löschen

   cout << "\nGeben Sie den Artikelpreis ein: ";
   cin >> preis;            // Preis einlesen

   // Kontrollausgabe:
   cout << fixed << setprecision(2)
        << "\nArtikel:"
        << "\n  Bezeichnung:  " << bezeichnung
        << "\n  Preis:        " << preis << endl;

   // ... und weiter im Programm

   return 0;
}
```

 Mit dem Aufruf der Methoden sync() und clear() wird der Einga-bepuffer gelöscht, und evtl. gesetzte Fehlerflags werden gelöscht. Dadurch ist sichergestellt, dass beim Einlesen des Preises auch dann auf eine neue Eingabe gewartet wird, wenn für die Artikelbezeich-nung mehr als 16 Zeichen eingegeben wurden.

Der Operator >> der Klasse `istream` berücksichtigt bei der Eingabe die aktuell gesetzten Flags für die Zahlenbasis und die Feldbreite.

- Die Basis des Zahlensystems bestimmt, ob eine Ganzzahl dezimal, oktal oder hexadezimal eingelesen wird.

- Die Feldbreite legt für Strings die Anzahl der Zeichen fest, die maximal eingelesen werden.

Das Lesen von der Standardeingabe `cin` ist *zeilenweise gepuffert*. Die Eingabe von der Tastatur wird also erst durch das abschließende Return ⏎ „abgeschickt". Das hat zur Folge, dass Fehler bei der Eingabe noch mit der Backspace-Taste korrigiert werden können, solange nicht die Return-Taste gedrückt wurde. Die Eingabe wird auf dem Bildschirm angezeigt.

Eingabefelder

Generell liest der Operator >> das nächste *Eingabefeld*, konvertiert die Eingabe anhand des Typs der angegebenen Variablen und legt das Ergebnis in der Variablen ab. Dabei werden führende Zwischenraumzeichen (Leer-, Tabulator- und Newline-Zeichen) überlesen.

Beispiel:
```
char ch;
cin >> ch;        // Ein Zeichen einlesen
```

Bei Eingabe von

```
<Return> <Tab> <Leertaste> <X> <Return>
```

wird das Zeichen `'X'` an die Variable `ch` zugewiesen.

Ein Eingabefeld endet mit dem ersten Zwischenraumzeichen bzw. mit dem ersten Zeichen, das nicht mehr verarbeitet werden kann.

Beispiel:
```
int i;
cin >> i;
```

Bei der Eingabe von `123 Euro`⏎ wird der dezimale Wert `123` an `i` zugewiesen. Die übrigen Zeichen, `Euro` und das Newline-Zeichen, verbleiben im Eingabepuffer. Sie werden bei der nächsten Leseoperation als erstes gelesen.

Beim Einlesen von Strings wird jeweils nur ein Wort gelesen, da ja mit einem Zwischenraumzeichen das nächste Eingabefeld beginnt.

Beispiel:
```
string ort;
cin >> ort;      // Liest nur ein Wort!
```

Bei der Eingabe `Bad Tölz` wird also nur `Bad` in den String `ort` eingelesen. Durch die Angabe einer Feldbreite kann zusätzlich die Anzahl der einzulesenden Zeichen begrenzt werden. Bei einer Feldbreite n werden höchstens n Zeichen gelesen. Dabei zählen führende Zwischenraumzeichen nicht mit. Ein Beispiel enthält das nebenstehende Programm. Es zeigt auch, wie der Eingabepuffer gelöscht werden kann.

Formatierte Eingabe von Zahlen

Beispielprogramm

```cpp
// Hex-Zahl und Gleitpunktzahlen einlesen
//
#include <iostream>
#include <iomanip>
using namespace std;

int main()
{
   int zahl = 0;

   cout << "\nGeben Sie eine Zahl hexadezimal ein: "
        << endl;
   cin >> hex >> zahl;               // Hex-Zahl einlesen

   cout << "Ihre Eingabe dezimal: " << zahl << endl;
   // Falls eine fehlerhafte Eingabe gemacht wurde:
   cin.sync();                // Puffer leeren
   cin.clear();               // Fehlerflags löschen


   double x1 = 0.0, x2 = 0.0;

   cout << "\nGeben Sie nun zwei Gleitpunktzahlen ein: "
        << endl;
   cout << "1. Zahl: ";
   cin  >> x1;                        // 1. Zahl einlesen
   cout << "2. Zahl: ";
   cin  >> x2;                        // 2. Zahl einlesen

   cout << fixed << setprecision(2)
        << "\nDie Summe der beiden Zahlen:     "
        << setw(10) << x1 + x2 << endl;

   cout << "\nDas Produkt der beiden Zahlen: "
        << setw(10) << x1 * x2 << endl;

   return 0;
}
```

Einlesen von Ganzzahlen

Mit den Manipulatoren hex, oct und dec kann festgelegt werden, dass eine eingegebene Zeichenfolge als Hexadezimal-, Oktal- oder Dezimalzahl interpretiert wird.

Beispiel:
```
int n;
cin >> oct >> n;
```

Bei der Eingabe von 10 wird die Zahl oktal interpretiert, was dem dezimalen Wert 8 entspricht. Mit

Beispiel:
```
cin >> hex >> n;
```

wird die Eingabe als Hexadezimalzahl interpretiert. Eingaben wie f0a oder -F7 sind dann möglich.

Einlesen von Gleitpunktzahlen

Der Operator >> interpretiert die Eingabe als dezimale Gleitpunktzahl, wenn der Typ der Variablen ein Gleitpunkttyp ist, also float, double oder long double. Die Gleitpunktzahl kann als Festpunktzahl oder in exponentieller Form eingegeben werden.

Beispiel:
```
double x;
cin >> x;
```

Hier wird die eingegebene Zeichenfolge in einen double-Wert konvertiert. Eingaben wie 123 oder -22.0 oder 3e10 sind zulässig.

Fehlerhafte Eingaben

Was geschieht nun, wenn die Eingabe nicht zum Typ der entsprechenden Variablen passt?

Beispiel:
```
int i, j;    cin >> i >> j;
```

Bei Eingabe von 1A5 beispielsweise wird 1 an die Variable i zugewiesen. Mit A beginnt das nächste Eingabefeld. Da aber wieder dezimale Ziffern erwartet werden, bleibt die Zeichenfolge ab A unverarbeitet. Findet, wie in diesem Fall, keine Konvertierung statt, so wird der entsprechenden Variablen – hier j – kein Wert zugewiesen und intern ein Fehlerflag gesetzt.

Im Allgemeinen ist es sinnvoller, Zahlenwerte einzeln einzulesen und nach jeder Eingabe den Eingabepuffer und eventuell gesetzte Fehlerflags zu löschen.

Wie ein Programm auf einen Fehler bei der Eingabe reagieren kann, wird in Kapitel 6, *Kontrollstrukturen*, und später in Kapitel 28, *Ausnahmebehandlung*, gezeigt.

Unformatierte Ein-/Ausgabe

Beispielprogramm

```cpp
//  Text mit dem Operator >> und
//  mit der Funktion getline() einlesen.

#include <iostream>
#include <string>
using namespace std;

string header =
"   --- Beispielprogramm für unformatierte Eingabe ---";

int main()
{
   string wort, rest;

   cout << header
        << "\n\nWeiter mit <Return>" << endl;
   cin.get();                   // Newline einlesen,
                                // aber nicht speichern.

   cout << "\nBitte Text mit mehreren Worten eingeben!"
        << "\nMit <!> und <Return> abschließen."
        << endl;

   cin >> wort;                 // 1. Wort einlesen und
   getline( cin, rest, '!');    // den Rest der Eingabe
                                // bis zum Zeichen !

   cout << "\nDas erste Wort:   " << wort
        << "\nRest der Eingabe: " << rest << endl;

   return 0;
}
```

 1. Es kann auch ein mehrzeiliger Text eingegeben werden.

2. Das Beispielprogramm geht davon aus, dass wenigstens ein Wort (mit nachfolgendem Zwischenraumzeichen) eingegeben wird.

Die unformatierte Ein- und Ausgabe benutzt keine Felder und intern gesetzte Formatierungsflags bleiben unberücksichtigt. Die aus einem Stream gelesenen „Bytes" werden unverändert an das Programm übergeben. Insbesondere werden führende Zwischenraumzeichen nicht überlesen.

Zeichen lesen und schreiben

Einzelne Zeichen können mit den Methoden `get()` und `put()` gelesen bzw. geschrieben werden. Die Methode `get()` liest das nächste Zeichen aus dem Stream und überträgt es in die angegebene `char`-Variable.

Beispiel:
```
char ch;
cin.get(ch);
```

Ist das gelesene Zeichen ein Zwischenraumzeichen, z.B. ein Newline-Zeichen, so wird dieses in die Variable `ch` übertragen. Dagegen würde mit der Anweisung

```
cin >> ch;
```

das erste Zeichen gelesen, das kein Zwischenraumzeichen ist.

Die Methode `get()` kann auch ohne ein Argument aufgerufen werden. In diesem Fall liefert `get()` den Zeichencode als Return-Wert vom Typ `int`.

Beispiel: `int c = cin.get();`

Für die unformatierte Ausgabe eines Zeichens steht die Methode `put()` zur Verfügung. Als Argument erhält `put()` das auszugebende Zeichen.

Beispiel: `cout.put('A');`

Diese Anweisung ist äquivalent zu `cout << 'A';`, falls keine Feldbreite angegeben oder die Feldbreite auf 1 gesetzt ist.

Eine Zeile einlesen

Mit dem Operator >> kann immer nur ein Wort in einen String eingelesen werden. Soll eine ganze Textzeile eingelesen werden, so kann die schon vorgestellte globale Funktion `getline()` aufgerufen werden.

Beispiel: `getline(cin, text);`

Hier werden so lange Zeichen von `cin` gelesen und in der Stringvariablen `text` abgespeichert, bis das Newline-Zeichen auftritt. Als Begrenzungszeichen kann auch ein anderes Zeichen bestimmt werden. Dieses Zeichen wird der Funktion `getline()` als drittes Argument übergeben.

Beispiel: `getline(cin, s, '.');`

Das Begrenzungszeichen wird zwar gelesen, aber nicht im String abgespeichert. Zeichen, die in diesem Beispiel nach dem ersten Punkt eingegeben werden, befinden sich noch im Eingabepuffer des Streams.

Übungen

Bildschirmausgabe zur 3. Aufgabe:

```
    Artikelnummer    Stückzahl    Stückpreis

    .......              ......       ...... EURO
```

Listing zur 5. Aufgabe:

```cpp
// Ein Programm mit hartnäckigen Fehlern

#include <iostream>
using namespace std;

int main()
{
   char ch;
   string wort;

   cin >> "Los geht's mit der Return-Taste: " >> ch;

   cout << "Geben Sie ein Wort
           mit höchstens drei Zeichen ein: ";

   cin  >> setprecision(3) >> wort;

   cout >> "Ihre Eingabe: " >> ch >> endl;

   return 0;
}
```

1. Aufgabe

Welche Ausgaben erzeugt das Programm auf der Seite *„Formatierte Ausgabe von Gleitpunktzahlen"* in diesem Kapitel?

2. Aufgabe

Formulieren Sie die entsprechenden Anweisungen:

a) Die Zahl 0.123456 soll linksbündig in ein Feld mit der Feldbreite 15 ausgegeben werden.

b) Die Zahl 23.987 soll als Festpunktzahl, auf zwei Ziffern hinter dem Dezimalpunkt gerundet, rechtsbündig in ein Feld der Breite 12 ausgegeben werden.

c) Die Zahl -123.456 soll in exponentieller Darstellung und mit vier Stellen nach dem Dezimalpunkt ausgegeben werden. Wäre eine Feldbreite 10 sinnvoll?

3. Aufgabe

Schreiben Sie ein C++-Programm, das eine Artikelnummer, eine Stückzahl und einen Stückpreis von der Tastatur einliest und wie nebenstehend gezeigt auf dem Bildschirm ausgibt.

4. Aufgabe

Erstellen Sie ein C++-Programm, das einen beliebigen Zeichencode (eine positive Ganzzahl) von der Tastatur einliest und das entsprechende Zeichen und den Zeichencode dezimal, oktal und hexadezimal auf dem Bildschirm ausgibt.

 Der Typ der Variablen bestimmt, ob ein Zeichen oder eine Zahl eingelesen bzw. ausgegeben wird.

Warum wird, Ihrer Meinung nach, bei Eingabe der Zahl 336 das Zeichen P ausgegeben?

5. Aufgabe:

Korrigieren Sie die Fehler im nebenstehenden Programm.

Lösungen

Zur 1. Aufgabe:

Ausgabe des Beispielprogramms zur Formatierung von Gleitpunktzahlen:

```
Standard:   12
showpoint:  12.
fixed:      12.00
scientific: 1.20e+001
```

Zur 2. Aufgabe:

```cpp
#include <iostream>
#include <iomanip>                 // Für setw() und setprecision()
using namespace std;

int main()
{
    double x1 = 0.123456,  x2 = 23.987,  x3 = -123.456;

// a)
    cout << left << setw(15) << x1 << endl;

// b)
    cout << fixed << setprecision(2) << right << setw(12)
         << x2 << endl;

// c)
    cout << scientific << setprecision(4) << x3 << endl;
    // Ausgabe: -1.2346e+002
    // Hier wäre also nur eine Feldbreite von 12 oder
    // größer sinnvoll!

    return 0;
}
```

Zur 3. Aufgabe:

```cpp
// Artikeldaten einlesen und formatiert ausgeben.
//
#include <iostream>
#include <iomanip>
using namespace std;

int main()
{
    long nummer = 0;
    int  anzahl = 0;
```

```
        double preis = 0.0;
                                                    // Eingabe:
        cout << "\nBitte Artikeldaten eingeben.\n";
        cout << "Artikelnummer:  ";
        cin  >> nummer;

        cout << "Stückzahl:       ";
        cin  >> anzahl;
        cout << "Stückpreis:      ";
        cin  >> preis;


                                                    // Ausgabe:
        cout <<
        "\n\tArtikelnummer     Stückzahl        Stückpreis";

        cout << "\n\t"
             << setw(8)  << nummer
             << setw(16) << anzahl
             << fixed << setprecision(2)
             << setw(16) << preis << " EURO" << endl;


        return 0;
    }
```

Zur 4. Aufgabe:

```
    #include <iostream>
    #include <iomanip>                  // Für den Manipulator setw()
    using namespace std;

    int main()
    {
       unsigned char zeichen = 0;
       unsigned int  code = 0;

       cout << "\nBitte dezimal einen Zeichencode eingeben: ";
       cin  >> code;

       zeichen = code;                  // Für die Ausgabe des
                                        // entsprechenden Zeichens

       cout << "\nDas zugehörige Zeichen: " << zeichen << endl;

       code = zeichen;                  // Zeichencode. Nur notwendig,
                                        // falls Eingabe > 255 war.
       cout << "\nZeichencodes"
            << "\n dezimal:    " << setw(3) << dec << code
            << "\n  oktal:     " << setw(3) << oct << code
```

Lösungen (Fortsetzung)

```
            << "\n  hexadezimal: " << setw(3) << hex << code
            << endl;

    return 0;
}
```

Bei der Eingabe von 336 wird 80 im niederwertigen Byte der Variablen code
gespeichert (da 336 = 256 + 80). Bei der Zuweisung an die Variable zeichen
erhält daher zeichen den Wert 80, was der Zeichencode von P ist.

Zur 5. Aufgabe:

Das korrigierte Programm:

```
// Korrigierte Stellen sind kommentiert.
//
#include <iostream>
#include <iomanip>      // Für den Manipulator setw()
#include <string>       // Für die Klasse string
using namespace std;s

int main()
{
    string wort;        // Zum Einlesen eines Wortes.
                        // char ch; wird nicht benötigt.

                        // cout << ...  statt cin >> .
    cout << "Los geht's mit der Return-Taste: ";

    cin.get();          // Newline einlesen

    cout << "Geben Sie ein Wort "           // "
            "mit höchstens drei Zeichen ein: ";  // "

    cin  >> setw(3) >> wort;        // setw(3) anstatt
                                    // setprecision(3)

    cout << "Ihre Eingabe: "         // <<
        << wort << endl;            // statt  >> ch

    return 0;
}
```

Kapitel 5

Operatoren für elementare Datentypen

In diesem Kapitel lernen Sie Operatoren kennen, die für Rechenoperationen und Programmverzweigungen benötigt werden. Weitere Operatoren, z.B. für Bitmanipulationen, und die Überladung von Operatoren werden in späteren Kapiteln behandelt.

Binäre arithmetische Operatoren

Binärer Operator und Operanden

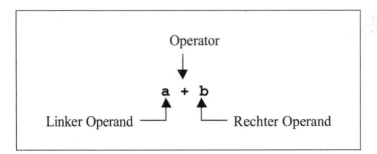

Die binären arithmetischen Operatoren

Operator	Bedeutung
+	Addition
-	Subtraktion
*	Multiplikation
/	Division
%	Modulodivision

Beispielprogramm

```
#include <iostream>
using namespace std;
int main()
{
    double x, y;
    cout << "\nGeben Sie zwei Zahlen ein: ";
    cin >> x >> y;
    cout << "Der Durchschnitt beider Zahlen ist: "
         << (x + y)/2.0 << endl;
    return 0;
}
```

Beispiel für einen Programmablauf

```
Geben Sie zwei Zahlen ein:  4.75   12.3456
Der Durchschnitt beider Zahlen ist: 8.5478
```

Für Daten, die ein Programm verarbeitet, müssen entsprechende Operationen definiert sein. Dabei hängt es von der Art der Daten ab, welche Operationen möglich sind. Beispielsweise können Zahlen addiert, multipliziert oder verglichen werden. Dagegen ist die Multiplikation von Strings nicht sinnvoll.

Im folgenden werden die wichtigsten Operatoren vorgestellt, die auf Daten mit einem arithmetischen Datentyp angewendet werden können. Man unterscheidet generell *unäre* und *binäre* Operatoren: Ein unärer Operator besitzt nur *einen* Operanden, ein binärer Operator *zwei*.

Binäre arithmetische Operatoren

Mit den *arithmetischen Operatoren* werden Berechnungen durchgeführt. Nebenstehend sind die binären arithmetischen Operatoren zusammengestellt. Hierbei ist folgendes zu beachten:

- Bei der *Division* mit ganzzahligen Operanden ist das Ergebnis wieder ganzzahlig. Beispielsweise ergibt 7/2 die Zahl 3. Hat mindestens einer der Operanden den Typ einer Gleitpunktzahl, ist das Ergebnis auch eine Gleitpunktzahl: So liefert die Division 7.0/2 das exakte Ergebnis 3.5.

- Die *Modulodivision* ist nur auf ganzzahlige Operanden anwendbar. Sie liefert den Rest der ganzzahligen Division. So ergibt z.B. 7%2 die Zahl 1.

Ausdrücke

Im einfachsten Fall besteht ein Ausdruck nur aus einer Konstanten, einer Variablen oder einem Funktionsaufruf. Ausdrücke können als Operanden von Operatoren zu komplexeren Ausdrücken verknüpft werden. Im Allgemeinen ist also ein Ausdruck eine Kombination von Operatoren und Operanden.

Jeder Ausdruck, der nicht vom Typ void ist, liefert einen Wert. Der Typ eines arithmetischen Ausdrucks ergibt sich aus dem Typ der Operanden.

Beispiele:
```
int a(4);   double x(7.9);
a * 512            // Typ int
1.0 + sin(x)       // Typ double
x - 3              // Typ double, da ein
                   // Operand vom Typ double
```

Ein Ausdruck kann wieder als Operand in einem Ausdruck eingesetzt werden.

Beispiel:
```
2 + 7 * 3          // 2 und 21 addieren.
```

Bei der Auswertung gelten die üblichen *Rechenregeln* („Punktrechnung vor Strichrechnung"), d.h. die Operatoren *, / und % haben einen höheren Vorrang als + und -. Im Beispiel wird daher zuerst 7*3 berechnet und dann 2 hinzuaddiert. Soll eine andere Reihenfolge gelten, müssen Klammern gesetzt werden.

Beispiel:
```
(2 + 7) * 3        // 9 mit 3 multiplizieren.
```

Unäre arithmetische Operatoren

Die unären arithmetischen Operatoren

Operator	Bedeutung
+ -	Vorzeichenoperatoren
++	Inkrement-Operator
--	Dekrement-Operator

Vorrang der arithmetischen Operatoren

Priorität	Operator	Zusammenfassung
hoch	++ -- (Postfix)	von links
	++ -- (Präfix) + - (Vorzeichen)	von rechts
	* / %	von links
niedrig	+ (Addition) - (Subtraktion)	von links

Wirkung der Präfix- und Postfix-Notation

```cpp
#include <iostream>
using namespace std;

int main()
{
   int i(2), j(8);

   cout << i++ << endl;      // Ausgabe:  2
   cout << i   << endl;      // Ausgabe:  3
   cout << j-- << endl;      // Ausgabe:  8
   cout << --j << endl;      // Ausgabe:  6

   return 0;
}
```

Es gibt vier unäre arithmetische Operatoren, nämlich die Vorzeichenoperatoren + und –, den Inkrement-Operator ++ und den Dekrement-Operator --.

Vorzeichenoperatoren

Mit dem *Vorzeichenoperator* – erhält man den Wert des Operanden mit umgekehrtem Vorzeichen.

Beispiel: `int n = -5;   cout << -n;      // Ausgabe: 5`

Der *Vorzeichenoperator* + wird nicht benötigt. Er liefert lediglich den Wert seines Operanden.

Inkrement- und Dekrement-Operatoren

Der Inkrement-Operator ++ verändert seinen Operanden, indem er 1 hinzuaddiert. Er kann also nicht auf Konstanten angewendet werden.

Ist `i` eine Variable, so bewirken sowohl `i++` (*Postfix-Notation*) als auch `++i` (*Präfix-Notation*), dass i um 1 erhöht wird. Es wird also in jedem Fall `i = i + 1` ausgeführt.

Präfix-++ und Postfix-++ sind aber zwei verschiedene Operatoren. Der Unterschied liegt im Wert des Ausdrucks: ++i hat bereits den um 1 erhöhten Wert, der Ausdruck i++ hat den ursprünglichen Wert von i. Dieser Unterschied ist wesentlich, wenn ++i oder i++ Teil eines komplexeren Ausdrucks ist:

++i   i wird zunächst inkrementiert, und dann wird der neue Wert von i verwendet.

i++   es wird der alte Wert von i verwendet, dann wird i inkrementiert.

Der Dekrement-Operator -- verändert seinen Operanden, indem er ihn um 1 vermindert. Wie das Beispielprogramm links zeigt, kann auch für -- die Präfix- oder Postfix-Notation verwendet werden.

Vorrang

Wie wird nun ein Ausdruck mit mehreren Operatoren berechnet?

Beispiel: `float zahl(5.0);   cout << zahl++ - 7.0/2.0;`

Der *Vorrang* (Priorität) der Operatoren bestimmt die Zuordnung der Operanden zu den Operatoren. Gemäß der nebenstehenden Vorrangtabelle hat ++ den höchsten Vorrang und / einen höheren als -. Das ergibt im Beispiel folgende Zuordnung: `(zahl++) - (7.0/2.0)`. Das Ergebnis ist `1.5`, da zahl erst anschließend inkrementiert wird.

Haben zwei Operatoren den gleichen Vorrang, so wird der Ausdruck gemäß der dritten Spalte der Vorrangtabelle zusammengefasst:

Beispiel: `3 * 5 % 2`   ist äquivalent zu   `(3 * 5) % 2`

Zuweisungen

Beispielprogramm

```
// Demonstration von zusammengesetzten Zuweisungen

#include <iostream>
#include <iomanip>
using namespace std;

int main()
{
   float x, y;

   cout << "\n Bitte Startwert eingeben: ";
   cin >> x;

   cout << "\n Um wie viel erhöhen Sie? ";
   cin >> y;

   x += y;

   cout << "\n Jetzt wird vervielfacht! ";
   cout << "\n Bitte Faktor eingeben: ";
   cin >> y;

   x *= y;

   cout << "\n Schließlich dividieren wir noch.";
   cout << "\n Bitte Divisor eingeben: ";
   cin >> y;

   x /= y;

   cout << "\n Und hier ist "
        << "Ihre heutige Glückszahl: "
                        // ohne Nachpunktstellen:
        << fixed << setprecision(0)
        << x << endl;

   return 0;
}
```

Einfache Zuweisung

Eine *einfache Zuweisung* ordnet einer Variablen mit Hilfe des Zuweisungsoperators `=` den Wert eines Ausdrucks zu. Hierbei steht die Variable immer links und der zugewiesene Wert immer rechts vom Zuweisungsoperator.

Beispiele:
```
z = 7.5;
y = z;
x = 2.0 + 4.2 * z;
```

Der Zuweisungsoperator hat einen sehr niedrigen Vorrang. Im letzten Beispiel wird deshalb zuerst die rechte Seite berechnet und das Ergebnis dann der links stehenden Variablen zugeordnet.

Jede Zuweisung ist selbst ein Ausdruck, dessen Wert der zugewiesene Wert ist.

Beispiel: `sin(x = 2.5);`

In dieser Anweisung wird die Zahl `2.5` an `x` zugewiesen und dann der Funktion als Argument übergeben.

Es sind auch *Mehrfachzuweisungen* möglich, die stets von rechts nach links bearbeitet werden.

Beispiel: `i = j = 9;`

Hier erhält zunächst `j` und dann `i` den Wert `9`.

Zusammengesetzte Zuweisungen

Neben dem einfachen Zuweisungsoperator gibt es die zusammengesetzten Zuweisungsoperatoren. Sie führen z.B. eine arithmetische Operation und eine Zuweisung aus.

Beispiele:

`i += 3;`	ist äquivalent zu `i = i + 3;`
`i *= j + 2;`	ist äquivalent zu `i = i * (j+2);`

Das zweite Beispiel zeigt, dass bei einer zusammengesetzten Zuweisung implizit geklammert wird. Dies ergibt sich aus der Tatsache, dass der Vorrang der zusammengesetzten Zuweisung ebenso niedrig ist wie bei der einfachen Zuweisung.

Mit jedem binären arithmetischen Operator (und, wie wir später sehen werden, auch mit Bitoperatoren) kann ein zusammengesetzter Zuweisungsoperator gebildet werden. Es gibt also die Operatoren `+=`, `-=`, `*=`, `/=` und `%=`.

Durch eine Zuweisung oder durch die Operatoren `++`, `--` kann eine Variable während der Auswertung eines komplexen Ausdrucks verändert werden. Dies nennt man *Seiteneffekt*. Seiteneffekte sollten sparsam eingesetzt werden, da sie leicht zu Fehlern führen und die Lesbarkeit eines Programms beeinträchtigen.

Vergleichsoperatoren

Die Vergleichsoperatoren

Operator	Bedeutung
<	kleiner
<=	kleiner gleich
>	größer
>=	größer gleich
==	gleich
!=	ungleich

Vorrang der Vergleichsoperatoren

Priorität	Operator
hoch	arithmetische Operatoren
	< <= > >=
	== !=
niedrig	Zuweisungsoperatoren

Beispiele für Vergleiche:

Vergleich	Ergebnis
5 >= 6	false
1.7 < 1.8	true
4 + 2 == 5	false
2 * 4 != 7	true

Ergebnis von Vergleichen

Jeder Vergleich ist in C++ ein Ausdruck vom Typ `bool`, der den Wert `true` oder `false` besitzt. Dabei bedeutet `true` („wahr"), dass der Vergleich zutrifft, und `false` („falsch"), dass der Vergleich nicht zutrifft.

Beispiel: `laenge == umfang`   `// false oder true`

Enthalten die Variablen `laenge` und `umfang` die gleiche Zahl, so ist der Vergleich „wahr" und der Ausdruck hat den Wert `true`. Enthalten sie dagegen verschiedene Zahlen, so liefert der Ausdruck den Wert `false`.

Beim Vergleich einzelner Zeichen werden stets die Zeichencodes miteinander verglichen. Das Ergebnis hängt also vom verwendeten Zeichensatz ab. Im ASCII-Zeichensatz liefert daher der folgende Ausdruck den Wert `true`:

Beispiel: `'A' < 'a'`   `// true, da 65 < 97`

Vorrang von Vergleichsoperatoren

Vergleichsoperatoren haben einen niedrigeren Vorrang als arithmetische Operatoren, jedoch einen höheren als Zuweisungsoperatoren. Deshalb wird im

Beispiel: `bool flag = index < max - 1;`

zuerst `max - 1` berechnet, dann das Ergebnis mit `index` verglichen und der Wert des Vergleichsausdrucks (`false` oder `true`) an die Variable `flag` zugewiesen. Aus demselben Grund wird im

Beispiel: `int result;`
              `result = lenght + 1 == limit;`

zuerst `length + 1` berechnet, dann das Ergebnis mit `limit` verglichen und der Wert des Vergleichsausdrucks an die Variable `result` zugewiesen. Da `result` vom Typ `int` ist, wird hier statt `false` oder `true` der entsprechende numerische Wert zugewiesen, also `0` für `false` und `1` für `true`.

Oft soll aber zuerst zugewiesen und dann verglichen werden. In einem solchen Fall sind stets Klammern zu setzen.

Beispiel: `(result = lenght + 1) == limit`

Hier wird das Ergebnis von `length + 1` in der Variablen `result` abgelegt und dann erst mit `limit` verglichen.

     Verwenden Sie nicht den Zuweisungsoperator `=`, wenn Sie zwei Ausdrücke vergleichen wollen. Der Compiler erzeugt keine Fehlermeldung, wenn der linke Ausdruck eine Variable ist. Dies hat schon manchem Anfänger viel Zeit und Nerven bei der Fehlersuche gekostet.

Logische Operatoren

Die logischen Operatoren

Operator	Bedeutung
&&	UND
||	ODER
!	NICHT

Wahrheitstafel für logische Operatoren

A	B	A && B	A || B
true	true	true	true
true	false	false	true
false	true	false	true
false	false	false	false

A	!A
true	false
false	true

Beispiele für logische Ausdrücke

x	y	logischer Ausdruck	Ergebnis
1	-1	x <= y || y >= 0	false
0	0	x > -2 && y == 0	true
-1	0	x && !y	true
0	1	!(x+1) || y - 1 > 0	false

 Ein numerischer Wert wie x oder x+1 wird als „falsch" interpretiert, wenn sein Wert 0 ist. Jeder von 0 verschiedene Wert wird als „wahr" interpretiert.

Die logischen Operatoren sind die *booleschen Operatoren* && (UND), || (ODER) und ! (NICHT). Mit ihnen werden zusammengesetzte Bedingungen formuliert. Auf diese Weise können Programmverzweigungen von mehreren Bedingungen abhängig gemacht werden.

Wie ein Vergleichsausdruck liefert auch ein logischer Ausdruck das Ergebnis false oder true – je nachdem, ob der logische Ausdruck falsch oder wahr ist.

Operanden und Bewertungsreihenfolge

Die Operanden der booleschen Operatoren sind vom Typ bool. Als Operanden sind aber auch beliebige Ausdrücke zulässig, deren Typ in den Typ bool konvertiert werden kann. Dazu gehören alle arithmetischen Typen. In diesem Fall wird ein Operand als „falsch" interpretiert, also in false konvertiert, wenn sein Wert 0 ist. Jeder von 0 verschiedene Wert wird als „wahr" interpretiert.

Der **ODER-Operator** || liefert genau dann true, wenn mindestens ein Operand „wahr" ist. Demnach ist der Wert des Ausdrucks

Beispiel: (laenge < 0.2) || (laenge > 9.8)

true, wenn laenge kleiner als 0.2 oder größer als 9.8 ist.

Der **UND-Operator** && liefert genau dann true, wenn beide Operanden „wahr" sind. So ist der logische Ausdruck

Beispiel: (index < max) && (cin >> zahl)

true, solange index kleiner als max ist und eine Zahl erfolgreich eingelesen werden kann. Ist bereits index < max nicht erfüllt, so wird auch keine Zahl mehr eingelesen! Eine wichtige Besonderheit der logischen Operatoren && und || ist nämlich, dass die Bewertungsreihenfolge festgelegt ist: Zuerst wird der linke Operand bewertet. Steht dann das Ergebnis schon fest, so wird der rechte Operand nicht mehr bewertet!

Der **NICHT-Operator** ! liefert genau dann true, wenn sein Operand „falsch" ist. Enthält die Variable flag etwa den Wert false (bzw. den Wert 0), so liefert !flag den booleschen Wert true.

Vorrang boolescher Operatoren

Der Operator && hat einen höheren Vorrang als ||. Der Vorrang beider Operatoren ist zwar höher als der von Zuweisungen, aber niedriger als der Vorrang aller übrigen bisher verwendeten Operatoren. In den obigen Beispielen dürfen deshalb die Klammern weggelassen werden.

Der Operator ! hat als unärer Operator einen hohen Vorrang. Vergleichen Sie hierzu auch die Vorrangtabelle im Anhang.

Übungen

Listing zur 4. Aufgabe

```cpp
// Bewertung der Operanden in logischen Ausdrücken.

#include <iostream>
using namespace std;
int main()
{
   cout << boolalpha; // Boolesche Werte als
                      // true oder false ausgeben
   bool erg = false;

   int y = 5;
   erg = 7 || (y = 0);
   cout << "Wert von (7 || (y = 0)): " << erg
        << endl;
   cout << "Wert von y: " << y << endl;

   int  a, b, c;

   a = b = c = 0;
   erg = ++a || ++b && ++c;

   cout << '\n'
        << "  erg = " << erg
        << ",   a = " << a
        << ",   b = " << b
        << ",   c = " << c << endl;

   a = b = c = 0;
   erg = ++a && ++b || ++c;

   cout << "  erg = " << erg
        << ",   a = " << a
        << ",   b = " << b
        << ",   c = " << c << endl;

   return 0;
}
```

1. Aufgabe

Welchen Wert haben die folgenden arithmetischen Ausdrücke?

a) `3/10`   *b)* `11%4`   *c)* `15/2.0`

d) `3 + 4 % 5`   *e)* `3 * 7 % 4`   *f)* `7 % 4 * 3`

2. Aufgabe

a) Wie werden die Operanden und Operatoren im folgenden Ausdruck

```
x = -4 * i++ - 6 % 4;
```

zusammengefasst? Setzen Sie die entsprechenden Klammern.

b) Welcher Wert wird in **a)** der Variablen `x` zugewiesen, wenn die Variable `i` die Zahl `-2` enthält?

3. Aufgabe

Die int-Variable x enthalte die Zahl 7. Bestimmen Sie den Wert der folgenden logischen Ausdrücke:

a) `x < 10 && x >= -1`

b) `!x && x >= 3`

c) `x++ == 8 || x == 7`

4. Aufgabe

Welche Bildschirmausgaben erzeugt das nebenstehende Programm?

Lösungen

Zur 1. Aufgabe:

a) 0   *b)* 3   *c)* 7.5

d) 7   *e)* 1   *f)* 9

Zur 2. Aufgabe:

a) x = (((-4) * (i++)) - (6 % 4))

b) Der Variablen x wird der Wert 6 zugewiesen.

Zur 3. Aufgabe:

c) true

d) false

e) false

Zur 4. Aufgabe:

```
Wert von (7 || (y = 0)): true
Wert von y: 5
erg = true,    a = 1,    b = 0,    c = 0
erg = true,    a = 1,    b = 1,    c = 0
```

Kapitel 6

Kontrollstrukturen

In diesem Kapitel lernen Sie die Anweisungen zur Kontrolle des Programmflusses kennen. Das sind:

- Schleifen mit `while`, `do-while` und `for`
- Verzweigungen mit `if-else`, `switch` und dem Auswahloperator
- bedingungsfreie Sprünge mit `goto`, `continue` und `break`

Die while-Schleife

Struktogramm zu while

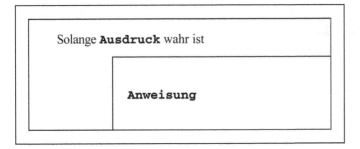

Beispielprogramm

```cpp
// schnitt.cpp
// Berechnung des Durchschnitts ganzer Zahlen

#include <iostream>
using namespace std;
int main()
{
   int x, anzahl = 0;
   float summe = 0.0;

   cout << "Bitte geben Sie ganze Zahlen ein:\n"
           "(Abbruch mit beliebigem Buchstaben)"
        << endl;
   while( cin >> x )
   {
      summe += x;
      ++anzahl;
   }
   cout << "Der Durchschnitt der Zahlen: "
        << summe / anzahl << endl;

   return 0;
}
```

Beispiel für einen Programmablauf

```
Bitte geben Sie ganze Zahlen ein:
(Abbruch mit beliebigem Buchstaben)
9   10   12q

Der Durchschnitt der Zahlen: 10.3333
```

Schleifen werden gebildet, um eine Gruppe von Anweisungen mehrfach auszuführen. C++ bietet drei Sprachelemente zur Bildung von Schleifen: `while`, `do-
while` und `for`. Die Anzahl der Schleifendurchläufe wird durch eine *Laufbedin-
gung* festgelegt. Bei der `while`- und `for`-Anweisung wird die Laufbedingung
zu Beginn eines Durchlaufs getestet, bei der `do-while`-Anweisung am Ende
eines Durchlaufs.

Die `while` -Schleife hat folgende

Syntax: `while(Ausdruck)`
              `Anweisung`   `//abhängige Anweisung`

Zu Beginn der Schleife wird die Laufbedingung geprüft, d.h. der Wert von `Aus-
druck` bestimmt. Ist dieser `true`, so wird die abhängige Anweisung ausgeführt.
Anschließend wird die Laufbedingung erneut überprüft.

Ist die Laufbedingung „falsch", d.h. hat `Ausdruck` den Wert `false`, so wird
das Programm mit der Anweisung fortgesetzt, die der `while`-Schleife folgt.

Üblicherweise wird die abhängige Anweisung im Quelltext in einer neuen Zeile
eingerückt dargestellt, was die Lesbarkeit des Programms verbessert.

Beispiel: `int anzahl = 0;`
              `while( anzahl < 10)`
                  `cout << ++anzahl << endl;`

Wie in diesem Beispiel ist die Laufbedingung typischerweise ein boolescher Ausdruck. Die Laufbedingung darf aber ein beliebiger Ausdruck sein, der in den Typ
`bool` konvertiert werden kann. Dazu gehören alle Ausdrücke mit einem arithmetischen Typ. Wie schon von den booleschen Operatoren her bekannt ist, wird
dabei der Wert `0` in `false` konvertiert, jeder andere Wert in `true`.

Blockbildung

Sollen in einer Schleife mehr als nur eine Anweisung wiederholt ausgeführt
werden, so müssen die Anweisungen zu einem *Block* zusammengefasst, d.h. in
geschweifte Klammern { } eingeschlossen werden. Syntaktisch ist ein Block
äquivalent zu einer Anweisung. Es kann also immer dort ein Block verwendet
werden, wo in einer Syntaxbeschreibung eine Anweisung gefordert ist.

Das nebenstehende Programm berechnet den Durchschnitt von Ganzzahlen, die
über die Tastatur eingegeben werden. Da die Schleife zwei Anweisungen
umfasst, müssen diese zu einem Block zusammengefasst werden.

Die Laufbedingung `cin >> x` ist erfüllt, solange der Anwender eine ganze
Zahl eingibt. Die Konvertierung des Ausdrucks `cin >> x` in den Typ `bool`
liefert nämlich `true`, wenn die Eingabe erfolgreich war, andernfalls `false`.
Damit wird die Schleife beendet und die nachfolgende Ausgabeanweisung ausgeführt, sobald der Anwender keine Zahl, sondern einen Buchstaben eingibt.

Die for-Schleife

Struktogramm zu for

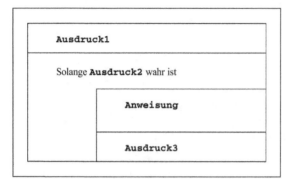

Beispielprogramm

```cpp
// Euro1.cpp
#include <iostream>
#include <iomanip>
using namespace std;

int main()
{
    double kurs = 0.95;    // Preis von einem Euro
                           // in Dollar
    cout << fixed << setprecision(2);

    cout << "\tEuro \tDollar\n";

    for( int euro = 1; euro <= 5; ++euro)
      cout << "\t " << euro
           << "\t " << euro*kurs << endl;

    return 0;
}
```

Bildschirmausgabe

```
Euro    Dollar
  1       0.95
  2       1.90
  3       2.85
  4       3.80
  5       4.75
```

Initialisierung und Reinitialisierung

Eine typische Schleife benutzt einen *Zähler*, der – einmal initialisiert – in der Laufbedingung überprüft und am Ende eines Durchlaufs reinitialisiert wird.

Beispiel:
```
int zaehler = 1;                    // Initialisierung
while( zaehler <= 10)               // Laufbedingung
{
   cout << zaehler
        << ". Schleifendurchlauf" << endl;
   ++zaehler;                       // Reinitialisierung
}
```

Bei der `for`-Anweisung werden die Elemente zur Kontrolle der Schleife im Schleifenkopf zusammengefasst. Das obige Beispiel lautet als `for`-Schleife:

Beispiel:
```
int zaehler;
for( zaehler = 1; zaehler <= 10; ++zaehler)
   cout << zaehler
        << ". Schleifendurchlauf" << endl;
```

Für die Initialisierung und Reinitialisierung der Schleife sind beliebige Ausdrücke zulässig. Somit hat die `for`-Schleife die folgende

Syntax:
```
for( Ausdruck1; Ausdruck2; Ausdruck3 )
   Anweisung
```

Als erstes – und nur einmal – wird `Ausdruck1` ausgeführt und damit die Initialisierung vorgenommen. `Ausdruck2` ist die Laufbedingung. Diese wird zu Beginn jedes Schleifendurchlaufs bewertet:

- Ergibt `Ausdruck2` den Wert `false`, so wird die Schleife beendet.

- Ergibt `Ausdruck2` den Wert `true`, so wird die abhängige Anweisung ausgeführt. Anschließend wird die Reinitialisierung `Ausdruck3` durchgeführt und `Ausdruck2` erneut geprüft.

Der Schleifenzähler darf auch direkt im `Ausdruck1` definiert werden. Er kann dann innerhalb der Schleife benutzt werden, allerdings nicht mehr nach dem Verlassen der Schleife.

Beispiel:
```
for( int i = 0; i < 10; cout << i++ )
   ;
```

Wie dieses Beispiel zeigt, kann die abhängige Anweisung auch eine leere Anweisung sein. Das ist immer dann der Fall, wenn alle nötigen Anweisungen im Schleifenkopf enthalten sind. Der besseren Übersicht wegen sollte auch die leere Anweisung in einer eigenen Zeile stehen.

Die for-Schleife (Fortsetzung)

Beispielprogramm

```cpp
// EuroDoll.cpp
// Ausgabe einer Kurstabelle:  Euro und US-$

#include <iostream>
#include <iomanip>
using namespace std;

int main()
{
   long   euro, maxEuro;        // Euro-Beträge
   double kurs;                 // Euro/$-Kurs

   cout << "\n* * * KURSTABELLE Euro - US-$ * * *\n\n";
   cout << "\nBitte den Preis von einem Euro in US-$"
           " eingeben: ";
   cin >> kurs;
   cout << "\nBitte die Obergrenze für Euro eingeben: ";
   cin >> maxEuro;

   //  ---  Ausgabe der Tabelle  ---

                               // Spaltenüberschriften:
   cout << '\n'
        << setw(12) << "Euro" << setw(20) << "US-$"
        << "\t\tKurs: " << kurs << endl;

                               // Ausgabeformat für $:
   cout << fixed << setprecision(2) << endl;

   long lower, upper,          // Unter-/Obergrenze
        step;                  // Schrittweite

        // Die äußere Schleife bestimmt die aktuelle
        // Untergrenze und die Schrittweite:
   for( lower=1, step=1; lower <= maxEuro;
                      step*= 10, lower = 2*step)
        // Die innere Schleife gibt einen "Block" aus:
     for( euro = lower, upper = step*10;
          euro <= upper && euro <= maxEuro; euro+=step)
       cout << setw(12) << euro
            << setw(20) << euro*kurs << endl;

   return 0;
}
```

Jeder der drei Ausdrücke in der `for`-Anweisung kann weggelassen werden. Es müssen jedoch stets zwei Semikolons ausgegeben werden. Der kürzeste Schleifenkopf ist daher:

Beispiel: `for(;;)`

Er bewirkt eine Endlosschleife, da bei fehlendem `Ausdruck2` die Laufbedingung als „wahr" angenommen wird. Im folgenden

Beispiel: `for( ; Ausdruck; )`

ist der Schleifenkopf äquivalent zu `while(Ausdruck)`. Solange der Ausdruck wahr ist, wird die abhängige Anweisung ausgeführt.

Der Kommaoperator

Mit dem Kommaoperator können dort mehrere Ausdrücke angegeben werden, wo syntaktisch nur ein Ausdruck stehen darf. Beispielsweise können im Schleifenkopf einer `for`-Anweisung auch mehrere Variablen initialisiert werden. Der Kommaoperator hat folgende

Syntax: `Ausdruck1, Ausdruck2 [, Ausdruck3 ...]`

Die durch Komma getrennten Ausdrücke werden von links nach rechts der Reihe nach bewertet.

Beispiel:
```
int x, i, grenze;
for( i=0, grenze=8;  i < grenze;  i += 2)
   x = i * i,  cout << setw(10) << x;
```

Der Kommaoperator trennt die Zuweisungen an die Variablen `i` und `grenze`. Anschließend wird er benutzt, um in *einer* Anweisung den Wert von `x` zu berechnen und auszugeben.

Der Kommaoperator hat von allen Operatoren den niedrigsten Vorrang, auch niedriger als der von Zuweisungsoperatoren. Daher brauchen im obigen Beispiel keine Klammern gesetzt werden.

Ein Ausdruck mit dem Kommaoperator hat wie jeder Ausdruck in C++ einen Typ und einen Wert. Dies ist der Typ und Wert des letzten, durch Komma getrennten Ausdrucks.

Beispiel: `x = (a = 3, b = 5, a * b);`

Hier werden zunächst die Zuweisungen in der Klammer ausgeführt, und dann wird der Wert des Produkts `a * b` an `x` zugewiesen.

Die do-while-Schleife

Struktogramm zu do-while

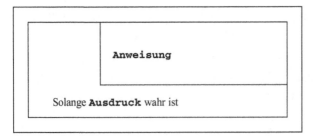

Beispielprogramm

```
// ton.cpp
#include <iostream>
using namespace std;

const long delay = 10000000L;

int main()
{
    int tic;
    cout << "\nWie oft soll ein Ton ausgegeben werden? ";
    cin >> tic;

    do
    {
        for( long i = 0; i < delay; ++i )
            ;
        cout << "Jetzt kommt der Ton!\a" << endl;
    }
    while( --tic > 0 );

    cout << "Ende der akustischen Einlage!\n";

    return 0;
}
```

Im Gegensatz zu den „kopfgesteuerten" while- und for-Schleifen ist die do-while-Schleife eine „fußgesteuerte" Schleife, d.h. die Laufbedingung wird erst am Ende eines Schleifendurchlaufs getestet. Das hat zur Folge, dass die abhängige Anweisung in jedem Fall mindestens *einmal* ausgeführt wird.

Syntax:
```
do
     Anweisung
while( Ausdruck);
```

Bei der Ausführung von do-while wird zunächst die abhängige Anweisung bearbeitet. Dann wird die Laufbedingung Ausdruck bewertet. Ist das Ergebnis true, beginnt ein neuer Schleifendurchlauf. Andernfalls wird die Schleife beendet.

Zu beachten ist, dass eine do-while-Schleife mit einem Semikolon abzuschließen ist.

Schachteln von Schleifen

Schleifen dürfen geschachtelt werden, d.h. die abhängige Anweisung in einer Schleife darf wieder eine Schleife enthalten. Gemäß dem ANSI-Standard ist eine Verschachtelungstiefe von mindestens 256 Kontrollanweisungen zulässig.

Das nebenstehende Programm gibt eine bestimmte Anzahl von Tönen aus. Die Anzahl gibt der Anwender über die Tastatur ein.

Das Programm enthält zwei ineinander geschachtelte Schleifen. Bei jedem Durchlauf der äußeren do-while-Schleife wird zunächst eine kurze Pause erzeugt. Dies geschieht mit der inneren for-Schleife, in der die Variable i von 0 auf den Wert von delay hochgezählt wird.

Anschließend werden ein Text und ein Ton ausgegeben. Der Ton entsteht durch die Ausgabe des Steuerzeichens BELL (ASCII-Code 7), das durch die Escape-Sequenz \a dargestellt wird.

Die Verwendung der do-while-Anweisung bewirkt, dass auch dann ein Ton ausgegeben wird, wenn der Anwender 0 oder eine negative Zahl eingibt.

Verzweigungen mit if-else

Struktogramm zur if-else-Anweisung

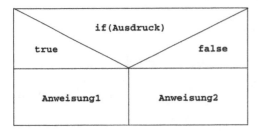

Beispielprogramm

```cpp
// if_else.cpp
// Demo zur Verwendung der if-else-Anweisung

#include <iostream>
using namespace std;
int main()
{
   float x, y, min;

   cout << "Geben Sie zwei verschiedene Zahlen ein:\n";

   if( cin >> x && cin >> y)   // Falls beide Eingaben
   {                           // erfolgreich sind,
     if( x < y )               // das Minimum ermitteln.
        min = x;
     else
       min = y;
     cout << "\nDie kleinere Zahl ist: " << min << endl;
   }
   else
     cout << "\nFehlerhafte Eingabe!" << endl;

   return 0;
}
```

Beispiel für einen Programmablauf

```
Geben Sie zwei verschiedene Zahlen ein:
7.5  5.7
Die kleinere Zahl ist: 5.7
```

Mit der Anweisung `if-else` kann eine Auswahl zwischen zwei verschiedenen Anweisungen getroffen werden.

Syntax:
```
if( Ausdruck )
     Anweisung1
[ else
     Anweisung2 ]
```

Bei der Programmausführung wird zunächst der `Ausdruck` bewertet und entsprechend verzweigt: Ist das Ergebnis `true`, so wird die `Anweisung1` ausgeführt, andernfalls die `Anweisung2`, sofern der `else`-Zweig vorhanden ist. Gibt es keinen `else`-Zweig und liefert der `Ausdruck` den Wert `false`, so wird direkt zur nächsten Anweisung nach der `if`-Anweisung verzweigt.

Verschachtelte if-else-Anweisungen

Wie das nebenstehende Programm zeigt, können mehrere `if-else`-Anweisungen geschachtelt werden. Nicht jede `if`-Anweisung muss aber einen `else`-Zweig besitzen. Das daraus entstehende Problem ist so gelöst, dass ein `else`-Zweig immer zum letzten `if` gehört, dem noch kein `else` zugeordnet ist.

Beispiel:
```
if( n > 0 )
     if( n%2 == 1 )
          cout << "Positive und ungerade Zahl";
     else
          cout << "Positive und gerade Zahl";
```

Hier gehört der `else`-Zweig zum zweiten `if`, was durch das Einrücken auch sichtbar gemacht ist. Um eine andere Zugehörigkeit eines `else`-Zweiges zu erreichen, kann ein Block gebildet werden.

Beispiel:
```
if( n > 0 )
{ if( n%2 == 1 )
     cout << "Positive und ungerade Zahl\n";
}
else
  cout << "Zahl negativ oder null\n";
```

Variablen-Definition im if-Ausdruck

Im `if`-Ausdruck kann eine Variable mit Initialisierung definiert werden. Der Ausdruck ist wahr, wenn die Konvertierung des Variablen-Wertes in den Typ `bool` das Ergebnis `true` liefert. Die Variable steht dann innerhalb der `if`-Anweisungen zur Verfügung.

Beispiel:
```
if( int x = func() )
{ . . . }              // Hier mit x arbeiten.
```

Die Variable `x` wird mit dem Return-Wert der Funktion `func()` initialisiert. Ist dieser nicht `0`, werden die Anweisungen im anschließenden Block ausgeführt. Nach dem Verlassen der `if`-Anweisung existiert die Variable `x` nicht mehr.

else-if-Ketten

Struktogramm zur else-if-Kette

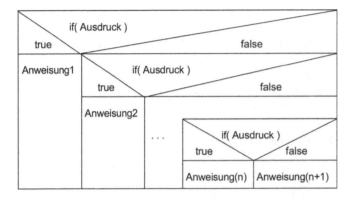

Beispielprogramm

```
// geschw.cpp
// Bußgeld für zu schnelles Fahren ausgeben.

#include <iostream>
using namespace std;

int main()
{
   float grenze, geschw, zuviel;
   cout << "\nGeschwindigkeitsgrenze: ";
   cin >> grenze;
   cout << "\nGeschwindigkeit: ";
   cin >> geschw;

   if( (zuviel = geschw - grenze ) < 10)
     cout << "Sie haben nochmal Glück gehabt!" << endl;
   else if( zuviel < 20)
     cout << "Bußgeld fällig: 40,-. Euro" << endl;
   else if( zuviel < 30)
     cout << "Bußgeld fällig: 80,-. Euro" << endl;
   else
     cout << "Führerschein abgeben!" << endl;

   return 0;
}
```

Layout und Ablauf

Mit einer `else-if`-Kette kann die Auswahl einer von mehreren Alternativen programmiert werden. Eine `else-if`-Kette ist nichts anderes als eine Folge ineinander geschachtelter `if-else`-Anweisungen, deren Layout üblicherweise diese Form hat:

```
if ( Ausdruck1 )
   Anweisung1
else if( Ausdruck2 )
   Anweisung2

      .
      .
      .
else if( Ausdruck(n) )
   Anweisung(n)
[ else Anweisung(n+1)]
```

Bei Ausführung der `else-if`-Kette werden `Ausdruck1`, `Ausdruck2`, ... der Reihe nach bewertet. Beim ersten Ausdruck, der „wahr" ist, wird die abhängige Anweisung bearbeitet. Dann ist die gesamte `else-if`-Kette beendet! Trifft keiner der Ausdrücke `Ausdruck1`, ..., `Ausdruck(n)` zu, so wird der `else`-Zweig der letzten `if`-Anweisung ausgeführt. Fehlt dieser `else`-Zweig, so wird das Programm direkt mit der Anweisung fortgesetzt, die der `else-if`-Kette folgt.

Zum Beispielprogramm

Das nebenstehende Programm verwendet eine `else-if`-Kette, um die „Konsequenzen" einer Geschwindigkeitsüberschreitung zu bestimmen und auf dem Bildschirm auszugeben. Die Geschwindigkeitsgrenze und die tatsächliche Geschwindigkeit werden von der Tastatur eingelesen. Gibt der Anwender beispielsweise 60 als Geschwindigkeitsgrenze und 97.5 als tatsächliche Geschwindigkeit ein, so treffen die ersten drei Ausdrücke nicht zu. Daher wird der letzte `else`-Zweig ausgeführt. Damit wird in einer neuen Zeile die Meldung `Führerschein abgeben!` angezeigt.

Initialisierte Bedingungen

C++17 ermöglicht es, im Kopf einer if-Anweisung vor dem Bedingungsausdruck eine Initialisierung vorzunehmen. Die Initialisierung schließt stets mit einem Semikolon ab.

Beispiel: `if (int x = result(); x >0) return -x;`
             ist bis auf den Geltungsbereich von x äquivalent zu:
             `int x = result();`
             `if( x > 0) return -x;`

Eine im Anweisungskopf deklarierte Variable existiert nur innerhalb der Anweisung.

Bedingte Bewertung

Struktogramm zur bedingten Bewertung

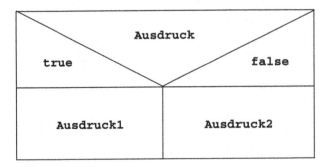

Beispielprogramm

```cpp
// groesser.cpp
#include <iostream>
using namespace std;

int main()
{
    float x, y;

    cout << "Geben Sie zwei verschiedene Zahlen ein:\n";
    if( !(cin >> x && cin >> y) ) // Falls eine Eingabe
    {                             // nicht erfolgreich.
        cout << "\nFehlerhafte Eingabe!" << endl;
    }
    else
    {
        cout << "\nDie größere Zahl ist: "
             << (x > y ? x : y)  << endl;
    }

    return 0;
}
```

Beispiel für einen Programmablauf

```
Geben Sie zwei verschiedene Zahlen ein:
173.2
216.7
Die größere Zahl ist: 216.7
```

Auswahloperator

In einer bedingten Bewertung wird mit Hilfe des Auswahloperators `?:` eine einfache Verzweigung gebildet. Im Gegensatz zur `if-else`-Anweisung beruht die Verzweigung auf der Basis von Ausdrücken: Es wird ein Ausdruck von möglichen Ausdrücken ausgewählt. Die bedingte Bewertung ist oft eine prägnante Alternative zur if-else-Anweisung.

Syntax: `Ausdruck ? Ausdruck1 : Ausdruck2`

Zunächst wird `Ausdruck` bewertet. Ist das Ergebnis `true`, so wird `Ausdruck1`, andernfalls `Ausdruck2` ausgeführt. Das Ergebnis der bedingten Bewertung ist also der Wert von `Ausdruck1` oder `Ausdruck2`.

Beispiel: `z = (a >= 0) ? a : -a;`

Hier wird der Absolutwert von `a` in die Variable `z` gespeichert. Enthält `a` etwa den positiven Wert `12`, so wird die Zahl `12` an `z` zugewiesen. Ist der Wert von `a` jedoch negativ, z.B. `-8`, so wird die Zahl `8` an `z` zugewiesen.

Da in diesem Beispiel das Ergebnis der bedingten Bewertung an die Variable `z` zugewiesen wird, ist die Anweisung äquivalent zu:

```
if( a >= 0 )
    z = a;
else
    z = -a;
```

Vorrang

Der Auswahloperator ist der einzige Operator in C++ mit drei Operanden. Sein Vorrang ist höher als der des Kommaoperators und der Zuweisungsoperatoren, jedoch niedriger als der aller anderen Operatoren. Daher könnten im ersten Beispiel auch die Klammern weggelassen werden.

Das Ergebnis einer bedingten Bewertung kann auch ohne Zuweisung weiterverwendet werden, wie das nebenstehende Beispielprogramm zeigt. Hier wird `x` auf dem Bildschirm ausgegeben, wenn `x` größer als `y` ist, andernfalls wird `y` ausgegeben.

Bei komplexen Ausdrücken sollte jedoch das Ergebnis einer Variablen zugewiesen werden, damit das Programm lesbar bleibt.

Auswahl mit switch

Struktogramm zur switch-Anweisung

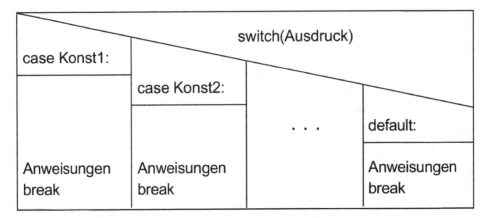

Beispielprogramm

```cpp
// Ein in einem Menü eingegebenes Kommando abfragen.

int kommando = menu();        // Die Funktion menu() liest
                              // ein Kommando ein.
switch( kommando)             // Kommando auswerten.
{
  case 'a':
  case 'A': action1();        // 1. Aktion ausführen.
            break;
  case 'b':
  case 'B': action2();        // 2. Aktion ausführen.
            break;
  default: cout << '\a' << flush; // Ton für falsches
}                                 // Kommando ausgeben.
```

C++17 ermöglicht es auch, im Kopf der switch-Anweisung dem Ausdruck eine Initialisierung voranzustellen. Diese wird mit einem Semikolon abgeschlossen.

Beispiel: switch(int choice = menu(); choice)
                 {. . .}
                 ist bis auf den Geltungsbereich von choice äquivalent zu:
                 int choice = menu();
                 switch(choice){. . .}

Die switch-Anweisung

Die switch-Anweisung (switch = Schalter) bietet wie eine else-if-Kette die Möglichkeit, eine von mehreren Alternativen auszuwählen. In einem switch wird der Wert *eines* Ausdrucks mit mehreren Konstanten verglichen.

```
switch( Ausdruck )
{
    case Konst1: [ Anweisungen ]
                 [ break; ]
    case Konst2: [ Anweisungen ]
                 [ break; ]

    .

    .

    .

    [default:  Anweisungen ]
}
```

Zunächst wird der Ausdruck im switch bewertet. Er muss einen ganzzahligen Typ haben. Das Ergebnis wird dann mit den Konstanten Konst1, Konst2, ... in den case-Marken verglichen. Die Konstanten müssen alle verschieden sein und ebenfalls einen ganzzahligen Typ haben (boolesche Werte und Zeichenkonstanten haben auch einen ganzzahligen Typ).

Stimmt der Wert des Ausdrucks mit einer case-Konstanten überein, so wird zu dieser case-Marke verzweigt. Danach wird das Programm sequenziell fortgesetzt, wobei die case-Marken keine Bedeutung mehr haben.

Mit der break-Anweisung kann der switch unmittelbar verlassen werden. Sie ist notwendig, wenn die Anweisungen der folgenden case-Marken nicht ausgeführt werden sollen.

Stimmt der Wert des Ausdrucks mit keiner der case-Konstanten überein, so wird zur default-Marke verzweigt, sofern diese vorhanden ist. Ohne default-Marke findet in diesem Fall keine Aktion statt. Die default-Marke muss nicht die letzte Marke sein, ihr können noch weitere case-Marken folgen.

Unterschied zur else-if-Kette

Die else-if-Kette ist im Vergleich zur switch-Anweisung die universellere Anweisung: Jede Auswahl kann mit einer else-if-Kette programmiert werden. Häufig ist es jedoch notwendig, dass der Wert eines ganzzahligen Ausdrucks mit einer Reihe von möglichen Werten verglichen werden muss. In diesen (und nur in diesen) Fällen kann die switch-Anweisung eingesetzt werden.

Wie das nebenstehende Beispielprogramm „Menüauswahl" zeigt, ist eine switch-Anweisung übersichtlicher als eine entsprechende else-if-Kette. Deshalb sollte der switch-Anweisung, falls möglich, der Vorzug gegeben werden.

Sprünge mit break, continue und goto

Struktogramm zur break-Anweisung in einer while-Schleife

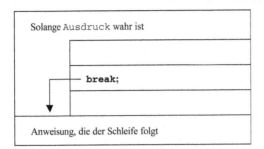

Solange Ausdruck wahr ist

break;

Anweisung, die der Schleife folgt

Beispielprogramm zu break

```cpp
// ASCII.CPP : Ausgabe einer ASCII-Code-Tabelle

#include <iostream>
#include <iomanip>
using namespace std;
int main()
{
   int ac = 32;                   // Ab ASCII-Code 32
                                  // ohne Steuerzeichen.
   while(true)
   {
     cout << "\n  Zeichen   Dezimal    Hexadezimal\n\n";
     int upper;
     for( upper = ac+20; ac < upper && ac < 256; ++ac)
        cout <<"          " << (char)ac       // als Zeichen
              << setw(10) << dec << ac
              << setw(10) << hex << ac << endl;

     if( upper >= 256)    break;

     cout <<"\nWeiter -> <Return>,   Ende -> <q>+<Return>";
     char answer;
     cin.get(answer);
     if( answer == 'q' || answer == 'Q' )
        break;
    cin.sync();                   // Eingabepuffer löschen
   }
   return 0;
}
```

  Der Ausdruck (char)ac liefert den Wert von ac als char.

break

Die break-Anweisung veranlasst, dass ein switch oder eine Schleife unmittelbar verlassen wird. Mit break wird zur ersten Anweisung hinter dem switch bzw. der Schleife verzweigt.

Im nebenstehenden Programm, das jeweils 20 ASCII-Zeichen zusammen mit ihrem Code ausgibt, wird break an zwei Stellen benutzt: Mit dem ersten break wird die Endlos-Schleife while(true) { ... } verlassen, sobald die Obergrenze 256 erreicht ist. Andernfalls entscheidet der Anwender, ob das Programm fortgesetzt werden soll. Zur Beendigung der while-Schleife – und damit des Programms – dient hier die zweite break-Anweisung.

continue

Die Anweisung continue kann in Schleifen verwendet werden und bewirkt das Gegenteil von break: Es wird unmittelbar die nächste Wiederholung begonnen. In einer while- oder do-while-Schleife wird zur Laufbedingung, in einer for-Schleife zur Reinitialisierung verzweigt.

Beispiel:
```
for( int i = 0; i < 100; i++ )
{
    . . .      // Hier alle Zahlen bearbeiten.
   if( i % 2 == 1)
      continue;
    . . .      // Jetzt nur noch gerade Zahlen
               // bearbeiten.
}
```

goto und Marken

C++ bietet auch eine goto-Anweisung und Marken als mögliche Sprungziele. Damit kann ein beliebiger Sprung innerhalb derselben Funktion programmiert werden. Beispielsweise kann eine tief verschachtelte Schleifenkonstruktion sofort verlassen werden.

Beispiel:
```
for( . . . )
   for( . . . )
      if (error) goto errorcheck;
   . . .
   errorcheck: . . .         // Fehlerbehandlung
```

Eine *Marke* ist ein Name, gefolgt von einem Doppelpunkt. Marken können vor jeder Anweisung stehen.

Jedes Programm kann auch ohne goto-Anweisung formuliert werden. Wenn trotzdem ein goto verwendet wird, sollte nur aus Blöcken herausgesprungen werden, niemals in einen Block hinein.

Übungen

Bildschirmausgabe zur 2. Aufgabe

```
              ****** DAS KLEINE EINMALEINS ******                   |

        1     2     3     4     5     6     7     8     9     10

1       1     2     3     .     .     .     .     .     .     10
2       2     4     6                                         20
3       .     .     .                                         .
4       .     .     .                                         .
5       .     .     .                                         .
6
7
8
9
10     10    20    30     .     .     .     .     .     .     100
```

Hinweis zur 4. Aufgabe

Die Verwendung der Funktion time()
zur Initialisierung des Zufallszahlengenerators:

```
#include <time.h>        // Prototyp von time()
#include <stdlib.h>      // Prototypen von srand()
                         // und rand()
time_t sek;
time( &sek );            // Anzahl Sekunden holen und
srand( (unsigned)sek );  // zur Initialisierung verwenden
```

1. Aufgabe

Schreiben Sie das Programm EuroDoll.cpp in diesem Kapitel so um, dass beide for-Schleifen durch while-Schleifen ersetzt werden.

2. Aufgabe

Schreiben Sie ein C++-Programm, das das „kleine Einmaleins" in einer Tabelle (wie nebenstehend skizziert) vollständig auf dem Bildschirm ausgibt.

3. Aufgabe

Schreiben Sie ein C++-Programm, das zunächst eine ganze Zahl zwischen 0 und 65 535 von der Tastatur liest, um den Zufallszahlengenerator zu initialisieren. Anschließend sollen 20 Zufallszahlen zwischen 1 und 100 auf dem Bildschirm ausgegeben werden.

4. Aufgabe

Programmieren Sie folgendes Zahlenbeispiel:

Der Computer merkt sich eine Zufallszahl zwischen 1 und 15, die der Spieler (= Benutzer) erraten soll. Der Spieler hat insgesamt drei Versuche. Nach jedem falschen Versuch gibt der Computer an, ob die angegebene Zahl zu klein oder zu groß ist. Ist auch der dritte Versuch erfolglos, wird die gesuchte Zahl ausgegeben.

Der Spieler hat gewonnen, wenn er spätestens beim dritten Versuch die Zahl errät. Er soll das Spiel beliebig oft wiederholen können.

 Zur Initialisierung des Zufallszahlengenerators verwenden Sie die Systemzeit, wie nebenstehend angegeben. Die Funktion time() liefert die Anzahl Sekunden seit dem 1.1.1970, 0:0 Uhr. Der Wert der Variablen sek vom Typ time_t wird durch unsigned(sek) in einen unsigned-Wert umgewandelt und dann der Funktion srand() übergeben.

Lösungen

Zur 1. Aufgabe:

Die for-Schleifen im Programm EuroDoll.cpp sind äquivalent zu folgenden while-Schleifen:

```
        // Die äußere Schleife bestimmt die aktuelle
        // Untergrenze und die Schrittweite:
    lower=1, step=1;
    while( lower <= maxEuro)
    {
        // Die innere Schleife gibt einen "Block" aus:
      euro = lower;
      upper = step*10;
      while( euro <= upper && euro <= maxEuro)
      {
        cout << setw(12) << euro
             << setw(20) << euro*kurs << endl;
        euro += step;
      }
      step *= 10, lower = 2*step;
    }
```

Zur 2. Aufgabe:

```cpp
//   1MAL1.CPP
//   Das kleine Einmaleins tabellarisch ausgeben.

#include <iostream>
#include <iomanip>
using namespace std;
int main()
{
    int  faktor1, faktor2;

    cout << "\n\n                 "
         << "  ******    DAS KLEINE EINMALEINS    ******"
         << endl;

    //  Die 1. Zeile und 2. Zeile der Tabelle ausgeben:

    cout << "\n\n\n            ";                   // 1. Zeile
    for( faktor2 = 1 ; faktor2 <= 10 ; ++faktor2 )
        cout << setw(5) << faktor2;
```

```
    cout << "\n          "                        // 2. Zeile
        << "-----------------------------------------"
        << endl;

    //   Die weiteren Zeilen der Tabelle ausgeben:

    for( faktor1 = 1 ; faktor1 <= 10 ; ++faktor1 )
    {
       cout << setw(6) << faktor1 << " |";
       for( faktor2 = 1 ; faktor2 <= 10 ; ++faktor2 )
         cout << setw(5) << faktor1 * faktor2;
       cout << endl;
    }
    cout << "\n\n\n";                 // Tabelle hochschieben

    return 0;
}
```

Zur 3. Aufgabe:

```
// ZUFALL.CPP
// Gibt 20 Zufallszahlen im Bereich von 1 bis 100 aus.

#include <stdlib.h>    // Prototypen von srand() und rand()
#include <iostream>
#include <iomanip>
using namespace std;

int main()
{
   unsigned int  i, seed;

   cout << "\nBitte geben Sie eine Zahl "
           "zwischen 0 und 65535 ein: ";

   cin >> seed;       // Eine Zahl von der Tastatur lesen.
   srand( seed);      // Den Zufallszahlengenerator
                      // initialisieren.

   cout << "\n\n              "
           "******   ZUFALLSZAHLEN   ******\n\n";

   for( i = 1 ; i <= 20 ; ++i)
     cout << setw(20) << i << ". Zufallszahl = "
           << setw(3)  << (rand() % 100 + 1) << endl;
   return 0;
}
```

Lösungen (Fortsetzung)

Zur 4. Aufgabe:

```cpp
//  ZAHLENSP.CPP  :  Ein Zahlenspiel gegen den Computer

#include <cstdlib>     // Prototypen von srand() und rand()
#include <ctime>       // Prototyp von time()
#include <iostream>
using namespace std;
int main()
{
   int  zahl, versuch;
   char wb = 'w';                  // wiederholen oder beenden
   time_t sek;
   time( &sek);                    // Zeit in Sekunden lesen.
   srand((unsigned)sek);           // Zufallszahlengenerator
                                   // initialisieren
   cout << "\n\n            "
        << " *******   EIN ZAHLENSPIEL   *******" << endl;

   cout << "\n\nDie Spielregeln:" << endl;
   while( wb == 'w')
   {
     cout << "Ich merke mir eine Zahl zwischen 1 und 15.\n"
          << "Sie haben drei Versuche, die Zahl zu raten!\n"
          << endl;
     zahl = (rand() % 15) + 1;
     bool gefunden = false;      int count = 0;
     while( !gefunden  && count < 3 )
     {
        cin.sync();                 // Eingabepuffer löschen
        cin.clear();
        cout << ++count << ". Versuch:     ";
        cin >> versuch;
        if(versuch < zahl)       cout << "zu klein!"<< endl;
        else if(versuch > zahl)  cout << "zu groß!"<< endl;
        else                     gefunden = true;
     }
     if( !gefunden)
       cout << "\nIch habe gewonnen!"
            << " Die gesuchte Zahl: " << zahl << endl;
     else
       cout << "\nBravo! Sie haben gewonnen!" << endl;
     cout << "Wiederholen --> <w>    Beenden --> <b>\n";
     do
       cin.get(wb);
     while( wb != 'w' &&  wb != 'b');
   }
   return 0;
}
```

Kapitel 7

Symbolische Konstanten und Makros

Sie werden in diesem Kapitel die Definition symbolischer Konstanten und Makros kennenlernen. Deren Bedeutung und Einsatzmöglichkeiten werden aufgezeigt. Außerdem werden Standardmakros zur Behandlung von Zeichen vorgestellt.

Makros

```cpp
// sintab.cpp
// Ausgabe einer Tabelle für die Sinus-Funktion

#include <iostream>
#include <iomanip>
#include <cmath>
using namespace std;

#define PI        3.1415926536
#define START     0.0                // Untergrenze
#define ENDE      (2.0 * PI)         // Obergrenze
#define SCHRITT   (PI / 8.0)         // Schrittweite
#define HEADER    (cout << \
   " *****  Tabelle für die Sinus-Funktion  *****\n\n")

int main()
{
  HEADER;                            // Überschrift
                                     // Tabellenkopf:
  cout << setw(16) << "x" << setw(20) << "sin(x)\n"
       << "  --------------------------------------"
       << fixed << endl;

  double x;
  for( x = START; x < ENDE + SCHRITT/2; x += SCHRITT)
     cout << setw(20) << x << setw(16) << sin(x)
          << endl;

  cout << endl << endl;
  return 0;
}
```

Bildschirmausgabe:

```
******  Tabelle für die Sinus-Funktion  ******

            x                  sin(x)
-------------------------------------------------
      0.000000            0.000000
      0.392699            0.382683
      0.785398            0.707107
         .                   .
         .                   .
         .                   .
```

C++ bietet einen einfachen Mechanismus, um Konstanten oder Befehlsfolgen einen Namen zu geben, d.h. *Makros* zu definieren. Dies geschieht mit der #define-Direktive des Präprozessors.

Syntax: `#define name Ersatztext`

Hiermit wird ein Makro `name` definiert. Der Präprozessor ersetzt dann überall im nachfolgenden Programmtext `name` durch `Ersatztext`. Zum Beispiel wird im nebenstehenden Programm in der ersten Übersetzungsphase überall der Name `PI` durch die Zahl `3.1415926536` ersetzt.

Es gibt eine Ausnahme von dieser allgemeinen Regel: Innerhalb von Zeichenketten findet keine Textersetzung statt. Zum Beispiel wird mit

```
cout << "PI";
```

nur `PI` und nicht der Zahlenwert von `PI` ausgegeben.

Symbolische Konstanten

Makros, deren Ersatztext eine Konstante ist, wie beispielsweise beim Makro `PI`, werden auch *symbolische Konstanten* genannt. Zu beachten ist, dass kein Gleichheitszeichen und kein Semikolon verwendet wird. Diese wären Teil des Ersatztextes.

Bereits definierte Makros können in nachfolgenden #define-Direktiven verwendet werden. So benutzt das nebenstehende Programm die symbolische Konstante `PI` zur Definition weiterer Konstanten.

Mehr zum Arbeiten mit Makros

Wie jede Präprozessor-Direktive muss auch die #define-Direktive in einer *eigenen* Zeile stehen. Ist der Ersatztext länger als eine Zeile, so kann die Zeile mit dem Backslash \ abgeschlossen und der Ersatztext in der folgenden Zeile fortgesetzt werden. Dies zeigt das nebenstehende Makro `HEADER`.

Für die Bildung von Makro-Namen gelten dieselben Regeln wie für die Namen von Variablen. Üblicherweise werden die Namen symbolischer Konstanten jedoch groß geschrieben, um sie im Programm besser von Variablennamen unterscheiden zu können.

Durch die Verwendung von Makros werden C++-Programme transparenter und flexibler. Es ergeben sich nämlich zwei wesentliche Vorteile:

1. *Gute Lesbarkeit:* Der Name eines Makros kann so gebildet werden, dass er einen Hinweis auf die Bedeutung enthält.

2. *Änderungsfreundlichkeit:* Soll z.B. der Wert einer Konstanten überall im Programm geändert werden, so muss bei einer symbolischen Konstanten nur der Wert in der #define-Direktive ersetzt werden.

Makros mit Parametern

Beispielprogramm

```cpp
// ball1.cpp
// Simuliert einen springenden Ball
// ---------------------------------------------------
#include <iostream>
#include <string>
using namespace std;

#define DELAY  10000000L              // Verzögerung
#define CLS    (cout << "\033[2J")   // Bildschirm löschen
#define LOCATE(z,s) (cout <<"\033["<< z <<';'<< s <<'H')
        // Cursor in Zeile z und Spalte s positionieren

int main()
{
   int x = 2, y = 3, dx = 1, geschw = 0;
   string boden(79, '-'),
          header = "****  SPRINGENDER BALL   ****";

   CLS;
   LOCATE(1,25);  cout << header;
   LOCATE(25,1);  cout << boden;

   while(true)       // Ball "immer" springen lassen
   {
     LOCATE(y,x); cout << 'o' << endl; // Ball anzeigen
     for( long warten = 0; warten < DELAY; ++warten)
       ;

     if(x == 1 || x == 79) dx = -dx;   // An einer Wand?

     if( y == 24 )                     // Am Boden?
     {
       geschw = - geschw;
       if( geschw == 0 ) geschw = -7;  // Neu anstoßen
     }

     geschw += 1;                      // Beschleunigung = 1

     LOCATE(y,x); cout <<  ' ';    // Anzeige löschen
     y += geschw;   x += dx;           // Neue Position
   }
}
```

Es ist möglich, Makros mit Argumenten aufzurufen. Dazu müssen bei der Definition entsprechende Parameter angegeben werden. Das sind Platzhalter, die beim Aufruf des Makros durch die aktuellen Argumente ersetzt werden.

Beispiel: `#define QUADRAT(a)    ((a) * (a))`

Hier wird das Makro `QUADRAT()` mit einem Parameter a definiert. Dem Namen des Makros muss unmittelbar die sich öffnende Klammer folgen. Bei einem *Aufruf*, wie etwa

Beispiel: `z = QUADRAT(x+1);`

setzt der Präprozessor den Ersatztext mit den aktuellen Argumenten ein. Dies führt hier zur *Erweiterung*

```
z = ((x+1) * (x+1));
```

Dieses Beispiel zeigt auch, dass in einer Makro-Definition die Parameter sorgfältig geklammert werden müssen. Ohne die Klammern ergäbe der obige Aufruf von QUADRAT die Erweiterung z = x + 1 * x + 1.

Die äußeren Klammern in der Definition stellen sicher, dass bei der Verwendung des Makros in einem komplexen Ausdruck immer zuerst quadriert und dann mit dem Ergebnis weitergerechnet wird.

Makros für die Bildschirmsteuerung

Das nebenstehende Programm benutzt Makros zur Gestaltung der Bildschirmanzeige. Zur Steuerung von peripheren Geräten, wie etwa Drucker oder Bildschirm, gibt es spezielle Zeichenfolgen, die in der Regel mit dem ESC-Zeichen (dezimal 27, oktal 033) beginnen und daher auch *Escape-Sequenzen* genannt werden. Für den Bildschirm gibt es von ANSI standardisierte Escape-Sequenzen[1]. Im Anhang *Bildschirmsteuerzeichen* sind die wichtigsten zusammengestellt.

CLS ist ein Makro ohne Parameter. Es benutzt die Escape-Sequenz \033[2J, um den Bildschirm zu löschen. LOCATE ist ein Beispiel für ein Makro mit zwei Parametern. LOCATE positioniert mit der Escape-Sequenz \033[z;sH den Cursor auf die Stelle, wo die nächste Ausgabe erfolgen soll. Die Werte z für die Zeile und s für die Spalte sind dezimal anzugeben. Dabei entspricht z = 1, s = 1 der linken oberen Bildschirm- bzw. Fensterecke.

Der Ball wird im Punkt x = 2, y = 3 „eingeworfen" und am „Boden" und an den „Wänden" reflektiert. Er hat in x-Richtung (horizontal) stets die konstante Geschwindigkeit dx = 1 bzw. -1. In y-Richtung (vertikal) erfährt der Ball eine konstante Beschleunigung 1, was sich in geschw += 1 ausdrückt.

---

1. Diese Steuerzeichen werden von allen gängigen UNIX-Terminals verstanden. Unter DOS muss der Treiber ANSI.SYS geladen sein. Für Windows finden Sie im Download mit den Beispielprogrammen und Musterlösungen zum Buch Lösungen mit Windows Systemaufrufen.

Arbeiten mit der #define-Direktive

Verwendung von Makros in mehreren Quelldateien

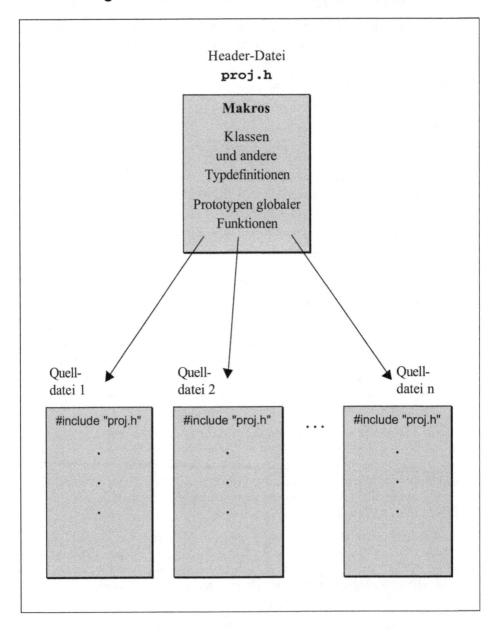

Die #define-Direktive darf in einer beliebigen Zeile des Programms stehen, natürlich vor der ersten Verwendung des Makros. Es empfielt sich aber, sämtliche Definitionen am Beginn einer Quelldatei vorzunehmen. Auf diese Weise können sie leicht gefunden und verändert werden.

Sollen die gleichen Makros in verschiedenen Quelldateien verwendet werden, so ist es sinnvoll, sie in eine Header-Datei zu schreiben. Diese kann dann von jeder Quelldatei inkludiert werden. Ein derartiges Vorgehen unterstützt auch die Entwicklung von größeren Software-Projekten. Jeder Mitarbeiter am Projekt benutzt den gleichen Satz von Makro-Definitionen und anderen Deklarationen.

Nebenstehend ist dieses Konzept am Beispiel der Header-Datei proj.h grafisch dargestellt.

Makros mit Parametern können wie Funktionen aufgerufen werden. Hierbei sind jedoch folgende wichtige Unterschiede zu beachten:

- **Makros:** Die Definition eines Makros muss für den Compiler *sichtbar* sein. Mit jedem Aufruf wird die entsprechende Erweiterung eingefügt und neu übersetzt. Ein Makro sollte deshalb nur wenige Anweisungen umfassen, da die Objektdatei mit jedem Aufruf länger wird. Die Ausführungsgeschwindigkeit des Programms wird jedoch beschleunigt, da keine Unterprogrammsprünge wie bei normalen Funktionsaufrufen erfolgen. Dies kann sich z.B. bei der Verwendung von Makros innerhalb einer Schleife bemerkbar machen.

  Bei Makros sind *Seiteneffekte* möglich, wenn im Ersatztext ein Parameter mehrfach erscheint. Beispielsweise führt der Aufruf QUADRAT(++x) zur Erweiterung ((++x) * (++x)). Die Variable x wird also zweimal inkrementiert, und das Produkt entspricht nicht dem Quadrat der inkrementierten Zahl.

- **Funktionen:** Sie werden eigenständig übersetzt. Der Linker bindet sie dann in die ausführbare Datei. Mit jedem Aufruf wird zur Funktion *verzweigt*, wodurch sich die Programmausführung gegenüber einem Makro verlangsamt. Die ausführbare Datei ist jedoch kürzer, da sie den Code der Funktion nur *einmal* enthält.

  Der Compiler überprüft beim Aufruf den Typ der Argumente. Seiteneffekte wie bei Makros können nicht auftreten.

Eine Alternative zu den Makros sind inline-Funktionen, die Sie zusammen mit der Definition eigener Funktionen kennenlernen werden.

Bedingte Kompilierung

Mehrfach-Inkludierung von Header-Dateien

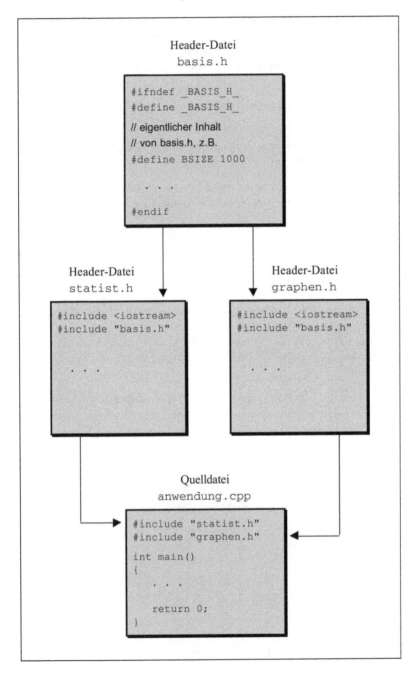

Neudefinition von Makros

Ein Makro kann nicht einfach neu definiert werden. Die Definition eines Makros ist so lange gültig, bis sie mit einer #undef-Direktive entfernt wird. Bei parametrisierten Makros muss hierbei die Parameterliste nicht angegeben werden.

Beispiel:
```
#define MIN(a,b)   ((a)<(b)? (a) : (b))
    . . .                // Hier kann MIN aufgerufen werden
#undef MIN
```

Anschließend ist das Makro MIN nicht mehr verwendbar. Es kann jedoch mit einer #define-Direktive neu definiert werden, möglicherweise mit einer anderen Bedeutung.

Bedingte Kompilierung

Damit der Compiler überprüfen kann, ob ein Makro definiert ist, stehen die Präprozessor-Direktiven #ifdef und #ifndef zur Verfügung.

Syntax:
```
#ifdef name
    . . . // Block, der kompiliert wird,
          // falls name definiert ist.
#endif
```

Entsprechend wird bei der #ifndef-Direktive der Anweisungsblock bis zum nächsten #endif kompiliert, falls das Makro name **nicht** definiert ist.

Bei der bedingten Kompilierung sind auch else-Zweige und Verschachtelungen möglich. Die detaillierte Beschreibung finden Sie im Anhang *Präprozessor-Direktiven*.

Wurde in der Definition eines Makros kein Ersatztext angegeben, so handelt es sich trotzdem um eine gültige Definition.

Beispiel: `#define MYHEADER`

Die Definition eines Symbols ohne Ersatztext wird oft eingesetzt, um Header-Dateien zu identifizieren und ihre Mehrfach-Inkludierung zu vermeiden.

Ist beispielsweise `"artikel.h"` eine Header-Datei, so kann sie dadurch identifiziert werden, dass innerhalb der Header-Datei ein bestimmtes Symbol, z.B. _ARTIKEL_, definiert ist.

Beispiel:
```
#ifndef _ARTIKEL_
#define _ARTIKEL_
    . . .                      // Inhalt der Header-Datei
#endif
```

Wurde die Header-Datei bereits inkludiert, so ist das Symbol _ARTIKEL_ schon definiert und der Inhalt der Header-Datei wird nicht erneut kompiliert. Von dieser Technik machen auch die Standard-Header-Dateien Gebrauch.

Standardmakros zur Behandlung von Zeichen

Beispielprogramm

```cpp
//   toupper.cpp
//   Filter zur Umwandlung in Großbuchstaben
#include <iostream>
#include <cctype>
using namespace std;
int main()
{
   char c;
   while ( cin.get(c) )        // solange ein Zeichen
   {                           // gelesen werden kann.
      switch( c )
      { case 'ä':  c = 'Ä';        // deutsche Umlaute
                 break;
        case 'ö':  c = 'Ö';
                 break;
        case 'ü':  c = 'Ü';
                 break;
        case 'ß':  cout.put('S'); c = 'S';
                 break;
        default:   c = toupper(c);  // andere Zeichen
      }
      cout.put(c);   // umgewandeltes Zeichen ausgeben
   }
   return 0;
}
```

 Das Programm liest alle Zeichen bis zum Erreichen des Dateiendes. Beim Lesen von der Tastatur wird das „Dateiende" durch die Tastenkombination [Strg]+[Z] (DOS/Windows) bzw. [Strg]+[D] (Unix) simuliert.

Makros zur Klassifizierung von Zeichen

Makro	Rückgabewert true bedeutet
isalpha(c)	c ist ein Buchstabe
islower(c)	c ist ein Kleinbuchstabe
isupper(c)	c ist ein Großbuchstabe
isdigit(c)	c ist eine dezimale Ziffer
isalnum(c)	c ist ein Buchstabe oder eine Ziffer
isspace(c)	c ist ein Zwischenraumzeichen
isprint(c)	c ist ein druckbares Zeichen

Im folgenden werden verschiedene Makros vorgestellt, die einzelne Zeichen klassifizieren oder umwandeln. Die Makros sind in der Header-Datei `ctype.h` und `cctype` enthalten.

Buchstaben umwandeln

Mit dem Makro `toupper` können Kleinbuchstaben in Großbuchstaben umgewandelt werden. Sind beispielsweise c1 und c2 Variablen vom Typ `char` oder `int`, wobei c1 den Code eines Kleinbuchstabens enthält, so wird mit

Beispiel: `c2 = toupper(c1);`

der Variablen c2 der entsprechende Großbuchstabe zugewiesen. Liegt in c1 kein Kleinbuchstabe vor, so gibt `toupper(c1)` das Zeichen unverändert zurück.

Das nebenstehende Beispielprogramm liest Zeichen von der Standardeingabe, wandelt alle Kleinbuchstaben in Großbuchstaben um und gibt die Zeichen wieder aus. Da `toupper` standardmäßig nur die Buchstaben des englischen Alphabets berücksichtigt, werden deutsche Umlaute und der Buchstabe ß separat behandelt.

Ein derartiges Programm wird *Filterprogramm* genannt und kann auch auf Dateien angewendet werden. Mehr dazu erfahren Sie auf der nächsten Doppelseite.

Für die Umwandlung von Großbuchstaben in Kleinbuchstaben steht das entsprechende Makro `tolower` zur Verfügung.

Zeichen überprüfen

Zur Klassifizierung von Zeichen gibt es eine Reihe von Makros, deren Namen mit `is...` beginnen. So prüft beispielsweise das Makro `islower(c)`, ob c einen Kleinbuchstaben enthält. Trifft dies zu, so liefert `islower(c)` den Wert `true`, andernfalls `false`.

Beispiel: `char c; cin >> c;`   `// Zeichen einlesen`
              `if( !isdigit(c) )`   `// und überprüfen.`
                `cout << "Das Zeichen ist keine Ziffer\n";`

Die folgende Anwendung von `islower()` zeigt eine mögliche Definition des Makros `toupper()`:

Beispiel: `#define toupper(c) \`
              `(islower(c) ? ((c)-'a'+'A') : (c))`

Hierbei wird ausgenutzt, dass sich die Codes von Groß- und Kleinbuchstaben durch einen konstanten Wert unterscheiden. Das ist bei allen gängigen Zeichensätzen der Fall, z.B. im ASCII- und EBCDIC-Zeichensatz.

Zur Übersicht sind nebenstehend die wichtigsten Makros zur Klassifizierung von Zeichen zusammengestellt.

Umlenken von Standardeingabe und -ausgabe

Beispielprogramm

```
// zeilen.cpp
// Filterprogramm zur Numerierung von Zeilen.

#include <iostream>
#include <iomanip>
#include <string>
using namespace std;

int main()
{
   string zeile;
   int nummer = 0;

   while( getline( cin, zeile))   // Solange eine Zeile
   {                              // gelesen werden kann.
     cout << setw(5) << ++nummer << ": "
          << zeile << endl;
   }
   return 0;
}
```

Beispielaufrufe des Programms

1. Die Standardeingabe umlenken:

   ```
   zeilen < text.dat | more
   ```

   Dadurch wird die Textdatei text.dat mit Zeilennummern angezeigt. Zusätzlich wird der Datenstrom durch den Standardfilter more geschickt, der die Ausgabe nach jeder vollen Bildschirmseite anhält.

2. Die Standardausgabe umlenken:

   ```
   zeilen > neu.dat
   ```

   Hier liest das Programm von der Tastatur, schreibt aber die Ausgabe in die neue Datei neu.dat. Achtung! Existiert die Datei schon, wird sie überschrieben! Mit der Umlenkung

   ```
   zeilen >> text.dat
   ```

   wird die Ausgabe des Programms an die Datei text.dat *angehängt*. Falls die Datei text.dat noch nicht existiert, wird sie erzeugt.

Die Tastatureingabe ist mit ⌷Strg⌷+⌷Z⌷ (DOS) bzw. ⌷Strg⌷+⌷D⌷ (Unix) zu beenden.

Filterprogramme

Das vorhergehende Programm `toupper.cpp` liest Zeichen von der Standardeingabe, verarbeitet diese und schickt sie zur Standardausgabe. Derartige Programme heißen *Filter*.

Im Programm `toupper.cpp` wird die Schleife

```
while( cin.get(c)) { ... }
```

ausgeführt, solange die Laufbedingung `cin.get(c)` den Wert `true` liefert, d.h. solange erfolgreich ein Zeichen in die Variable c eingelesen werden kann. Die Schleife wird beendet, falls das Dateiende erreicht ist oder ein Fehler auftritt. Dann liefert nämlich die Laufbedingung `cin.get(c)` den Wert `false`.

Auch das nebenstehende Programm `zeilen.cpp` ist ein Filterprogramm. Es liest einen Text und gibt ihn wieder mit Zeilennummern aus. Die Standardeingabe wird jedoch diesmal zeilenweise gelesen.

```
while( getline(cin,zeile)) { ... }
```

Auch die Laufbedingung `getline(cin,zeile)` ist so lange `true`, solange eine Zeile erfolgreich eingelesen werden kann.

Verwendung von Filterprogrammen

Die Nützlichkeit von Filterprogrammen ergibt sich aus der Tatsache, dass unter verschiedenen Betriebssystemen, wie z.B. unter DOS, Win9*, WinNT und UNIX, die Standardein- bzw. -ausgabe umgeleitet werden kann. Damit können auf einfache Weise Dateien manipuliert werden.

Soll beispielsweise die Datei `text.dat` mit Zeilennummern auf dem Bildschirm ausgegeben werden, so kann das Programm `zeilen` mit folgendem Kommando ausgeführt werden:

Beispiel: `zeilen < text.dat`

Dies bewirkt, dass das Programm nicht mehr von der Tastatur, sondern aus der Datei liest. Das heißt, die Standardeingabe wird umgelenkt.

Weitere Beispiele sind nebenstehend angegeben. Ein- und Ausgabe können auch beide gleichzeitig umgelenkt werden:

Beispiel: `zeilen < text.dat > neu.dat`

Hier wird der Inhalt von `text.dat` mit Zeilennummern in die Datei `neu.dat` geschrieben. Am Bildschirm erzeugt das Programm keine Ausgaben.

 Für diese Beispiele muss sich das übersetzte Programm `zeilen.exe` entweder im aktuellen Verzeichnis befinden oder in einem Verzeichnis, das in der PATH-Variablen des Systems aufgeführt ist.

Übungen

Hinweise zur 2. Aufgabe

Mit der Funktion _kbhit() kann abgefragt werden, ob vom Anwender des Programms eine Taste gedrückt wurde oder nicht. Falls ja, kann das Zeichen mit der Funktion _getch() abgeholt werden. Dadurch wird erreicht, dass das Programm beim Lesen der Tastatur nicht unnötig angehalten wird.

Diese Funktionen sind nicht im ANSI-Standard enthalten, doch fast auf jedem System verfügbar. Beide Funktionen nutzen die entsprechenden Routinen des Betriebssystems und sind in der Header-Datei conio.h deklariert.

Die Funktion _kbhit()

Prototyp: int _kbhit();

Return-Wert: 0, falls keine Taste gedrückt wurde, andernfalls != 0.

Wurde ein Taste gedrückt, kann das entsprechende Zeichen mit der Funktion _getch() abgeholt werden.

Die Funktion _getch()

Prototyp: int _getch();

Return-Wert: Der Code des Zeichens. Es gibt keinen speziellen Return-Wert für das Dateiende oder im Fehlerfall.

Im Unterschied zu cin.get() ist _getch() ungepuffert, d.h. jedes Zeichen wird sofort dem Programm übergeben, und das eingegebene Zeichen wird nicht am Bildschirm angezeigt. Außerdem werden Steuerzeichen wie Return (= 13), Strg+Z (= 26) und Esc (= 27) unverändert weitergegeben.

Beispiel:
```
int c;
if( _kbhit() != 0)   // Wurde Taste gedrückt?
{
    c = _getch();    // Ja -> Zeichen abholen.
    if( c == 27 )    // Zeichen == Esc?
    // . . .

}
```

 Bei Sondertasten wie F1, F2, ... Einfg, Entf, usw. liefert _getch() zuerst 0 oder 0xE0 (=224) zurück. Ein zweiter Aufruf liefert dann eine Tasten-Nummer.

1. Aufgabe:

Schreiben Sie

a) das Makro ABS, das den Absolutwert einer Zahl liefert,

b) das Makro MAX, das die größere von zwei Zahlen bestimmt.

Verwenden Sie in beiden Fällen den Auswahloperator ? : .

Schreiben Sie diese Makros zusammen mit anderen Makros aus diesem Kapitel in die Header-Datei myMakros.h, und testen Sie die Makros.

Fügen Sie auch die Makros zur Steuerung des Bildschirms hinzu, sofern Ihr System die Bildschirmsteuerzeichen unterstützt. In diesem Fall können Sie z.B. auch ein Makro FARBE(v,h) schreiben, das die Vorder- und Hintergrundfarbe für nachfolgende Ausgaben festlegt.

2. Aufgabe:

Ergänzen Sie das Programm ball1.cpp, so dass

a) der Ball hellweiß auf blauem Hintergrund dargestellt wird,

b) das Programm mit der ⌈Esc⌋-Taste beendet wird,

c) die Geschwindigkeit des Balls mit der Taste + erhöht und mit der Taste – verringert werden kann.

Zur Lösung der Teilaufgaben b) und c) sind die Funktionen _kbhit() und _getch() notwendig. Diese sind nebenstehend beschrieben.

3. Aufgabe:

Für eine beliebige Datei soll der Text angezeigt werden können, der in der Datei enthalten ist. Schreiben Sie zu diesem Zweck ein Filterprogramm, das aus der Eingabe alle Steuerzeichen „ausblendet". Davon ausgenommen sind die beiden Steuerzeichen \n (Zeilenende) und \t (Tabulator), die hier als normale Zeichen gelten. Steuerzeichen haben die Codes von 0 bis 31.

Für eine zusammenhängende Folge von Steuerzeichen soll genau ein Leerzeichen ausgegeben werden.

Ein einzelnes Zeichen, also ein Zeichen, das zwischen zwei Steuerzeichen steht, soll nicht ausgegeben werden!

 Da das erste normale Zeichen nach einem Steuerzeichen nicht sofort ausgegeben werden darf, muss man sich den „Vorgänger" merken. Hilfreich ist auch die Verwendung von zwei Zählern, die die Zeichen in der aktuellen Folge von Steuerzeichen bzw. normalen Zeichen zählen.

Lösungen

Zur 1. Aufgabe:

```
// ----------------------------------------------------------
// myMakros.h
// Header-Datei mit den Makros
// ABS, MIN, MAX, CLS, LOCATE, FARBE, NORMAL, INVERS
// und symbolische Konstante für Farben.
// ----------------------------------------------------------

#ifndef _MYMAKROS_
#define _MYMAKROS_

#include <iostream>
using namespace std;

// ----------------------------------------------------------
// Makro ABS
// Aufruf:  ABS( wert)
// Liefert den Absolutwert von wert
#define ABS(a) ( (a) >= 0 ? (a) : -(a))

// ----------------------------------------------------------
// Makro MIN
// Aufruf:  MIN(x,y)
// Liefert das Minimum von x und y
#define MIN(a,b) ( (a) <= (b) ? (a) : (b))

// ----------------------------------------------------------
// Makro MAX
// Aufruf:  MAX(x,y)
// Liefert das Maximum von x und y
#define MAX(a,b) ( (a) >= (b) ? (a) : (b))


// ----------------------------------------------------------
// Makros zur Steuerung des Bildschirms
// ----------------------------------------------------------
// Makro CLS
// Aufruf:  CLS;
// Löscht den Bildschirm
#define CLS    (cout << "\033[2J")
```

```
// --------------------------------------------------------
// Makro LOCATE
// Aufruf:  LOCATE(zeile, spalte);
// Setzt den Cursor auf die Position (zeile,spalte).
// (1,1) ist die linke obere Ecke.
#define LOCATE(z,s) (cout <<"\033["<< (z) <<';'<<(s)<<'H')

// --------------------------------------------------------
// Makro FARBE
// Aufruf:  FARBE(vordergrund, hintergrund);
// Setzt die Vordergrund- und Hintergrundfarbe für
// nachfolgende Ausgaben.
#define FARBE( v, h) (cout << "\033[1;3"<< (v) \
                            <<";4"<< (h) <<'m' << flush)
//  1: Vordergrund hell
// 3x: Vordergrundfarbe x
// 4x: Hintergrundfarbe x

// Farbwerte für das Makro FARBE
// Beispielaufruf: FARBE( WEISS,BLAU);
#define SCHWARZ   0
#define ROT       1
#define GRUEN     2
#define GELB      3
#define BLAU      4
#define MAGENTA   5
#define CYAN      6
#define WEISS     7

// --------------------------------------------------------
// Makro INVERS
// Aufruf:  INVERS;
// Die nachfolgende Ausgabe wird invers dargestellt.
#define INVERS  (cout << "\033[7m")

// --------------------------------------------------------
// Makro NORMAL
// Aufruf:  NORMAL;
// Setzt die Bildschirmattribute auf die Standardwerte.
#define NORMAL  (cout << "\033[0m")

#endif    // _MYMAKROS_
```

Lösungen (Fortsetzung)

Zur 2. Aufgabe:

```cpp
// -----------------------------------------------------
// ball2.cpp
// Simuliert einen springenden Ball
// -----------------------------------------------------

#include <iostream>
#include <string>
using namespace std;
#include <conio.h>                    // für _kbhit() und _getch()
#include "myMakros.h"
#define ESC   27            // ESC beendet das Programm
unsigned long delay = 5000000;          // Verzögerung

int main()
{
    int x = 2, y = 2, dx = 1, geschw = 0;
    bool ende = false;
    string boden(80, '-'),
           header   = "****  SPRINGENDER BALL  ****",
           commands = "[Esc] = Beenden      "
                      "[+] = Schneller     [-] = Langsamer";

    FARBE(WEISS,BLAU);
    CLS;
    LOCATE(1,25);  cout << header;
    LOCATE(24,1);  cout << boden;
    LOCATE(25,10); cout << commands;

    while( !ende)              // Solange das Ende-Flag
    {                          // nicht gesetzt ist.
      LOCATE(y,x);  cout << 'o';         // Ball anzeigen
      for( long warten = 0; warten < delay; ++warten)
        ;
      if(x == 1 || x == 79) dx = -dx;    // An einer Wand?
      if( y == 23 )                      // Am Boden?
      {
        geschw = - geschw;
        if( geschw == 0 ) geschw = -7;   // Neu anstoßen
      }
      geschw += 1;                       // Beschleunigung = 1

      LOCATE(y,x); cout <<  ' ';     // Anzeige löschen
      y += geschw;  x += dx;         // Neue Position

      if( _kbhit() != 0 )            // Taste gedrückt?
      {
```

```
            switch(_getch())                      // ja
            {
              case '+':   delay -= delay/5;   // schneller
                          break;
              case '-':   delay += delay/5;   // langsamer
                          break;
              case ESC:   ende = true;        // Pgm. beenden
            }
         }
      }
   NORMAL;   CLS;
   return 0;
}
```

Zur 3. Aufgabe:

```
// -----------------------------------------------------
// NoCtrl.cpp
// Filterprogramm, das Steuerzeichen "ausblendet"
// Aufrufbeispiel: NoCtrl < datei
// -----------------------------------------------------

#include <iostream>
using namespace std;
#define isCtrl(c)   ( c >= 0  && c <= 31  \
                              && c != '\n' && c != '\t')

int main()
{
   char c, prec = 0;          // Zeichen und Vorgänger
   long nCtrl = 0, nChar = 0; // Anzahl zusammenhängender
                              // Steuerzeichen bzw.
                              // anderer Zeichen

   while( cin.get(c))
   {
     if( isCtrl(c))            // Steuerzeichen
     {
         ++nCtrl;
         nChar = 0;
     }
     else                      // normales Zeichen
     {
         if( nCtrl > 0)
         {
```

```
            cout.put(' ');
            nCtrl = 0;
        }
        switch( ++nChar)
        {
            case 1:    break;
            case 2:    cout.put(prec);      // Vorgänger und
            default:   cout.put(c);         // akt. Zeichen
        }
        prec = c;
    }
}
return 0;
}
```

Kapitel 8

Umwandlung arithmetischer Datentypen

Sie lernen in diesem Kapitel zunächst die impliziten Typumwandlungen kennen. Diese werden in C++ immer durchgeführt, wenn in Ausdrücken verschiedene arithmetische Datentypen vorkommen.

Außerdem wird ein Operator vorgestellt, der zur expliziten Typanpassung dient.

Implizite Typumwandlungen

Ganzzahl-Erweiterung

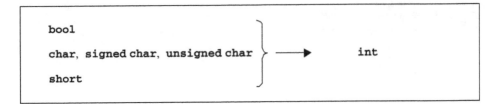

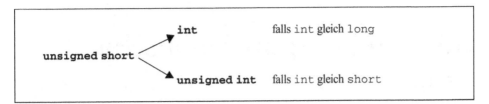

Hierarchie der Datentypen

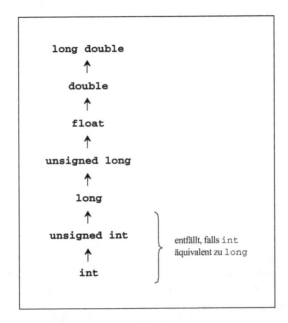

Beispiel: `short size(512);  double erg, x = 1.5;`
`erg = size / 10 * x;    // short -> int -> double`

`int`

In C++ ist es möglich, in einem Ausdruck arithmetische Datentypen zu mischen. Das bedeutet, dass die Operanden eines Operators verschiedene Datentypen haben können. Der Compiler nimmt dann automatisch eine *implizite Typanpassung* vor. Hierbei erhalten die Werte der Operanden einen gemeinsamen Datentyp, mit dem die Operation durchgeführt werden kann. Generell gilt, dass der „kleinere" Datentyp in den „größeren" umgewandelt wird. Eine Ausnahme bildet hier die Zuweisung, die noch gesondert behandelt wird.

Das Ergebnis einer arithmetischen Operation besitzt den gemeinsamen Datentyp, mit dem „gerechnet" wurde. Dagegen hat ein Vergleichsausdruck immer den Typ `bool`, unabhängig vom Typ der Operanden.

Ganzzahl-Erweiterung

In jedem Ausdruck wird zunächst die *Ganzzahl-Erweiterung* (engl. *integral promotion*) durchgeführt:

- `bool`, `char`, `signed char`, `unsigned char` und `short` werden zu `int` konvertiert.

- `unsigned short` wird ebenfalls zu `int` konvertiert, wenn der Datentyp `int` größer als `short` ist, andernfalls zu `unsigned int`.

Diese Typumwandlung wird so vorgenommen, dass die Werte erhalten bleiben. Bei booleschen Werten wird `false` in `0` und `true` in `1` umgewandelt.

In C++ wird also immer mit Werten „gerechnet", die mindestens den Datentyp `int` besitzen. Ist etwa `c` eine `char`-Variable, so werden im Ausdruck

Beispiel: `c < 'a'`

vor dem Vergleich die Werte von `c` und `'a'` zu `int` erweitert.

Übliche arithmetische Typumwandlungen

Treten nach der Ganzzahl-Erweiterung noch Operanden mit verschiedenen arithmetischen Datentypen auf, so sind weitere implizite Typanpassungen notwendig. Diese erfolgen gemäß der nebenstehenden Hierarchie. Dabei ist der Datentyp des Operanden maßgebend, der in dieser Hierarchie am weitesten oben steht. Diese Typumwandlungen zusammen mit der Ganzzahl-Erweiterung heißen *übliche arithmetische Typumwandlungen*.

Im Beispiel `size/10 * x` wird zunächst der Wert von `size` zu `int` erweitert und die Ganzzahldivision `size/10` durchgeführt. Dann wird das Zwischenergebnis `50` in `double` konvertiert und mit `x` multipliziert.

Die üblichen arithmetischen Typumwandlungen werden bei allen binären Operatoren und dem Auswahloperator `?:` durchgeführt, sofern die Operanden einen arithmetischen Datentyp besitzen. Davon ausgenommen sind nur der Zuweisungsoperator sowie die logischen Operatoren `&&` und `||`.

Verfahren bei arithmetischen Typumwandlungen

Konvertierung von Ganzzahlen mit Vorzeichen

a) Konvertierung einer positiven Zahl

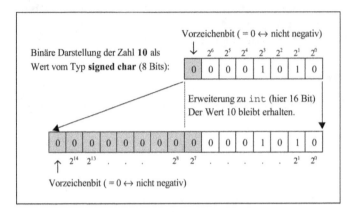

b) Konvertierung einer negativen Zahl

Das Bitmuster der Zahl **-10** erhält man aus dem Bitmuster von **10** durch Bildung des Zweier-Komplements (vgl. Anhang *Binäre Zahlendarstellung*).

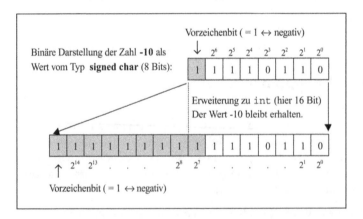

 Wird das Bitmuster einer negativen Zahl als unsigned-Wert interpretiert, so ändert sich der Wert der Zahl. Beispielsweise entspricht dem Bitmuster 1111 0110 der Zahl -10 der unsigned-char-Wert:

$$246 \ == \ 0*2^0 + 1*2^1 + 1*2^2 + 0*2^3 + 1*2^4 + 1*2^5 + 1*2^6 + 1*2^7$$

Die üblichen arithmetischen Typumwandlungen erhalten den Wert der Zahl, sofern dieser mit dem neuen Typ darstellbar ist. Die Verfahren zur Typumwandlung hängen von den beteiligten Typen ab:

1. **Umwandlung eines unsigned-Typs in einen größeren ganzzahligen Typ**

   Beispiele: `unsigned char` in `int` oder `unsigned int`

   Es wird die *Null-Erweiterung* (engl. *zero extend*) ausgeführt. Das bedeutet, dass das Bitmuster der umzuwandelnden Zahl auf die Länge des neuen Typs gebracht wird, indem von links mit Nullen aufgefüllt wird. Der Wert der Zahl bleibt dabei erhalten.

2. **Umwandlung eines signed-Typs in einen größeren ganzzahligen Typ**

   ● Der neue Typ ist ebenfalls `signed`

   Beispiele: `char` in `int`, `short` in `long`

   Ganze Zahlen mit Vorzeichen werden im *Zweier-Komplement* dargestellt. Um den Wert zu erhalten, wird daher die *Vorzeichen-Erweiterung* (engl. *sign extend*) durchgeführt. Wie das nebenstehende Beispiel zeigt, wird das ursprüngliche Bitmuster auf die Länge des neuen Typs gebracht, indem von links mit dem Vorzeichenbit aufgefüllt wird.

   ● Der neue Typ ist `unsigned`

   Beispiele: `char` in `unsigned int`, `long` in `unsigned long`

   In diesem Fall bleibt der Wert negativer Zahlen nicht erhalten. Hat der neue Typ die gleiche Länge, so bleibt das *Bitmuster erhalten*. Es ändert sich aber die Interpretation des Bitmusters: Das Vorzeichenbit verliert seine Bedeutung (siehe nebenstehender Hinweis).

   Hat der neue Typ eine größere Länge, so wird zuerst die Vorzeichen-Erweiterung durchgeführt und dann das neue Bitmuster ohne Vorzeichen interpretiert.

3. **Umwandlung eines ganzzahligen Typs in einen Gleitpunkt-Typ**

   Beispiele: `int` in `double`, `unsigned long` in `float`

Es erfolgt die Umrechnung in die exponentielle Form der Gleitpunktdarstellung, wobei der Wert erhalten bleibt. Bei der Umwandlung von `long` bzw. `unsigned long` in `float` kann es vorkommen, dass gerundet werden muss.

4. **Umwandlung eines Gleitpunkt-Typs in einen größeren Gleitpunkt-Typ**

   Beispiele: `float` in `double`, `double` in `long double`

   Bei diesen Umwandlungen bleibt der Wert erhalten.

Implizite Typumwandlungen bei Zuweisungen

1. Beispiel:

```
int i = 100;
long lg = i + 50;              // Ergebnis vom Typ int wird
                               // in long umgewandelt.
```

2. Beispiel:

```
long lg = 0x654321;  short st;
st = lg;                       //0x4321 wird an st zugewiesen.
```

3. Beispiel:

```
int i = -2;  unsigned int ui = 2;
i = i * ui;
// Zunächst wird der Wert von i in unsigned int
// umgewandelt (Erhaltung des Bitmusters) und
// mit 2 multipliziert (Überlauf!).
// Das Bitmuster des Ergebnisses wird bei der
// Zuweisung wieder als int-Wert interpretiert,
// d.h. -4 wird in i abgespeichert.
```

4. Beispiel:

```
double db = -4.567;
int i;  unsigned int ui;
i = db;                        //  Zuweisung von -4.
i = db - 0.5;                  //  Zuweisung von -5.
ui = db;                 // -4 nicht in ui darstellbar.
```

5. Beispiel:

```
double d = 1.23456789012345;

float f;

f = d;                    // 1.234568 wird an f zugewiesen.
```

In einer *Zuweisung* können ebenfalls arithmetische Datentypen gemischt werden. Der Compiler passt den Typ des Wertes rechts vom Zuweisungsoperator dem Typ der Variablen auf der linken Seite an.

Bei einer *zusammengesetzten Zuweisung* wird zunächst die Berechnung mit den üblichen arithmetischen Typumwandlungen durchgeführt. Erst anschließend erfolgt eine Typanpassung wie bei der einfachen Zuweisung.

Bei einer Zuweisung sind zwei Fälle zu unterscheiden:

1. Ist der Typ der Variablen „größer" als der Typ des zuzuweisenden Wertes, muss der Typ des Wertes erweitert werden. Dabei kommen die Regeln zur Anwendung, die für die üblichen arithmetischen Typumwandlungen gelten (siehe 1. Beispiel).

2. Im umgekehrten Fall ergibt sich die Notwendigkeit, den Datentyp des zuzuweisenden Wertes zu „verkleinern". Im einzelnen werden folgende Verfahren angewendet:

a) **Umwandlung eines ganzzahligen Typs in einen kleineren Typ**

  - Die Umwandlung in einen kleineren Typ erfolgt durch Abschneiden des/ der höherwertigen Bytes. Das verbleibende Bitmuster wird ohne Vorzeichen interpretiert, falls der neue Typ `unsigned` ist, andernfalls mit Vorzeichen. Der Wert bleibt nur dann erhalten, wenn er mit dem neuen Typ darstellbar ist (siehe 2. Beispiel).

  - Ist ein `unsigned`-Typ in den `signed`-Typ gleicher Größe zu konvertieren, so bleibt das Bitmuster erhalten. Dieses wird dann mit Vorzeichen interpretiert (siehe 3. Beispiel).

b) **Umwandlung eines Gleitpunkt-Typs in einen ganzzahligen Typ**

Der gebrochene Anteil der Gleitpunktzahl wird abgeschnitten. Zum Beispiel ergibt `1.9` die ganze Zahl `1`. Eine Rundung kann durch Addition von `0.5` zu einer positiven Gleitpunktzahl bzw. Subtraktion von `0.5` von einer negativen Gleitpunktzahl erreicht werden. So wird `(1.9 + 0.5)` in `2` konvertiert.

Ist die entstehende Ganzzahl zu groß oder zu klein für den neuen Datentyp, so ist das Ergebnis undefiniert. Insbesondere ist nicht festgelegt, wie eine negative Gleitpunktzahl in eine Ganzzahl vom Typ `unsigned` konvertiert wird (siehe 4. Beispiel).

c) **Umwandlung eines Gleitpunkt-Typs in einen kleineren Typ**

Liegt die Gleitpunktzahl im Wertebereich des neuen Datentyps, so bleibt der Wert erhalten, eventuell mit einer geringeren Genauigkeit. Ist der Wert zu groß für die Darstellung im neuen Typ, so ist das Ergebnis undefiniert (siehe 5. Beispiel).

Weitere Typumwandlungen

Beispielprogramm

```cpp
// Ellipse.cpp
// Dieses Programm zeichnet eine Ellipse.
// Für die Punkte (x,y) einer Ellipse mit dem
// Mittelpunkt (0,0) und den Achsen A und B gilt:
//    x = A*cos(t), y = B*sint(t)   für 0 <= t <= 2*PI .
//----------------------------------------------------

#include <iostream>
#include <cmath>        // Prototypen von sin() und cos()
using namespace std;

#define CLS          (cout << "\033[2J")
#define LOCATE(z,s)  (cout <<"\033["<<(z)<<';'<<(s)<<'H')
#define DOT(x,y)     (LOCATE(y,x) << '*')

#define  PI   3.1416
#define  Mx   40           // Der Punkt (Mx, My) ist der
#define  My   12           // Mittelpunkt der Ellipse.
#define  A    25           // Länge der Hauptachse,
#define  B    10           // Länge der Nebenachse.

int main()
{
    int x, y;              // Bildschirmkoordinaten.

    CLS;
                    // 0 <= t <= PI/2 ist ein 1/4-Kreis:
    for( double t = 0.0 ; t <= PI/2 ; t += 0.03)
    {
        x = (int) (A * cos(t) + 0.5);
        y = (int) (B * sin(t) + 0.5);
        DOT( x+Mx, y+My);
        DOT( x+Mx,-y+My);
        DOT(-x+Mx, y+My);
        DOT(-x+Mx,-y+My);
    }
    LOCATE(24,0);
    return 0;
}
```

Implizite Typumwandlungen bei Funktionsaufrufen

Bei *Funktionsaufrufen* werden Argumente mit einem arithmetischen Datentyp wie bei der Zuweisung in den Typ des entsprechenden Parameters konvertiert.

Beispiel:
```
void func( short, double);     // Prototyp
int size = 1000;
// . . .
func( size, 77);               // Aufruf
```

Die Funktion func() besitzt zwei Parameter mit den Typen short und double. Die Funktion wird aber mit zwei int-Argumenten aufgerufen. Daher wird implizit der Wert von size in short und die ganze Zahl 77 in double konvertiert.

Bei der Konvertierung von int in short wird der Compiler eine Warnung ausgeben, da es zum Datenverlust kommen kann. Um Warnungen bei Konvertierungen zu vermeiden, kann die explizite Typumwandlung eingesetzt werden.

Explizite Typumwandlungen

Es ist auch möglich, explizit den Typ eines Ausdrucks zu ändern. Dazu dient der *Cast-Operator* (typ).

Syntax: (typ) Ausdruck

Hierbei wird der *Wert* des Ausdrucks in den angegebenen Typ konvertiert. Eine explizite Typumwandlung wird auch *Cast* genannt.

Der Cast-Operator (typ) ist ein unärer Operator und hat demzufolge eine höhere Priorität als die arithmetischen Operatoren.

Beispiel:
```
int a = 1, b = 4;
double x;
x = (double)a/b;
```

Hier wird der Wert von a explizit zu double konvertiert. Wegen der üblichen impliziten Typanpassung wird dann auch b in double konvertiert und die Gleitpunkt-Division durchgeführt. Der Variablen x wird also das genaue Ergebnis 0.25 zugewiesen. Ohne den Cast würde die Ganzzahl-Division mit dem Ergebnis 0 durchgeführt.

Für die explizite Typumwandlung existieren in C++ noch weitere Operatoren, wie z.B. der Cast-Operator dynamic_cast<>. Diese Operatoren werden für besondere Anforderungen benötigt, z.B. für die Konvertierung von Klassen mit Laufzeitüberprüfung. Sie werden in späteren Kapiteln beschrieben.

Übungen

Listing zur 3. Aufgabe

```cpp
// Convert.cpp --> Demonstration von Typumwandlungen.
#include <iostream>
#include <iomanip>
using namespace std;
int main()
{
   char v_char = 'A';
   cout << "v_char:        " << setw(10) << v_char
                             << setw(10) << (int)v_char
                             << endl;
   short v_short = -2;
   cout << "v_short:       " << dec << setw(10) << v_short
                             << hex << setw(10) << v_short
                             << endl;
   unsigned short  v_ushort = v_short;
   cout << "v_ushort:      " << dec << setw(10) << v_ushort
                             << hex << setw(10) << v_ushort
                             << endl;
   unsigned long  v_ulong = v_short;
   cout << "v_ulong:       " << hex << setw(20) << v_ulong
        << endl;
   float  v_float = -1.99F;
   cout << "v_float:       " << setw(10) << v_float << endl;
   cout << "(int)v_float: " << setw(10)
                             << dec << (int)v_float << endl;

   return 0;
}
```

Grafik zur 4. Aufgabe

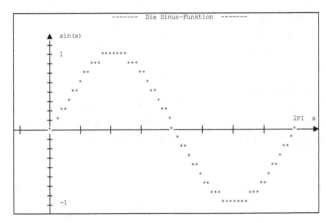

1. Aufgabe

Eine Funktion hat folgenden Prototyp

```
void func( unsigned int n);
```

Was passiert, wenn beim Aufruf der Funktion die Zahl -1 als Argument übergeben wird?

2. Aufgabe

Wie oft wird die folgende Schleife durchlaufen?

```
unsigned int limit = 1000;
for (int i = -1; i < limit; i++)
//  . . .
```

3. Aufgabe

Was wird bei der Ausführung des nebenstehenden Programms ausgegeben?

4. Aufgabe:

Schreiben Sie ein C++-Programm, das die Sinus-Kurve wie in der nebenstehenden Grafik auf dem Bildschirm ausgibt.

1. Zeichnen Sie in den Spalten 10, 10+1, ... 10+64 jeweils einen Punkt der Kurve. Für x ergibt sich dann eine Schrittweite von 2*PI/64.

2. Für das Zeichnen der Koordinatenachsen können Sie folgende Zeichen des erweiterten ASCII-Codes benutzen:

Zeichen	dezimal	oktal
–	196	304
+	197	305
▲	16	020
▶	30	036

Beispiel: `cout << '\020';`   `// Spitze`

Lösungen

Zur 1. Aufgabe:

Der Wert -1 wird beim Aufruf in den Typ des Parameters n konvertiert, also in unsigned int. Dabei wird das Bitmuster von -1 ohne Vorzeichen interpretiert, was den größten unsigned-Wert (engl. *high-value*) ergibt.

Auf einem 32-Bit-System hat -1 das Bitmuster 0xFFFFFFFF, was, ohne Vorzeichen interpretiert, dem dezimalen Wert 4 294 967 295 entspricht.

Zur 2. Aufgabe:

Die Schleife wird *überhaupt nicht* durchlaufen! Im Ausdruck

```
i < limit
```

wird der Wert -1 der Variablen i implizit zu unsigned int konvertiert und repräsentiert somit den größten unsigned-Wert (siehe 1. Aufgabe).

Zur 3. Aufgabe:

Die Bildschirmausgabe des Programms:

```
v_char:                A            65
v_short:              -2          fffe
v_ushort:          65534          fffe
v_ulong:                      fffffffe
v_float:           -1.99
(int)v_float:         -1
```

Zur 4. Aufgabe:

```
// ----------------------------------------------------
//    SinKurve.cpp
//    Ausgabe der Sinus-Kurve (vgl. Anmerkung, S. 145)
// ----------------------------------------------------

#include <iostream>
#include <cmath>                    // Prototypen von sin()
using namespace std;

#define CLS         (cout << "\033[2J")
#define LOCATE(z,s) (cout <<"\033["<<(z)<<';'<<(s)<<'H')

#define PI          3.1415926536
#define START       0.0              // Untergrenze
#define ENDE        (2.0 * PI)       // Obergrenze

#define PKT         64               // Anzahl Punkte der Kurve
```

```cpp
#define SCHRITT   ((ENDE-START)/PKT)
#define xA        14              // Zeile  für x-Achse
#define yA        10              // Spalte für y-Achse


int main()
{
    int  zeile, spalte;

    CLS;
    LOCATE(2,25);
    cout << "-------  Die Sinus-Funktion  -------";


    //    --- Koordinaten-Kreuz zeichnen: ---

    LOCATE(xA,1);                           // x-Achse
    for( spalte = 1 ; spalte < 78  ; ++spalte)
    {
        cout << ((spalte - yA) % 8  ?  '\304' : '\305');
    }
    cout << '\020';                         // Spitze
    LOCATE(xA-1, yA+64);   cout << "2PI  x";

    for( zeile = 5 ; zeile < 24 ; ++zeile)      // y-Achse
    {
        LOCATE(zeile, yA);   cout << '\305';
    }
    LOCATE( 4, yA);   cout << "\036 sin(x)";     // Spitze

    LOCATE( xA-8, yA+1);   cout << " 1";
    LOCATE( xA+8, yA+1);   cout << " -1";


    //      --- Sinus-Funktion ausgeben:  ---

    int anfsp = yA,
        endsp = anfsp + PKT;

    for( spalte = anfsp ;  spalte <= endsp  ;  ++spalte)
    {
        double x = (spalte-yA) * SCHRITT;
        zeile = (int)(xA - 8 * sin(x) + 0.5);
        LOCATE( zeile, spalte);   cout << '*';
    }

    LOCATE(25,1);                // Cursor in letzte Zeile

    return 0;
}
```

Kapitel 9

Die Standardklasse string

In diesem Kapitel wird die Standardklasse `string` zur Darstellung von Strings vorgestellt. Neben der Definition von Strings werden auch die verschiedenen Möglichkeiten beschrieben, Strings zu manipulieren. Dazu gehört das Einfügen und Löschen, das Suchen und Ersetzen, das Vergleichen und Verketten von Strings.

Definition und Zuweisung von Strings

Initialisierung

```
string meldung = "Guten Morgen!";
```

Der String meldung im Speicher:

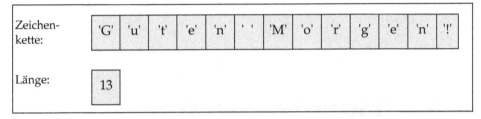

Zeichen-kette:	'G'	'u'	't'	'e'	'n'	' '	'M'	'o'	'r'	'g'	'e'	'n'	'!'

Länge: 13

 Objekte der Klasse `string` speichern nicht unbedingt das Stringende-Zeichen `'\0'`, wie dies bei C-Strings der Fall ist.

Beispielprogramm

```cpp
// string1.cpp
#include <iostream>
#include <string>
using namespace std;
string prompt("Eine Zeile Text eingeben: "), // globale
       linie( 50, '*');                       // Strings
int main()
{
    string text;                      // leerer String
    cout << linie << endl << prompt << endl;
    getline( cin, text);              // Eine Zeile Text
                                      // von der Tastatur
    cout << linie << endl << "Ihr Text ist " << text.size()
         << " Zeichen lang!" << endl;

                                      // Zwei neue Strings:
    string kopie(text),               // eine Kopie und
           anfang(text,0,10);         // ab Position 0 die
                                      // ersten 10 Zeichen.
    cout << "Ihr Text:\n" << kopie << endl;
    text = "1234567890";              // Zuweisung
    cout << linie << endl
         << "Die ersten 10 Zeichen:\n" << anfang << endl
         << text << endl;
    return 0;
}
```

Zur Darstellung und Verarbeitung von Zeichenketten besitzt C++ die Standard-klasse `string`. Sie erlaubt eine komfortable und sichere Handhabung von Zeichenketten. Bei Operationen mit Strings wird der erforderliche Speicherplatz automatisch reserviert bzw. angepasst. Der Programmierer braucht sich deshalb nicht um die interne Speicherreservierung zu kümmern.

Die Klasse `string` ist in der Header-Datei `string` deklariert. Sie wurde bereits in Kapitel 3 als Beispiel für die Verwendung von Klassen kurz vorgestellt. Für Strings sind verschiedene Operatoren überladen, d.h. auch für die Klasse `string` definiert worden. Damit können Strings auf einfache Weise kopiert, aneinandergehängt und verglichen werden. Darüber hinaus ermöglichen Methoden die Manipulation von Strings, wie beispielsweise das Einfügen, Löschen, Suchen oder Ersetzen in Strings.

Initialisierung von Strings

Ein String, also ein Objekt der Klasse `string`, kann bei der Definition initialisiert werden, und zwar mit

- einer vorgegebenen String-Konstanten
- einer bestimmten Anzahl eines Zeichens
- einem bereits definierten String oder einem Teil davon

Ohne explizite Initialisierung wird ein leerer String mit der Länge 0 erzeugt. Die Länge eines Strings, also die aktuelle Anzahl der Zeichen im String, wird intern mitgespeichert. Sie kann mit der Methode `length()` oder mit der äquivalenten Methode `size()` abgefragt werden.

Beispiel:
```
string meldung("Guten Morgen!");
cout << meldung.length();   // Ausgabe: 13
```

Zuweisen von Strings

Bei einer Zuweisung an einen String wird der aktuelle Inhalt durch eine neue Zeichenkette ersetzt. Es ist möglich, einem Objekt der Klasse `string`

- einen anderen String,
- eine String-Konstante oder
- ein einzelnes Zeichen

zuzuweisen. Dabei erfolgt die Anpassung der Speicherplatzerfordernisse wieder automatisch.

Das nebenstehende Programm verwendet die schon früher vorgestellte Funktion `getline()`, um eine Zeile Text von der Tastatur in einen String einzulesen. Im Gegensatz dazu liest der Operator >> immer nur ein Wort, wobei führende Zwischenraumzeichen ignoriert werden. In jedem Fall geht der alte Inhalt des Strings verloren.

Verketten von Strings

Beispielprogramm

```cpp
// string2.cpp Textzeilen einlesen und in umgekehrter
//              Reihenfolge wieder ausgeben.

#include <iostream>
#include <string>
using namespace std;
string prompt("Geben Sie einen Text ein!\n"),
       linie( 50, '-');
int main()
{
   prompt += "Beenden Sie die Eingabe "
             "mit einer leeren Zeile.\n";
   cout << linie << '\n' << prompt << linie << endl;
   string text, zeile;          // leere Strings
   while( true)
   {
      getline( cin, zeile);    // Eine Zeile Text
                               // von der Tastatur
      if( zeile.length() == 0) // Leere Zeile?
        break;                 // Ja ->Ende der Schleife
      text = zeile + '\n' + text;  // Neue Zeile vorn
                                   // einfügen.
   }
                                // Ausgabe:
   cout << linie << '\n'
        << "Ihre Textzeilen in umgekehrter Reihenfolge:"
        << '\n' << linie << endl;
   cout << text << endl;
   return 0;
}
```

Beispielablauf

```
--------------------------------------------------
Geben Sie einen Text ein!
Beenden Sie die Eingabe mit einer leeren Zeile.
--------------------------------------------------
Babara, Bernhard und Susanne
gehen heute ins Kino
--------------------------------------------------
Ihre Textzeilen in umgekehrter Reihenfolge:
--------------------------------------------------
gehen heute ins Kino
Babara, Bernhard und Susanne
```

Für die Klasse `string` sind die Operatoren `+` und `+=` zur Verkettung und die Operatoren `==`, `!=`, `<`, `<=`, `>` und `>=` zum Vergleichen von Strings definiert. Auch wenn diese Operatoren auf Strings angewendet werden, gelten die bekannten Regeln: Der Operator `+` hat einen höheren Vorrang als die Vergleichsoperatoren, und diese haben wiederum einen höheren Vorrang als die Zuweisungsoperatoren `=` und `+=`.

Strings mit + verketten

Mit dem Operator + können Strings verkettet, d.h. aneinandergehängt werden.

Beispiel:
```
string summe, s1("Sonnen"), s2("blumen");
summe = s2 + s2;
```

Hier werden die beiden Strings `s1` und `s2` verkettet. Anschließend wird das Ergebnis `"Sonnenblumen"` dem String `summe` zugewiesen.

Zwei mit dem Operator + verkettete Strings bilden einen Ausdruck, der selbst den Datentyp `string` hat. Dieser kann wieder als Operand in einem komplexeren Ausdruck eingesetzt werden.

Beispiel:
```
string s1("Sonnen"),s2("blumen"),s3("kerne");
cout << s1 + s2 + s3;
```

Da der Operator + einen höheren Vorrang als der Operator << besitzt, wird zunächst die Verkettung ausgeführt und dann die „Summe" ausgegeben. Die Verkettung selbst erfolgt von links nach rechts. In Ausdrücken mit Strings sind als Operanden stets auch String-Konstanten oder einzelne Zeichen zulässig:

Beispiel:
```
string s("Guten Tag ");
cout << s + "Mister X" + '!';
```

Achtung! Mindestens ein Operand muss ein Objekt der Klasse `string` sein. Der Ausdruck `"Guten Tag" + "Mister X"` wäre nicht zulässig!

Strings mit += anhängen

Das Anhängen von Strings kann durch eine Verkettung mit anschließender Zuweisung erreicht werden.

Beispiel:
```
string s1("Mal wieder "),s2("Glück gehabt!");
s1 = s1 + s2;          // s2 an s1 anhängen
```

Hier wird ein temporäres Objekt mit dem Ergebnis von `s1 + s2` erzeugt und an `s1` zugewiesen. Zum gleichen Ergebnis führt die Verwendung des Zuweisungsoperators `+=` , der jedoch sehr viel effizienter ist.

Beispiel:
```
s1 += s2;              // s2 an s1 anhängen
s1 += "Glück gehabt!"; // auch möglich
```

Hier wird direkt im String `s1` der Inhalt des zweiten Strings angehängt. Daher ist der Operator `+=` der Kombination der Operatoren `+` und `=` vorzuziehen.

Strings vergleichen

Beispielprogramm

```cpp
// string3.cpp Textzeilen einlesen und vergleichen.

#include <iostream>
#include <string>
using namespace std;
string prompt = "Geben Sie zwei Zeilen Text ein!\n",
       linie( 50, '-');
int main()
{
   string zeile1, zeile2, taste = "j";
   while( taste == "j" || taste == "J")
   {
     cout << linie << '\n' << prompt << linie << endl;
     getline( cin, zeile1);          // Erste Zeile,
     getline( cin, zeile2);          // zweite Zeile
                                     // von der Tastatur
     if( zeile1 == zeile2)
       cout << "Beide Zeilen sind gleich!" << endl;
     else
     {
       cout << "Die kleinere Zeile ist:\n\t";
       cout << (zeile1 < zeile2 ? zeile1 : zeile2)
            << endl;
       int len1 = zeile1.length(),
           len2 = zeile2.length();
       if( len1 == len2)
         cout << "Beide Zeilen sind gleich lang!\n";
       else
       { cout << "Die kürzere Zeile ist:\n\t";
         cout << (len1 < len2 ? zeile1 : zeile2)
              << endl;
       }
     }
     cout << "\nWiederholen? (j/n) ";
     do
       getline( cin, taste);
     while(    taste != "j" && taste != "J"
            && taste != "n" && taste != "N");
   }
   return 0;
}
```

 Die Vergleichsoperatoren liefern für Strings nur dann das gewünschte Ergebnis, wenn mindestens ein Operand ein Objekt der Klasse string ist. Mehr dazu erfahren Sie in Kapitel 17, *Zeiger und Vektoren*.

Um Zeichenfolgen in einfacher Weise vergleichen zu können, wurden in der Klasse `string` die Vergleichsoperatoren

```
==    !=    <    <=    >    >=
```

überladen. Damit können Strings zur Formulierung von Bedingungen in Verzweigungen und Schleifen eingesetzt werden.

Beispiel:
```
// str1 und str2 sind Objekte vom Typ string
if( str1 < str2)   // Falls str1 kleiner str2
    . . .
```

Ergebnis eines Vergleichs

Der Vergleich von Strings erfolgt lexikografisch, d.h. *zeichenweise*, beginnend beim ersten Zeichen. Um zu entscheiden, ob ein einzelnes Zeichen kleiner, größer oder gleich einem anderen Zeichen ist, werden die Zeichencodes des verwendeten Zeichensatzes verglichen. Im ASCII-Zeichensatz ist demnach das Zeichen `'A'` (ASCII-Wert 65) kleiner als das Zeichen `'a'` (ASCII-Wert 97).

Ein Vergleich liefert einen Wert vom Typ `bool`. Für zwei Strings `s1`, `s2` gilt:

`s1 == s2`   hat genau dann den Wert `true`, wenn die beiden Zeichenfolgen identisch sind. Insbesondere sind dann beide String-Längen gleich.

`s1 < s2`   hat genau dann den Wert `true`, wenn das erste unterschiedliche Zeichen von `s1` „kleiner" als das von `s2` ist oder wenn `s2` eine „Verlängerung" von `s1` ist.

Alle anderen Vergleichsoperationen können auf die beiden vorstehenden Regeln zurückgeführt werden. Beispielsweise ist `s1 > s2` genau dann `true`, wenn `s2 < s1` den Wert `true` hat.

In einem Vergleichsausdruck mit Strings darf ein Operand wieder eine String-Konstante oder ein einzelnes Zeichen sein.

Beispiel: `while( taste == 'j' ) { . . . }`

Hier wird der String `taste` mit dem einzelnen Zeichen `'j'` verglichen. Das ist eine gleichwertige Alternative zum Vergleich `taste == "j"`.

Auch String-Vergleiche können zu komplexeren Ausdrücken verknüpft werden.

Beispiel:
```
while( taste == "j" || taste == "J")
    { . . . }
```

Die Laufbedingung trifft zu, wenn der String `taste` genau einen Buchstaben `'J'` oder `'j'` enthält. Auf Grund des höheren Vorrangs der Vergleichsoperatoren gegenüber dem Operator `||` sind im Beispiel keine weiteren Klammern notwendig.

Einfügen und Löschen in Strings

Einfügen eines Strings

```
string s1("Frau Sommer");
s1.insert(5, "Sabine ");  // Einfügeposition: 5
```

Die Wirkung der Anweisung:

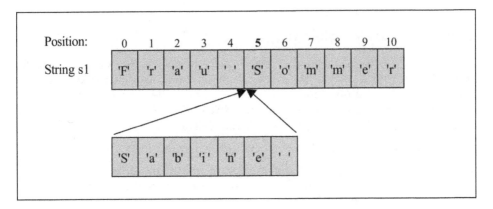

Löschen eines Teilstrings

```
string s("ein Sommertraum");
s.erase(4,6);       // Startposition: 4,  Anzahl: 6
```

Die Wirkung der Anweisung:

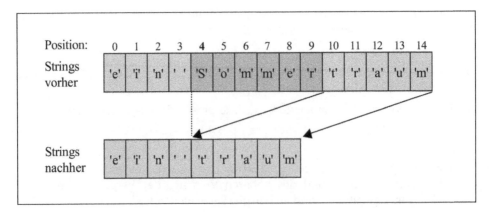

Die Klasse `string` besitzt zahlreiche Methoden, mit denen Strings manipuliert werden können. Für jede Operation, wie z.B. das Einfügen, Löschen, Suchen oder Ersetzen, steht eine eigene Methode zur Verfügung. Die Methoden sind generell so geschrieben, dass als Argument statt eines zweiten Strings immer auch eine String-Konstante übergeben werden kann. Sofern es sinnvoll ist, kann auch ein einzelnes Zeichen eingesetzt werden.

Einfügen

Die Methode `insert()` fügt eine Zeichenfolge an einer bestimmten Position in einen String ein. Die Position ist als erstes Argument anzugeben. Sie legt das Zeichen fest, vor dem eingefügt wird. Dabei hat das erste Zeichen in einem String die Position 0, das zweite Zeichen die Position 1 usw.

Beispiel:
```
string s1("Frau Sommer");
s1.insert(5, "Sabine ");
```

Die Zeichenfolge `"Sabine "` wird hier an der Position 5 in den String `s1` eingefügt, also vor dem Zeichen `'S'` von `"Sommer"`. Anschließend enthält `s1` die Zeichenfolge `"Frau Sabine Sommer"`.

Soll nur ein Teil einer Zeichenfolge in einen String eingefügt werden, so geschieht dies mit zwei zusätzlichen Argumenten, die der Methode `insert()` übergeben werden können: mit der Startposition und der Länge des Teilstrings.

Beispiel:
```
string s1("Sabine ist Maus"),
       s2("'ne süsse Nuss");
s1.insert(11, s2, 0, 10);
```

Hier werden die ersten zehn Zeichen aus dem String `s2` in den String `s1` an der Position 11 eingefügt. Der String `s1` enthält dann die Zeichenfolge `"Sabine ist 'ne süsse Maus"`.

Löschen

Mit der Methode `erase()` kann eine vorgegebene Anzahl von Zeichen in einem String gelöscht werden. Die Startposition wird mit dem ersten Argument und die Anzahl der zu löschenden Zeichen wird mit dem zweiten Argument übergeben.

Beispiel:
```
string s("ein Sommertraum");
s.erase(4,6);       // Ergebnis: "ein traum"
```

Diese Anweisung löscht im String `s` ab der vierten Position sechs Zeichen. Die Methode `erase()` kann auch ohne eine Längenangabe aufgerufen werden. Dann werden alle Zeichen bis zum Stringende gelöscht.

Beispiel:
```
string s("Wintermärchen");
s.erase(6);         // s enthält dann "Winter"
```

Ein Aufruf von `erase()` ohne Argument löscht alle Zeichen im String.

Suchen und Ersetzen in Strings

Ersetzen von Teilstrings

a) Beispiel „Klara und Klärchen"

```
string s1("Hier kommen wir!"),
       s2("Klara und Klärchen");
s1.replace(12, 3, s2);
```

Die Wirkung der Anweisung:

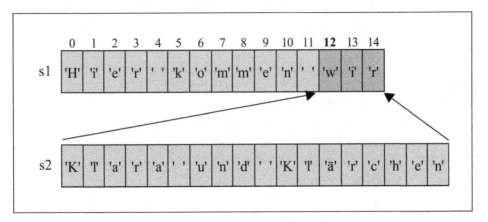

b) Beispiel „Meine Maus"

```
string s1("Da kommt Klaus!"), s2("Meine Maus?");
s1.replace(9, 5, s2, 1, 9);
```

Die Wirkung der Anweisung:

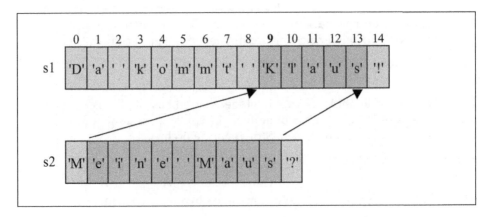

Suchen

Bei der Suche in Strings kann das erste oder letzte Vorkommen einer Zeichenfolge in einem String ermittelt werden. Enthält der String die gesuchte Zeichenfolge als Teilstring, so ist das Suchergebnis die Position des gefundenen Teilstrings. Andernfalls wird eine Pseudoposition npos, nämlich -1, zurückgegeben. Da die Konstante npos in der Klasse string definiert ist, wird sie mit string::npos angesprochen.

Die Methode find() liefert die Position, an der ein Teilstring zum erstenmal in einem String vorkommt. Sie erhält als Argument den gesuchten Teilstring.

Beispiel:
```
string donau("Donau so blau, so blau");
int first = donau.find("blau");
```

Die Variable first erhält hier den Wert 9.

Um das letzte Auftreten einer Zeichenfolge in einem String zu bestimmen, kann die Methode rfind() „right find" verwendet werden. So wird im folgenden Beispiel die Variable last mit 18 initialisiert.

Beispiel:
```
int last = donau.rfind("blau");
```

Ersetzen

Beim Ersetzen in Strings wird ein Teilstring durch einen anderen String überschrieben. Dabei dürfen die Stringlängen unterschiedlich sein.

Diese Operation wird mit der Methode replace() durchgeführt. Mit den ersten beiden Argumenten werden die Startposition und die Länge des zu ersetzenden Teilstrings festgelegt. Das dritte Argument ist der Ersatz-String.

Beispiel:
```
string s1("Hier kommen wir!"),
       s2("Klara und Klärchen");
int pos = s1.find("wir");      // pos == 12
if( pos != string::npos )
    s1.replace(pos, 3, s2);
```

Hier werden ab der Position 12 in s1 insgesamt drei Zeichen, nämlich "wir", durch den String s2 ersetzt. Anschließend enthält s1 die Zeichenfolge "Hier kommen Klara und Klärchen!".

Soll nur ein Teil eines Strings eingefügt werden, so kann mit dem vierten Argument die Startposition und mit dem fünften die Länge übergeben werden.

Beispiel:
```
string s1("Da kommt Klaus!"),
       s2("Meine Maus?");
s1.replace(9, 5, s2, 1, 9);
```

Anschließend enthält s1 die Zeichenkette "Da kommt eine Maus!".

Zugriff auf Zeichen in Strings

Beispielprogramm

```
//   string4.cpp
//   Das Programm zählt Wörter und Zwischenraumzeichen.
//   (Ein Wort ist hier als maximale Folge von Zeichen
//   definiert, die kein Zwischenraumzeichen enthält.)
//-----------------------------------------------------
#include <iostream>
#include <string>
#include <cctype>                    // für das Makro isspace()
using namespace std;

int main()
{
   string header("      ****   Wörter zählen    ****\n"),
          prompt("Text eingeben und "
                 "mit Punkt und Return abschließen:"),
          line( 60, '-'),
          text;                      // leerer String

   cout << header << endl << prompt << endl
        << line  << endl;
   getline( cin, text, '.');         // Eine Text bis zum
                                     // ersten '.' einlesen

   // Wörter und Zwischenraumzeichen im Text zählen
   unsigned int  i,                  // Index
               nSpace = 0,           // Anzahl Zwischenraumzeichen
               nWord  = 0;           // Anzahl Wörter
   bool fSpace  = true;         // Flag für Zwischenraumzeichen

   for( i = 0; i < text.length(); ++i)
   {
      if( isspace( text[i]) )   // Zwischenraumzeichen?
      {
         ++nSpace;   fSpace = true;
      }
      else if( fSpace)          // Am Anfang eines Wortes?
      {
         ++nWord;   fSpace = false;
      }
   }
   // Ergebnis ausgeben:
   cout << line
        << "\nIhr Text enthält (ohne den Punkt)"
        << "\n              Zeichen: " << text.length()
        << "\n               Wörter: " << nWord
        << "\n Zwischenraumzeichen: " << nSpace
        << endl;
   return 0;
}
```

Bei der String-Verarbeitung ist es oft wichtig, auf die einzelnen Zeichen im String zugreifen zu können. Hierfür stehen in C++ der Index-Operator `[]` und die Methode `at()` zur Verfügung. Ein einzelnes Zeichen wird dabei immer durch seinen *Index* identifiziert, das ist seine Position im String. Das erste Zeichen hat also den Index `0`, das zweite den Index `1` usw.

Index-Operator

Auf ein einzelnes Zeichen im String kann am einfachsten mit dem Index-Operator `[]` zugegriffen werden. Nach der Definition

Beispiel: `string s = "Los";`

sind dann die einzelnen Zeichen im String:

        `s[0] == 'L',   s[1] == 'o',   s[2] == 's'`

Das letzte Zeichen im String hat stets den Index `s.length() - 1`. Mit dem Index-Operator kann jedes Zeichen eines Strings gelesen und, sofern der String nicht als konstant deklariert wurde, auch überschrieben werden.

Beispiel: `char c = s[0];`

Mit dieser Anweisung wird das erste Zeichen von `s` in die Variable `c` kopiert. Dagegen wird mit

Beispiel: `s[s.length() -1] = 't';`

das letzte Zeichen im String `s` überschrieben. Anschließend enthält `s` die Zeichenkette `"Lot"`.

Unzulässige Indizes

Als Index ist jeder Integer-Ausdruck zulässig. Es wird jedoch keine Fehlermeldung ausgegeben, wenn der zulässige Bereich überschritten wird.

Beispiel: `cout << s[5];`   `// Fehler`

Bei einem unzulässigen Index ist das Verhalten des Programms nicht definiert. Hier ist die besondere Sorgfalt des Programmierers gefordert! Soll eine Index-Überprüfung stattfinden, kann die Methode `at()` aufgerufen werden.

Die Methode at()

Der Zugriff auf ein einzelnes Zeichen kann auch mit der Methode `at()` erfolgen.

Beispiel: `s.at(i) = 'X';`   ist gleichbedeutend mit   `s[i] = 'X';`

Im Gegensatz zum Index-Operator führt die Methode `at()` eine Bereichsprüfung durch: Bei einem unzulässigen Index löst sie eine *Exception* aus. Standardmäßig wird dadurch das Programm beendet. Vom Programmierer kann aber auch eine eigene Reaktion auf eine Exception festgelegt werden.

Übungen

Zur 3. Aufgabe:

```cpp
// zeitstr.cpp
// Demo für Stringoperationen mit einem String,
// der die aktuelle Zeit enthält.

#include <iostream>
#include <string>
#include <ctime>            // für time(), ctime(), ...
using namespace std;

int main()
{
   time_t sek;
   time( &sek);             // Aktuelle Zeit (Sekunden)
                            // in die Variable sek holen.
   string zeit = ctime( &sek);   // Sekunden in String
                                 // konvertieren.

   cout << "Datum und Uhrzeit: " << zeit << endl;

   string std(zeit, 11, 2);  // Teilstring von zeit, ab
                             // Position 11, 2 Zeichen.
   string gruss("Einen wunderschönen guten ");

   if( std < "10")             // Strings vergleichen
       gruss += "Morgen!";
   else if( std < "17")
       gruss += "Tag!";
   else
       gruss += "Abend!";

   cout << gruss << endl;

   return 0;
}
```

1. Aufgabe

Schreiben Sie ein C++-Programm, das

- einen String s1 mit der Zeichenkette "Alle Jahre kommt ..." und einen zweiten String s2 mit der Zeichenkette "wieder." initialisiert,

- den String s2 im String s1 vor "kommt" einfügt,

- den Rest des Strings s1 ab dem Teilstring "kommt" löscht,

- den Teilstring "Jahre" in s1 durch "kommen" ersetzt.

Dabei soll jeweils die Position des Teilstrings im Programm bestimmt werden.

Geben Sie den String s1 am Anfang und nach jeder Änderung auf dem Bildschirm aus.

2. Aufgabe

Schreiben Sie ein C++-Programm, das ein Wort von der Tastatur in einen String einliest und überprüft, ob das Wort ein Palindrom ist. Ein Palindrom ergibt von links nach rechts gelesen dasselbe Wort wie von rechts nach links gelesen. Palindrome sind beispielsweise „OTTO", „anna" und „UHU".

Verwenden Sie den Index-Operator []. Erweitern Sie das Programm so, dass immer wieder ein Wort eingelesen und überprüft werden kann.

3 Aufgabe:

Was gibt das nebenstehende Programm auf dem Bildschirm aus?

Hinweis: Die Funktion time() liefert die aktuelle Zeit in Form der Anzahl von Sekunden seit dem 1.1.1970, 0:0 Uhr. Die Anzahl der Sekunden wird in die Variable sek vom Typ time_t geschrieben, deren Adresse &sek beim Aufruf angegeben wurde.

Die Funktion ctime() konvertiert die Anzahl der Sekunden in einen String mit Datum und Uhrzeit und gibt diesen String zurück. Der String besteht aus genau 26 Zeichen (inklusive des Stringende-Zeichens \0) und hat folgendes Format:

```
Wochentag Monat Tag Std:Min:Sek Jahr\n\0
```

Beispiel: Wed Jan 30 02:03:55 2013\n\0

Lösungen

Zur 1. Aufgabe:

```cpp
// -----------------------------------------------------
// Datei: str_Jahr.cpp
// Zweck: Einfügen, Suchen und Ersetzen in Strings.
// -----------------------------------------------------
#include <iostream>
#include <string>
using namespace std;

string header = "Demo zum Arbeiten mit Strings\n",
       s1 = "Alle Jahre kommt ...",
       s2 = "wieder ";

int main()
{
    int pos = 0;

    cout << header << endl;
    cout << "s1 : " << s1 << endl;

    // Einfügen:
    cout << "\nString \"" << s2 << "\" einfügen:" << endl;

    pos = s1.find("kommt");
    if( pos != string::npos )
       s1.insert(pos,s2);
    cout << "s1 : " << s1 << endl;          // Ergebnis

    // Löschen:
    cout << "\nRest ab String \"kommt\" löschen:" << endl;

    pos = s1.find("kommt");
    if( pos != string::npos )
       s1.erase(pos);
    cout << "s1 : " << s1 << endl;          // Ergebnis

    // Ersetzen:
    cout << "\n\"Jahre\" durch \"kommen\" ersetzen:"
         << endl;

    pos = s1.find("Jahre");
    if( pos != string::npos )
       s1.replace(pos, 5, "kommen");
    cout << "s1 : " << s1 << endl;          // Ergebnis

    return 0;
}
```

Zur 2. Aufgabe:

```cpp
// ----------------------------------------------------
// Datei: palindrom.cpp
// Zweck: Textzeilen einlesen und vergleichen.
// ----------------------------------------------------

#include <iostream>
#include <string>
using namespace std;

string header = " * * * Palindrom-Test * * * ",
       prompt = "Geben Sie ein Wort ein: ",
       linie( 50, '-');

int main()
{
    string wort;                        // Leerer String
    char taste = 'j';

    cout << "\n\t" << header << endl;
    while( taste == 'j' || taste == 'J')
    {
        cout << '\n' << linie  << '\n'
             << prompt;

        cin >> wort;

        // Erstes und letztes Zeichen vergleichen,
        // zweites und vorletztes usw.
        int i = 0, j = wort.length() - 1;
        for( ; i <= j ; ++i, --j)
          if( wort[i] != wort[j] )
             break;

        if( i > j)                     // Alle Zeichen gleich?
           cout << "\nDas Wort " << wort
                << " ist ein P A L I N D R O M !" << endl;
        else
           cout << "\nDas Wort " << wort
                << " ist kein Palindrom" << endl;

        cout << "\nWiederholen? (j/n) ";
        do
          cin.get(taste);
        while(   taste != 'j' && taste != 'J'
              && taste != 'n' && taste != 'N');
        cin.sync();
    }
    return 0;
}
```

Lösungen (Fortsetzung)

Zur 3. Aufgabe:

Das Programm zeigt zunächst das Datum und die Uhrzeit an. Anschließend wird entsprechend der Tageszeit ein Gruß ausgegeben. Beispiel:

```
Datum und Uhrzeit: Thu Oct 20 09:01:37 2015

Einen wunderschönen guten Morgen!
```

Kapitel 10

Funktionen

Dieses Kapitel beschreibt, wie Sie Funktionen selbst erstellen. Neben den grundlegenden Regeln werden auch

- die Übergabe von Argumenten als „Call by Value",
- die Definition von `inline`-Funktionen,
- das Überladen von Funktionen, Default-Argumente sowie
- das Prinzip der Rekursion

vorgestellt.

Bedeutung von Funktionen in C++

Bestandteile eines C++-Programms

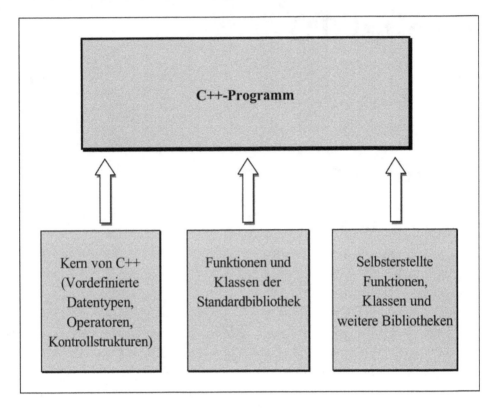

C++ unterstützt eine effiziente Software-Entwicklung nach dem Top-Down-Prinzip. Zur Lösung von größeren Problemstellungen ist es notwendig, diese in kleinere zu zerlegen. Nach der Identifizierung von Objekten müssen Klassen definiert werden, die die Objekte beschreiben. Dabei kann auf schon definierten Klassen und Funktionen aufgebaut werden. Außerdem ist mit Hilfe der Vererbung jederzeit eine weitere Spezialisierung der Klassen möglich, ohne vorhandene Klassen verändern zu müssen.

Bei der Implementierung von Klassen müssen vor allem die Fähigkeiten der Objekte, d.h. die Elementfunktionen, codiert werden. Nicht jede Funktion ist jedoch eine Elementfunktion.

Funktionen können auch global definiert sein, wie beispielsweise die Funktion main(). Solche Funktionen gehören nicht zu einer Klasse. Sie stellen im Allgemeinen generell anwendbare Algorithmen zur Verfügung, wie z.B. die mathematischen Funktionen der Standardbibliothek.

Bibliotheken

Nicht jeder „Baustein" muss neu programmiert werden. Viele nützliche globale Funktionen und Klassen stehen bereits in der C++-Standardbibliothek zur Verfügung. Außerdem können für die verschiedenen Anwendungsgebiete weitere Bibliotheken benutzt werden. So enthält die Compilersoftware oft schon kommerzielle Klassenbibliotheken, z.B. für grafische Benutzeroberflächen. Ein C++-Programm besteht also aus:

- Sprachelementen, die der Kern von C++ zur Verfügung stellt

- globalen Funktionen und Klassen der C++-Standardbibliothek

- selbsterstellten Funktionen und Klassen sowie anderen Bibliotheken

Klassen und Funktionen, die logisch zusammengehören, werden zu separaten Quelldateien zusammengefasst und können getrennt übersetzt und ausgetestet werden. Die Verwendung bereits getesteter Software-Komponenten erleichtert wesentlich die Entwicklung der Gesamtlösung und verbessert ihre Zuverlässigkeit. Die Wiederverwendung selbsterstellter Software kann dadurch erleichtert werden, dass man sie in einer eigenen Bibliothek zusammenfasst und natürlich entsprechend dokumentiert.

Die übersetzten Quelldateien, auch *Module* genannt, werden vom Linker unter Einbeziehung der verwendeten Bibliotheken zu einer ausführbaren Datei gebunden. Wird eine Quelldatei geändert, so müssen ggf. auch andere Dateien neu übersetzt werden. Bei großen Projekten ist es daher ratsam, zur Verwaltung der Programmteile das *MAKE*-Utility zu verwenden. Deren Funktionalität ist in einer Entwicklungsumgebung automatisch integriert, sobald ein *Projekt* angelegt wird. Dazu gehören die eigenen Quelldateien, die verwendeten Bibliotheken und die Compiler/Linker-Einstellungen für die Übersetzung.

Erstellen eigener Funktionen

Beispiel für eine Funktion

```cpp
//func1.cpp
#include <iostream>
using namespace std;

void test( int, double );                    // Prototyp

int main()
{
   cout << "\nJetzt folgt der Aufruf von test().\n";
   test( 10, -7.5);                          // Aufruf
   cout << "\nUnd jetzt wieder in main()." << endl;
   return 0;
}

void test(int arg1, double arg2 )            // Definition
{
   cout << "\nIn der Funktion test()."
        << "\n  1. Argument: " << arg1
        << "\n  2. Argument: " << arg2 << endl;
}
```

Allgemeine Form einer Funktion

```
[typ] name([deklarationsliste]) // Funktionskopf
{                               // Beginn
   .

   .
   was die Funktion tut         // Funktionsblock
   .

   .
}                               // Ende
```

Im folgenden wird beschrieben, wie globale Funktionen zu erstellen sind. Das Kapitel „Klassen" enthält die Besonderheiten, die für Elementfunktionen zu beachten sind.

Definition

Funktionen können in beliebiger Reihenfolge definiert werden. Die erste Funktion ist jedoch in der Regel die `main`-Funktion. Dadurch wird das Verstehen des Programms erleichtert, da man an der Stelle zu lesen beginnt, an der auch die Programmausführung beginnt.

Als Beispiel für eine Definition ist nebenstehend die Funktion `test()` angegeben. Anschließend sehen Sie die allgemeine Form einer Funktion. Dabei gilt:

`typ`	ist der Typ der Funktion, also der Typ des Return-Wertes.
`name`	ist der Funktionsname, der wie ein Variablenname gebildet wird. Er sollte auf den Zweck der Funktion hinweisen.
`deklarationsliste`	enthält die Namen der Parameter und deklariert ihren Typ. Die Liste kann auch leer sein, wie z.B. bei der Funktion `main()`. Gleichbedeutend mit einer leeren Liste ist eine Deklarationsliste, die nur aus dem Wort `void` besteht.

Die in einer Deklarationsliste deklarierten *Parameter* sind ganz gewöhnliche lokale Variablen. Sie werden beim Aufruf der Funktion erzeugt und mit den Werten der Argumente initialisiert.

Beispiel: Beim Aufruf `test( 10, -7.5);` werden die Parameter `arg1` mit `10` und `arg2` mit `-7.5` initialisiert.

Mit der sich öffnenden geschweiften Klammer beginnt der *Funktionsblock*. Dieser enthält die Anweisungen, die festlegen, was die Funktion tut.

Prototyp und Definition

In der Definition einer Funktion ist der Funktionskopf formal dem Prototyp einer Funktion ähnlich. Der Unterschied ist nur, dass bei einer Definition dem Namen mit der Deklarationsliste *nicht* das Semikolon, sondern der Funktionsblock folgt.

Der Prototyp ist die Deklaration der Funktion. Er beschreibt also nur die formale Schnittstelle der Funktion. Deshalb dürfen im Prototyp auch die Parameternamen fehlen. Dagegen wird bei der Übersetzung einer Funktionsdefinition Maschinencode erzeugt.

Return-Wert von Funktionen

Definition und Aufruf der Funktion flaeche():

```cpp
// flaeche.cpp
// Beispiel für eine einfache Funktion mit Return-Wert.
//----------------------------------------------------
#include <iostream>
#include <iomanip>
using namespace std;

double flaeche(double, double);          // Prototyp

int main()
{
   double  x = 3.5, y = 7.2,  erg;

   erg = flaeche( x, y+1);               // Aufruf

   // Ausgabe mit zwei Stellen nach dem Punkt.
   cout << fixed << setprecision(2);

   cout << "\n Die Fläche des Rechtecks"
        << "\n mit der Breite " << setw(5) << x
        << "\n und der Länge  " << setw(5) << y+1
        << "\n beträgt        " << setw(5) << erg
        << endl;

   return 0;
}

// Definition der Funktion flaeche()
// Berechnet die Fläche eines Rechtecks.
double flaeche( double breite, double laenge)
{
   return (breite * laenge);    // Ergebnis zurückgeben.
}
```

Bildschirmausgabe:

```
Die Fläche des Rechtecks
mit der Breite  3.50
und der Länge   8.20
beträgt        28.70
```

Das nebenstehende Programm zeigt die Definition und den Aufruf der Funktion flaeche(). Wie bereits früher erwähnt, muss die Funktion vor ihrem Aufruf deklariert werden: Durch den *Prototyp* erhält der Compiler alle notwendigen Informationen, um bei einem Aufruf der Funktion

● die Anzahl und die Datentypen der Argumente zu überprüfen und

● den Return-Wert der Funktion richtig zu übernehmen.

Die Deklaration einer Funktion kann nur dann entfallen, falls sie in derselben Quelldatei vor ihrem ersten Aufruf definiert wird. Auch wenn in einfachen Beispielen der Aufruf und die Definition einer Funktion oft in einer Quelldatei stehen, ist dies eher die Ausnahme. In der Regel „sieht" der Compiler die Definition einer Funktion nicht, da sie sich in einer anderen Quelldatei befindet.

Beim Aufruf muss der Funktion für jeden Parameter ein Argument vom Typ des Parameters übergeben werden. Die Argumente können beliebige Ausdrücke sein, wie das nebenstehende Beispiel mit dem Argument y+1 zeigt. Es wird immer der Wert des Ausdrucks in den entsprechenden Parameter kopiert.

return-Anweisung

Erreicht die Programmausführung eine *return-Anweisung* oder das Ende des Funktionsblocks, so verzweigt sie in die aufrufende Funktion zurück. Sofern die Funktion nicht vom Typ void ist, wird mit der return-Anweisung auch ein Wert an die aufrufende Funktion zurückgegeben.

Syntax: return [ausdruck];

Falls ausdruck angegeben ist, wird der Wert des Ausdrucks als Return-Wert zurückgegeben. Stimmt der Typ des Wertes nicht mit dem Typ der Funktion überein, so wird in den Typ der Funktion konvertiert, falls dies möglich ist. Funktionen sollten jedoch immer so geschrieben sein, dass der Typ des return-Ausdrucks mit dem Typ der Funktion übereinstimmt.

In der Funktion flaeche() wird ausgenutzt, dass die return-Anweisung einen beliebigen Ausdruck enthalten darf. Gewöhnlich wird der return-Ausdruck geklammert, wenn er Operatoren enthält.

Fehlt der Ausdruck in der return-Anweisung oder die return-Anweisung selbst, so ist der Return-Wert der Funktion undefiniert. In diesem Fall muss der Funktionstyp void sein. Funktionen vom Typ void, wie z.B. die Standardfunktion srand(), führen zwar eine Aktion aus, liefern aber keinen Return-Wert.

Übergabe von Argumenten

Aufrufende und aufgerufene Funktion

```
long func2(int, double);        // Prototyp
//  . . .
void func1()
{
   int x = 1;
   double y = 2.2;

   . . .

   long a = func2(x,y);         // Aufruf von func2().
   . . .
}                               // Wertübergabe


       long func2(int a, double b) // Definition
       {
          double x = 2.2;
          long ergebnis;
                    .            // Hier folgt die
                    .            // Berechnung von ergebnis
                    .
          return ergebnis;
       }
```

Stack-Inhalt nach dem Aufruf einer Funktion

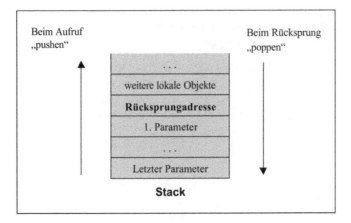

Beim Aufruf „pushen"

Beim Rücksprung „poppen"

. . .

weitere lokale Objekte

Rücksprungadresse

1. Parameter

. . .

Letzter Parameter

Stack

Call by Value

Die Übergabe von Werten beim Aufruf einer Funktion wird auch *„Call by Value"* genannt. Die aufgerufene Funktion kann dabei natürlich nicht den Wert der Argumente in der aufrufenden Funktion verändern, da mit Kopien der Argumente gearbeitet wird.

Es ist aber auch ein *„Call by Reference"* möglich. In diesem Fall erhält die Funktion einen Verweis auf das Objekt, das als Argument angegeben wird. Dadurch kann die Funktion direkt auf das Objekt zugreifen und es verändern.

Ein Beispiel für „Call by Reference" haben Sie bereits mit der Funktion `time()` kennengelernt: Beim Aufruf `time(&sek);` wird als Argument die Adresse der Variablen `sek` übergeben, so dass die Funktion das Ergebnis in die Variable zurückschreiben kann. Wir werden später sehen, wie derartige Funktionen zu erstellen sind.

Ein „Call by Value" bietet jedoch entscheidende Vorteile:

- Argumente von Funktionen können beliebige Ausdrücke sein, z.B. auch Konstanten.

- Die aufgerufene Funktion kann keine unbeabsichtigten Veränderungen von Argumenten in der aufrufenden Funktion bewirken.

- Innerhalb von Funktionen sind die Parameter schon als geeignet initialisierte Variablen verwendbar. Zusätzliche indirekte Speicherzugriffe entfallen.

Ein wesentlicher Nachteil ist jedoch, dass das Kopieren von größeren Objekten aufwendig ist. Deshalb werden beispielsweise Vektoren per Anfangsadresse übergeben.

Lokale Objekte

Die Parameter einer Funktion und die Objekte, die innerhalb einer Funktion definiert werden, sind *lokal*, d.h. nur in dieser Funktion gültig und unabhängig von Objekten bzw. Parametern gleichen Namens in anderen Funktionen.

Beispielsweise enthält die nebenstehende Programmstruktur sowohl eine Variable a in der Funktion `func1()` als auch in der Funktion `func2()`. Beide Variablen kollidieren nicht miteinander. Sie sprechen verschiedene Speicherplätze an. Dasselbe gilt für die Variablen x in `func1()` und in `func2()`.

Die lokalen Objekte einer Funktion werden auf dem *Stack* (dt. *Stapel*) angelegt, und zwar zuerst die Parameter der Funktion in umgekehrter Reihenfolge. Der Stack ist ein Speicherbereich, der nach dem LIFO-Prinzip (*Last In, First Out*) verwaltet wird. Ein guter Vergleich ist ein Tellerstapel: Der zuletzt aufgelegte Teller wird als erster wieder heruntergenommen. Das LIFO-Prinzip bewirkt, dass die zuletzt erzeugten lokalen Objekte zuerst wieder zerstört werden.

inline-Funktionen

Aufruf einer Funktion, die nicht inline ist

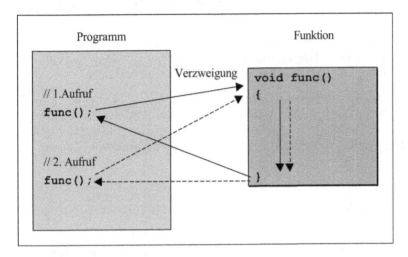

Der Maschinencode der Funktion ist nur einmal in der ausführbaren Datei enthalten.

Aufruf einer inline-Funktion

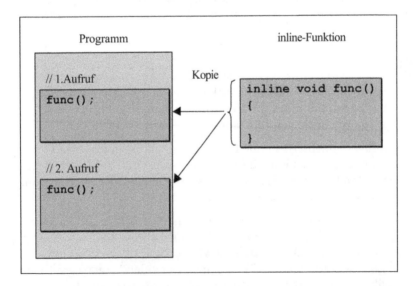

Der Maschinencode der `inline`-Funktion ist an jeder Stelle in der ausführbaren Datei enthalten, an der diese Funktion aufgerufen wird.

Unterprogrammsprung

Beim Aufruf einer Funktion erfolgt ein *Unterprogrammsprung*. Dieser wird folgendermaßen ausgeführt:

- Die Parameter der Funktion werden auf dem Stack erzeugt und mit den entsprechenden Argumenten initialisiert.

- Die sog. *Rücksprungadresse*, das ist die Stelle des Funktionsaufrufs, wird im Stack gesichert, und die Programmausführung verzweigt in die Funktion.

- Nach Ausführung der Funktion verzweigt das Programm mit Hilfe der gesicherten Rücksprungadresse wieder zurück in die aufrufende Funktion. Der im Stack von der Funktion belegte Speicher wird freigegeben.

Der Hin- und Rücksprung beeinträchtigt das Laufzeitverhalten des Programms vor allem dann, wenn eine Funktion nur wenige Anweisungen umfasst und häufig aufgerufen wird. Bei einer „kleinen" Funktion kann nämlich der Zeitaufwand für die Verzweigung größer sein als der Aufwand für die Ausführung der Funktion selbst. Um diesen Nachteil zu vermeiden, können Funktionen `inline` definiert werden.

inline-Definition

Der Compiler fügt den Maschinencode einer inline-Funktion direkt an die Stelle ihres Aufrufs ein. Damit findet kein Unterprogrammsprung statt. Die *Definition* einer inline-Funktion geschieht mit dem Schlüsselwort `inline`, das dem Funktionskopf vorangestellt wird.

Beispiel:
```
inline int max( int x, int y)
{  return  (x >= y ? x : y );  }
```

Bei jedem Aufruf einer `inline`-Funktion wird der Programmcode länger. Deshalb sollten `inline`-Funktionen nur aus wenigen Anweisungen bestehen. Enthält eine inline-Funktion zu viele Anweisungen, so kann der Compiler das Schlüsselwort `inline` ignorieren und eine Warnung ausgeben.

Eine `inline`-Funktion muss in der Quelldatei definiert sein, in der sie später aufgerufen wird. Hierbei genügt es nicht, den Prototyp der Funktion anzugeben. Der Compiler muss auch den Anweisungsblock kennen. Im Gegensatz zu einer „normalen" Funktion ist es deshalb möglich und sinnvoll, eine `inline`-Funktion in einer Header-Datei zu definieren. Damit ist dann die Funktion in mehreren Quelldateien verfügbar.

Unterschied zu Makros

Inline-Funktionen sind eine Alternative zu Makros mit Parametern. Beim Aufruf eines Makros nimmt der Präprozessor lediglich einen Textersatz vor. Dagegen verhält sich eine `inline`-Funktion wie eine normale Funktion, allerdings ohne den Hin- und Rücksprung. So überprüft der Compiler z.B. den korrekten Aufruf.

Default-Argumente

Definition der Funktion endkapital()

```
// Das Endkapital mit Zinsen und Zinseszins berechnen.
// Formel:  endkapital = k0 * (1.0 + p/100)ⁿ
// wobei  k0 = Startkapital, p = Zinssatz, n = Laufzeit
// ---------------------------------------------------
#include <math.h>
double endkapital( double k0, double p, double n)
{
    return (k0 * pow(1.0+p/100, n));
}
```

Aufrufmöglichkeiten

```
// Funktion endkapital() mit zwei Default-Argumenten
// Prototyp:
double endkapital( double k0,
                   double p=3.5, double n=1.0);

double endkap;

endkap = endkapital( 100.0, 3.5, 2.5);   // ok
endkap = endkapital( 2222.20, 4.8);      // ok
endkap = endkapital( 3030.00);           // ok

endkap = endkapital( );                  // nicht ok
// Das erste Argument hat keinen Default-Wert.

endkap = endkapital( 100.0, , 3.0);      // nicht ok
// Keine Lücken möglich

endkap = endkapital( , 5.0);             // nicht ok
// Ebenso
```

 Eine Funktion mit Default-Argumenten wird stets mit der vollen Anzahl von Argumenten aufgerufen. Aus Effizienzgründen kann es daher sinnvoll sein, mehrere Versionen einer Funktion zu schreiben.

Für die Argumente einer Funktion können Standardwerte, so genannte *Default-Argumente*, vorgegeben werden. Beim Aufruf der Funktion müssen dann nicht alle Argumente angegeben werden. Für fehlende Argumente setzt der Compiler die Standardwerte ein.

Default-Argumente festlegen

Die Default-Werte für die Argumente müssen beim Aufruf bekannt sein. Daher sind sie in der Deklaration der Funktion anzugeben.

Beispiel: `void moveTo( int x = 0, int y = 0);`

Die Namen von Parametern können wie üblich auch weggelassen werden.

Beispiel: `void moveTo( int = 0, int = 0);`

Die Funktion `moveTo()` kann dann ohne, mit einem oder mit zwei Argumenten aufgerufen werden.

Beispiel: `moveTo ();   moveTo (24);    moveTo(24, 50);`

Die ersten beiden Aufrufe sind gleichwertig mit `moveTo(0,0);`   bzw. `moveTo(24,0);`.

Es ist auch möglich, nur für einen Teil der Parameter Default-Argumente vorzugeben. Im einzelnen gelten die folgenden Regeln:

- Die Default-Argumente werden im Prototyp der Funktion festgelegt. Sie können auch bei der Definition der Funktion angegeben werden, wenn die Definition in derselben Quelldatei vor dem ersten Aufruf der Funktion erfolgt.

- Wird für einen Parameter ein Default-Argument festgelegt, so müssen auch alle nachfolgenden Parameter Default-Argumente besitzen.

- Default-Argumente dürfen im *Geltungsbereich* des Prototyps nicht neu festgelegt werden. (Mehr zum Geltungsbereich finden Sie im nächsten Kapitel.)

Mögliche Aufrufe

Beim *Aufruf* einer Funktion mit Default-Argumenten ist folgendes zu beachten:

- Zunächst sind die Argumente anzugeben, für die keine Default-Werte existieren.

- Anstelle der Default-Argumente können eigene Argumente angegeben werden, die die Default-Werte ersetzen.

- Wird ein Argument weggelassen, so müssen auch alle folgenden Argumente weggelassen werden.

Mit Hilfe von Default-Argumenten kann eine Funktion mit unterschiedlich vielen Argumenten aufgerufen werden, ohne dass der Programmierer mehrere Versionen einer Funktion schreiben muss.

Überladen von Funktionen

Beispielprogramm

```cpp
// random.cpp
// Zufallszahlen in einem Bereich erzeugen u. ausgeben.
//------------------------------------------------------
#include <iostream>
#include <iomanip>
#include <cstdlib>      // Für rand(), srand()
#include <ctime>        // Für time()
using namespace std;

bool setrand = false;
inline void init_random()  // Zufallszahlengenerator mit
{                          // akt. Zeit initialisieren
   if( !setrand )
   { srand((unsigned int)time(NULL));
      setrand = true;
   }
}

inline double myRandom()    // Liefert Zufallszahl x
{                          // mit   0.0 <= x <= 1.0
   init_random();
   return  (double)rand() / (double)RAND_MAX;
}
inline int myRandom(int start, int ende)  // Liefert
{                                    // Zufallszahl n mit
   init_random();                    // start <= n <= ende
   return (rand() % (ende+1 - start) + start);
}

// Funktionen myRandom() und myRandom(int,int) testen:
int main()
{
   int i;
   cout << "5 Zufallszahlen zwischen 0.0 und 1.0 :"
        << endl;
   for( i = 0; i < 5; ++i)
      cout << setw(10) << myRandom();
   cout << endl;
   cout << "\nUnd jetzt 5 ganze Zufallszahlen "
           "zwischen -100 und +100 :" << endl;
   for( i = 0; i < 5; ++i)
      cout << setw(10) << myRandom(-100, +100);
   cout << endl;
   return 0;
}
```

Wenn Funktionen mit unterschiedlichen Argumenten das „gleiche" tun, so sind in traditionellen Programmiersprachen, wie z.B C, Funktionen mit verschiedenen Namen zu definieren. Soll beispielsweise das Maximum von zwei ganzen Zahlen und von zwei Gleitpunktzahlen gebildet werden, so müssen zwei Funktionen mit verschiedenen Namen definiert werden.

Beispiel:
```
int    int_max( int x, int y);
double dbl_max( double x, double y);
```

Dies ist in Hinblick auf die Vergabe von Namen, die Handhabung und die Lesbarkeit recht umständlich. Diese Einschränkung besteht dagegen in C++ nicht.

Überladung

In C++ können Funktionen überladen werden, d.h. verschiedene Funktionen dürfen denselben Namen haben.

Beispiel:
```
int    max( int x, int y);
double max( double x, double y);
```

Hier werden zwei verschiedene Funktionen mit dem gleichen Namen max deklariert: Die Funktion max() ist für Argumente vom Typ int und vom Typ double überladen. Der Compiler unterscheidet überladene Funktionen an Hand ihrer Signatur.

Signatur einer Funktion

Die Signatur einer Funktion besteht aus der Anzahl und dem Typ der Parameter. Beim Aufruf einer Funktion vergleicht der Compiler die Argumente mit den Signaturen der überladenen Funktionen und ruft die „passende" Funktion auf.

Beispiel:
```
double maxvalue, value = 7.9;
maxvalue = max( 1.0, value);
```

In diesem Fall wird die double-Version der Funktion max() aufgerufen.

Beim Aufruf überladener Funktionen werden wie üblich implizite Typumwandlungen durchgeführt. Dabei kann es jedoch zu Mehrdeutigkeiten kommen, die der Compiler mit einer Fehlermeldung quittiert.

Beispiel:
```
maxvalue = max( 1, value);   // Fehler!
```

Der Typ einer Funktion gehört nicht zur Signatur, da er nicht dem Aufruf einer Funktion zu entnehmen ist. Eine Unterscheidung überladener Funktionen anhand ihres Typs ist also nicht möglich.

Beispiel:
```
int    search(string key);
string search(string name);
```

Da beide Funktionen die gleiche Signatur haben, ist die Überladung unzulässig.

Rekursive Funktionen

Verwendung einer rekursiven Funktion

```cpp
// rekursiv.cpp
// Demonstriert das Prinzip der Rekursion anhand
// einer Funktion, die eine Zeile von der Tastatur
// liest und umgekehrt wieder ausgibt.
// ---------------------------------------------------
#include <iostream>
using namespace std;

void getput(void);

int main()
{
    cout << "Bitte geben Sie eine Textzeile ein:\n";
    getput();
    cout << "\nBye Bye!" << endl;
    return 0;
}

void getput()
{
    char c;
    if( cin.get(c)   &&   c != '\n')
        getput();
    cout.put(c);
}
```

Ablauf des Programms bei Eingabe von ok ⏎

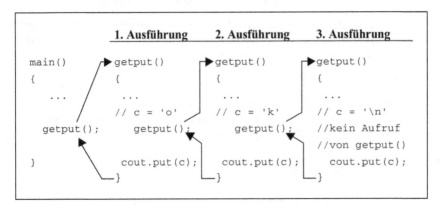

208

Rekursion

Eine Funktion ist *rekursiv*, wenn sie sich selbst aufruft. Ein Selbstaufruf kann auch indirekt erfolgen, wenn die Funktion zunächst eine andere Funktion bzw. eine Reihe anderer Funktionen aufruft, bevor sie selbst wieder aufgerufen wird. In jedem Fall ist ein Abbruchkriterium notwendig, damit die Funktion sich nicht endlos oft selbst aufruft.

Die Definition rekursiver Funktionen in C++ wird durch das Konzept der lokalen Objekte ermöglicht. Für die Rekursion ist nämlich wesentlich, dass lokale Objekte bei jedem Funktionsaufruf neu erzeugt werden und nichts von anderen lokalen Objekten aus anderen Funktionsaufrufen „wissen". Tatsächlich werden die lokalen Objekte auf dem Stack angelegt, so dass die zuletzt erzeugten Objekte zuerst wieder zerstört werden.

Zum Beispielprogramm

Wir wollen das Prinzip der Rekursion anhand des nebenstehenden Programms beschreiben. Das Programm enthält die rekursive Funktion getput(), die eine Textzeile von der Tastatur liest und umgekehrt wieder ausgibt.

In main() wird die Funktion getput() zum erstenmal aufgerufen. Diese liest ein Zeichen von der Tastatur in die lokale Variable c. Falls das Zeichen verschieden von '\n' ist, ruft sich die Funktion getput() erneut auf. Damit wird ein weiteres Zeichen von der Tastatur in eine neue lokale Variable c gelesen.

Die Kette der rekursiven Aufrufe ist beendet, sobald der Anwender die Return-Taste drückt: Das zuletzt eingelesene Zeichen '\n' (Zeilenvorschub) wird ausgegeben, und die Programmausführung verzweigt zum vorhergehenden Aufruf von getput() zurück. Hier wird das vorletzte Zeichen ausgegeben usw. Ist schließlich auch das zuerst eingelesene Zeichen ausgegeben, so erfolgt der Rücksprung zu main().

Anwendungsbereiche

Die Logik vieler Problemlösungen besitzt eine rekursive Struktur, wie z.B. das Durchlaufen von Verzeichnisbäumen, die Verwaltung von Daten mit Hilfe von binären Bäumen oder bestimmte Sortieralgorithmen, wie der Quick-Sort-Algorithmus. Rekursive Funktionen bieten die Möglichkeit, derartige Logiken knapp und elegant in ein Programm umzusetzen. Dabei ist jedoch dafür zu sorgen, dass der Speicherbereich für den Stack groß genug ist. Kann dies nicht garantiert werden, so ist die Gefahr eines Stack-Overflows nur dadurch vermeidbar, dass die rekursive Funktion durch eine iterative Funktion ersetzt wird.

 Jede rekursive Funktion kann durch eine iterative Funktion ersetzt werden.

Platzhalter auto für Return-Typen

Beispielprogramm

```cpp
// returntype.cpp
// Nachgestellte und abgeleitete Return-Typen.
//-----------------------------------------------------
#include <iostream>
using namespace std;

auto add(float, float) -> double;          // Prototyp
// oder auch:
// double add(float, float);

// Definition der Funktion sub()
auto sub(float x, float y)
{
    return x - y;         // Return-Typ ist double, da der
}                         // Ausdruck x-y den Typ double hat.

// Definition der rekursiven Funktion powerOf2()
auto powerOf2(unsigned n)
{
    if (n == 0)
        return 1LL;       // Return-Typ ist long long
    else
        return 2 * powerOf2(n - 1);
}

int main()
{
    float  a = 1.2F, b = 3.4F;
    double sum = add(a, b);
    cout << "Die Summe von " << a << " und " << b << " ist "
         << sum << endl;                          // 4.6

    cout << "Die Differenz von " << a << " und " << b
         << " ist " << sub(a, b) << endl;         // -2.2

    cout << "2 hoch 5 ergibt " << powerOf2(5) << endl; // 32
    return 0;
}

auto add( float x, float y) -> double        // Definition
{
    return x + y;
}
```

Der C++-Standard hat das Schlüsselwort `auto` als Platzhalter für einen Typ eingeführt. Bei der Definition einer Variablen kann so der Typ der Variablen aus dem Typ des Initialisierungswertes abgeleitet werden (s. Kapitel 2, Doppelseite „Variablen"). Das Schlüsselwort `auto` kann aber auch als Platzhalter für den Return-Typ einer Funktion eingesetzt werden. Dies ist vor allem beim Umgang mit komplexen Typen und bei der Definition von Funktions-Templates nützlich.

Nachgestellter Return-Typ

Die allgemeine Form einer Funktionsdefinition wurde so erweitert, dass der Return-Typ einer Funktion am Ende des Funktionskopfes angegeben werden kann.

Syntax:
```
auto funktionsname([deklarationsliste]) -> typ
{   /* Funktionsblock*/   }
```

Dabei ist für *typ* der konkrete Return-Typ der Funktion anzugeben.

Beispiel:
```
auto add(float, float) -> double { . . . }
```

Hier wird der Return-Typ als `double` festgelegt. Wie das nebenstehende Beispiel zeigt, kann die Syntax für nachgestellte Return-Typen auch im Prototyp einer Funktion angegeben werden.

Return-Typ-Ableitung

Der nachgestellte Return-Typ kann entfallen, wenn der Return-Typ aus dem Ausdruck der `return`-Anweisung abgeleitet werden kann. Im nebenstehenden Beispiel machen die Funktionen `sub()` und `powerOf2()` davon Gebrauch.

Der Compiler muss beim Aufruf einer Funktion Ihren Typ kennen. Daher sind bei der Return-Typ-Ableitung folgende Einschränkungen zu beachten:

- Wenn die Definition der Funktion mehrere `return`-Anweisungen enthält, müssen die `return`-Ausdrücke exakt den gleichen Typ haben. Eine implizite Typkonvertierung ist nicht mehr möglich.

- Die Definition der Funktion muss vor dem Aufruf der Funktion für den Compiler sichtbar sein. Beispielsweise kann die Definition in einer inkludierten Header-Datei stehen.

- Die Funktion darf rekursiv sein. Dann muss in der Definition der rekursiven Funktion dem Selbstaufruf mindestens eine `return`-Anweisung vorangehen, damit der Typ des Return-Wertes abgeleitet werden kann. Ein Beispiel dafür ist die nebenstehende Funktion `powerOf2()`.

Übungen

Hinweis zur 1. Aufgabe

Arbeiten mit mehreren Quelldateien:

Innerhalb einer „integrierten Entwicklungsumgebung" muss ein Projekt erzeugt werden, in dem alle Quelldateien des Programms enthalten sind. Dann werden alle Quelldateien automatisch kompiliert und gelinkt.

Beim Aufruf des Compilers/Linkers aus der Kommandozeile genügt es, die Quelldateien anzugeben, z.B.:

```
cc  summe_t.cpp  summe.cpp
```

Bildschirmausgabe zur 3. Aufgabe

n	Fakultät von n
0	1
1	1
2	2
3	6
4	24
5	120
6	720
7	5040
.	. . .
.	. . . .
.	. . . .
19	121645100408832000
20	2432902008176640000

1. Aufgabe

a) Schreiben Sie eine Funktion `summe()` mit vier Parametern, die die Summe der Argumente berechnet und zurückgibt.

    Parameter: Vier Variablen vom Typ `long`

    Return-Wert: Die Summe vom Typ `long`

Deklarieren Sie die zwei letzten Parameter der Funktion `summe()` mit dem Default-Argument 0. Testen Sie die Funktion `summe()` mit allen drei Aufrufmöglichkeiten. Verwenden Sie dabei als Argumente ganzzahlige Zufallszahlen.

b) Strukturieren Sie Ihr Programm nun so, dass die Funktionen `main()` und `summe()` jeweils in einer eigenen Quelldatei enthalten sind, z.B. in `summe_t.cpp` und `summe.cpp`.

2. Aufgabe

a) Schreiben Sie eine **inline**-Funktion **Max(double x, double y)**, die das Maximum von **x** und **y** zurückgibt (Schreiben Sie **Max** statt **max**, um Konflikte mit anderen Definitionen von **max** `zu vermeiden`). Testen Sie die Funktion mit Werten, die Sie von der Tastatur einlesen.

Kann die Funktion `Max()` auch mit zwei Argumenten vom Typ `char`, `int` oder `long` aufgerufen werden?

b) Überladen Sie nun `Max()` durch eine weitere `inline`-Funktion `Max(char x, char y)` für Argumente vom Typ `char`.

Kann die Funktion `Max()` noch mit zwei Argumenten vom Typ `int` aufgerufen werden?

3. Aufgabe

Die *Fakultät* `n!` einer positiven ganzen Zahl `n` ist definiert durch:

```
n! = 1*2*3 . . . * (n-1) * n
```
Ferner ist: `0! = 1`

Schreiben Sie eine Funktion, die die Fakultät einer Zahl berechnet.

Argument: Eine Zahl `n` vom Typ `unsigned int`

Return-Wert: Die Fakultät `n!` vom Typ `long double`

Formulieren Sie zwei Versionen der Funktion, wobei die Fakultät

a) mit Hilfe einer Schleife,

b) rekursiv berechnet wird.

Testen Sie die beiden Funktionen, indem Sie die Fakultäten der Zahlen 0 bis 20 wie nebenstehend skizziert auf dem Bildschirm ausgeben.

4. Aufgabe

Schreiben Sie eine Funktion pow(double basis, int exp), die ganzzahlige Potenzen von Gleitpunktzahlen berechnet.

Argumente: Die Basis vom Typ double und der Exponent vom Typ int

Return-Wert: Die Potenz basis^{exp} vom Typ double

Beispielsweise liefert der Aufruf von pow(2.5, 3) den Wert:

$$2.5^3 \; = \; 2.5 * 2.5 * 2.5 \; = \; 15.625$$

Die eigene Definition der Funktion pow() stellt eine Überladung der Standardfunktion pow() dar, die mit zwei double-Werten aufgerufen wird.

Testen Sie Ihre Funktion, indem Sie je einen Testwert für die Basis und den Exponenten von der Tastatur einlesen. Vergleichen Sie das Ergebnis Ihrer Funktion mit dem Ergebnis der Standardfunktion.

1. Die Potenz x^0 ist für eine beliebige Zahl x als 1.0 definiert.

2. Für einen negativen Exponenten n ist die Potenz x^n als $(1/x)^{-n}$ definiert.

3. Die Potenz 0^n für $n > 0$ ergibt stets 0.0.

Die Potenz 0^n ist für $n < 0$ nicht definiert. In diesem Fall sollte der Wert HUGE_VAL zurückgegeben werden. Diese Konstante ist in math.h definiert und repräsentiert einen großen double-Wert. Die mathematischen Funktionen liefern HUGE_VAL zurück, wenn das Ergebnis zu groß für double ist.

Lösungen

Zur 1. Aufgabe:

```cpp
// -------------------------------------------------------
// summe_t.cpp
// Aufruf der Funktion summe() mit Default-Argumenten.
// -------------------------------------------------------

#include <iostream>
#include <ctime>
#include <cstdlib>
using namespace std;

long summe( long a1, long a2, long a3=0, long a4=0);

int main()     // Verschiedene Aufrufe der Funktion summe()
{
    cout << "  **** Berechnung von Summen  ****\n"
         << endl;

    srand((unsigned int)time(NULL));   // Zufallszahlen-
                                       // generator
                                       // initialisieren.
    long erg, a = rand()/10, b = rand()/10, c = rand()/10,
            d = rand()/10;

    erg = summe(a,b);
    cout << a << " + " << b << " = " << erg << endl;
    erg = summe(a,b,c);
    cout << a << " + " << b << " + " << c
         << " = " << erg << endl;

    erg = summe(a,b,c,d);
    cout << a << " + " << b << " + " << c << " + " << d
         << " = " << erg << endl;

    return 0;
}


// -------------------------------------------------------
// summe.cpp
// Definition der Funktion summe()
// -------------------------------------------------------

long summe( long a1, long a2, long a3, long a4)
{
    return (a1 + a2 + a3 + a4);
}
```

Lösungen (Fortsetzung)

Zur 2. Aufgabe:

```cpp
// ------------------------------------------------------
// max.cpp
// Definition und Aufruf der überladenen Funktionen Max().
// ------------------------------------------------------

// Solange nur eine Funktion Max() definiert ist, kann sie
// mit allen Argumenten aufgerufen werden, deren Typ in
// double konvertierbar ist, also auch mit Werten vom Typ
// char, int oder long.
// Nach einer Überladung ist keine eindeutige Konvertierung
// mehr möglich.

#include <iostream>
#include <string>
using namespace std;

inline double Max(double x, double y)
{
   return (x < y ? y : x);
}

inline char Max(char x, char y)
{
   return (x < y ? y : x);
}

string header(
        "Mit der überladenen Funktion Max() arbeiten.\n"),
      linie(50,'-');

int main()       // Verschiedene Aufrufe der Funktion Max()
{
   double x1 = 0.0, x2 = 0.0;

   linie += '\n';
   cout << linie << header << linie << endl;

   cout << "Geben Sie zwei Gleitpunkzahlen ein:"
        << endl;
   if( cin >> x1  &&  cin >> x2)
   {
```

```
            cout << "Die größere Zahl ist " << Max(x1,x2)
                 << endl;
    }
    else
        cout << "Fehlerhafte Eingabe!" << endl;

    cin.sync(); cin.clear();     // falls eine falsche Eingabe
                                 // gemacht wurde.

    cout << linie
         << "Und jetzt noch einmal mit Zeichen!"
         << endl;

    cout << "Geben Sie zwei Zeichen ein:"
         << endl;

    char c1, c2;
    if( cin >> c1  &&  cin >> c2)
    {
            cout << "Das größere Zeichen ist " << Max(c1,c2)
                 << endl;
    }
    else
        cout << "Fehlerhafte Eingabe!" << endl;


    cout << "Test mit int-Argumenten." << endl;
    int  a = 30, b = 50;
    cout << Max(a,b) << endl;      // Fehler! Welche
                                   // Funktion Max()?
    return 0;
}
```

Zur 3. Aufgabe:

```
// --------------------------------------------------------
// fakult.cpp
// Berechnet die Fakultät einer ganzen Zahl sowohl
// iterativ, d.h. mit Hilfe einer Schleife, als auch
// rekursiv.
// --------------------------------------------------------
#include <iostream>
#include <iomanip>
using namespace std;

#define N_MAX    20

long double fakult1(unsigned int n);  // Iterative Lösung
long double fakult2(unsigned int n);  // Rekursive Lösung

int main()
```

Lösungen (Fortsetzung)

```cpp
{
   unsigned int n;

   // Gleitpunktzahlen ohne Stellen nach dem Punkt ausgeben:
   cout << fixed << setprecision(0);

   //  ---  Iterative Berechnung der Fakultät  ---
   cout << setw(10) << "n" << setw(30) << "Fakultät von n"
        << "           (Iterative Berechnung)\n"
        << "     --------------------------------------"
        << endl;

   for( n = 0; n <= N_MAX;  ++n)
      cout << setw(10) << n << setw(30) << fakult1(n)
           << endl;

   cout << "\nWeiter mit <Return>";
   cin.get();

   //  ---  Rekursive Berechnung der Fakultät  ----

   cout << setw(10) << "n" << setw(30) << "Fakultät von n"
        << "           (Rekursive Berechnung)\n"
        << "     --------------------------------------"
        << endl;

   for( n = 0; n <= N_MAX;  ++n)
      cout << setw(10) << n << setw(30) << fakult2(n)
           << endl;

   cout << endl;

   return 0;
}

long double fakult1(unsigned int n)      // Iterative
{                                        // Berechnung
   long double ergebnis = 1.0;
   for( unsigned int i = 2; i <= n; ++i)
      ergebnis *= i;

   return ergebnis;
}

long double fakult2(unsigned int n)      // Rekursive
{                                        // Berechnung
   if( n <= 1)
      return 1.0;
   else
      return fakult2(n-1) * n;
}
```

Zur 4. Aufgabe:

```
// --------------------------------------------------------
// power.cpp
// Definition und Aufruf einer eigenen Funktion pow() zur
// Berechnung ganzzahliger Potenzen einer Gleitpunktzahl.
// Überladung der Standardfunktion pow()
// --------------------------------------------------------
#include <iostream>
#include <cmath>
using namespace std;

double pow(double basis, int exp);

int main()                  // eigene Funktion pow() testen
{
   double basis    = 0.0;
   int    exponent = 0;

   cout << "  **** Berechnet ganzzahlige Potenzen ****\n"
        << endl;

   cout << "Testwerte eingeben.\n"
        << "Basis (Gleitpunktzahl): ";  cin >> basis;
   cout << "Exponent (ganze Zahl):      ";  cin >> exponent;

   cout << "Ergebnis von " << basis << " hoch " << exponent
        << " = " << pow( basis, exponent) << endl;

   cout << "Berechnung mit der Standardfunktion: "
        << pow( basis, (double)exponent) << endl;
   return 0;
}

double pow(double basis, int exp)
{
   if( exp == 0)      return 1.0;

   if( basis == 0.0)
       if( exp > 0)  return 0.0;
       else          return HUGE_VAL;

   if( exp < 0)
   {
      basis = 1.0 / basis;
      exp = -exp;
   }
   double power = 1.0;
   for( int n = 1; n <= exp; ++n)
       power *= basis;

   return power;
}
```

Kapitel 11

Speicherklassen und Namensbereiche

Dieses Kapitel beschreibt zunächst Speicherklassen von Objekten und Funktionen. Die Speicherklasse legt insbesondere fest, in welchen Teilen eines Programms ein Objekt bzw. eine Funktion verwendet werden kann. Mit Namensbereichen können Konflikte bei der Namensvergabe für globale Bezeichner vermieden werden.

Speicherklasse von Objekten

Verfügbarkeit von Objekten

C++-Programm

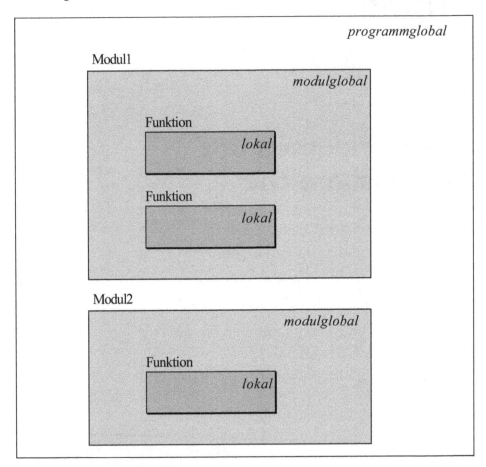

Speicherklassen-Spezifizierer

Die Speicherklasse eines Objekts ist festgelegt durch

- die Position der Deklaration innerhalb der Quelldatei und

- den Speicherklassen-Spezifizierer, der optional angegeben werden kann.

Die möglichen Speicherklassen-Spezifizierer sind:

```
extern          static          mutable          thread_local
```

Die Deklaration eines Objekts legt neben dem Typ und dem Namen auch seine *Speicherklasse* fest. Diese bestimmt die Lebensdauer (engl. *storage duration*) des Objekts und den Geltungsbereich (engl. *scope*). Das ist der Bereich, in dem das Objekt direkt mit seinem Namen angesprochen werden kann.

Grundsätzlich ist ein Name innerhalb einer *Übersetzungseinheit* immer nur nach seiner Deklaration bekannt. Eine Übersetzungseinheit, auch Modul genannt, ist die zu übersetzende Quelldatei zusammen mit den inkludierten Header-Dateien.

Der Programmierer kann den Zugriff auf ein Objekt wie folgt festlegen:

⊛	lokal	Das Objekt ist nur innerhalb des Blocks bekannt, in dem es definiert ist. Nach dem Verlassen des Blocks ist das Objekt nicht mehr „sichtbar".
⊛	modulglobal	Das Objekt kann innerhalb *eines* Moduls verwendet werden: Nur die Funktionen dieses Moduls können mit dem Objekt arbeiten. Andere Module haben keinen direkten Zugriff auf das Objekt.
⊛	programmglobal	Das Objekt steht im gesamten Programm zur Verfügung. Es stellt insbesondere eine gemeinsame Speicherfläche dar, auf die alle Funktionen Zugriff haben.

Statt programmglobal wird allgemein auch der Begriff *global* verwendet. Der globale Geltungsbereich kann mit Hilfe von Namensbereichen weiter unterteilt werden.

Der durch die Speicherklasse festgelegte Zugriff auf ein Objekt ist unabhängig vom Konzept der Zugriffskontrolle für die Elemente einer Klasse. Namensbereiche und Klassen werden später vorgestellt.

Lebensdauer

Lokale Objekte werden gewöhnlich in dem Block „automatisch" neu erzeugt, in dem sie definiert sind. Nach Verlassen des Blocks wird der Speicherplatz wieder freigegeben. Man sagt, die Lebensdauer der Objekte ist *automatisch*.

Es ist auch möglich, lokale Objekte zu definieren, die einmal erzeugt werden und dann während der gesamten Programmausführung vorhanden sind. Sie haben also eine *statische* (= permanente) **Lebensdauer**. Beim Wiedereintritt in den Block kann mit ihrem alten Zustand weitergearbeitet werden.

Programm- und modulglobale Objekte haben immer eine statische Lebensdauer: Sie werden beim Start des Programms erzeugt und bleiben bis zum Programmende bestehen. Um ein Objekt mit den gewünschten Eigenschaften zu definieren, stehen vier Speicherklassen-Spezifizierer zur Verfügung. Die Spezifizierer `static` und `extern` werden nachfolgend im Einzelnen behandelt. Die Spezifizierer `mutable` und `thread_local` werden erst später im Kontext ihrer Verwendung vorgestellt.

Der Speicherklassen-Spezifizierer extern

1. Quelldatei

```
// Cutline1.cpp
// Ein Filter, der überflüssige Zwischenraumzeichen
// am Ende von Zeilen entfernt.
// -----------------------------------------------------
#include <iostream>
#include <string>
using namespace std;

void cutline( void );           // Prototyp
string line;                    // Globaler String

int main()
{
   while( getline(cin, line)) // Solange eine Zeile
   {                          // eingelesen werden kann.
     cutline();               // Zeile kürzen.
     cout << line << endl;    // Zeile ausgeben.
   }
   return 0;
}
```

2. Quelldatei

```
// Cutline2.cpp
// Enthält die Funktion cutline(), die Blanks und
// Tabulatorzeichen am Ende des Strings line entfernt.
// Der String line muss in einer anderen Quelldatei
// global definiert sein.
// -----------------------------------------------------

#include <string>
using namespace std;

extern string line;                 // extern-Deklaration

void cutline()
{
   int i = line.size();             // Position hinter
                                    // dem letzten Zeichen.
   while( --i >= 0 )
     if(   line[i] != ' '           // Falls kein Blank
        && line[i] != '\t' )        // und kein Tab,
       break;                       // -> Schleife beenden.

   line.resize(++i);                // Neue Länge festlegen.
}
```

Definition globaler Objekte

Steht die Definition eines Objekts außerhalb jeder Funktion, so wird ein globales Objekt vereinbart. Solche Objekte sind programmglobal: Sie können überall im Programm gelesen und, sofern sie nicht als const deklariert sind, auch geändert werden. Somit bieten globale Objekte die Möglichkeit, Informationen zwischen beliebigen Funktionen auszutauschen, ohne Argumente zu übergeben. Um dies zu demonstrieren, ist das nebenstehende Programm in zwei verschiedene Quelldateien aufgeteilt. Für den Datenaustausch wird hier der global definierte String line benutzt.

Globale Objekte, die bei der Definition nicht explizit initialisiert werden, erhalten den Startwert 0 (d.h. alle Bits = 0). Das gilt auch für Objekte vom Typ einer Klasse, wenn dies in der Klasse nicht anders festlegt ist.

Verwendung globaler Objekte

Ein globales Objekt ist zunächst nur in der Quelldatei verfügbar, in der es definiert wurde. Soll das Objekt vor seiner Definition oder in einem anderen Modul benutzt werden, so ist eine *Deklaration* des Objekts nötig. Andernfalls würde der Compiler melden, dass er dieses Objekt nicht kennt. Mit der Deklaration wird dem Compiler der *Name* und der *Typ* des Objekts bekannt gegeben.

Im Unterschied zur Definition wird bei der Deklaration der Speicherklassen-Spezifizierer extern vorangestellt.

Beispiel: extern long position;   // Deklaration

Hiermit wird position als externes Objekt vom Typ long deklariert. Durch die extern-Deklaration kann also ein Objekt aus einer anderen Quelldatei „importiert" werden.

Ein globales Objekt muss genau einmal im Programm definiert sein. Es kann aber beliebig oft deklariert werden, und zwar an einer beliebigen Stelle im Programm. Gewöhnlich erfolgt die Deklaration vor der ersten Funktion in einer Quelldatei oder in einer Header-Datei, die dann nach Bedarf inkludiert werden kann.

Damit steht das Objekt allen Funktionen der Datei zur Verfügung. Durch eine Deklaration innerhalb eines Blocks ist das Objekt nur in diesem Block verwendbar.

Eine extern-Deklaration ist lediglich ein Verweis auf ein Objekt und sollte daher keine Initialisierung enthalten. Wird aber eine Initialisierung angegeben, so handelt es sich um eine Definition!

 Wegen ihres Effekts auf das gesamte Programm sind globale Objekte sparsam zu verwenden. Besonders bei größeren Programmen sollte man nur wenige zentrale Objekte als extern deklarieren.

Der Speicherklassen-Spezifizierer static

```cpp
// Passw1.cpp
// Die Funktionen getPassword() und zeitdiff()
// zum Einlesen und Überprüfen eines Passworts.
// -------------------------------------------------
#include <iostream>
#include <iomanip>
#include <string>
#include <ctime>
using namespace std;

long zeitdiff(void);                        // Prototyp

static string geheimwort = "ISUS";          // Passwort
static long  maxanzahl = 3, maxzeit = 60;   // Limits

bool getPassword()  // Passwort einlesen und überprüfen.
{              // Return-Wert: true, falls Passwort ok.
   bool ok_flag = false;        // Für die Rückgabe
   string wort;                 // Für die Eingabe
   int anzahl = 0, zeit = 0;
   zeitdiff();                  // Die Stoppuhr starten
   while( ok_flag != true &&
          ++anzahl <= maxanzahl) // Anzahl Versuche
   {
      cout << "\n\nGeben Sie das Passwort ein:  ";
      cin.sync();               // Keine alte Eingabe
      cin >> setw(20) >> wort;
      zeit += zeitdiff();
      if( zeit >= maxzeit )     // Im Zeitlimit?
         break;                 // nein!
      if( wort != geheimwort)
         cout << "Passwort ungültig!" << endl;
      else
         ok_flag = true;        // Erlaubnis geben
   }
      return ok_flag;           // Ergebnis
}

long zeitdiff()               // Liefert die Anzahl Sekunden
{                             // seit dem letzten Aufruf.
   static time_t  sek = 0;    // Zeit vom letzten Aufruf.
   time_t  altsek = sek;      // Alte Zeit merken.
   time( &sek);               // Neue Zeit lesen.
   return long(sek - altsek); // Differenz zurückgeben.
}
```

Statische Objekte

Stellt man der Definition eines Objekts das Schlüsselwort `static` voran, so wird ein statisches Objekt vereinbart.

Beispiel: `static int anzahl;`

Die wesentliche Eigenschaft statischer Objekte ist ihre *statische* (= permante) Lebensdauer. Statische Objekte werden nämlich nicht auf dem Stack, sondern wie globale Objekte in einem Datensegment des Programms gehalten.

Im Unterschied zu globalen Objekten ist jedoch der Zugriff beschränkt. In Abhängigkeit vom Ort der Definition sind zwei Fälle zu unterscheiden:

1. **Definition außerhalb jeder Funktion**

   In diesem Fall ist das Objekt *modulglobal*, d.h. das Objekt kann mit seinem Namen nur in diesem Modul angesprochen werden. Es kollidiert nicht mit Objekten gleichen Namens in anderen Modulen.

   Hinweis: Im Gegensatz zu globalen Objekten wird der Name eines statischen Objekts dem Linker nicht bekannt gegeben. Dadurch ergibt sich sein „privater" Charakter in einem Modul.

2. **Definition innerhalb eines Blocks**

   Sie bewirkt, dass das Objekt nur in diesem Block sichtbar ist, d.h. es ist *lokal*. Es wird aber nur einmal erzeugt und bleibt beim Verlassen des Blocks erhalten. Beim Wiedereintritt in den Block wird mit dem ursprünglichen Objekt weitergearbeitet.

Für die Initialisierung statischer Objekte gilt dasselbe wie für globale Objekte: Wenn keine explizite Initialisierung angegeben ist, erhalten sie den Wert `0`.

Zum nebenstehenden Beispielprogramm

Die Funktion `getPassword()` prüft ein einzugebendes Passwort. Nach drei erfolglosen Versuchen, spätestens aber nach sechzig Sekunden, wird die Erlaubnis verweigert. Ein Aufruf in einer anderen Quelldatei könnte beispielsweise so lauten:

Beispiel: `if( !getPassword() )`
`{ cout << "Keine Berechtigung!\n"; exit(1); }`

Der String `geheimwort` und die Grenzwerte `maxanzahl` und `maxzeit` sind modulglobal. Dagegen ist die statische Variable `sek` in der Funktion `zeitdiff()` lokal. Sie hat nur beim ersten Aufruf der Funktion den Wert `0`.

Es ist sinnvoll, diese Quelldatei um eine weitere Funktion zu ergänzen, die es unter anderem erlaubt, das Passwort zu ändern.

227

Speicherklassen-Spezifizierer von Funktionen

Beispiel für eine Programmstruktur

1. Quelldatei

```
extern bool getPassword(void);          // Prototyp

int main()
{
   // Hier kann die Funktion password(),
   // aber nicht die Funktion zeitdiff()
   // aufgerufen werden.
      .
      .
      .

}
```

2. Quelldatei

```
static long zeitdiff(void);         // Prototyp

bool getPassword(void)              // Definition
{
    // Hier kann zeitdiff() aufgerufen werden.
      .
      .
      .

}

static long zeitdiff(void)          // Definition
{
      .
      .
      .

}
```

Für Funktionen gibt es nur zwei Speicherklassen-Spezifizierer: `extern` und `static`. Lokale Funktionen sind nicht zulässig, d.h. eine Funktion darf nicht innerhalb einer anderen Funktion definiert werden.

Der Speicherklassen-Spezifizierer einer Funktion bestimmt wie bei Objekten den Zugriff auf die Funktion: Als extern deklarierte Funktionen sind programmglobal, `static`-Funktionen sind dagegen modulglobal. Programmglobale Funktionen werden auch einfach global genannt.

Globale Funktionen

Ist bei der Definition einer Funktion das Schlüsselwort `static` nicht angegeben, so handelt es sich um eine globale Funktion.

Analog zu globalen Objekten können globale Funktionen überall im Programm verwendet werden. Soll eine Funktion vor ihrer Definition bzw. in einer anderen Quelldatei aufgerufen werden, so muss sie deklariert werden.

Beispiel: `extern bool getPassword(void); // Prototyp`

Wie bisher kann das Wort `extern` im Prototyp einer globalen Funktion auch weggelassen werden.

Statische Funktionen

Zur Definition einer statischen Funktion wird das Schlüsselwort `static` dem Funktionskopf vorangestellt.

Beispiel: `static long zeitdiff()`
                              `{ . . . }`

Statische Funktionen haben einen „privaten" Charakter: Sie sind modulglobal, genau wie `static`-Objekte, die außerhalb von Funktionen definiert sind. Sie können also nur in der Quelldatei aufgerufen werden, in der sie definiert sind. Der Name einer `static`-Funktion steht nicht im Konflikt mit Objekten und Funktionen gleichen Namens in anderen Modulen.

Wird eine statische Funktion vor ihrer Definition aufgerufen, so muss sie zuvor in der Quelldatei deklariert werden.

Beispiel: `static long zeitdiff( void );`

Die nebenstehende Programmstruktur greift das Beispiel mit den Funktionen `getPassword()` und `zeitdiff()` wieder auf. Die Funktion `zeitdiff()` ist eine lokale Hilfsfunktion und sollte nicht von außen aufgerufen werden können. Daher wird sie jetzt als `static` deklariert.

Namensbereiche

Definition von Namensbereichen

```cpp
// namesp1.cpp
// Namensbereiche definieren und testen.
// ------------------------------------------------------
#include <string>          // string im Namensbereich std

namespace MySpace
{
    std::string meld = "Im Namensbereich MySpace";
    int anzahl = 0;          // Definition: MySpace::anzahl
    double f( double);       // Prototyp:   MySpace::f()
}
namespace YourSpace
{
    std::string meld = "Im Namensbereich YourSpace";
    void f()                 // Definition von
    { meld+= '!'; }          // YourSpace::f()
}
namespace MySpace                     // Wieder in MySpace.
{
    int g(void);             // Prototyp von MySpace::g()
    double f( double y)      // Definition von
    { return y / 10.0; }     // MySpace::f()
}

    int MySpace::g()         // Separate Definition von
    { return ++anzahl; }     // MySpace::g()

#include <iostream>    // cout, ... im Namensbereich std
int main()
{   std::cout << "Test mit Namensbereichen!\n\n"
              << MySpace::meld << std::endl;
    MySpace::g();
    std::cout << "\nReturn-Wert g(): " << MySpace::g()
              << "\nReturn-Wert f(): " << MySpace::f(1.2)
              << "\n--------------------" << std::endl;
    YourSpace::f();
    std::cout << YourSpace::meld << std::endl;
    return 0;
}
```

Hinweis: Die Bezeichner der C++-Standardbibliothek gehören zum *Standard-namensbereich* std. Der sog. *globale Geltungsbereich* besteht aus allen globalen Bezeichnern, die außerhalb jedes Namensbereichs deklariert sind.

Bei großen Software-Projekten kann die Vergabe von globalen Namen zu Konflikten führen. Diese Situation tritt beispielsweise häufig dann ein, wenn unterschiedliche Klassenbibliotheken zum Einsatz kommen. Um Namenskonflikte bei globalen Bezeichnern auszuschalten, sieht C++ die Bildung von Namensbereichen vor. Innerhalb eines Namensbereichs können Bezeichner verwendet werden, ohne Rücksicht darauf, ob sie bereits außerhalb definiert wurden.

Ein gewöhnlicher Namensbereich hat selbst einen Namen, dem das Schlüsselwort `namespace` vorangestellt wird. Innerhalb von geschweiften Klammern werden dann die Elemente deklariert, die zu diesem Namensbereich gehören.

Beispiel:
```
namespace myLib
{
    int count;
    double calculate(double, int);
    // . . .
}
```

Hier wird der Namensbereich `myLib` definiert, zu dem die Variable `count` und die Funktion `calculate()` gehören.

Elemente eines Namensbereichs können *innerhalb* dieses Bereichs unmittelbar mit ihrem Namen angesprochen werden. Beim Zugriff von *außerhalb* ist zusätzlich der Namensbereich anzugeben. Dieser wird dem Elementnamen mit dem Bereichsoperator `::` vorangestellt.

Beispiel: `myLib::count = 7; // Außerhalb von myLib`

Auf diese Weise können gleiche Namen in verschiedenen Namensbereichen unterschieden werden. Mit dem Bereichsoperator `::` können auch jederzeit globale Namen angesprochen werden, also Namen die außerhalb aller Bereiche deklariert sind. In diesem Fall wird kein Namensbereich angegeben. Notwendig wird dies, wenn innerhalb des aktuellen Geltungsbereichs ein gleichnamiges Element den globalen Namen „verdeckt".

Beispiel: `::demo(); // Keinem Namensbereich zugehörig`

Bei der Verwendung von Namensbereichen ist folgendes zu beachten:

- Namensbereiche müssen nicht zusammenhängend definiert werden. Ein bereits eingeführter Namensbereich kann jederzeit wieder geöffnet und erweitert werden.

- Namensbereiche dürfen geschachtelt werden, d.h. ein Namensbereich darf innerhalb eines anderen Namensbereichs definiert werden.

   Beispiel: `namespace Outer {namespace Inner{. . .} . . . }`

   Seit C++17 darf der innere Namensbereich `Inner` auch außerhalb des äußeren Namensbereiches Outer wie folgt definiert werden.

   Beispiel: `namespace Outer::Inner { . . . }`

Das Schlüsselwort using

Beispielprogramm

```cpp
// namesp2.cpp
// Zeigt die Verwendung der using-Deklaration und
// der using-Direktive.
// --------------------------------------------------
#include <iostream>        // Namensbereich std

void message()            // Globale Funktion ::message()
{
   std::cout << "In der Funktion ::message()\n";
}

namespace A
{
   using namespace std;   // Namen aus std hier sichtbar.
   void message()         // Funktion A::message()
   {
     cout << "In der Funktion A::message()\n";
   }
}

namespace B
{
   using std::cout;       // cout aus std deklarieren.
   void message(void);    // Funktion B::message()
}
void B::message(void)     // Definition von B::message()
{
   cout << "In der Funktion B::message()\n";
}

int main()
{
   using namespace std;   // Namen aus std
   using B::message;      // Funktionsname ohne Klammern!

   cout << "Test mit Namensbereichen!\n";

   cout << "\nAufruf von A::message()" << endl;
   A::message();
   cout << "\nAufruf von B::message()" << endl;
   message();                     // Wegen using-Deklaration
                                  // verdeckt ::message()
   cout << "\nAufruf von ::message()" << endl;
   ::message();                   // Globale Funktion
   return 0;
}
```

Der Zugriff auf die Elemente eines Namensbereichs kann durch eine *using-Deklaration* oder eine *using-Direktive* vereinfacht werden. Dann muss nicht immer der Namensbereich mit angegeben werden. Wie gewöhnliche Deklarationen können using-Deklarationen und using-Direktiven an einer beliebigen Stelle im Programm stehen.

using-Deklaration

Eine using-Deklaration führt einen Bezeichner aus einem Namensbereich in den aktuellen Geltungsbereich ein.

Beispiel: `using myLib::calculate;    // Deklaration`

Anschließend wird mit

```
double erg = calculate( 3.7, 5);
```

die Funktion `calculate()` aus dem Namensbereich `myLib` aufgerufen. Der Name `calculate` darf im selben Geltungsbereich nicht schon verwendet worden sein.

using-Direktive

Mit einer *using-Direktive* werden *alle* Bezeichner eines bestimmten Namensbereichs „importiert".

Beispiel: `using namespace myLib;`

Anschließend können sämtliche Bezeichner des Namensbereichs `myLib` unmittelbar angesprochen werden. Enthält `myLib` selbst eine using-Direktive mit einem weiteren Namensbereich, so wird auch dieser Namensbereich importiert.

Gibt es im aktuellen und im importierten Namensbereich gleiche Bezeichner, so führt eine using-Direktive allein noch nicht zum Konflikt. Erst wenn ein Bezeichner angesprochen wird, kann es zu Mehrdeutigkeiten kommen. Mit Hilfe des Bereichsoperators sind diese jedoch auflösbar.

Die C++-Header-Dateien ohne Kennung deklarieren alle globalen Bezeichner im Standardnamensbereich `std`. In den bisherigen Beispielen wurde bereits die using-Direktive eingesetzt, um die benötigten Bezeichner in den globalen Geltungsbereich zu importieren:

Beispiel:
```
#include <string>
using namespace std;
```

Bei der Entwicklung umfangreicher Programme oder Bibliotheken werden die Elemente eigener Namensbereiche ebenfalls in Header-Dateien deklariert. Die Definition der Elemente erfolgt wie üblich in Quelldateien.

233

Übungen

Listing zur 1. Aufgabe:

```cpp
// scope.cpp
// Zugriff auf gleichnamige Objekte
// -------------------------------------------------

#include <iostream>
#include <iomanip>
using namespace std;

int var = 0;

namespace Special {  int var = 100; }

int main()
{
   int var = 10;
   cout << setw(10) << var;                  // 1.
   {
      int var = 20;
      cout << setw(10) << var << endl;       // 2.
      {
        ++var;
        cout << setw(10) << var;             // 3.
        cout << setw(10) << ++ ::var;        // 4.
        cout << setw(10) << Special::var * 2 // 5.
             << endl;
      }
      cout << setw(10) << var - ::var;       // 6.
   }
   cout << setw(10) << var << endl;          // 7.

   return 0;
}
```

1. Aufgabe

Für verschiedene Objekte sollten im Allgemeinen auch verschiedene Namen benutzt werden. Wird aber innerhalb eines Blocks ein Objekt mit einem Namen definiert, der noch für ein anderes Objekt gültig ist, so wird innerhalb des Blocks das neue Objekt angesprochen: Die neue Deklaration „verdeckt" das gleichnamige Objekt außerhalb des Blocks. Nach Verlassen des Blocks ist wieder das alte Objekt sichtbar.

Im Listing auf der nebenstehenden Seite werden gleiche Variablennamen in verschiedenen Blöcken verwendet. Was gibt das Programm auf dem Bildschirm aus?

2. Aufgabe

Bei der Entwicklung eines größeren Programms sollen zwei kommerzielle Bibliotheken, tool1 und tool2, eingesetzt werden. Für den Anwender der Bibliotheken sind die Namen von Typen, Funktionen, Makros usw. in den Header-Dateien tool1.h und tool2.h deklariert.

Leider verwenden die Bibliotheken zum Teil die selben globalen Namen. Um doch beide Bibliotheken verwenden zu können, müssen Namensbereiche eingeführt werden.

Schreiben Sie zur Simulation dieser Situation folgendes Programm:

- Definieren Sie in der eigenen Header-Datei tool1.h eine inline-Funktion calculate(), die die Summe zweier Zahlen zurückgibt. Die Schnittstelle der Funktion ist:

```
double calculate(double zahl1, double zahl2);
```

- Definieren Sie in einer zweiten Header-Datei tool2.h ebenfalls eine inline-Funktion calculate(), die das Produkt zweier Zahlen zurückgibt. Diese Funktion besitzt die gleiche Schnittstelle wie die Funktion aus tool1.h.

- Definieren Sie dann in einer eigenen Quelldatei eine main-Funktion, die beide Funktionen mit Testwerten aufruft und das Ergebnis ausgibt.

Zur Auflösung der Namenskonflikte führen Sie die Namensbereiche TOOL1 und TOOL2 ein, in denen jeweils die entsprechende Header-Datei inkludiert wird.

Übungen (Fortsetzung)

Listing zur 3. Aufgabe:

```cpp
// static.cpp
// Test mit lokaler statischer Variable
// --------------------------------------------------
#include <iostream>
#include <iomanip>
using namespace std;

double x = 0.5,
       fun(void);

int main()
{
   while( x < 10.0 )
   {
      x += fun();
      cout << "     In main(): "
           << setw(5) << x << endl;
   }
   return 0;
}

double fun()
{
   static double x = 0;

   cout << "     In fun():"
        << setw(5) << x++;
   return x;
}
```

3. Aufgabe

Anhand des nebenstehenden Listings können Sie Ihr Verständnis von globalen und statischen Variablen testen. Was gibt das Programm auf dem Bildschirm aus?

4. Aufgabe

a) Als Beispiel für die Verwendung statischer Variablen wurde die Funktion `getPassword()` vorgestellt, die ein einzugebendes Passwort prüft. Ergänzen Sie die Quelldatei `Passw1.cpp`, die die Funktion `getPassword()` enthält, durch die Funktion `changePassword()`. Mit Hilfe dieser Funktion soll der Benutzer das Passwort ändern können. Speichern Sie die ergänzte Quelldatei unter `Passw2.cpp` ab.

b) Im Rahmen eines umfangreicheren Programms, das mehrere Anwender benutzen, werden auch Buchungen durchgeführt. Eine Buchung darf jedoch nur von einer Person vorgenommen werden, die das Passwort kennt.

Zur Entwicklung des Programms sollen in einem ersten Schritt die Funktionen der Quelldatei `Passw2.cpp` getestet werden. Erstellen Sie dazu in einer neuen Quelldatei eine `main`-Funktion, die in einer Schleife („main-Loop") nur die Menüpunkte

```
B = Buchen
E = Ende des Programms
```

anbietet. Bei der Auswahl von `B` wird das Passwort abgefragt, das nach korrekter Eingabe geändert werden kann. Die eigentlichen Buchungen sollen nicht programmiert werden.

 Das geänderte Passwort ist nur während der Laufzeit des Programms wirksam, da es nicht dauerhaft gespeichert wird.

Lösungen

Zur 1. Aufgabe:

Die Ausgabe des Programms ist:

```
10          20
21           1          200
20          10
```

Zur 2. Aufgabe:

```cpp
// ----------------------------------------------------------
// tool1.h
// Erste Funktion calculate() inline definieren.
// ----------------------------------------------------------

#ifndef _TOOL1_H_
#define _TOOL1_H_

inline double calculate( double zahl1, double zahl2)
{
    return zahl1 + zahl2;
}

#endif  // Ende _TOOL1_H_


// ----------------------------------------------------------
// tool2.h
// Zweite Funktion calculate() inline definieren.
// ----------------------------------------------------------

#ifndef _TOOL2_H_
#define _TOOL2_H_

inline double calculate( double zahl1, double zahl2)
{
    return zahl1 * zahl2;
}

#endif  // Ende _TOOL2_H_

// ----------------------------------------------------------
// tool_1_2.cpp
// Zwei "Bibliotheken" mit Namenskonflikten verwenden.
// ----------------------------------------------------------
```

```
#include <iostream>

namespace TOOL1
{
  #include "tool1.h"
}
namespace TOOL2
{
  #include "tool2.h"
}

#include <iostream>

int main()
{
    using namespace std;
    double x = 0.5, y = 10.5, erg = 0.0;

    cout << "Funktion aus Tool1 wird aufgerufen!" << endl;
    erg = TOOL1::calculate( x, y);
    cout << "Ergebnis:  " << erg
         << "\n--------------------------------" << endl;

    cout << "Funktion aus Tool2 wird aufgerufen!" << endl;
    erg = TOOL2::calculate( x, y);
    cout << "Ergebnis:  " << erg << endl;

    return 0;
}
```

Zur 3. Aufgabe:

Die Ausgabe des Programms ist:

```
        In fun():   0      In main():    1.5
        In fun():   1      In main():    3.5
        In fun():   2      In main():    6.5
        In fun():   3      In main():   10.5
```

Lösungen (Fortsetzung)

Zur 4. Aufgabe:

```cpp
// ------------------------------------------------------
// Passw2.cpp
// Definition der Funktionen getPassword(), zeitdiff()
// und changePassword() zur Überprüfung und Änderung
// eines Passworts.
// ------------------------------------------------------
#include <iostream>
#include <iomanip>
#include <string>
#include <ctime>
using namespace std;

static long zeitdiff(void);                 // Prototyp
static string geheimwort = "gast";          // Passwort
static long  maxanzahl = 3, maxzeit = 60;   // Limits


bool getPassword()  // Passwort einlesen und überprüfen.
{
   // Wie im Text als Beispiel angegeben.
   // . . .
}

// Hilfsfunktion zeitdiff() nur in diesem Modul
static long zeitdiff()    // Liefert die Anzahl der Sekunden
{                         // seit dem letzten Aufruf.
   // Wie im Text als Beispiel angegeben.
   // . . .
}

bool changePassword()     // Passwort ändern.
{                         // Return-Wert: true,
                          // falls neues Passwort geändert.
   string wort1,wort2;          // Für die Eingabe

   // Neues Passwort einlesen

   cout <<"\nNeues Passwort eingeben (2 bis 20 Zeichen): ";

   cin.sync();                  // Keine alte Eingabe
   cin >> setw(20) >> wort1;

   if( wort1.size() > 1)
   {
      cout << "\nPasswort noch einmal eingeben: ";
      cin >> setw(20) >> wort2;
```

```
      if( wort1 == wort2)           // Passwort bestätigt?
      {                             // Ja!
         geheimwort = wort1;
         return true;
      }
   }
   return false;                    // Kein neues Passwort
}


// -------------------------------------------------------
// Password.cpp
// Es werden die Funktionen getPassword() und
// changePassword() getestet.
//
// Nach richtiger Eingabe des Passworts (höchstens
// drei Versuche innerhalb von 60 Sekunden) kann das
// Passwort geändert werden.
// -------------------------------------------------------
#include <iostream>
#include <iomanip>
#include <string>
#include <cctype>
using namespace std;

bool getPassword(void);             // Passwort einlesen.
bool changePassword(void);          // Passwort ändern.

// inline-Funktionen:
inline void cls()  { cout << "\033[2J"; }

inline void weiter()
{
   cout << "\n\nWeiter mit der Return-Taste! ";
   cin.sync(); cin.clear();  // Nur neue Eingabe
   while( cin.get() != '\n')
      ;
}
inline char getYesOrNo()        // Zeichen J oder N einlesen.
{
   char c = 0;
   cin.sync();  cin.clear();  // Nur neue Eingabe
   do
   {
     cin.get(c);
     c = toupper(c);        // Auch Kleinbuchstaben zulassen.

   }
   while( c != 'J'  && c != 'N');
   return c;
}
```

Lösungen (Fortsetzung)

```cpp
static string header =
"\n\n      ****  Passwort-Handling testen  ****\n\n";

static string menu =
"\n\n                B = Buchung durchführen"
"\n\n                E = Ende des Programms"
"\n\n Ihre Wahl:    ";

int main()
{
   char wahl = 0;

   while( wahl != 'E')
   {
     cls();    cout << header << menu;   // Header und Menü
     cin.get(wahl);    wahl = toupper(wahl);

     cls();    cout << header << endl;   // Header
     switch( wahl)
     {
       case 'B':                         // Buchung
         if( !getPassword() )
         {
            cout << "Keine Berechtigung!" << endl;
            weiter();
         }
         else
         { cout << "Herzlich willkommen!\n\n"
                << "Wollen Sie das Passwort ändern? (j/n)";
           if( getYesOrNo() == 'J')
           {
             if( changePassword() )
               cout << "Passwort geändert!" << endl;
             else
               cout << "Passwort unverändert!" << endl;
             weiter();
           }
           // Hier folgen die Anweisungen für die Buchung.

         }
         break;

       case 'E':
         cls();    cout << "\n    Bye Bye!" << endl;
         break;
     }
   } // Ende while
   return 0;
}
```

Kapitel 12

Referenzen und Zeiger

Dieses Kapitel beschreibt, wie Referenzen und Zeiger definiert und als Parameter bzw. Return-Wert von Funktionen eingesetzt werden. Hierbei werden auch der „Call by Reference" sowie Read-only-Zugriffe auf Argumente vorgestellt.

Definition von Referenzen

Beispiel

```
float x = 10.7,   &rx = x;
```

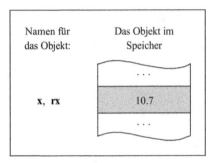

Demoprogramm

```cpp
// Ref1.cpp
// Zeigt die Definition und Verwendung von Referenzen.
// --------------------------------------------------
#include <iostream>
#include <string>
using namespace std;

float x = 10.7F;                              // Global

int main()
{
   float  &rx = x;           // Lokale Referenz auf x
// double &ref = x;          // Fehler: Ungleicher Typ!

   rx *= 2;

   cout << "   x = " <<  x << endl     //  x = 21.4
        << "  rx = " << rx << endl;    // rx = 21.4

   const float& cref = x;    // Read-only-Referenz
   cout << "cref = " <<  cref << endl;    // ok!
// ++cref;                      // Fehler: Read-only!
   const string str = "Ich bin ein konstanter String!";

// str = "Das geht nicht!";  // Fehler: str konstant!
// string& text = str;       // Fehler: str konstant!
   const string& text = str; // ok!
   cout << text << endl;      // ok! text wird nur gelesen.
   return 0;
}
```

Eine Referenz ist ein anderer Name („Aliasname") für ein bereits existierendes Objekt. Bei der Definition einer Referenz wird also kein neuer Speicherplatz belegt. Alle Operationen mit der Referenz werden mit dem Objekt durchgeführt, auf das die Referenz verweist. Referenzen werden vor allem als Parameter und Return-Wert von Funktionen eingesetzt.

Definition

Die *Definition* einer Referenz geschieht mit dem Zeichen & („Ampersand"). Ist T ein Typ, so bedeutet T& „Referenz auf T".

Beispiel:
```
float x = 10.7;
float& rx = x;    // oder:  float &rx = x;
```

Dann ist rx ein anderer Name für die Variable x und hat den Typ „Referenz auf float". Operationen mit rx wie

Beispiel:
```
--rx;     // gleichbedeutend mit  --x;
```

betreffen stets die Variable x. Das Zeichen & für eine Referenz kommt nur in der Deklaration vor und hat nichts mit dem Adressoperator & zu tun! Der Adressoperator liefert die Adresse eines Objekts. Angewendet auf eine Referenz liefert er die Adresse des referenzierten Objekts.

Beispiel:
```
&rx     // Adresse von x, also gleich &x
```

Eine Referenz muss bei der Definition *initialisiert* werden und ist dann nicht mehr veränderbar. Sie kann also nicht dazu benutzt werden, später auf eine andere Variable zu verweisen.

Read-only-Referenzen

Eine Referenz, die auf ein konstantes Objekt verweisen soll, muss selbst als konstant, also mit dem Schlüsselwort const, definiert werden. Andernfalls könnte das Objekt über die Referenz verändert werden. Umgekehrt ist es möglich, dass eine *Referenz auf eine Konstante* ein nicht konstantes Objekt referenziert.

Beispiel:
```
int a;    const int& cref = a;  // ok!
```

Mit der Referenz cref kann anschließend nur lesend auf die Variable a zugegriffen werden. Man spricht in dem Fall von einem *Read-only-Bezeichner*.

Ein Read-only-Bezeichner kann im Gegensatz zu einer „normalen" Referenz mit einer Konstanten initialisiert werden:

Beispiel:
```
const double& pi = 3.1415927;
```

Da die Konstante keinen Speicherplatz besitzt, legt der Compiler ein temporäres Objekt an, das referenziert wird.

Referenzen als Parameter

Beispielprogramm

```cpp
// Ref2.cpp
// Demo für Funktionen mit Referenzparametern
// -------------------------------------------------

#include <iostream>
#include <string>
using namespace std;
                                    // Prototypen:
bool getKunde( string& name, long& nr);
void putKunde( const string& name, const long& nr);

int main()
{
    string kundenName;
    long   kundenNr;

    cout << "\nKundendaten einlesen und ausgeben\n"
         << endl;
    if( getKunde( kundenName, kundenNr))   // Aufrufe
      putKunde( kundenName, kundenNr);
    else
      cout << "Ungültige Eingabe!" << endl;

    return 0;
}

bool getKunde( string& name, long& nr)    // Definition
{
    cout << "\nKunden-Daten eingeben!\n"
         << " Name:   ";
    if( !getline( cin, name))  return false;

    cout << " Nummer: ";
    if( !( cin >> nr))  return false;

    return true;
}
                                        // Definition
void putKunde( const string& name, const long& nr)
{           // name und nr können nur gelesen werden!

    cout << "\n-------- Kundendaten ---------\n"
         << "\n Name:   ";  cout << name
         << "\n Nummer: ";  cout << nr << endl;
}
```

Call by Reference

Ein *Call by Reference* kann mit Referenzen oder Zeigern als Parameter programmiert werden. Die Verwendung von Referenzen ist syntaktisch einfacher, jedoch nicht immer möglich.

Ein Parameter mit einem Referenztyp ist ein Aliasname für das Argument: Beim Aufruf der Funktion wird ein Referenzparameter mit dem Objekt initialisiert, das als Argument angegeben wird. Die Funktion arbeitet so direkt mit dem übergebenen Argument.

Beispiel: `void test( int& a) { ++a; }`

Nach dieser Definition bewirkt der Aufruf

```
test( var);    // Für eine int-Variable var
```

dass die Variable `var` inkrementiert wird. Innerhalb der Funktion ist jeder Zugriff auf die Referenz `a` ein Zugriff auf die übergebene Variable `var`.

Auch wenn beim Aufruf für einen Referenzparameter ein Objekt als Argument angeben wird, wird dieses Objekt nicht kopiert, sondern es wird intern die Adresse des Objekts übergeben. Dies ermöglicht den Zugriff der Funktion auf das Objekt des Aufrufers.

Vergleich mit Call by Value

Im Unterschied zu einem gewöhnlichen *Call by Value* kann als Argument kein Ausdruck wie `a+b` angegeben werden. Das Argument muss ein Objekt im Speicher mit dem richtigen Typ sein.

Die Verwendung von Referenzen als Parameter hat aber folgende *Vorteile*:

- Argumente werden nicht kopiert. Gegenüber einem „Call by Value" führt das zu einer besseren Laufzeit, wenn ein Argument viel Speicherplatz belegt.

- Eine Funktion kann über Referenzparameter *mehrere* Werte der aufrufenden Funktion zurückgeben. Bei einem „Call by Value" wird – ohne Verwendung von globalen Variablen – nur *ein* Ergebnis über den Return-Wert zurückgeliefert.

Sollen Argumente nur gelesen, aber nicht kopiert werden, so kann eine *Read-only-Referenz* als Parameter deklariert werden.

Beispiel: `void display( const string& str);`

Diese Funktion `display()` erhält als Argument einen String. Es wird jedoch kein neuer String erzeugt, in den der Argument-String kopiert wird, sondern `str` ist lediglich ein Verweis auf das Argument. Der Aufrufer kann trotzdem sicher sein, dass sein Argument nicht innerhalb der Funktion verändert wird, da `str` als `const` deklariert ist.

Referenzen als Return-Wert

Beispielprogramm

```cpp
// Ref3.cpp
// Zeigt die Verwendung von Referenzen als Ergebnistyp.
// ---------------------------------------------------

#include <iostream>
#include <string>
using namespace std;
                                        // Referenz auf
double& refMin( double&, double&);      // das Minimum
                                        // zurückgeben.
int main()
{
   double x1 = 1.1,   x2 = x1 + 0.5,   y;

   y = refMin( x1, x2);         // Minimum an y zuweisen.
   cout << "x1 = " << x1 << "        "
        << "x2 = " << x2 << endl;
   cout << "Minimum: " << y  << endl;

   ++refMin( x1, x2);           // ++x1, da x1 das Minimum
                                // ist.
   cout << "x1 = " << x1 << "       "       // x1 = 2.1
        << "x2 = " << x2 << endl;           // x2 = 1.6

   ++refMin( x1, x2);           // ++x2, da jetzt x2 das
                                // Minimum ist.
   cout << "x1 = " << x1 << "       "       // x1 = 2.1
        << "x2 = " << x2 << endl;           // x2 = 2.6

   refMin( x1, x2) = 10.1;      // x1 = 10.1, da jetzt x1
                                // das Minimum ist.
   cout << "x1 = " << x1 << "       "       // x1 = 10.1
        << "x2 = " << x2 << endl;           // x2 = 2.6

   refMin( x1, x2) += 5.0;      // x2 += 5.0, da jetzt x2
                                // das Minimum ist.
   cout << "x1 = " << x1 << "       "       // x1 = 10.1
        << "x2 = " << x2 << endl;           // x2 = 7.6
   return 0;
}
double& refMin( double& a, double& b)    // Referenz auf
{                                        // das Minimum
   return a <= b ? a : b;                // zurückgeben.
}
```

 Der Ausdruck refMin(x1,x2) stellt entweder das Objekt x1 oder x2 dar, nämlich das Objekt mit dem kleineren Wert.

Referenzen zurückgeben

Auch der Ergebnistyp einer Funktion kann ein Referenztyp sein. Der Funktionsaufruf stellt dann ein Objekt dar, kann also auch wie ein Objekt verwendet werden.

Beispiel:
```
string& message()              // Referenz!
{
    static string str =
          "Heute bleibt die Küche kalt!";
    return str;
}
```

Diese Funktion liefert eine Referenz auf den *statischen* String `str` zurück. Bei der Rückgabe von Referenzen und Zeigern ist nämlich folgendes zu beachten:

● Das Objekt, auf das der Return-Wert verweist, muss auch nach dem Verlassen der Funktion noch existieren.

Es wäre deshalb ein schwerer Fehler, in der Funktion `message()` den String `str` als gewöhnliche `auto`-Variable zu deklarieren. In diesem Fall würde der String beim Verlassen der Funktion zerstört und die Referenz auf ein nicht mehr existierendes Objekt verweisen.

Aufruf einer Funktion mit Referenztyp

Die obige Funktion `message()` ist vom Typ „Referenz auf `string`". Deshalb stellt der Funktionsaufruf

```
message()
```

ein Objekt vom Typ `string` dar. Es sind also folgende Anweisungen zulässig:

```
message() = "Auf in den Biergarten!";
message() += " Zum Wohl!";
cout << "Länge: " << message().length();
```

Hier wird zunächst dem Objekt, das durch den Funktionsaufruf referenziert wird, ein neuer Wert zugewiesen. Anschließend wird noch ein String angehängt. In der dritten Anweisung wird die Länge des referenzierten Strings ausgegeben.

Soll eine Veränderung des referenzierten Objekts nicht möglich sein, kann der Typ der Funktion als Read-only-Referenz festgelegt werden.

Beispiel: `const string& message();`   `// Read-only!`

Häufig werden Referenzen als Ergebnistyp beim Überladen von Operatoren eingesetzt. Die Aktionen, die ein Operator für einen selbstdefinierten Datentyp ausführen soll, werden stets durch eine entsprechende Funktion realisiert. Die Operator-Überladung wird in einem späteren Kapitel behandelt. Beispiele mit Operatoren von Standardklassen können aber jetzt schon vorgestellt werden.

Ausdrücke mit Referenztyp

Beispiel: Operator << der Klassse ostream

```
cout << "Guten Morgen" << '!';
```

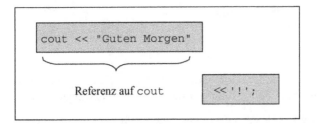

Beispiel mit Zuweisungen der Klasse string

```cpp
// Ref4.cpp
// Ausdrücke mit Referenztyp am Beispiel der
// Zuweisungsoperatoren für Strings.
// -------------------------------------------------
#include <iostream>
#include <string>
#include <cctype>                // Für toupper()
using namespace std;
void strToUpper( string& );      // Prototyp
int main()
{
    string text("Test mit Zuweisungen\n");

    strToUpper(text);
    cout << text << endl;

    strToUpper( text = "Sauer");
    cout << text << endl;

    strToUpper( text += " macht lustig!\n");
    cout << text << endl;

    return 0;
}
void strToUpper( string& str)    // Den Inhalt von str in
{                                // Großbuchstaben umwandeln.
    int len = str.length();
    for( int i=0; i < len; ++i)
      str[i] = toupper( str[i]);
}
```

Jeder Ausdruck in C++ hat einen Typ und, sofern der Typ nicht void ist, einen Wert. Hierbei darf der Typ auch ein Referenztyp sein.

Die Shift-Operatoren der Stream-Klassen

Die Operatoren << und >> für die Ein-/Ausgabe mit Streams sind Beispiele für Ausdrücke, die eine Referenz auf ein Objekt zurückgeben.

Beispiel: `cout << "Guten Morgen"`

Dieser Ausdruck hat nicht etwa den Typ void, sondern ist eine Referenz auf das Objekt cout, das heißt, er stellt selbst wieder das Objekt cout dar. Deshalb kann auf diesen Ausdruck der Operator << erneut angewendet werden:

```
cout << "Guten Morgen" << '!'
```

Der Ausdruck ist dann äquivalent zu

```
(cout << "Guten Morgen") << '!'
```

Ausdrücke mit dem Operator << werden nämlich von links her zusammengefasst, wie man der Vorrangtabelle im Anhang entnehmen kann.

Ebenso repräsentiert der Ausdruck cin >> variable wieder den Stream cin. Daher kann auch der Operator >> mehrfach hintereinander angewendet werden.

Beispiel: `int a;  double x;`
              `cin >> a >> x;       // (cin >> a) >> x;`

Weitere Operatoren mit Referenztyp

Zu den häufig verwendeten Operatoren mit Referenztyp gehören die einfache Zuweisung = und die zusammengesetzten Zuweisungen wie += und *= . Diese Operatoren geben eine Referenz auf den linken Operanden zurück. In einem Ausdruck wie

```
a = b   oder   a += b
```

muss daher a ein Objekt sein. Der Ausdruck selbst repräsentiert wieder das Objekt a. Das gilt auch, wenn diese Operatoren auf Objekte vom Typ einer Klasse angewendet werden. Allerdings hängt es von der Definition der Klasse ab, welche Operatoren zur Verfügung stehen. In der Standardklasse string sind beispielsweise die Zuweisungen = und += definiert.

Beispiel: `string name("Till ");`
              `name += "Eulenspiegel";  //Referenz auf name`

Da ein derartiger Ausdruck ein Objekt darstellt, kann der Ausdruck als Argument einer Funktion übergeben werden, die per Referenz aufgerufen wird. Das zeigt das nebenstehende Beispiel.

Definition von Zeigern

Beispielprogramm

```cpp
// zeiger1.cpp
// Wert und Adresse von Variablen anzeigen.
// ------------------------------------------------
#include <iostream>
using namespace std;

int var, *ptr;   // Definition der Variablen var und ptr

int main()              // Werte und Adressen der Variablen
{                       // var und ptr ausgeben.
   var = 100;
   ptr = &var;

   cout << " Wert von var:        " <<   var
        << "    Adresse von var: " <<   &var
        << endl;
   cout << " Wert von ptr: "        <<   ptr
        << "    Adresse von ptr: " <<   &ptr
        << endl;
   return 0;
}
```

Beispiel für eine Bildschirmausgabe

```
Wert von var:        100    Adresse von var: 00456FD4
Wert von ptr: 00456FD4    Adresse von ptr: 00456FD0
```

Die Variablen var und ptr im Speicher

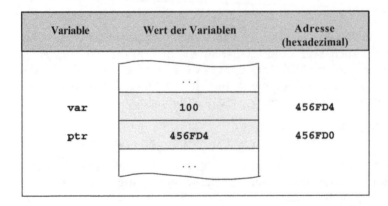

Variable	Wert der Variablen	Adresse (hexadezimal)
	. . .	
var	100	456FD4
ptr	456FD4	456FD0
	. . .	

Eine effiziente Programmlogik erfordert es häufig, dass nicht mit den Daten selbst, sondern mit den Adressen der Daten im Hauptspeicher gearbeitet wird. Beispiele hierfür sind verkettete Listen oder Bäume, deren Elemente erst zur Laufzeit des Programms dynamisch angelegt werden.

Zeiger

Ein *Zeiger* (engl. *pointer*) ist ein Ausdruck, der die *Adresse* und den *Typ* eines anderen Objekts repräsentiert. So stellt die Anwendung des Adressoperators & auf ein beliebiges Objekt bereits einen Zeiger auf das Objekt dar. Ist beispielsweise `var` eine `int`-Variable, so ist

Beispiel: `&var         // Adresse des Objekts var`

die Adresse des `int`-Objekts im Hauptspeicher und somit ein Zeiger auf `var`. Ein Zeiger verweist auf eine Speicherstelle und gibt mit dem Typ gleichzeitig an, wie diese Speicherstelle zu lesen und zu beschreiben ist. Je nach Typ spricht man daher von einem *Zeiger auf char*, *Zeiger auf int* usw. oder auch kurz vom *char-Zeiger*, *int-Zeiger* usw.

Zeigervariablen

Ein Ausdruck wie `&var` ist ein konstanter Zeiger. In C++ können auch *Zeiger-variablen* definiert werden. Das sind Variablen, die die Adresse eines anderen Objekts speichern können.

Beispiel: `int *ptr;         // oder:   int* ptr;`

Damit wird eine Variable `ptr` definiert, die den Typ `int*` (in Worten: *Zeiger auf int*) hat. `ptr` kann somit die Adresse einer `int`-Variablen speichern. In einer Deklaration bedeutet das Zeichen `*` immer „Zeiger auf".

Die *Typen von Zeigern* sind abgeleitete Typen. Die allgemeine Form ist: `T*`. Dabei darf `T` ein beliebiger Typ sein. Im obigen Beispiel ist `T` der Typ `int`.

Objekte mit demselben Basistyp `T` können auch gemeinsam definiert werden.

Beispiel: `int a, *p, &r = a;   // Definition von a, p, r`

Nach der Vereinbarung einer Zeigervariablen ist es notwendig, den Zeiger auf eine bestimmte Stelle im Speicher „zeigen" zu lassen. Im nebenstehenden Programm geschieht dies durch die Zuweisung

`        ptr = &var; .`

Referenzen und Zeiger

Referenzen sind mit Zeigern vergleichbar: Beide verweisen auf ein Objekt im Speicher. Ein Zeiger ist jedoch kein Aliasname, sondern ein eigenständiges Objekt, das vom adressierten Objekt zu unterscheiden ist: Ein Zeiger hat eine eigene Adresse und kann selbst verändert werden, etwa durch das Zuweisen einer neuen Adresse. Dann verweist der Zeiger auf ein anderes Objekt.

Der Verweisoperator

Beispiele für die Verwendung des Verweisoperators

```
double x, y, *px;

px = &x;            // px auf x zeigen lassen.
*px = 12.3;         // x den Wert 12.3 zuweisen.
*px += 4.5;         // x um 4.5 erhöhen.
 y  = sin(*px);     // Sinus von x an y zuweisen.
```

Adresse und Wert der Variablen x und px

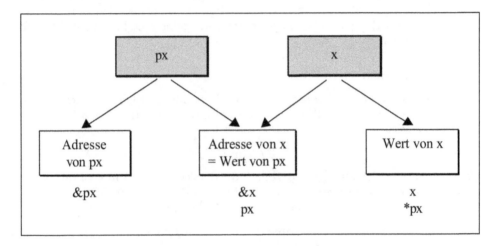

Hinweise zu Adressen im Programm

- Unabhängig vom Typ belegt jede Zeigervariable gleich viel Speicherplatz, nämlich so viel, wie zur Speicherung einer Adresse benötigt wird. Auf einem 32-Bit-Rechner wie dem PC sind dies vier Bytes.

- Die in einem Programm sichtbaren Adressen sind in der Regel nur logische Adressen, die vom Betriebssystem vergeben und auf physikalische Adressen abgebildet werden. Dies erlaubt dem System eine effiziente Speicherverwaltung und die Auslagerung von momentan nicht benötigten Speicherblöcken auf die Festplatte.

- C++ garantiert, dass gültige Adressen ungleich 0 sind. Daher wird der spezielle Wert 0 verwendet, um z.B. einen Fehler anzuzeigen. Ein Zeiger mit dem Wert 0 wird auch *Nullzeiger* genannt. In Standard-Header-Dateien ist für Zeiger die symbolische Konstante NULL als 0 definiert. Außerdem definiert der C++-Standard die Nullzeiger-Konstante `nullptr` vom Typ `nullptr_t`.

Zugriff auf Objekte über Zeiger

Um das Objekt, auf das ein Zeiger verweist, mit Hilfe des Zeigers anzusprechen, wird der *Verweisoperator* * benutzt:

● Ist `ptr` ein Zeiger, so ist `*ptr` das Objekt, auf das `ptr` zeigt.

Der Programmierer muss also stets den Zeiger `ptr` von dem adressierten Objekt `*ptr` unterscheiden.

Beispiel:
```
long   a = 10, b,    // Definition von a, b
         *ptr;       // und des Zeigers ptr.
ptr = &a;            // ptr auf a zeigen lassen.
b = *ptr;
```

Hier wird der Wert von `a` an `b` zugewiesen, da `ptr` auf `a` zeigt. Die Zuweisung `b = a;` würde also dasselbe Ergebnis liefern. Der Ausdruck `*ptr` stellt das Objekt `a` dar. Er darf überall dort stehen, wo auch `a` eingesetzt werden könnte.

Der in der Definition einer Zeigervariablen benutzte Stern * imitiert die spätere Verwendung des Zeigers in Ausdrücken. So besagt die Definition

```
long *ptr;
```

folgendes: In Ausdrücken hat `ptr` den Typ `long*` (Zeiger auf `long`) und `*ptr` hat den Typ `long`.

Der Verweisoperator * hat wie der Adressoperator & einen hohen Vorrang. Beide Operatoren sind nämlich unäre Operatoren, das heißt, sie haben nur einen Operanden. Dies unterscheidet den Verweisoperator auch vom binären Operator * für die Multiplikation, der stets zwei Operanden hat.

L-Werte

Ein Ausdruck, der ein Objekt im Speicher des Rechners bezeichnet, wird in C++ *L-Wert* (engl. *L-value*) genannt. Der Begriff L-Wert kommt häufig in Fehlermeldungen des Compilers vor. Er ist von der Zuweisung abgeleitet: Der *linke* Operand des Operators = muss immer eine Speicherstelle bezeichnen. Ein Ausdruck, der kein L-Wert ist, wird auch *R-Wert* genannt.

Ein Variablenname ist das einfachste Beispiel für einen L-Wert. Dagegen ist z.B. eine Konstante oder ein Ausdruck wie `x + 1` ein R-Wert. Zu den Operatoren, die L-Werte liefern, gehört der Verweisoperator: Ist `p` eine Zeigervariable, so sind sowohl `p` als auch `*p` L-Werte. `*p` bezeichnet ja das Objekt, auf das `p` zeigt.

Zeiger als Parameter

Beispielprogramm

```cpp
// zeiger2.cpp
// Definition und Aufruf der Funktion swap().
// Zeigt die Verwendung von Zeigern als Parameter.
// ------------------------------------------------------
#include <iostream>
using namespace std;

void swap( float *, float *);    // Prototyp von swap()

int main()
{
    float x = 11.1F;
    float y = 22.2F;

        .
        .
        .

    swap( &x, &y );
        .
        .                  // p2 = &y
        .
}              // p1 = &x

void swap( float *p1, float *p2)
{
    float temp;            // Hilfsvariable

    temp = *p1;            // Bei obigem Aufruf zeigen
    *p1  = *p2;            // p1 auf x und p2 auf y.
    *p2  = temp;
}
```

Objekte als Argumente

Erhält eine Funktion ein Objekt als Argument, so gibt es zwei Möglichkeiten:

- Der entsprechende Parameter der Funktion besitzt denselben Typ wie das übergebene Objekt. Die aufgerufene Funktion erhält dann eine Kopie des Objekts („Call by Value").

- Der entsprechende Parameter ist eine Referenz. Der Parameter ist dann ein Aliasname für das Argument, das heißt, die aufgerufene Funktion arbeitet mit dem Objekt des Aufrufers („Call by Reference").

Im ersten Fall kann das übergebene Argument durch die Funktion nicht verändert werden, im Fall eines „Call by Reference" schon. Es gibt aber noch eine weitere Möglichkeit, einen „Call by Reference" zu realisieren, nämlich durch Übergabe von Zeigern.

Zeiger als Argumente

Wie ist der Parameter einer Funktion zu deklarieren, wenn der Funktion als Argument eine Adresse übergeben wird? Die Antwort ist naheliegend: Der Parameter muss als *Zeigervariable* deklariert werden.

Erwartet beispielsweise die Funktion `func()` als Argument die Adresse eines `int`-Wertes, so wird mit

Beispiel:
```
long func( int *iPtr )
{
    // Funktionsblock
}
```

der Parameter `iPtr` als `int`-Zeiger deklariert. Kennt eine Funktion die Adresse eines Objekts, so kann sie natürlich mit Hilfe des Verweisoperators auf das Objekt zugreifen und es verändern.

Im nebenstehenden Programm vertauscht die Funktion `swap()` die Werte der Variablen `x` und `y` in der aufrufenden Funktion. Den Zugriff auf die Variablen erhält die Funktion `swap()` dadurch, dass als Argumente die Adressen der Variablen, also `&x` und `&y`, übergeben werden.

Die Parameter `p1` und `p2` von `swap()` sind demzufolge als `float`-Zeiger deklariert. Durch den Aufruf

```
swap( &x, &y);
```

werden die Zeiger `p1` und `p2` mit den Adressen von `x` bzw. `y` initialisiert. Wenn die Funktion mit den Ausdrücken `*p1` und `*p2` arbeitet, greift sie tatsächlich auf die Variablen `x` und `y` in der aufrufenden Funktion zu und vertauscht ihre Werte.

Übungen

Listing zur 3. Aufgabe

```
// Eine Version von swap(), die logisch falsch ist.
// Wo liegt der Fehler?

void swap(float *p1, float *p2)
{
  float *temp;            // Hilfsvariable

  temp = p1;
  p1   = p2;
  p2   = temp;
}
```

Lösungen quadratischer Gleichungen

Die quadratische Gleichung $a*x^2 + b*x + c = 0$ besitzt die reellen Lösungen

$$x_{1/2} = (-b \pm \sqrt{(b^2 - 4ac)}) / 2a$$

falls für die Diskriminante gilt: $b^2 - 4ac >= 0$

Ist der Wert von $(b^2 - 4ac)$ negativ, so gibt es keine reelle Lösung.

Testwerte

Quadratische Gleichung	Lösungen
$2x^2 - 2x - 1.5 = 0$	$x_1 = 1.5,\quad x_2 = -0.5$
$x^2 - 6x + 9 = 0$	$X_1 = 3.0,\quad x_2 = 3.0$
$2x^2 + 2 = 0$	keine

1. Aufgabe

Was ändert sich, wenn der Parameter der Beispielfunktion `strToUpper()` als `string` statt als `string&` deklariert wird?

2. Aufgabe

Schreiben Sie eine Funktion `kreis()` vom Typ `void`, die den Umfang und die Fläche eines Kreises berechnet. Der Funktion werden der Radius und zwei Variablen für das Ergebnis übergeben. Entsprechend besitzt die Funktion drei

Parameter: Eine Read-only-Referenz auf `double` für den Radius und zwei Referenzen auf `double`, in die die Funktion die Fläche und den Umfang des Kreises zurückschreibt.

 Für einen Kreis mit Radius r gilt:
Fläche = $\pi * r * r$ und Umfang = $2 * \pi * r$ mit $\pi = 3.1415926536$

Testen Sie die Funktion `kreis()`, indem Sie in einer Tabelle den Radius, den Umfang und die Fläche für die Radien `0.5`, `1.0`, `1.5`, . . . ,`10.0` ausgeben lassen.

3. Aufgabe

a) Die nebenstehende Version der Funktion `swap()` wird fehlerlos übersetzt. Trotzdem vertauscht sie beim Aufruf `swap(&x, &y);` nicht die Werte von `x` und `y`. Was ist falsch?

b) Testen Sie die richtige Zeigerversion der Funktion `swap()` aus diesem Kapitel. Schreiben und testen Sie dann eine Version der Funktion `swap()`, die mit Referenzen statt Zeigern arbeitet.

4. Aufgabe

Erstellen Sie eine Funktion `quadGleich()`, die die Lösungen einer quadratischen Gleichung berechnet. Nebenstehend ist die Formel zur Berechnung der Lösungen angegeben.

Argumente: Die Koeffizienten a, b, c und zwei Zeiger auf die beiden Lösungen.

Return-Wert: `false`, falls es keine reelle Lösung gibt, andernfalls `true`.

Testen Sie die Funktion, indem Sie die nebenstehenden quadratischen Gleichungen zusammen mit ihren Lösungen ausgeben lassen.

Lösungen

Zur 1. Aufgabe:

Der Aufruf der Funktion strToUpper() ändert sich nicht. Aber statt eines „Call by Reference" wird jetzt ein „Call by Value" durchgeführt, das heißt, die Funktion arbeitet mit einer lokalen Kopie.

In der Funktion wird also nur die lokale Kopie des Strings verändert, nicht aber der String des Aufrufers.

Zur 2. Aufgabe:

```cpp
// ----------------------------------------------------
// kreis.cpp
// Definition und Aufruf der Funktion kreis().
// ----------------------------------------------------
#include <iostream>
#include <iomanip>
#include <string>
using namespace std;

// Prototyp von kreis():
void kreis( const double& rad, double& um, double& fl);

const double startRadius =  0.5,     // Start, Ende und
             endRadius   = 10.0,     // Schrittweite der
             step        =  0.5;     // Tabelle

string header = "\n         ***** KREISBERECHNUNG ***** \n",
       line( 50, '-');

int main()
{
    double rad, umfang, flaeche;

    cout << header << endl;

    cout << setw(10) << "Radius"
         << setw(20) << "Umfang"
         << setw(20) << "Flaeche\n" << line << endl;

    cout << fixed;                    // Festpunktdarstellung
    for( rad = startRadius;
         rad < endRadius + step/2;  rad += step)
    {
      kreis( rad, umfang, flaeche);
      cout << setprecision(1)<< setw(8)   << rad
```

```
                    << setprecision(5)<< setw(22) << umfang
                                    << setw(20) << flaeche <<endl;
    }
    return 0;
}


// Funktion kreis(): Umfang und Fläche berechnen.
void kreis( const double& r, double& u, double& f)
{
    const double pi = 3.1415926536;
    u = 2 * pi * r;
    f = pi * r * r;
}
```

Zur 3. Aufgabe:

```
// -----------------------------------------------------
// swap.cpp
// Definition und Aufruf der Funktion swap().
// 1. Version mit Zeigern als Parameter,
// 2. Version mit Referenzen als Parameter.
// -----------------------------------------------------
#include <iostream>
using namespace std;

void swap( float*, float*);    // Prototypen von swap()
void swap( float&, float&);

int main()
{
    float x = 11.1F;
    float y = 22.2F;

    cout << "x und y vor dem Tauschen:   "
        << x << "   " << y << endl;

    swap( &x, &y);        // Version mit Zeigern aufrufen.

    cout << "x und y nach dem 1. Tauschen: "
        << x << "   " << y << endl;

    swap( x, y);            // Version mit Referenzen aufrufen.
    cout << "x und y nach dem 2. Tauschen: "
        << x << "   " << y << endl;

    return 0;
}
```

Lösungen (Fortsetzung)

```
void swap(float *p1, float *p2)      // Version mit Zeigern
{
  float temp;               // Hilfsvariable

   temp = *p1;              // Bei obigem Aufruf zeigen
   *p1  = *p2;              // p1 auf x und p2 auf y.
   *p2  = temp;
}

void swap(float& a, float& b)      // Version mit Referenzen
{
  float temp;               // Hilfsvariable

   temp = a;                // Bei obigem Aufruf ist
   a    = b;                // a gleich x und b gleich y
   b    = temp;
}
```

Zur 4. Aufgabe:

```
// -----------------------------------------------------
// quadGl.cpp
// Definition und Aufruf der Funktion quadGleichung(),
// die die Lösungen einer quadratischen Gleichung
//         a*x*x + b*x + c = 0
// berechnet. Die Gleichung und die Lösungen dazu werden
// mit der Funktion printQuadGleichung() angezeigt.
// -----------------------------------------------------

#include <iostream>
#include <iomanip>
#include <string>
#include <cmath>                     // für die Wurzel sqrt()
using namespace std;

string header =
       " *** Loesungen von quadratischen Gleichungen ***\n",
       line( 50, '-');

// ----- Prototypen -----
// Lösungen berechnen:
bool quadGleichung( double a, double b, double c,
                   double* x1Ptr, double* x2Ptr);

// Gleichung und Lösung ausgeben:
```

```cpp
void printQuadGleichung( double a, double b, double c);

int main()
{
   cout << header << endl;

   printQuadGleichung( 2.0, -2.0, -1.5);

   printQuadGleichung( 1.0, -6.0, 9.0);

   printQuadGleichung( 2.0,  0.0, 2.0);

   return 0;
}

// Gleichung und Lösung ausgeben:
void printQuadGleichung( double a, double b, double c)
{
   double x1 = 0.0, x2 = 0.0;      // Für die Lösungen

   cout << line << '\n'
        << "\nDie quadratische Gleichung:\n\t "
        << a << "*x*x + " << b << "*x + " <<  c << " = 0"
        << endl;

   if( quadGleichung( a, b, c, &x1, &x2) )
   {
     cout << "besitzt die reellen Loesungen:"
          << "\n\t x1 = " << x1
          << "\n\t x2 = " << x2 << endl;
   }
   else
     cout << "besitzt keine reelle Loesung!" << endl;

   cout << "\nWeiter mit Return. \n\n";
   cin.get();
}

bool quadGleichung( double a, double b, double c,
                    double* x1Ptr, double* x2Ptr)
// Löst die quadratische Gleichung:
//          a*x*x + b*x + c = 0
// Schreibt die Lösungen der Gleichung in die Variablen,
// auf die x1Ptr und x2Ptr zeigen.
// Return-Wert: true, falls es eine Lösung gibt,
//              false sonst.
{
    bool return_flag = false;
```

Lösungen (Fortsetzung)

```
double hilf = b*b - 4*a*c;

if( hilf >= 0)              // Es gibt reelle Lösungen.
{
  hilf = sqrt( hilf);

  *x1Ptr = (-b + hilf) / (2*a);
  *x2Ptr = (-b - hilf) / (2*a);

  return_flag = true;
}
return return_flag;
}
```

Kapitel 13

Definition von Klassen

Dieses Kapitel beschreibt, wie Klassen definiert und Instanzen von Klassen, also Objekte, verwendet werden. Daneben werden auch Structs und Unions als spezielle Klassen vorgestellt.

Klassen-Konzept

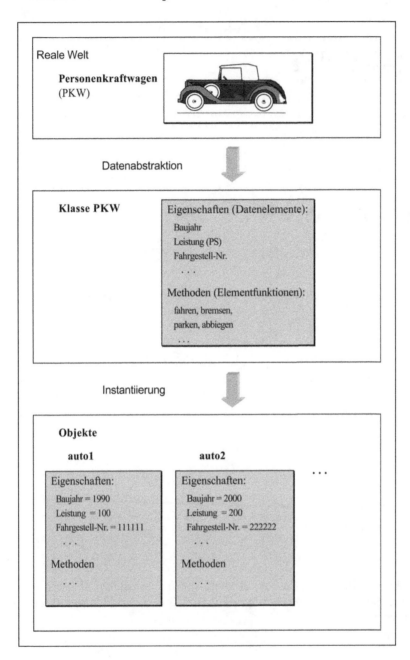

Klassen sind das wesentliche Sprachelement in C++ zur Unterstützung der objektorientierten Programmierung (OOP). Eine Klasse legt die Eigenschaften und Fähigkeiten von Objekten fest.

Datenabstraktion

Der Mensch *abstrahiert*, um komplexe Sachverhalte darzustellen. Dinge und Vorgänge werden auf das Wesentliche reduziert und mit einem Oberbegriff versehen. Klassen ermöglichen es, die Ergebnisse der Abstraktion direkter bei der Software-Entwicklung umzusetzen.

Der erste Schritt zur Lösung einer Problemstellung ist die *Analyse*. Bei der objektorientierten Programmierung besteht die Analyse in der Identifizierung und Beschreibung von Objekten sowie im Erkennen ihrer Beziehungen untereinander. Das Ergebnis der Beschreibung der Objekte sind Klassen.

In C++ ist eine Klasse ein selbstdefinierter Datentyp. Sie besteht aus Datenelementen, die die Eigenschaften beschreiben, und Elementfunktionen (= Methoden), die die Fähigkeiten der Objekte darstellen. Eine Klasse stellt das „Muster" dar, nach dem Objekte dieses Typs instantiiert, d.h. erzeugt, werden. Ein Objekt ist also eine Variable vom Typ einer bestimmten Klasse.

Datenkapselung

Bei der Definition einer Klasse wird festgelegt, welche Elemente der Klasse „privat", d.h. vor dem Zugriff von außen geschützt, sind und welche Elemente „öffentlich" verfügbar sein sollen. Ein Anwendungsprogramm arbeitet mit Objekten, für die es die „öffentlichen" Methoden der Klasse aufruft und so deren Fähigkeiten aktiviert.

Der Zugriff auf die Daten eines Objekts erfolgt selten direkt, d.h. Daten werden normalerweise als „privat" deklariert. Das Lesen und Verändern von Daten wird durch Methoden vorgenommen, die „öffentlich" deklariert sind und die den korrekten Zugriff auf die Daten sicherstellen können.

Ein wichtiger Aspekt dabei ist, dass ein Anwendungsprogramm die interne Darstellung der Daten nicht zu kennen braucht. Bei Bedarf kann die interne Darstellung der Daten auch geändert werden! Solange die Schnittstellen der öffentlichen Methoden unverändert bleiben, betreffen solche Änderungen das Anwendungsprogramm nicht. Es kann so von einer verbesserten Version einer Klasse profitieren, ohne dass im Anwendungsprogramm ein Byte verändert werden muss.

Ein Objekt kapselt also sein „Innenleben" von der Außenwelt ab und verwaltet sich mit Hilfe seiner Methoden selbst. Dies ist der konzeptionelle Kern der „Datenkapselung".

Definition von Klassen

Definitionsschema

```
class Demo
{
   private:

           // Hier die privaten Daten und Methoden

   public:

             // Hier die öffentlichen Daten und Methoden

};
```

Beispiel für eine Klasse

```
// konto.h
// Definition der Klasse Konto.
// ---------------------------------------------------
#ifndef _KONTO_     // Mehrfaches Inkludieren verhindern.
#define _KONTO_
#include <iostream>
#include <string>
using namespace std;

class Konto
{
   private:              // Geschützte Elemente:
      string name;          // Kontoinhaber
      unsigned long nr;     // Kontonummer
      double stand;         // Kontostand

   public:               // Öffentliche Schnittstelle:
      bool init( const string&, unsigned long, double);
      void display();
};
#endif    //  _KONTO_
```

Die Definition einer Klasse legt den Namen der Klasse sowie die Namen und Typen der Klassenelemente (engl. *members*) fest.

Die Definition beginnt mit dem Schlüsselwort `class`, dem der Klassenname folgt. Im anschließenden Block werden die Elemente der Klassen deklariert: Datenelemente und Elementfunktionen dürfen einen beliebigen Typ haben, z.B. auch den Typ einer zuvor deklarierten Klasse. Zugleich werden die Elemente der Klasse aufgeteilt in:

- `private`-Elemente, die von außen nicht zugänglich sind

- `public`-Elemente, die öffentlich verfügbar sind

Die `public`-Elemente bilden die sog. *öffentliche Schnittstelle* (engl. *public interface*) der Klasse.

Nebenstehend ist ein Schema für die Definition einer Klasse angegeben. Der `private`-Bereich enthält in der Regel die Datenelemente, der `public`-Bereich die Methoden für den Zugriff auf die Daten. Auf diese Weise wird die Datenkapselung realisiert.

Im anschließenden Beispiel wird eine erste Klasse `Konto` zur Darstellung eines Bankkontos definiert. Die Datenelemente für den Namen des Kontoinhabers, die Kontonummer und den Kontostand sind wie üblich als `private` deklariert. Außerdem gibt es zwei öffentliche Methoden, nämlich `init()` zur Initialisierung und `display()` für die Anzeige der Daten auf dem Bildschirm.

Die Marken `private:` und `public:` können innerhalb einer Klasse beliebig eingesetzt werden:

- Sie dürfen beliebig oft, auch keinmal, und in beliebiger Reihenfolge verwendet werden. Dabei reicht der mit `private:` bzw. `public:` markierte Bereich bis zum nächsten `public:` bzw. `private:`.

- Die Voreinstellung für den Elementzugriff ist `private`. Wenn also weder eine `private`- noch eine `public`-Marke angegeben ist, so sind alle Elemente einer Klasse `private`.

Namensgebung

Jede Software wird mit bestimmten Regeln für die Vergabe von Namen erstellt. Diese orientieren sich oft am Zielsystem und den verwendeten Klassenbibliotheken. In diesem Buch wird eine übliche Konvention eingehalten, um Klassen und Klassenelemente zu unterscheiden: Die Namen von Klassen beginnen mit einem Großbuchstaben, die Namen von Elementen mit einem Kleinbuchstaben.

Elemente verschiedener Klassen dürfen die gleichen Namen haben. So kann beispielsweise auch eine andere Klasse ein Element `display()` besitzen.

Definition von Methoden

Die Methoden der Klasse Konto

```cpp
// konto.cpp
// Definition der Konto-Methoden init() und display().
// ---------------------------------------------------
#include "konto.h"              // Definition der Klasse
#include <iostream>
#include <iomanip>
using namespace std;

// Die Methode init() kopiert die übergebenen Argumente
// in die privaten Elemente der Klasse.
bool Konto::init(const string& i_name,
                 unsigned long i_nr,
                 double        i_stand)
{
   if( i_name.size() < 1)     // Kein leerer Name
         return false;
   name  = i_name;
   nr    = i_nr;
   stand = i_stand;
   return true;
}


// Die Methode display() zeigt die privaten
// Daten am Bildschirm an.
void Konto::display()
{
   cout << fixed << setprecision(2)
        << "-------------------------------------\n"
        << "Kontoinhaber:  " << name  << '\n'
        << "Kontonummer:   " << nr    << '\n'
        << "Kontostand:    " << stand << '\n'
        << "-------------------------------------\n"
        << endl;
}
```

Eine Klassendefinition ist erst dann vollständig, wenn auch die Methoden definiert sind. Erst anschließend können Objekte dieser Klasse verwendet werden.

Bei der Definition einer Methode muss auch der Klassenname angegeben werden. Dieser wird vom Funktionsnamen durch den Bereichsoperator `::` getrennt.

Syntax: `typ klassenname::funktionsname(parameterliste)`
         `{ . . . }`

Ohne Angabe des Klasse würde eine gewöhnliche globale Funktion definiert.

Innerhalb einer Methode können *alle* Elemente einer Klasse direkt mit ihrem Namen angesprochen werden. Der Bezug zur Klasse ist automatisch gegeben. Insbesondere können Methoden derselben Klasse sich gegenseitig direkt aufrufen.

Der Zugriff auf die privaten Elemente ist nur innerhalb von Methoden derselben Klasse möglich. Damit stehen die `private`-Elemente vollständig unter der Kontrolle der Klasse.

Bei der Definition einer Klasse wird noch kein Speicherplatz für die Datenelemente reserviert. Das geschieht erst mit der Definition eines Objekts. Wird dann eine Methode für ein bestimmtes Objekt aufgerufen, so arbeitet die Methode mit den Daten dieses Objekts.

Modulare Programmierung

Eine Klasse wird gewöhnlich in verschiedenen Quelldateien verwendet. In einem solchen Fall ist es notwendig, die Definition einer Klasse in eine *Header-Datei* zu stellen. Ist beispielsweise die Definition der Klasse `Konto` in der Datei `konto.h` enthalten, so kann jede Quelldatei, die die Header-Datei inkludiert, mit der Klasse `Konto` arbeiten.

Die Definition der Methoden ist aber in jedem Fall in einer Quelldatei vorzunehmen. So sollten die Methoden der Klasse `Konto` beispielsweise in der Quelldatei `konto.cpp` definiert werden.

Der Quellcode des Anwenderprogramms, das z.B. die `main`-Funktion enthält, ist unabhängig von der Klasse und wird daher auch in separaten Quelldateien gespeichert. Die Trennung der Klassen vom Anwenderprogramm erleichtert die Wiederverwendbarkeit von Klassen.

In einer integrierten Entwicklungsumgebung erstellt der Programmierer ein *Projekt* zur Verwaltung der verschiedenen Module. Sämtliche Quelldateien werden in das Projekt eingefügt. Beim Kompilieren und Linken des Projekts werden veränderte Quelldateien automatisch neu kompiliert und mit dem Anwendungsprogramm zusammengebunden.

Definition von Objekten

Die Objekte giro und spar im Speicher

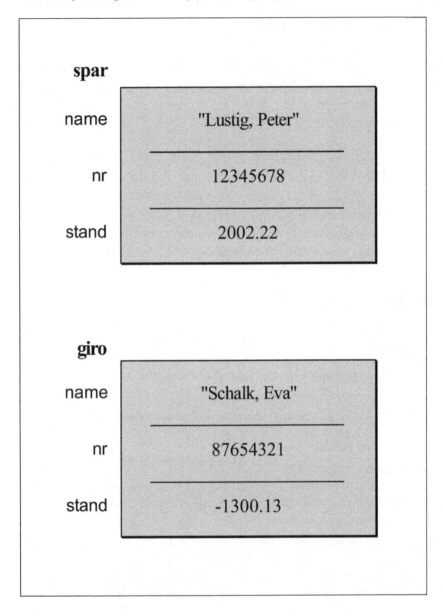

Mit einer Klasse wird ein neuer Datentyp definiert, für den Variablen, also Objekte, definiert werden können. Ein Objekt heißt auch *Instanz* einer Klasse.

Objekte definieren

Die Definition eines Objekts erfolgt wie üblich durch Angabe des Datentyps und des Objektnamens.

Syntax: `klassenname objektname1 [, objektname2,...]`

In der folgenden Definition wird ein Objekt `giro` vom Typ `Konto` erzeugt:

Beispiel: `Konto giro;     // oder: class Konto giro;`

Für die Datenelemente des Objekts `giro` wird jetzt der entsprechende Speicherplatz reserviert. Das Objekt `giro` besteht selbst aus den Teilobjekten `name`, `nr` und `stand`.

Objekte im Speicher

Werden mehrere Objekte vom Typ derselben Klasse deklariert, etwa

Beispiel: `Konto giro, spar;`

so besitzt jedes Objekt seine eigenen Datenelemente. Auch das Objekt `spar` hat die Datenelemente `name`, `nr` und `stand`. Diese belegen allerdings im Hauptspeicher einen anderen Speicherplatz als die von `giro`.

Für beide Objekte werden jedoch dieselben Methoden aufgerufen. Der Maschinencode der Methoden ist nur einmal im Speicher abgelegt, und zwar auch dann, wenn noch kein Objekt der Klasse deklariert wurde.

Eine Methode wird stets für ein bestimmtes Objekt aufgerufen. Sie arbeitet dann mit den Datenelementen *dieses* Objekts. So ergibt sich der nebenstehende Speicherinhalt, wenn für jedes Objekt die Methode `init()` mit den entsprechenden Werten aufgerufen wurde.

Initialisierung von Objekten

Die Objekte der Klasse `Konto` wurden bisher ohne eine explizite Initialisierung definiert. Daher wird auch jedes Teilobjekt ohne eine explizite Initialisierung erzeugt. Der String `name` ist damit leer, da dies in der Klasse `string` so festgelegt ist. Der Anfangswert der beiden Datenelemente `nr` und `stand` ist dagegen undefiniert. Wie bei anderen Variablen auch ist der Inhalt dieser Datenelemente 0, wenn das Objekt global oder als `static` definiert wird.

Für Objekte kann genau festgelegt werden, wie diese „aufgebaut" oder „abgebaut" werden. Diese Aufgaben erledigen *Konstruktoren* und *Destruktoren*. Konstruktoren übernehmen insbesondere die Initialisierung von Objekten. Dazu erfahren Sie später mehr.

Verwendung von Objekten

Beispielprogramm

```
// konto_t.cpp
// Mit Objekten der Klasse Konto arbeiten.
// -----------------------------------------------------

#include "konto.h"

int main()
{
   Konto giro1, giro2;

   giro1.init("Munter, Gabi", 3512345, 99.40);
   giro1.display();

//   giro1.stand += 100;    // Fehler: stand ist private

   giro2 = giro1;         // ok: Zuweisung von Objekten
                          // möglich.
   giro2.display();       // ok

                          // Neue Werte für giro2
   giro2.init("Liebig, Ernst", 3512345, 199.40);

   giro2.display();
                          // Referenz verwenden:
   Konto& munter = giro1; // munter ist Aliasname
                          // für Objekt giro1.
   munter.display();   // munter kann wie das
                       // Objekt giro1 verwendet werden.
   return 0;
}
```

Punktoperator

Ein Anwendungsprogramm, das mit Objekten einer Klasse arbeitet, kann nur auf die public-Elemente des Objekts zugreifen. Dies geschieht mit Hilfe des *Punktoperators*.

Syntax: `objekt.element`

Dabei ist `element` ein Datenelement oder eine Methode.

Beispiel: `Konto giro;`
`giro.init("Lustig, Peter",1234567,-1200.99);`

Hierbei stellt der Ausdruck `giro.init` die public-Methode init der Klasse Konto dar. Diese wird mit drei Argumenten für das Objekt `giro` aufgerufen.

Der Aufruf von `init()` kann nicht durch direkte Zuweisungen ersetzt werden.

Beispiel: `giro.name  = "Lustig, Peter";   // Fehler, da`
`giro.nr    = 1234567;           // Datenelemente`
`giro.stand = -1200.99;          // private.`

Der Zugriff auf die private-Elemente eines Objekts ist außerhalb der Klasse nicht zulässig. Deshalb ist es auch nicht möglich, einzelne Datenelemente der Klasse Konto auf dem Bildschirm anzuzeigen.

Beispiel: `cout << giro.stand;    // Fehler`
`giro.display();        // ok`

Die Methode `display()` zeigt alle Datenelemente von `giro` an. Eine Methode wie `display()` kann immer nur für ein Objekt aufgerufen werden. Die Anweisung

`display();`

würde zu einer Fehlermeldung führen, da es eine globale Funktion `display()` nicht gibt. Welche Daten sollten auch angezeigt werden?

Zuweisung von Objekten

Die Zuweisung = ist der einzige Operator, der standardmäßig für jede Klasse definiert ist. Dabei müssen Quell- und Zielobjekt zur selben Klasse gehören. Die Zuweisung erfolgt so, dass die einzelnen Datenelemente des Quellobjekts dem entsprechenden Element des Zielobjekts zugewiesen werden.

Beispiel: `Konto giro1, giro2;`
`giro2.init("Reich, Franzi",350123, 10000.0);`
`giro1 = giro2;`

Hier werden die Datenelemente von `giro2` in die entsprechenden Datenelemente von `giro1` kopiert.

Zeiger auf Objekte

Beispielprogramm

```cpp
// ptrObj.cpp
// Mit Zeigern auf Objekte der Klasse Konto arbeiten.
// --------------------------------------------------
#include "konto.h"    // Inkludiert <iostream>, <string>
bool getKonto( Konto *pKonto);               // Prototyp
int main()
{
    Konto giro1, giro2, *ptr = &giro1;

    ptr->init("Munter, Gabi",          // giro1.init(...)
              3512345, 99.40);
    ptr->display();                     // giro1.display()

    ptr = &giro2;          // ptr auf giro2 zeigen lassen.
    if( getKonto( ptr))   // Neue Kontodaten einlesen
       ptr->display();     // und anzeigen.
    else
       cout << "Ungültige Eingabe!" << endl;
    return 0;
}
// --------------------------------------------------
// getKonto() liest von der Tastatur die Daten für
// ein neues Konto ein, das per Zeiger übergeben wird.
bool getKonto( Konto *pKonto)
{
    string name, line(50,'-');  // Lokale Hilfsvariablen
    unsigned long nr;
    double startkapital;

    cout << line << '\n'
         << "Daten für ein neues Konto eingeben: \n"
         << "Kontoinhaber: ";
    if( !getline(cin,name) || name.size() == 0)
      return false;
    cout << "Kontonummer:  ";
    if( !(cin >> nr))               return false;
    cout << "Startkapital: ";
    if( !(cin >> startkapital)) return false;
    // Alle Eingaben ok
    pKonto->init( name, nr, startkapital);
    return true;
}
```

Ein Objekt vom Typ einer Klasse hat – wie jedes andere Objekt auch – eine Adresse im Hauptspeicher. Diese kann einem passend deklarierten Zeiger zugewiesen werden.

Beispiel: `Konto spar("Bill, Claudia",654321, 123.5);`
`Konto *ptrKonto = &spar;`

Hier werden ein Objekt `spar` und eine Zeigervariable `ptrKonto` definiert. Der Zeiger `ptrKonto` wird so initialisiert, dass er auf das Objekt `spar` zeigt. Damit ist `*ptrKonto` das Objekt `spar` selbst, und mit

Beispiel: `(*ptrKonto).display();`

wird die Methode `display()` für das Objekt `spar` aufgerufen. Die Klammern sind hier notwendig, da der Punktoperator einen höheren Vorrang als der Operator `*` hat.

Pfeiloperator

Statt der Kombination der Operatoren `*` und `.` kann auch einfach der Pfeiloperator `->` verwendet werden.

Syntax: `objektZeiger->element`

Dieser Ausdruck ist äquivalent zu:

`(*objektZeiger).element`

Der Pfeiloperator besteht aus dem Minus-Zeichen und dem Größer-Zeichen.

Beispiel: `ptrKonto->display();`

Diese Anweisung ruft die Methode `display()` für das Objekt auf, das durch `ptrKonto` adressiert wird, also für das Objekt `spar`. Sie ist gleichbedeutend mit der Anweisung im letzten Beispiel.

Der Unterschied zwischen den Operatoren `.` und `->` ist also, dass der linke Operand des Punktoperators ein Objekt sein muss, der linke Operand des Pfeiloperators dagegen ein Zeiger auf ein Objekt.

Zum Beispielprogramm

Zeiger auf Objekte werden häufig als Parameter von Funktionen eingesetzt. Eine Funktion, die die Adresse eines Objekts als Argument erhält, kann direkt mit dem Objekt des Aufrufers arbeiten. Dies demonstriert das nebenstehende Programm. Es liest mit Hilfe der Funktion `getKonto()` die Daten für ein neues Konto ein. Beim Aufruf wird die Adresse des Kontos übergeben:

`getKonto( ptr )  // oder:  getKonto( &giro1)`

Mit dem übergebenen Zeiger und der Methode `init()` kann die Funktion dann die neuen Daten in das Objekt des Aufrufers schreiben.

Structs

Beispielprogramm

```cpp
// structs.cpp
// Eine Struktur definieren und verwenden.
// --------------------------------------------------
#include <iostream>
#include <iomanip>
#include <string>
using namespace std;
struct Vertreter    // Definition der Struktur Vertreter
{
  string name;          // Name des Vertreters.
  double umsatz;        // Sein Umsatz pro Monat.
};
inline void print( const Vertreter& v)
{
   cout << fixed << setprecision(2)
        << left  << setw(20) << v.name
        << right << setw(10) << v.umsatz << endl;
}
int main()
{
   Vertreter heidi, hannes;

   heidi.name    = "Sturm, Heidi";
   heidi.umsatz  = 37000.37;
   hannes.name   = "Forsch, Hannes";
   hannes.umsatz = 23001.23;

   heidi.umsatz += 1700.11;              // Mehr Umsatz

   cout << " Vertreter             Umsatz\n"
        << "------------------------------" << endl;
   print( heidi);
   print( hannes);
   cout << "\nSumme der Umsätze: "
        << heidi.umsatz + hannes.umsatz << endl;
   Vertreter *ptr = &hannes;             // Zeiger ptr.
                                         // Wer macht die
   if( hannes.umsatz < heidi.umsatz) // meisten Umsätze?
     ptr = &heidi;
   cout << "\nUnser bestes Pferd im Stall: "
        << ptr->name << endl;   // Name des Vertreters,
                                // auf den ptr zeigt.

   return 0;
}
```

Datensätze

In einer klassischen, prozeduralen Sprache wie C werden verschiedene Daten, die logisch zusammengehören, zu einem Datensatz (engl. *record*) zusammengefasst. Umfangreiche Daten, wie beispielsweise die Daten von Artikeln im Lager eines Autoherstellers, können so übersichtlich organisiert und in Dateien gespeichert werden.

Aus der Sicht einer objektorientierten Sprache ist ein Datensatz nichts anderes als eine Klasse, die nur öffentliche Datenelemente und keine Methoden enthält. Entsprechend kann in C++ auch mit dem Schlüsselwort class die Struktur eines Datensatzes festgelegt werden.

Beispiel:
```
class Datum
  { public:    short   tag, monat, jahr; };
```

Es ist jedoch üblich, reine Datensätze mit dem schon in C bekannten Schlüsselwort struct zu definieren. So ist die obenstehende Definition von Datum mit den Elementen tag, monat und jahr äquivalent zu:

Beispiel:
```
struct Datum { short   tag, monat, jahr; };
```

Die Schlüsselworte class und struct

Jede Klasse kann auch mit dem Schlüsselwort struct definiert werden, wie z.B. die Klasse Konto.

Beispiel:
```
struct Konto {
    private:    // . . .   wie gehabt
    public:     // . . .
};
```

Die Schlüsselworte class und struct unterscheiden sich nur in bezug auf die Datenkapselung:

● Die Voreinstellung für den Elementzugriff einer mit struct definierten Klasse ist public.

Im Gegensatz zu einer mit class definierten Klasse sind also alle Elemente public, wenn keine private-Marke angegeben ist. Durch diese Festlegung bleibt die Kompatibilität zu C gewahrt.

Beispiel:
```
Datum zukunft;
zukunft.jahr = 2100;    // ok! Daten public
```

Reine Datensätze, d.h. Objekte einer Klasse, die nur public-Datenelemente enthält, können bei der Definition durch eine Liste initialisiert werden.

Beispiel:
```
Datum birthday = { 29, 1, 1977};
```

Dabei initialisiert das erste Element der Liste das erste Element im Objekt usw.

Structured Bindings

Beispielprogramm

```cpp
// strucbind.cpp
// Eine Struktur entpacken.
// -------------------------------------------------
#include <iostream>
#include <string>
using namespace std;

struct Vertreter { . . .} // wie zuvor

inline Vertreter& incUmsatz(Vertreter& v, double inc)
{
    auto&[nref, uref] = v;    // Struktur v entpacken.
    uref += inc;              // Umsatz erhöhen.
    return v;
}

int main()
{
    Vertreter v = {"Sturm, Heidi", 4950.99 };

    auto[nm, um] = v;            // Struktur  entpacken.
    cout << "\nDie entpackte Struktur: " << endl;
    cout << "Name: " << nm << "\nUmsatz: " << um << endl;

    // Referenzen auf die Datenelemente der Struktur:
    auto&[nref, uref] = v;

    nref = "Winter, Heidi";    // Name ändern

                               // Umsatz erhöhen:
    auto[r1, r2] = incUmsatz(v, 5000.0);

    cout << "\nAenderungen in der entpackten Struktur: ";
    cout << "\nName: " << r1 << "\nUmsatz: " << r2 << endl;

    cout << "\nDie geaenderte Struktur: " << endl;
    cout << "Name: " << v.name
         << "\nUmsatz: " << v.umsatz << endl;
    return 0;
}
```

Hinweis: In Visual C++ 2017 muss die Compileroption /std:c++latest akiviert sein.

Gleichzeitige Initialisierung

C++17 unterstützt die gleichzeitige Initialisierung mehrerer Variablen mithilfe einer Struktur. Sind die Struktur `Triple` und ein Objekt `ts` dieses Typs wie folgt definiert:

Beispiel:
```
struct Triple {char c, int n, double x };
Triple ts = {'a', 2, 3.1};
```

so bewirkt die Anweisung:

```
auto[u, v, w] = ts;
```

dass die Variablen u, v und w erzeugt und initialisiert werden. Die Variable u erhält das Zeichen `'a'` und die Variablen v, w erhalten die Werte 2 bzw. 3.1.

Der Compiler nimmt dabei eine automatische Typableitung vor. Die Variable u hat dann den Typ `char` und die Variablen v bzw. w haben den Typ `int` bzw. `double`. Dieser Vorgang heißt auch *Structured Bindings*.

Werden die zu initialisierenden Variablen als Referenzen deklariert, so können die Datenelemente einer Struktur auch verändert werden, wie das folgende Beispiel zeigt.

Beispiel:
```
auto&[uref, vref, wref] = ts;
uref = 'b';
```

Hier wird das erste Datenelement der Struktur `Triple` mit dem Zeichen `'b'` überschrieben.

Strukturen entpacken

Die Technik des Structured Bindings wird normalerweise eingesetzt, um mehrere Return-Werte einfach zu handhaben. Die verschiedenen Werte werden in eine Struktur „gepackt", die von einer Funktion bearbeitet und als Return-Wert geliefert wird. Anschließend kann die Struktur wieder „entpackt" werden.

Dies demonstriert auch das nebenstehende Beispiel. Die Funktion `incUmsatz()` erhöht den Umsatz eines als Argument übergebenen Vertreters um einen bestimmten Betrag, der mit dem zweiten Argument übergeben wird. In der Definition der Funktion werden mit der Anweisung

Beispiel:
```
auto&[nref, uref] = v;
```

zwei Referenzen auf die Datenelemente der Struktur `Vertreter` gesetzt (`nref` und `uref`). Dann wird der Umsatz aktualisiert. Mit dem Aufruf

Beispiel:
```
auto[r1, r2] = incUmsatz(v, 5000.0);
```

wird die von `incUmsatz()` zurückgelieferte Struktur wieder entpackt.

Unions

Ein Objekt der Union WordByte im Speicher

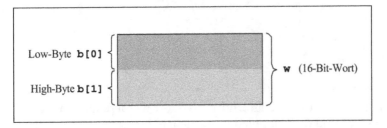

Definition und Verwendung der Union WordByte

```
// unions.cpp
// Eine Union definieren und verwenden.
// --------------------------------------------------
#include <iostream>
using namespace std;

union WordByte
{
  private:
    unsigned short w;        // 16-Bit
    unsigned char b[2];      // Zwei Byte: b[0], b[1]
  public:                    // Wort und Byte-Zugriff:
    unsigned short& word()    { return w; }
    unsigned char&  lowByte() { return b[0]; }
    unsigned char&  highByte(){ return b[1]; }
};

int main()
{
    WordByte wb;
    wb.word() = 256;
    cout << "\nWord:      " << (int)wb.word();
    cout << "\nLow-Byte:  " << (int)wb.lowByte()
         << "\nHigh-Byte: " << (int)wb.highByte()
         << endl;
    return 0;
}
```

Ausgabe des Programms:

```
Word:      256
Low-Byte:  0
High-Byte: 1
```

Nutzung von Speicherplatz

Bei einer gewöhnlichen Klasse belegt jedes Datenelement eines Objekts seinen eigenen, separaten Speicherplatz. Eine *Union* ist dagegen eine Klasse, deren Datenelemente auf demselben Speicherplatz abgelegt werden. Jedes Datenelement hat also dieselbe Anfangsadresse im Speicher. Natürlich kann eine Union nicht *gleichzeitig* verschiedene Daten auf demselben Platz speichern. Aber eine Union erlaubt, dieselbe Speicherstelle verschiedenartig zu nutzen.

Definition

Syntaktisch unterscheidet sich eine Union von einer mit `class` oder `struct` definierten Klasse nur durch das Schlüsselwort `union`.

Beispiel:
```
union Zahl
{
    long   n;
    double x;
};
Zahl zahl1, zahl2;
```

Hier werden eine Union `Zahl` und zwei Objekte dieses Typs definiert. In der Union `Zahl` kann entweder eine ganze Zahl oder eine Gleitpunktzahl gespeichert werden.

Ohne die Angabe einer `private`-Marke sind alle Elemente einer Union automatisch `public`. Dies entspricht der Voreinstellung für Strukturen. Daher kann im Fall der Union `Zahl` direkt mit den Elementen n und x gearbeitet werden.

Beispiel:
```
zahl1.n = 12345;    // Ganze Zahl speichern,
zahl1.n *= 3;       // mit 3 multiplizieren.
zahl2.x = 2.77;     // Gleitpunktzahl!
```

Der Programmierer ist selbst dafür verantwortlich, den aktuellen Inhalt richtig zu interpretieren. Meist wird dafür ein zusätzliches „Typfeld" angelegt, das den gespeicherten Inhalt kennzeichnet.

Die Größe eines Objekts vom Typ einer Union wird durch das längste Datenelement bestimmt, da ja alle Datenelemente bei derselben Anfangsadresse beginnen. Im Beispiel der Union `Zahl` ist dies die Größe des `double`-Elements, also `8 == sizeof(double)` Byte.

Das nebenstehende Beispiel definiert eine Union `WordByte`, die es erlaubt, eine 16-Bit-Speicherstelle als ganzes oder byteweise zu lesen bzw. zu beschreiben.

Übungen

Die Struktur tm in der header-Datei ctime

```
struct tm
{
  int tm_sec;          // 0 - 59(60)
  int tm_min;          // 0 - 59
  int tm_hour;         // 0 - 23
  int tm_mday;         // Tag im Monat: 1 - 31
  int tm_mon;          // Monat: 0 - 11 (Januar == 0)
  int tm_year;         // Jahre seit 1900 (Jahr - 1900)
  int tm_wday;         // Wochentag: 0 - 6 (Sonntag == 0)
  int tm_yday;         // Tag im Jahr: 0 - 365
  int tm_isdst;        // Flag für Sommerzeit
};
```

Beispielaufruf der Funktionen time( ) und localtime( )

```
#include <iostream>
#include <ctime>
using namespace std;

  struct tm *zeit;          // Zeiger auf Struktur tm.
  time_t sec;               // Für die Sekunden.
    . . .
  time(&sec);               // Aktuelle Zeit holen.
  zeit = localtime(&sec);   // Eine Struktur vom Typ tm
                            // initialisieren und Zeiger
                            // darauf zurückgeben.

  cout << "Heute ist der "    << zeit->tm_yday + 1
       << ". Tag des Jahres " << zeit->tm_year + 1900
       << endl;
    . . .
```

Aufgabe

Ein Programm benötigt eine Klasse zur Darstellung des Datums.

- Definieren Sie zu dem Zweck eine Klasse `Datum` mit drei ganzzahligen Datenelementen für Tag, Monat und Jahr. Deklarieren Sie außerdem die folgenden Methoden:

```
void init( int tag, int monat, int jahr);
void init(void);
void print(void);
```

  Stellen Sie die Definition der Klasse `Datum` in eine eigene Header-Datei.

- Implementieren Sie die Methoden der Klasse `Datum` in einer eigenen Quelldatei:

  - Die Methode `print()` gibt das Datum im Format `Tag.Monat.Jahr` auf die Standardausgabe aus.

  - Die Methode `init()` mit drei Parametern kopiert die übergebenen Werte in die entsprechenden Datenelemente. Eine Bereichsüberprüfung soll hier noch nicht erfolgen. Sie wird später hinzugefügt.

  - Die Methode `init()` ohne Parameter schreibt das *aktuelle Datum* in die entsprechenden Datenelemente.

 Verwenden Sie die in `ctime` deklarierten Funktionen

```
time_t   time(time_t *ptrSec)
struct tm *localtime(const time_t *ptrSec);
```

  Der Datentyp `time_t` ist in der Header-Datei `ctime` als `long` definiert. Die Struktur `tm` und Beispielaufrufe dieser Funktionen sind nebenstehend angegeben.

  Die Funktion `time()` liefert die Systemzeit in Form der Anzahl von Sekunden und schreibt diese in die durch `ptrSec` adressierte Variable. Dieser Wert kann der Funktion `localtime()` übergeben werden, die die Anzahl der Sekunden in das lokale Datum vom Typ `tm` umwandelt und einen Zeiger auf diese Struktur zurückliefert.

- Testen Sie die Klasse `Datum` mit einem „Anwenderprogramm", das wieder in einer eigenen Quelldatei steht. Definieren Sie zu diesem Zweck zwei Objekte der Klasse, und lassen Sie sich insbesondere das aktuelle Datum anzeigen. Benutzen Sie auch die Zuweisung für Objekte, und verwenden Sie zur Übung auch Referenzen und Zeiger auf Objekte.

Lösung

```
// ----------------------------------------------------
// datum.h
// Erste Definition der Klasse Datum.
// ----------------------------------------------------

#ifndef _DATUM_    // Mehrfaches Inkludieren verhindern.
#define _DATUM_

class Datum
{
  private:                  // Geschützte Elemente:
    short tag, monat, jahr;

  public:                   // Öffentliche Schnittstelle:
    void init(void);
    void init( int tag, int monat, int jahr);
    void print(void);
};

#endif    // _DATUM_


// ----------------------------------------------------
// datum.cpp
// Implementierung der Methoden der Klasse Datum.
// ----------------------------------------------------

#include "datum.h"

#include <iostream>
#include <ctime>
using namespace std;

// ----------------------------------------------------
void Datum::init(void)    // Aktuelles Datum holen und
{                         // den Datenelementen zuweisen.
    struct tm *zeit;        // Zeiger auf Struktur tm.
    time_t sec;             // Für die Sekunden.

    time(&sec);             // Aktuelle Zeit holen.
    zeit = localtime(&sec); // Eine Struktur vom Typ tm
                            // initialisieren und Zeiger
                            // darauf zurückgeben.
    tag   = (short) zeit->tm_mday;
    monat = (short) zeit->tm_mon + 1;
    jahr  = (short) zeit->tm_year + 1900;
}

// ----------------------------------------------------
void Datum::init( int t, int m, int j)
```

```
{
    tag   = (short) t;
    monat = (short) m;
    jahr  = (short) j;
}

// ----------------------------------------------------
void Datum::print(void)       // Datum anzeigen
{
    cout << tag << '.' << monat << '.' << jahr
         << endl;
}


// ----------------------------------------------------
// datum_t.cpp
// Mit Objekten der Klasse Datum arbeiten.
// ----------------------------------------------------
#include "datum.h"
#include <iostream>
using namespace std;

int main()
{
    Datum today, birthday, aDate;

    today.init();
    birthday.init( 12, 11, 1997);

    cout << "Das heutige Datum : ";
    today.print();

    cout << "\nDer Geburtstag von Felix: ";
    birthday.print();

    cout << "--------------------------------\n"
            "Noch einige Testausgaben:" << endl;

    aDate = today;                  // Zuweisung ok
    aDate.print();

    Datum *pDate = &birthday;       // Zeiger auf birthday
    pDate->print();

    Datum &holiday = aDate;         // Referenz auf aDate.

    holiday.init( 1,5,2000);        // aDate überschreiben.
    aDate.print();                  // holiday.print();

    return 0;
}
```

Kapitel 14

Methoden

Dieses Kapitel beschreibt

- wie Konstruktoren zum Aufbau und Destruktoren zum Abbau von Objekten definiert werden,

- wie inline-Methoden, Zugriffsmethoden und Read-only-Methoden einzusetzen sind,

- den this-Zeiger, der in allen Methoden zur Verfügung steht, und

- was bei der Übergabe und Rückgabe von Objekten zu beachten ist.

Konstruktoren

Die Klasse Konto mit Konstruktoren

```
// konto.h
// Definition der Klasse Konto mit zwei Konstruktoren.
// --------------------------------------------------
#ifndef _KONTO_
#define _KONTO_
#include <string>
using namespace std;
class Konto
{
   private:              // Geschützte Elemente:
      string name;             // Kontoinhaber
      unsigned long nr;        // Kontonummer
      double stand;            // Kontostand
   public:               // Öffentliche Schnittstelle:
      Konto( const string&, unsigned long, double );
      Konto( const string& );
      bool init( const string&, unsigned long, double);
      void display();
};
#endif   //  _KONTO_
```

Definition der Konstruktoren

```
// In der Datei konto.cpp:

Konto::Konto( const string& k_name, unsigned long k_nr,
           double k_stand)
{
   nr    = k_nr;
   name  = k_name;
   stand = k_stand;
}

Konto::Konto( const string& k_name )
{
   name = k_name;
   nr = 1111111;   stand = 0.0;
}
```

Aufgabe von Konstruktoren

In traditionellen Programmiersprachen wird mit der Definition einer Variablen nur der Speicher für die Variable reserviert. Es bleibt dem Programmierer überlassen, die Variablen mit zulässigen Anfangswerten zu versehen.

Auch ein Objekt der Klasse Konto, wie sie im vorhergehenden Kapitel definiert wurde, besitzt so lange keine gültigen Werte, bis die Methode init() aufgerufen wird. Nicht initialisierte Objekte können jedoch zu gravierenden Fehlern während der Laufzeit eines Programms führen.

Damit solche Fehler erst gar nicht auftreten, wird in C++ bei der Definition eines Objekts implizit eine Initialisierungsfunktion ausgeführt. Damit ist sichergestellt, dass Objekte stets mit gültigen Daten arbeiten. Die Initialisierung erfolgt durch spezielle Methoden, die *Konstruktoren*.

Deklaration

Konstruktoren erkennt man an ihren Namen. Im Unterschied zu anderen Elementfunktionen gilt nämlich:

- Der Name eines Konstruktors ist gleich dem Namen der Klasse.

- Ein Konstruktor besitzt keinen Ergebnistyp, auch nicht void.

Die Deklaration von Konstruktoren erfolgt gewöhnlich im public-Bereich der Klasse. Dann können Objekte überall da angelegt werden, wo die Klassendefinition bekannt ist.

Wie andere Funktionen auch sind Konstruktoren überladbar. Die Konstruktoren einer Klasse müssen sich durch ihre *Signatur* (d.h. Anzahl, Reihenfolge bzw. Typ der Parameter) unterscheiden. Damit können Objekte auf verschiedene Arten initialisiert werden. Im nebenstehenden Beispiel wurde die Klasse Konto erweitert: Sie besitzt jetzt zwei Konstruktoren.

Definition

Da der Name eines Konstruktors identisch mit dem Klassennamen ist, beginnt die Definition eines Konstruktors immer mit:

```
Klassenname::Klassenname
```

In der Definition selbst können die übergebenen Argumente auf ihre Gültigkeit hin überprüft werden, bevor sie in die entsprechenden Datenelemente kopiert werden. Ist die Anzahl der Argumente kleiner als die Anzahl der Datenelemente, so können die übrigen Datenelemente mit Standardwerten versehen werden.

Konstruktoren können auch weitergehende Initialisierungen ausführen, z.B. Dateien öffnen, Speicher reservieren oder Schnittstellen konfigurieren.

Aufruf von Konstruktoren

Beispielprogramm

```cpp
// konto2_t.cpp
// Die Konstruktoren der Klasse Konto verwenden.
// --------------------------------------------------

#include "konto.h"

int main()
{
   Konto giro("Lustig, Peter", 1234567, -1200.99 ),
        spar("Glück, Susi");

   Konto depot;    // Fehler, da kein Default-Konstruktor
                   // definiert.

   giro.display();         // Anzeigen
   spar.display();

   Konto temp("Glück, Susi", 7777777, 1000000.0);
   spar = temp;            // ok: Zuweisung
                           // von Objekten möglich.
   spar.display();

   // Oder mit der noch vorhandenen Methode init():
   spar.init("Glück, Susi", 7654321, 1000000.0);
   spar.display();

   return 0;
}
```

Konstruktoren können nicht wie andere Methoden für ein schon existierendes Objekt aufgerufen werden. Daher hat ein Konstruktor auch keinen Ergebnistyp. Vielmehr wird für jedes Objekt ein geeigneter Konstruktor nur einmal beim Erzeugen des Objekts ausgeführt.

Initialisierung

Wenn ein Objekt definiert wird, so können hinter dem Namen des Objekts Anfangswerte in runden oder geschweiften Klammern angegeben werden.

Syntax: `klasse objekt( initialisierungsliste);`

Zur Initialisierung sucht der Compiler einen Konstruktor, dessen Signatur zur Initialisierungsliste passt. Nachdem der notwendige Speicherplatz für das Objekt reserviert ist, wird dieser Konstruktor aufgerufen. Dabei erhält der Konstruktor als Argumente die Werte aus der Initialisierungsliste.

Beispiel: `Konto nomoney("Liebig, Karl");`

Hier wird der Konstruktor mit einem Parameter für den Namen ausgeführt. Die restlichen Datenelemente setzt er auf Standardwerte.

Falls der Compiler keinen Konstruktor mit passender Signatur findet, erzeugt er das Objekt nicht und meldet einen Fehler.

Beispiel: `Konto somemoney("May,Ida",10.0); //Fehler!`

In der Klasse `Konto` gibt es keinen Konstruktor mit zwei Parametern.

Ist in einer Klasse ein Konstruktor mit nur *einem* Parameter definiert, so kann auch die Schreibweise mit dem Zeichen = erfolgen.

Beispiel: `Konto nomoney = "Liebig, Karl";`

Dies ist äquivalent zur Definition im vorletzten Beispiel. Die Initialisierung mit Klammern oder mit dem Zeichen = wurde bereits für elementare Datentypen verwendet: z.B. ist `int i(0);` äquivalent zu `int i = 0;`.

Default-Konstruktor

Ein Konstruktor *ohne* Parameter heißt *Default-Konstruktor*. Er wird aufgerufen, wenn ein Objekt ohne eine explizite Initialisierung definiert wird. Ein Default-Konstruktor setzt gewöhnlich alle Datenelemente auf Standardwerte.

Falls für eine Klasse *kein* Konstruktor definiert ist, erzeugt der Compiler eine Minimalversion des Default-Konstruktors als `public`-Element. Dieser setzt allerdings keine Anfangswerte. Enthält dagegen eine Klasse *mindestens* einen Konstruktor, so muss auch ein Default-Konstruktor explizit definiert werden, wenn er zur Verfügung stehen soll. Beispielsweise wurde in der Klasse `Konto` kein Default-Konstruktor definiert, so dass ein neues Konto-Objekt nur mit einer Initialisierung definiert werden kann.

Mehr Initialisierungsmöglichkeiten

Die Klasse Konto mit direkter Initialisierung

```
class Konto
{
   private:                 // Geschützte Elemente:
     string name = "X";            // Kontoinhaber
     unsigned long nr = 1111111UL;  // Kontonummer
     double stand = 0.0;           // Kontostand
   public:                // Öffentliche Schnittstelle:
     Konto();              // Jetzt mit Default-Konstruktor.
     Konto( const string& );
     Konto( const string&, unsigned long, double );
   // ...    unverändert.
};
```

Definition der Konstruktoren

```
Konto::Konto(){} // Alle Elemente werden mit den Werten
                 // der Klassendefinition initialisiert.

Konto::Konto( const string& k_name )
{
   name = k_name;
   // Die Elemente nr und stand werden mit den Werten
   // in der Klassendefinition initialisiert.
}

Konto::Konto( const string& k_name, unsigned long k_nr,
           double k_stand)
{                              // unverändert:
   nr    = k_nr;               // Alle Elemente werden
   name  = k_name;             // überschrieben.
   stand = k_stand;
}
```

C++ ermöglicht die Delegation von Konstruktoren, das heißt, ein Konstrukor kann einen anderen Konstruktor aufrufen. Zudem ist neben der Initialisierung mit Konstruktoren auch die direkte Initialisierung von Klassenelementen möglich.

Delegation von Konstruktoren

Wenn verschiedene Konstruktoren einer Klasse dieselben Aufgaben erledigen müssen, beispielsweise die Überprüfung von Daten, so können natürlich die entsprechenden Anweisungen in jeden Konstruktor kopiert werden. Alternativ kann eine private Hilfsmethode definiert werden, die die gemeinsamen Anweisungen enthält und von den Konstruktoren aufgerufen wird.

Hier bietet der C++-Standard eine größere Flexibilität. Er erlaubt die *Delegation von Konstruktoren*, also den Aufruf eines Konstruktors durch einen anderen Konstruktor. Dafür gilt folgende Syntax: Der Aufruf eines anderen Konstruktors wird im Kopf des Konstruktors angehängt, getrennt durch einen Doppelpunkt. Beispielsweise kann in der Klasse `Konto` der Konstruktor mit einem Parameter die Initialisierung an den Konstruktor mit drei Parametern delegieren:

Beispiel:
```
Konto::Konto( const string& k_name )
: Konto(k_name, 1111111, 0.0)
{  // Hier evtl. weitere Anweisungen.
   // In diesem Beispiel ist nichts mehr zu tun.
}
```

Beim Aufruf des Konstruktors mit einem Argument vom Typ `string` wird zunächst `Konto(k_name, 1111111, 0.0)` ausgeführt und anschließend der nachfolgende Funktionsblock, der im Beispiel leer ist.

Direkte Initialisierung von Klassenelementen

Bei der Definition eines Objekts werden dessen Datenelemente gewöhnlich durch einen Konstruktor initialisiert. Es gibt aber auch die Möglichkeit der *direkten Initialisierung*, d.h. die Angabe von konstanten Anfangswerten direkt in der Klassendefinition.

Falls ein Datenelement sowohl direkt als auch über einen Konstruktor initialisiert wird, ist der Konstruktor maßgebend.

Beispiel: `Konto giro("Munter, Gabi");`

Hier wird das Objekt `giro` mit den Daten `"Munter, Gabi"`, `1111111` und `0.0` initialisiert.

Destruktoren

Beispielprogramm

```cpp
// demo.cpp
// Zeigt Konstruktor- und Destruktoraufrufe an.
// ---------------------------------------------------
#include <iostream>
#include <string>
using namespace std;
int zaehler = 0;          // Für die Anzahl der Objekte.
class Demo
{
   private:    string name;
   public:     Demo( const string& );     // Konstruktor
               ~Demo();                    // Destruktor
};
Demo::Demo( const string& str)
{
   ++zaehler;  name = str;
   cout << "Ich bin der Konstruktor für "<< name << "."
        << "\nDas ist das " << zaehler << ". Objekt!"
        << endl;
}
Demo:: ~Demo()             // Definition des Destruktors
{
   cout << "Ich bin der Destruktor von " << name << "."
        << "\nDas " << zaehler << ". Objekt "
        << "wird zerstört" << endl;
   --zaehler;
}
// -- Objekte der Klasse Demo erzeugen und zerstören --
Demo globalObject("das globale Objekt");
int main()
{
   cout << "Die erste Anweisung in main()." << endl;
   Demo firstLocalObject("das erste lokale Objekt");
   {
     Demo secLocalObject("das zweite lokale Objekt");
     static Demo staticObjekt("das statische Objekt");
     cout << "\nDie letzte Anweisung im inneren Block"
          << endl;
   }
   cout << "Die letzte Anweisung in main()." << endl;
   return 0;
}
```

Abbau von Objekten

Objekte, die durch einen Konstruktor ordnungsgemäß „aufgebaut" werden, müssen in geregelter Weise auch wieder abgebaut werden. Zu solchen „Aufräumarbeiten" (engl. *clean up*) kann z.B. das Freigeben von Speicherplatz oder das Schließen von Dateien gehören.

Das Abbauen eines Objekts übernimmt eine bestimmte Methode, der *Destruktor*. Sein Name besteht aus dem Klassennamen mit führendem ~ („Tilde").

Deklaration und Definition

Die Deklaration eines Destruktors erfolgt im `public`-Bereich und hat folgende

Syntax: `~klassenname(void);`

Der Destruktor hat wie ein Konstruktor keinen Return-Typ. Außerdem besitzt er keine Parameter. Eine Überladung von Destruktoren ist deshalb nicht möglich. Jede Klasse hat also nur *einen* Destruktor.

Wenn für eine Klasse kein Destruktor definiert wird, so erzeugt der Compiler die Minimalversion eines Destruktors als `public`-Element, den sog. *Default-Destruktor*.

Die explizite Definition eines Destruktors ist immer dann notwendig, wenn bestimmte Aktionen des Konstruktors wieder rückgängig gemacht werden müssen. Hat der Konstruktor beispielsweise eine Datei geöffnet, so sollte der Destruktor sie wieder schließen. Der Destruktor der Klasse `Konto` hat keine besonderen Aufgaben zu erledigen. Die explizite Definition lautet daher:

```
Konto::~Konto(){} // Destruktor, der nichts tut
```

Die einzelnen Datenelemente eines Objekts werden in umgekehrter Reihenfolge zerstört, wie sie erzeugt wurden: Das zuerst angelegte Datenelement wird also als letztes zerstört. Wenn ein Datenelement selbst ein Objekt einer Klasse ist, wird auch dessen Destruktor aufgerufen.

Aufruf von Destruktoren

Der Aufruf eines Destruktors erfolgt automatisch, wenn die Lebensdauer eines Objekts endet:

- Bei einem lokalen Objekt, das nicht zur Speicherklasse `static` gehört, am Ende des Blocks, in dem es definiert ist.

- Bei einem globalen oder als `static` deklarierten Objekt am Ende des Programms.

Das nebenstehende Beispielprogramm demonstriert die verschiedenen impliziten Konstruktor- und Destruktor-Aufrufe.

Inline-Methoden

Beispielklasse Konto

```cpp
// konto.h
// Neue Definition der Klasse Konto mit inline-Methoden
// -----------------------------------------------------
#ifndef _KONTO_
#define _KONTO_
#include <iostream>
#include <iomanip>
#include <string>
using namespace std;
class Konto
{
   private:              // Geschützte Elemente:
      string name;              // Kontoinhaber
      unsigned long nr;         // Kontonummer
      double stand;             // Kontostand
   public:              // Öffentliche Schnittstelle:
                        // Konstruktoren: implizit inline
      Konto( const string& k_name = "X",
             unsigned long k_nr   = 1111111L,
             double  k_stand      = 0.0)
      {
         name = k_name;  nr = k_nr;  stand = k_stand;
      }
      ~Konto(){ }    // Dummy-Destruktor: implizit inline
      void display();
};

// display() zeigt die Konto-Daten am Bildschirm an.
inline void Konto::display()     // explizit inline
{
   cout << fixed << setprecision(2)
        << "-------------------------------------\n"
        << "Kontoinhaber:  " << name  << '\n'
        << "Kontonummer:   " << nr    << '\n'
        << "Kontostand:    " << stand << '\n'
        << "-------------------------------------\n"
        << endl;
}
#endif   // _KONTO_
```

Typischerweise enthält eine Klasse viele Methoden, die „kleine" Aufgaben erledigen, wie z.B. das Lesen oder Aktualisieren einzelner Datenelemente. Nur so kann die Kapselung der Daten und eine ausreichende Funktionalität der Klasse gewährleistet werden.

Der häufige Aufruf von „kleinen" Methoden beeinträchtigt jedoch die Laufzeit eines Programms: Die Sicherung der Rücksprungadresse und der Hin- und Rücksprung können mehr Zeit benötigen als die Ausführung der eigentlichen Funktion. Um diese Overhead zu vermeiden, können deshalb auch Methoden wie globale Funktionen `inline` definiert werden.

Explizit und implizit inline

Methoden können explizit oder implizit `inline` definiert werden. Im ersten Fall wird die Methode innerhalb der Klasse wie jede andere Methode deklariert. Es genügt, das Schlüsselwort `inline` dem Kopf der Funktion bei ihrer Definition voranzustellen.

Beispiel:
```
inline void Konto::display()
{
     . . .
}
```

Da der Compiler den Anweisungsblock einer `inline`-Funktion kennen muss, sollte die `inline`-Funktion in derselben Header-Datei definiert werden, die auch die Klassendefinition enthält.

„Kleine" Methoden können auch sofort innerhalb der Klasse definiert werden. Solche Methoden sind implizit `inline`, auch wenn das Schlüsselwort `inline` weggelassen wird.

Beispiel:
```
// Innerhalb der Klasse Konto:
bool isPositiv(){ return stand > 0; }
```

Inline definierte Konstruktoren und Destruktoren

Konstruktoren und Destruktoren sind spezielle Methoden einer Klasse. Sie können also auch `inline` definiert werden. Dies zeigt die nebenstehende neue Definition der Klasse Konto. Der Konstruktor ist wie der Destruktor implizit `inline` definiert. Er besitzt für jedes Argument einen Default-Wert, so dass jetzt auch ein Default-Konstruktor vorhanden ist! Ein Objekt kann daher ohne eine Initialisierungsliste definiert werden.

Beispiel: `Konto temp;`

Obwohl hier explizit keine Anfangswerte angegeben werden, ist das Objekt `temp` dennoch durch den selbstdefinierten Default-Konstruktor geeignet initialisiert.

Zugriffsmethoden

Zugriffsmethoden in der Klasse Konto

```cpp
// konto.h
// Die Klasse Konto mit set- und get-Methoden.
// ---------------------------------------------------
#ifndef _KONTO_
#define _KONTO_
#include <iostream>
#include <iomanip>
#include <string>
using namespace std;

class Konto
{
   private:              // Geschützte Elemente:
      string name;               // Kontoinhaber
      unsigned long nr;          // Kontonummer
      double stand;              // Kontostand
   public:               // Öffentliche Schnittstelle:
                         // Konstruktoren, Destruktor:
      Konto( const string& k_name = "X",
             unsigned long k_nr   = 1111111L,
             double  k_stand      = 0.0)
      { name = k_name;  nr = k_nr;  stand = k_stand; }
      ~Konto(){ }
                         // Zugriffsmethoden:
      const string& getName() { return name; }
      bool          setName( const string& s)
      {
        if( s.size() < 1)      // Kein leerer Name
          return false;
        name = s;
        return true;
      }
      unsigned long getNr() { return nr; }
      void          setNr( unsigned long n) { nr = n; }
      double getStand() { return stand; }
      void   setStand(double x) { stand = x; }
      void display();
};
// inline-Definition von display() wie gehabt.
#endif   //  _KONTO_
```

Zugriff auf private Datenelemente

Die Datenelemente eines Objekts gehören normalerweise zum private-Bereich einer Klasse. Um den Zugriff auf die Daten zu ermöglichen, können die Datenelemente natürlich in den public-Bereich der Klasse gestellt werden. Damit würde jedoch die Datenkapselung unterlaufen.

Daher ist es besser, für den Zugriff auf die geschützten Daten so genannte *Zugriffsmethoden* bereitzustellen. Damit können die Daten gelesen und in kontrollierter Weise verändert werden. Sind die Zugriffsmethoden inline definiert, so ist der Zugriff genauso effizient wie der direkte Zugriff auf public-Elemente.

Im nebenstehenden Beispiel ist die Klasse Konto um verschiedene Zugriffsmethoden erweitert worden. Mit den Methoden

```
getName(), getNr(), getStand()
```

können die einzelnen Datenelemente gelesen werden. Wie bei getName() sollten Referenzen als Return-Wert stets Read-only sein. Andernfalls ist auch der direkte Schreibzugriff möglich. Zum Ändern der Daten gibt es die Methoden:

```
setName(), setNr(), setStand().
```

So kann etwa ein neuer Kontostand festgelegt werden:

Beispiel: spar.setStand(2199.0);

Vorteile von Zugriffsmethoden

Das Bereitstellen von Zugriffsmethoden zum Lesen und zum Schreiben für jedes Datenelement ist zunächst mit einigem Aufwand verbunden: Viel Tipparbeit, Aufblähen des Quellcodes, und der Programmierer muss sich die Namen und Aufgaben zahlreicher Methoden merken.

Deshalb stellt sich die Frage, welche Vorteile die Verwendung von Zugriffsmethoden hat. Hier sind zwei Aspekte wesentlich:

- Zugriffsmethoden können fehlerhafte Zugriffe von vornherein abwehren, indem sie z.B. Bereichsüberprüfungen vornehmen. Enthält eine Klasse etwa ein Datenelement, das nur positive Zahlen darstellen soll, so kann eine Schreibmethode verhindern, dass eine negative Zahl übernommen wird.

- Zugriffsmethoden verstecken die konkrete Implementierung einer Klasse. So ist es z.B. möglich, die interne Darstellung von Daten nachträglich zu ändern. Stellt sich etwa heraus, dass Daten in anderer Form effizienter bearbeitet werden können, so kann diese Änderung in einer neuen „Version" der Klasse berücksichtigt werden. Solange die öffentliche Schnittstelle der Klasse gleich bleibt, profitiert ein Anwendungsprogramm von der Verbesserung, ohne dass es selbst geändert werden muss. Allerdings muss es neu übersetzt werden.

const-Objekte und -Methoden

Read-only-Methoden in der Klasse Konto

```
// konto.h : Die Klasse Konto mit Read-only-Methoden.
// --------------------------------------------------
#ifndef _KONTO_
#define _KONTO_
#include <iostream>
#include <iomanip>
#include <string>
using namespace std;
class Konto
{
   private:      // Geschützte Elemente: wie gehabt.
   public:             // Öffentliche Schnittstelle
      // Konstruktoren, Destruktor und set-Methoden:
      // wie gehabt.
      // Read-only-Methoden:
      const string& getName()  const { return name; }
      unsigned long getNr()    const { return nr; }
      double        getStand() const { return stand; }
      void display() const;
};
// display() zeigt die Konto-Daten am Bildschirm an.
inline void Konto::display() const
{
   cout << fixed << setprecision(2)
        << "----------------------------------------\n"
        << "Kontoinhaber:  " << name  << '\n'
        << "Kontonummer:   " << nr    << '\n'
        << "Kontostand:    " << stand << '\n'
        << "----------------------------------------\n\n";
}
#endif   // _KONTO_
```

const- und Nicht-const-Versionen einer Methode

Das Schlüsselwort const gehört zur Signatur einer Methode. Daher können für jede Elementfunktion zwei Versionen geschrieben werden: Eine Read-only-Version, die automatisch für ein konstantes Objekt aufgerufen wird, und eine „normale" Version, die für nicht konstante Objekte aufgerufen wird.

Zugriff auf const-Objekte

Wird ein Objekt als const deklariert, kann das Programm nur lesend auf das Objekt zugreifen. Das Objekt muss deshalb in der Definition initialisiert werden.

Beispiel: `const Konto anlage("TSV Mü", 5555, 50000.0);`

Das Objekt anlage kann anschließend nicht mehr verändert werden. Das heißt, Methoden wie setName() sind für dieses Objekt nicht aufrufbar. Aber auch Methoden wie getName oder display() können zunächst nicht aufgerufen werden, obwohl sie nur lesend auf Datenelemente zugreifen! Denn ohne zusätzliche Informationen kann der Compiler nicht entscheiden, ob eine Methode nur lesend oder auch schreibend auf Datenelemente zugreift.

Read-only-Methoden

Methoden, die nur lesend auf Daten zugreifen und für konstante Objekte aufrufbar sein sollen, müssen als solche gekennzeichnet werden. Dies geschieht bei der Deklaration und in der Definition der Methode durch Anhängen des Schlüsselwortes const an den Funktionskopf.

Beispiel: `unsigned long getNr() const;`

Hier wird die Methode getNr() als *Read-only-Methode* deklariert und ist damit auch für konstante Objekte aufrufbar.

Beispiel: `cout << "Kontonummer: " << anlage.getNr();`

Natürlich kann eine Read-only-Methode immer noch für nicht konstante Objekte aufgerufen werden.

Der Compiler erzeugt eine Fehlermeldung, wenn eine Read-only-Methode doch versucht, ein Datenelement zu verändern. Dies gilt auch, wenn sie eine andere Methode aufruft, die nicht als const deklariert ist.

Der Speicherklassen-Spezifizierer mutable

Wird einem nicht-statischen und nicht-konstanten Datenelement einer Klasse der Speicherklassen-Spezifizierer mutable vorangestellt, so kann eine Read-only-Methode das Datenelement ändern.

Beispiel: `// In einer Klasse:`
```
private: bool flag; mutable int access_count;
public: bool getFlag() const {access_count++; return flag;}
```

Mit jedem Aufruf von getFlag() wird das Datenelement access_count inkrementiert. Dies ist auch der Fall, wenn getFlag() für ein konstantes Objekt vom Typ der Klasse aufgerufen wird.

Üblicherweise werden Datenelemente einer Klasse als mutable deklariert, um interne Verwaltungsinformationen zu handhaben, ohne den nach außen hin sichtbaren Status der Objekte zu verändern.

Standardmethoden

Beispielprogramm

```
// stdMeth.cpp
// Zeigt die Verwendung der Standardmethoden.
// -------------------------------------------------
#include <iostream>
#include <iomanip>
#include <string>
using namespace std;

class CD
{ private:
     string interpret, title;
     long    seconds;                // Spieldauer
   public:
     CD( const string& i="", const string& t="", long s = 0L)
     {
        interpret = i;    title = t;    seconds = s;
     }
     const string& getInterpret() const{ return interpret; }
     const string& getTitle() const    { return title; }
     long getSeconds() const           { return seconds; }
};
// Objekte der Klasse CD erzeugen und tabellarisch anzeigen.
void printLine( CD cd) ;         // Eine Zeile der Tabelle
int main()
{
   CD cd1( "Mister X", "Let's dance", 30*60 + 41),
      cd2( "New Gittars", "Flamenco Collection", 2772 ),
      cd3 = cd1,                     // Kopier-Konstruktor!
      cd4;                           // Default-Konstruktor.
   cd4 = cd2;                        // Zuweisung!
   string line( 70,'-');    line += '\n';
   cout << line << left
        << setw(20) << "Interpret" << setw(30) << "Title"
        << "Spieldauer (Min:Sec)\n" << line << endl;
   printLine(cd3);                   // Call by value ==>
   printLine(cd4);                   // Kopier-Konstruktor!
   return 0;
}
void printLine( CD cd)
{
   cout << left  << setw(20) << cd.getInterpret()
                 << setw(30) << cd.getTitle()
        << right << setw(5)  << cd.getSeconds() / 60
        << ':'   << setw(2)  << cd.getSeconds() % 60 << endl;
}
```

In jeder Klasse sind vier Standardmethoden *automatisch* vorhanden:

- der Default-Konstruktor,
- der Destruktor,
- der Kopier-Konstruktor und
- die Zuweisung.

Diese Standardmethoden können durch eine eigene Definition ersetzt werden. Wie die Beispielklasse Konto zeigt, benutzt der Compiler nur dann den standardmäßig definierten Default-Konstruktor, wenn überhaupt kein eigener Konstruktor definiert ist.

Den Default-Konstruktor und die implizit definierte Minimalversion eines Destruktors haben Sie bereits kennengelernt.

Der Kopier-Konstruktor

Der Kopier-Konstruktor initialisiert ein Objekt mit einem anderen Objekt desselben Typs. Er wird automatisch aufgerufen, wenn zur Initialisierung ein zweites, bereits existierendes Objekt angegeben wird.

Beispiel:
```
Konto meinKonto("Lang, Ida", 2345, 1024.80);
Konto deinKonto(meinKonto);
```

Hier wird das Objekt deinKonto durch einen Aufruf des Kopier-Konstruktors mit dem Objekt meinKonto initialisiert. Dabei wird elementweise kopiert, das heißt, es finden folgende Initialisierungen statt:

```
deinKonto.name  = meinKonto.name;
deinKonto.nr    = meinKonto.nr;
deinKonto.stand = meinkonto.stand;
```

Der Kopier-Konstruktor wird auch aufgerufen, wenn ein Objekt an eine Funktion per „Call by Value" übergeben wird: Beim Aufruf der Funktion wird der Parameter neu erzeugt und mit dem Argument-Objekt initialisiert.

Die Zuweisung

In einigen Beispielen wurde die Zuweisung bereits eingesetzt: Ein Objekt kann einem anderen Objekt desselben Typs zugewiesen werden.

Beispiel: seinKonto = yourKonto;

Auch hier werden die Datenelemente des Objekts yourKonto in die entsprechenden Datenelemente von seinKonto kopiert. Im Gegensatz zur Initialisierung mit dem Kopier-Konstruktor erfolgt eine Zuweisung jedoch stets an ein *bereits existierendes* Objekt.

Sie werden später lernen, wann es notwendig ist, den Kopier-Konstruktor und die Zuweisung selbst zu definieren, und wie dies geschieht.

Standardmethoden kontrollieren

Beispielprogramm

```cpp
// defaultDelete.cpp
// Methoden aktivieren oder deaktivieren.
// -------------------------------------------------
#include <iostream>
using namespace std;

class DefaultDeleteDemo
{
    double val;
  public:
                        // Default-Konstruktor aktivieren:
    DefaultDeleteDemo() = default;

                        // double-Konstruktor:
    DefaultDeleteDemo( double x) { val = x; }
                        // Kein ganzzahliges Argument zulassen:
    DefaultDeleteDemo( int x) = delete;

    // Kopierkonstruktor und Zuweisung nicht zulassen:
    DefaultDeleteDemo( const DefaultDeleteDemo& n) = delete;
    DefaultDeleteDemo& operator=
                    ( const DefaultDeleteDemo& n) = delete;

                        // Zugriffsmethoden:
    double getVal() const { return val; }
    void setVal( double x) { val = x; }
                        // Kein ganzzahliges Argument zulassen:
    void setVal( int x) = delete;
};

int main()
{
    DefaultDeleteDemo ddObj1,         // Default-Konstruktor.
                      ddObj2(2.2);    // double-Konstruktor.
    ddObj1.setVal(1.1);

    cout << "Werte:  \n"
         << ddObj1.getVal() << "   " << ddObj2.getVal() << endl
    ;

    // Folgende Anweisungen erzeugen Fehlermeldungen des
    // Compilers:
    ddObj1 = ddObj2;                  // Keine Zuweisung.

    DefaultDeleteDemo ddObj3(ddObj2), // Kein Kopierkonstruktor.
                      ddObj4(100);    // Kein int-Konstruktor.

    ddObj1.setVal(200);               // Keine int-Version.
    return 0;
}
```

Der C++-Standard ermöglicht einerseits die explizite Aktivierung von Standard-methoden, andererseits auch die explizite Deaktivierung von Methoden. Dazu wird in der Deklaration einer Methode das Schlüsselwort `default` bzw. das Schlüsselwort `delete` verwendet.

Standardmethoden aktivieren

Wenn eine Klasse einen Konstruktor mit Parametern definiert, erzeugt der Compiler nicht mehr automatisch einen Default-Konstruktor. Der Entwickler muss dann einen Default-Konstruktor selber definieren, wenn er zur Verfügung stehen soll. Es ist auch möglich, den Compiler zu veranlassen, die Standardversion einer Methode zu erzeugen. Dazu genügt es, in der Deklaration der Standard-methode am Ende die Auszeichnung `=default` einzufügen.

Beispiel: `MyClass() = default;`

Steht diese Zeile in der Definition der Klasse `MyClass`, wird der Default-Konstruktor auch dann erzeugt, wenn die Klasse andere Konstruktoren definiert.

Methoden deaktivieren

Der Compiler deaktiviert eine Methode, wenn sie mit der Auszeichnung `=delete` deklariert wird. Beispielsweise ist es nicht immer sinnvoll, dass die Objekte einer Klasse kopierbar sind. Um das Kopieren von Objekten zu „verbieten", genügt es, den Kopierkonstruktor der Klasse zu deaktivieren. Dazu muss man die Signatur kennen: Der Kopierkonstruktor besitzt als Parameter eine konstante Referenz auf das Objekt, das kopiert werden soll.

Die Deklaration zur Deaktivierung des Kopierkonstruktors einer Klasse `MyClass` lautet daher:

Beispiel: `MyClass( const MyClass& src) = delete;`

Auch in der nebenstehenden Klasse `DefaultDeleteDemo` wurde auf diese Weise der Kopierkonstruktor gelöscht. In der Regel ist es dann auch sinnvoll, Zuweisungen zu verbieten. Die Zuweisung ist eine Methode mit dem Namen `operator=`. Die entsprechende Deklaration in der Klasse `DefaultDeleteDemo` ist nebenstehend angegeben.

Alternativ können der Kopierkonstruktor und die Zuweisung auch als `private` deklariert werden. Dann stehen sie öffentlich nicht zur Verfügung.

Methoden, die keine Standardmethoden sind, können ebenfalls deaktiviert werden. Beispielsweise enthält die Klasse `DefaultDeleteDemo` die Methode `setVal(double);`. Diese Methode ist natürlich auch mit einem `int`-Wert aufrufbar, wobei der `int`-Wert in `double` konvertiert wird. Soll das aber nicht möglich sein, wird die Methode `setVal(int)` wie im Beispiel deaktiviert.

Der this-Zeiger

Die Beispielklasse DayTime

```cpp
// DayTime.h
// Die Klasse DayTime stellt die Uhrzeit mit Stunden,
// Minuten und Sekunden dar.
// -------------------------------------------------
#ifndef _DAYTIME_
#define _DAYTIME_
class DayTime
{
  private:
      short hour, minute, second;
      bool overflow;
  public:
   DayTime( int h = 0, int m = 0, int s = 0)
   {
      overflow = false;
      if( !setTime( h, m, s))          // this->setTime(...)
         hour = minute = second = 0;   // hour ist
   }                                   // this->hour etc.
   bool setTime(int hour, int minute, int second = 0)
   {
      if(     hour   >= 0  &&  hour < 24
          && minute >= 0  &&   minute < 60
          && second >= 0  &&   second < 60 )
      {
         this->hour   = (short)hour;
         this->minute = (short)minute;
         this->second = (short)second;
         return true;
      }
      else
         return false;
   }
   int getHour()   const { return hour;   }
   int getMinute() const { return minute; }
   int getSecond() const { return second; }
   int asSeconds() const    // Tageszeit als Sekunden
   {
      return (60*60*hour + 60*minute + second);
   }
   bool isLess( DayTime t) const  // *this mit t vergl.
   {
      return  asSeconds() < t.asSeconds();
   }        // this->asSeconds() < t.asSeconds();
};
#endif   // _DAYTIME_
```

Zugriff auf das aktuelle Objekt

Eine Elementfunktion kann auf jedes Element eines Objekts zugreifen, ohne dass dabei konkret ein Objekt anzugeben ist. Sie arbeitet stets mit dem Objekt, für das sie aufgerufen wurde.

Woher weiß aber eine Elementfunktion, mit welchem Objekt sie momentan arbeitet? Die Antwort lautet: Beim Aufruf einer Elementfunktion erhält diese als „verstecktes" Argument die Adresse des aktuellen Objekts.

Die Adresse des aktuellen Objekts steht in der Elementfunktion mit dem konstanten Zeiger this zur Verfügung. Ist aktObj das aktuelle Objekt vom Typ Klasse, für das die Elementfunktion aufgerufen wurde, so besitzt der Zeiger this die Deklaration:

```
Klasse* const this = &aktObj;
```

Der Name this ist ein Schlüsselwort. Da this ein konstanter Zeiger ist, kann er selbst nicht versetzt werden. Der Zeiger this ermöglicht also immer nur den Zugriff auf das aktuelle Objekt.

Verwendung von this

Innerhalb einer Elementfunktion kann mit Hilfe des this-Zeigers ein Element des Objekts wie folgt angesprochen werden:

Beispiel:
```
this->data      // Datenelement data
this->func()    // Elementfunktion aufrufen
```

Implizit erzeugt der Compiler stets einen solchen Ausdruck, wenn nur ein Element des aktuellen Objekts angegeben ist.

Beispiel:
```
data = 12;  // entspricht  this->data = 12;
```

Dieser schreibende Zugriff ist möglich, da zwar der Zeiger this konstant ist, nicht aber das adressierte Objekt. In einer Read-only-Methode ist die Anweisung natürlich unzulässig.

Die explizite Angabe des this-Zeigers kann z.B. eingesetzt werden, um lokale Variablen einer Methode von Klassenelementen zu unterscheiden, die den gleichen Namen haben. Dies zeigt das nebenstehende Beispiel mit der Methode setTime().

Die Verwendung des this-Zeigers ist dann notwendig, wenn das aktuelle Objekt, nämlich *this, als Ganzes angesprochen werden muss. Am häufigsten geschieht dies, um das aktuelle Objekt als Kopie oder per Referenz zurückzugeben. Die Return-Anweisung lautet dann:

```
return  *this;
```

Übergabe von Objekten

Beispielaufrufe der Methoden setTime() und isLess()

```
#include "DayTime.h"
 . . .
  DayTime abflug1( 11, 11, 11), abflug2;
  . . .
  abflug2.setTime(12, 0, 0);
  if( abflug1.isLess( abflug2) )
    cout << "\nDer 1. Flieger hebt früher ab" << endl;
  . . .
```

Die globale Funktion swap()

```
#include "DayTime.h"
// Definition der globalen Funktion swap():
void swap( DayTime& t1, DayTime& t2)       // zwei
{                                          // Parameter!
  DayTime temp(t1);  t1 = t2;  t2 = temp; // t1 und t2
}                                          // tauschen.
// Ein Aufruf (z.B. in der Funktion main()):
  DayTime ankunft1( 14, 10), ankunft2( 15, 20);
  . . .
  swap( ankunft1, ankunft2);                // tauschen
  . . .
```

Implementierung von swap() als Methode

```
// Definition der Methode swap():
class DayTime           // Mit neuer Methode swap()
{  . . .
  public:
  void swap( DayTime& t)        // ein Parameter!
  {                             // *this und t tauschen:
    DayTime temp(t);  t = *this;  *this = temp;
  }
};
// Ein Aufruf (z.B. in der Funktion main()):
#include "DayTime.h"
  DayTime ankunft1( 10, 10), ankunft2( 9, 50);
  . . .
  ankunft1.swap(ankunft2);
  . . .
```

Call by Value

Wie bereits bekannt, wird bei einem „Call by Value" das als Argument übergebene Objekt in den entsprechenden Parameter kopiert. Dieser ist als Objekt der Klasse deklariert.

Beispiel: `bool isLess( DayTime t) const;`

Bei einem Aufruf der Methode `isLess()` wird der Kopier-Konstruktor ausgeführt, um das neue Objekt `t` mit dem Argument zu initialisieren.

```
abflug1.isLess( abflug2) // Kopier-Konstruktor
```

Die Funktion arbeitet mit einer Kopie des Objekts `abflug2`. Beim Verlassen der Funktion wird die Kopie wieder zerstört, also der Destruktor aufgerufen.

Call by Reference

Der Overhead, der durch das Erzeugen und Zerstören von Objekten entsteht, kann durch einen „Call by Reference" vermieden werden. Dabei wird ein Parameter als Referenz oder Zeiger deklariert.

Beispiel: `bool isLess( const DayTime& t) const;`

Diese neue Deklaration der Methode `isLess()` ist der obigen vorzuziehen: Der formale Aufruf der Methode bleibt unverändert. Aber jetzt wird intern keine Kopie erzeugt, sondern `isLess()` arbeitet mit dem Objekt des Aufrufers. Dieses bleibt unverändert, da der Parameter als „Read-only" deklariert ist.

Methoden versus globale Funktionen

Es ist natürlich möglich, eine globale Funktion zu schreiben, die *ein* Objekt als Argument erwartet. Das ist allerdings selten sinnvoll, da die Klasse die Funktionalität der Objekte selbst festlegen sollte. Statt dessen wird man innerhalb der Klasse eine Methode definieren, die die zu lösende Aufgabe erledigt. Dabei wird das Objekt nicht als Argument übergeben, da eine Methode stets mit den Elementen des aktuellen Objekts arbeitet.

Eine andere Situation ergibt sich, wenn Operationen mit mindestens *zwei* Objekten durchgeführt werden sollen, wie etwa das Vergleichen oder Vertauschen zweier Objekte. Beispielsweise könnte die Methode `isLess()` auch als globale Funktion mit zwei Parametern definiert werden. Ihr steht dann allerdings nur die öffentliche Schnittstelle der Objekte zur Verfügung. Mit der nebenstehenden Funktion `swap()` ist ein weiteres Beispiel angegeben.

Der Vorteil der global definierten Funktionen liegt in der Symmetrie: Die Objekte sind „gleichberechtigt", da sie beide als Argument übergeben werden. So werden beim Aufruf die üblichen Regeln für die Konvertierung auf beide Argumente angewendet.

Objekte als Return-Wert

Die globale Funktion currentTime()

```cpp
#include "DayTime.h"
#include <ctime>     // Standardfkt. time(), localtime()
using namespace std;

const DayTime& currentTime()       // Die aktuelle Zeit
{                                  // zurückgeben.
  static DayTime curTime;
  time_t sec;  time(&sec);  // Aktuelle Zeit holen.
                            // Damit Struktur vom Typ tm
  struct tm *zeit = localtime(&sec);  // initialisieren.

  curTime.setTime( zeit->tm_hour, zeit->tm_min,
                   zeit->tm_sec );
  return curTime;
}
```

Beispielprogramm

```cpp
// DayTim_t.cpp
// Test der Klasse DayTime und der Fkt. currentTime()
// --------------------------------------------------
#include "DayTime.h"          // Definition der Klasse
#include <iostream>
using namespace std;

const DayTime& currentTime();     // Die aktuelle Zeit

int main()
{
  DayTime kino( 20,30);

  cout << "\nLos geht's mit dem Film um ";
  kino.print();

  DayTime jetzt(currentTime());  // Kopierkonstruktor
  cout << "\nJetzt ist es ";
  jetzt.print();
  cout << "\nDas Kino hat ";
  if( kino.isLess( jetzt) )
     cout << "schon angefangen!\n" << endl;
  else
     cout << "noch nicht angefangen!\n" << endl;

  return 0;
}
```

Eine Funktion hat folgende Möglichkeiten, ein Objekt als Return-Wert zu liefern: Sie kann entweder eine Kopie des Objekts, eine Referenz auf das Objekt oder einen Zeiger auf das Objekt zurückgeben.

Rückgabe einer Kopie

Die Rückgabe eines Objekts in Form einer Kopie ist aufwendig und daher nur für „kleine" Objekte sinnvoll.

Beispiel:
```
DayTime startMeeting()
{
    DayTime start;
    . . .        // Alle haben um 14:30 Zeit:
    start.setTime( 14, 30);
    return( start);
}
```

Beim Verlassen der Funktion wird das lokale Objekt `start` wieder zerstört. Deshalb legt der Compiler eine temporäre Kopie des lokalen Objekts an, das der aufrufenden Funktion zur Verfügung steht.

Rückgabe einer Referenz

Effizienter ist es natürlich, wenn der Return-Wert eine Referenz auf das Objekt ist. Zu beachten ist hierbei:

● Die Lebensdauer eines Objekts, auf das eine Referenz zurückgegeben wird, darf nicht lokal sein.

Andernfalls wird das Objekt beim Verlassen der Funktion zerstört, so dass die zurückgegebene Referenz ungültig ist. Wird das Objekt innerhalb der Funktion definiert, so ist es als `static` zu deklarieren.

Die nebenstehende globale Funktion `currentTime()` macht von dieser Möglichkeit Gebrauch. Sie liefert eine Referenz auf die aktuelle Uhrzeit, die bei jedem Aufruf vom System neu geholt wird. Das anschließende Beispielprogramm initialisiert das neue Objekt `jetzt` mit der aktuellen Zeit und gibt diese aus. Für die Ausgabe wurde die Klasse noch um die Methode `print()` erweitert.

Zeiger als Return-Wert

Statt einer Referenz kann eine Funktion auch einen Zeiger auf ein Objekt zurückgeben. Auch in diesem Fall muss natürlich garantiert sein, dass das Objekt nach Verlassen der Funktion noch existiert.

Beispiel:
```
const DayTime* currentTime() // Read-only-Zeiger
{                            // auf die aktuelle Zeit
    . . . // unverändert
    return &curTime;
}
```

Übungen

Die Klasse Artikel

Private Elemente:

	Typ
Artikelnummer:	long
Artikelbezeichnung:	string
Verkaufspreis:	double

Öffentliche Elemente:

```
Artikel(long, const string&, double);

~Artikel();

void print();      // Formatierte Ausgabe

set- und get- Methoden für jedes Datenelement
```

Ausgaben des Konstruktors der Klasse Artikel

```
Es wird ein Objekt für den Artikel . . . angelegt.
Dies ist der . . .-te Artikel.
```

Ausgaben des Destruktors der Klasse Artikel

```
Das Objekt für den Artikel  . . . wird zerstört.
Es gibt noch . . . Artikel.
```

1. Aufgabe

Ein Programm zur Lagerverwaltung benötigt eine Klasse zur Darstellung von Artikeln.

- Definieren Sie zu dem Zweck eine Klasse `Artikel` mit den nebenstehenden Datenelementen und Methoden. Stellen Sie die Definition der Klasse `Artikel` in eine eigene Header-Datei.

  Der Konstruktor wird mit Default-Argumenten für jeden Parameter deklariert. Damit ist auch ein Default-Konstruktor für die Klasse vorhanden.

  Nur die Zugriffsmethoden für die einzelnen Datenelemente sollen `inline` definiert werden. Ein negativer Preis darf nicht vorkommen. Wird ein negativer Preis übergeben, soll als Preis `0.0` gespeichert werden.

- Implementieren Sie dann in einer eigenen Quelldatei den Konstruktor, den Destruktor und die Methode `print()`. Definieren Sie außerdem eine globale Variable für die Anzahl der `Artikel`-Objekte.

  - Der Konstruktor initialisiert die Datenelemente mit den übergebenen Argumenten. Zusätzlich inkrementiert er den globalen Zähler und gibt die nebenstehende Meldung aus.

  - Der Destruktor gibt ebenfalls eine Meldung aus und dekrementiert den globalen Zähler.

  - Die Methode `print()` zeigt ein Objekt formatiert am Bildschirm an. Nach der Ausgabe eines Artikels wird die Programmausführung angehalten, bis die Return-Taste gedrückt wird.

- Mit dem „Anwendungsprogramm", das wieder in einer eigenen Quelldatei steht, soll die Klasse `Artikel` getestet werden. Definieren Sie vier Objekte der Klasse `Artikel`:

  - Ein globales Objekt und ein lokales Objekt in der `main`-Funktion.

  - Zwei lokale Objekte in einer Funktion `test()`, die von `main()` zweimal aufgerufen wird. Dabei soll ein Objekt statisch definiert werden. Die Funktion `test()` zeigt ihre Objekte an und gibt eine Meldung aus, wenn sie beendet wird.

  Initialisieren Sie die Objekte mit Artikeln Ihrer Wahl. Rufen Sie auch die Zugriffsmethoden auf, um einzelne Datenelemente zu ändern, und lassen Sie sich die Objekte anzeigen.

- Testen Sie das Programm. Verfolgen Sie, in welcher Reihenfolge Konstruktoren und Destruktoren aufgerufen werden.

Zusatzfrage: Sie erweitern das Programm, indem Sie die Funktion `test()` mit einem Parameter vom Typ `Artikel` deklarieren und die Funktion mit einem Artikel-Objekt aufrufen. Am Ende des Programms ist der Zähler für die Objekte negativ. Warum?

Übungen (Fortsetzung)

Die Methoden der Klasse Datum

```
Öffentliche Methoden:

  Datum();
  Datum( int tag, int monat, int jahr);

  void setDatum();
  bool setDatum( int tg, int mn, int jr);

  int getTag() const;
  int getMonat() const;
  int getJahr() const;

  bool isEqual( const Datum&) const;
  bool isLess( const Datum&) const;

  const string& asString() const;
  void print() const;
```

Konvertierung einer Zahl in einen String

Die Klasse `stringstream` stellt zum Lesen und Schreiben in einem Zeichen-puffer die gleichen Möglichkeiten zur Verfügung, wie die Klassen `istream` und `ostream`. Damit stehen insbesondere die Operatoren `>>` und `<<` sowie alle Manipulatoren zur Verfügung.

```
// Beispiel: Konvertierung einer Zahl in einen String.

#include <sstream>            // Klasse stringstream
#include <iomanip>            // Manipulatoren

  double x = 12.3;           // Zahl
  string str;                // Zielstring
  stringstream iostream;     // Zur Konvertierung
                             // Zahl -> String.
  iostream << setw(10) << x; // In den Stream schreiben.
  iostream >> str;           // Aus dem Stream lesen.
```

Hinweise zur 3. Aufgabe

- Ein Jahr ist ein Schaltjahr, wenn es durch 4, aber nicht durch 100 teilbar ist. Zusätzlich sind alle Vielfachen von 400 Schaltjahre. In einem Schaltjahr hat der Februar 29 Tage.

- Verwenden Sie einen `switch`, um die Tage für die Monate mit weniger als 31 Tagen zu überprüfen.

2. Aufgabe

In den Übungen zum letzten Kapitel wurde eine erste Klasse `Datum` mit drei Datenelementen für Tag, Monat und Jahr definiert. Erweitern Sie diese Klasse um weitere Funktionalitäten. Die Methoden sind nebenstehend angegeben.

- Die Konstruktoren und die Methoden `setDatum()` ersetzen die `init`-Methoden der ersten Version. Der Default-Konstruktor initialisiert das neue Objekt mit einem Standardwert, z.B. `1.1.1`. Die Methode `setDatum()` ohne Parameter schreibt das aktuelle Datum in das Objekt.

- Der Konstruktor und die Methode `setDatum()` mit drei Parametern brauchen noch keine Bereichsprüfung durchführen. Diese wird in der nächsten Aufgabe hinzugefügt.

- Die Methoden `isEqual()` und `isLess()` ermöglichen den Vergleich mit dem übergebenen Datum.

- Die Methode `asString()` liefert eine Referenz auf einen String, der das Datum im Format `tt.mm.jjjj` enthält, z.B. `19.03.1996`.

  Zu diesem Zweck müssen die numerisch vorliegenden Werte in entsprechende dezimale Ziffernfolgen umgewandelt werden. Dies geschieht z.B. automatisch, wenn eine Zahl mit dem Operator `<<` an die Standardausgabe `cout` ausgegeben wird. Analog zu den bekannten Streams `cin` und `cout` gibt es so genannte *String-Streams* mit der gleichen Funktionalität. Ein String-Stream liest jedoch nicht von der Tastatur oder gibt etwas auf den Bildschirm aus, sondern das Ziel bzw. die Quelle ist ein Puffer im Hauptspeicher. Damit können sämtliche Formatierungen und Konvertierungen auch im Hauptspeicher vorgenommen werden.

- Testen Sie die Klasse `Datum` mit einem „Anwenderprogramm", in dem alle Methoden der Klasse aufgerufen werden.

3. Aufgabe

Die Klasse `Datum` stellt noch nicht sicher, dass ein Objekt ein gültiges Datum repräsentiert. Ergänzen Sie deshalb die Klasse um eine Bereichsprüfung, die im Konstruktor und in der Methode `setDatum()` mit drei Parametern vorgenommen wird.

- Schreiben Sie zunächst eine Funktion `isLeapYear()` vom Typ `bool`, die überprüft, ob eine übergebene Jahreszahl ein Schaltjahr ist. Die Funktion soll als globale `inline`-Funktion in der Header-Datei `Datum.h` definiert werden.

- Ergänzen Sie die Methode `setDatum()` um eine Bereichsprüfung für das übergebene Datum. Der Konstruktor kann `setDatum()` aufrufen.

- Testen Sie die neue Version der Klasse `Datum`. Lesen Sie zum Testen von `setDatum(...)` ein Datum von der Tastatur ein.

Lösungen

Zur 1. Aufgabe:

```cpp
// ------------------------------------------------------
// artikel.h
// Definition einer einfachen Klasse Artikel.
// ------------------------------------------------------
#ifndef _ARTIKEL_
#define _ARTIKEL_

#include <string>
using namespace std;

class Artikel
{
  private:
    long nr;                // Artikelnummer
    string name;            // Artikelname
    double vk;              // Verkaufspreis

  public:
    Artikel( long nr=0, const string& name="noname",
             double vk=0.0);
    ~Artikel();
    void print();

    const string& getName() const { return name; }
    long          getNr()   const { return nr; }
    double        getVK()   const { return vk; }

    bool setName( const string& s)
    {
       if( s.size() < 1)       // Kein leerer Name
         return false;
       name = s;
       return true;
    }
    void setNr( long n) { nr = n; }
    void setVK(double v)
    {                              // Kein negativer Preis
       vk = v > 0.0 ? v : 0.0;
    }
};
#endif   // _ARTIKEL_
```

```cpp
// -------------------------------------------------------
// artikel.cpp
// Definition der Artikel-Methoden, die nicht
// inline definiert sind.
// Konstruktor und Destruktor zeigen ihre Aufrufe an.
// -------------------------------------------------------
#include "artikel.h"          // Definition der Klasse
#include <iostream>
#include <iomanip>
using namespace std;

// Globaler Zähler für die Objekte:
int anzahl = 0;

// -------------------------------------------------------
// Definition des Konstruktors und Destruktors:
Artikel::Artikel( long nr, const string& name, double vk)
{
    setNr(nr);    setName(name);    setVK(vk);
    ++anzahl;
    cout << "Es wird ein Objekt für den Artikel " << name
         << " angelegt.\n"
         << "Das ist der " << anzahl << "-te Artikel!"
         << endl;
}
Artikel::~Artikel()
{
    cout << "Das Objekt für den Artikel " << name
         << " wird zerstört.\n"
         << "Es gibt noch " << --anzahl << " Artikel!"
         << endl;
}
// -------------------------------------------------------
// Die Methode print() zeigt einen Artikel an.
void Artikel::print()
{                                  // Flags von cout merken:
    ios::fmtflags savedFlags = cout.flags();
    cout << fixed << setprecision(2)
         << "---------------------------------------\n"
         << "Artikel-Daten:\n"
         << " Nummer ......: " << nr    << '\n'
         << " Name   ......: " << name  << '\n'
         << " Verkaufspreis: " << vk    << '\n'
         << "---------------------------------------"
         << endl;
    cout.flags(savedFlags);             // Alte Flags wieder
                                        // herstellen.
    cout << " --- Weiter mit der Return-Taste --- ";
    cin.get();
}
```

Lösungen (Fortsetzung)

```cpp
// -------------------------------------------------------
// artikel_t.cpp
// Die Klasse Artikel testen.
// -------------------------------------------------------
#include "artikel.h"        // Definition der Klasse
#include <iostream>
#include <string>
using namespace std;

void test();

// -- Objekte der Klasse Artikel erzeugen und zerstören --
Artikel artikel1( 1111,"Volleyball", 59.9);
int main()
{
   cout << "\nDie erste Anweisung in main().\n" << endl;
   Artikel artikel2( 2222,"Turnschuhe", 199.99);
   artikel1.print();
   artikel2.print();

   Artikel& schuhe = artikel2;          // Anderer Name
   schuhe.setNr( 2233);
   schuhe.setName("Jogging-Schuhe");
   schuhe.setVK( schuhe.getVK() - 50.0);

   cout << "\nDie neuen Werte des Schuh-Objekts:\n";
   schuhe.print();

   cout << "\nDer erste Aufruf von test()." << endl;
   test();

   cout << "\nDer zweite Aufruf von test()." << endl;
   test();

   cout << "\nDie letzte Anweisung in main().\n" << endl;
   return 0;
}

void test()
{
   Artikel hemd( 3333, "T-Shirt", 29.9);
   hemd.print();
   static Artikel netz( 4444, "Volleyball-Netz", 99.0);
   netz.print();
   cout << "\nDie letzte Anweisung in der Funktion test()"
        << endl;
}
```

Antwort auf die Zusatzfrage:

Beim „Call by Value" wird der Kopier-Konstruktor verwendet. Dieser Konstruktor wurde aber nicht selbst definiert, das heißt, es wird der standardmäßig definierte Kopier-Konstruktor verwendet, der natürlich nicht den Zähler für die Objekte inkrementiert. Der eigene Destruktor, der den Zähler dekrementiert, wird aber für jedes Objekt aufgerufen!

Zur 2. und 3. Aufgabe:

```cpp
// -------------------------------------------------------
// datum.h
// Definition der Klasse Datum mit verbesserter
// Funktionalität, z.B. Bereichsprüfung.
// -------------------------------------------------------
#ifndef _DATUM_     // Mehrfaches Inkludieren verhindern.
#define _DATUM_
#include <string>
using namespace std;

class Datum
{
  private:
    short tag, monat, jahr;
  public:
    Datum()                         // Default-Konstruktor
    {
        tag = monat = jahr = 1;
    }
    Datum( int tag, int monat, int jahr)
    {
        if( !setDatum( tag, monat, jahr) )
          tag = monat = jahr = 1;  // Falls Datum ungültig.
    }
    void setDatum();                // Setzt das aktuelle Datum.
    bool setDatum( int tag, int monat, int jahr);

    int getTag()   const { return tag;   }
    int getMonat() const { return monat; }
    int getJahr()  const { return jahr;  }

    bool isEqual( const Datum& d) const
    {
        return  tag == d.tag && monat == d.monat
                            && jahr == d.jahr ;
    }
    bool isLess( const Datum& d) const;
    const string& asString() const;
```

Lösungen (Fortsetzung)

```cpp
    void print(void) const;
};

inline bool Datum::isLess( const Datum& d) const
{
    if( jahr != d.jahr)            return jahr < d.jahr;
    else if( monat != d.monat)  return monat < d.monat;
    else                         return tag < d.tag;
}

inline bool isLeapYear( int jahr)
{
    return (jahr%4 == 0 && jahr%100 != 0) || jahr%400 == 0;
}
#endif    //  _DATUM_


// -------------------------------------------------------
// datum.cpp
// Implementierung der Methoden der Klasse Datum,
// die nicht schon inline definiert sind.
// -------------------------------------------------------
#include "datum.h"                // Definition der Klasse
#include <iostream>
#include <sstream>
#include <iomanip>
#include <string>
#include <ctime>
using namespace std;

// -------------------------------------------------------
void Datum::setDatum()   // Aktuelles Datum holen und
{                        // den Datenelementen zuweisen.
    struct tm *zeit;         // Zeiger auf Struktur tm.
    time_t sec;              // Für die Sekunden.

    time(&sec);              // Aktuelle Zeit holen.
    zeit = localtime(&sec);  // Eine Struktur vom Typ tm
                             // initialisieren und Zeiger
                             // darauf zurückgeben.
    tag   = (short) zeit->tm_mday;
    monat = (short) zeit->tm_mon + 1;
    jahr  = (short) zeit->tm_year + 1900;
}
```

```cpp
// --------------------------------------------------------
bool Datum::setDatum( int tg, int mn, int jr)
{
    if( tg < 1 ||  tg > 31 ) return false;
    if( mn < 1 ||  mn > 12 ) return false;

    switch(mn)        // Monate mit weniger als 31 Tagen
    {
      case 2:  if( isLeapYear(jr))
               {
                 if( tg > 29)
                   return false;
               }
               else if( tg > 28)
                 return false;
               break;
      case 4:
      case 6:
      case 9:
      case 11:
               if( tg > 30)  return false;
    }
    tag   = (short) tg;
    monat = (short) mn;
    jahr  = (short) jr;
    return true;
}

// --------------------------------------------------------
void Datum::print() const              // Datum anzeigen
{
    cout << asString() << endl;
}

// --------------------------------------------------------
const string& Datum::asString() const  // Datum als String
{                                      // zurückgeben.
    static string datumString;
    stringstream iostream;             // Zur Konvertierung
                                       // Zahl -> String
    iostream << setfill('0')           // und Formatierung.
             << setw(2) << tag   << '.'
             << setw(2) << monat << '.' << jahr;
    iostream >> datumString;
    return datumString;
}
```

Lösungen (Fortsetzung)

```cpp
// --------------------------------------------------------
// datum_t.cpp
// Mit Objekten der Klasse Datum arbeiten.
// --------------------------------------------------------
#include "datum.h"
#include <iostream>
using namespace std;

int main()
{
   Datum  today, birthday( 29, 1, 1927);
   const Datum d2000(1,1,2000);

   cout << "\nDer Geburtstag von Brigitte: "
        << birthday.asString() << endl;

   today.setDatum();
   cout << "\nDas heutige Datum : " << today.asString()
        << endl;;

   if( today.isLess( d2000))
      cout << "Guten Rutsch ins nächste Jahrtausend\n"
           << endl;
   else
      cout << "Alles Gute im neuen Jahrtausend\n" << endl;

   Datum holiday;
   int tag, monat, jahr;    char c;

   cout << "\nWann beginnt Ihr nächster Urlaub?\n"
        << "Eingabe im Format Tag.Monat.Jahr : ";

   if( !(cin >> tag >> c >> monat >> c >> jahr) )
      cerr << "Ungültige Eingabe!\n" << endl;
   else if ( !holiday.setDatum( tag, monat, jahr))
      cerr << "Ungültiges Datum!\n" << endl;
   else
   {
      cout << "\nIhr erster Urlaubstag: ";
      holiday.print();

      if( today.getJahr() < holiday.getJahr())
         cout << "Sie sollten noch in diesem Jahr "
              << "Urlaub machen!\n" << endl;
      else
         cout << "Gute Reise!\n" << endl;
   }
   return 0;
}
```

Kapitel 15

Teilobjekte und statische Elemente

Die Schwerpunkte in diesem Kapitel sind:

- Teilobjekte und ihre Initialisierung
- Datenelemente, die für alle Objekte einer Klasse nur einmal angelegt werden

Ferner beschreibt dieses Kapitel konstante Datenelemente und Aufzählungen.

Klassen mit Teilobjekten

Eine Klasse zur Darstellung von Messwerten

```
// Messwert.h
// Die Klasse Messwert zur Darstellung eines Messwerts
// mit dem Zeitpunkt der Messung.
// --------------------------------------------------
#ifndef _MESSWERT_
#define _MESSWERT_
#include "DayTime.h"           // Klasse DayTime
class Messwert
{
 private:
  double wert;
  DayTime zeit;
 public:
  Messwert();                      // Default-Konstruktor
  Messwert(double w, const DayTime& z = currentTime());
  Messwert(double w, int std, int min, int sek);
  double getWert() const { return wert; }
  void   setWert( double w ) { wert = w; }
  const DayTime& getTime() const  { return zeit; }
  void  setTime( const DayTime& z) { zeit = z; }
  bool  setTime(int std, int min, int sek)
  {  return  zeit.setTime( std, min, sek); }
  void print() const;          // Wert und Zeit ausgeben.
};
#endif  //  _MESSWERT_
```

Eine erste Implementierung der Konstruktoren

```
#include "Messwert.h"

Messwert::Messwert() { wert = 0.0; }

Messwert::Messwert( double w, const DayTime& z)
{
   wert = w;    zeit = z;
}
Messwert::Messwert( double w, int std, int min, int sek)
{
   wert = w;
   zeit = DayTime(std, min, sek);  // Temporäres Objekt
                                   // vom Typ DayTime
}                                  // an zeit zuweisen.
```

Hat-Beziehung

Die Datenelemente einer Klasse können auch vom Typ einer anderen Klasse sein. Im Beispiel der Klasse `Konto` haben wir von dieser Möglichkeit bereits Gebrauch gemacht. Der Name eines Kontoinhabers wird in einem Datenelement vom Typ `string` gespeichert. Ein Objekt der Klasse `Konto` besitzt also ein *Teilobjekt* vom Typ `string`.

Wenn eine Klasse ein Datenelement vom Typ einer weiteren Klasse besitzt, so sagt man, dass die Klassen in einer *Hat-Beziehung* zueinander stehen.

Aufruf von Konstruktoren

Bei der Initialisierung eines Objekts, das Teilobjekte enthält, sind mehrere Konstruktoren auszuführen: einerseits der Konstruktor für das Gesamtobjekt, andererseits auch die Konstruktoren der Teilobjekte. Hierbei ist die *Reihenfolge der Konstruktor-Aufrufe* wesentlich:

- Zuerst werden die Teilobjekte angelegt und initialisiert, bevor das ganze Objekt aufgebaut werden kann.

Ohne weitere Angaben wird für jedes Teilobjekt standardmäßig der Default-Konstruktor ausgeführt.

Die Konstruktoren der Beispielklasse Messwert

Im nebenstehenden Beispiel ist eine Klasse `Messwert` definiert. Außer einem Messwert vom Typ `double` wird auch der Zeitpunkt einer Messung erfasst. Der Übersicht wegen sind die Konstruktoren separat und nicht `inline` definiert.

Der Default-Konstruktor setzt nur den Messwert auf `0`. Trotzdem findet eine vollständige Initialisierung statt, da für das Teilobjekt `zeit` der Default-Konstruktor aufgerufen wird.

Beispiel: `Messwert strom;`

Der Default-Konstruktor des Teilobjekts `zeit` setzt zunächst die Stunden, Minuten und Sekunden auf `0`. Erst dann wird der Konstruktor der Klasse `Messwert` aufgerufen, der dem Datenelement wert die Zahl `0.0` zuweist.

Mit den anderen Konstruktoren kann ein Objekt explizit initialisiert werden.

Beispiel: `Messwert temperatur1(15.9); // Aktuelle Zeit`
              `Messwert temperatur2(16.7, 14, 30, 35);`

Da der Compiler keine Information darüber besitzt, welcher der Anfangswerte zu welchem Teilobjekt gehört, ruft er zunächst den Default-Konstruktor für das Teilobjekt `zeit` auf. Erst anschließend werden die Anweisungen des Konstruktors für die Klasse `Messwert` ausgeführt. Dabei erhalten die Datenelemente ihre Werte durch Zuweisung.

327

Elementinitialisierer

Neue Implementierung der Konstruktoren

```
#include "Messwert.h"
Messwert::Messwert() : wert(0.0) { /* ... */ }

Messwert::Messwert( double w, const DayTime& z)
          : wert(w), zeit(z)
{ /* ... */ }

Messwert::Messwert( double w, int std, int min, int sek)
          : wert(w), zeit(std, min, sek)
{
 /* ... */
}
```

 Der Kommentar /* ... */ steht für weitere Anweisungen, falls diese erforderlich sind. Im Fall der Klasse Messwert ist jedoch nichts weiter zu tun.

Beispielprogramm mit der Klasse Messwert

```
// messw_t.cpp
// Die Konstruktoren der Klasse Messwert testen.
// --------------------------------------------------
#include "Messwert.h"
#include <iostream>
using namespace std;

int main()  // Einige Meßwerte für die Lufttemperatur
{
   DayTime   morgens(6,30);
   Messwert t1,                    // Default-Konstruktor
            t2( 12.5, morgens),
            t3( 18.2, 12,0,0),
            t4(17.7);              // Mit aktueller Zeit

   cout << "Default-Werte: ";   t1.print();
   cout << "\n Temperatur    Uhrzeit \n"
        << "-------------------------" << endl;
   t2.print();
   t3.print();
   t4.print();
   cout << endl;
   return 0;
}
```

Initialisierung von Teilobjekten

Der Aufruf von Default-Konstruktoren beim Aufbau von Teilobjekten hat verschiedene Nachteile:

* Ein Teilobjekt wird zunächst mit Default-Werten versehen. Erst anschließend erhält es durch Zuweisungen die richtigen Werte. Diese teilweise überflüssigen Aktionen beeinträchtigen die Performance des Programms.

* Konstante Objekte oder Referenzen können nicht als Teilobjekte deklariert werden, da eine nachträgliche Zuweisung nicht möglich ist.

* Klassen, für die kein Default-Konstruktor definiert ist, können nicht als Typ für Teilobjekte verwendet werden.

Um Teilobjekte allgemein und effizient einsetzen zu können, ist es möglich, bei der Definition eines Konstruktors so genannte *Elementinitialisierer* anzugeben.

Syntax für Elementinitialisierer

Ein Elementinitialisierer besteht aus dem Namen eines Datenelements und seinen Anfangswerten, die in runden Klammern eingeschlossen werden.

Beispiel: `zeit(std,min,sek)  // Elementinitialisierer`

Mehrere Elementinitialisierer werden durch Kommas getrennt. Die so entstehende Liste der Elementinitialisierer wird hinter dem Kopf des Konstruktors, durch einen Doppelpunkt getrennt, angegeben.

Beispiel:
```
Messwert::Messwert( /* Parameter */ )
  : wert(w), zeit(std, min, sek)
  {  /* Funktionsblock */ }
```

Für die Datenelemente mit Elementinitialisierern wird dann der passende Konstruktor aufgerufen! Der Aufruf des Default-Konstruktors und eine nachträgliche Zuweisung entfallen also. Wie das Beispiel zeigt, können Elementinitialisierer auch für Datenelemente mit einem elementaren Datentyp eingesetzt werden.

Die Argumente des Elementinitialisierers sind gewöhnlich Parameter des Konstruktors. Auf diese Weise werden die beim Anlegen des Objekts angegebenen Werte an das „richtige" Teilobjekt weitergereicht.

Zu beachten ist, dass Elementinitialisierer nur in der *Definition* eines Konstruktors angegeben werden. Die Deklaration des Konstruktors bleibt unverändert!

Konstante Teilobjekte

Neue Version der Klasse Messwert

```
// Messw2.h
// Die Klasse Messwert mit konstantem Datenelement
// --------------------------------------------------
#ifndef  _MESSWERT_
#define  _MESSWERT_
#include "DayTime.h"              // Klasse DayTime

class Messwert
{
 private:
    double wert;
    const DayTime zeit;

 public:
    Messwert(double w, const DayTime& z = currentTime());
    Messwert(double w, int std, int min, int sek);
    double getWert() const { return wert; }
    void   setWert( double w ) { wert = w; }
    const DayTime& getTime() const  { return zeit; }
    void print() const;
};
#endif  //  _MESSWERT_
```

Die neue Klasse Messwert verwenden

```
// messw2_t.cpp  :  Die neue Klasse Messwert testen.
// --------------------------------------------------
#include "Messw2.h"
#include <iostream>
using namespace std;

int main()
{
   DayTime   start(10,15);
   Messwert m1( 101.01, start),
            m2( m1),              // Kopierkonstruktor ok!
            m3( 99.9);            // Mit aktueller Zeit.

// m2 = m3;     // Fehler! Standardzuweisung nicht ok.
   m2.setWert(100.9);            // Korrigierter Wert für m2
   cout << "\n Meßwerte     Uhrzeit \n"
        << "------------------------" << endl;
   m1.print();    m2.print();   m3.print();
   return 0;
}
```

Deklaration konstanter Teilobjekte

Besitzt eine Klasse Datenelemente, die nach der Initialisierung nicht mehr verändert werden sollen, so können diese als `const` deklariert werden. Beispielsweise kann für Messwerte der Zeitpunkt der Erfassung einmal gesetzt werden und dann unverändert bleiben. Der Messwert soll aber veränderbar bleiben, um systematische Messfehler korrigieren zu können. Die Deklaration des Datenelements `zeit` lautet dann:

Beispiel:　　`const DayTime zeit;`

Da eine spätere Zuweisung an das konstante Teilobjekt `zeit` nicht mehr möglich ist, muss bei der Initialisierung sofort der richtige Konstruktor aufgerufen werden. Das bedeutet:

* Bei der Definition des Konstruktors einer Klasse *muss* für jedes konstante Teilobjekt ein Elementinitialisierer angegeben werden.

Die Beispielklasse Messwert

Mit dem konstanten Datenelement `zeit` sind die ersten Versionen der Konstruktoren, die eine Zuweisung an `zeit` enthalten, nicht mehr zulässig.

Beispiel:　　`zeit = DayTime(st, mn, sk);　　// Fehler!`

Die bereits vorgestellten neuen Versionen der Konstruktoren sind dagegen o.k. Der Elementinitialisierer sorgt nämlich dafür, dass das Teilobjekt `zeit` beim Anlegen sofort die richtigen Anfangswerte erhält.

Eine weitere Konsequenz ist, dass die Methoden `setTime(...)` nicht mehr zulässig sind. Der Compiler erzeugt hier eine entsprechende Fehlermeldung. Das gilt allgemein für jede Anweisung, in der versucht wird, das konstante Element `zeit` zu ändern. Der Programmierer kann also auch nicht versehentlich ein als `const` deklariertes Element überschreiben.

Die neue Version der Klasse `Messwert` besitzt keinen Default-Konstruktor mehr, da ein Default-Wert für den Zeitpunkt der Messung nicht sinnvoll ist.

Ein Beispiel mit elementarem Datentyp

Auch Datenelemente mit einem elementaren Datentyp können konstant sein. Eine Klasse `Kunde` beispielsweise enthält eine Nummer `nr` zur Identifizierung von Kunden. Da die Kundennummer sich nicht ändert, ist es sinnvoll, sie als `const` zu deklarieren. Der Konstruktor von `Kunde` würde dann etwa so aussehen:

Beispiel:　　`Kunde::Kunde( /*...*/ ) : `**`nr(++id)`**
　　　　　　　`{ /*...*/ }`

Der Elementinitialisierer `nr(++id)` versieht das konstante Datenelement `nr` mit dem globalen Anfangswert `id`, wobei dieser zuvor noch inkrementiert wird.

Statische Datenelemente

Die Klasse Messwert mit statischen Elementen

```cpp
// Messw3.h
// Die Klasse Messwert mit statischen Datenelementen
// ---------------------------------------------------
#ifndef  _MESSWERT_
#define  _MESSWERT_
#include "DayTime.h"              // Klasse DayTime
class Messwert
{
 private:
   double wert;
   const  DayTime zeit;
   // Deklaration statischer Elemente:
   static double min, max;       // Minimum, Maximum
   static bool erster;    // true, falls erster Meßwert;
   void setMinMax(double w);    // private Hilfsfunktion
 public:
   Messwert(double w, const DayTime& z = currentTime());
   Messwert(double w, int std, int min, int sek);
   // ...  Weitere Elementfunktionen (wie gehabt)
};
#endif  //  _MESSWERT_
```

Implementierung und Initialisierung

```cpp
// Messw3.cpp
// Definition der statischen Datenelemente und
// der Methoden, die nicht inline definiert sind.
// ---------------------------------------------------
#include "Messw3.h"
double Messwert::min = 0.0;
double Messwert::max = 0.0;
bool   Messwert::erster = true;
void Messwert::setMinMax(double w)    // Hilfsfunktion
{
   if(erster) {  min = max = w;   erster = false; }
   else if( w < min)  min = w;
   else if( w > max)  max = w;
}
// Konstruktoren mit Elementinitialisierern.
Messwert::Messwert( double w, const DayTime& z)
: wert(w), zeit(z)
{  setMinMax(w);   }
Messwert::Messwert( double w, int std, int min, int sek)
: wert(w), zeit(std, min, sek)
{  setMinMax(w);   }
// Hier weitere Elementfunktionen implementieren.
```

Klassenvariablen

Jedes Objekt besitzt seine *eigenen* Eigenschaften. Die Datenelemente von zwei verschiedenen Objekten sind also an verschiedenen Stellen im Hauptspeicher abgelegt.

Es gibt aber auch Daten, die von allen Objekten einer Klasse gemeinsam benutzt werden. Hierzu gehören:

- Kennzahlen, wie Umrechnungskurse, Zinssätze oder Zeitlimits, die für alle Objekte denselben Wert haben

- Statusinformationen, wie die Anzahl existierender Objekte, aktuell erreichte Minimal- bzw. Maximalwerte oder Zeiger auf bestimmte Objekte, z.B. ein Zeiger auf das aktive Fenster einer Fensterklasse

Solche Daten müssen *einmal* gespeichert werden, unabhängig von der Anzahl der Objekte. Damit die Daten auch von der Klasse kontrolliert werden können, sollten sie nicht global, sondern innerhalb der Klasse dargestellt werden. Dazu dienen so genannte *Klassenvariablen*, die im Gegensatz zu gewöhnlichen Datenelementen genau einmal im Speicher vorhanden sind.

Die Deklaration einer Klassenvariablen erfolgt innerhalb der Klasse als *statisches Datenelement*, d.h. mit dem Schlüsselwort `static`. Im nebenstehenden Beispiel werden die Klassenvariable `erster` sowie die Klassenvariablen `min` und `max` deklariert, um das Minimum und Maximum aller Messwerte zu erfassen.

Definition und Initialisierung

Statische Datenelemente belegen Speicherplatz, auch wenn noch kein Objekt der Klasse angelegt worden ist. Sie können außerhalb der Klasse in einer Quelldatei definiert und initialisiert werden. Dabei ist der Bezug zur Klasse wieder durch den Bereichsoperator `::` gegeben.

Beispiel: `double Messwert::min = 0.0;  // Definition`

Wie das Beispiel zeigt, wird das Schlüsselwort `static` bei der Definition nicht mehr angegeben. Statische Elemente und die Methoden einer Klasse werden gewöhnlich in derselben Quelldatei definiert.

Seit C++17 können, analog zu Funktionen, auch globale Variablen und statische Datenelemente `inline` definiert und initialisiert werden.

Beipiel: `static inline double min = 0.0, max = 0.0;`

Es entfällt die Notwendigkeit, Klassenvariablen separat außerhalb der Klasse zu definieren.

Ist ein statisches Datenelement mit einem ganzzahligen Typ konstant, wird kein Speicherplatz angelegt, da der Compiler den Wert der Konstanten direkt einsetzen kann.

Zugriff auf statische Datenelemente

Die Klasse Messwert mit statischen Methoden

```
class Messwert
{
 private:
   double wert;
   const  DayTime zeit;
   static double min, max;     // Minimum, Maximum
   static bool erster;   // true, falls erster Meßwert.

   static void setMinMax(double w);   // Hilfsfunktion

 public:
   // ... Elementfunktionen wie gehabt. Außerdem:
   static double getMin() { return min; }
   static double getMax() { return max; }
};
```

Ein Anwenderprogramm

```
// messw3_t.cpp
// Die neue Klasse Messwert verwenden.
// --------------------------------------------------
#include "Messw3.h"
#include <iostream>
using namespace std;

int main()    // Einige Meßwerte für die Lufttemperatur
{
    DayTime   morgens(6,45);
    Messwert temp1( 6.45, morgens),
             temp2( 11.2, 12,0,0);

    double temp = 0.0;
    cout << "\nWie hoch ist jetzt die Lufttemperatur? ";
    cin >> temp;
    Messwert temp3(temp);         // Mit aktueller Zeit.
    cout << "\n Temperatur    Uhrzeit \n"
         << "-------------------------" << endl;
    temp1.print();   temp2.print();   temp3.print();
    cout
      << "\n Minimale Temperatur: " << Messwert::getMin()
      << "\n Maximale Temperatur: " << Messwert::getMax()
      << endl;
    return 0;
}
```

Statische Elemente und Datenkapselung

Auch für statische Datenelemente gelten die üblichen Regeln der Datenkapselung. Auf ein als `public` deklariertes statisches Datenelement ist daher der direkte Zugriff über ein beliebiges Objekt möglich.

Werden etwa die Klassenvariablen `min` und `max` in der Klasse `Messwert` nicht als `private`, sondern als `public` deklariert und ist `temperatur` ein beliebiges Objekt der Klasse, so gibt die Anweisung

Beispiel:　　`cout << temperatur.max;`

den maximalen Messwert aus. Eine weitere Möglichkeit ist die Verwendung des Bereichsoperators.

Beispiel:　　`cout << Messwert::max;`

Diese Schreibweise ist der ersten vorzuziehen, da sie die Tatsache ausdrückt, dass ein statisches Datenelement unabhängig von Objekten existiert.

Statische Elementfunktionen

Der Zugriff auf ein als `private` deklariertes statisches Datenelement ist natürlich über Methoden der Klasse möglich. Gewöhnliche Methoden können jedoch nur für Objekte der Klasse aufgerufen werden. Da statische Datenelemente unabhängig von Objekten sind, sollte auch der Zugriff darauf unabhängig von Objekten möglich sein. Diesem Zweck dienen *statische Elementfunktionen*. Beispielsweise kann eine statische Elementfunktion schon aufgerufen werden, auch wenn noch kein Objekt der Klasse existiert.

Eine statische Elementfunktion wird mit dem Schlüsselwort `static` deklariert.

Beispiel:　　`static double getMin();　　// In der Klasse`

Wie die erweiterte Klasse `Messwert` mit den statischen Elementfunktionen `getMin()`, `setMin()` usw. zeigt, kann die Definition auch `inline` erfolgen. Bei der Definition außerhalb der Klasse braucht das Schlüsselwort `static` nicht wiederholt zu werden.

Der Aufruf einer statischen Elementfunktion ist über ein beliebiges Objekt der Klasse oder besser mit Hilfe des Bereichsoperators möglich.

Beispiel:　　`temperatur.setMax(42.4);　　// Äquivalente`
　　　　　　　　`Messwert::setMax(42.4);　　// Aufrufe.`

Statische Elementfunktionen sind beim Aufruf an kein Objekt der Klasse gebunden. Im Unterschied zu einer gewöhnlichen Elementfunktion steht ihnen deshalb der `this`-Zeiger nicht zur Verfügung! Das hat zur Folge, dass statische Elementfunktionen keinen Zugriff auf Datenelemente und Methoden haben, die selbst nicht statisch sind.

Aufzählungen

Beispielprogramm

```cpp
// enum.cpp
// enum-Konstanten in einer Klasse verwenden.
// --------------------------------------------------
#include <iostream>
using namespace std;

class Ampel
{
  public:      // Aufzählung für die Klasse Ampel
    enum Status { aus, rot, gruen, gelb };
  private:
    Status status;
  public:
    Ampel( Status s = aus) : status(s) {}
    Status getStatus() const {  return status; }
    void setStatus( Status s)
    {
      switch(s)
      { case aus:    cout << "    AUS    "; break;
        case rot:    cout << "    ROT    "; break;
        case gruen:  cout << "    GRUEN  "; break;
        case gelb:   cout << "    GELB   "; break;
        default:     return;
      }
      status = s;
    }
};

int main()
{
    cout << "Einige Anweisungen mit Ampel-Objeken!\n"
         << endl;
    Ampel A1, A2(Ampel::rot);
    Ampel::Status as;
    as = A2.getStatus();

    if( as == Ampel::rot)
    {
       A1.setStatus( Ampel::rot);
       A2.setStatus( Ampel::gelb);
    }
    cout << endl;
    return 0;
}
```

Definition

Eine Aufzählung ist ein selbstdefinierter ganzzahliger Datentyp. Die Definition einer Aufzählung erfolgt mit dem Schlüsselwort `enum`. Sie legt die möglichen Werte und gleichzeitig Namen für diese Werte fest.

Beispiel: `enum Figur{ Linie, Rechteck, Ellipse};`

Hiermit wird der Aufzählungstyp `Figur` definiert. Die in der Liste angegebenen Namen bezeichnen ganzzahlige Konstanten. Ihre Werte ergeben sich automatisch aus der Reihenfolge in der Liste: Die erste Konstante hat den Wert `0`, jede weitere Konstante hat einen um eins höheren Wert als der Vorgänger.

Im obigen Beispiel repräsentiert also `Linie` den Wert `0`, `Rechteck` den Wert `1` und `Ellipse` den Wert `2`. Eine Variable vom Typ `Figur` kann nur einen dieser Werte annehmen.

Beispiel:
```
Figur figur = Rechteck; // Variable figur
// ...
switch(figur)     // Wert von figur abfragen
{
    case Linie:    // ... usw.
```

Die Werte der Konstanten können aber auch explizit festgelegt werden.

Beispiel: `enum Bound { Lower = -100, Upper = 100};`

Falls nur die Konstanten definiert werden sollen, kann der Typname fehlen.

Beispiel: `enum { OFF, AUS=0, ON, AN=1 };`

Hiermit werden die Konstanten `OFF` und `AUS` mit dem Wert `0` sowie die Konstanten `ON` und `AN` mit dem Wert `1` definiert. Dabei ergeben sich die Werte von `OFF` und `ON` wie oben implizit.

Klassenspezifische Konstanten

Mit einer Aufzählung können auf einfache Weise ganzzahlige symbolische Konstanten definiert werden. Im Unterschied zu `#define`-Direktiven, die auf reinem Textersatz beruhen, sind `enum`-Konstanten Teil einer Deklaration und besitzen damit einen Geltungsbereich. So ist es möglich, Konstanten zu definieren, die nur innerhalb eines Namensbereichs oder einer Klasse bekannt sind.

Im nebenstehenden Beispiel ist die Aufzählung `Status` innerhalb der Klasse `Ampel` definiert. Damit sind der Typ und die `enum`-Konstanten nur innerhalb der Klasse direkt verwendbar. Die Aufzählung ist jedoch `public` deklariert, und somit ist der Zugriff auch außerhalb der Klasse möglich.

Beispiel:
```
if( ampel.getStatus() == Ampel::rot)
// ...
```

Übungen

Kopierkonstruktor der Klasse Artikel

Der Kopierkonstruktor erzeugt eine Kopie eines schon vorhandenen Objekts. Der Parameter ist daher eine Read-only-Referenz auf das zu kopierende Objekt. Der Kopierkonstruktor der Klasse Artikel hat daher die folgende Deklaration:

Deklaration des Kopierkonstruktors:

```
Artikel( const Artikel& );
```

Der standardmäßig definierte Kopierkonstruktor überträgt lediglich die einzelnen Datenelemente in das neue Objekt.

Die Klasse Mitglied

Private Datenelemente	Typ
Mitgliedsnummer	int
Name	string
Geburtstag	const Datum

// evtl. weitere, wie Adresse, Telefon, Punkte, ...

Öffentliche Methoden

Konstruktor, der für jedes Datenelement einen Parameter besitzt

Zugriffsmethoden für jedes Datenelement, für Geburtstag nur zum Lesen

Eine Methode zur formatierten Bildschirmausgabe aller Datenelemente

---

1. Aufgabe

In der 1. Aufgabe des letzten Kapitels wurde eine einfache Klasse Artikel entwickelt. Dabei wurde mit Hilfe eines globalen Zählers auch der Auf- und Abbau der Objekte protokolliert. Verbessern und erweitern Sie die Klasse Artikel wie folgt:

- Statt einer globalen Variablen wird jetzt eine Klassenvariable verwendet, um die aktuelle Anzahl der angelegten Objekte zu zählen.

- Deklarieren Sie in der Klasse Artikel eine statische Zugriffsmethode getAnzahl(), die die aktuelle Anzahl der Objekte zurückgibt.

- Definieren Sie auch einen eigenen Kopierkonstruktor, der ebenfalls den Objekt-Zähler um 1 erhöht und eine Meldung ausgibt. Damit ist jetzt garantiert, dass der Zähler stets die richtige Anzahl enthält.

 Verwenden Sie Elementinitialisierer.

- Testen Sie die neue Version der Klasse. Rufen Sie dazu die Funktion test() mit einem Artikel-Objekt auf, das als Wert übergeben wird.

2. Aufgabe

Ein Sportverein benötigt ein Programm zur Verwaltung seiner Mitglieder. Zunächst soll eine Klasse Mitglied entwickelt und getestet werden.

- Definieren Sie eine Klasse Mitglied mit den nebenstehend angegebenen Datenelementen. Verwenden Sie die im letzten Kapitel bereits definierte Klasse Datum. Da der Geburtstag eines Mitglieds ein unveränderlicher Wert ist, soll das entsprechende Datenelement als const deklariert werden.

  Der Konstruktor soll so überladen werden, dass ein Datum sowohl als ein Objekt als auch mit drei Werten für Tag, Monat und Jahr angegeben werden kann.

- Implementieren Sie die Methoden.

- Testen Sie die neue Klasse Mitglied, indem Sie mindestens zwei Objekte mit Anfangswerten Ihrer Wahl anlegen und die Methoden aufrufen.

- Erweitern Sie die Klasse um ein statisches Element ptrVorstand. Dieser Zeiger verweist auf das Mitglied, das den Vorstand übernommen hat. Wenn kein Vorstand „gewählt" ist, soll der Zeiger den Wert NULL enthalten.

- Stellen Sie auch die entsprechenden statischen Zugriffsfunktionen getVorstand() und setVorstand() zur Verfügung. Die Rückgabe bzw. Übergabe erfolgt per Zeiger.

- Testen Sie die erweiterte Klasse Mitglied, indem Sie die Nummer eines vorhandenen Mitglieds einlesen, entsprechend den neuen Vorstand setzen und mit Hilfe von getVorstand() anzeigen.

Übungen (Fortsetzung)

Beispielausgabe

```
Simulation zweier Ampeln!

Dieses Programm mit <Strg>+<C> beenden!

   1. Ampel      2. Ampel
-----------------------------
    ROT           GELB
                  GRUEN
                  GELB
    GELB          ROT
    GRUEN
    GELB
    ROT           GELB
                  GRUEN
  // . . .
```

Hinweise zur Implementierung der Funktion warten()

1. Die Funktion `time()` ist in der Header-Datei `ctime` deklariert. Der Aufruf `time(NULL)` liefert die Anzahl Sekunden vom Typ `time_t` seit dem 1.1.1970, 0:0 Uhr. Der Typ `time_t` ist als `long` definiert.

2. Anstatt die Funktion `time()` in einer Schleife aufzurufen, kann unter Windows die Funktion `Sleep()` bzw. unter Unix die Funktion `sleep()` verwendet werden. Diese Systemaufrufe sind nicht standardisiert! Sie sind jedoch sehr viel effektiver, da sie keine Warteschleife verwenden, sondern den Prozess „schlafen" legen.

3. Aufgabe

Erstellen Sie ein Programm, das die Schaltung zweier Ampeln an einer Straßenkreuzung simuliert. Verwenden Sie dazu die Klasse `Ampel` aus diesem Kapitel.

- Jede Ampel soll die Phasen rot, gelb, grün, gelb, rot usw. durchlaufen. Es muss sichergestellt sein, dass eine Ampel nur dann den Status gelb oder grün hat, wenn die andere Ampel rot zeigt.

- Das Umschalten der Ampeln erfolgt in einer „Endlosschleife", die durch die Unterbrechung des Programms beendet werden muss. Unter DOS/Windows geschieht dies mit der Tastenkombination $\boxed{\texttt{Strg}}$ + $\boxed{\texttt{C}}$, unter Unix mit der Interrupt-Taste, das ist für gewöhnlich die $\boxed{\texttt{Entf}}$ -Taste.

- Der Status der Ampeln bleibt für eine bestimmte Anzahl von Sekunden unverändert. Beispielsweise kann die Grünphase 20 Sekunden und die Gelbphase 1 Sekunde dauern, evtl. für jede Ampel unterschiedlich. Definieren Sie eine Hilfsfunktion

```
inline void warten( int sek)
```

Die Funktion kehrt erst nach der angegebenen Anzahl von Sekunden zurück. Zur Realisierung kann in einer Schleife die Standardfunktion `time()` aufgerufen werden. Beachten Sie dazu die nebenstehenden Hinweise.

Lösungen

Zur 1. Aufgabe:

```cpp
// ------------------------------------------------------
// artikel.h
// Definition einer einfachen Klasse Artikel.
// ------------------------------------------------------
#ifndef _ARTIKEL_H_
#define _ARTIKEL_H_
#include <string>
using namespace std;

class Artikel
{
   private:
     long nr;                    // Artikelnummer
     string name;                // Artikelname
     double vk;                  // Verkaufspreis
     // Statisches Datenelement:
     static int anzObjekte;      // Anzahl Objekte

   public:
     Artikel( long nr=0, const string& name="noname",
              double vk=0.0);
     // Kopierkonstruktor:
     Artikel( const Artikel& einArtikel);
     ~Artikel();
     void print();
     // Zugriffsmethoden:
     const string& getName() const { return name; }
     long          getNr()   const { return nr; }
     double        getVK()   const { return vk; }
     static int getAnzahl() { return anzObjekte; }
     bool setName( const string& s)
     {
        if( s.size() < 1)         // Kein leerer Name
          return false;
        name = s;
        return true;
     }
     void setNr( long n) { nr = n; }
     void setVK(double v)
     {                            // Kein negativer Preis
        vk = v > 0.0 ? v : 0.0;
     }
};
#endif   // _ARTIKEL_
```

```
// --------------------------------------------------
// artikel.cpp
// Artikel-Methoden, die nicht inline definiert sind.
// Konstruktor und Destruktor zeigen Aufrufe an.
// --------------------------------------------------

#include "artikel.h"          // Definition der Klasse

#include <iostream>
#include <iomanip>
using namespace std;

// Definition des statischen Datenelements:
int Artikel::anzObjekte = 0;     // Anzahl der Objekte

// Definition der Konstruktoren und des Destruktors:

Artikel::Artikel( long nr, const string& name, double vk)
{
    setNr(nr);   setName(name);   setVK(vk);
    ++anzObjekte;
    cout << "Es wird ein Objekt für den Artikel " << name
         << " angelegt.\n"
         << "Das ist der " << anzObjekte << "-te Artikel!"
         << endl;
}
// Definition des Kopierkonstruktors:
Artikel::Artikel( const Artikel& art)
:nr(art.nr), name(art.name), vk(art.vk)
{
    ++anzObjekte;
    cout << "Es wird eine Kopie des Artikels " << name
         << " angelegt.\n"
         << "Das ist der " << anzObjekte << "-te Artikel!"
         << endl;
}

Artikel::~Artikel()
{
    cout << "Das Objekt für den Artikel " << name
         << " wird zerstört.\n"
         << "Es gibt noch " << --anzObjekte << " Artikel!"
         << endl;
}

// Die Methode print() gibt einen Artikel aus.
void Artikel::print()

{
    // wie gehabt! Siehe Lösung zu Kapitel 14.
}
```

Lösungen (Fortsetzung)

```cpp
// ----------------------------------------------------------
// artikel_t.cpp
// Die Klasse Artikel mit Kopierkonstruktor testen.
// ----------------------------------------------------------

#include "artikel.h"            // Definition der Klasse

#include <iostream>
#include <string>
using namespace std;

void test( Artikel a);                          // Prototyp

Artikel artikel1( 1111,"Zelt", 159.9);        // global

int main()
{
    cout << "\nDie erste Anweisung in main().\n" << endl;

    Artikel artikel2( 2222,"Jogging-Schuhe", 199.99);

    cout << "\nDer erste Aufruf von test()." << endl;
    test(artikel1);                            // Call by Value

    cout << "\nDer zweite Aufruf von test()." << endl;
    test(artikel2);                            // Call by Value

    cout << "\nDie letzte Anweisung in main().\n"
         << "\nEs gibt noch " << Artikel::getAnzahl()
         << " Objekte\n" << endl;

    return 0;
}


void test( Artikel a)      // Aufruf des Kopierkonstruktors
{
    cout << "\nDas übergebene Objekt:" << endl;
    a.print();

    static Artikel rad( 3333, "Fahrrad", 999.0);
    cout << "\nDas statische Objekt der Funktion test():"
         << endl;
    rad.print();

    cout << "\nDie letzte Anweisung in der Funktion test()"
         << endl;
}
```

Zur 2. Aufgabe:

Die Klasse Datum aus dem vorhergehenden Kapitel (Dateien: Datum.h und Datum.cpp) kann unverändert übernommen werden. Es ist aber sinnvoll, die Funktion isLeapYear() nicht global, sondern als statisches Element der Klasse Datum zu definieren.

Die weiteren Dateien:

```
// --------------------------------------------------------
// mitglied.h
// Definition der Klasse Mitglied mit einem konstanten
// und einem statischen Element.
// --------------------------------------------------------
#ifndef _MITGLIED_H_
#define _MITGLIED_H_

#include "datum.h"
#include <string>
using namespace std;

class Mitglied
{
  private:
    int nr;                 // Mitgliedsnummer
    string name;            // Name
    const Datum geb;        // Geburtsdatum
    // ... weitere Daten

    static Mitglied *ptrVorstand; // Zeiger auf Vorstand,
                            // NULL = kein Vorstand.
  public:
    Mitglied( long k_nr, const string& k_name,
              const Datum& k_geb)
      : nr(k_nr), geb(k_geb)
    {
        if( !setName(k_name) )  name = "Unbekannt";
    }

    Mitglied( long k_nr, const string& k_name,
              int tag, int monat, int jahr)

      : nr(k_nr), geb(tag,monat,jahr)
    {
        if( !setName(k_name) )  name = "Unbekannt";
    }

    int          getNr()    const { return nr; }
    const string& getName()  const { return name; }
    const Datum&  getGeburtstag() const { return geb; }
```

Lösungen (Fortsetzung)

```cpp
    void setNr( int n) { nr = n; }

    bool setName( const string& s)
    {
       if( s.size() < 1)        // Kein leerer Name
          return false;
       name = s;
       return true;
    }
    void display() const;

    // statische Methoden:
    static Mitglied* getVorstand()
    {
        return ptrVorstand;
    }
    static void setVorstand( Mitglied* ptrMitgl)
    {
       ptrVorstand = ptrMitgl;
    }
};

#endif    // _MITGLIED_H_

// ----------------------------------------------------
// mitglied.cpp
// Elemente der Klasse Mitglied, die nicht inline sind.
// ----------------------------------------------------

#include "mitglied.h"            // Definition der Klasse
#include <iostream>
using namespace std;

 // Zeiger auf den Vorstand:
Mitglied* Mitglied::ptrVorstand = NULL;

void Mitglied::display() const
{
   string linie( 50, '-');
   cout << linie
        << "\n  Mitgliedsnummer: " << nr
        << "\n  Mitglied:        " << name
        << "\n  Geburtstag       " << geb.asString()
        << '\n' << linie << endl;
}
```

```cpp
// -------------------------------------------------
// mitgl_t.cpp
// Mit der Klasse Mitglied arbeiten.
// -------------------------------------------------
#include "mitglied.h"          // Definition der Klasse
#include <iostream>
#include <string>
using namespace std;

int main()
{
   Datum heute;  heute.setDatum();
   cout << "Datum: " << heute.asString() << endl;

   Mitglied franzi( 0, "Flott, Franzi", 17,11,81),
            kurt( 2222, "Hurtig, Kurt", Datum(3,5,77) );
   franzi.setNr(1111);

   cout << "\nZwei Mitglieder des Sportvereins:\n" << endl;
   franzi.display();
   kurt.display();

   cout << "\nEs hat sich etwas verändert!" << endl;
   franzi.setName("Hurtig-Flott");
   franzi.display();
   Mitglied benny( 1122,"Hurtig, Benny", 1,1,2000);
   cout << "Das jüngste Mitglied im Verein: \n";
   benny.display();

   // Wer ist der Vorstand?
   int nr;
   Mitglied *ptr = NULL;
   cout << "\nWer ist der Vorstand des Vereins?\n"
        << "Mitgliedsnummer eingeben: ";
   if( cin >> nr)
   {
      if( nr == franzi.getNr())
         ptr = &franzi;
      else if( nr == kurt.getNr())
         ptr = &kurt;
      Mitglied::setVorstand( ptr);
   }
   cout << "\nDer Vorstand des Sportvereins:" << endl;
   ptr = Mitglied::getVorstand();
   if( ptr != NULL)
      ptr->display();
   else
      cout << "Kein Vorstand vorhanden!" << endl;
   return 0;
}
```

Lösungen (Fortsetzung)

Zur 3. Aufgabe:

Die Definition der Klasse Ampel aus diesem Kapitel bleibt
unverändert.

```cpp
// --------------------------------------------------------
// Ampel_t.cpp : Simulation zweier Ampeln.
// --------------------------------------------------------
#include "Ampel.h"          // Definition der Klasse Ampel
#include <iostream>
#include <ctime>            // Standardfunktion time()
using namespace std;

inline void warten( int sek)    // Anzahl Sekunden warten.
{  time_t ende = time(NULL) + sek;
   while( time(NULL) < ende)
      ;
}
// Alternative unter Windows:
// #include <windows.h>
// inline void warten( int sek) {  Sleep( 1000 * sek); }

Ampel A1, A2;          // Die Ampeln und die Wartezeiten
enum { gruenZeit1 = 10 , gelbZeit1 = 1,
       gruenZeit2 = 14 , gelbZeit2 = 2   };
int main()
{  cout << "Simulation zweier Ampeln!\n\n"
        << "Dieses Programm mit <Strg>+<C> beenden!\n"
        << endl;
   cout << "  1. Ampel     2. Ampel\n"
        << "--------------------------" << endl;
   while(true)
   {  A1.setStatus( Ampel::rot);          // A1 = rot
      A2.setStatus( Ampel::gelb);   cout << endl;
      warten( gelbZeit2);
      cout << "              ";
      A2.setStatus( Ampel::gruen);  cout << endl;
      warten(gruenZeit2);
      cout << "              ";
      A2.setStatus( Ampel::gelb);   cout << endl;
      warten(gelbZeit2);
      A1.setStatus( Ampel::gelb);          // A2 = rot
      A2.setStatus( Ampel::rot);    cout << endl;
      warten(gelbZeit1);
      A1.setStatus( Ampel::gruen);  cout << endl;
      warten(gruenZeit1);
      A1.setStatus( Ampel::gelb);   cout << endl;
      warten(gelbZeit1);
   }
   return 0;
}
```

Kapitel 16

Vektoren

Dieses Kapitel beschreibt die Definition und Verwendung von Vektoren. Neben ein- und mehrdimensionalen Vektoren werden auch C-Strings, die Klasse `string_view` und Klassen-Arrays vorgestellt.

Vektoren definieren

Der Vektor arr im Speicher

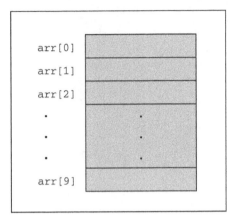

Beispielprogramm

```
// array.cpp
// Zahlen in einen Vektor einlesen und wieder ausgeben.
// ------------------------------------------------------
#include <iostream>
#include <iomanip>
using namespace std;

int main()

{
   const int MAXANZ = 10;        // Konstante
   float arr[MAXANZ], x;         // Vektor, Hilfsvariable
   int i, anz;                   // Index, Anzahl

   cout << "Bis zu 10 Zahlen eingeben\n"
        << "(Abbruch mit einem Buchstaben):" << endl;
   for( i = 0; i < MAXANZ  && cin >> x; ++i)
      arr[i] = x;
   anz = i;

   cout << "Die eingegebenen Zahlen:\n" << endl;
   for( i = 0; i < anz; ++i)
      cout << setw(10) << arr[i];
   cout << endl;
   return 0;
}
```

Ein *Vektor* (engl. *array*) besteht aus mehreren Objekten *gleichen Datentyps*, die hintereinander im Speicher abgelegt sind. Die einzelnen Objekte im Vektor heißen Vektorelemente. Sie können über eine Nummer, den so genannten Index, angesprochen werden.

Definition von Vektoren

Wie jedes andere Objekt muss auch ein Vektor definiert werden. Die Definition legt den *Vektornamen*, den *Typ* und die *Anzahl* der Vektorelemente fest.

Syntax: `typ name[anzahl];`   `// Vektor name`

Dabei ist `anzahl` eine ganzzahlige Konstante oder ein ganzzahliger Ausdruck, der nur aus Konstanten besteht.

Beispiel: `float arr[10];`   `// Vektor arr`

Hier wird ein Vektor `arr` mit 10 Elementen vom Typ `float` definiert. Das Objekt `arr` selbst hat den zusammengesetzten Datentyp „Vektor mit `float`-Elementen" oder kurz „`float`-Vektor".

Ein Vektor belegt immer einen *zusammenhängenden* Speicherbereich. Im Fall des Vektors `arr` sind dies `10*sizeof(float) = 40` Byte.

Index von Vektorelementen

Der Zugriff auf die einzelnen Vektorelemente erfolgt mit dem Indexoperator `[]`. In C++ beginnt ein *Index* stets mit `0`. Die Elemente des Vektors `arr` sind also:

```
arr[0], arr[1] , arr[2], ... , arr[9]
```

Der Index des letzten Vektorelements ist stets um 1 niedriger als die Anzahl der Vektorelemente. Als Index kann jeder `int`-Ausdruck verwendet werden. Der Indexoperator `[]` besitzt wie der Punkt- und Pfeiloperator einen hohen Vorrang.

Wenn zur Laufzeit des Programms der Index den zulässigen Wertebereich verlässt, wird keine Fehlermeldung ausgegeben. Hier ist die besondere Sorgfalt des Programmierers gefordert! Allerdings ist es möglich, in einer Klasse zur Darstellung von Vektoren Bereichsüberprüfungen für Indizes vorzunehmen.

Ein Vektor kann mit jedem Datentyp gebildet werden. Ausgenommen sind nur spezielle Datentypen, wie z.B. `void`, und bestimmte Klassen. Auf Klassen-Arrays wird noch anschließend eingegangen.

Beispiel: `short zahl[20];`   `// short-Vektor`
```
for( int i=0; i < 20; i++ )
   zahl[i] = (short)(i*10);
```

Hier wird ein Vektor `zahl` mit 20 `short`-Elementen definiert, und den Elementen werden die Werte `0, 10, 20, ...,190` zugewiesen.

Initialisierung von Vektoren

Beispielprogramm

```cpp
// fibo.cpp
// Dieses Programm berechnet die ersten 20 Fibonacci-
// Zahlen und die zugehörigen Fibonacci-Quotienten.
// ------------------------------------------------------
#include <iostream>
#include <iomanip>
#include <cmath>          // Für den Prototyp von sqrt()
#include <string>
using namespace std;

#define ANZAHL 20

long fib[ANZAHL + 1] = { 0, 1 };

string header =
" Index  Fibonacci-Zahl  Fibonacci-Quotient  Abweichung"
"\n                                          vom Grenzwert"
"\n----------------------------------------------------";

int main()
{
  int i;
  double q, lim;

  for( i=1; i < ANZAHL; ++i )          // Berechnung der
    fib[i+1] = fib[i] + fib[i-1];      // Fibonacci-Zahlen

  lim = ( 1.0 + sqrt(5.0)) / 2.0;      // Grenzwert

  // Überschrift und die ersten zwei Fibonacci-Zahlen:
  cout << header << endl;
  cout << setw(5) << 0 << setw(15) << fib[0] << endl;
  cout << setw(5) << 1 << setw(15) << fib[1] << endl;
  // Der Rest der Tabelle:
  for( i=2; i <= ANZAHL; i++ )
  {                                    // Quotient:
    q = (double)fib[i] / (double)fib[i-1];
    cout << setw(5)   << i << setw(15) << fib[i]
         << setw(20) << fixed << setprecision(10) << q
         << setw(20) << scientific << setprecision(3)
         << lim - q  << endl;
  }
  return 0;
}
```

Initialisierungsliste

Vektoren können bei der Definition initialisiert werden. Zur Initialisierung wird eine *Liste* mit den Werten für die einzelnen Vektorelemente angegeben:

Beispiel: `int num[3] = { 30, 50, 80 };`

Dann erhält `num[0]` den Wert `30`, `num[1]` den Wert `50` und `num[2]` den Wert `80`. Wenn ein Vektor bei der Definition initialisiert wird, so muss seine Länge nicht angegeben werden.

Beispiel: `int num[] = { 30, 50, 80 };`

In diesem Fall ist die Länge des Vektors gleich der Anzahl der Initialisierungswerte. Ist die Länge des Vektors angegeben, jedoch größer als die Anzahl der Initialisierungswerte, so werden die restlichen Vektorelemente mit 0 belegt. Gibt es dagegen mehr Werte, als der Vektor lang ist, so werden die überzähligen Werte ignoriert.

Lokal definierte Vektoren werden erst zur Laufzeit des Programms auf dem Stack erzeugt. Bei der Definition von Vektoren ist daher folgendes zu beachten:

- Vektoren, die einen größeren Speicherbereich belegen (z.B. mehr als 1 KByte), sollten *global* oder *static* definiert werden.

- Ohne eine Initialisierung haben die Elemente eines lokalen Vektors nicht notwendigerweise einen definierten Wert. Die Zuweisung von Werten erfolgt in der Regel in einer Schleife.

Die Zuweisung eines Vektors an einen anderen Vektor ist *nicht* möglich. Innerhalb einer Klasse zur Darstellung von Vektoren kann der Zuweisungsoperator jedoch überladen werden. Hierzu später mehr.

Zum nebenstehenden Beispielprogramm

Nebenstehend werden die ersten zwanzig Fibonacci-Zahlen und ihre Quotienten berechnet. Die Fibonacci-Zahlen sind geeignet, um Eigenschaften des Wachstums in der Natur darzustellen. In der Informatik werden die Fibonacci-Zahlen z.B. für Speichermanagement und Hashverfahren eingesetzt. Sie sind wie folgt definiert:

- Die erste Fibonacci-Zahl ist `0`, die zweite `1`.

- Jede folgende Fibonacci-Zahl ist die Summe der beiden Vorgänger.

Das ergibt die Zahlenfolge `0, 1, 1, 2, 3, 5, 8, 13, ....`

Der Quotient einer Fibonacci-Zahl durch ihren Vorgänger heißt Fibonacci-Quotient. Die Folge der Fibonacci-Quotienten, also `1/1, 2/1, 3/2, ...`, konvergiert gegen den Grenzwert `1 + ` $\sqrt{5}$ ` /2`.

C-Strings

Initialisierung

```
char text[40] = "Hallo Evi";
```

Der String text im Speicher:

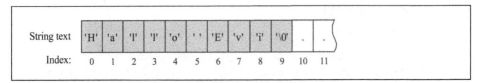

String text	'H'	'a'	'l'	'l'	'o'	' '	'E'	'v'	'i'	'\0'	.	.
Index:	0	1	2	3	4	5	6	7	8	9	10	11

 Der char-Vektor text hat die Länge 40, wobei der String "Hallo Evi" nur die ersten 9 Byte belegt.

Beispielprogramm

```cpp
// C-string.cpp  :  Mit C-Strings arbeiten.
// ----------------------------------------------------
#include <iostream>
#include <iomanip>
#include <cstring>
using namespace std;
char header[] = "\n    *** Demo für C-Strings ***\n\n";
int main()
{
   char hallo[30] = "Hallo ", name[20], meldung[80];

   cout << header << "Ihr Vorname: ";
   cin  >> setw(20) >> name;   // Ein Wort einlesen.
   strcat( hallo, name);       // name anhängen.
   cout << hallo << endl;

   cin.sync();                 // Keine alten Eingaben.
   cout << "\nWie lautet die Meldung des Tages?"
        << endl;
   cin.getline( meldung, 80);  // Eine Zeile, aber max.
                               // 79 Zeichen einlesen.
   if( strlen( meldung) > 0)   // Falls die Stringlänge
   {                           // größer als 0 ist.
     for( int i=0; meldung[i] != '\0'; ++i)
       cout << meldung[i] << ' ';   // Mit Zwischenraum
     cout << endl;                  // ausgeben.
   }
   return 0;
}
```

char-Vektoren

Vektoren mit Elementen vom Typ char werden beispielsweise bei der Datenübertragung als Puffer eingesetzt.

Beispiel: `char puffer[10*512];     // 5-KByte-Puffer`

Die häufigste Anwendung ist aber das Speichern von Zeichenfolgen. Eine mögliche Repräsentation von Strings ist nämlich, eine Zeichenfolge zusammen mit dem Stringende-Zeichen `'\0'` in einem char-Vektor abzulegen. Bei der Definition kann zur Initialisierung eine String-Konstante angegeben werden.

Beispiel: `char name[] = "Hugo";`

Diese Definition ist äquivalent zu:

```
char name[] = { 'H','u','g','o','\0' };
```

Wie man sieht, belegt der String name fünf Bytes: ein zusätzliches Byte für das Stringende-Zeichen! Soll mehr Speicher reserviert werden, kann die Größe wie im nebenstehenden Beispiel explizit angegeben werden.

Die Darstellung von Strings in einem char-Vektor mit Stringende-Zeichen ist in der Sprache C üblich. In C++ werden diese Strings auch C-Strings genannt, um sie von Objekten der Klasse string zu unterscheiden.

C-Strings und die Klasse string

C-Strings sind „reine" char-Vektoren. Deshalb steht für C-Strings nicht die Funktionalität der Klasse string zur Verfügung. So sind z.B. keine Zuweisungen oder Vergleiche möglich.

Beispiel: `char str1[20], str2[20] = "Ein String";`
                 `str1 = str2;              // Fehler!`
                 `strcpy( str1, str2);      // ok!`

Zur Bearbeitung von C-Strings stehen die aus C bekannten elementaren Funktionen zur Verfügung, wie z.B. strlen(), strcpy(), strcmp() und andere. Diese globalen Funktionen beginnen alle mit dem Präfix str.

Wie das nebenstehende Beispielprogramm zeigt, sind die I/O-Streams auch für char-Vektoren überladen. Ein- und Ausgaben sind also genauso komfortabel wie für Objekte der Klasse string. Allerdings muss der Programmierer beim Einlesen sicherstellen, dass nicht über das Ende des char-Vektors hinaus geschrieben wird. Das kann mit der Methode width() bzw. mit dem Manipulator setw() sichergestellt werden.

Beispiel: `cin >> setw(20) >> name; // max. 19 Zeichen`

C-Strings sind dann der Klasse string vorzuziehen, wenn nur wenige Operationen gebraucht werden und unnötiger „Overhead" vermieden werden soll.

Die Standardklasse string_view

Objekte vom Typ string_view anlegen

```
char pattern[11] = "1234567890";    // Initialisierung
string_view sv(pattern);            // mit char-Vektor
```

Vektor pattern und Objekt sv vom Typ string_view im Speicher:

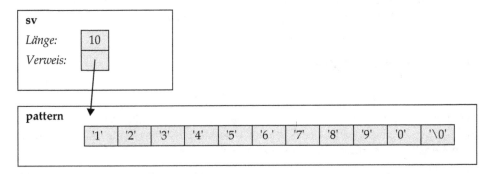

Beispielprogramm

```
// string_view.cpp  :  string_view-Objekte anlegen
//                     und Infos anzeigen.
// -------------------------------------------------------
#include <iostream>
#include <string_view>
using namespace std;

char pattern[] = "1234567890";

int main()
{
   string_view sv(pattern), prefix(pattern, 4);

   cout << "\n    *** Standardklasse string_view ***\n\n"
        << "Die Zeichenfolge: " << sv << endl
        << "Anzahl Zeichen: " << sv.length() << endl
        << "Die ersten 4 Zeichen:  " << prefix << endl;

   return 0;
}
```

Objekte vom Typ string_view anlegen

C++17 hat die Standardklasse `string_view` eingeführt, um Zeichenfolgen, die nur gelesen werden, mit rationellem Speicherverbrauch effizient zu nutzen.

Die Klasse `string_view` definiert einen Default-Konstruktor und einen Kopierkonstruktor, der als Argument auch ein `string`-Objekt akzeptiert. Außerdem gibt es zwei Konstruktoren, die ein Objekt aus einem `char`-Vektor erzeugen. Ist `v` ein `char`-Vektor, so wird mit

Beispiel: `string_view sv(v);`

ein Objekt `sv` vom Typ `string_view` mit `v` initialisiert. Ist als zweites Argument eine Ganzzahl `n` angegeben, so wird `sv` mit den ersten `n` führenden Zeichen von `v` initialisiert.

Das Objekt `sv` speichert nicht die Zeichenfolge selbst, sondern nur einen Verweis auf die Zeichenfolge und ihre Länge. Wichtig dabei ist, dass die Lebensdauer von `v` nicht frühzeitig endet.

Operationen mit Objekten vom Typ string_view

Der Zugriff auf die referenzierte Zeichenfolge ist nur lesend möglich. Hierfür gibt es die von der `string`-Klasse her bekannten Möglichkeiten, insbesondere sind der Indexoperator `[]` in der `const`-Version und die Read-only-Methode `at()` definiert. Die Methoden `length()` und `size()` liefern die Länge der Zeichenfolge und mit `find()` und `rfind()` kann das erste bzw. letzte Auftreten eines Teilstrings gesucht werden

Für Objekte vom Typ `string_view` ist der Zuweisungsoperator `=` definiert. Nach der Zuweisung referenziert der linke Operand dieselbe Zeichenfolge wie der rechte Operand. Die Zeichenfolge selbst wird nicht kopiert! Zum Kopieren der Zeichenfolge kann ein `string_view`-Objekt an ein `string`-Objekt zugewiesen werden.

Wie das nebenstehende Beispiel zeigt, ist es auch möglich, die Zeichenfolge eines `string_view`-Objekts mit dem Shift-Operator `<<` auf einen Stream auszugeben. Zum Vergleich von Zeichenfolgen sind für `string_view`-Objekte die Operatoren `<` , `<=`, `<; <=; ==` und `!=` definiert.

Parameter vom Typ string_view

Typischerweise wird `string_view` als Parametertyp verwendet, wenn in der Funktion der übergebene String nur gelesen wird.

Beispiel: `void func(string_view s) { /* ... */ };`

Beim Aufruf der Funktion mit einem C-String als Argument muss nur noch die Länge des Strings ermittelt werden. Vor C++17 wäre der Parameter als `const string&` deklariert worden. Für einen C-String wird dann jedoch ein temporäres `string`-Objekt erzeugt, was sehr viel aufwendiger ist.

Klassen-Arrays

Beispielprogramm

```cpp
// KontoTab.cpp
// Ein Vektor mit Objekten der Klasse Konto.
// ----------------------------------------------------

#include "konto.h"        // Definition der Klasse Konto
#include <iostream>
using namespace std;

Konto giro("Lustig, Peter", 1234567, -1200.99 );
Konto kontoTab[] =
{
  Konto("Müller, Sarah", 123000, 2500.0),
  Konto("Schmidt, Jean", 543001),
  Konto(),                       // Default-Konstruktor
  "Ulk, Mira",                   // Konto("Ulk, Mira"),
  giro                           // Konto(giro)
};

int anz = sizeof(kontoTab) / sizeof(Konto);

int main()
{
    // Noch einige Werte setzen:
    kontoTab[1].setStand( 10000.00);
                                   // Zuweisung ok:
    kontoTab[2] = Konto("Traurig, Otto", 727003, 200.00);

    cout << "Die Konten der Tabelle:" << endl;
    for( int i = 0; i < anz; ++i)
    {
       kontoTab[i].display();
       if( i % 3 == 2)
       {
          cout << "Weiter mit Return-Taste!\n";
          cin.get();
       }
    }
    cout << endl;

    return 0;
}
```

Deklaration von Klassen-Arrays

Die Elemente eines Vektors können auch Objekte vom Typ einer Klasse sein. Man spricht dann von einem *Klassen-Array*. Bei der Deklaration wird lediglich der Klassenname für den Typ der Vektorelemente angegeben.

Beispiel:　`Messwert temperaturTab[24];`

Hier wird ein Klassen-Array `temperaturTab` deklariert, das 24 Objekte der Klasse `Messwert` speichert. Diese Klasse wurde zu Beginn des letzten Kapitels eingeführt.

Da keine explizite Initialisierung angegeben ist, wird für jedes Vektorelement automatisch der Default-Konstruktor aufgerufen!

● Die Definition eines Klassen-Arrays ohne explizite Initialisierung ist nur für Klassen möglich, die einen Default-Konstruktor besitzen.

Das obige Beispiel ist also nur mit der ersten Version der Klasse `Messwert` korrekt, da nur diese einen Default-Konstruktor besitzt.

Explizite Initialisierung

Zur Initialisierung eines Klassen-Arrays wird wie gewöhnlich eine *Initialisierungsliste* angegeben. Die Liste enthält für jedes Vektorelement einen Konstruktor-Aufruf.

Beispiel:
```
         Messwert temperaturTab[24] =
         {
           Messwert( -2.5, 0,30,30),
           Messwert( 3.5),      // mit aktueller Zeit
           4.5,                 // ebenso
           Messwert( temp1),    // Kopierkonstruktor
           temp2                // ebenso
         };
```

Hier werden die ersten fünf Vektorelemente durch die angegebenen Konstruktoren initialisiert. Statt eines Konstruktors mit einem Argument kann auch nur das Argument angegeben werden. Für die restlichen Vektorelemente wird der Default-Konstruktor aufgerufen.

Ohne explizite Festlegung der Vektorlänge werden so viele Vektorelemente angelegt, wie in der Initialisierungsliste angegeben sind.

Die public-Schnittstelle der Objekte im Vektor kann ganz normal genutzt werden.

Beispiel:　`temperaturTab[2].setTime( 2,30,21);`

Hier sind keine weiteren Klammern notwendig, da die Operatoren [] und . zwar den gleichen Vorrang haben, aber von links her zusammengefasst werden.

Mehrdimensionale Vektoren

Beispielprogramm

```cpp
// multidim.cpp
// Demo mit mehrdimensionalen Vektoren
// ----------------------------------------------------
#include <iostream>
#include <iomanip>
using namespace std;

char vertreter[2][20] = {"Lauber, Otto",
                         "Forsch, Heidi"};

        // Jeder Vertreter hat fünf verschiedene
        // Artikel im Sortiment, davon wurden verkauft:
int artikelAnzahl[2][5] = { { 20,  51,  30,  17, 44},
                            {150, 120,  90, 110, 88}
                          };

int main()
{
   for( int i=0; i < 2; i++ )
   {
      cout << "\n Vertreter:  " << vertreter[i];
      cout << "\n Verkaufte Stückzahlen: ";

      for( int j = 0; j < 5; j++ )
         cout << setw(6) << artikelAnzahl[i][j];
      cout << endl;
   }
    return 0;
}
```

Bildschirmausgabe:

```
Vertreter:  Lauber, Otto
Verkaufte Stückzahlen:    20    51    30    17    44

Vertreter:  Frosch, Heidi
Verkaufte Stückzahlen:   150   120    90   110    88
```

Definition mehrdimensionaler Vektoren

In C++ können auch mehrdimensionale Vektoren gebildet werden, und zwar mit beliebig großer Dimension. Nach dem C++-Standard sind mindestens 256 Dimensionen möglich. Praktisch ist jedoch die Anzahl der Dimensionen und die Gesamtgröße des Vektors durch den verfügbaren Speicherplatz beschränkt.

Am häufigsten werden zweidimensionale Vektoren benutzt, die sog. *Matrizen*.

Beispiel: `float zahlen[3][10];   // 3 x 10 Matrix`

Hier wird eine Matrix `zahlen` definiert, die drei *Zeilen* und zehn *Spalten* besitzt. Jedes der 30 (= 3 * 10) Elemente ist vom Typ `float`. Durch die Zuweisung

Beispiel: `zahlen[0][9] = 7.2;   // Zeile 0, Spalte 9`

erhält das letzte Element in der ersten Zeile den Wert `7.2`.

Vektoren als Vektorelemente

In C++ gibt es keine spezielle Syntax für mehrdimensionale Vektoren. Vielmehr ist ein n-dimensionaler Vektor nichts anderes als ein eindimensionaler Vektor, dessen Elemente (n-1)-dimensionale Vektoren sind.

So besitzt der Vektor `zahlen` die drei Elemente:

```
zahlen[0]    zahlen[1]    zahlen[2].
```

Jedes dieser Elemente ist ein `float`-Vektor der Länge 10. Sie bilden die Zeilen des zweidimensionalen Vektors `zahlen`.

Für mehrdimensionale Vektoren gelten daher dieselben Regeln wie für eindimensionale Vektoren. So enthält die Initialisierungsliste eines zweidimensionalen Vektors die Werte der Vektorelemente, also die eindimensionalen Zeilen.

Beispiele: `int arr[2][3] = { {5, 0, 0}, {7, 0, 0} };`
                 `int arr[][3]  = { {5}, {7} };`

Die beiden Definitionen sind äquivalent. Bei einer Initialisierung kann nur die Größe der ersten Dimension weggelassen werden. Die Angabe der weiteren Dimensionen ist notwendig, da sie die Größe eines Vektorelements bestimmen.

Zum nebenstehenden Beispiel

Das nebenstehende Programm definiert die zweidimensionalen Vektoren `vertreter` und `artikelAnzahl` mit jeweils zwei Zeilen. Die Zeilen `vertreter[i]` sind `char`-Vektoren mit den Namen der Vertreter. Alternativ kann auch ein eindimensionaler `string`-Vektor definiert werden.

Beispiel: `string vertreter[2] = {"La...", "Fo..."};`

Vektoren als Datenelemente

Die Klasse TelList

```cpp
// telList.h
// Eine Klasse TelList zur Darstellung einer
// Liste mit Namen und Telefonnummern.
// -------------------------------------------------
#ifndef _TelList_
#define _TelList_

#include <string>
using namespace std;
#define PSEUDO -1          // Pseudoposition
#define MAX 100            // Maximale Anzahl Elemente

// Typ eines Listen-Elements:
struct Element { string name, telNr; };

class TelList
{
  private:
    Element v[MAX];          // Der Vektor und die
    int count;               // aktuelle Anzahl Elemente

  public:
    TelList(){ count = 0;}
    int getCount()const { return count; }
    Element *retrieve( int i )
    {
        return (i >= 0 && i < count)? &v[i] : NULL;
    }
    bool append( const Element& el )
    {
        return append( el.name, el.telNr);
    }
    bool append( const string& name,
                 const string& telNr);
    bool erase( const string& name);
    int  search( const string& name)const;
    void print()const;
    int  print( const string& name)const;
    int  getNewEntries();
};

#endif  // _TelList_
```

Kapselung von Vektoren

Häufig müssen gleichartige Objekte verwaltet werden, wie z.B. die Mitarbeiter einer Firma, die Konten einer Bank oder die Artikel eines Versandlagers. Eine Klasse, die diese Aufgabe übernimmt, kann zur einfachen Organisation der Daten einen Vektor verwenden. Ein Vektor erlaubt den direkten Zugriff auf einzelne Objekte und kann leicht durchsucht werden.

Eine Klasse, die einen Vektor kapselt, stellt Methoden für elementare Vektor-Operationen zur Verfügung, z.B. für das Einfügen und Löschen von Objekten. Ein Ziel beim Entwurf einer solchen Klasse ist auch, dass Bereichsüberprüfungen automatisch vorgenommen werden. Damit wird verhindert, dass über das Ende des Vektors hinaus gelesen oder geschrieben wird. Das Ergebnis ist eine Klasse zur Verwaltung von Objekten mit einer komfortablen und sicheren Schnittstelle.

Die Klasse TelList

Die Aufgabe der nebenstehenden Klasse `TelList` besteht darin, eine einfache Telefonliste bereitzustellen.

Jeder Eintrag besteht aus einem Paar, nämlich dem Namen und der Telefonnummer. Dafür ist der Typ `Element` definiert, der aus zwei Strings besteht. Im Vektor `v` können bis zu `MAX` Einträge vom Typ `Element` gespeichert werden. Das Datenelement `count` merkt sich die Anzahl der aktuell im Vektor gespeicherten Elemente. Beim Anlegen einer Telefonliste ist die Anzahl zunächst 0. Mit jedem Einfügen oder Löschen eines Elements wird die Anzahl entsprechend aktualisiert.

Die Klasse `TelList` besitzt nur einen Default-Konstruktor, der lediglich den Zähler `count` auf 0 setzt. Ein Vorbelegen der `MAX` Elemente im Vektor `v` ist nicht nötig, da für alle Strings der Default-Konstruktor der Klasse `string` ausgeführt wird.

Die Aufgaben der anderen Methoden ergeben sich weitgehend aus ihrem Namen. Die Methode `retrieve()` liefert zu einem Index einen Zeiger auf das entsprechende Element. Die Verwendung eines Zeigers erlaubt es, im Fall eines ungültigen Index, den NULL-Zeiger zurückzugeben.

Die beiden `append()`-Methoden fügen einen neuen Eintrag zur Liste hinzu. Die übergebenen Daten werden in das nächste freie Vektorelement kopiert, und der Zähler wird erhöht. Sollte kein Platz mehr frei sein oder das Namensfeld leer bzw. der Name schon vorhanden sein, so findet keine Aktion statt. In diesem Fall wird `false` zurückgegeben, andernfalls `true`.

In den Übungen zu diesem Kapitel werden weitere Details der Methoden festgelegt. Sie können also die Methoden der Klasse `TelList` selbst implementieren und testen.

Übungen

Beispiel zum Bubble-Sort-Algorithmus

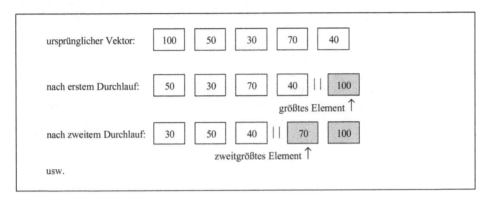

Zum Sieb des Eratosthenes

Zur Realisierung kann ein Vektor mit Elementen vom Typ `bool` definiert werden, in dem zunächst alle Elemente auf `true` gesetzt sind. Eine Zahl n zu „streichen" bedeutet dann, das n-te Vektorelement auf `false` zu setzen.

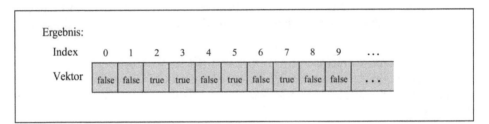

Momentaufnahme zur 4. Aufgabe

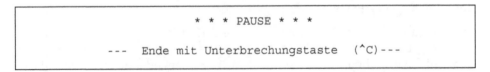

 Die Ausgabe des Laufbandes muss immer an derselben Cusorposition erfolgen. Eine vom Compiler unabhängige Möglichkeit, den Cursor zu positionieren, bieten die Bildschirmsteuerzeichen (siehe Anhang).

1. Aufgabe

Schreiben Sie ein C++-Programm, das maximal 100 Ganzzahlen von der Tastatur liest, in einen long-Vektor speichert und aufsteigend sortiert wieder ausgibt. Die Eingabe soll durch eine ungültige Eingabe, z.B. einen Buchstaben, beendet werden können.

 Benutzen Sie als Sortierverfahren den *Bubble-Sort-Algorithmus:* Der Vektor wird immer wieder durchlaufen, wobei benachbarte Vektorelemente verglichen und gegebenenfalls vertauscht werden. Das Verfahren bricht ab, wenn bei einem Durchlauf kein Tausch mehr stattfindet. Ob getauscht wurde, kann man sich in einem Flag merken.

2. Aufgabe

Im Kapitel 14 wurde eine Beispielklasse DayTime mit einer Methode isLess() eingeführt. Definieren und initialisieren Sie einen Vektor mit vier Objekten der Klasse DayTime.

Erstellen Sie dann eine main-Funktion, in der zunächst alle vier Objekte des Vektors mit der Methode print() angezeigt werden. Anschließend soll das größte und kleinste Element bestimmt und angezeigt werden.

3. Aufgabe

Erstellen Sie ein Programm, das alle Primzahlen kleiner 1000 und ihre Anzahl ausgibt. Eine ganze Zahl >= 2 ist eine Primzahl, wenn sie nicht teilbar ist, außer durch 1 oder sich selbst. Verwenden Sie das *Sieb des Eratosthenes:*

Man erhält die Primzahlen, indem man alle Vielfachen der schon gefundenen Primzahlen „streicht", also

zuerst alle Vielfachen von 2 (4, 6, 8, ...) streichen,
dann alle Vielfachen von 3 (6, 9, 12, ...),
dann alle Vielfachen von 5 (10, 15, 20, ..)   // 4 wurde schon gestrichen
usw.

4. Aufgabe

Schreiben Sie ein C++-Programm, das die nebenstehende Bildschirmausgabe erzeugt. Dabei soll die Meldung

    * * *   P A U S E   * * *

als Laufband in der Mitte des Fensters nach links „rollen". Das Rollen können Sie dadurch erreichen, dass die Ausgabe des Strings zuerst beim ersten Zeichen, dann beim zweiten Zeichen usw. beginnt. Dabei wird der String als Ring aufgefasst, d.h. dem letzten Zeichen folgt das erste Zeichen, und die Ausgabe wird fortgesetzt, bis wieder die Startposition erreicht ist.

Die Geschwindigkeit des Laufbandes kann durch eine Warteschleife nach jeder Ausgabe des Strings gesteuert werden.

Übungen (Fortsetzung)

Zur 5. Aufgabe

Methoden der Klasse TelList, die noch zu implementieren sind

```
     bool append( const string& name,
                  const string& telNr);
     bool erase( const string& name);
     int  search( const string& name) const;
     void print() const;
     int  print( const string& name) const;
     int  getNewEntries();
```

Menü des Anwenderprogramms

```
              *****  Telefonliste  *****


          A = Anzeigen aller Einträge

          F = Finden einer Telefonnummer

          H = Hinzufügen eines Eintrags

          L = Löschen eines Eintrags

          B = Beenden des Programms

     Ihre Wahl:
```

5. Aufgabe

In diesem Kapitel wurde die Beispielklasse `TelList` vorgestellt. Jedoch wurden noch nicht alle Methoden implementiert und getestet.

• Implementieren Sie die nebenstehenden Methoden der Klasse `TelList`.

Der Name wird als eindeutiger Schlüssel benutzt. Daher wird ein neuer Eintrag mit der Methode `append()` nur dann eingefügt, wenn der Name nicht leer und noch nicht vorhanden ist.

Die Methode `erase()` löscht ein bestimmtes Vektorelement. Dazu wird zunächst mit der Methode `search()` die Position des gesuchten Elements im Vektor bestimmt. Wenn es nicht vorhanden ist, liefert `erase()` den Wert `false`. Andernfalls wird das zu löschende Element mit dem letzten Element überschrieben und der Zähler `count` dekrementiert.

Die Methode `search()` liefert die Position im Vektor, wo sich der Eintrag mit dem gesuchten Namen befindet. Eine erfolglose Suche wird durch den Return-Wert `PSEUDO` angezeigt.

Die `print`-Methode ohne Parameter gibt alle Einträge aus. Der zweiten Methode wird der Anfang eines Namens übergeben, z.B. nur der erste Buchstabe. Es werden dann alle passenden Einträge ausgegeben. Sie können dafür die Methode `compare()` der Klasse `string` aufrufen.

Beispiel: `str1.compare( 0, 5, str2 ) == 0`

Dieser Ausdruck ist wahr, falls ab der Position 0 die nächsten fünf Zeichen der Strings `str1` und `str2` gleich sind.

Mit der Methode `getNewEntries()` werden von der Tastatur neue Einträge in die Telefonliste eingelesen. Jeder neue Eintrag wird mit der Methode `append()` angehängt. Sobald der Anwender für den Namen einen leeren String eingibt, soll das Einlesen beendet werden. Die Methode gibt die Anzahl neuer Einträge zurück.

• Entwickeln Sie ein Anwenderprogramm, das eine Telefonliste vom Typ `TelList` anlegt und zur Bearbeitung das nebenstehende Menü anbietet.

Das Menü soll in einer eigenen Funktion stehen, die das eingegebene Kommando zurückgibt. Das Menü wird in einer Schleife der main-Funktion („main-Loop") aufgerufen. Entsprechend dem eingegebenen Kommando wird dann eine Methode der Klasse `TelList` aufgerufen. Bei der Auswahl der Punkte „Löschen" oder „Suchen" muss noch ein Name bzw. der Anfang eines Namens eingelesen werden.

 Die Telefonliste wird noch nicht permanent in einer Datei gespeichert. Dieses und weitere Optimierungen, z.B. eine variable Länge, werden später noch hinzugefügt.

Lösungen

Zur 1. Aufgabe:

```cpp
// ----------------------------------------------------
// bubble.cpp
// Ganze Zahlen in einen Vektor einlesen,
// aufsteigend sortieren und wieder ausgeben.
// ----------------------------------------------------
#include <iostream>
#include <iomanip>
using namespace std;

#define MAX  100                     // Maximale Anzahl
long zahl[MAX];

int main()
{
   int i, anz;                       // Index, Anzahl

   cout << "\nG a n z e   Z a h l e n   s o r t i e r e n\n"
        << endl;

   // Zahlen einlesen:
   cout << "Bis zu 100 ganze Zahlen eingeben\n"
        << "(Abbruch mit einem Buchstaben):" << endl;
   for( i = 0; i < MAX  &&  cin >> zahl[i]; ++i)
       ;
   anz = i;

   // Zahlen sortieren
   bool sortiert = false;      // Noch nicht sortiert.
   long hilf;                  // Zum Tauschen.
   int  ende = anz;            // Ende eines Durchlaufs.

   while( !sortiert)           // Solange noch nicht
   {                           // sortiert.
     sortiert = true;
     --ende;
     for( i = 0; i < ende; ++i) // Benachbarte Zahlen
     {                          // vergleichen.
       if( zahl[i] > zahl[i+1])
       {
          sortiert = false;     // Noch nicht sortiert.
          hilf     = zahl[i];   // Tauschen.
          zahl[i]  = zahl[i+1];
          zahl[i+1]= hilf;
```

```
        }
      }
    }

    // Zahlen ausgeben
    cout << "Die sortierten Zahlen:\n" << endl;

    for( i = 0; i < anz; ++i)
      cout << setw(10) << zahl[i];
    cout << endl;

    return 0;
}
```

Zur 2. Aufgabe:

```
// -------------------------------------------------
// DayTime.h
// Die Klasse DayTime stellt die Uhrzeit mit Stunden,
// Minuten und Sekunden dar.
// -------------------------------------------------
#ifndef _DAYTIME_
#define _DAYTIME_

#include <iostream>
#include <iomanip>
using namespace std;

class DayTime
{
  private:
    short hour, minute, second;
    bool overflow;

  public:
    DayTime( int h = 0, int m = 0, int s = 0)
    {
      overflow = false;
      if( !setTime( h, m, s))          // this->setTime(...)
        hour = minute = second = 0;
    }
    bool setTime(int hour, int minute, int second = 0)
    {
      if(    hour   >= 0  &&  hour < 24
          && minute >= 0  &&  minute < 60
          && second >= 0  &&  second < 60 )
      {
```

Lösungen (Fortsetzung)

```cpp
      this->hour   = (short)hour;
      this->minute = (short)minute;
      this->second = (short)second;
      return true;
    }
    else
      return false;
  }

  int getHour()   const { return hour;   }
  int getMinute() const { return minute; };
  int getSecond() const { return second; };
  int asSeconds() const     // Tageszeit als Sekunden
  {
    return (60*60*hour + 60*minute + second);
  }

  bool isLess( DayTime t) const  // *this mit t vergl.
  {
    return  asSeconds() < t.asSeconds();
  }          // this->sSeconds() < t.asSeconds();

  void print() const
  {
    cout << setfill('0')
         << setw(2) << hour     << ':'
         << setw(2) << minute   << ':'
         << setw(2) << second   << " Uhr" << endl;
    cout << setfill(' ');
  }
  void swap( DayTime& t)          // ein Parameter!
  {                               // *this und t tauschen:
    DayTime temp(t);  t = *this;  *this = temp;
  }
};

#endif    // _DAYTIME_


// -------------------------------------------------------
// TimeTab.cpp
// Ein Array mit Objekten der Klasse DayTime.
// -------------------------------------------------------
#include "DayTime.h"       // Definition der Klasse DayTime
#include <iostream>
using namespace std;
```

```
char header[] =
"\n\n      ***  Tabelle mit Tageszeiten  ***\n\n";

int main()
{
  DayTime timeTab[4] =
          { 18, DayTime(10,25), DayTime(14,55,30) };
  int i;

  timeTab[3].setTime( 8,40,50);    // Letztes Element.

  cout << header << endl;

  // Ausgabe:
  for( i = 0; i < 4; ++i)
  {
     timeTab[i].print();
     cout << endl;
  }

  // Kleinste und größte Zeit ermitteln:
  int i_min = 0, i_max = 0;          // Indizes für kleinstes
                                     // und größtes Element.
  for( i = 1; i < 4; ++i)
  {
     if( timeTab[i].isLess( timeTab[i_min]) )
         i_min = i;

     if( timeTab[i_max].isLess( timeTab[i]) )
         i_max = i;
  }

  cout << "\nKleinste Zeit: ";  timeTab[i_min].print();

  cout << "\nGrößte Zeit:   ";  timeTab[i_max].print();

  return 0;
}
```

Lösungen (Fortsetzung)

Zur 3. Aufgabe:

```cpp
// --------------------------------------------------------
// sieb.cpp
// Mit dem Sieb des Eratosthenes Primzahlen finden.
// --------------------------------------------------------
#include <iostream>
#include <iomanip>
using namespace std;
#define LIMIT  1000                      // Obergrenze
bool flags[LIMIT] = { false, false};  // Vektor mit Flags
int main()
{
   register int i, j;          // Indizes
   for( i = 2; i < LIMIT; ++i)
       flags[i] = true;         // Flags auf true setzen
   // Sieben:
   for( i = 2; i < LIMIT/2; ++i)
   {
      if( flags[i])             // Ist i eine Primzahl?
      {                         // Ja -> Vielfache löschen.
        for( j = i+i; j < LIMIT; j += i)
           flags[j] = false;
      }
   }
   // Zählen:
   int count = 0;              // Zähler
   for( i = 2; i < LIMIT; ++i)
      if(flags[i])             // Falls i Primzahl
         ++count;             // -> zählen
   // Ausgabe:
   cout << "Es gibt "<< count <<" Primzahlen kleiner als "
        << LIMIT << endl;
   cout << "\nPrimzahlen ausgeben? (j/n) ";
   char reply;  cin.get(reply);
   if( reply == 'j' || reply == 'J')
   {
     for( i = 2; i < LIMIT; ++i)
        if(flags[i])             // Falls i Primzahl
        {                         // -> ausgeben.
           cout.width(8);   cout << i;
        }
   }
   cout << endl;
   return 0;
}
```

Zur 4. Aufgabe:

```cpp
// -------------------------------------------------------
// laufband.cpp
// Laufband mit einer Meldung ausgeben.
// -------------------------------------------------------
#include <iostream>
#include <iomanip>
using namespace std;
#define DELAY  10000000L                    // Verzögerung

inline void cls()                      // Bildschirm löschen
{
   cout << "\033[2J\n";
}

inline void locate(int z, int s)    // Cursor in Zeile z
{                                   // und Spalte s
   cout << "\033[" << z << ';' << s << 'H';
}

char meld[] = "* * *  P A U S E  * * * ";

int main()
{
   int i, start = 0, len = strlen(meld);

   cls();  locate(24, 20);          // Zeile 24, Spalte 20
   cout << "---  Ende mit Unterbrechungstaste(^C)---";

   while( true() )
   {
     locate( 12, 25);              // Zeile 12, Spalte 25
     i = start;                    // Ausgabe ab Index start
     do
     {
         cout << meld[i++];
         i = i % len;              // if( i == len) i = 0;
     }
     while( i != start);
     cout << endl;                 // Pufferinhalt zum Bildschirm
     // Kurz warten
     for( int count = 0; count < DELAY; ++count)
         ;

     ++start;                      // Für nächste Ausgabe
     start %= len;                 // start = start % len;
   }
   cls();
   return 0;
}
```

Lösungen (Fortsetzung)

Zur 5. Aufgabe:

```
// -------------------------------------------------------
// telList.h
// Eine Klasse TelList zur Darstellung einer
// Liste mit Namen und Telefonnummern.
// -------------------------------------------------------
//
// Wie in diesem Kapitel angegeben.


// -------------------------------------------------------
// TelList.cpp
// Implementierung der TelList-Methoden.
// -------------------------------------------------------
#include "telList.h"        // Definition der Klasse TelList
#include <iostream>
#include <iomanip>
using namespace std;

bool TelList::append( const string& name,     // Anhängen
                      const string& telNr)
{
    if( count < MAX                 // noch Platz
        && name.length() > 1        // mindestens 2 Zeichen
        && search(name) == PSEUDO)  // noch nicht vorhanden
    {
      v[count].name  = name;
      v[count].telNr = telNr;
      ++count;
      return true;
    }
    return false;
}

bool TelList::erase( const string& key )      // Löschen
{
    int i = search(key);
    if( i != PSEUDO )
    {                                   // Letztes Element in
      v[i] = v[count-1];  --count;  // Position i kopieren.
      return true;
    }
    return false;
}

int TelList::search( const string& key )const     // Suchen
{
```

```
    for( int i = 0; i < count; i++ ) // Suchen
      if( v[i].name == key )
        return i;                     // Gefunden
    return PSEUDO;                    // Nicht gefunden
}


// Hilfsfunktionen für die Ausgabe:
inline void tabHeader()              // Überschrift der Tabelle
{
    cout << "\n  Name                           Telefon-Nr\n"
            "-----------------------------------------------"
         << endl;
}
inline void printline( const Element& el)
{
    cout << left << setw(30) << el.name << el.telNr << endl;

}


void TelList::print() const          // Alle Einträge ausgeben
{
    if( count == 0)
      cout << "\nDie Telefonliste ist leer!" << endl;
    else
    {
       tabHeader();
       for( int i = 0; i < count; ++i)
          printline( v[i]);
    }
}
int TelList::print( const string& name) const // Einträge, die
{                                             // mit name beginnen.
    int matches = 0, len = name.length();

    for( int i = 0; i < count; ++i)
    {
       if( v[i].name.compare(0, len, name) == 0)
       {
         if( matches == 0) tabHeader();  // Überschrift vor
                                         // erster Ausgabe.
         ++matches;
         printline( v[i]);
       }
    }
    if( matches == 0)
       cout << "Kein passender Eintrag gefunden!" << endl;

    return matches;
}
```

Lösungen (Fortsetzung)

```cpp
int TelList::getNewEntries()          // Neue Einträge
{                                     // im Dialog einlesen.
    int inputCount = 0;
    cout << "\nNeue Namen und Telefonnummern eingeben:"
            "\nEnde mit leerer Eingabe"
         << endl;
    Element el;
    while( true)
    {
      cout << "\nNeuer Nachname, Vorname:   ";
      cin.sync(); getline( cin, el.name);
      if( el.name.empty())
        break;
      cout << "\nTelefonnummer: ";
      cin.sync(); getline( cin, el.telNr);

      if( !append( el))
      {
        cout << "Name wurde nicht eingefügt!" << endl;
        if( count == MAX)
        {
          cout << "Die Tabelle ist voll!" << endl;
          break;
        }
        if( search( el.name) != PSEUDO)
          cout << "Name schon vorhanden!" << endl;
      }
      else
      {
        ++inputCount;
        cout << "Neues Element wurde eingefügt!" << endl;
      }
    }
    return inputCount;
}

// ----------------------------------------------------------
// TelList_.cpp
// Mit der Klasse TelList eine Telefonliste verwalten.
// ----------------------------------------------------------
#include "telList.h"        // Definition der Klasse TelList
#include <iostream>
#include <string>
#include <cctype>
using namespace std;

inline void cls()
{
```

```
        cout << "\033[2J\n";    // Nur New-Lines ausgeben, falls
}                               // ANSI-Steuerzeichen nicht verfügbar.

inline void weiter()
{
    cout << "\n\nWeiter mit der Return-Taste! ";
    cin.sync();  cin.clear();          // Nur neue Eingabe
    while( cin.get() != '\n')
        ;
}

int menu();                 // Ein Kommando einlesen

char header[] =
"\n\n                 *****  Telefonliste  *****\n\n";

TelList myFriends;          // Eine Telefonliste

int main()
{
    int aktion = 0;         // Kommando
    string name;            // Zum Einlesen eines Namens

    myFriends.append("Lustig, Peter", "0203-1234567");

    while( aktion != 'B')
    {
        aktion = menu();
        cls();
        cout << header << endl;

        switch( aktion)
        {
            case 'A':                           // Alles anzeigen
                    myFriends.print();
                    weiter();
                    break;

            case 'F':                           // Suchen
                    cout <<
                    "\n--- Telefonnummer finden. ---\n "
                    "\nDen Anfang eines Namens eingeben: ";
                    getline( cin, name);
                    if( !name.empty())
                    {
                        myFriends.print( name);
                        weiter();
                    }
                    break;
```

Lösungen (Fortsetzung)

```
            case 'H':                                    // Hinzufügen
                    myFriends.getNewEntries();
                    break;

            case 'L':                                    // Löschen
                  cout <<
                    "\n--- Telefoneintrag löschen. ---\n "
                    "\nDen vollständigen Namen eingeben: ";
                  getline( cin, name);
                  if( !name.empty())
                  {
                    if( !myFriends.erase( name))
                       cout << name << " nicht gefunden!"
                              << endl;
                    else
                       cout << "Eintrag für " << name
                              << " gelöscht!" << endl;
                    weiter();
                  }
                  break;

         case 'B':  cls();                      // Beenden
                  break;
       }
    } // Ende while

   return 0;
}

int menu()
{
   static char menuStr[] =
   "\n\n             A = Anzeigen alle Einträge"
   "\n\n             F = Finden einer Telefonnummer"
   "\n\n             H = Hinzufügen eines Eintrags"
   "\n\n             L = Löschen eines Eintrags"
   "\n\n             B = Beenden des Programms"
   "\n\n Ihre Wahl:   ";

   cls();
   cout << header << menuStr;

   char wahl;
   cin.sync(); cin.clear();   // Nur neue Eingabe
   if( !cin.get(wahl))
      wahl = 'B';
   else
      wahl = toupper(wahl);

   cin.sync();                      // Eingabepuffer löschen
   return wahl;
}
```

Kapitel 17

Zeiger und Vektoren

Dieses Kapitel beschreibt den Zusammenhang von Zeigern und Vektoren. Dazu gehören:

- Arithmetik mit Zeigern

- Zeigerversion von Funktionen

- Zeiger als Return-Wert und Read-only-Zeiger

- Zeigervektoren

Operationen mit C-Strings demonstrieren, wie mit Zeigern effizient programmiert werden kann. Als Anwendung für Zeigervektoren wird der Zugriff auf Strings in der Kommandozeile eines Programms vorgestellt.

Vektoren und Zeiger (1)

Beispielprogramm

```cpp
// textPtr.cpp
// char-Vektoren und char-Zeiger
// -----------------------------------------------------
#include <iostream>
using namespace std;

int main()
{
    cout << "Demo mit char-Vektoren und char-Zeigern.\n"
        << endl;

    char text[] = "Guten Morgen!",
        name[] = "Hans!";
    char *cPtr = "Hallo ";          // cPtr auf "Hallo "
                                    // zeigen lassen.
    cout << cPtr << name << '\n'
        << text << endl;

    cout << "Der Text \"" << text
        << "\" beginnt bei der Adresse " << (void*)text
        << endl;

    cout << text + 6        // Was passiert hier?
        << endl;

    cPtr = name;            // cPtr auf name zeigen lassen,
                            // d.h. *cPtr ist name[0]
    cout << "Das ist das " << *cPtr << " vom " << cPtr
        << endl;
    *cPtr = 'k';
    cout << "Der Hans der " << cPtr << endl;
    return 0;
}
```

Beispiel für eine Ausgabe:

```
Demo mit char-Vektoren und char-Zeigern.

Hallo Hans!
Guten Morgen!
Der Text „Guten Morgen!" beginnt bei der Adresse 00451E40
Morgen!
Das ist das H vom Hans!
Der Hans der kans!
```

Name und Adresse eines Vektors

In C++ bezeichnet der Name eines Vektors zugleich die Anfangsadresse des Vektors. Genauer: Ein Vektorname ist ein Zeiger auf das erste Vektorelement.

Beispiel: `char stadt[] = "München";`

Dann ist `stadt` ein `char`-Zeiger auf `stadt[0]`, also ein Zeiger auf die Stelle im Speicher, wo das Zeichen `'M'` abgelegt ist. In einem Ausdruck sind daher `stadt` und `&stadt[0]` äquivalent.

Beispiel: `cout << stadt;  // oder:  cout << &stadt[0];`

Hier wird ein Zeiger auf das erste Zeichen übergeben. Ab dieser Adresse werden die Zeichen des Strings gelesen und ausgegeben, bis das Stringende-Zeichen `'\0'` erreicht ist.

Zeigervariablen und Vektoren

Ein Vektorname ist keine Zeigervariable, sondern eine Konstante, die nicht verändert werden kann. Sie kann aber an eine Zeigervariable zugewiesen werden.

Beispiel: `char *cPtr;`
           `cPtr = stadt;   // oder: cPtr = &stadt[0];`
           `cout << cPtr;   // Ausgabe von "München"`

Dann zeigt `cPtr` ebenso wie `stadt` auf das Vektorelement `stadt[0]`. Im Gegensatz zu `stadt` ist aber `cPtr` eine Variable und kann versetzt werden.

Beispiel: `cPtr = "Hallo!";`

Anschließend zeigt `cPtr` auf das Zeichen `'H'`. Auch String-Konstanten wie `"Hallo!"` sind nämlich `char`-Vektoren und repräsentieren daher die Adresse des ersten Vektorelements.

Typenlose Zeiger

Soll nicht der String, sondern die Adresse selbst angezeigt werden, darf kein `char`-Zeiger, sondern es muss ein Zeiger vom Typ `void *` übergeben werden.

Beispiel: `cout << (void *)stadt;`

Hier wird der `char`-Zeiger in einen Zeiger vom Typ `void *` gecastet und als Argument dem Operator `<<` übergeben. Das bewirkt, dass die Adresse hexadezimal angezeigt wird. Der Operator `<<` der Klasse `ostream` ist nämlich für den Typ `void *` zu diesem Zweck überladen.

Ein Zeiger vom Typ `void *` repräsentiert eine Adresse im Speicher, jedoch ohne den Typ festzulegen. Ein solcher Zeiger heißt daher auch *typenloser Zeiger*. Beim Speicherzugriff mit einem typenlosen Zeiger muss der Typ explizit durch einen Cast festgelegt werden.

Vektoren und Zeiger (2)

Beispielprogramm

```cpp
// arr_tab.cpp
// Adressen und Werte von Vektorelementen anzeigen.
// -------------------------------------------------------

#include <iostream>
using namespace std;

int arr[4] = { 0, 10, 20, 30 };

int main()
{
   cout << "\nAdresse und Wert der Vektorelemente:\n"
        << endl;

   for( int i = 0; i < 4; i++ )
      cout << "Adresse: " << (void*)(arr+i)   // &arr[i]
           << "   Wert: " << *(arr+i)         // arr[i]
           << endl;

   return 0;
}
```

Zusammenhang zwischen Zeigern und Vektorelementen

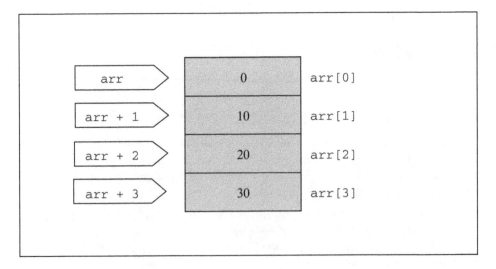

Adressierung von Vektorelementen

Der Zugriff auf einzelne Vektorelemente ist in C++ sehr eng mit der Zeigerarithmetik verbunden. Dies soll am Beispiel eines `int`-Vektors erläutert werden.

Beispiel: `int arr[4] = { 0, 10, 20, 30 };`

Wie bereits bekannt, ist der Vektorname `arr` ein `int`-Zeiger auf `arr[0]`.

Es ist nun möglich, Zeiger und ganzzahlige Werte zu addieren bzw. zu subtrahieren. Dabei wird die Größe des Objekts, auf das ein Zeiger zeigt, automatisch berücksichtigt!

Da `arr` ein `int`-Zeiger auf `arr[0]` ist, zeigt `arr+1` auf das nächste Vektorelement `arr[1]`, also `sizeof(int)` Byte weiter. Das sind zwei oder vier Byte, je nach Größe des Datentyps `int`. Für eine beliebige ganze Zahl `i` gilt:

> `arr + i` zeigt auf das Vektorelement `arr[i]`
>
> `*(arr + i)` ist das Vektorelement `arr[i]`

Auf diese Weise können auch Speicherstellen außerhalb eines Vektors adressiert werden. So zeigt `arr - 1` auf das Wort im Speicher, das vor `arr[0]` liegt. Im Allgemeinen macht dies jedoch keinen Sinn, da nicht bekannt ist, was dort auf welche Weise abgespeichert ist.

Adressierung mit Zeigervariablen

Die Elemente eines Vektors können auch durch eine Zeigervariable adressiert werden.

Beispiel: `int *ptr = arr;    // ptr zeigt auf arr[0]`

Dann ist `ptr` ebenso wie `arr` ein Zeiger auf das Vektorelement `arr[0]`. Folglich zeigen dann auch `ptr + 1`, `ptr + 2`, . . . auf die Vektorelemente `arr[1]`, `arr[2]`, ...

Für eine beliebige ganze Zahl `i` sind somit die folgenden Ausdrücke äquivalent:

> `&arr[i]`   `arr + i`   `ptr + i`

Auf der Werteebene sind dann äquivalent:

> `arr[i]`   `*(arr + i)`   `*(ptr + i)`   `ptr[i]`

Auf den ersten Blick überraschend ist, dass auch bei Zeigern die Vektorschreibweise `ptr[i]` benutzt werden kann. Der Compiler übersetzt `arr[i]` in `*(arr + i)`, was soviel bedeutet wie: „Gehe von der Anfangsadresse `arr` um `i` Objekte weiter, und nimm das dortige Objekt!" Dasselbe gilt auch für `ptr[i]`.

Zeigerarithmetik

Beispiele zur Zeigerarithmetik

```
float v[6] = { 0.0F, 0.1F, 0.2F, 0.3F, 0.4F, 0.5F},
       *pv, x;
pv = v + 4;        // pv auf v[4] setzen.
*pv = 1.4;         // 1.4 an v[4] zuweisen.
pv -= 2;           // pv auf v[2] zurücksetzen.
++pv;              // pv auf v[3] setzen.
x = *pv++;         // v[3] an x zuweisen, dann
                   // pv ein Element weiter.
x += *pv--;        // x um v[4] erhöhen und dann
                   // pv wieder auf v[3] setzen.
--pv;              // pv auf v[2] zurücksetzen.
```

Zeiger in einem Klassen-Array

```
// In einer Tabelle mit Konten eine bestimmte
// Kontonummer suchen und das Konto anzeigen.
// -------------------------------------------------
#include "konto.h"      // Definition der Klasse Konto.
Konto kontoTab[100];    // Tabelle mit Konto-Objekten.

int main()
{
   int anz;      // Aktuelle Anzahl Konten in der Tabelle.
   Konto *kPtr;           // Zeiger auf Konto-Objekte.
  // Hier Daten in kontoTab einlesen, anz aktualisieren.
  // Die Konto-Nummer 1234567 suchen:
  bool gefunden = false;
  for( kPtr = kontoTab; kPtr < kontoTab + anz; ++kPtr)
     if( kPtr->getNr() == 1234567 )
     { gefunden = true;
        break;
     }
  if( gefunden)                 // Gefunden?
     kPtr->display();           // Ja -> Anzeigen.

  // Weiter im Programm
}
```

In C++ können arithmetische Operationen und Vergleiche mit Zeigern durchgeführt werden, sofern sie sinnvoll sind. Das bedeutet in erster Linie, dass die Zeiger immer auf Elemente eines Vektors zeigen sollten. Die Möglichkeiten der Zeigerarithmetik werden anhand des folgenden Beispiels demonstriert:

Beispiel:
```
float v[6], *pv = v;  // pv zeigt auf v[0]
int i = 3;
```

Zeiger in einem Vektor versetzen

Wie wir bereits wissen, liefert die Addition `pv + i` einen Zeiger auf das Vektorelement `v[i]`. Dieser Zeiger kann durch die Zuweisung `pv = pv + i;` wieder in der Variablen `pv` gespeichert werden. Damit wird der Zeiger `pv` um `i` Objekte „versetzt", d.h. pv zeigt jetzt auf `v[i]`.

Auch die Verwendung der *Operatoren* ++, -- und += bzw. -= ist bei Zeigervariablen erlaubt. Nebenstehend sind dazu einige Beispiele angegeben. Zu beachten ist, dass der Postfix-Operator ++ einen höheren Vorrang hat als der Verweisoperator *. Deshalb gilt im

Beispiel: `*pv++`   **ist äquivalent mit**   `* (pv++)`

Der Operator **++** erhöht also den Zeiger und nicht die Variable, auf die der Zeiger verweist. Mit dem Zeiger `v` sind solche Operationen nicht möglich, da v eine *Konstante* ist.

Differenz von Zeigern

Die Addition von zwei Zeigern liefert kein sinnvolles Ergebnis und ist daher auch nicht zulässig. Dagegen ist die *Subtraktion* zweier Zeiger sehr wohl sinnvoll: Das Ergebnis ist ein `int`-Wert, der die Anzahl der Vektorelemente zwischen den Zeigern angibt. Auf diese Weise kann man auch den Index eines Vektorelements ermitteln, auf das ein Zeiger verweist: Man subtrahiert die Anfangsadresse des Vektors. Zeigt etwa pv auf das Vektorelement `v[3]`, so wird durch

Beispiel: `int index = pv - v;`

der Variablen `index` der Wert 3 zugewiesen.

Vergleiche von Zeigern

Schließlich sind auch *Vergleiche* von Zeigern gleichen Typs erlaubt.

Beispiel:
```
for( pv = v + 5; pv >= v; --pv)
    cout << setw(10) << *pv;
```

Diese Schleife gibt die Zahlen von `v` in umgekehrter Reihenfolge aus. Im nebenstehenden Beispiel durchläuft der Zeiger `kPtr` die ersten `anz` Elemente im Vektor `kontoTab`, nämlich solange `kPtr < kontoTab + anz` ist.

385

Vektoren als Argumente von Funktionen

Beispielprogramm

```cpp
// reverse.cpp
// Definition und Aufruf der Funktion reverse().
// reverse() kopiert einen C-String in einen zweiten
// und dreht dabei die Reihenfolge der Zeichen um.
// ----------------------------------------------------

#include <iostream>
using namespace std;
#include <string.h>        // Header-Datei für C-Strings,
                           // hier für strlen().
void reverse( char str[], char umstr[]);   // Prototyp

int main()                 // Ein Wort einlesen und
{                          // "verdreht" wieder ausgeben.
   const int ANZ = 81;
   char wort[ANZ], umwort[ANZ];

   cout << "Geben Sie ein Wort ein: ";
   cin.width(ANZ);         // maximal ANZ-1 Zeichen lesen
   cin >> wort;

   reverse( wort, umwort);                  // Aufruf

   cout << "\nDas \"verdrehte\" Wort:    " << umwort
        << endl ;

   return 0;
}

void reverse( char s1[], char s2[])       // Kopiert den
{                          // C-String s1 verdreht in s2
   int j = 0;

   for( int i = strlen(s1)-1; i >= 0; i--, j++)
      s2[j] = s1[i];

   s2[j] = '\0';                   // Stringende-Zeichen
}
```

Beispiel für eine Bildschirmausgabe:

```
Geben Sie ein Wort ein: REGAL
Das "verdrehte" Wort:    LAGER
```

Wird beim Aufruf einer Funktion ein Vektorname als Argument übergeben, so erhält die Funktion die Adresse des ersten Vektorelements. Damit kann die aufgerufene Funktion auf jedes Vektorelement lesend oder schreibend zugreifen.

Deklaration von Parametern

Ist das Argument ein Vektor, so gibt es für die Deklaration des Parameters zwei äquivalente Möglichkeiten. Dies wird am Beispiel der Standardfunktion `strlen()` gezeigt, die die Länge eines C-Strings zurückgibt. Zum Beispiel liefert der Aufruf `strlen("REGAL")` den Wert 5.

1. Der Parameter wird als Vektor deklariert.

Beispiel:
```
int strlen( char str[])      // Länge von str ohne
{ int i;                     // '\0' ermitteln.
  for( i = 0;  str[i] != '\0';  ++i)
      ;
  return (i);
}
```

2. Der Parameter wird als Zeiger deklariert.

Beispiel:
```
int strlen( char *str)
{   /*  wie oben  */  }
```

In beiden Fällen ist der Parameter `str` ein Zeiger, der die Anfangsadresse des Vektors speichert. Die Vektorschreibweise ist dann vorzuziehen, wenn die Elemente des Vektors mit einem Index angesprochen werden. Bei dem Aufruf `strlen("REGAL");` ist dann die folgende Zuordnung gegeben:

'R'	'E'	'G'	'A'	'L'	'\0'
str[0]	str[1]	str[2]	str[3]	str[4]	str[5]

Wie man hier sieht, entspricht die Länge eines C-Strings immer dem Index des Elements, das das Stringende-Zeichen `'\0'` enthält.

Die nebenstehende Funktion `reverse()` kopiert die Zeichen eines C-Strings in umgekehrter Reihenfolge in einen zweiten char-Vektor. Zuerst wird das letzte Zeichen von `s1`, also das Zeichen mit dem Index `strlen(s1)-1`, nach `s2[0]` kopiert, dann das vorletzte Zeichen nach `s2[1]` usw.

Länge des Vektors

Eine Funktion, der ein Vektor übergeben wird, kennt zunächst nur die Anfangsadresse des Vektors, nicht aber die Länge des Vektors. Bei C-Strings ergibt sich die Länge implizit aus der Position des Stringende-Zeichens. In den meisten anderen Fällen muss dagegen die Länge extra übergeben werden.

Beispiel:
```
void sort( Konto kTab[], int len )
{ /* Vektor kTab der Länge len sortieren */}
```

Zeigerversion von Funktionen

Die Funktion strcpy()

Die Standardfunktion `strcpy()` kopiert C-Strings.

Beispiel: `char ziel[30], quelle[] = „Ein String";`
`strcpy( ziel, quelle);`

Hier wird der String in `quelle` nach `ziel` kopiert, also wie bei einer Zuweisung „von rechts nach links".

Die folgende Funktion `strcpy()` ist gegenüber der Standardfunktion etwas vereinfacht: Sie besitzt keinen Return-Wert.

Indexversion von strcpy()

```
void strcpy( char s1[], char s2[])     // s2 nach s1
{                                       // kopieren.
   int i;                               // Index
   for( i = 0;  s2[i] != '\0';  ++i)   // Kopieren.
      s1[i] = s2[i];
   s1[i] = '\0';                        // Stringende-Zeichen
}                                       // anhängen.
```

1. Zeigerversion von strcpy()

```
void strcpy( char *s1, char *s2)       // s2 nach s1
{                                       // kopieren.
   for( ;  *s2 != '\0';  ++s1, ++s2)   // Kopieren.
      *s1 = *s2;
   *s1 = '\0';                          // Stringende-Zeichen
}                                       // anhängen.
```

2. Zeigerversion von strcpy()

```
void strcpy( char *s1, char *s2)       // s2 nach s1
{                                       // kopieren.
   while( (*s1++ = *s2++) != '\0' )    // Kopieren und
      ;                                 // Stringende-Zeichen
}                                       // anhängen.
```

Zeiger statt Indizes

Wir haben gesehen, dass der Parameter für ein Vektorargument immer ein Zeiger auf das erste Vektorelement ist. In einer Parameterdeklaration ist also für einen beliebigen Typ T

```
T name[]    äquivalent zu    T *name.
```

In den bisherigen Beispielfunktionen wurde dieser Zeiger als „feste" Basisadresse des Vektors behandelt, und die einzelnen Vektorelemente wurden mit einem Index angesprochen. Es ist aber stets möglich, mit Zeigern statt mit Indizes zu arbeiten.

Beispiel: Eine neue Version der Standardfunktion strlen():

```
int strlen( char *str)       // Länge von str ohne
{                            // '\0' ermitteln.
   char* p = str;
   for( p = str;  *p != '\0'; ++p)  // \0 suchen
      ;
   return (p - str);
}
```

Die Stringlänge ergibt sich hier als Differenz von Zeigern.

Die nebenstehenden Beispielfunktionen

Die erste Version der nebenstehenden Funktion strcpy() „string copy" benutzt einen Index, die zweite dagegen nicht. Beide Versionen führen zum selben Ergebnis: Der String s2 wird nach s1 kopiert. Der Aufrufer der Funktion muss sicherstellen, dass der durch s1 adressierte char - Vektor genügend groß ist.

Da die Parameter s1 und s2 Zeigervariablen sind, können sie auch versetzt werden. Die nebenstehende zweite „Zeigerversion" von strcpy() macht von dieser Möglichkeit Gebrauch. Die Schnittstelle der Funktion bleibt unverändert.

Die Zeigerversion ist in der Regel der Indexversion vorzuziehen: Sie ist schneller. In einem Ausdruck wie s1[i] müssen die Werte der Variablen s1 und i gelesen und ihre Summe gebildet werden, um die Adresse des eigentlichen Datenobjekts zu bekommen. Dagegen ist in der Zeigerversion der Inhalt von s1 bereits die benötigte Adresse.

Mehrdimensionale Vektoren als Parameter

In einer Parameterdeklaration für *mehrdimensionale* Vektoren müssen stets alle Dimensionen angegeben werden, ausgenommen der ersten. So enthält die Parameterdeklaration für einen zweidimensionalen Vektor stets die Spaltenzahl.

Beispiel:

```
long func( int num[][10] );    // ok.
long func( int *num[10] );     // auch ok.
```

Read-only-Zeiger

Beispielprogramm

```
// KontoFkt.cpp
// Eine Funktion definieren und aufrufen, die eine Liste
// der überzogenen Konten ausgibt.
// -------------------------------------------------
#include "konto.h"        // Definition der Klasse Konto

Konto kontoTab[] =        // Tabelle mit Konto-Objekten
{  Konto("Twain, Mark", 1234567, -3434.30),
   Konto("Crusoe, Robinson", 200000, 0.00),
   Konto("Karstadt, Liesl", 543001, +777.70),
   Konto("Valentin, Karl", 543002, -1111.10),
};
int anz = sizeof(kontoTab) / sizeof(Konto);

// Prototyp:
int displayOverdraws( const Konto *kTab, int anz,
                      double limit);
int main()
{
   double limit = 0.0;
   cout << "Ausgabe der überzogenen Konten!\n"
        << "Das sind die Konten, die ein Limit\n"
        << "z.B. -1000.00 unterschreiten.\n" << endl;
   cout << "Was ist das Limit? ";
   cin >> limit;

   cout << "  Liste der überzogenen Konten:\n" << endl;
   if( displayOverdraws( kontoTab, anz, limit) == 0)
     cout << "\nKein überzogenes Konto gefunden!"
          << endl;
   return 0;
}

int displayOverdraws( const Konto *kTab, int anz,
                      double limit)
{  int count = 0;
   const Konto* kPtr;
   for( kPtr = kTab;  kPtr < kTab + anz;  ++kPtr)
      if( kPtr->getStand() < limit ) // unter dem Limit?
      {
         kPtr->display();            // Ja -> Anzeigen.
         ++count;
      }
   return count;
}
```

Zeiger auf const-Objekte

Mit Hilfe eines gewöhnlichen Zeigers kann sowohl lesend als auch schreibend auf ein Objekt zugegriffen werden. Wie bei Referenzen ist es jedoch möglich, einen *Read-only-Zeiger* zu deklarieren, also einen Zeiger, mit dem nur gelesen werden kann. Ein Read-only-Zeiger muss verwendet werden, wenn er auf ein konstantes Objekt verweisen soll.

Deklaration

Ein Read-only-Zeiger wird mit dem Schlüsselwort `const` deklariert.

Beispiel: `const int a = 5, b = 10, *p = &a;`

Hier werden die Konstanen a und b sowie ein Zeiger p auf ein konstantes Objekt vom Typ `int` definiert. Das referenzierte Objekt `*p` darf gelesen, aber nicht verändert werden.

Beispiel:
```
cout << *p;          // Lesen ist ok.
*p = 1;              // Fehler!
```

Der Zeiger selbst ist nicht konstant! Er darf deshalb verändert werden:

Beispiel: `p = &b;`   `// ok!`

Auch das adressierte Objekt muss selbst nicht konstant sein. Das heißt, ein Read-only-Zeiger kann auch auf nicht konstante Objekte zeigen.

Beispiel:
```
Konto giro("Twain, Mark", 1234, 4321.90);
const Konto* ptr = &giro;       // ok!
ptr->display();                 // ok!
ptr->setStand( 7777.70);        // Fehler!
```

Das nicht konstante Objekt `giro` kann mit `ptr` nur gelesen weden.

Read-only-Zeiger als Parameter

Read-only-Zeiger werden am häufigsten in Parameterlisten verwendet. Dadurch wird garantiert, dass Argumente nicht verändert werden.

Beispiel: `unsigned int strlen( const char *s);`

Hier ist der Parameter s ein Read-only-Zeiger. Damit können auch konstante C-Strings an die Standardfunktion `strlen()` übergeben werden. Der „Schreibschutz" kann nicht dadurch unterlaufen werden, dass man den Read-only-Zeiger s an einen gewöhnlichen Zeiger zuweist.

Beispiel: `char *temp = s;`   `// Fehler!`

Als Parameter muss ein Read-only-Zeiger deklariert werden, wenn als Argument auch ein konstantes Objekt erlaubt sein soll.

391

Zeiger als Return-Wert

Beispielprogramm

```
// suche1.cpp
// Ein Filter, der alle Zeilen mit einem bestimmmten
// Muster ausgibt. Verwendet die Funktion strstr().
// Aufruf:    suche1 [ < text.dat ]
// --------------------------------------------------
#include <iostream>
using namespace std;
#define MAXL  200                 // Maximale Zeilenlänge
namespace MyScope
{               // Eigene Version der Funktion strstr():
 char *strstr( const char *str, const char *muster);
}
char zeile[500],                  // Für eine Zeile Text.
    muster[] = "ei";              // Das Suchmuster.
int main()
{  int zeilenNr = 0;
                      // Solange noch eine Zeile da ist:
   while( cin.getline( zeile, MAXL))
   {
      ++zeilenNr;
      if( MyScope::strstr( zeile, muster) != NULL)
      {                        // Falls Muster gefunden:
         cout.width(3);
         cout << zeilenNr << ": "      // Zeilennr. und
              << zeile << endl;        // Zeile ausgeben.
      }
   }
   return 0;
}
```

```
// strstr.cpp
// Eine eigene Definition der Funktion strstr()
// --------------------------------------------------
#include <string.h>        // Für strlen() und strncmp()
namespace MyScope
{
 char *strstr( const char *s1, const char *s2)
 {              // Im String s1 den String s2 suchen.
   int len = strlen( s2);
   for( ; *s1 != '\0'; ++s1)
      if( strncmp( s1, s2, len) == 0)    // s2 gefunden?
         return (char *)s1;    // Ja -> Zeiger auf diese
                               // Stelle zurückgeben,
   return NULL;                // sonst den NULL-Zeiger.
 }
}
```

Eine Funktion kann einen Zeiger auf ein Objekt zurückgeben. Das ist beispielsweise sinnvoll bei einer Funktion, die ein bestimmtes Objekt sucht. Eine derartige Funktion liefert einen Zeiger auf das gesuchte Objekt oder den NULL-Zeiger, falls es nicht gefunden wurde.

Zeiger als Return-Wert kommen auch häufig bei den Funktionen der C-Standardbibliothek vor. So liefern die Funktionen `strcpy()`, `strcat()` und `strstr()` jeweils einen Zeiger auf das erste Zeichen eines C-Strings.

Die Funktionen strcpy() und strcat()

Im Gegensatz zum Beispiel auf der Seite „Zeigerversion von Funktionen", besitzt die Standardfunktion `strcpy()` einen Return-Wert. Sie gibt ihr erstes Argument zurück, also einen Zeiger auf den Ziel-String. Daher lautet der

Prototyp: `char* strcpy( char* s1, const char* s2);`

Der zweite Parameter ist ein Read-only-Zeiger, da der Quell-String nur gelesen wird.

Die Standardfunktion `strcat()` verkettet zwei C-Strings. Und zwar hängt sie den mit dem zweiten Argument übergebenen C-String an das erste Argument. Beim Aufruf dieser Funktion ist darauf zu achten, dass der `char`-Vektor mit dem ersten String genügend groß ist, um beide Strings speichern zu können. Der Return-Wert ist das erste Argument. Das folgende Beispiel zeigt eine mögliche Implementierung.

Beispiel:
```
char *strcat( char *s1, const char *s2 )
{
    char *p = s1 + strlen(s1); // Ende von s1
    strcpy(p, s2);
    return s1;
}
```

Zum Beispielprogramm

Im nebenstehenden Programm ist eine eigene Implementierung der Standardfunktion `strstr()` angegeben. Um sie von der Standardfunktion unterscheiden zu können, wurde sie im Namespace `MyScope` defniert.

Die Funktion `strstr()` sucht eine bestimmte Zeichenfolge in einem String. Für den Vergleich zweier Strings wird die Standardfunktion `strncmp()` benutzt. Diese liefert den Wert 0, wenn die ersten n Zeichen gleich sind.

Das Programm verwendet die Funktion `strstr()` dazu, alle Zeilen eines Textes mit ihrer Zeilennummer anzuzeigen, welche die Zeichenfolge `"ei"` enthalten. In den Übungen zu diesem Kapitel befindet sich ein Programm `suche.cpp`, bei dessen Aufruf ein beliebiges Suchmuster angeben werden kann.

393

Zeigervektoren

Die Zeiger im Vektor kontoPtr

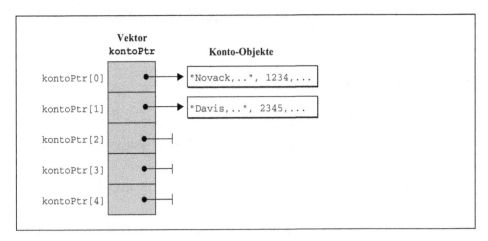

Beispielfunktion mit char-Zeigern

```
// Die Funktion displayError() gibt zu einer
// Fehlernummer eine entsprechende Meldung aus.
// ------------------------------------------------
#include <iostream>
using namespace std;

void displayError ( int errorNr)
{
    static char* errorMsg[] = {
                 "Ungültige Fehlernummer",
                 "Fehler 1: Zu viele Daten",
                 "Fehler 2: Nicht genügend Speicher",
                 "Fehler 3: Keine Daten vorhanden"  };
    if( errorNr < 1 || errorNr > 3)
       errorNr = 0;
    cerr << errorMsg[errorNr] << endl;
}
```

 Ein String-Literal wie "Fehler..." ist ein char-Zeiger auf das erste Zeichen des Strings. Ein solcher Zeiger kann natürlich auch zur Initialisierung eines char-Zeigers angegeben werden.

Durch die static-Deklaration wird der Vektor nur einmal angelegt und bleibt dann bis zum Programmende erhalten.

Zeiger bieten die Möglichkeit, mit umfangreichen Daten einfach und effizient umzugehen. So ist es zum Beispiel beim Sortieren von Objekten sinnvoll, nicht die Objekte selbst im Speicher zu verschieben, sondern Zeiger auf die Objekte zu unterhalten und in die richtige Reihenfolge zu bringen.

Definition von Zeigervektoren

Immer wenn eine größere Anzahl von Zeigern benötigt wird, kann man einen Vektor definieren, dessen Elemente Zeiger sind. Ein solcher Vektor wird kurz *Zeigervektor* genannt.

Beispiel: `Konto* kontoPtr[5];`

Der Vektor `kontoPtr` besteht dann aus den fünf Konto-Zeigern `kontoPtr[0]`, `kontoPtr[1]`, … , `kontoPtr[4]`. Den einzelnen Zeigern des Vekors können nun Adressen von Objekten zugewiesen werden. Nicht verwendete Zeiger sollten den Wert NULL haben.

Beispiel:
```
Konto spar("Novack, Kim", 1234, 9999.90);
Konto giro("Davis, Sammy", 2345, 1000.00);
kontoPtr[0] = &spar;
kontoPtr[1] = &giro;
for( int i=2; i<5; ++i) kontoPtr[i] = NULL;
```

Initialisierung

Wie üblich erfolgt die Initialisierung des Vektors mit Hilfe einer Initialisierungsliste. Im Fall eines Zeigervektors enthält diese gültige Adressen oder den Wert NULL.

Beispiel: `Konto* kontoPtr[5] = { &giro, &spar, NULL};`

Elemente, für die in der Liste kein Wert angegeben ist, erhalten automatisch den Wert NULL. Das Ergebnis ist also das gleiche wie im obigen Beispiel.

Verwendung

Die einzelnen Objekte, auf die die Zeiger eines Vektors verweisen, müssen nicht zusammenhängend im Speicher liegen. Üblicherweise werden die Objekte zur Laufzeit dynamisch angelegt und evtl. auch wieder zerstört (dazu mehr in einem späteren Kapitel). So ist eine sehr flexible Handhabung der Objekte möglich. Ihre Reihenfolge ist allein durch die Zeiger gegeben.

Beispiel:
```
for( int i=0; i<5; ++i)
    if( kontoPtr[i] != NULL)
        kontoPtr[i]->display();  // Anzeigen
```

Die nebenstehende Funktion `displayError()` gibt zu einer Fehlernummer die entsprechende Fehlermeldung aus. Sie verwendet dazu einen Vektor mit `char`-Zeigern auf die Fehlermeldungen.

Argumente aus der Kommandozeile

Beispielprogramm

```
// gruss.cpp
// Demoprogramm für Argumente aus der Kommandozeile.
// Aufruf:  gruss name1 name2
// -----------------------------------------------------
#include <iostream>
using namespace std;

int main( int argc, char *argv[])
{
    if( argc != 3 )
    {
        cerr << "Benutzung: gruss name1 name2" << endl;
        return 1;
    }
    cout << "Hallo " << argv[1] << '!' << endl;
    cout << "Herzliche Grüße\n"
         << "\tDeine " << argv[2] << endl;
    return 0;
}
```

Beispiel für einen Aufruf des Programms

```
gruss Jeany Vivi
```

Bildschirmausgabe

```
Hallo Jeany!
Herzliche Grüße
Deine Vivi
```

Der Vektor argv im Speicher

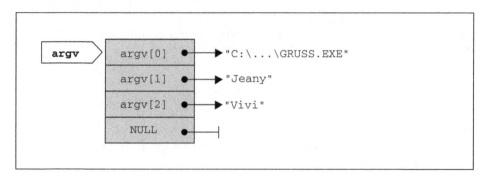

Argumente für ein Programm

Es besteht die Möglichkeit, beim Start eines Programms außer dem Programmnamen noch weitere Zeichenfolgen in der Kommandozeile anzugeben. Diese *Argumente aus der Kommandozeile* dienen typischerweise dazu, das Verhalten des Programms zu steuern oder zu verarbeitende Dateien anzugeben.

Beispiel: `copy datei1 datei2`

Hier wird das Programm `copy` mit den Argumenten `datei1` und `datei2` aufgerufen. Die einzelnen Argumente sind durch Zwischenraumzeichen zu trennen. Die Zeichen für die Dateiumlenkung (> bzw. <) und das nachfolgende Wort werden vom Betriebssystem ausgewertet, also nicht dem Programm übergeben. Soll ein Argument Zwischenraum- oder Umlenkzeichen enthalten, so ist es in doppelte Anführungszeichen zu setzen.

Parameter der Funktion main()

Die Funktion `main()` haben wir bis jetzt stets ohne Parameter verwendet. Um aber die Argumente in der Kommandozeile verarbeiten zu können, muss `main()` mit Parametern definiert werden.

Beispiel: `int main(int argc, char * argv[] )`
             `{  . . . // Funktionsblock   }`

In `argc` wird die Anzahl der Argumente übergeben, die in der Kommandozeile angegeben wurden. Dabei zählt der Programmname mit, so dass `argc` immer mindestens den Wert 1 hat.

Der Parameter `argv` ist ein Vektor mit `char`-Zeigern:

`argv[0]`   zeigt auf den Programmnamen (incl. Pfad)

`argv[1]`   zeigt auf das erste eigentliche Argument, also das erste Wort
                hinter dem Programmnamen

`argv[2]`   zeigt auf das zweite Argument

`. . . . .`

`argv[argc-1]`   zeigt auf das letzte Argument

`argv[argc]`   ist der NULL-Zeiger.

Üblicherweise werden die Parameternamen `argc` und `argv` benutzt, aber es können auch beliebige andere Namen gewählt werden.

Unter verschiedenen Betriebssystemen, wie z.B. OS/2, Windows 98/NT und Unix kann noch ein dritter Parameter für `main()` deklariert werden. Dieser ist ein Vektor mit Zeigern auf die Strings der Programmumgebung. In den Übungen zu diesem Kapitel finden Sie ein Programm, das die Programmumgebung anzeigt.

Übungen

Zur 3. Aufgabe

Indexversion der Standardfunktion strcmp()

```
// strcmp() vergleicht zwei C-Strings lexikografisch.
// Der Return-Wert ist < 0, falls str1 < str2
//                     = 0, falls str1 == str2
//                     > 0, falls str1 > str2 .
// -----------------------------------------------------

int strcmp( const char str1[], const char str2[])
{
    int i;
    for( i=0; str1[i] == str2[i] && str1[i] != '\0'; ++i)
        ;

    return (str1[i] - str2[i]);
}
```

Zur 4. Aufgabe

Der Selection-Sort-Algorithmus („Sortieren durch Auswahl")

Verfahren

Zunächst wird der Vektor nach dem kleinsten Element durchsucht und dieses mit dem ersten Vektorelement getauscht.

Dieser Vorgang wird für jedes i > 0 mit dem Restvektor durchgeführt, der aus den Vektorelementen ab dem Index i besteht.

Beispiel:

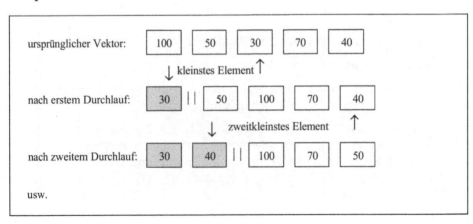

1. Aufgabe

Der Vektor v sei wie folgt definiert:

```
int v[] = { 10, 20, 30, 40 },
    i, *pv;
```

Was geben die folgenden Anweisungen auf dem Bildschirm aus?

a)
```
for( pv = v;  pv <= v + 3;  pv++ )
    cout << "        *pv = " << *pv;
```

b)
```
for( pv = v, i = 1;  i <= 3;  i++ )
    cout << "      pv[i] = " << pv[i];
```

c)
```
for( pv = v, i = 0;  pv+i <= &v[3];  pv++,i++ )
    cout << "   *(pv + i) = " << *(pv + i);
```

d)
```
for( pv = v + 3;  pv >= v;  --pv )
    cout << "      v[" << (pv - v) << "] = "
         << v[pv - v];
```

2. Aufgabe

Schreiben Sie ein Programm, das eine Zeile zeichenweise mit der `cin`-Methode `get()` in einen `char`-Vektor einliest. Anschließend wird die Zeile in umgekehrter Reihenfolge wieder ausgegeben. Verwenden Sie einen Zeiger, keinen Index, um die Elemente des Vektors anzusprechen.

3. Aufgabe

Die Standardfunktion `strcmp()` vergleicht zwei C-Strings lexikografisch. Nebenstehend ist eine Indexversion von `strcmp()` angegeben. Der Return-Wert ist die Differenz zweier Zeichencodes.

Schreiben Sie eine Zeigerversion der Funktion `strcmp()`. Nennen Sie diese Funktion `str_cmp()`, um sie von der Standardfunktion zu unterscheiden.

Lesen Sie zum Testen in einer Schleife jeweils zwei Zeilen Text ein, und geben Sie das Ergebnis des Vergleichs aus. Die Schleife soll beendet werden, wenn beide Strings leer sind.

4. Aufgabe

Definieren und testen Sie eine Funktion `selectionSort()`, die einen Vektor von `int`-Werten in aufsteigender Reihenfolge sortiert. Das Verfahren des Selection-Sort-Algorithmus ist nebenstehend angegeben.

Argumente: Ein `int`-Vektor und seine Länge

Return-Wert: Keiner

Entwickeln Sie sowohl eine Indexversion als auch eine Zeigerversion! Testen Sie die Funktionen mit Zufallszahlen zwischen `-10000` und `+10000`.

Übungen (Fortsetzung)

Zur 5. Aufgabe

Beispiel für Strings der Umgebung unter DOS/Windows

```
  . . .
COMSPEC=C:\COMMAND.COM
PATH=C:\WINDOWS;C:\WINDOWS\COMMAND;C:\DOS;D:\TOOLS;
PROMPT=$p$g
TEMP=C:\TEMP
  . . .
```

Häufigkeitstabelle zur 7. Aufgabe

Alter \ Blutdruck	< 120	120-129	130-139	140-149	>= 160
20-29	25	34	26	12	8
30-39	19	27	24	11	4
40-49	6	15	35	36	18

5. Aufgabe

a) Schreiben Sie ein Programm, das seinen Programmnamen und alle Argumente auf der Kommandozeile untereinander ausgibt.

b) Erweitern Sie nun das Programm so, dass es auch noch seine Umgebung (engl. *Environment*) ausgibt. Das ist ein Speicherbereich, der Strings der Form

```
NAME=String
```

enthält. Den Zugriff auf die Umgebung ermöglicht ein dritter Parameter der Funktion `main()`. Dieser Parameter ist wie `argv` ein Zeigervektor. Die Vektorelemente sind `char`-Zeiger auf die Strings der Umgebung. Das letzte Element ist ein NULL-Zeiger.

6. Aufgabe

In diesem Kapitel wurde als Beispiel ein Filterprogramm `suche1` vorgestellt, das alle Zeilen mit Zeilennummern ausgibt, die das Suchmuster `"ei"` enthalten.

Machen Sie das Programm zu einem nützlichen Programm `suche`, dem in der Kommandozeile ein beliebiges Suchmuster übergeben werden kann. Wird in der Kommandozeile kein Suchmuster angegeben, soll sich das Programm mit einer Fehlermeldung beenden. Verwenden Sie die Standardfunktion `strstr()`.

Ein Beispielaufruf:

```
suche  Berlin  < nachrichten.txt
```

7. Aufgabe

Bei der Untersuchung des Zusammenhangs von Alter und Blutdruck bei 300 Männern ergaben sich die nebenstehenden Häufigkeiten.

Schreiben Sie eine Funktion, die zu einer `int`-Matrix mit drei Zeilen und fünf Spalten die Zeilen- und Spaltensummen berechnet. Sowohl die Zeilen- als auch die Spaltensummen sollen in je einem eindimensionalen Zeilen- bzw. Spaltenvektor gespeichert werden.

Argumente: Die Matrix, der Zeilenvektor und der Spaltenvektor

Return-Wert: Die Summe aller Matrixelemente

Zum Testen der Funktion lassen Sie die eigentliche Matrix wie in der nebenstehenden Grafik und die berechneten Summen von der `main`-Funktion ausgeben.

Lösungen

Zur 1. Aufgabe:

Die Bildschirmausgaben:

a) *pv = 10   *pv = 20   *pv = 30   *pv = 40

b) pv[i] = 20   pv[i] = 30   pv[i] = 40

c) *(pv+i) = 10 *(pv+i) = 30

d) v[3] = 40   v[2] = 30   v[1] = 20   v[0] = 10

Zur 2. Aufgabe:

```cpp
// -------------------------------------------------------
// dreh.cpp
// Übung zur Zeigerarithmetik: Eine Zeile einlesen
// und in umgekehrter Reihenfolge ausgeben.
// -------------------------------------------------------
#include <iostream>
using namespace std;

#define MAXLEN 80

int main()
{
   char zeile[MAXLEN], *p;

   cout << "Eine Zeile Text eingeben: " << endl;

   // Zeile einlesen:
   for( p = zeile;
        p < zeile+MAXLEN  &&  cin.get(*p)  &&  *p != '\n';
        ++p )
     ;

   // Zeile in umgekehrter Reihenfolge ausgeben:
   while( --p >= zeile)
      cout << *p;

   cout << endl;

   return 0;
}
```

Zur 3. Aufgabe:

```cpp
// ----------------------------------------------------------
// str_cmp.cpp
// Zeigerversion str_cmp() der Standardfunktion strcmp()
// definieren und testen.
// ----------------------------------------------------------
#include <iostream>
using namespace std;
#define MAXLEN 100          // Maximale Länge der C-Strings
// Prototyp:
int str_cmp( const char* str1, const char* str2);
int main()                  // str_cmp() testen
{
    char text1[MAXLEN], text2[MAXLEN];
    cout << "Test der Funktion str_cmp()" << endl;
    while( true)
    {
        cout << "Zwei Zeilen Text eingeben!\n"
                "Ende mit zwei leeren Zeilen.\n" << endl;
        cout << "1. Zeile: ";
        cin.sync();  cin.clear(); cin.get(text1,MAXLEN);
        cout << "2. Zeile: ";
        cin.sync();  cin.clear(); cin.get(text2,MAXLEN);
        if( text1[0] == '\0' && text2[0] == '\0')
            break;              // Beide Zeilen leer.
        int cmp = str_cmp( text1, text2);
        if( cmp < 0)
            cout << "Der 1. String ist kleiner!\n";
        else if( cmp == 0)
            cout << "Die beiden Strings sind gleich!\n";
        else
            cout << "Der 1. String ist größer!\n";
        cout << endl;
    }
    return 0;
}

// ----------------------------------------------------------
// Funktion str_cmp()
// Zeigerversion der Standardfunktion strcmp().
// ----------------------------------------------------------
int str_cmp( const char* str1, const char* str2)
{
    for( ; *str1 == *str2 && *str1 != '\0'; ++str1, ++str2)
      ;
    return (*str1 - *str2);
}
```

Lösungen (Fortsetzung)

Zur 4. Aufgabe:

```cpp
// --------------------------------------------------------
// selSort.cpp
// Implementierung des Selection-Sort-Algorithmus
// für int-Vektoren.
// --------------------------------------------------------

#include <iostream>
#include <iomanip>
#include <cstdlib>              // Für srand(), rand()
#include <ctime>                // Für time()
using namespace std;

// Prototyp:
void selectionSort( int arr[], int len);

const int len = 200;
int intArr[len];               // int-Vektor

int main()
{
    cout << "\n     *** Selection-Sort-Algorithmus ***\n"
         << endl;

    // int-Vektor mit Zufallszahlen initialisieren:
    srand( (unsigned int)time(NULL));  // Zufallszahlen-
                                       // generator
                                       // initialisieren.
    for( int n=0; n < len; ++n)
        intArr[n] = (rand() % 20000)-10000;

    // Zahlen sortieren
    selectionSort( intArr, len);

    // Zahlen ausgeben
    cout << "Die sortierten Zahlen:" << endl;

    for( int i = 0; i < len; ++i)
        cout << setw(8) << intArr[i];
    cout << endl;

    return 0;
}
```

```
inline void swap( int& a, int& b)
{
   int temp = a;  a = b;  b = temp;
}


//   Indexversion:
/*
void selectionSort( int arr[], int len)
{
   register int j, mini;             // Indizes

   for( int i = 0;  i < len-1;  ++i)
   {
      mini = i;                      // Ab Index i das
      for( j = i+1; j < len; ++j)    // Minimum suchen.
         if( arr[mini] > arr[j])
            mini = j;

      swap( arr[i], arr[mini]);      // Tauschen.
   }
}
*/


// Zeigerversion:
void selectionSort( int *arr, int len)
{
   register int *p, *minp;    // Zeiger auf Vektorelemente,
   int *last = arr + len-1;   // Zeiger auf das letzte Elem.

   for( ; arr < last;  ++arr)
   {
      minp = arr;                        // Ab Position arr das
      for( p = arr+1; p <= last; ++p)    // Minimum suchen.
         if( *minp > *p)
            minp = p;

      swap( *arr, *minp);                // Tauschen.
   }
}
```

Lösungen (Fortsetzung)

Zur 5. Aufgabe:

```cpp
// ----------------------------------------------------------
// args.cpp
// Dieses Programm gibt den Programmnamen (incl. Pfad),
// seine Argumente und seine Umgebung (Environment) aus.
// ----------------------------------------------------------


#include <iostream>
using namespace std;

int main( int argc, char *argv[], char *env[])
{
    cout << "Programm: " << argv[0] << endl;

    cout << "\nArgumente auf der Kommandozeile:" << endl;

    int i;
    for( i = 1; i < argc; ++i)              // Argumente
      cout << argv[i] << endl;

    cout << "Weiter mit <Return> ";
    cin.get();

    cout << "\nStrings der Programmumgebung:" << endl;

    for( i = 0; env[i] != NULL; ++i)        // Umgebung
      cout << env[i] << endl;

    return 0;
}
```

Zur 6. Aufgabe:

```cpp
// ----------------------------------------------------------
// suche.cpp
// Ein Filter, der alle Zeilen mit einem bestimmmten
// Muster ausgibt. Verwendet die Funktion strstr().
//
// Aufruf:    suche  muster [ < text.dat ]
//
// Ohne Angabe einer Datei wird von der Tastatur gelesen.
// In diesem Fall die Eingabe mit <Strg> + <Z> beenden.
// ----------------------------------------------------------
#include <iostream>
#include <cstring>        // Standardfunktionen für C-Strings
using namespace std;
```

```
#define MAXL   200                    // Maximale Zeilenlänge

char zeile[500];                      // Für eine Zeile Text

int main( int argc, char *argv[])
{
   if( argc != 2)
   {
     cerr << "Aufruf:  suche  muster [ < text.dat ]"
          << endl;
     return 1;
   }

   int zeilenNr = 0;
                       // Solange noch eine Zeile da ist:
   while( cin.getline( zeile, MAXL))
   {
     ++zeilenNr;
     if( strstr( zeile, argv[1]) != NULL)
     {                             // Falls Muster gefunden:
        cout.width(3);
        cout << zeilenNr << ": "        // Zeilennr. und
             << zeile << endl;          // Zeile ausgeben
     }
   }
   return 0;
}
```

Zur 7. Aufgabe:

```
// ------------------------------------------------------------
// matrix.cpp
// Zeilen- und Spaltensummen einer Matrix bilden.
// ------------------------------------------------------------

#include <iostream>
#include <iomanip>
using namespace std;

// Definition und Initialisierung
// eines zweidimensionalen Vektors:

int matrix[3][5] = { { 25, 34, 26, 12,  8 },
                     { 19, 27, 24, 11,  4 },
                     {  6, 15, 35, 36, 18 } };

int zeilensumme[3];       // Für die Summe über die Zeilen
int spaltensumme[5];      // Für die Summe über die Spalten

// Prototyp der Funktion matrixsumme():
int matrixsumme( int arr2D[][5], int vlen,
                 int zsum[], int spsum[]);
```

Lösungen (Fortsetzung)

```cpp
int main()
{
   cout << "Ein Test der Funktion matrixsumme().\n"
        << endl;

   // Summen berechnen:
   int gesamtsumme =
       matrixsumme( matrix, 3, zeilensumme, spaltensumme);

   // Matrix und Summen ausgeben:
   cout <<"Die Matrix mit den Zeilen- und Spaltensummen:\n"
        << endl;

   int i,j;
   for( i = 0 ; i < 3 ; ++i)     // Zeilen der Matrix mit
   {                             // Zeilensummen ausgeben.
     for( j = 0 ; j < 5 ; ++j)
       cout << setw(8) << matrix[i][j];
     cout << " | " << setw(8) << zeilensumme[i] << endl;
   }
   cout << " ----------------------------------------"
        << endl;
   for( j = 0 ;  j < 5  ;  ++j )
     cout << setw(8) << spaltensumme[j];
   cout << " | " << setw(8) << gesamtsumme << endl;
   return 0;
}

// ----------------------------------------------------------
int matrixsumme( int v[][5], int len,
                 int zsum[], int spsum[])
{
   int z, sp;                    // Zeilen- und Spaltenindex.

   for( z = 0 ; z < len ; ++z)     // Zeilensummen bilden.
   {
      zsum[z] = 0;
      for( sp = 0 ; sp < 5 ; ++sp)
        zsum[z] += v[z][sp];
   }

   for(sp = 0 ; sp < 5 ; ++sp)     // Spaltensummen bilden.
   {
      spsum[sp] = 0;
      for( z = 0 ; z < len ; ++z)
        spsum[sp] += v[z][sp];
   }
   return (zsum[0] + zsum[1] + zsum[2]);  // Gesamtsumme =
}                                         // Summe der Zeilensummen.
```

Kapitel 18

Grundlagen der Dateiverarbeitung

Dieses Kapitel beschreibt den sequenziellen Dateizugriff mit File-Streams. Diese bieten eine einfache und portable Möglichkeit für den Umgang mit Dateien.

Dateien

Dateioperationen

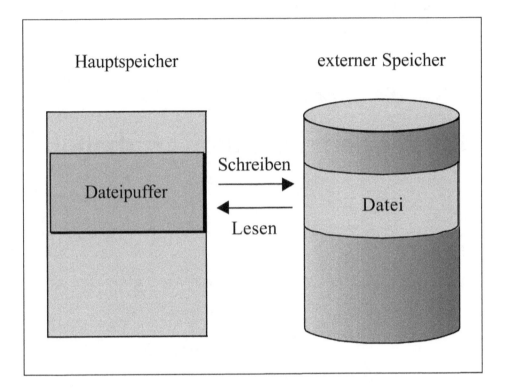

Mit der Beendigung eines Programms gehen die im Hauptspeicher gehaltenen Daten des Programms verloren. Um Daten permanent zu speichern, müssen sie in einer Datei auf dem externen Speicher abgelegt werden.

Dateioperationen

Einzelne Zeichen oder Zeichenfolgen können so wie auf den Bildschirm auch in eine Textdatei geschrieben werden. Häufig werden jedoch Datensätze in einer Datei gespeichert. Ein Datensatz enthält Daten, die logisch zusammengehören, beispielsweise die Daten einer Person. Beim *Schreiben* wird ein Datensatz in die Datei übertragen, d.h. der Datensatz wird in der Datei aktualisiert oder neu hinzugefügt. Beim *Lesen* eines Datensatzes wird dieser aus der Datei in eine Datenstruktur des Programms kopiert.

Auf die gleiche Weise werden auch Objekte dauerhaft (persistent) gespeichert. Dabei genügt es in der Regel nicht, nur die Daten eines Objekts zu speichern. Es muss sichergestellt sein, dass das Objekt beim Einlesen wieder korrekt rekonstruiert werden kann. Daher ist es im allgemeinen notwendig, auch Typinformationen und Verweise auf andere Objekte zu speichern.

Externe Massenspeicher wie Festplatten sind gewöhnlich blockorientiert, d.h. die Daten werden in Blöcken übertragen, deren Größe ein Vielfaches von 512 Byte ist. Für eine effiziente und kormfortable Dateiverarbeitung ist es daher notwendig, die zu übertragenden Daten in einem Puffer des Hauptspeichers, dem so genannten *Dateipuffer*, zwischenzuspeichern.

Dateipositionen

Eine Datei ist aus der Sicht eines C++-Programms ein langer „Byte-Vektor". Die Strukturierung, z.B. in Datensätzen, ist die Aufgabe des Programmierers, was den Vorteil maximaler Flexibilität bietet.

Jedes Zeichen in einer Datei hat eine Byte-Position: Das erste Byte hat die Position 0, das zweite die Position 1 usw. Die *aktuelle Dateiposition* ist die Position des Bytes, das als nächstes gelesen oder geschrieben wird. Mit jedem übertragenen Byte erhöht sich die aktuelle Dateiposition automatisch um 1.

Beim *sequenziellen Zugriff* werden Daten stets nacheinander gelesen oder geschrieben. Die erste Leseoperation beginnt stets am Anfang der Datei. Soll eine bestimmte Information aus einer Datei geholt werden, muss also der Dateiinhalt vom Dateianfang an der Reihe nach durchsucht werden. Beim Schreiben kann eine neue Datei erzeugt oder eine vorhandene Datei überschrieben werden. Es können auch neue Daten an das Ende einer vorhandenen Datei angefügt werden.

Für einen gezielten Zugriff auf bestimmte Daten der Datei ist es notwendig, die aktuelle Dateiposition beliebig setzen zu können. Dies ermöglicht der so genannte *wahlfreie Dateizugriff*, der in einem späteren Kapitel behandelt wird.

File-Stream-Klassen

Stream-Klassen für den Dateizugriff

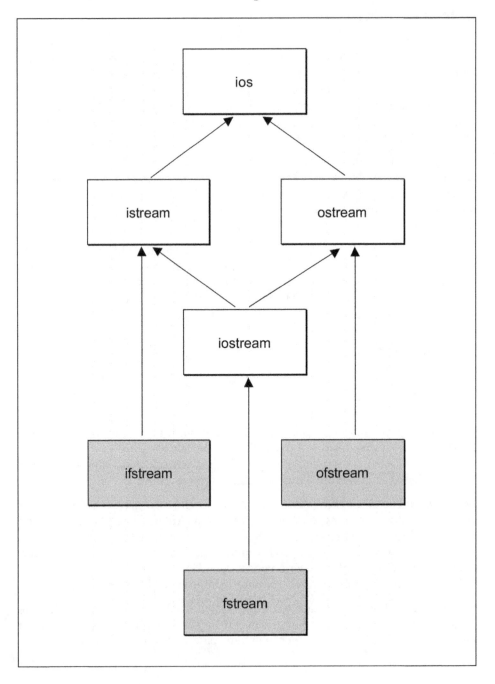

C++ stellt verschiedene Standardklassen für die Dateiverarbeitung zur Verfügung. Diese so genannten *File-Stream-Klassen* ermöglichen die komfortable Handhabung von Dateien. Der Programmierer braucht sich dabei weder um die Verwaltung von Dateipuffern noch um systemspezifische Details zu kümmern.

Da die File-Stream-Klassen standardisiert sind, ermöglicht ihre Verwendung die Formulierung portabler C++-Programme. Dasselbe Programm kann also Dateien unter Windows ebenso wie unter UNIX verarbeiten. Es muss lediglich für das jeweilige Zielsystem neu übersetzt werden.

Die File-Stream-Klassen der iostream-Bibliothek

Die nebenstehende Klassenhierarchie zeigt, dass die File-Stream-Klassen die bereits bekannten Stream-Klassen als *Basisklassen* besitzen:

- Die Klasse `ifstream` ist aus der Stream-Klasse `istream` abgeleitet und ermöglicht das Lesen von Dateien.

- Die Klasse `ofstream` ist aus der Stream-Klasse `ostream` abgeleitet und unterstützt das Schreiben in Dateien.

- Die Klasse `fstream` ist aus der Stream-Klasse `iostream` abgeleitet. Wie zu erwarten, ermöglicht sie das Lesen und Schreiben von Dateien.

Die File-Stream-Klassen sind in der Header-Datei `fstream` deklariert. Ein Objekt einer File-Stream-Klasse heißt auch *File-Stream*.

Funktionalität

Die File-Stream-Klassen erben die Funktionalität ihrer Basisklassen. Damit stehen die schon für `cin` und `cout` verwendeten Methoden, Operatoren und Manipulatoren zur Verfügung. Jeder File-Stream verfügt daher über:

- Methoden zum unformatierten Schreiben und Lesen einzelner Zeichen bzw. von Datenblöcken

- den Operator `<<` bzw. `>>`, um Informationen formatiert in Dateien zu schreiben bzw. aus Dateien einzulesen

- Methoden und Manipulatoren zur Formatierung von Zeichenfolgen

- Methoden zur Statusabfrage

Hinzu kommen Methoden für das Datei-Handling, insbesondere für das Öffnen und Schließen von Dateien.

File-Streams anlegen

Beispielprogramm

```cpp
// showfile.cpp
// Liest eine Textdatei und gibt sie "seitenweise",
// d.h. jeweils 20 Zeilen, am Bildschirm aus.
// Aufruf:  showfile  textdatei
// ----------------------------------------------------
#include <iostream>
#include <fstream>
using namespace std;

int main( int argc, char *argv[])
{
    if( argc != 2 )           // Wurde eine Datei angegeben?
    {
        cerr << "Benutzung: showfile dateiname" << endl;
        return 1;
    }
    ifstream datei( argv[1]);  // File-Stream anlegen und
                               // Datei zum Lesen öffnen.
    if( !datei )               // Status abfragen.
    {
      cerr << "Fehler beim Öffnen der Datei " << argv[1]
           << endl;
      return 2;
    }

    char zeile[80];
    int anzahl = 0;
    while( datei.getline( zeile, 80))   // Datei auf die
    {                                   // Standardausgabe
      cout << zeile << endl;            // kopieren.
      if( ++anzahl == 20)
      {
        anzahl = 0;
        cout << "\n\t ---- Weiter mit <Return> ---- "
             << endl;
        cin.sync(); cin.get();
      }
    }
    if( !datei.eof() )         // Dateiende erreicht?
    {
      cerr << "Fehler beim Lesen der Datei " << argv[1]
           << endl;
      return 3;
    }
    return 0;
}
```

Angaben beim Öffnen

Bevor eine Datei bearbeitet werden kann, muss sie geöffnet werden. Hierbei wird

- der *Dateiname* angegeben, der einen Pfad enthalten kann, und

- ein so genannter *Eröffnungsmodus* festgelegt.

Ohne Pfadangabe muss sich die Datei im aktuellen Verzeichnis befinden. Der Eröffnungsmodus bestimmt insbesondere, ob die Datei zum Lesen und/oder zum Schreiben geöffnet wird.

Dateien, die am Programmende noch geöffnet sind, werden automatisch geschlossen.

Definition von File-Streams

Eine Datei kann direkt beim Anlegen eines File-Streams geöffnet werden. Dabei braucht nur der Dateiname als C-String angegeben werden. Für den Eröffnungsmodus werden Default-Werte verwendet.

Beispiel: `ifstream myfile("test.dat");`

Der Dateiname `test.dat` wird dem Konstruktor der Klasse `ifstream` übergeben, der die Datei zum Lesen öffnet. Da kein Pfad angegeben ist, muss sich die Datei im aktuellen Verzeichnis befinden. Nach den Öffnen ist die aktuelle Dateiposition der Dateianfang.

Wenn ein File-Stream nur zum Schreiben angelegt wird, muss die angegebene Datei noch nicht vorhanden sein: Es wird eine neue Datei erzeugt.

Beispiel: `ofstream yourfile("neu.dat");`

Hier wird die neue Datei `neu.dat` zum Schreiben geöffnet. Achtung: Ist die Datei bereits vorhanden, so wird sie auf die Länge 0 gekürzt, also gelöscht!

Ein File-Stream kann auch ohne Verbindung zu einer Datei angelegt werden. Eine Datei wird dann später mit der Methode `open()` geöffnet.

Beispiel: `ofstream yourfile;`
             `yourfile.open("neu.dat");`

Dieses Beispiel hat dieselbe Wirkung wie das vorhergehende. Insbesondere verwendet `open()` für den Eröffnungsmodus die gleichen Default-Werte wie der Konstruktor der Klasse.

Es ist selten sinnvoll, einen feststehenden Dateinamen zu benutzen. Im nebenstehenden Beispielprogramm ist der Dateiname beim Aufruf auf der Kommandozeile anzugeben. Ohne Angabe der Datei beendet sich das Programm mit einer Fehlermeldung. Eine weitere Möglichkeit ist, den Namen einer Datei im Dialog mit dem Benutzer einzulesen.

Eröffnungsmodus

Flags für den Eröffnungsmodus einer Datei

Flag	Wirkung
ios::in	Eine bereits existierende Datei zum Lesen öffnen.
ios::out	Eine Datei zum Schreiben öffnen. Dieses Flag impliziert ios::trunc, falls es nicht mit einem der Flags ios::in oder ios::app oder ios::ate kombiniert wird.
ios::app	Vor jeder Schreiboperation wird auf das Dateiende positioniert.
ios::trunc	Eine bereits bestehende Datei wird beim Öffnen auf die Länge 0 gekürzt.
ios::ate	Schreib-/Leseposition beim Öffnen der Datei auf das Dateiende setzen. Ohne dieses Flag ist die anfängliche Dateiposition stets der Dateianfang.
ios::binary	Schreib-/Leseoperationen im Binärmodus durchführen.

1. Diese Flags sind in der gemeinsamen Basisklasse ios der Stream-Klassen definiert und besitzen den Datentyp ios::openmode.

2. Standardmäßig wird eine Datei als *Textdatei* im sog. Textmodus geöffnet. Beim Lesen bzw. Schreiben einer Textdatei werden Steuerzeichen zum Kennzeichnen eines Zeilenwechsels oder des Dateiendes gesondert interpretiert und an das jeweilige Betriebssystem angepasst (sog. „Cooked Modus"). Bei einer im Binärmodus geöffneten Datei werden alle Bytes ohne jede Veränderung übertragen (sog. „Raw Modus").

Default-Werte beim Öffnen einer Datei

Der Konstruktor und die Methode open() der File-Stream-Klassen ifstream und ofstream benutzen die folgenden Default-Werte:

Klasse	Flags
ifstream	ios::in
ofstream	ios::out | ios::trunc

Für die Klasse fstream sind keine Default-Werte definiert.

Soll eine Datei nicht im standardmäßig vorgegebenen Modus eröffnet werden, so muss neben dem Dateinamen auch der Eröffnungsmodus angegeben werden. Dies ist beispielsweise notwendig, wenn eine bereits existierende Datei nur zum Schreiben geöffnet, dabei aber nicht gelöscht werden soll.

Flags für den Eröffnungsmodus

Den Konstruktoren und der Methode open() kann neben dem Dateinamen als zweites Argument der Eröffnungsmodus übergeben werden. Der Eröffnungsmodus wird durch Flags festgelegt. Einem *Flag* entspricht stets ein einzelnes Bit in einem Rechnerwort. Wird das Flag gesetzt, so erhält das entsprechende Bit den Wert 1, andernfalls 0.

Verschiedene Flags können mit dem Bitoperator | kombiniert werden. Dabei ist stets eines der Flags ios::in oder ios::out anzugeben. Ist das Flag ios::in angegeben, so muss die Datei bereits existieren. Ohne das Flag ios::in wird die Datei neu erzeugt, sofern sie noch nicht existiert.

Beispiel:
```
fstream adressen("Adress.dat",
                 ios::out | ios::app);
```

Hier wird die Datei zum Schreiben ab Dateiende geöffnet. Falls die Datei noch nicht existiert, wird sie neu angelegt. Bei jeder Schreiboperation wird die Datei automatisch größer.

Mit dem Eröffnungsmodus ios::in | ios::out der Klasse fstream wird eine bestehende Datei zum Lesen und Schreiben geöffnet. Dieser so genannte „update-Modus" dient zum Aktualisieren von Daten in einer Datei und wird zusammen mit dem wahlfreien Dateizugriff eingesetzt.

Fehlerbehandlung

Das Öffnen einer Datei kann misslingen, beispielsweise wenn notwendige Zugriffsrechte nicht gegeben sind oder eine zu lesende Datei nicht existiert. In solchen Fällen wird das Status-Flag failbit der Basisklasse ios gesetzt. Dieses Flag kann entweder direkt mit der Methode fail() oder indirekt über den File-Stream in einer if-Bedingung abgefragt werden.

Beispiel: `if( !myfile)  // oder: if( myfile.fail())`

Das fail-Bit wird auch gesetzt, wenn ein Lese- oder Schreibfehler auftritt. Im Fall, dass keine Daten mehr lesbar sind, kann auch ganz korrekt das Dateiende erreicht sein. Um dies von einem Lesefehler zu unterscheiden, ist es möglich, das eof-Bit (eof = end of file) mit der Methode eof() abzufragen:

Beispiel: `if( myfile.eof())     // Am Dateiende?`

Das eof-Bit wird gesetzt, wenn versucht wurde, am Dateiende zu lesen. Das Beispielprogramm showfile.cpp aus dem Abschnitt *File-Streams anlegen* behandelt die möglichen Fehlerfälle.

Schließen von Dateien

Beispielprogramm

```cpp
// fcopy1.cpp  :  Kopiert Dateien
// Aufruf: fcopy1 quelldatei [ zieldatei ]
// --------------------------------------------------
#include <iostream>
#include <fstream>
using namespace std;
inline void openerror( const char *datei)
{
  cerr << "Fehler beim Öffnen von " << datei << endl;
  exit(1);        // Programm beenden und dabei alle
}                 // evtl. geöffneten Dateien schließen.
void copy( istream& is, ostream& os);    // Prototyp

int main(int argc, char *argv[])
{
  if( argc < 2 || argc > 3)
  { cerr << "Aufruf: fcopy1 quelldatei [ zieldatei ]"
         << endl;
    return 1;                     // oder: exit(1);
  }
  ifstream infile(argv[1]);       // 1. Datei öffnen
  if( !infile.is_open())
    openerror( argv[1]);

  if( argc == 2)                  // Nur eine Quelldatei.
    copy( infile, cout);
  else                            // Quell- und Zieldatei.
  {
    ofstream outfile(argv[2]);    // 2. Datei öffnen
    if( !outfile.is_open() )
      openerror( argv[2]);
    copy( infile, outfile);
    outfile.close();              // Hier unnötig.
  }
  infile.close();                 // Hier unnötig.
  return 0;
}
void copy( istream& is, ostream& os)  // is nach os
{                                     // kopieren.
  char c;
  while( is.get(c) )
    os.put(c);                    // oder:  os << c ;
}
```

Motivation

Wenn die Bearbeitung einer Datei beendet ist, sollte die Datei aus folgenden Gründen geschlossen werden:

● Es gehen keine Daten verloren, wenn das Programm aus irgendeinem Grund irregulär endet.

● Die Anzahl der Dateien, die in einem Programm gleichzeitig geöffnet sein dürfen, ist begrenzt.

Ein regulär ablaufendes Programm schließt am Ende alle Dateien automatisch. Auch der Destruktor eines File-Streams schließt eine mit dem Stream verbundene Datei. Falls aber eine Datei schon vorher nicht mehr benutzt wird, sollte sie explizit geschlossen werden.

Die Methoden close() und is_open()

In jeder der File-Stream-Klassen ist eine Methode `close()` vom Typ `void` definiert, mit der die zugehörige Datei geschlossen wird.

Beispiel: `mydat.close();`

Der File-Stream existiert aber weiterhin. Anschließend ist es also möglich, eine andere Datei zu öffnen und zu bearbeiten.

Ist es nicht sicher, ob der File-Stream mit einer Datei verbunden ist, so kann dies jederzeit mit der Methode `is_open()` getestet werden. Für den File-Stream `mydat` lautet die Abfrage:

Beispiel: `if( mydat.is_open() )`
`          { /* . . . */ }  // Eine Datei ist geöffnet`

Die exit-Funktion

Beim Aufruf der globalen Funktion `exit()` werden ebenfalls alle Dateien geschlossen. Der eigentliche Zweck dieser Funktion ist es, ein Programm „geordnet" zu beenden und einen Fehlercode an den aufrufenden Prozess zu übergeben.

Prototyp: `void exit( int status );`

Der aufrufende Prozess, der den Fehlercode `status` zur Auswertung erhält, ist in vielen Fällen der Kommando-Interpreter, also z.B. die Shell unter Unix. Bei erfolgreichem Ablauf des Programms wird üblicherweise der Fehlercode 0 benutzt. In der Funktion `main()` ist die Anweisung `return n;` gleichbedeutend mit dem Aufruf `exit(n);`.

Das nebenstehende Programm kopiert eine in der Kommandozeile angegebene Datei. Wird beim Aufruf keine zweite Datei (= Zieldatei) angeben, so wird auf die Standardausgabe kopiert. In diesem Fall sollte die Quelldatei natürlich eine Textdatei sein.

Blockweises Schreiben und Lesen

Beispielprogramm

```cpp
// Pizza_W.cpp
// Demo für blockweises Schreiben von Datensätzen.
// --------------------------------------------------------
#include <iostream>
#include <fstream>
using namespace std;

char header[] =
"    * * *  P I Z Z A   P R O N T O  * * *\n\n";
// Datensatz-Struktur:
struct Pizza { char name[32];   float preis; };
const int MAXANZ = 10;
Pizza pizzaKarte[MAXANZ] =
{
    { "Margerita", 9.90F },     { "Regina", 15.90F },
    { "Pizza Fungi", 12.50F }, { "Calzone", 14.90F } };
int anz = 4;
char pizzaDatei[256] = "pizza.dat";

int main()                 // Datensätze schreiben.
{
    cout << header  << endl;

    // Daten in die Datei schreiben:
    int exitCode = 0;
    ofstream outFile( pizzaDatei, ios::out|ios::binary );
    if( !outFile)
    {
        cerr << "Fehler beim Öffnen der Datei!" << endl;
        exitCode = 1;
    }
    else
    {
        for( int i = 0; i < anz; ++i)
          if( !outFile.write( (char*)&pizzaKarte[i],
                              sizeof(Pizza)) )
          { cerr << "Fehler beim Schreiben!" << endl;
            exitCode = 2;
          }
    }
    if( exitCode == 0)
      cout << "\nDaten in die Datei " << pizzaDatei
           << " geschrieben\n" << endl;

    return  exitCode;
}
```

Den File-Stream-Klassen stehen alle `public`-Operationen ihrer Basisklassen zur Verfügung. Damit können Daten zeichenweise oder blockweise, formatiert oder unformatiert in eine Datei geschrieben bzw. aus einer Datei gelesen werden.

Formatierte und unformatierte Ein-/Ausgaben

Die vorhergehenden Beispielprogramme haben gezeigt, wie Textdateien mit den Methoden `get()`, `getline()` und `put()` gelesen bzw. geschrieben werden können. Die formatierte Ein-/Ausgabe, z.B. von Zahlenwerten, erfolgt wie gewohnt mit den Operatoren >> und << sowie den entsprechenden Manipulatoren bzw. Methoden zur Formatierung.

Beispiel:
```
double preis = 12.34;
ofstream textDatei("Test.txt");
textDatei << "Preis: " << preis << "EURO"<< endl;
```

Anschließend enthält die Datei `Test.txt` die Textzeile „Preis ..." so, wie sie auch auf dem Bildschirm ausgegeben würde.

Die Konvertierung von binären Daten in lesbaren Text ist für größere Datenmengen nicht effizient. Beispielsweise ist es sinnvoller, die Daten einer Messwertreihe so in eine binäre Datei zu schreiben, wie sie im Programm vorliegen. Dazu wird eine Datei im Binär-Modus geöffnet, und die Daten werden blockweise in die Datei geschrieben bzw. aus der Datei gelesen.

Datenblöcke übertragen

Die `ostream`-Methode `write()` überträgt eine vorgegebene Anzahl Bytes aus dem Hauptspeicher in die Datei.

Prototyp: `ostream& write( const char *buf, int n);`

Da `write()` eine Referenz auf den Stream zurückgibt, kann überprüft werden, ob der Schreibvorgang erfolgreich war.

Beispiel:
```
if( ! fileStream.write("Ein Beispiel", 3) )
    cerr << "Fehler beim Schreiben!" << endl;
```

Die Fehlermeldung wird ausgegeben, wenn das Schreiben der drei Zeichen `"Ein"` fehlschlägt. Zum blockweisen Lesen einer Datei dient die Methode `read()`. Sie überträgt einen Datenblock aus der Datei in einen Puffer des Programms.

Prototyp: `istream& read( const char *buf, int n);`

Die Methoden `read()` und `write()` werden häufig für Dateien mit Datensätzen fester Länge eingesetzt. Der zu übertragende Block besteht dann aus einem oder mehreren Datensätzen. Der Puffer im Hauptspeicher ist entweder eine Strukturvariable oder ein Vektor mit Elementen vom Typ der Struktur. Die Adresse des Speicherbereichs muss dann wie im nebenstehenden Beispiel in den Typ `(char *)` gecastet werden.

Persistenz von Objekten

Beispielklasse Konto

```cpp
// Die Klasse Konto mit den Methoden read() und write()
// ----------------------------------------------------
class Konto
{
   private:
     string name;          // Kontoinhaber
     unsigned long nr;     // Kontonummer
     double stand;         // Kontostand
   public:
        . . .   // Konstruktoren, Destruktor,
               // Zugriffsmethoden, ...
     ostream& write(ostream& os) const;
     istream& read(istream& is)
};
```

Implementierung der Konto-Methoden read() und write()

```cpp
// write() schreibt die Daten eines Kontos in den
// angegebenen Stream os.
// Return-Wert: Der übergebene Stream.
ostream& Konto::write(ostream& os) const
{
   os << name << '\0';        // String schreiben
   os.write((char*)&nr, sizeof(nr) );
   os.write((char*)&stand, sizeof(stand) );
   return os;
}

// read ist die Gegenfunktion von write().
// read() liest die Daten eines Kontos aus dem Stream is
// und überschreibt damit die Daten im aktuellen Objekt.

istream& Konto::read(istream& is)
{
   getline( is, name, '\0');   // String einlesen
   is.read( (char*)&nr, sizeof(nr) );
   is.read( (char*)&stand, sizeof(stand));
   return is;
}
```

Objekte speichern

Objekte werden zur Laufzeit eines Programms angelegt und vor der Beendigung des Programms wieder zerstört. Um die „Flüchtigkeit" von Objekten zu verhindern, können sie *persistent* gemacht, d.h. in einer Datei gespeichert werden. Dabei muss sichergestellt sein, dass beim Einlesen ein Objekt wieder exakt rekonstruiert wird. Hierbei treten jedoch verschiedene Probleme auf:

- Objekte können andere Objekte enthalten. Es ist im Allgemeinen nicht bekannt, wie ein Teilobjekt zu speichern ist.

- Objekte können Verweise auf andere Objekte enthalten. Zeigerwerte in einer Datei zu speichern ist jedoch nicht sinnvoll, da sich mit jedem Programmstart Adressen im Hauptspeicher ändern.

Beispielsweise enthält die nebenstehende Klasse Konto ein Teilobjekt name vom Typ string. Ein Objekt vom Typ string verwaltet eine Zeichenfolge, deren Länge sich ändern kann. Es enthält daher nur einen Verweis auf die Zeichenfolge. Es macht also keinen Sinn, den vom Objekt name belegten Speicherbereich der Größe sizeof(name) in einer Datei zu speichern. Vielmehr ist die eigentliche Zeichenfolge in eine Datei zu schreiben.

Eine mögliche Lösung der genannten Probleme besteht darin, die Daten so zu speichern, dass sie beim Einlesen einem Konstruktor der Klasse übergeben werden können.

Eine weitere Möglichkeit ist, Methoden zur Verfügung zu stellen, mit denen Objekte ihre Datenelemente selbst in eine Datei schreiben bzw. einlesen können. Das ist im Allgemeinen die bessere Lösung, weil damit auch das Speichern unter der Kontrolle der Klasse steht. So kann beispielsweise ein interner Status gespeichert werden, auf den von außen kein Zugriff besteht.

Objekte der Klasse Konto speichern

Nebenstehend ist die bereits bekannte Klasse Konto um Methoden für die Datei-Ein-/Ausgabe ergänzt. Die Methoden read() und write() erhalten einen File-Stream als Agument, der mit einer binär geöffneten Datei verbunden ist. Der Return-Wert ist jeweils der übergebene Stream, so dass der Status beim Aufruf abgefragt werden kann.

Beispiel:
```
if( ! einKonto.write( outFile) )
    cerr << "Fehler beim Schreiben!" << endl;
```

Bein Einlesen eines Kontos kann z.B ein „leeres" Objekt erzeugt werden, das die Methode read() aufruft.

Beispiel:
```
if( ! einKonto.read( inFile) )
    cerr << "Fehler beim Lesen!" << endl;
```

Das Teilobjekt name wird als C-String gespeichert, also als Zeichenfolge, die mit dem Stringende-Zeichen '\0' abschließt. Hierfür stehen der Operator << und die Funktion getline() zur Verfügung.

Übungen

Zur 1. Aufgabe

Mögliche Aufrufe des Programms fcopy

`fcopy datei1 datei2`

Die Datei `datei1` wird nach `datei2` kopiert. Ist `datei2` schon vorhanden, so wird sie überschrieben.

`fcopy datei1`

Die Datei `datei1` wird auf die Standardausgabe kopiert, also auf den Bildschirm ausgegeben, wenn die Standardausgabe nicht umgelenkt wird.

`fcopy`

Bei einem Aufruf ohne Argumente werden Quell- und Zieldatei im Dialog eingelesen.

Details zur istream-Methode read()

Ist `is` ein File-Stream, der mit einer zum Lesen geöffneten Datei verbunden ist, so bewirkt der Aufruf

Beispiel: `char buf[1024];`

`is.read(buf, 1024);`

dass die nächsten 1024 Bytes aus der Datei in den Puffer `buf` übertragen werden. Sofern kein Fehler auftritt, werden nur dann weniger Bytes kopiert, wenn das Dateiende erreicht wurde. In diesem Fall werden das `fail`-Bit und das `eof`-Bit gesetzt. Die zuletzt gelesenen Bytes müssen ebenfalls noch in die Zieldatei geschrieben werden. Die Methode `gcount()` liefert die Anzahl der Bytes, die bei der vorhergehenden Leseoperation übertragen wurden.

Beispiel: `int nread = is.gcount();   // Anzahl`
`// zuletzt gelesener Bytes`

---

1. Aufgabe

In diesem Kapitel wurde das Beispielprogramm `fcopy1` vorgestellt, das eine Datei auf den Bildschirm oder in eine zweite Datei kopiert. Schreiben Sie ein Programm `fcopy`, das das Programm `fcopy1` wie folgt verbessert:

- Wird das Programm ohne Argumente gestartet, soll das Programm nicht mit einer entsprechenden Meldung beendet werden, sondern die Namen der Quell- und Zieldatei sollen im Dialog eingelesen werden. Wird als Name der Zieldatei ein leerer String eingeben, also nur die Return-Taste gedrückt, so wird die Quelldatei am Bildschirm angezeigt.

- Sind in der Kommandozeile oder im Dialog die Quell- und die Zieldatei angegeben, so wird *binär* kopiert.

- Das Kopieren soll mit den Methoden `read()` und `write()` blockweise erfolgen. Eine übliche Blockgröße ist 1024 Byte.

- Die Funktion `copy()` liefert `false` zurück, falls ein Kopierfehler auftrat, andernfalls `true`.

Beachten Sie die Hinweise auf der linken Seite.

2. Aufgabe

a) Erweitern Sie das Beispielprogramm `Pizza_w.cpp` aus diesem Kapitel so, dass zusätzlich zu den vier Standardpizzen neue Einträge für Pizzen vom Benutzer eingelesen und in der Datei gespeichert werden.

b) Schreiben Sie dann ein Programm `Pizza_r.cpp`, das die „Pizza-Karte" anzeigt, also den Inhalt der Pizza-Datei formatiert ausgibt.

3. Aufgabe

Testen Sie die Methoden `read()` und `write()` der Klasse `Konto`. Schreiben Sie dazu ein Programm `Konto_rw.cpp`, das

- einen Vektor mit Konto-Objekten initialisiert und in eine Datei schreibt und

- den Inhalt der Datei in einen zweiten Vektor einliest und zur Kontrolle die Konten des Vektors anzeigt.

Zum Schreiben bzw. Lesen wird die Datei jeweils neu im Binär-Modus geöffnet.

Übungen (Fortsetzung)

Zur 4. Aufgabe

Neue Elemente der Klasse TelList

```
Neue Datenelemente:
    string filename;   // Dateiname
    bool dirty;        // true, falls Daten
                       // noch nicht gespeichert.
Neue Methoden:
    const string& getFilename() const;
    bool setFilename( const string& fn);
    bool isDirty()const;

    bool load();       // Daten aus Datei lesen.
    bool save();       // Daten speichern.
    bool saveAs();     // Daten speichern unter ...
```

Erweitertes Menü des Anwenderprogramms

```
        * * * * *  Telefonliste  * * * * *


          A = Anzeigen aller Einträge
          F = Finden einer Telefonnummer
          H = Hinzufügen eines Eintrags
          L = Löschen eines Eintrags
          ----------------------------------------
          O = Öffnen einer Datei
          S = Speichern
          U = Speichern unter ...
          ----------------------------------------
          B = Beenden des Programms

      Ihre Wahl:
```

4. Aufgabe

Das in den Übungen zum Kapitel 16 entwickelte Programm `TelList` soll so erweitert werden, dass Telefonlisten in Dateien gespeichert werden können.

Dazu wird zunächst die Klasse `TelList` um die nebenstehenden Datenelemente und Methoden erweitert. Der String `filename` speichert den Namen der verwendeten Datei. Das Dirty-Flag wird gesetzt, wenn die Telefonliste verändert, aber noch nicht gespeichert wurde. Daher ist es auch notwendig, die vorhandenen Methoden `append()` und `erase()` entsprechend zu erweitern.

Die Strings der Telefonliste sollen als C-Strings in einer binären Datei gespeichert werden. Damit ist es auch zulässig, dass ein Eintrag aus mehreren Zeilen besteht.

Im Menü des Anwenderprogramms werden die folgenden Punkte hinzugefügt:

```
O = Öffnen einer Datei
```
    Zum Einlesen einer gespeicherten Telefonliste.

```
S = Speichern
```
    Zum Speichern der aktuellen Telefonliste in eine Datei.

```
U = Speichern unter . . .
```
    Zum Speichern der aktuellen Telefonliste in einer neuen Datei.

Bei der Auswahl eines dieser Menüpunkte wird die entsprechende Methode `load()` bzw. `save()` bzw. `saveAs()` aufgerufen. Diese Methoden liefern `true` zurück, falls die Aktion erfolgreich war, andernfalls `false`. Auch beim Speichern mit der Methode `save()` muss der Anwender noch einen Dateinamen eingeben können, sofern die Liste nicht schon aus einer Datei gelesen wurde.

Wurde die Telefonliste verändert, aber noch nicht gespeichert, so soll der Anwender bei Beendigung des Programms oder vor dem Öffnen einer Datei gefragt werden, ob die aktuelle Telefonliste gespeichert werden soll.

Hinweis: Der Dateiname muss beim Öffnen der Datei als C-String übergeben werden. Die Methode c_str() liefert die in einem Objekt der Klasse string gespeicherte Zeichenfolge als C-String.

Lösungen

Zur 1. Aufgabe:

```cpp
// ----------------------------------------------------
// fcopy.cpp
// Kopiert Dateien
// Aufruf: fcopy [ quelldatei [ zieldatei ] ]
// ----------------------------------------------------
#include <iostream>
#include <fstream>
using namespace std;

char usage[] = "Aufruf: fcopy [quelldatei [zieldatei]]";

inline void openerror( const char *datei)
{
  cerr << "Fehler beim Öffnen von " << datei << endl;
  exit(1);
}

bool copy( istream& is, ostream& os),    // Prototyp,
     ok = true;                          // ok-Flag.

int main(int argc, char *argv[])
{
  char quelle[256] = "", ziel[256] = "";

  switch( argc )
  {
   case 1:                  // keine Datei angegeben
                            // ==> Dateinamen einlesen.
      cout << "Die Quelldatei wird auf "
              "die Zieldatei kopiert!\n"
              "Quelldatei: ";
      cin.getline( quelle, 256);
      if( strlen(quelle) == 0)
      { cerr << "Keine Quelldatei angegeben!" << endl;
        return 1;
      }
      cin.sync();                        // Nur neue Eingabe
      cout << "Zieldatei: ";
      cin.getline( ziel, 256);
      break;

    case 2:                 // Eine Datei angegeben.
      strcpy( quelle, argv[1]);
      break;

    case 3:                 // Quell- und Zieldatei angegeben.
      strcpy( quelle, argv[1]);
```

```
      strcpy( ziel, argv[2]);
      break;

   default:                 // Falscher Aufruf des Programms.
      cerr << usage << endl;
      return 2;                 // oder: exit(2);
   }

   if( strlen(ziel) == 0)      // Nur Quelldatei?
   {                           // ja ==> Auf cout ausgeben.
      ifstream infile(quelle);
      if( !infile )
          openerror( quelle);
      ok = copy( infile, cout);
      // Datei wird vom ifstream-Destruktor geschlossen.
   }
   else                        // Quelldatei binär auf
   {                           // Zieldatei kopieren.
      ifstream infile( quelle, ios::in | ios::binary);
      if( !infile )
          openerror( quelle);
      else
      {
        ofstream outfile( ziel, ios::out | ios::binary);
        if( !outfile)
            openerror( ziel);
        ok = copy( infile, outfile);
        if( ok)
            cerr << "Datei " << quelle << " nach Datei "
                 << ziel <<" kopiert!"<< endl;
      }
   }
   if(!ok)
   {  cerr << "Fehler beim Kopieren!" << endl;
      return 3;
   }
   return 0;
}
bool copy( istream& is, ostream& os)   // is nach os
{                                      // kopieren.
   const int BufSize = 1024;
   char buf[BufSize];
   do
   {
      is.read( buf, BufSize);
      if( is.gcount() > 0)
        os.write(buf, is.gcount());
   }
   while( !is.eof() && !is.fail() && !os.fail() );

   if( !is.eof() ) return false;
   else            return true;
}
```

Lösungen (Fortsetzung)

Zur 2. Aufgabe:

```
// -------------------------------------------------------
// Pizza.h
// Header-Datei für Pizza_W.cpp und Pizza_R.cpp.
// -------------------------------------------------------
#include <iostream>
#include <iomanip>
#include <fstream>
using namespace std;

// Struktur eines Datensatzes:
struct Pizza { char  name[32];  float preis;  };

#define MAXANZ      20            // Maximale Anzahl Pizzen
#define DATEINAME   "pizza.dat"

inline void header()
{
   cout << "      * * *  P I Z Z A  P R O N T O  * * *\n\n"
        << endl;
}


// -------------------------------------------------------
// Pizza_w.cpp
// Demo für blockweises Schreiben von Datensätzen.
// -------------------------------------------------------
#include "Pizza.h"
Pizza pizzaKarte[MAXANZ] =
{
    { "Margerita", 9.90F },    { "Regina", 15.90F },
    { "Pizza Fungi", 12.50F }, { "Calzone", 14.90F } };

int  anz = 4;
char pizzaDatei[256] = DATEINAME;

int main()                    // Datensätze schreiben.
{
   int i;
   header();

   cout << "\nUnser Standardangebot:\n" << endl;
   cout << fixed << setprecision(2);
   for( i = 0; i < anz; ++i)
      cout << setw(20) << pizzaKarte[i].name
           << setw(10) << pizzaKarte[i].preis << endl;
   cout << "\n-------------------------------------------\n"
        << endl;
```

```
// Weitere Datensätze von der Tastatur einlesen:
while( anz < MAXANZ)
{
  cin.sync(); cin.clear();
  cout << "Welche Pizza soll noch auf die Karte?\n\n"
       << "Name:  ";
  cin.getline( pizzaKarte[anz].name, 32);
  if( pizzaKarte[anz].name[0] == '\0')
    break;

  cout << "Preis: ";
  cin >> pizzaKarte[anz].preis;

  if( !cin)
    cerr << "Ungültige Eingabe!" << endl;
  else
    ++anz;

  if( anz < MAXANZ)
    cout << "\n... und die nächste Pizza!\n"
         << "Zur Beendigung nur <Return> eingeben.\n";
}

// Daten in die Datei schreiben:
int exitCode = 0;
ofstream outFile( pizzaDatei, ios::out | ios::binary);
if( !outFile)
{
  cerr << "Fehler beim Öffnen der Datei!" << endl;
  exitCode = 1;
}
else
{
  for( int i = 0; i < anz; ++i)
    if( !outFile.write( (char*)&pizzaKarte[i],
                         sizeof(Pizza)) )
    {
      cerr << "Fehler beim Schreiben der Datei!"
           << endl;
      exitCode = 2;
    }
}
if( exitCode == 0)
  cout << "\nDaten in die Datei " << pizzaDatei
       << " geschrieben\n" << endl;

return exitCode;
}
```

Lösungen (Fortsetzung)

```cpp
// ----------------------------------------------------------
// Pizza_r.cpp
// Demo für blockweises Lesen von Datensätzen.
// ----------------------------------------------------------

#include "Pizza.h"

char pizzaDatei[256] = DATEINAME;

int main()              // Datensätze lesen und anzeigen.
{
    header();

    ifstream inFile( pizzaDatei, ios::in | ios::binary);
    if( !inFile)
    {
        cerr << "Pizza-Datei nicht vorhanden!" << endl;
        return 1;
    }
    Pizza einePizza;
    int anz = 0;

    cout << "\n-------------------------------------------------"
         << "\nDie Pizzen im Angebot:\n" << endl;
    cout << fixed << setprecision(2);
    while( true)
        if( !inFile.read( (char*)&einePizza, sizeof(Pizza)) )
            break;
        else
        {
            cout << setw(20) << einePizza.name
                 << setw(10) << einePizza.preis << endl;
            ++anz;
        }

    cout << "\n----------------------------------------------\n"
         << endl;

    if( !inFile.eof())
    {
        cerr << "Fehler beim Lesen der Datei!" << endl;
        return 2;
    }
    else
        cerr << "Das sind " << anz << " Pizzen!\n" << endl;

    return 0;
}
```

Zur 3. Aufgabe:

```cpp
// ------------------------------------------------------
// Konto_rw.cpp
// Einen Vektor mit Objekten der Klasse Konto in eine
// Datei schreiben und in einen anderen Vektor einlesen.
// ------------------------------------------------------

#include "konto.h"        // Definition der Klasse Konto
#include <iostream>
#include <fstream>
using namespace std;

Konto kontoTab1[3] =
{
  Konto("Lustig, Peter", 707070, -1200.99),
  Konto("Müller, Sarah", 123000, 2500.0),
  Konto("Schmidt, Jean\n"            // String kann mehrere
        "Handy: 01771234567", 543001)  // Zeilen haben.
};

Konto kontoTab2[3];      // Aufrufe des Default-Konstruktors

int anz = 3;

char datei[] = "Konten.dat";

int main()
{
  int i = 0;

  // --- Konten in eine Datei schreiben ---

  ofstream outFile( datei, ios::out | ios::binary );
  if( ! outFile)
  {
    cerr << "Fehler beim Öffnen der Datei " << datei
         << endl;
    return 1;
  }
  for( i = 0; i < anz; ++i)
    if( !kontoTab1[i].write(outFile) )
    {
      cerr << "Fehler beim Schreiben der Datei " << datei
           << endl;
      return 2;
    }
  outFile.close();
```

433

Lösungen (Fortsetzung)

```cpp
    // --- Konten aus der Datei wieder einlesen ---

    ifstream inFile( datei, ios::out | ios::binary );
    if( ! inFile)
    {
      cerr << "Fehler beim Öffnen der Datei " << datei
          << endl;
      return 3;
    }
    for( i = 0; i < anz; ++i)
      if( !kontoTab2[i].read(inFile) )
      {
        cerr << "Fehler beim Lesen der Datei " << datei
            << endl;
        return 4;
      }
    inFile.close();

    // --- Gelesene Konten anzeigen  ---

    cout << "Die Datei " << datei << " enthält die Konten:"
        << endl;

    for( i = 0; i < anz; ++i)
      kontoTab2[i].display();

    cout << endl;

    return 0;
}
```

Zur 4. Aufgabe:

```cpp
  // -----------------------------------------------------------
  // telList.h
  // Eine Klasse TelList zur Darstellung einer
  // Liste mit Namen und Telefonnummern.
  // Die Methoden load(), save() und saveAs() dienen zum
  // Laden und Speichern einer Telefonliste.
  // -------- ------------------------------------------------

  #ifndef _TelList_
  #define _TelList_

  #include <string>
  using namespace std;
```

```
#define PSEUDO -1          // Pseudoposition
#define MAX 100            // Maximale Anzahl der Elemente

// Typ eines Listen-Elements:
struct Element { string name, telNr; };

class TelList
{
  private:
    Element v[MAX];        // Der Vektor und die
    int count;             // aktuelle Anzahl der Elemente

    string filename;       // Dateiname
    bool dirty;            // true, falls Daten verändert
                           // und noch nicht gespeichert.
  public:
    TelList() : count(0), filename(""), dirty(false){}
    int getCount() { return count; }

    Element *retrieve( int i )
    {return (i >= 0 && i < count)? &v[i] : NULL;}
    bool append( const Element& el )
    {return append( el.name, el.telNr);}
    bool append( const string& name, const string& telNr);
    bool erase( const string& name);
    int  search( const string& name)const;
    void print()const;
    int  print( const string& name)const;
    int  getNewEntries();

    const string& getFilename() const { return filename; }
    bool setFilename( const string& fn)
    {
       if ( fn.empty())return false;
       else { filename = fn; dirty = true; return true;
    }
    bool isDirty()const { return dirty; }

    bool load();
    bool save();
    bool saveAs();
};
#endif  // _TelList_
```

Lösungen (Fortsetzung)

```cpp
// ----------------------------------------------------------
// TelList.cpp
// Implementierung der TelList-Methoden.
// ----------------------------------------------------------

#include "telList.h"        // Definition der Klasse TelList
#include <iostream>
#include <iomanip>
#include <fstream>
using namespace std;

bool TelList::append( const string& name,       // Anhängen
                      const string& telNr)
{
    if( count < MAX                 // noch Platz
        && name.length() > 1        // mindestens 2 Zeichen
        && search(name) == PSEUDO)  // noch nicht vorhanden
    {
      v[count].name  = name;
      v[count].telNr = telNr;
      ++count;
      dirty = true;
      return true;
    }
    return false;
}

bool TelList::erase( const string& key )
{
    int i = search(key);
    if( i != PSEUDO )
    {
      if( i != count-1)             // Letztes Element in
          v[i] = v[count-1];        // Position i kopieren.
      --count;
      dirty = true;
      return true;
    }
    return false;
}
// ----------------------------------------------------------
// Die Methoden search(), print(), getNewEntries()
// bleiben unverändert (s. Lösungen zu Kapitel 16).
// ----------------------------------------------------------
```

```cpp
// Methoden zum Laden und Speichern der Telefonliste.

bool TelList::load()
{
    cout << "\n--- Telefonliste aus einer Datei laden. ---"
         << "\nDatei: ";

    string file;                      // Dateiname einlesen.
    cin.sync(); cin.clear();          // Nur neue Eingabe
    getline( cin, file);
    if( file.empty())
    {
        cerr << "Kein Dateiname angegeben!" << endl;
        return false;
    }

// Datei zum Lesen öffnen:
    ifstream infile( file.c_str(), ios::in | ios::binary);
    if( !infile )
    {
        cerr << "Datei " << file
             << " konnte nicht geöffnet werden!" << endl;
        return false;
    }

    int i = 0;
    while( i < MAX)
    {
        getline( infile, v[i].name, '\0');
        getline( infile, v[i].telNr, '\0');
        if( !infile)
            break;
        else
            ++i;
    }
    if( i == MAX)
        cerr << "Obergrenze von " << MAX
             << " Einträgen erreicht!" << endl;
    else if( !infile.eof())
    {
        cerr << "Fehler beim Lesen der Datei " << file
             << endl;
        return false;
    }
    count = i;
    filename = file;
    dirty = false;
    return true;
}
```

Lösungen (Fortsetzung)

```cpp
bool TelList::saveAs()
{
    cout << "-- Telefonliste in einer Datei speichern. --"
         << "\nDatei: ";
    string file;                        // Dateiname einlesen.
    cin.sync(); cin.clear();            // Nur neue Eingaben
    getline( cin, file);
    if( !set filename (file))
    {
        cerr << "Kein Dateiname angegeben!" << endl;
        return false;
    }
    else
        return save();
}

bool TelList::save()        // Telefonliste speichern.
{   if( filename.empty())
        return saveAs();
    if( !dirty)
        return true;

    ofstream outfile( filename.c_str(),
                      ios::out | ios::binary);
    if( !outfile )
    {
        cerr << "Datei " << filename
             << " konnte nicht geöffnet werden!" << endl;
        return false;
    }

    int i = 0;
    while( i < count)
    {
        outfile << v[i].name  << '\0';
        outfile << v[i].telNr << '\0';
        if( !outfile)
            break;
        else
            ++i;
    }
    if( i < count)
    {
        cerr << "Fehler beim Schreiben der Datei "
             << filename << endl;
```

```
            return false;
        }
        dirty = false;
        return true;
    }

// ----------------------------------------------------------
// TelList_.cpp
// Mit der Klasse TelList eine Telefonliste verwalten.
// ----------------------------------------------------------
#include "telList.h"      // Definition der Klasse Konto
#include <iostream>
#include <string>
#include <cctype>
using namespace std;

inline void cls()
{
    cout << "\033[2J\n"; // Nur New-Lines ausgeben, falls
}                        // ANSI-Steuerzeichen nicht verfügbar.
inline void weiter()
{
    cout << "\n\nWeiter mit der Return-Taste! ";
    cin.sync();  cin.clear();        // Nur neue Eingabe
    while( cin.get() != '\n')
        ;
}
int menu();        // Ein Kommando einlesen
char askForSave();  // Abfrage, ob gespeichert werden soll.
char header[] =
"\n\n         * * * * *  Telefonliste  * * * * *\n\n";
TelList myFriends;       // Eine Telefonliste

int main()
{
    int aktion = 0;        // Kommando
    string name;           // Zum Einlesen eines Namens
    while( aktion != 'B')
    {
        aktion = menu();
        cls();  cout << header << endl;
        switch( aktion)
        {
```

Lösungen (Fortsetzung)

```cpp
// ---------------------------------------------------
//   case 'A':  case 'F':  case 'H':  case 'L':
//   bleiben unverändert (s. Lösungen zu Kapitel 16).
// ---------------------------------------------------
    case 'O':                              // Datei öffnen
        if(myFriends.isDirty() && askForSave() == 'J')
           myFriends.save();
        if( myFriends.load())
           cout << "Telefonliste aus der Datei "
                << myFriends.getFilename() <<" eingelesen!"
                << endl;
        else
           cerr << "Telefonliste wurde nicht eingelesen!"
                << endl;
        weiter();
        break;

    case 'U':                              // Speichern unter ...
        if( myFriends.saveAs())
           cout << "Telefonliste in der Datei "
                << myFriends.getFilename()
                << " gespeichert!" << endl;
        else
           cerr << "Telefonliste wurde nicht gespeichert!"
                << endl;
        weiter();
        break;

    case 'S':                              // Speichern
        if( myFriends.save())
           cout << "Telefonliste in der Datei "
                << myFriends.getFilename()
                << " gespeichert!" << endl;
        else
           cerr << "Telefonliste wurde nicht gespeichert!"
                << endl;
        weiter();
        break;

    case 'B':                              // Beenden
        if( myFriends.isDirty()  &&  askForSave() == 'J')
           myFriends.save();
        cls();
        break;
    }
```

```
    } // Ende while
    return 0;
}

int menu()
{
    static char menuStr[] =
// . . .
    "\n              ------------------------------------"
    "\n              O = Öffnen einer Datei"
    "\n              S = Speichern "
    "\n              U = Speichern unter ..."
    "\n              ------------------------------------"
    "\n              B = Beenden des Programms"
 "\n\n Ihre Wahl:  ";

// ----------------------------------------------------
// sonst unverändert (s. Lösungen zu Kapitel 16).
// ----------------------------------------------------
    return wahl;
}

char askForSave()
{
    char c;
    cout <<
        "Soll die Telefonliste gespeichert werden (j/n)? ";
    do
    {   cin.get(c);
        c = toupper(c);
    }while( c != 'J'  &&  c != 'N');
    return c;
}
```

Kapitel 19

Operatoren überladen

Die Überladung von Operatoren ermöglicht es, vorhandene Operatoren auch auf Objekte von Klassen anzuwenden. So kann z.B. festgelegt werden, welche Bedeutung der Operator + für Objekte einer bestimmten Klasse haben soll.

Dieses Kapitel beschreibt die verschiedenen Möglichkeiten der Operator-Überladung. Als Anwendung werden neben den arithmetischen Operatoren und den Vergleichen auch der Index-Operator und die Shift-Operatoren für die Ein-/ Ausgabe überladen.

Für die Operator-Überladung ist das Konzept der friend-Funktionen von Bedeutung, das in diesem Zusammenhang vorgestellt wird.

Allgemeines

Überladbare Operatoren

Operatoren	Bedeutung
+ – * / % ++ – –	arithmetische Operatoren
== != < <= > >=	Vergleichsoperatoren
&& || !	Logische Operatoren
= op=	Zuweisungsoperatoren (op ist binärer arithmetischer oder binärer Bitoperator)
& | ^ ~ << >>	Bitoperatoren
() []	Funktionsaufruf, Indexoperator
& * -> , new delete	sonstige Operatoren

 Die Zuweisung =, der Adressoperator & und der Kommaoperator ,
haben für jeden elementaren Typ eine vordefinierte Bedeutung. Für
eine Klasse kann jedoch ihre Bedeutung durch eine eigene Definition
geändert werden.

Regeln

Die Überladung eines Operators findet immer im Zusammenhang mit einer
Klasse statt. Dabei wird lediglich der „Definitionsbereich" des Operators erweitert, die Eigenschaften des Operators selbst bleiben unverändert. Im einzelnen
gilt folgendes:

● Es können keine „neuen Operatoren" erfunden werden, d.h. nur bereits vorhandene Operatoren können überladen werden.

● Die Bedeutung der Operatoren für Standardtypen lässt sich nicht „umdefi-
nieren".

● Die Anzahl der Operanden eines Operators kann nicht geändert werden: Ein
binärer Operator bleibt also stets binär, und ein unärer Operator bleibt unär.

● Der Vorrang eines Operators und die Reihenfolge der Zusammenfassung bei
gleichem Vorrang bleibt erhalten.

Überladung

Ein Operator ist überladen (engl. *overloaded*), wenn es verschiedene Datentypen gibt, für die der Operator definiert ist. Einen Operator zu überladen, bedeutet also, dem Operator für einen neuen Datentyp eine eigene Bedeutung zu geben.

Für die elementaren Datentypen sind die meisten Operatoren bereits überladen. Im Ausdruck

Beispiel: `a / b`

entscheidet der Typ der Operanden, welchen Maschinencode der Compiler für die Division erzeugt. Haben beide Operanden einen ganzzahligen Typ, so wird die Ganzzahl-Division ausgeführt, andernfalls die Gleitpunktdivision. Es werden also je nach Typ der Operanden unterschiedliche Aktionen ausgeführt.

Operatoren für Klassen

In C++ besteht die interessante Möglichkeit, die Funktionalität einer Klasse nicht nur durch Methoden, sondern auch durch Operatoren festzulegen. So kann beispielsweise statt (oder zusätzlich zu) einer Methode `add()` ebenso der Operator + überladen werden. Für Objekte `x` und `y` der Klasse ist dann

```
x + y gleichbedeutend mit x.add(y)
```

Mit den überladenen Operatoren der Klasse sind entsprechende Ausdrücke genauso einfach zu bilden wie mit elementaren Datentypen. Ausdrücke mit Operatoren sind oft intuitiver und daher schneller zu erfassen als Ausdrücke mit Funktionsaufrufen.

In den Standardklassen der C++-Bibliothek sind bereits zahlreiche Operatoren überladen. Das gilt auch für die bereits bekannte Klasse `string`.

Beispiel:
```
string str1("Hallo "), str2("Eva");
str1 += str2;              // Operator +=
if( str2 < "Frida") ...    // Operator <
cout << str1;              // Operator <<
str2[2] = 'i';     // Operatoren [] und =
```

In den nebenstehenden Tabellen sind die Operatoren zusammengestellt, die überladen werden dürfen. Zu den Operatoren, die *nicht überladbar* sind, gehören die Cast-Operatoren, der `sizeof`-Operator und die folgenden vier Operatoren:

   `.`   `::`   `.*`   Zugriffsoperatoren

   `?:`   Auswahloperator

Diese Operatoren haben für Klassen schon eine feste Bedeutung, oder eine Überladung ist nicht sinnvoll.

Operatorfunktionen (1)

Die Operatoren < und ++ für die Klasse DayTime

```
// DayTime.h
// Die Klasse DayTime mit den Operatoren < und ++ .
// -------------------------------------------------
#ifndef _DAYTIME_
#define _DAYTIME_
class DayTime
{
  private:
     short hour, minute, second;
     bool overflow;
  public:
   DayTime( int h = 0, int m = 0, int s = 0);
   bool setTime(int hour, int minute, int second = 0);
   int getHour()   const { return hour;   }
   int getMinute() const { return minute; }
   int getSecond() const { return second; }

   int asSeconds() const    // Tageszeit als Sekunden
   {
     return (60*60*hour + 60*minute + second);
   }
   bool operator<( const DayTime& t) const
   {                              // *this mit t vergl.
     return  asSeconds() < t.asSeconds();
   }
   DayTime& operator++()             // Sekunden erhöhen.
   {
     ++second;          // und Überlauf behandeln.
     return  *this;
   }
   void print() const;
};
#endif   // _DAYTIME_
```

Beispielaufruf des Operators <

```
#include "DayTime.h"
   . . .
   DayTime abflug1( 11, 11, 11), abflug2(12,0,0);
   . . .
   if( abflug1 < abflug2 )
     cout << "\nDer 1. Flieger hebt früher ab!" << endl;
   . . .
```

Namen von Operatorfunktionen

Ein Operator wird überladen, indem eine entsprechende *Operatorfunktion* definiert wird. Die Operatorfunktion legt die Aktionen fest, die der Operator ausführen soll. Der Name einer Operatorfunktion beginnt mit dem Schlüsselwort `operator`, dem das Operatorsymbol folgt.

Beispiel: `operator+`

Dies ist der Name der Operatorfunktion für den Operator +.

Eine Operatorfunktion kann als globale Funktion oder als Methode einer Klasse definiert werden. Gewöhnlich werden Operatorfunktionen als Methoden definiert, insbesondere bei unären Operatoren. Es kann jedoch auch sinnvoll sein, eine Operatorfunktion global zu definieren. Wir kommen später darauf zurück.

Operatorfunktionen als Methoden

Wird die Operatorfunktion eines *binären* Operators als Methode definiert, so ist der linke Operand stets ein Objekt der Klasse. Für dieses Objekt wird die Operatorfunktion aufgerufen. Der zweite, rechte Operand wird der Methode als Argument übergeben. Die Methode besitzt deshalb *einen* Parameter.

Beispiel: `bool operator<( const DayTime& t) const;`

Hier wird der „Kleiner"-Operator zum Vergleich zweier `DayTime`-Objekte überladen. Er ersetzt die früher in dieser Klasse definierte Methode `isLess()`.

Als Beispiel für einen *unären* Operator ist nebenstehend der Präfix-Operator ++ überladen. Die zugehörige Operatorfunktion in der Klasse besitzt keinen Parameter! Sie wird aufgerufen, wenn in einem Ausdruck `++a` das Objekt a ein Objekt der Klasse `DayTime` ist.

Aufruf einer Operatorfunktion

Im nebenstehenden Beispiel werden zwei Tageszeiten verglichen:

Beispiel: `abflug1 < abflug2`

Für diesen Ausdruck sucht der Compiler eine passende Operatorfunktion und ruft diese auf. Der Vergleichsausdruck ist also gleichbedeutend mit:

```
abflug1.operator<( abflug2)
```

Auch wenn es nicht gerade üblich ist, kann eine Operatorfunktion auch direkt aufgerufen werden. Der vorstehende Funktionsaufruf ist also völlig korrekt.

Programme sind mit Operatoren einfacher zu formulieren und besser lesbar. Dabei ist jedoch zu beachten, dass eine Operatorfunktion immer eine gleichartige Operation ausführen sollte wie der entsprechende Operator für elementare Datentypen. Jede andere Verwendung stiftet im Allgemeinen große Verwirrung.

Operatorfunktionen (2)

Die Klasse Euro

```
// Euro1.h : Die Klasse Euro mit arithmetischen Operatoren.
// ---------------------------------------------------------
#ifndef _EURO_H_
#define _EURO_H_
#include <sstream>                    // Für Klasse stringstream
#include <iomanip>
using namespace std;
class Euro
{
  private:
    long   data;                      // Euros * 100 + Cents
  public:
    Euro( int euro = 0, int cents = 0)
    {
      data = 100L * (long)euro + cents;
    }
    Euro( double x)
    {
      x *= 100.0;                             // Runden, z.B.
      data = (long)(x>=0.0 ? x+0.5 : x-0.5); // 9.7 -> 10
    }
    long getWholePart() const { return data/100; }
    int  getCents() const { return (int)(data%100); }
    double asDouble() const { return (double)data/100.0; }
    string asString() const;        // Euro-Wert als String.
    void print( ostream& os) const  // Auf Stream os ausgeben.
    {
      os << asString() << " Euro" << endl;
    }
    // ---- Operatorfunktionen ----
    Euro operator-() const          // Negation (unäres Minus))
    {
      Euro temp;
      temp.data = -data;
      return  temp;
    }
    Euro operator+( const Euro& e2) const   // Addition.
    {
      Euro temp;
      temp.data = data + e2.data;
      return  temp;
    }
    Euro operator-( const Euro& e2) const   // Subtraktion.
    {  /* Analog zum Operator + */  }
    Euro& operator+=( const Euro& e2) // Euros hinzuaddieren.
    {
      data += e2.data;
      return  *this;
    }
    Euro& operator-=( const Euro& e2); // Euros subtrahieren.
    {  /* Analog zum Operator += */  }
};
// Fortsetzung auf nächster Doppelseite.
```

Zur Beispielklasse Euro

Nebenstehend ist eine Klasse `Euro` zur Darstellung der europäischen Währung definiert. Das Datenelement `data` speichert einen Euro-Betrag als ganze Zahl in der Form:

```
(ganzzahliger Anteil)*100 + Cents.
```

Entsprechend ist `data/100` die Anzahl ganzer Euros und `data%100` die Anzahl Cents. Diese Darstellung erlaubt es, die arithmetischen Operationen der Klasse `Euro` einfach zu implementieren.

Neben einem Konstruktor, der als Argumente ganze Euros und Cents erhält, gibt es auch einen Konstruktor, dem ein Euro als `double` übergeben werden kann, sowie den Standardkopierkonstruktor.

Beispiel: `Euro e1(9,50), e2(20.07), e3(-e1);`

Negation, Addition und Subtraktion

Der unäre Operator – verändert seinen Operanden nicht. Im vorhergehenden Beispiel erhält also `e3` den Wert `-9,50` Euro, wobei aber `e1` unverändert bleibt. Die Operatorfunktion ist daher eine `const`-Methode, die ein temporäres Objekt erzeugt und zurückgibt.

Auch die binären Operatoren + und – verändern ihre Operanden nicht. Die Operatorfunktionen erzeugen daher ebenfalls ein temporäres Objekt und geben es mit dem richtigen Wert zurück.

Beispiel: `Euro summe = e1 + e2;`

Der Ausdruck `e1 + e2` führt zum Aufruf `e1.operator+(e2)`. Mit dem Return-Wert wird das neue Objekt `summe` initialisiert.

Die Operatoren += und -=

Dadurch, dass die Operatoren + und – für die Klasse `Euro` überladen wurden, sind noch nicht automatisch die Operatoren += und -= überladen. Das sind eigenständige Operatoren, die daher auch separat definiert werden müssen. Natürlich sollte die Überladung so vorgenommen werden, dass die Anweisungen

Beispiel: `summe += e3;` und `summe = summe + e3;`

zum selben Ergebnis führen.

Die binären Operatoren += und -= verändern das aktuelle Objekt, also den linken Operanden. Es wird also kein temporäres Objekt benötigt! Der Ausdruck `summe += e3` repräsentiert das aktuelle Objekt nach der Veränderung. Deshalb gibt die Operatorfunktion eine Referenz auf `*this` zurück.

449

Überladene Operatoren verwenden

Fortsetzung der Datei Euro1.h

```
// Noch Datei Euro1.h
// -------------------------------------------------------
inline string Euro::asString() const   // Euro-Wert als String
{
    stringstream strStream;           // Stream zur Konvertierung
    long temp = data;
    if( temp < 0 ) { strStream << '-';  temp = -temp; }
      strStream << temp/100 << ','
                  << setfill('0') << setw(2) << temp%100;
      return strStream.str();
}
#endif    // _EURO_H_
```

Beispielprogramm

```
// Euro1_t.cpp
// Die Operatoren der Klasse Euro testen.
// -------------------------------------------------------
#include "Euro1.h"                 // Definition der Klasse
#include <iostream>
using namespace std;

int main()
{
  cout << "  * * *  Test der Klasse Euro  * * *\n" << endl;
  Euro einkauf( 20,50), verkauf;
  verkauf = einkauf;               // Standardzuweisung
  verkauf += 9.49;                 // += (Euro)9.49

  cout << "Einkaufspreis: ";  einkauf.print(cout);
  cout << "Verkaufspreis: ";  verkauf.print(cout);

  Euro rabatt( 2.10);              // double-Konstruktor
  verkauf -= rabatt;
  cout << "\nVerkaufspreis mit Rabatt: ";
  verkauf.print(cout);

  einkauf = 34.10;
  cout << "\nNeuer Einkaufspreis: ";  einkauf.print(cout);
  Euro gewinn( verkauf - einkauf);  // Subtraktion und
                                    // Kopierkonstruktor
  cout << "\nDer Gewinn: ";
  gewinn.print(cout);              // Negativ!

  return 0;
}
```

Aufruf der Operatorfunktionen

Mit den Operatoren der Klasse `Euro` sind z. B. folgende Ausdrücke möglich.

Beispiel:
```
Euro  einkauf(15,30), verkauf,
      gewinn(7,50), rabatt(1,75);
verkauf = einkauf + gewinn;
// Aufruf:  einkauf.operator+( gewinn)
verkauf -= rabatt;
// Aufruf:  verkauf.operator-=( rabatt)
verkauf += Euro( 1.49);
// Aufruf:  verkauf.operator+=( Euro(1.49))
```

In diesen Ausdrücken sind nur Objekte vom Typ `Euro` beteiligt, für die die Operatorfunktionen definiert sind. Es dürfen aber auch Werte vom Typ `int` oder `double` addiert bzw. subtrahiert werden. Dies ermöglichen die `Euro`-Konstruktoren, die aus einem `int` bzw. `double` ein `Euro`-Objekt erzeugen. Damit kann einer Funktion, die als Argument einen `Euro`-Wert erwartet, auch ein `int` oder `double`-Wert übergeben werden.

Wie das nebenstehende Programm zeigt, ist die Anweisung

Beispiel: `verkauf += 9.49;`

zulässig. Der Compiler sucht hier nach einer Operatorfunktion für `+=`, die für ein `Euro`-Objekt und einen `double` definiert ist. Da es diese nicht gibt, konvertiert der Compiler den `double`-Wert in einen `Euro` und ruft die vorhandene Operatorfunktion für Euros auf.

Symmetrie der Operanden

Auf Grund der vorhandenen Konstruktoren können natürlich auch die Operatorfunktionen für `+` und `-` mit `int`- oder `double`-Argumenten aufgerufen werden.

Beispiel:
```
verkauf = einkauf + 10;      // ok
einkauf = verkauf - 7.99;    // ok
```

Die erste Anweisung ist beispielsweise äquivalent zu:

```
verkauf = einkauf.operator+( Euro(10));
```

Dagegen ist die folgende Anweisung nicht zulässig!

Beispiel: `verkauf = 10 + einkauf;    // falsch!`

Da die Operatorfunktion als Methode definiert ist, muss der linke Operand ein Objekt der Klasse sein. Die Operanden des Operators `+` können also nicht einfach vertauscht werden. Soll die Konvertierung aber gleichermaßen für beide Operanden durchgeführt werden, ist es notwendig, die Operatorfunktion global zu definieren.

Globale Operatorfunktionen

Nur mit Methoden überladbare Operatoren

Die Operatorfunktionen der folgenden Operatoren müssen Methoden sein.

Operatoren	Bedeutung
=	Zuweisungsoperator
()	Funktionsaufruf
[]	Indexoperator (Subskript)
->	Elementzugriff für Zeiger

 Mit dem Operator () lassen sich Operationen mit Objekten wie Funktionsaufrufe darstellen. Durch das Überladen des Operators -> können Objekte wie Zeiger verwendet werden.

Die neue Klasse Euro

```
// Euro.h
// Die Klasse Euro zur Darstellung eines Euro
// mit globalen Operatorfunktionen für + und -.
// ----------------------------------------------------
#ifndef _EURO_H_
#define _EURO_H_
// ....
class Euro
{
  // Ohne die Operatorfunktionen für + und -.
  // Sonst unverändert, also insbesondere mit den
  // Operatorfunktionen für += und -=.
};
// ----------------------------------------------------
// Globale Operatorfunktionen (inline)
// Addition:
inline Euro operator+( const Euro& e1, const Euro& e2)
{
    Euro temp(e1);
    temp += e2;
    return  temp;
}
// Subtraktion:
inline Euro operator-( const Euro& e1, const Euro& e2)
{
    Euro temp(e1);
    temp -= e2;
    return  temp;
}
#endif    // _EURO_H_
```

Operatorfunktionen: Global oder als Methoden?

Eine Operatorfunktion kann statt als Methode auch als globale Funktion definiert werden. Davon ausgenommen sind nur die nebenstehenden vier Operatoren.

Außerdem ist es sinnvoll, die Operatorfunktion als Methode zu definieren, wenn es sich um einen unären Operator handelt oder wenn der linke Operand des Operators stets ein Objekt der Klasse ist. Das ist z.B. bei den zusammengesetzten Zuweisungen der Fall:

```
+=    -=    *=    /=    %=
```

Diese Operatoren benötigen als linken Operanden stets einen so genannten *L-Wert*, also ein Objekt, das eine Adresse im Hauptspeicher hat.

Globale Operatorfunktionen werden vorzugsweise dann eingesetzt, wenn einer der beiden folgenden Fälle vorliegt:

- Der Operator ist binär und in beiden Operanden „symmetrisch",
  z.B. die arithmetischen Operatoren + oder *.

- Der Operator soll für eine fremde Klasse überladen werden, ohne die Klasse zu ändern, z.B. der Operator << für die Klasse `ostream`.

Definition globaler Operatorfunktionen

Einer globalen Operatorfunktion werden alle Operanden als Argumente übergeben. Die Operatorfunktion eines unären Operators besitzt also *einen* Parameter, die eines binären Operators *zwei*.

Die Klasse Euro wurde so geändert, dass jetzt die Operatorfunktionen der Operatoren + und – global definiert sind.

Beispiel: `Euro operator+(const Euro& e1, const Euro& e2);`

Damit sind beide Operanden „gleichberechtigt". Insbesondere wird für beide Operanden die Konvertierung int bzw. `double` in Euro vorgenommen. Für ein Euro-Objekt `netto` sind also die beiden Ausdrücke

Beispiel: `netto + 1.20` **und** `1.20 + netto`

möglich und gleichbedeutend. Sie bewirken die Funktionsaufrufe

```
operator+( netto, 1.20)    und
operator+( 1.20, netto)
```

Eine globale Funktion hat jedoch keinen Zugriff auf die privaten Elemente der Klasse. Die nebenstehende Funktion `operator+()` verwendet daher den Operator +=, dessen Operatorfunktion weiterhin als Methode definiert ist.

Um einer globalen Operatorfunktion doch den Zugriff auf die privaten Elemente zu erlauben, kann sie als „Freund" der Klasse deklariert werden.

friend-Funktionen

Die Klasse Euro mit friend-Funktionen

```cpp
// Euro.h
// Die Klasse Euro mit Operatorfunktionen, die als
// friend-Funktionen definiert sind.
// --------------------------------------------------
#ifndef _EURO_H_
#define _EURO_H_
// ....
class Euro
{
  private:
    long  data;              // Euros * 100 + Cents
  public:
    // Konstruktoren und weitere Methoden wie gehabt.
    // Operatoren -(unär), +=, -=  wie gehabt.
    // Division Euro / double :
    Euro operator/( double x)          // Division *this / x
    {                                  // =  *this * (1/x)
        return (*this * (1.0/x));
    }
    // globale friend-Funktionen
    friend Euro operator+( const Euro& e1, const Euro& e2);
    friend Euro operator-( const Euro& e1, const Euro& e2);

    friend Euro operator*( const Euro& e, double x)
    {
        Euro temp( ((double)e.data/100.0) * x) ;
        return temp;
    }
    friend Euro operator*( double x, const Euro& e)
    {
        return e * x;
    }
};
// Addition:
inline Euro operator+( const Euro& e1, const Euro& e2)
{
    Euro temp;   temp.data = e1.data + e2.data;
    return  temp;
}

// Subtraktion:
inline Euro operator-( const Euro& e1, const Euro& e2)
{
    Euro temp;   temp.data = e1.data - e2.data;
    return  temp;
}
#endif   // _EURO_H_
```

Das friend-Konzept

Wenn Funktionen oder einzelne Klassen mit einer anderen Klasse besonders eng zusammenarbeiten, kann es wünschenswert sein, dass ihnen der Zugriff auf private-Elemente der Klasse erlaubt wird. Dies wird durch eine *friend-Deklaration* möglich, die die Datenkapselung in einzelnen Fällen aufhebt.

Beispielsweise soll eine globale Funktion geschrieben werden, die zahlreiche Zugriffe auf Elemente einer numerischen Vektor-Klasse macht. Ist hierbei jedesmal der Aufruf von Zugriffsmethoden der Klasse erforderlich, die Bereichsüberprüfungen vornehmen, so verzögert sich die Laufzeit der Funktion erheblich. Mit einer „Sondererlaubnis", direkt auf private Datenelemente der Klasse zugreifen zu dürfen, kann die Laufzeit beschleunigt werden.

Deklaration von friend-Funktionen

Eine Klasse kann einer beliebigen Funktion eine solche „Sondererlaubnis" für den direkten Zugriff auf ihre privaten Elemente erteilen. Dies geschieht, indem sie die Funktion als friend deklariert: Innerhalb der Klassendefinition wird dem Prototyp der Funktion das Schlüsselwort friend vorangestellt.

Beispiel:
```
class A
{ // . . .
  friend void globFunc( A* objPtr);
  friend int  B::elFunc( const A& objRef);
};
```

Hier werden die globale Funktion globFunc() und die Methode elFunc() der Klasse B als friend-Funktionen der Klasse A deklariert. Sie können daher direkt auf die privaten Elemente der Klasse A zugreifen. Da die Funktionen keine Methoden von A sind, steht ihnen natürlich kein this-Zeiger zur Verfügung. Deshalb wird das zu bearbeitende Objekt gewöhnlich als Argument übergeben.

Wichtig ist, dass eine Klasse *selbst* bestimmt, wer ihre „Freunde" sind. Andernfalls könnte die Datenkapselung beliebig unterlaufen werden.

Operatorüberladung mit friend-Funktionen

Die Operatorfunktionen für + und – der Klasse Euro sind jetzt als friend-Funktionen deklariert. Sie können also direkt mit dem privaten Element data arbeiten.

Im Zusammenhang mit der Zinsrechnung ist es notwendig, Euros mit double-Werten multiplizieren bzw. dividieren zu können. Da sowohl der Ausdruck Euro*Zahl als auch Zahl*Euro möglich sein soll, wird die Multiplikation mit Hilfe von friend-Funktionen implementiert. Wie das Beispiel zeigt, können friend-Funktionen auch inline in der Klasse definiert werden.

friend-Klassen

Die Klasse Messwert

```
// Messwert.h
// Die Klasse Messwert zur Darstellung eines Meßwerts
// mit dem Zeitpunkt der Messung.
// ---------------------------------------------------
#ifndef _MESSWERT_
#define _MESSWERT_
#include "DayTime.h"           // Klasse DayTime
class Messwert
{
  private:
   double wert;
   DayTime zeit;
  public:
  // Konstruktor und Zugriffsmethoden

  friend class MessStation;  // Alle Methoden von
};                           // MessStation sind Freunde.
```

Die Klasse MessStation

```
#include Messwert.h

class MessStation
{
   private:
     string name;                 // Name der Station.
     Messwert messreihe[100];  // Tabelle mit Meßwerten
     // . . .
   public:
     // Konstruktor und andere Methoden
     // . . .
     // Für die Meßreihe statistische Größen
     // (Mittelwert, Abweichungen, ...) berechnen.
     bool statistik();  // Hat Zugriff auf die privaten
                        // Elemente von messreihe[i].
};
```

Deklaration von friend-Klassen

Neben der friend-Deklaration einzelner Funktionen kann auch eine ganze Klasse zum „Freund" einer anderen Klasse werden. Alle Methoden des „Freundes" sind dann friend-Funktionen der Klasse, die die friend-Deklaration enthält.

Dies ist sinnvoll, wenn eine Klasse mit einer anderen Klasse so eng zusammenarbeitet, dass *alle* Methoden auf die privaten Elemente der anderen Klasse zugreifen können sollten.

Beispielsweise arbeitet eine Klasse MessStation mit Objekten der Klasse Messwert. Dabei müssen immer wieder Berechnungen mit einzelnen Messwerten durchgeführt werden. Hier ist es also naheliegend, die Klasse MessStation als Freund der Klasse Messwert zu deklarieren.

Beispiel:
```
class Messwert
{
    // . . .
    friend class MessStation;
};
```

Wichtig ist auch hier, dass nicht die Klasse MessStation darüber entscheidet, dass sie ein „Freund" der Klasse Messwert ist. Die Klasse Messwert legt selbst fest, wer ihr Freund ist und Zugriff auf private Elemente hat.

Es spielt keine Rolle, ob eine friend-Deklaration im private- und im public-Bereich einer Klasse steht. Eine friend-Deklaration kann jedoch als eine Erweiterung der öffentlichen Schnittstelle aufgefasst werden. Eine friend-Deklaration sollte deshalb im public-Bereich der Klasse vorgenommen werden.

Verwendung von friend-Funktionen und -Klassen

Der Einsatz von friend-Funktionen und friend-Klassen hilft, effiziente Programme zu erstellen. Insbesondere können globale friend-Funktionen da eingesetzt werden, wo Methoden nicht geeignet sind. Häufige Anwendungen sind z.B. globale Operatorfunktionen, die als friend-Funktionen deklariert werden.

Die Verwendung der friend-Technik weicht jedoch das Konzept der Datenkapselung auf. Das Manipulieren privater Daten durch „fremde" Funktionen kann zu Inkonsistenzen führen. Dies vor allem auch dann, wenn die Klasse in einer späteren „Version" geändert oder erweitert wird. Deshalb sollte die friend-Technik nur mit Vorsicht eingesetzt werden.

Index-Operator überladen

Eine Array-Klasse

```cpp
// Array_t.cpp
// Eine einfache Array-Klasse mit Bereichsüberprüfung.
// ------------------------------------------------------
#include <iostream>
#include <cstdlib>                    // Für exit()
using namespace std;
#define MAX 100

class FloatVek
{
  private:
    float v[MAX];             // Der Vektor

  public:
    float& operator[](int i);
    static int MaxIndex(){ return MAX-1; }
};

float& FloatVek::operator[]( int i )
{
   if( i < 0 || i >= MAX )
   {  cerr << "\nFloatVek: Out of Range!" << endl;
      exit(1);
   }
   return v[i];          // Referenz auf das i-te Element.
}

int main()
{
    cout << "\n Ein Vektor mit Indexüberprüfung!\n"
         << endl;
    FloatVek zufall;       // Einen Vektor anlegen.
    int i;                 // Ein Index.
                           // Mit Zufallswerten füllen:
    for( i=0; i <= FloatVek::MaxIndex(); ++i)
       zufall[i] = (rand() - RAND_MAX/2) / 100.0F;
    cout << "\n Bitte Indizes zwischen 0 und "
         << FloatVek::MaxIndex() << " eingeben!"
         << "\n (Abbruch mit ungueltiger Eingabe)"
         << endl;
    while( cout << "\nIndex: " && cin >> i )
       cout << i << ". Element: " << zufall[i];

    return 0;
}
```

Index-Operator

Der Index-Operator [] wird normalerweise verwendet, um auf einzelne Vektorelemente zuzugreifen. Er ist ein binärer Operator, hat also zwei Operanden. Ist beispielsweise v ein Vektor, so ist im Ausdruck v[i] der Vektorname v der linke Operand und der Index i der rechte Operand.

Der Index-Operator für Vektoren impliziert eine versteckte Zeigerarithmetik, z.B. ist v[i] gleichbedeutend mit *(v+i). Daher gelten für den nicht überladenen Index-Operator folgende Einschränkungen:

- Ein Operand muss ein Zeiger sein, z.B. ein Vektorname.

- Der andere Operand muss ein ganzzahliger Ausdruck sein.

Verwendung für Klassen

Diese Einschränkungen gelten nicht, wenn der Index-Operator für eine Klasse überladen wird. Es ist nur zu beachten, dass die Operatorfunktion stets eine Methode der Klasse ist, die einen Parameter für den rechten Operanden besitzt. Daher gilt folgendes:

- Der linke Operand muss ein Objekt der Klasse sein.

- Der rechte Operand darf einen beliebigen Datentyp haben.

- Der Ergebnis-Typ ist nicht festgelegt.

Hier sind also erhebliche Freiheiten gegeben. Trotzdem sollte die Überladung immer so stattfinden, dass sie der üblichen Verwendung von Vektoren entspricht. Insbesondere sollte das Ergebnis eine Referenz auf ein Objekt sein.

Dadurch, dass der „Index" einen beliebigen Datentyp haben darf, eröffnen sich viele Anwendungsmöglichkeiten. Beispielsweise können leicht *assoziative Arrays* definiert werden, also Arrays, deren Elemente über Strings angesprochen werden.

Zum Beispielprogramm

Beim Zugriff auf die Elemente eines gewöhnlichen Vektors findet keine Bereichsüberprüfung statt. Ein ungültiger Index kann daher das Programm unkontrolliert beenden. Durch die Definition einer eigenen Vektorklasse kann dieser Nachteil behoben werden, allerdings auf Kosten der Laufzeit.

Nebenstehend ist eine einfache Vektorklasse für float-Werte definiert. Der Indexoperator [] ist so überladen, dass er wie üblich eine Referenz auf das i-te Vektorelement liefert. Bei jedem Zugriff wird aber überprüft, ob der Index im zulässigen Bereich liegt. Falls ein unzulässiger Index angegeben wird, endet das Programm mit einer entsprechenden Fehlermeldung.

Der Vektor der Klasse FloatVek hat eine feste Länge. Wir werden sehen, wie mit Hilfe der dynamischen Speicherzuteilung eine variable Länge möglich wird.

Shift-Operatoren für die Ein-/Ausgabe überladen

Deklaration der Operatorfunktionen

```
// Euro.h : Die Klasse Euro zur Darstellung eines Euro
// ----------------------------------------------------
#ifndef _EURO_H_
#define _EURO_H_
// ....
class Euro
{ // Die Klasse ist unverändert.
  // Die Methode print() ist jetzt aber überflüssig.
};
// ----------------------------------------------------
// Deklaration der Ein-/Ausgabe-Operatoren:
ostream& operator<<(ostream& os, const Euro& e);
istream& operator>>(istream& is, Euro& e);
#endif   // _EURO_H_
```

Definition der Operatorfunktionen

```
// Euro_io.cpp
// Die Shift-Operatoren für die Ein- und Ausgabe von
// Euro-Objekten überladen.
// ----------------------------------------------------
#include "Euro.h"
#include <iostream>
using namespace std;
// Auf Stream os ausgeben.
ostream& operator<<(ostream& os, const Euro& e)
{
    os << e.asString() << " Euro";
    return os;
}

// Von Stream is einlesen.
istream& operator>>(istream& is, Euro& e)
{
    cout << "Euro-Betrag (Format ...x,xx): ";
    int euro = 0, cents = 0;  char c = 0;
    if( !(is >> euro >> c >> cents))  // Einlesen.
      return is;
    if( (c != ',' && c != '.')
        || cents>=100)              // Fehler?
      is.setstate( ios::failbit);   // Ja => fail-Bit
    else                            // setzen.
      e = Euro( euro, cents);       // Nein => Wert
    return is;                      // übernehmen.
}
```

Soll ein Objekt `preis` der Klasse `Euro` auf dem Bildschirm ausgegeben werden, so führt die Ausgabeanweisung

Beispiel: `cout << preis;`

zu einer Fehlermeldung des Compilers. Der Stream `cout` kann nur dann ein Objekt zur Standardausgabe schicken, wenn für diesen *Typ* eine Ausgabefunktion existiert. Für eine selbstdefinierte Klasse ist das natürlich nicht der Fall.

Der Compiler kann aber die obige Anweisung übersetzen, wenn er eine passende Operatorfunktion `operator<<()` findet. Damit die obige Anweisung möglich ist, muss also nur eine entsprechende Funktion definiert werden.

Den Operator << überladen

Im obigen Beispiel ist der linke Operand von << das Objekt `cout`, das der Klasse `ostream` angehört. Da die Standardklasse `ostream` nicht verändert werden soll, ist es notwendig, die Operatorfunktion global mit zwei Parametern zu definieren. Der rechte Operand ist ein Objekt der Klasse `Euro`. Damit ergibt sich für die Operatorfunktion folgender

Prototyp: `ostream& operator<<(ostream& os, const Euro& e);`

Der Return-Wert der Operatorfunktion ist eine Referenz auf `ostream`. Dies ermöglicht es, den Operator wie gewohnt zu verketten.

Beispiel: `cout << preis << endl;`

Den Operator >> überladen

Der Operator >> wird für die Eingabe überladen, so dass folgende Anweisungen möglich werden.

Beispiel: `cout << "Den Preis in Euro eingeben: "`
                  `cin >> preis;`

Die letzte Anweisung führt zum Aufruf von

```
operator>>( cin, preis);
```

Da `cin` ein Objekt der Standardklasse `istream` ist, wird der erste Parameter der Operatorfunktion als Referenz auf `istream` deklariert. Der zweite Parameter ist wieder eine Referenz auf `Euro`.

In der Header-Datei `Euro.h` werden die Operatorfunktionen für << und >> nur deklariert. Sollen die Funktionen auf die privaten Elemente der Klasse `Euro` zugreifen können, ist auch eine `friend`-Deklaration innerhalb der Klasse möglich. Dies ist aber für dieses Beispiel nicht notwendig.

Übungen

Der Präfix- und Postfix-Operator ++

Zur Unterscheidung besitzt die Operatorfunktion des Postfix-Operators einen zusätzlichen formalen Parameter vom Typ `int`.

Ausdruck	Aufruf der Operatorfunktion
++obj (Präfix)	obj.operator++()
obj++ (Postfix)	obj.operator++(0)

 Der Ausdruck `obj++` repräsentiert eine Kopie von `obj` vor der Inkrementierung.

Die Präfix- und Postfix-Operatoren `--` werden ebenso unterschieden.

Zur 2. Aufgabe: Rechenoperationen für Brüche

```
                  a        c         a*d + b*c
    Addition      -    +   -    =    ---------
                  b        d            b*d


                  a        c         a*d - b*c
    Subtraktion   -    -   -    =    ---------
                  b        d            b*d


                  a        c           a * c
    Multiplikation -   *   -    =    ---------
                  b        d           b * d


                  a        c           a * d
    Division      -    /   -    =    ---------
                  b        d           b * c
```

 Eine verbesserte Fehlerbehandlung für die Klasse `Fraction` wird in Kapitel 28, *Ausnahmebehandlung,* durchgeführt.

1. Aufgabe

Für die Beispielklasse `DayTime` wurden zu Beginn dieses Kapitels die Operatoren < und ++ überladen. Erweitern Sie diese Klasse wie folgt:

- Überladen Sie die Vergleichsoperatoren

    <   >   <=   >=   == und !=

  sowie die Shift-Operatoren

    >> und << für die Ein-/Ausgabe

  mit Hilfe globaler Operatorfunktionen. Diese können in der Header-Datei `inline` definiert werden.

- Überladen Sie dann sowohl die Präfix- als auch die Postfix-Versionen der Operatoren ++ und --. Die Operatorfunktionen sind Methoden der Klasse. Der Operator -- dekrementiert die Uhrzeit um eine Sekunde. Beim Erreichen der Uhrzeit 0:0:0 wird nicht weiter dekrementiert.

- Schreiben Sie eine main-Funktion, in der alle überladenen Operatoren ausgeführt und die Ergebnisse angezeigt werden.

2. Aufgabe

Es soll eine Klasse zur Darstellung von Brüchen mit den üblichen arithmetischen Operationen gebildet werden.

- Deklarieren Sie in einer Header-Datei `fraction.h` die Klasse `Fraction` mit einem Zähler und einem Nenner vom Typ `long`. Der Konstruktor besitzt dafür zwei Parameter vom Typ `long`: Der erste Parameter (Zähler) enthält den Default-Wert 0, der zweite Parameter (Nenner) den Default-Wert 1.

  Deklarieren Sie Operatorfunktionen für − (unär), ++ und -- (nur Präfix) sowie +=, -=, *= und /= als Methoden.

  Die Operatorfunktionen der binären Operatoren +, −, *und / sowie der Ein-/Ausgabe-Operatoren << und >> werden als `friend`-Funktionen der Klasse `Fraction` deklariert.

- Implementieren Sie den Konstruktor der Klasse `Fraction` so, dass der Wert des Nenners stets positiv ist. Falls der Nenner den Wert 0 hat, soll das Programm mit einer Fehlermeldung beendet werden.

  Schreiben Sie dann die Operatorfunktionen. Die Formeln für die arithmetischen Operationen sind nebenstehend angegeben.

- Schreiben Sie dann zum Testen eine main-Funktion, in der alle Operatoren der Klasse `Fraction` aufgerufen werden. Sowohl die Operanden als auch die Ergebnisse sind hierbei auszugeben.

Lösungen

Zur 1. Aufgabe:

```cpp
// -----------------------------------------------------
// DayTime.h
// Die Klasse DayTime mit allen Vergleichsoperatoren,
// den Operatoren ++ und -- (Präfix und Postfix),
// sowie den Operatoren << und >> für Ein- und Ausgabe.
// -----------------------------------------------------

#ifndef _DAYTIME_
#define _DAYTIME_

#include <iostream>
#include <iomanip>
using namespace std;

class DayTime
{
  private:
    short hour, minute, second;
    bool overflow, underflow;

    void inc()                 // private Hilfsfunktion für ++
    {
      ++second;
      if( second >= 60)        // und Überlauf behandeln.
          second = 0,  ++minute;
      if( minute >= 60)
          minute = 0,  ++hour;
      if( hour >= 24)
          hour = 0,  overflow = true;
    }
    void dec()                 // private Hilfsfunktion für --
    {
      --second;
      if( second < 0)          // und Unterlauf behandeln.
          second = 59,  --minute;
      if( minute < 0)
          minute = 59,  --hour;
      if( hour < 0)
          hour = 0,  underflow = true;
    }

  public:
    DayTime( int h = 0, int m = 0, int s = 0)
    {
      overflow = underflow = false;
      if( !setTime( h, m, s))
          hour = minute = second = 0;
    }
```

```
     bool setTime(int hour, int minute, int second = 0)
     {
       if(    hour   >= 0  &&  hour < 24
           && minute >= 0  &&  minute < 60
           && second >= 0  &&  second < 60 )
       {
         this->hour   = (short)hour;
         this->minute = (short)minute;
         this->second = (short)second;
         return true;
       }
       else
         return false;
     }
     int getHour()   const { return hour;   }
     int getMinute() const { return minute; };
     int getSecond() const { return second; };

     int asSeconds() const    // Tageszeit als Sekunden
     {
       return (60*60*hour + 60*minute + second);
     }

     DayTime& operator++()        // ++Sekunden
     {
       inc();
       return  *this;
     }
     DayTime operator++(int)      // Sekunden++
     {
       DayTime temp(*this);
       inc();
       return temp;
     }

     DayTime& operator--()        // --Sekunden
     {
       dec();
       return  *this;
     }
     DayTime operator--(int)      // Sekunden--
     {
       DayTime temp(*this);
       dec();
       return temp;
     }
};

// --- Vergleichsoperatoren ---
// t1 < t2
inline bool operator<( const DayTime& t1,
                       const DayTime& t2)
{   return  t1.asSeconds() < t2.asSeconds(); }
```

Lösungen (Fortsetzung)

```cpp
//  t1 <= t2
inline bool operator<=( const DayTime& t1,
                        const DayTime& t2)
{   return  t1.asSeconds() <= t2.asSeconds(); }

//  t1 == t2
inline bool operator==( const DayTime& t1,
                        const DayTime& t2)
{   return  t1.asSeconds() == t2.asSeconds(); }

//  t1 != t2
inline bool operator!=( const DayTime& t1,
                        const DayTime& t2)
{   return !(t1 == t2); }

//  t1 > t2
inline bool operator>( const DayTime& t1,
                       const DayTime& t2)
{   return (t2 < t1); }

//  t1 >= t2
inline bool operator>=( const DayTime& t1,
                        const DayTime& t2)
{   return !(t1 < t2); }

// --- Ein- und Ausgabe ---
ostream& operator<<( ostream& os, const DayTime& t)
{
   os << setfill('0')
      << setw(2) << t.getHour()    << ':'
      << setw(2) << t.getMinute()  << ':'
      << setw(2) << t.getSecond()  << " Uhr";
   os << setfill(' ');
   return os;
}
istream& operator>>( istream& is, DayTime& t)
{
   cout << "Tageszeit im Format hh:mm:ss eingeben: ";
   int std = 0, min = 0, sek = 0;
   char c1 = 0, c2 = 0;
   if( !(is >> std >> c1 >> min >> c2 >> sek))
     return is;
   if( c1 != ':' || c2 != ':' || ! t.setTime(std,min,sek))
     is.setstate( ios::failbit);    // Fehler!
                                    // => fail-Bit setzen.
   return is;
}
#endif   // _DAYTIME_
```

```cpp
// ----------------------------------------------------
// DayTim_t.cpp
// Die Operatoren der Klasse DayTime testen.
// ----------------------------------------------------
#include "DayTime.h"          // Definition der Klasse
#include <iostream>
using namespace std;

int main()
{
  DayTime kino( 20,30);
  cout << "\nLos geht's mit dem Film um " << kino << endl;

  DayTime jetzt;
  cout << "Wie spät ist es jetzt?" << endl;
  if( !(cin >> jetzt) )
     cerr << "Ungültige Eingabe!" << endl;
  else
     cout << "\nJetzt ist es " << jetzt << endl;

  cout << "\nDas Kino hat ";
  if( kino < jetzt)
     cout << "schon angefangen!\n" << endl;
  else
     cout << "noch nicht angefangen!\n" << endl;

  cout << "Jetzt ist es      " << jetzt++ << endl;
  cout << "Nach 2 Sekunden: " << ++jetzt << endl;

  DayTime abfahrt(16,0);
  cout << "Los geht's um " << --abfahrt << endl;

  if( abfahrt >= jetzt )
     cout << "Man kann noch mitfahren!" << endl;
  else
     cout << "Nichts geht mehr!" << endl;

  return 0;
}
```

Lösungen (Fortsetzung)

Zur 2. Aufgabe:

```cpp
// ----------------------------------------------------------
// Fraction.h
// Eine numerische Klasse zur Darstellung von Brüchen
// ----------------------------------------------------------
#ifndef _FRACTION_
#define _FRACTION_

#include <iostream>
#include <cstdlib>
using namespace std;
class Fraction
{
  private:
   long zaehler, nenner;

  public:
   Fraction(long z = 0, long n = 1);

   Fraction operator-() const
   {
      return Fraction(-zaehler, nenner);
   }

   Fraction& operator+=(const Fraction& a)
   {
      zaehler = a.zaehler * nenner + zaehler * a.nenner;
      nenner *= a.nenner;
      return *this;
   }

   Fraction& operator-=(const Fraction& a)
   {
      *this += (-a);
      return *this;
   }

   Fraction& operator++()
   {
      zaehler += nenner;
      return *this;
   }

   Fraction& operator--()
   {
      zaehler -= nenner;
      return *this;
   }
```

```
    friend Fraction operator+(const Fraction&, const Fraction&);
    friend Fraction operator-(const Fraction&, const Fraction&);
    friend Fraction operator*(const Fraction&, const Fraction&);
    friend Fraction operator/(const Fraction&, const Fraction&);
    friend ostream& operator<< (ostream& os, const Fraction& a);
    friend istream& operator>> (istream& is, Fraction& a);
};
#endif


// -------------------------------------------------------------
// Fraction.cpp
// Definition der Methoden und friend-Funktionen.
// -------------------------------------------------------------


#include "Fraction.h"

// Konstruktor:
Fraction::Fraction(long z, long n)
{
  if(n == 0)
  { cerr << "\nFehler: Division durch Null!\n" ;
    exit(1);
  }
  if( n < 0 ) z = -z, n = -n;
  zaehler = z;
  nenner  = n;
}
Fraction operator+(const Fraction& a, const Fraction& b)
{
    Fraction temp;
    temp.nenner = a.nenner * b.nenner;
    temp.zaehler = a.zaehler*b.nenner
                   + b.zaehler * a.nenner;
    return temp;
}


Fraction operator-(const Fraction& a, const Fraction& b )
{
    Fraction temp = a;   temp += (
    return temp;
}


Fraction operator*(const Fraction& a, const Fraction& b )
{
    Fraction temp;
    temp.zaehler = a.zaehler * b.zaehler;
    temp.nenner  = a.nenner  * b.nenner;
    return temp;
}
```

Lösungen (Fortsetzung)

```cpp
Fraction operator/(const Fraction& a, const Fraction& b )
{
   if( b.zaehler == 0)
   {
     cerr << "\nFehler: Division durch Null!\n";
     exit(1);
   }
   // a mit dem Kehrwert von b multiplizieren:
   Fraction temp;
   temp.zaehler = a.zaehler * b.nenner;
   temp.nenner  = a.nenner  * b.zaehler;

   if( temp.nenner < 0 )
     temp.zaehler = -temp.zaehler,
     temp.nenner  = -temp.nenner;

   return temp;
}

ostream& operator<<(ostream& os, const Fraction& a)
{
  os << a.zaehler << "/ "  << a.nenner;
  return os;
}

istream& operator>>(istream& is, Fraction& a)
{
  cout << "Bruch eingeben:\n"
          "  Zaehler:        ";   is >> a.zaehler;
  cout << "  Nenner != 0: ";   is >> a.nenner;

  if( !is) return is;

  if( a.nenner == 0)
  {
     cout << "\nFehler : Der Nenner ist 0\n"
             "  Neuer Nenner != 0: ";   is >> a.nenner;

     if( a.nenner == 0 )
     {
       cerr << "\nFehler: Division durch Null!\n";
       exit(1);
     }
  }
  if( a.nenner < 0 )
     a.zaehler = -a.zaehler,
     a.nenner  = -a.nenner;

  return is;
}
```

```
// ---------------------------------------------------------
// Fract_t.cpp
// Die Klasse Fraction testen.
// Module: Fract_t.cpp  Fraction.cpp
// ---------------------------------------------------------


#include "Fraction.h"

int main()
{
   Fraction a(1,3), b(4);

   cout << "\nEinige Testausgaben:\n\n";

   cout << " a = " << a << endl;
   cout << " b = " << b << endl;

   cout << " a + b = " << (a + b) << endl;
   cout << " a - b = " << (a - b) << endl;
   cout << " a * b = " << (a * b) << endl;
   cout << " a / b = " << (a / b) << endl;

   cout << "  --a =  " <<  --a << endl;
   cout << "  ++a  = " <<  ++a << endl;

   a += Fraction(1,2);
   cout << " a+= 1/2;  a = " << a << endl;

   a -= Fraction(1,2);
   cout << " a-= 1/2;  a = " << a << endl;

   cout << "-b = " << -b << endl;
   cout << "\nUnd jetzt eine Eingabe\n";
   cin  >> a;
   cout << "\nIhre Eingabe: " << a << endl;

   return 0;
}
```

Kapitel 20

Typumwandlungen für Klassen

Implizite Typumwandlungen werden in C++ immer durchgeführt, wenn ein Ausdruck nicht direkt, wohl aber nach der Anwendung einer Konvertierungsregel übersetzt werden kann. Der Programmierer legt für seine Klasse hierbei selbst fest, wie der Compiler implizite Typanpassungen vornimmt, und zwar durch die Definition von Konvertierungskonstruktoren und -funktionen.

Schließlich werden Mehrdeutigkeiten bei Konvertierungen behandelt, und es wird beschrieben, wie diese vermieden werden können.

Konvertierungskonstruktoren

Konvertierungsmöglichkeiten

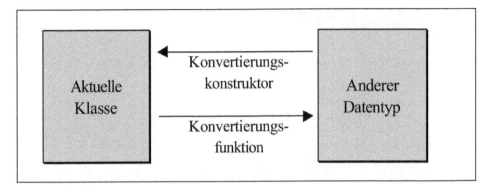

Konvertierungskonstruktoren der Klasse Euro

```
// Die Klasse Euro aus dem vorhergehenden Kapitel
// besitzt folgende Konvertierungskonstruktoren:
Euro::Euro( int );          // int -> Euro
Euro::Euro( double );       // double -> Euro

// Damit sind folgende Beispiele möglich:
                            // Konvertierungskonstruktoren
Euro mein(100),             // int-> Euro,
     dein(321.41);          // double -> Euro.

mein = 987.12;              // Implizite Konvertierung:
                            //   double -> Euro

dein += 20;                 // Implizite Konvertierung:
                            //   int -> Euro

dein = Euro(999.99);        // Explizite Konvertierung
                            // (Konstruktor-Schreibweise)

mein = (Euro)123.45;        // Explizite Konvertierung
                            // (Cast-Schreibweise)

dein = mein;                // Keine Konvertierung
```

 Bei jeder Typumwandlung durch den Kopierkonstruktor wird zunächst ein temporäres Objekt angelegt, das dann in der Anweisung benutzt wird. Anschließend wird das temporäre Objekt wieder zerstört.

Konvertierungsmöglichkeiten

Auch für Klassen werden in C++ implizite und explizite Typumwandlungen durchgeführt. Dabei legt der Programmierer selbst fest, welche Konvertierungen möglich sind. Es können Typumwandlungen zwischen verschiedenen Klassen oder zwischen Klassen und Standarddatentypen definiert werden.

Jede Typumwandlung, bei der eine Klasse beteiligt ist, wird entweder

- durch einen *Konvertierungskonstruktor* oder

- durch eine *Konvertierungsfunktion*

definiert. Ein Konvertierungskonstruktor führt eine Typumwandlung eines *anderen* Datentyps in die aktuelle Klasse durch. Eine Konvertierungsfunktion dient zur Konvertierung in die umgekehrte Richtung, wandelt also ein Objekt der Klasse in einen anderen Typ um, z.B. in einen Standardtyp.

Konvertierungskonstruktoren

Ein Konstruktor mit *einem* Parameter legt fest, wie aus dem übergebenen Argument ein neues Objekt der Klasse erzeugt wird. Deshalb wird ein Konstruktor mit einem Parameter auch *Konvertierungskonstruktor* genannt. Eine Ausnahme hiervon ist der Kopierkonstruktor: Er erzeugt ein Objekt derselben Klasse und nimmt damit keine Typumwandlung vor.

Vom Compiler wird jeder Konvertierungskonstruktor automatisch in die Liste der möglichen Konvertierungen aufgenommen. Beispielsweise besitzt die Standardklasse `string` einen Konstruktor, der aus einem C-String ein `string`-Objekt erzeugt:

Beispiel: `string::string( const char* );`

Damit kann überall dort, wo als Argument ein `string`-Objekt erwartet wird, auch ein C-String angegeben werden.

Aufruf eines Konvertierungskonstruktors

Konvertierungskonstruktoren wurden bereits in einigen Beispielen eingesetzt, z.B. in der Klasse `Euro`. Der Compiler verwendet sie für implizite und explizite Typumwandlungen.

Beispiele:
```
Euro gehalt(8765.30);
gehalt += (Euro)897.1;      // explizit
gehalt += 897.1;            // implizit
```

In der letzten Anweisung liegt zunächst ein „type mismatch" vor. Die Addition für einen Euro und einen `double`-Wert ist nämlich nicht definiert. Der Compiler aktiviert deshalb den Konvertierungskonstruktor, um aus dem `double`-Wert ein temporäres Objekt vom Typ `Euro` zu machen. Dieses Objekt wird dann zum Objekt `gehalt` hinzuaddiert.

Konvertierungsfunktionen

Eine Konvertierungsfunktion für die Klasse Euro

```
// Euro.h : Die Klasse Euro zur Darstellung eines Euro.
// ---------------------------------------------------
// . . .
class Euro
{
  private:
    long  data;              // Euros * 100 + Cents
  public:
    Euro( int euro = 0, int cents = 0);
    Euro( double x);
    // Zur Konvertierung von Euro nach double:
    operator double() const { return (double)data/100.0; }

    // . . . weitere Methoden wie gehabt.
};
```

Konvertierungen testen

```
// Euro_t.cpp : Konvertierungen der Klasse Euro testen.
// ---------------------------------------------------
#include "Euro.h"            // Definition der Klasse
#include <iostream>
using namespace std;
int main()
{
  cout << " * * *  Konvertierungen testen  * * * \n" << endl;
  Euro gehalt( 8888,80);
  double x(0.0);
  gehalt += 1000;          // implizit int -> Euro
  gehalt += 0.10;          // implizit double -> Euro
  x = gehalt;              // implizit Euro -> double
  x = (double)gehalt;      // explizit Euro -> double
  x = gehalt.operator double();    // auch möglich!
  // Konstruktor-Schreibweise ist auch für
  // Standardtypen zulässig:
  x = double(gehalt);
  int i = gehalt;          // Euro -> double -> int
                                            // Ausgabe:
  cout << " gehalt = " << gehalt << endl;    // 9888,90 Euro
  cout << "      x = " << x << endl;          // 9888.9
  cout << "      i = " << i << endl;          // 9888
  return 0;
}
```

Wenn ein Objekt der aktuellen Klasse in einen anderen Datentyp konvertiert werden soll, so muss eine *Konvertierungsfunktion* definiert sein. Das ist eine Operatorfunktion, die festlegt, wie die Konvertierung vorgenommen werden soll. Auch Konvertierungsfunktionen werden vom Compiler automatisch für implizite und explizite Typumwandlungen herangezogen.

Definition von Konvertierungsfunktionen

Eine Konvertierungsfunktion wird stets als Methode der Klasse implementiert. Ihr Name besteht aus dem Schlüsselwort `operator` und dem Zieltyp, in den konvertiert wird. Mit

Beispiel: `operator int(void) const;`

wird eine Konvertierungsfunktion mit dem Zieltyp `int` deklariert. Auffallend ist, dass bei der Deklaration einer Konvertierungsfunktion kein Return-Typ angegeben wird. Dieser wird implizit durch den Zieltyp festgelegt, der im Namen der Konvertierungsfunktion enthalten ist. Der Zieltyp kann auch mehrere Schlüsselworte enthalten, wie z. B. `unsigned short` oder `const float*`.

Eine Konvertierungsfunktion ist so zu schreiben, dass aus dem aktuellen Objekt, also `*this`, ein Objekt mit dem Zieltyp konstruiert und als Return-Wert zurückgegeben wird.

Nebenstehend ist in der Klasse `Euro` eine Konvertierungsfunktion mit dem Zieltyp `double` definiert. Sie wandelt also ein Objekt vom Typ `Euro` in eine Gleitpunktzahl um.

Beispiel: `double x = einEuro;` `// implizit`

Konvertierungsfunktion versus -konstruktor

Der Zieltyp einer Konvertierungsfunktion darf auch eine Klasse sein. In diesem Fall ist jedoch zu überlegen, ob in der Zielklasse nicht besser ein Konvertierungskonstruktor definiert werden sollte.

Falls die Zielklasse aber unverändert bleiben soll, etwa weil sie eine Standardklasse ist, sind Konvertierungsfunktionen stets die geeignete Wahl.

Standardtypumwandlungen

Zusätzlich zu einer selbstdefinierten Typumwandlung führt der Compiler auch noch Standardkonvertierungen durch. So kann im obigen Beispiel ein Euro-Objekt auch an eine `int`-Variable zugewiesen werden.

Beispiel: `int wholePart = einEuro;`

Hier wird zunächst ein `Euro`-Objekt in `double` konvertiert und dann in `int`, das heißt, der Cent-Anteil wird abgeschnitten.

Mehrdeutigkeit bei Typumwandlungen

Explizite Typumwandlungen für die Klasse Euro

```cpp
// Euro.h : Die Klasse Euro zur Darstellung eines Euro.
// ---------------------------------------------------
// . . .
class Euro
{
 private:
   long  data;              // Euros * 100 + Cents
 public:
   explicit Euro( int euro = 0, int cents = 0);
   explicit Euro( double x);
   // Zur Konvertierung von Euro nach double:
   double asDouble() const { return (double)data/100.0;}
   // Keine Konvertierungsfunktion operator double(),
   // sonst wie gehabt.
};
```

Konvertierungen testen

```cpp
// Euro_E_t.cpp
// Explizite Konvertierungen der Klasse Euro testen.
// --------------------------------------------------
#include "Euro_Ex.h"          // Definition der Klasse
#include <iostream>
using namespace std;
int main()
{
   Euro gehalt( 8888.8);       // double-Konstruktor
   double x(0.0);
   /* Nicht mehr möglich:
   gehalt += 1000;             // implizit int -> Euro
   gehalt += 0.10;             // implizit double -> Euro
   gehalt = 7777.77;
   x = gehalt;                 // implizit Euro -> double
   x = (double)gehalt;         // Keine Methode
                               // operator double().
   */
   // Ok sind folgende explizite Konvertierungen:
   gehalt = Euro( 7777.77);    // explizit double -> Euro
   gehalt += Euro(1000.10);
   x = gehalt.asDouble();      // explizit mit Methode
                               // Euro -> double
   int i = gehalt.asDouble();  // Euro -> double -> int
   return 0;
}
```

Misslingen von Konvertierungen

Die Definition einer Konvertierungsfunktion oder eines Konvertierungskonstruktors kann dazu führen, dass ein im Übrigen unverändertes Programm nicht mehr übersetzt werden kann.

Die Klasse `Euro` besitzt einen Konvertierungskonstruktor, der einen `double`-Wert in einen Euro umwandelt. Für zwei Objekte `einkauf` und `verkauf` vom Typ `Euro` ist somit die folgende Anweisung möglich:

Beispiel: `verkauf = einkauf + 46.9;`

Wird nun zusätzlich die Konvertierungsfunktion `operator double()` implementiert, die einen Euro in einen `double`-Wert umwandelt, so wird die obige Anweisung nicht mehr übersetzt. Da jetzt sowohl die Konvertierung `double -> Euro` als auch `Euro -> double` definiert sind, gibt es zwei Umwandlungsmöglichkeiten:

```
einkauf + Euro(46.9)      // Euros addieren
```

und

```
double(einkauf) + 46.9;   // double-Werte addieren
```

Der Compiler kann aber nur dann eine Typkonvertierung implizit durchführen, wenn sie eindeutig ist. Gibt es wie hier mehrere Möglichkeiten, erzeugt der Compiler eine Fehlermeldung.

Vermeidung impliziter Typumwandlungen

Mehrdeutigkeiten können ausgeschlossen werden, wenn explizit die gewünschte Konvertierung angegeben wird. Das hat auch den Vorteil, dass die Konvertierung im Quellcode deutlich sichtbar ist. Außerdem kann es nicht zu unerwünschten Konvertierungen kommen, z.B. bei einer späteren Erweiterung der Klasse.

Um zu erreichen, dass bestimmte Typumwandlungen nur explizit vorgenommen werden dürfen, gibt es folgende Möglichkeiten:

● Ein Konvertierungskonstruktor kann als `explicit` deklariert werden. Wie das nebenstehende Beispiel zeigt, sind dann nur noch explizite Konstruktoraufrufe möglich.

Beispiel: `einkauf + Euro(46.9)      // ok`

● Implizite Typumwandlungen durch eine Konvertierungsfunktion können ausgeschlossen werden, indem die Funktion erst gar nicht definiert wird. Statt dessen kann eine entsprechend benannte Methode, etwa `asTyp()`, definiert werden. Nur durch den expliziten Aufruf dieser Methode ist dann die Typumwandlung möglich.

● Der C++-Standard erlaubt, auch eine Konvertierungsfunktion als `explicit` zu deklarieren. Der Compiler verwendet dann die Konvertierungsfunktion nicht mehr für implizite Konvertierungen.

Übungen

Die Fraction-Methode kuerzen()

```
// Fraction.cpp
// . . .

// Zum Kürzen von Brüchen:
void Fraction::kuerzen()
{
    // Zaehler und Nenner durch den größten gemeinsamen
    // Teiler dividieren.

    if( zaehler == 0)
    {
        nenner = 1;
        return;
    }

    // Berechnung des größten gemeinsamen Teilers
    // nach einem Algorithmus von Euklid.
    long a = (zaehler < 0) ? -zaehler : zaehler,
         b = nenner,
         hilf;

    while( b != 0)
    {
        hilf = a % b;  a = b;  b = hilf;
    }
    // a ist jetzt der größte gemeinsame Teiler
    zaehler /= a;
    nenner  /= a;
}
```

Aufgabe

Die numerische Klasse `Fraction` aus dem vorhergehenden Kapitel soll so erweitert werden, dass sowohl double-Werte in Brüche als auch Brüche in double konvertiert werden können. Außerdem soll ein Bruch nach einer arithmetischen Operation automatisch gekürzt werden.

- Deklarieren Sie zunächst in der Klasse `Fraction` die Methode `kuerzen()`, und übernehmen Sie die nebenstehende Definition in Ihren Quellcode. Die Methode bestimmt den größten gemeinsamen Teiler von Zähler und Nenner. Durch diesen werden dann Zähler und Nenner dividiert.

- Ergänzen Sie alle arithmetischen Operatorfunktionen (außer ++ und --) durch einen geeigneten Aufruf der Methode `kuerzen()`.

- Erweitern Sie dann die Klasse um einen Konvertierungskonstruktor mit einem Parameter vom Typ double.

Beispiel: `Fraction b(0.5);     // ergibt den Bruch 1/2`

Ein double-Wert soll auf mindestens drei Stellen genau in einen Bruch umgewandelt werden. Für nicht zu große Zahlen (bis zu einer Million) genügt folgendes Verfahren: Der double-Wert wird mit 1000 multipliziert und 0.5 zum Runden hinzuaddiert. Das Ergebnis wird dem Zähler zugewiesen. Der Nenner erhält den Wert 1000. Anschließend wird der Bruch noch gekürzt.

- Jetzt existiert ein Konvertierungskonstruktor für long und double. Damit auch noch int-Werte in Brüche umgewandelt werden können, muss zusätzlich ein eigener Konvertierungskonstruktor für int geschrieben werden!

- Erweitern Sie nun die Klasse so, dass ein Bruch in eine Zahl vom Typ double konvertiert werden kann. Definieren Sie die entsprechende Konvertierungsfunktion `inline`.

Testen Sie in der Funktion `main()` die verschiedenen Typumwandlungen, insbesondere in Zuweisungen und arithmetischen Ausdrücken. Bilden Sie dabei auch die Summe aus einem Bruch und einer Gleitpunktzahl.

Die Operanden und das jeweilige Ergebnis sind am Bildschirm anzuzeigen.

Lösungen

```cpp
// -------------------------------------------------------
// Fraction.h  (Kapitel 20)
// Eine numerische Klasse zur Darstellung von Brüchen.
// Mit Konvertierungen Fraction <--> double
// und dem Kürzen von Brüchen.
// -------------------------------------------------------
#ifndef _FRACTION_
#define _FRACTION_
#include <iostream>
#include <cstdlib>
using namespace std;
class Fraction
{
  private:  long zaehler, nenner;

  public:
    Fraction(long z, long n);
    Fraction(double x);                 // double-Konstruktor
    // Default- long- und int-Konstruktor:
    Fraction(long z=0) : zaehler(z), nenner(1) {}
    Fraction(int z)    : zaehler(z), nenner(1) {}
    void kuerzen();
    operator double()                   // Fraction -> double
    {
        return (double)zaehler / (double)nenner;
    }
    Fraction operator-() const
    {
        return Fraction(-zaehler, nenner);
    }
    Fraction& operator+=(const Fraction& a)
    {
        zaehler = a.zaehler * nenner + zaehler * a.nenner;
        nenner *= a.nenner;
        kuerzen();
        return *this;
    }
    Fraction& operator-=(const Fraction& a)
    {
        *this += (-a);
        kuerzen();
        return *this;
    }
    // Der Rest der Klasse mit den Methoden
    //    operator++()   und   operator--()
    // und den friend-Deklarationen bleibt unverändert.
};
#endif
```

```
// -----------------------------------------------------------
// Fraction.cpp
// Definition der Methoden und friend-Funktionen,
// die nicht inline sind.
// -----------------------------------------------------------


#include "Fraction.h"

// Konstruktoren:
Fraction::Fraction(long z, long n)
{
    // Unverändert! Wie in Kapitel 19.
}

Fraction::Fraction( double x)
{
    x *= 1000.0;
    x += (x>=0.0) ? 0.5 : -0.5;     // Die 4. Stelle runden.
    zaehler = (long)x;
    nenner = 1000;
    kuerzen();
}

Fraction operator+(const Fraction& a, const Fraction& b )
{
    Fraction temp;
    temp.nenner = a.nenner * b.nenner;
    temp.zaehler = a.zaehler*b.nenner
                   + b.zaehler * a.nenner;
    temp.kuerzen();
    return temp;
}

// Die Funktionen
//  operator-()     operator<<()     operator>>()
// werden unverändert übernommen.

// Die Funktionen
//  operator*()    und    operator/()
// werden wie in operator+() um einen Aufruf
//  temp.kuerzen()
//  ergänzt.
//

// Hier steht der Code der Methode Fraction::kuerzen(),
// der in der Aufgabenstellung angegeben wurde.
```

```
// --------------------------------------------------------
// Fract_t.cpp
// Die Klasse Fraction mit Typkonvertierungen testen.
// --------------------------------------------------------

#include "Fraction.h"
int main()
{
    Fraction a, b(-1,5), c(2.25);
    double x = 0.5, y;
    a = x;                        // double -> Fraction
    cout << "\nEinige Testausgaben:\n" << endl;
    cout << " a = " << a << endl;
    cout << " b = " << b << endl;
    cout << " c = " << c << endl;
    cout << "\nDie Brüche als double-Werte:\n" << endl;
                                  // Fraction -> double:
    cout << " a = " << (double)a << endl;
    cout << " b = " << (double)b << endl;
    cout << " c = " << (double)c << endl;

    cout << "\nUnd damit rechnen:\n" << endl;
    cout << " a + b = " << (a + b) << endl;
    cout << " a - b = " << (a - b) << endl;
    cout << " a * b = " << (a * b) << endl;
    cout << " a / b = " << (a / b) << endl;

    cin  >> a;                    // Einen Bruch einlesen.
    cout << "\nIhre Eingabe:     " << a << endl;
    a.kuerzen();
    cout << "\nGekürzt:          " << a << endl;
    cout << "\nAls double-Wert: " << (double)a << endl;

    cout << "\nEine Gleitpunktzahl eingeben: ";  cin >> x;
    cout << "\nDas ist als Bruch:           "
         << (Fraction)x << endl;

// Summe b + x berechnen:
    cout << " b = " << b << endl;
    cout << " x = " << x << endl;
// a = b + x;                     // Fehler: mehrdeutig!
    a = b + Fraction(x);          // ok! Mit Brüchen rechnen.
    y = (double)b + x;            // ok! Mit double rechnen.
    cout << " b + x  als Bruch:  " << a << endl;
    cout << " b + x  als double: " << y << endl;
    return 0;
}
```

Kapitel 21

Speicherreservierung zur Laufzeit

Dieses Kapitel beschreibt, wie zur Laufzeit eines Programms nach Bedarf Speicherplatz dynamisch reserviert und freigegeben werden kann.

Die dynamische Speicherverwaltung ist in vielen C++-Programmen von grundlegender Bedeutung. Außer in den hier vorgestellten Beispielen wird sie auch in späteren Kapiteln immer wieder eingesetzt.

Der Operator new

Beispielaufrufe von new

```
// Dynamische Objekte vom Typ long und double
//-------------------------------------------------------
  long *ptr_long;
  ptr_long = new long;          // Ohne Initialisierung
                                // des long-Objekts.
  *ptr_long = 1234567;          // Wert zuweisen

  double *ptr_double;
  double z = 1.9;
  ptr_double = new double(z);   // Mit Initialisierung

  ++(*ptr_double);              // Wert inkrementieren
  *ptr_double += *ptr_long;     // ok: long-Wert
                                //     hinzuaddieren

  ptr_long = new double(2.7);   // Fehler: ptr_long
                                // kein double-Zeiger!
```

Auf dem Heap

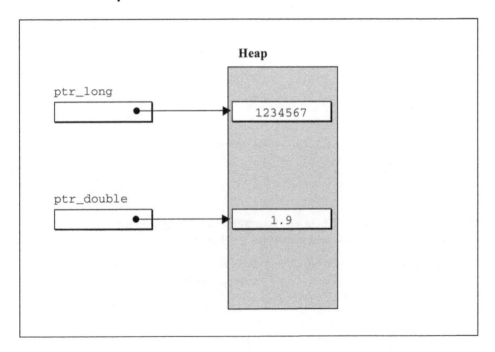

Dynamische Speicherreservierung

Zur Zeit der Kompilierung ist oft noch nicht bekannt, wie viele Daten ein Programm tatsächlich zu verwalten hat, das heißt, wie viel Speicherplatz wirklich benötigt wird. In solchen Fällen ist es notwendig, dynamisch, d.h. zur Laufzeit des Programms, den notwendigen Speicherplatz reservieren zu können.

Dynamisch reservierter Speicher lässt sich auch wieder freigeben, so dass der benötigte Speicher ständig dem aktuellen Bedarf angepasst werden kann. Das bringt ein hohes Maß an Flexibilität mit sich, z.B. zur Darstellung von dynamischen Datenstrukturen wie „Bäumen" und „verketteten Listen".

Programme können dynamisch auf einen großen freien Speicherbereich, den sog. *Heap* oder Freispeicher, zugreifen. Je nach Betriebssystem und dessen Konfigurierung kann der Heap durch Auslagerung (engl. *swapping*) zusätzlich einen großen Teil des freien Speichers auf der Festplatte belegen.

Zum dynamischen Reservieren und Freigeben von Speicherplatz stellt C++ die Operatoren `new` und `delete` zur Verfügung. Damit können Objekte beliebigen Typs angelegt und wieder zerstört werden. Zunächst betrachten wir die Situation für elementare Datentypen.

Aufruf von new für elementare Datentypen

Der Operator `new` ist ein Operator, dem der Typ des anzulegenden Objekts übergeben wird. Im einfachsten Fall hat der Aufruf von `new` folgende

Syntax: `ptr = new Typ;`

Hierbei ist `ptr` ein Zeiger auf `Typ`. Der Operator `new` legt ein Objekt des angegebenen Typs an und liefert seine Adresse zurück. Diese wird gewöhnlich einer Zeigervariablen zugewiesen. Falls der Zeiger nicht den richtigen Typ besitzt, erzeugt der Compiler eine Fehlermeldung.

Beispiel: `long double *pld = new long double;`

Hier wird Speicher für ein Objekt vom Typ `long   double`, also `sizeof(long double)` Byte, reserviert.

Nach dem obigen Aufruf von `new` hat das neue Objekt noch keinen definierten Anfangswert. Zur *Initialisierung* kann aber ein Anfangswert in Klammern angegeben werden.

Beispiel: `pld = new long double(10000.99);`

Anschließend zeigt `pld` auf ein Objekt vom Typ `long   double` mit dem Anfangswert `10000.99`. Die Anweisung `cout << *pld << endl;` gibt diesen Wert aus, das heißt, das Objekt selbst ist mit `*pld` ansprechbar. Mit dem Operator `new` erzeugte Objekte haben – im Gegensatz zu automatischen und statischen Objekten – eine *dynamische* Lebensdauer.

Der Operator delete

Beispielprogramm

```cpp
// DynStd.cpp
// Die Operatoren new und delete für Standardtypen.
// Das Programm enthält Fehler!
// ==> voher alle Daten sichern.
// ----------------------------------------------------
#include <iostream>
using namespace std;
int main()
{
   cout << "\n  Tests mit dynamischem Speicher! "
        << endl;
   // Speicher reservieren:
   double breite = 23.78;
   double* ptrBreite  = &breite;
   double* ptrLaenge  = new double(32.54);
   double* ptrFlaeche = new double;

   // Mit ptrBreite, ptrLaenge und ptrFlaeche arbeiten:
   *ptrFlaeche = *ptrBreite * *ptrLaenge;
   delete ptrLaenge;        // Fehler: Objekt wird noch
                            // benutzt!
   cout << "\nBreite   : " << *ptrBreite
        << "\nLaenge   : " << *ptrLaenge
        << "\nFlaeche  : " << *ptrFlaeche << endl;

  // Speicher freigeben:
   delete ptrBreite;        // Fehler: Objekt wurde nicht
                            // dynamisch reserviert
   delete ptrLaenge;        // ok
   delete ptrFlaeche;       // ok
   delete ptrLaenge;        // Fehler: Zeiger adressiert
                            // kein Objekt mehr.

   ptrLaenge = new double(19.45);      // ok
   // Dynamischem Objekt einen Namen geben:
   double& laenge = *ptrLaenge;        // Referenz

   cout << "\nNeue Laenge: " << laenge
        << "\nUmfang     : " << 2 * breite * laenge
        << endl;
  return 0;                 // Noch reservierter Speicher
}                           // wird mit Beendigung des
                            // Programms freigegeben.
```

Ein Programm sollte stets mit dem verfügbaren Speicher sparsam umgehen und nicht mehr benötigte Speicherbereiche freigeben. Andernfalls wird die Performance des gesamten Systems unnötig beeinträchtigt. Freigegebener Speicher steht für spätere Aufrufe von `new` wieder zur Verfügung.

Aufruf von delete

Ein mit `new` reservierter Speicherplatz wird mit dem Operator `delete` wieder freigegeben. Ein Aufruf von `delete` hat folgende

Syntax: `delete ptr;`

Der Operand `ptr` adressiert den freizugebenden Speicherplatz. Dieser *muss* zuvor durch einen Aufruf von `new` dynamisch reserviert worden sein!

Beispiel: `long *pl = new long(2000000);`
`. . . .          // mit *pl arbeiten.`
`delete pl;`

Ohne den Aufruf von `delete` wird ein dynamisch reservierter Bereich erst mit Beendigung des Programms wieder freigegeben.[1]

Beim Aufruf von `delete` darf der NULL-Zeiger angegeben werden. In dem Fall passiert nichts und `delete` kehrt sofort zurück. Bei der Freigabe von Speicher muss also nicht extra getestet werden, ob ein NULL-Zeiger vorliegt.

Ein `delete`-Ausdruck hat stets den Typ `void`. Es kann also nicht abgefragt werden, ob der Speicher erfolgreich freigegeben wurde.

Wie das Beispielprogramm auch zeigt, kann die falsche Verwendung von `delete` fatale Folgen haben. Insbesondere darf `delete`

● kein zweites Mal für dasselbe Objekt aufgerufen werden,

● nicht zur Freigabe von statisch reserviertem Speicher benutzt werden.

Fehlerbehandlung für new

Falls nicht genug Speicherplatz auf dem Heap vorhanden ist, wird ein sog. *New-Handler* aufgerufen. Das ist eine Funktion, die den Fehler zentral behandelt. Es muss also nicht bei jedem Aufruf von `new` eine eigene Fehlerbehandlung durchgeführt werden.

Der New-Handler, der standardmäßig aktiv ist, löst eine „Exception" aus. Eine Exception kann vom Programm aufgefangen werden, um den Fehler zu behandeln (siehe Kapitel 28, *Ausnahmebehandlung*). Eine nicht aufgefangene Exception beendet das Programm. Alternativ kann auch ein eigener New-Handler installiert werden.

Bei älteren Compilern ist zu beachten, dass `new` den NULL-Zeiger zurückgibt, wenn nicht genug Speicherplatz vorhanden ist.

---

1. Der C++-Standard erlaubt einer Implementierung die Verwendung eines so genannten Garbage Collectors. Dieser verwaltet dynamisch reservierten Speicher und gibt ihn automatisch frei, wenn kein Verweis mehr darauf besteht.

Dynamischer Speicher für Klassen

Beispielprogramm

```cpp
// DynObj.cpp
// Die Operatoren new und delete für Klassen.
// -----------------------------------------------------
#include "Konto.h"
#include <iostream>
using namespace std;

Konto *clone( const Konto* pK);      // Kopie dynamisch
                                     // erzeugen.

int main()
{
   cout << "Dynamisch erzeugte Objekte.\n" << endl;

   // Speicher reservieren:
   Konto *ptrK1, *ptrK2, *ptrK3;

   ptrK1 = new Konto;            // Mit Default-Konstruktor.
   ptrK1->display();            // Default-Werte anzeigen.

   ptrK1->setNr(302010);          // Andere Werte mit
   ptrK1->setName("Meier, Max"); // Zugriffsmethoden
   ptrK1->setStand(2345.87);     // setzen.
   ptrK1->display();             // Neue Werte anzeigen.

   // Konstruktor mit drei Argumenten verwenden:
   ptrK2 = new Konto("Lieblich, Anna", 7531357, 999.99);
   ptrK2->display();             // Neues Konto anzeigen.

   ptrK3 = clone( ptrK1);        // Zeiger auf dynamisch
                                 // erzeugte Kopie.
   cout << "Kopie vom ersten Konto: " << endl;
   ptrK3->display();             // Kopie anzeigen.

   delete ptrK1;                 // Speicher freigeben
   delete ptrK2;
   delete ptrK3;

   return 0;
}
Konto *clone( const Konto* pK)     // Kopie dynamisch
{                                  // erzeugen.
    return new Konto(*pK);
}
```

Die Operatoren `new` und `delete` wurden entwickelt, um auch Instanzen einer Klasse dynamisch anzulegen bzw. wieder abzubauen. Dabei genügt es nämlich nicht, den benötigten Speicher zu reservieren. Es muss auch ein passender Konstruktor ausgeführt werden. Vor der Freigabe des Speichers sind außerdem „Aufräumarbeiten" mit Hilfe des Destruktors auszuführen. Dies ist bei den Operatoren `new` und `delete` sichergestellt.

Aufruf von new mit Default-Konstruktor

Ein Aufruf von `new` für Klassen unterscheidet sich nicht wesentlich vom Aufruf für elementare Datentypen. Ohne eine explizite Initialisierung wird für ein neues Objekt der Default-Konstruktor aufgerufen, der natürlich vorhanden sein muss.

Beispiel: `Euro* pEuro = new Euro;`

Hier wird Speicher für ein Objekt der Klasse `Euro` angefordert. Ist der Speicher verfügbar, so wird der Default-Konstruktor von `Euro` ausgeführt und die Adresse des neuen Objekts zurückgegeben.

Explizite Initialisierung

Zur expliziten Initialisierung des Objekts können beim Aufruf von `new` direkt Anfangswerte in Klammern angegeben werden.

Syntax: `Typ *ptr = new Typ(Initialisierungsliste);`

Die Werte in der Initialisierungsliste werden dem entsprechenden Konstruktor als Argumente übergeben. Findet der Compiler keinen passenden Konstruktor, so gibt er eine Fehlermeldung aus.

Beispiel: `Euro *pE = new Euro( -123,77);`

Hier erhält der Zeiger `pE` die Adresse eines neuen Objekts der Klasse `Euro`, das mit den angegebenen Werten initialisiert wird. Der Ausdruck `*pE` stellt also das gesamte Objekt dar.

Beispiel: `*pE += 200;        // 200 Euro hinzuaddieren.`

Die `public`-Elemente werden wie üblich mit dem Pfeil-Operator angesprochen.

Beispiel: `cout << pE->getCents() << endl;    // 33`

Speicher freigeben

Bei der „Zerstörung" eines dynamisch erzeugten Objekts sorgt der Operator `delete` dafür, dass das Objekt „ordnungsgemäß" abgebaut wird. Es wird also zunächst der Destruktor aufgerufen und dann der Speicher freigegeben.

Wie schon zuvor bei den elementaren Datentypen beschrieben, ist beim Aufruf von `delete` unbedingt sicherzustellen, dass der Zeiger auf ein dynamisch angelegtes Objekt zeigt oder der NULL-Zeiger ist.

Dynamischer Speicher für Vektoren

Beispielprogramm

```cpp
// DynArr.cpp
// Operatoren new[] und delete[] für dynamische Arrays
// ----------------------------------------------------
#include <iostream>
#include <iomanip>
using namespace std;
int main()
{
   cout << "Ein dynamisches Array verwenden.\n"
        << endl;
   int size = 0, anz = 0, step = 10,
       i;
   float x, *pArr = NULL;

   cout << "Zur Berechnung Zahlen eingeben!\n"
           "Ende: q oder anderer Buchstabe" << endl;
   while( cin >> x)
   {
     if( anz >= size)           // Vektor zu klein?
     {                          // => vergrößern.
       float *p = new float[size+step];
                               // Zahlen kopieren:
       for( i = 0; i < size; ++i)
          p[i] = pArr[i];
       delete [] pArr;         // Alten Vektor freigeben:
       pArr = p;  size += step;
     }
     pArr[anz++] = x;
   }
   // Mit den Zahlen arbeiten:
   if( anz == 0)
      cout << "Keine gültige Eingabe!" << endl;
   else
   {
     float summe = 0.0;
     cout << "Ihre Eingabe: " << endl;
     for( i = 0; i < anz; i++)        // Ausgabe und
     {                                // Summe bilden.
       cout << setw(10) << pArr[i];
       summe += pArr[i];
     }
     cout << "\nMittelwert: " << summe/anz << endl;
   }
   delete [] pArr;                 // Speicher freigeben
   return 0;
}
```

Wenn zur Zeit der Kompilierung nicht bekannt ist, wie viele Elemente in einem Vektor gespeichert werden sollen, kann der Vektor zur Laufzeit des Programms dynamisch angelegt werden. Man spricht dann auch von einem *dynamischen Array*.

Der Operator new[ ]

Zum Anlegen dynamischer Arrays steht der Operator `new[ ]` zur Verfügung. Beim Aufruf ist neben dem Typ der Vektorelemente auch ihre Anzahl anzugeben.

Syntax: `vekPtr = new Typ[anzahl];`

Der Zeiger `vekPtr` adressiert dann das erste Element von insgesamt `anzahl` Vektorelementen. `vekPtr` muss daher ein Zeiger auf `Typ` sein. Dabei darf `Typ` natürlich auch eine Klasse sein.

Beispiel: `Konto *pk = new Konto[256];`

Hier wird der Speicher für 256 Objekte vom Typ `Konto` reserviert und mit dem Default-Konstruktor initialisiert. Das sind die Objekte:

   `pk[0], pk[1], . . . , pk[255],`

oder in der Zeiger-Schreibweise:

   `*pk, *(pk + 1), ....., *(pk + 255).`

Haben die Vektorelemente den Typ einer Klasse, so muss diese einen *Default-Konstruktor* besitzen. Beim Aufruf von `new[]` ist nämlich die Angabe einer Initialisierungsliste nicht möglich. Spezielle Anfangswerte können den einzelnen Vektorelementen erst anschließend zugewiesen werden.

Der Operator delete[ ]

Wird ein dynamisches Array im Programm nicht mehr benötigt, sollte der Speicherplatz wieder freigegeben werden. Dies geschieht mit einem Aufruf des Operators `delete[]`. Die Angabe der Klammern `[]` informiert den Compiler, dass nicht nur ein einzelnes Objekt, sondern ein ganzer Vektor freizugeben ist.

Beispiel: `delete[] pk;`

Der Operand von `delete[]` – hier der Zeiger `pk` – *muss* einen Speicherbereich adressieren, der zuvor mit `new[]` reserviert wurde! Für jedes einzelne Vektorelement wird der Destruktor der Klasse aufgerufen! Dies unterscheidet ihn vom Operator `delete`, der nur den Destruktor von `*pk`, also vom ersten Vektorelement aufrufen würde.

Das nebenstehende Programm liest Zahlen in einen dynamisch angelegten Vektor. Nach Bedarf wird der Vektor „vergrößert": Dazu wird ein neuer, größerer Vektor erzeugt, die alten Daten in den neuen Vektor kopiert und der Speicherplatz für den alten Vektor freigegeben.

Anwendung: Einfach verkettete Listen

Eine einfach verkettete Liste

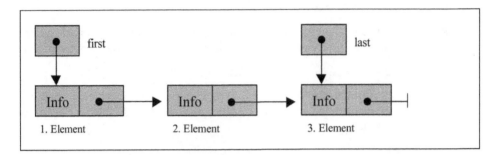

Listenelement anhängen

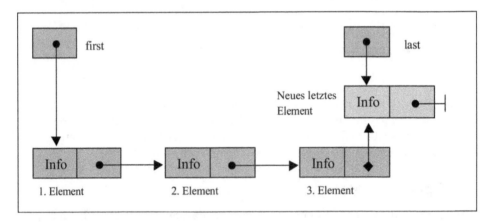

Listenelement löschen

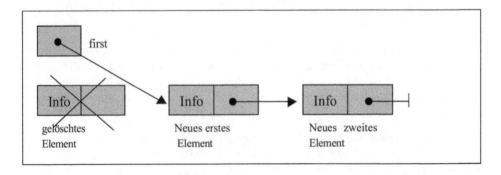

Dynamische Datenstrukturen

Als Anwendungsbeispiel wollen wir eine einfach verkettete Liste implementieren. Eine einfach verkettete Liste ist eine dynamische Datenstruktur, in die Daten schnell eingefügt und wieder gelöscht werden können. Eine *Datenstruktur* legt fest, wie Daten zu Einheiten zusammengefasst, gespeichert und bearbeitet werden; etwa als Vektoren, Listen oder Bäume.

Die Wahl einer Datenstruktur ist bestimmend dafür, wie viel Speicherplatz verbraucht wird, wie schnell der Zugriff auf einzelne Daten erfolgt und wie komplex oder einfach die Algorithmen (= Operationen mit den Daten) sind.

Im Unterschied zu den *statischen* Datenstrukturen, deren Größe zu Beginn der Programmausführung bekannt ist, kann eine *dynamische* Datenstruktur ihre Größe während der Programmausführung ändern. Ein Beispiel hierfür ist ein Vektor, dessen Größe während der Programmausführung verändert werden kann.

Definition einfach verketteter Listen

Ein weiteres Beispiel ist eine einfach verkettete Liste, die im Hauptspeicher unterhalten wird und durch folgende Eigenschaften charakterisiert ist:

- Jedes Listenelement besteht aus einem Informationsteil mit den zu speichernden Daten sowie einem Zeiger auf das nachfolgende Listenelement.

- Jedes Listenelement besitzt, abgesehen vom ersten und letzten Element, genau einen Vorgänger und genau einen Nachfolger. Das erste Listenelement besitzt keinen Vorgänger, und das letzte besitzt keinen Nachfolger.

Für eine verkettete Liste sind so genannte *elementare Operationen* definiert, wie z.B. zum Einfügen und Löschen eines Listenelements oder zum Suchen und Hervorholen der in einem Listenelement gespeicherten Informationen.

Vorteile

Der Speicherbereich, in dem die Listenelemente untergebracht werden, braucht nicht zusammenzuhängen. Der wesentliche Vorteil von verketteten Listen ist, dass

- der Speicherplatz für ein Listenelement nur nach Bedarf reserviert wird und

- beim Einfügen und Löschen von Elementen nur Zeiger vesetzt werden.

Wenn in einem Vektor ein Element eingefügt oder gelöscht wird, so muss eine ganze Gruppe von Vektorelementen verschoben werden, um Platz zu schaffen bzw. um ein „Loch" im Vektor zu schließen. Ist kein Platz mehr vorhanden, so müssen beim Einfügen ein neuer Vektor reserviert und die Daten umkopiert werden.

Darstellung einer einfach verketteten Liste

Die Klassen in der Header-Datei Liste.h

```cpp
// Liste.h
// Definition der Klassen ListEl und Liste.
// ----------------------------------------------------
#ifndef _LISTE_H_
#define _LISTE_H_
#include "Datum.h"            // Klasse Datum aus Kap. 14
#include <iostream>
#include <iomanip>
using namespace std;

class ListEl                  // Ein Element der Liste.
{
  private:
    Datum  datum;           // Datum
    double betrag;          // Geldbetrag
    ListEl* next;           // Zeiger auf Nachfolger

  public:
    ListEl( Datum   d = Datum(1,1,1),
            double  b = 0.0,
            ListEl* p = NULL)
            : datum(d), betrag(b), next(p) {}
    // Zugriffsmethoden:
    // getDatum(), setDatum(), getBetrag(), setBetrag()
    ListEl* getNext()  const { return next; }
    friend class Liste;
};

// ----------------------------------------------------
// Definition der Klasse Liste
class Liste
{
  private:
    ListEl* first, *last;
  public:
    Liste(){ first = last = NULL; }  // Konstruktor
    ~Liste();                        // Destruktor
    // Zugriff auf erstes und letztes Element:
    ListEl* front() const { return first; }
    ListEl* back()  const { return last; }
    // Neues Element an die Liste anhängen:
    void pushBack(const Datum& d, double b);
    // Element am Anfang der Liste löschen:
    void popFront();
};
#endif  // _LISTE_H_
```

Darstellung von Listenelementen

Eine einfach verkettete Liste wird mit Hilfe einer rekursiven Datenstruktur implementiert. Unter einer *rekursiven Datenstruktur* versteht man eine Datenstruktur, die einen Zeiger auf eine Datenstruktur desselben Typs enthält. Damit besitzt die Datenstruktur *nicht* sich selbst als Komponente, was unmöglich wäre, sondern einen Zeiger auf sich selbst.

Wir betrachten eine einfach verkettete Liste zur Darstellung von Kontobewegungen. Eine Kontobewegung ist durch ein Datum, einen Geldbetrag und beispielsweise den Verwendungszweck charakterisiert. Ein Listenelement besteht also aus einer Kontobewegung im Informationsteil und aus einem Zeiger auf das nachfolgende Listenelement.

Nebenstehend ist die Klasse `ListEl` zur Darstellung eines Listenelements definiert. Der Einfachheit halber enthält der Informationsteil nur ein Datum und einen Geldbetrag. Im `public`-Deklarationsteil sind ein Konstruktor sowie Zugriffsmethoden auf die eigentlichen Informationen definiert. Für die Ausgabe wird später noch der Operator << überladen.

Üblicherweise wird der Zeiger des letzten Listenelements auf `NULL` gesetzt. Damit ist beim Durchlaufen der Liste auch ein Abbruchkriterium gegeben: Es muss nur der Zeiger `next` auf `NULL` abgefragt werden.

Darstellung der Liste

Zur Identifizierung einer einfach verketteten Liste genügt es, einen Zeiger auf das erste Listenelement zu speichern. Mit Hilfe des Zeigers auf den jeweiligen Nachfolger kann dann jedes Element in der Liste erreicht werden. Zum Anhängen neuer Elemente ist außerdem ein Zeiger auf das letzte Element nützlich.

Nebenstehend ist die Definition der Klasse `Liste` angegeben. Als Datenelemente sind zwei Zeiger deklariert, die auf das erste und letzte Listenelement zeigen. Der *Konstruktor* hat wenig zu tun: Er setzt beide Zeiger auf `NULL` und legt so eine leere Liste an. Der *Destruktor* hat hingegen mehr zu tun: Der Speicherplatz aller Elemente in der Liste muss freigegeben werden.

Das *Einfügen* eines neuen Listenelements wird mit der Methode `pushBack()` am Ende der Liste vorgenommen. Hierbei braucht nur der Speicher dynamisch reserviert und das neue Element zum Nachfolger des „alten" letzten Elements gemacht werden. Dabei ist auch der Zeiger `last` zu aktualisieren und der Fall einer leeren Liste zu beachten.

Die Methode `popFront()` löscht das erste Element aus der Liste. Das heißt, der Zeiger auf das erste Element wird auf das zweite „umgebogen", und der Speicherplatz für das erste Element wird freigegeben. Auch hier ist natürlich der Fall einer leeren Liste zu beachten.

Übungen

Zur 1. Aufgabe:

Wirkung der Funktion splice()

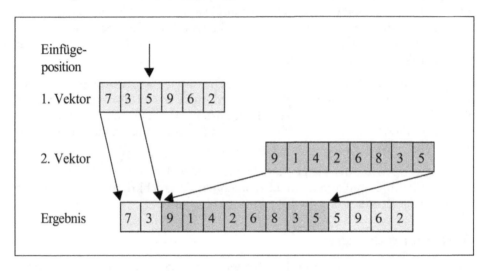

1. Aufgabe

Schreiben Sie eine globale Funktion `splice()`, die zwei int-Vektoren „verschweißt". Sie reserviert zu dem Zweck ein dynamisches Array, das beide int-Vektoren aufnehmen kann. Dann kopiert sie die Elemente aus beiden Vektoren in den neuen Vektor, und zwar so:

- Zunächst werden die Elemente des ersten Vektors bis zu einer vorgegebenen Position eingefügt.

- Dann wird der zweite Vektor eingefügt.

- Dann wird der Rest des ersten Vektors angehängt.

Argumente: Die beiden int-Vektoren, ihre Länge und die Position, bei der „verschweißt" wird

Return-Wert: Ein Zeiger auf den neuen Vektor

2. Aufgabe

Schreiben Sie eine globale Funktion `merge()`, die zwei sortierte int-Vektoren „mischt". Sie reserviert zu dem Zweck ein dynamisches Array, das beide int-Vektoren aufnehmen kann. Dann fügt sie die Elemente aus beiden Vektoren in sortierter Reihenfolge in den neuen Vektor ein.

Argumente: Die beiden int-Vektoren und ihre Länge

Return-Wert: Ein Zeiger auf den neuen Vektor

Testen Sie die Funktion, indem Sie das bereits erstellte Programm zum Sortieren von Vektoren aus der 4. Aufgabe in Kapitel 17 entsprechend ergänzen.

3. Aufgabe

Die Implementierung einer verketteten Liste aus diesem Kapitel soll vervollständigt und getestet werden.

- Definieren Sie zunächst die angegebenen Zugriffsmethoden. Überladen Sie dann den Operator `<<` für die Klasse `ListEl`, so dass die Infos in einem Listenelement formatiert ausgegeben werden. Hier kann die Methode `asString()` der Klasse Datum verwendet werden.

- Implementieren Sie dann den Destruktor der Klasse `Liste`, der den Speicher aller restlichen Listenelemente freigibt. Achtung! Der Zeiger auf den Nachfolger eines Elements muss vor dem Zerstören gelesen werden.

- Implementieren Sie die Methoden `pushBack()` und `popFront()` zum Anhängen und Löschen eines Listenelements.

- Überladen Sie den Operator `<<` für die Klasse `Liste`, so dass alle in der Liste gespeicherten Infos ausgegeben werden.

- Testen Sie die Klasse `Liste`, indem Sie mehrere Elemente einfügen, löschen und die Liste immer wieder ausgeben.

Lösungen

Zur 1. Aufgabe:

```cpp
// ----------------------------------------------------
// Splice.cpp
// Implementierung des Splice-Algorithmus
// ----------------------------------------------------
#include <iostream>
#include <iomanip>
#include <cstdlib>          // Für srand() und rand()
#include <ctime>            // und time().
using namespace std;

// Prototyp:
int *splice( int v1[], int len1,
             int v2[], int len2, int pos);

int main()
{
    cout << "\n  * * *  splice-Funktion testen  * * *\n"
         << endl;
    int i, len1 = 10, len2 = 5;
    int *a1 = new int[len1],
        *a2 = new int[len2];
    // Zufallszahlengenerator mit aktueller Zeit
    // initialisieren:
    srand( (unsigned)time(NULL));

    for( i=0; i < len1; ++i)     // Vektoren initialisieren.
        a1[i] = rand();          // Positive Zufallszahlen.
    for( i=0; i < len2; ++i)
        a2[i] = -rand();         // Nur negative Zahlen

    // Vektoren ausgeben:
    cout << "1. Vektor: " << endl;
    for( i = 0; i < len1; ++i)
        cout << setw(10) << a1[i];
    cout << endl;

    cout << "2. Vektor: " << endl;
    for( i = 0; i < len2; ++i)
        cout << setw(10) << a2[i];
    cout << endl;
```

```
        cout << "\n Bei welcher Position soll der 2. Vektor"
                "\n im 1. Vektor eingefügt werden?"
                "\n Mögliche Positionen: 0, 1, ..., " << len1
             << " : ";

        int pos;  cin >> pos;

        int *a3, len3 = len1 + len2;
        a3   = splice( a1, len1, a2, len2, pos);

        if( a3 == NULL)
           cerr << "\n Ungültige Position!\n" << endl;
        else
        {
           cout << " Der neue verschweißte Vektor: " << endl;
           for( i = 0; i < len3; ++i)
              cout << setw(10) << a3[i];
           cout << endl;
        }
        delete[] a1;   delete[] a2;   delete[] a3;
        return 0;
}

// -----------------------------------------------------------
// Die Funktion splice() fügt in v1 den Vektor v2
// ab der Positio pos ein.
int *splice( int v1[], int len1,
             int v2[], int len2, int pos)
{
   if( pos < 0  || pos > len1)
      return NULL;

   int i = 0, i1 = 0, i2 = 0;
   int *v = new int[len1+len2];

   for( i = 0, i1 = 0; i1 < pos;  ++i, ++i1) // 1. Teil
       v[i] = v1[i1];

   for( i2 = 0; i2 < len2;  ++i, ++i2)       // 2. Teil
       v[i] = v2[i2];

   for(  ; i1 < len1;  ++i, ++i1)            // 3. Teil
       v[i] = v1[i1];

   return v;
}
```

Lösungen (Fortsetzung)

Zur 2. Aufgabe:

```cpp
// ------------------------------------------------------
// merge.cpp
// Implementierung des Merge-Algorithmus.
// ------------------------------------------------------
#include <iostream>
#include <iomanip>
#include <cstdlib>
#include <ctime>
using namespace std;

// Prototypen:
void selectionSort( int arr[], int len);
int *merge( int v1[], int len1, int v2[], int len2);

int main()
{
    cout << "\n  * * *  Merge-Algorithmus  * * *\n"
         << endl;
    int i, len1 = 10, len2 = 20;
    int *a1 = new int[len1],
        *a2 = new int[len2];
    // Zufallszahlengenerator mit aktueller Zeit
    // initialisieren:
    srand( (unsigned)time(NULL));

    for( i=0; i < len1; ++i)   // Vektoren initialisieren.
       a1[i] = rand();
    for( i=0; i < len2; ++i)
       a2[i] = rand();

    selectionSort( a1, len1);       // Vektoren sortieren.
    selectionSort( a2, len2);       // Vektoren sortieren.

    // Vektoren ausgeben
    cout << "Die sortierten Vektoren:" << endl;
    cout << "1. Vektor: " << endl;
    for( i = 0; i < len1; ++i)
       cout << setw(10) << a1[i];
    cout << endl;
    cout << "2. Vektor: " << endl;
    for( i = 0; i < len2; ++i)
       cout << setw(10) << a2[i];
    cout << endl;

    int *a3, len3;
    a3   = merge( a1, len1, a2, len2);
```

```
    len3 = len1 + len2;
    cout << "Der neue gemischte Vektor: " << endl;
    for( i = 0; i < len3; ++i)
       cout << setw(10) << a3[i];
    cout << endl;

    delete[] a1;   delete[] a2;   delete[] a3;
    return 0;
}
// -------------------------------------------------------
// Die Funktion selectionSort().
inline void swap( int& a, int& b)        // Zum Tauschen.
{ int temp = a;  a = b;  b = temp;  }

void selectionSort( int *arr, int len)
{
    register int *p, *minp;    // Zeiger auf Vektorelemente,
    int *last = arr + len-1;   // Zeiger auf das letzte Elem.
    for( ; arr < last;  ++arr)
    {
       minp = arr;                        // Ab Position arr das
       for( p = arr+1; p <= last; ++p) // Minimum suchen.
          if( *minp > *p)
              minp = p;
       swap( *arr, *minp);                // Tauschen.
    }
}
// -------------------------------------------------------
// merge() : Zwei sortierte Vektoren so mischen, daß
// die Summe beider Vektoren wieder sortiert ist.
int *merge( int v1[], int len1, int v2[], int len2)
{
    int i = 0, i1 = 0, i2 = 0;
    int *v = new int[len1+len2];      // Neuer int-Vektor

    for( i=0; i1 < len1 && i2 < len2; ++i)
    {
        if( v1[i1] <= v2[i2])
            v[i] = v1[i1++];
        else
            v[i] = v2[i2++];
    }
    if( i1 < len1)            // Rest von v1 oder v2 kopieren.
      while( i1 < len1)
        v[i++] = v1[i1++];
    else
      while( i2 < len2)
        v[i++] = v2[i2++];
    return v;
}
```

Lösungen (Fortsetzung)

Zur 3. Aufgabe:

```
// -----------------------------------------------------
// datum.h  :   Definition der Klasse Datum
// -----------------------------------------------------
// datum.cpp
// Implementierung der Methoden der Klasse Datum,
// die nicht schon inline definiert sind.
// -----------------------------------------------------
//
// Diese Dateien werden unverändert aus den Lösungen des
// 14. Kapitels übernommen.
//

// -----------------------------------------------------
// Liste.h
// Definition der Klassen ListEl und List
// zur Darstellung einer einfach verketteten Liste.
// -----------------------------------------------------
#ifndef _LISTE_H_
#define _LISTE_H_
#include "Datum.h"
#include <iostream>
#include <iomanip>
using namespace std;

class ListEl
{
  private:
    Datum  datum;          // Datum
    double betrag;         // Geldbetrag
    ListEl* next;          // Zeiger auf Nachfolger

  public:
    ListEl( Datum    d = Datum(1,1,1),
            double   b = 0.0,
            ListEl* p = NULL)
            : datum(d), betrag(b), next(p) {}

    // Zugriffsmethoden
    const Datum& getDatum() const { return datum; }
    void setDatum()        // Setzt das aktuelle Datum
    {
        datum.setDatum();
    }
```

```
      bool setDatum( int tag, int monat, int jahr)
      {
          return setDatum( tag, monat, jahr);
      }

      double  getBetrag() const { return betrag; }
      void    setBetrag(double b) { betrag = b; }
      ListEl* getNext()  const { return next; }

      friend class Liste;
};

// Ausgabe eines Elements
ostream& operator<<( ostream& os, const ListEl& le);

// ----------------------------------------------------------
// Definition der Klasse Liste
class Liste
{
  private:
    ListEl* first, *last;
  public:
    Liste(){ first = last = NULL; }  // Konstruktor
    ~Liste();                        // Destruktor

    // Zugriff auf erstes und letztes Element:
    ListEl* front() const { return first; }
    ListEl* back()  const { return last; }
    // Neues Element an die Liste anhängen:
    void pushBack(const Datum& d, double b);
    // Element am Anfang der Liste löschen.
    void popFront();
};

// Ausgabe der Liste
ostream& operator<<( ostream& os, const Liste& le);
#endif  // _LISTE_H_

// ----------------------------------------------------------
// Liste.cpp
// Implementierung der Methoden der Klasse Liste,
// die nicht schon inline definiert sind.
// ----------------------------------------------------------
#include "Liste.h"
// Destruktor der Liste:
Liste::~Liste()
{
```

Lösungen (Fortsetzung)

```cpp
   ListEl *pEl = first,
          *next = NULL;
   for(   ; pEl != NULL;  pEl = next)
   {
      next = pEl->next;
      delete pEl;
   }
}


// Neues Element an die Liste anhängen:
void Liste::pushBack(const Datum& d, double b)
{
   ListEl *pEl = new ListEl( d, b);
   if( last == NULL)        // Liste leer?
      first = last = pEl;
   else
      last->next = pEl,  last = pEl;
}


// Element am Anfang der Liste löschen.
void Liste::popFront()
{
   if( first != NULL)         // Nicht leer?
   {
     ListEl *pEl = first;    // Erstes Element sichern
     first = first->next;    // Zeiger eins weitersetzen.
     delete pEl;             // "Altes" erstes löschen
     if( first == NULL)      // Jetzt leer?
        last = NULL;
   }
}


// --- globale Funktionen zur Ausgabe ---
// Ausgabe eines Elements:
ostream& operator<<( ostream& os, const ListEl& le)
{
    os << le.getDatum().asString() << "  Betrag: ";
    os << fixed << setprecision(2) << setw(10)
       << le.getBetrag();
    return os;
}


// Ausgabe der Liste:
ostream& operator<<( ostream& os, const Liste& liste)
{
```

```
      ListEl *pEl = liste.front();
      if( pEl == NULL)
          os << "Die Liste ist leer!" << endl;

      for(   ; pEl != NULL;  pEl = pEl->getNext() )
          os << *pEl << endl;
      return os;
}

// -----------------------------------------------------
// liste_t.cpp
// Die Klasse Liste testen.
// -----------------------------------------------------

#include "liste.h"

int main()
{
    cout << "\n * * *  Die Klasse Liste testen  * * *\n"
         << endl;

    Liste  eineListe;                // Eine Liste

    cout << eineListe << endl;       // Liste noch leer.

    cout << "\nKonto-Bewegungen (Datum und Betrag) eingeben"
            "\n(Ende mit ungültiger Eingabe, z.B. q):\n";
    Datum datum;
    int tag, monat, jahr;   char c;
    double betrag;

    while( true)
    {
      cout << "Datum im Format Tag.Monat.Jahr : ";
      if( !(cin >> tag >> c >> monat >> c >> jahr)
          || ! datum.setDatum( tag, monat, jahr) )
      break;                          // ungültiges Datum.

      cout << "Kontobewegung: ";
      if( !(cin >> betrag) ) break;

      eineListe.pushBack( datum, betrag);
    }

    cout << "\nInhalt der Liste:\n";
    cout << eineListe << endl;
```

Lösungen (Fortsetzung)

```cpp
        cout << "\nErstes Element der Liste entnehmen:\n";

        ListEl *ptrEl = ptrEl = eineListe.front();
        if( ptrEl != NULL)
        {
           cout << "Gelöscht wird:  " << *ptrEl << endl;
           eineListe.popFront();
        }

        cout << "\nInhalt der Liste:\n";
        cout << eineListe << endl;

        return 0;
}
```

Kapitel 22

Dynamische Elemente

Dieses Kapitel beschreibt, wie Klassen mit Zeigern auf dynamisch reservierten Speicher implementiert werden. Hierzu gehören auch immer

- die Definition eines eigenen Kopierkonstruktors und
- das Überladen der Zuweisung.

Außerdem lernen Sie die sogenannte Move-Semantik kennen. Damit kann die Laufzeit rechenintensiver Programme für Klassen mit dynamischen Elementen erheblich verbessert werden.

Als Anwendung wird eine Klasse zur Darstellung von Vektoren beliebiger Länge vorgestellt.

Datenfelder variabler Länge

Ein Objekt der Klasse FloatVek im Speicher

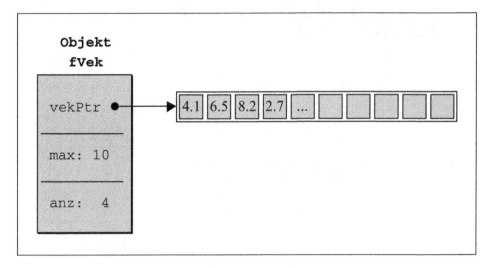

Die Datenelemente der Klasse FloatVek

```
Eine Klasse zur Darstellung dynamischer float-Vektoren
// --------------------------------------------------
class FloatVek
{
   private:
     float* vekPtr;      // Dynamisches Element
     int max;            // Maximale Anzahl, ohne
                         // erneut Speicher zu
                         // reservieren.
     int anz;            // Aktuelle Anzahl belegter
                         // Elemente

   public:

     // Hier öffentliche Methoden

};
```

Dynamische Elemente

Die Möglichkeiten der dynamischen Speicherverwaltung können auch für Klassen genutzt werden, um „Datenelemente" variabler Länge zu bilden. Abhängig davon, wie viele Daten ein Anwendungsprogramm tatsächlich zu verwalten hat, wird erst zur Laufzeit der aktuell benötigte Speicher reserviert. Die Klasse besitzt dann einen Zeiger auf den dynamisch reservierten Speicher, der die eigentlichen Daten enthält. Solche Datenelemente heißen auch *dynamische Elemente* einer Klasse.

Bei Vektoren beispielsweise ist häufig zur Zeit der Kompilierung noch nicht bekannt, wie viele Vektorelemente tatsächlich unterhalten werden müssen. Die Definition einer Klasse zur Darstellung von Vektoren sollte dies berücksichtigen und zur Laufzeit die Definition von Vektoren variabler Längen ermöglichen.

Anforderungen

Wir wollen im Folgenden eine neue Version der Klasse `FloatVek` entwickeln, die die genannten Anforderungen erfüllt und die es zusätzlich ermöglicht, mit Vektoren so einfach wie mit elementaren Datentypen zu arbeiten. Beispielsweise sollte für zwei Objekte `v1` und `v2` der Klasse `FloatVek` eine einfache Zuweisung möglich sein:

Beispiel: `v2 = v1;`

Hierbei garantiert nicht der Programmierer, sondern das Objekt `v2` selbst, dass genügend Speicher da ist, um den Vektor `v1` aufzunehmen.

Außerdem sollte es wie bei elementaren Datentypen möglich sein, ein neu anzulegendes Objekt `v3` mit einem bereits existierenden Objekt `v2` zu initialisieren.

Beispiel: `FloatVek v3(v2);`

Auch hier sorgt das Objekt `v3` selbst dafür, dass der entsprechende Speicherplatz zur Aufnahme der Vektorelemente von `v2` zur Verfügung steht.

Bei der Deklaration eines Objekts der Klasse `FloatVek` sollte auch die anfängliche Länge des Vektors vom Anwender festgelegt werden können. Mit

Beispiel: `FloatVek fVek(100);`

wird dann der Speicherplatz für maximal 100 Vektorelemente zur Verfügung gestellt.

Die Klasse `FloatVek` wird deshalb mit einem dynamischen Element definiert, das einen dynamisch reservierten Vektor adressiert. Außerdem sind zwei `int`-Variablen erforderlich, die sich die maximale und die aktuelle Anzahl der Vektorelemente merken.

Eine Klasse mit dynamischem Element

Erste Version der Klasse FloatVek

```cpp
// FloatVek.h : Darstellung dynamischer float-Vektoren
// ------------------------------------------------------
#ifndef _FLOATVEK_
#define _FLOATVEK_
class FloatVek
{
   private:
      float* vekPtr;      // Dynamisches Element
      int max;            // Maximale Anzahl, ohne
                          // erneut Speicher zu
                          // reservieren.
      int anz;            // Aktuelle Anzahl belegter
                          // Elemente

   public:
      FloatVek( int n = 256 );        // Konstruktoren
      FloatVek( int n, float wert);
      ~FloatVek();                    // Destruktor
      int  length() const { return anz; }
      float& operator[](int i);       // Index-Operator
      float  operator[](int i) const;
      bool append(float wert);    // Einen Wert anhängen.
      bool remove(int pos);       // Position pos löschen.
};
#endif    // _FLOATVEK_
```

Anlegen von Objekten mit dynamischen Elementen

```cpp
#include "FloatVek.h"
#include <iostream>
using namespace std;
int main()
{
   FloatVek v(10);         // Vektor v für 10 float-Werte
   FloatVek w(20, 1.0F);   // Vektor w für 20 float-Werte
                           // mit 1.0 initialisieren.
   v.append( 0.5F);
   cout << "Aktuelle Anzahl Elemente in v: "
        << v.length() << endl;             //   1
   cout << "Aktuelle Anzahl Elemente in w: "
        << w.length() << endl;             //   20
   return 0;
}
```

Die nächste Frage beim Entwurf einer Klasse zur Darstellung von Vektoren lautet: Welche Methoden sind notwendig und wünschenswert? Die Klasse `FloatVek` wird dann schrittweise verbessert, indem Methoden optimiert bzw. weitere Methoden hinzugefügt werden.

Die erste Version der Klasse `FloatVek` besitzt einige grundlegende Methoden, die hier vorgestellt werden. Ihre Definition wird anschließend besprochen.

Konstruktoren

Ein Objekt der Klasse `FloatVek` soll mit einer vorgegebenen Länge angelegt und ggf. mit einem `float`-Wert aufgefüllt werden können. Deshalb wird zunächst ein Konstruktor, der einen `int`-Wert als Argument erwartet, deklariert.

```
FloatVek(int n = 256);
```

Als Default-Argument für die Länge des Vektors ist hier die Zahl 256 angegeben. Damit ist auch schon ein Default-Konstruktor definiert, der einen Vektor mit 256 Vektorelementen erzeugt, die aber noch nicht belegt sind.

Ein weiterer Konstruktor

```
FloatVek(int n, float wert)
```

ermöglicht die Definition eines Vektors, der alle Elemente mit dem angegebenen Wert füllt. In dem Fall muss die Vektorlänge angegeben werden.

Beispiel: `FloatVek arr( 100, 0.0F);`

Hier haben die 100 Elemente des Vektors zunächst alle den Wert 0.0.

Weitere Methoden

Die Methode `length()` erlaubt es, die aktuelle Anzahl der Vektorelemente abzufragen. Für den Vektor `arr` liefert `arr.length()` den Wert 100.

Durch die Überladung des Index-Operators `[]` kann wie gewohnt auf einzelne Elemente des Vektors zugegriffen werden.

Beispiel: `arr[i] = 15.0F;`

Hierbei muss der Index `i` im Bereich 0 und `anz-1` liegen.

Mit der Methode `append()` kann ein weiterer Wert an den Vektor angehängt werden. Die aktuelle Anzahl der belegten Elemente erhöht sich dadurch um 1.

Umgekehrt löscht die Methode `remove()` ein bestimmtes Element, dessen Position beim Aufruf anzugeben ist. Hierdurch wird die aktuelle Anzahl um 1 vermindert, sofern eine gültige Position angegeben wurde.

Auf- und Abbau eines Objekts

Wirkung der Deklaration FloatVek fVek(10, 1.0F);

Zunächst wird der Speicher für die Datenelemente reserviert:

Dann wird Speicher für zehn Vektorelemente reserviert, und die Variablen max und anz werden auf den Wert 10 gesetzt:

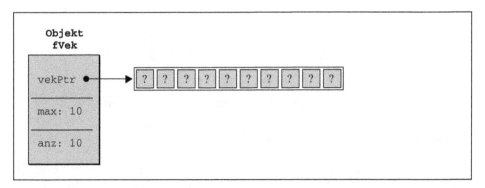

Schließlich erhalten alle Vektorelemente den Anfangswert 1.0:

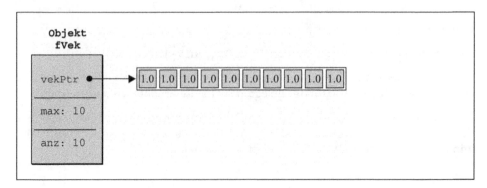

Der Speicherplatz für die Vektorelemente gehört nicht zu einem Objekt der Klasse `FloatVek`, sondern muss durch den Konstruktor dynamisch reserviert werden. Das Objekt selbst belegt nur den Speicherplatz für die Datenelemente `vekPtr`, `max` und `anz`. Die Größe `sizeof(FloatVek)` ist daher ein fester Wert, nämlich 12 Byte auf einem 32-Bit-Rechner.

Der zusätzlich reservierte dynamische Speicher ist bei späteren Änderungen, wie z.B. bei einer Zuweisung, gegebenenfalls neuen Anforderungen anzupassen. Schließlich muss dieser Speicherplatz bei der Zerstörung des Objekts explizit wieder freigegeben werden.

Aufbau eines Objekts

Der erste Konstruktor der Klasse `FloatVek` wird deshalb wie folgt definiert:

```
FloatVek::FloatVek( int n )
{
    max = n;    anz = 0;
    vekPtr = new float[max];
}
```

Hier wird Speicherplatz für n Vektorelemente reserviert. Die aktuelle Anzahl der Vektorelemente wird auf `0` gesetzt.

Der zweite Konstruktor füllt den Vektor mit einem vorgegebenen Wert. Er ist daher wie folgt definiert:

```
FloatVek::FloatVek(int n, float wert)
{
    max = anz = n;
    vekPtr  = new float[max];
    for( int i=0; i < anz; ++i)
        vekPtr[i] = wert;
}
```

Nebenstehend ist dargestellt, wie nacheinander die Speicherreservierung und die Initialisierung für ein Objekt `fVek` erfolgen.

Abbau eines Objekts

Beim Abbau eines Objekts muss der dynamisch reservierte Speicher wieder freigegeben werden. Bei Klassen mit dynamischen Elementen ist deshalb *immer* ein Destruktor zu definieren, der diese Aufgabe erfüllt.

In der Klasse `FloatVek` ist das dynamische Element ein Vektor. Der Speicher ist also mit dem Operator `delete[]` freizugeben.

```
FloatVek::~FloatVek()
{
    delete[] vekPtr;
}
```

Die Implementierung der Methoden

```cpp
// FloatVek.cpp:
// Implementierung der Methoden von FloatVek.
// -------------------------------------------------------
#include "FloatVek.h"
#include <iostream>
using namespace std;

// Konstruktoren und Destruktor wie zuvor beschrieben.
// Index-Operator für Nicht-const-Objekte:
float& FloatVek::operator[]( int i )
{
    if( i < 0 || i >= anz )         // Bereichsprüfung
    {
      cerr << "\n class FloatVek: Out of Range! ";
      exit(1);
    }
    return vekPtr[i];
}

float FloatVek::operator[]( int i ) const
{
    // Sonst wie zuvor.
}

bool FloatVek::append( float wert)
{
    if(anz < max)
    {
       vekPtr[anz++] = wert;
       return true;
    }
    else                    // Hier noch ohne Verlängerung
       return false;        // des Vektors!
}

bool FloatVek::remove(int pos)
{
    if( pos >= 0 && pos < anz)
    {
       for( int i = pos; i < anz-1; ++i)
          vekPtr[i] = vekPtr[i+1];
       --anz;
       return true;
    }
    else
       return false;
}
```

Lese- und Schreibzugriff mit dem Index-Operator

Durch Überladung des Index-Operators kann komfortabel mit einzelnen Vektor-elementen gearbeitet werden.

Beispiel:
```
FloatVek v(5, 0.0F);
v[2] = 2.2F;
for( int i=0; i < v.length(); ++i)
    cout << v[i];
```

Der Operator erlaubt sowohl den lesenden als auch den schreibenden Zugriff auf die Vektorelemente. Auf konstante Objekte ist daher dieser Operator zunächst nicht anwendbar. Andererseits soll aber auch der „nur lesende" Zugriff auf konstante Objekte unterstützt werden.

Zu diesem Zweck sind in der Klasse `FloatVek` zwei Versionen der Operator-funktion `operator[]()` vorhanden. Die erste Version liefert eine Referenz auf das `i`-te Vektorelement und ermöglicht so auch den schreibenden Zugriff. Die zweite „Read-only"-Version erlaubt nur den lesenden Zugriff auf Vektorele-mente. Sie wird vom Compiler automatisch für konstante Objekte aufgerufen.

Die Implementierungen beider Versionen unterscheiden sich nicht. In beiden Fällen wird eine Bereichsüberprüfung für den Index vorgenommen. Falls der Index den zulässigen Bereich nicht über- oder unterschreitet, wird das entspre-chende Vektorelement zurückgegeben, in der „Read-only"-Version nur als Wert.

Einfügen und Löschen im Vektor

Die Klasse `FloatVek` stellt die zwei Methoden `append()` und `remove()` zur Verfügung, mit denen Vektorelemente angehängt bzw. gelöscht werden.

In dieser ersten Version ist die Methode `append()` nur erfolgreich, wenn im Vek-tor noch mindestens ein Platz zur Verfügung steht. In den Übungen vergrößert `append()` den Vektor nach Bedarf. Das gilt auch für eine noch zu schreibende Methode `insert()`.

Beim Löschen mit der Methode `remove()` werden ab der Löschposition alle nachfolgenden Elemente um eine Position nach vorn geschoben. Damit bleibt die Reihenfolge der Elemente erhalten. Danach wird die aktuelle Anzahl um 1 dekrementiert. Das „ehemals" letzte Vektorelement wird nicht entfernt, sondern beim nächsten Einfügen überschrieben.

Alternativ könnte das letzte Vektorelement in die Position des zu löschenden Elements kopiert werden. Das zu löschende Element wird also einfach über-schrieben. Das ist schneller! Diese Möglichkeit ist vorzuziehen, wenn es auf die Reihenfolge der Elemente nicht ankommt.

Kopierkonstruktor

Wirkung des Standardkopierkonstruktors

```
FloatVek b(a);        // Kopie von a erstellen.
```

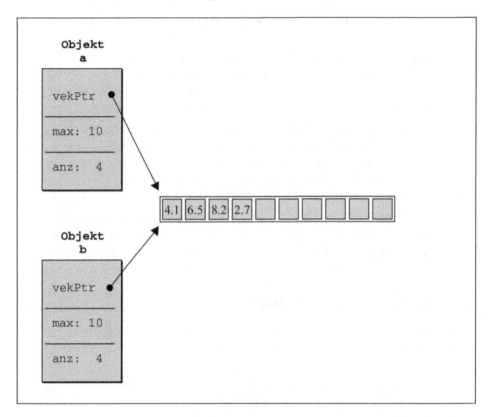

Ein eigener Kopierkonstruktor für die Klasse FloatVek

```cpp
//floatvek.cpp: Implementierung der Methoden.
// -----------------------------------------------------
FloatVek::FloatVek(const FloatVek& src)
{
   max = src.max;
   anz = src.anz;
   vekPtr = new float[max];

   for( int i = 0; i < anz; i++ )
      vekPtr[i] = src.vekPtr[i];
}
```

Initialisierung mit einem Objekt

Wir wollen im nächsten Schritt die Voraussetzung dafür schaffen, dass ein Objekt mit einem bereits existierenden Objekt initialisiert werden kann. Ist etwa a ein bereits existierender Vektor, so soll folgende Vereinbarung möglich sein:

Beispiel: `FloatVek b(a);`

Der Vektor b soll dann dieselbe Länge wie der Vektor a haben, und die Vektorelemente von b sollen die gleichen Werte wie die von a enthalten.

Zu diesem Zweck muss für die Klasse `FloatVek` ein *Kopierkonstruktor* definiert werden. Er besitzt als Parameter eine Referenz auf einen konstanten Vektor.

Prototyp: `FloatVek( const FloatVek& );`

Standardkopierkonstruktor

Wenn für eine Klasse kein Kopierkonstruktor definiert ist, so erzeugt der Compiler eine Minimalversion, den sog. *Standardkopierkonstruktor*. Dieser kopiert die Datenelemente des übergebenen Objekts in die entsprechenden Datenelemente des neuen Objekts.

Der Standardkopierkonstruktor ist normalerweise für eine Klasse hinreichend. Für Objekte mit dynamischen Elementen genügt die einfache Kopie von Datenelementen jedoch nicht. Es würden nur die Zeiger kopiert, so dass die Zeiger von verschiedenen Objekten denselben Speicherbereich adressierten. In der nebenstehenden Grafik ist diese Situation für zwei Objekte der Klasse `FloatVek` dargestellt.

Damit sind Fehler jedoch vorprogrammiert. Etwa wenn für ein Objekt der dynamisch reservierte Speicher wieder freigegeben wird. Dann verweist der Zeiger des zweiten Objekts auf einen Speicherbereich, der nicht mehr zur Verfügung steht.

Eigene Version des Kopierkonstruktors

Deshalb muss der Kopierkonstruktor für Klassen mit dynamischen Elementen selbst definiert werden, und zwar so, dass nicht die Zeiger, sondern die eigentlichen Daten aus dem dynamisch reservierten Speicher kopiert werden.

Das nebenstehende Beispiel zeigt die Definition des Kopierkonstruktors für die Klasse `FloatVek`. Dabei wird mit `new[]` ein neuer Vektor angelegt, und die Vektorelemente des übergebenen Objekts werden dorthin kopiert.

Zuweisung

Neue Deklarationen in der Klasse FloatVek

```
// FloatVek.h : Darstellung dynamischer float-Vektoren
// -------------------------------------------------
class FloatVek
{
  private:
   // . . . Datenelemente wie gehabt
  public:
   // . . . Methoden wie gehabt und
   FloatVek(const FloatVek& src);   // Kopierkonstruktor
   FloatVek& operator=( const FloatVek&);   // Zuweisung
};
```

Definition der Zuweisung

```
// In der Datei FloatVek.cpp
// Die Operatorfunktion für die Zuweisung
// -------------------------------------------------
FloatVek& FloatVek::operator=( const FloatVek& src )
{
  if( this != &src )              // Keine Selbstzuweisung!
  {
    max = src.max;
    anz = src.anz;
    delete[] vekPtr;             // Speicher freigeben,
    vekPtr = new float[max];     // neu reservieren,
    for( int i=0; i < anz; i++)  // Elemente kopieren.
      vekPtr[i] = src.vekPtr[i];
  }
  return *this;
}
```

Beispielaufrufe

```
#include "FloatVek.h"
int main()
{
  FloatVek v;             // Default-Konstruktor.
  FloatVek w(20, 1.0F);   // Vektor w für 20 float-Werte
                          // mit 1.0 initialisieren.
  const FloatVek kw(w);   // Konstantes Objekt mit
                          // Kopierkonstruktor
  v = w;                  // Zuweisung
}
```

Jede Klasse besitzt vier implizit definierte Standardmethoden, die durch eigene Definitionen ersetzt werden können:

- den Default-Konstruktor und den Destruktor

- den Kopierkonstruktor und die Standardzuweisung

Im Gegensatz zur Initialisierung durch den Kopierkonstruktor, der bei der Definition eines Objekts ausgeführt wird, erfolgt eine Zuweisung stets an ein bereits existierendes Objekt. Eine Zuweisung kann mehrmals ausgeführt werden und verändert das Objekt.

Standardzuweisung

Sind v1 und v2 bereits definierte Objekte der Klasse FloatVek, so ist folgende Zuweisung möglich:

Beispiel: v1 = v2;   // möglich, aber ok?

Die Standardzuweisung erfolgt elementweise, das heißt, wie beim Kopierkonstruktor werden die Datenelemente von v2 in die entsprechenden Datenelemente von v1 kopiert. Wenn eine Klasse dynamische Elemente enthält, ist dies jedoch nicht hinreichend. Dann würden nämlich die Zeiger verschiedener Objekte wieder *denselben* dynamisch reservierten Speicherbereich adressieren. Außerdem würde der zuvor von einem Zeiger adressierte Speicher unreferenziert sein.

Überladen des Zuweisungsoperators

Deshalb muss auch die Standardzuweisung für eine Klasse überladen werden, die dynamische Elemente enthält. Generell ist mit der Definition eines Kopierkonstruktors auch die Definition einer eigenen Zuweisung notwendig.

Die Operatorfunktion für die Zuweisung hat folgende Aufgaben:

- Der ursprüngliche Speicherbereich, der durch dynamische Elemente adressiert ist, wird freigegeben.

- Es wird genügend neuer Speicher reserviert, und die Daten des Quellobjekts werden dorthin kopiert.

Die Operatorfunktion wird als Methode der Klasse implementiert. Sie gibt eine Referenz auf das Zielobjekt zurück, so dass auch Mehrfachzuweisungen möglich sind. Für die Klasse FloatVek besitzt die Operatorfunktion daher folgenden Prototyp:

```
FloatVek& FloatVek::operator=( const FloatVek& src);
```

Bei der Implementierung ist noch zu beachten, dass eine Selbstzuweisung ausgeschlossen ist. Sonst würde ein Speicherbereich gelesen, der zuvor freigegeben wurde.

Verschieben von R-Werten

Wirkung der Anweisung FloatVek z = v + w;

Rückgabe Kopie:

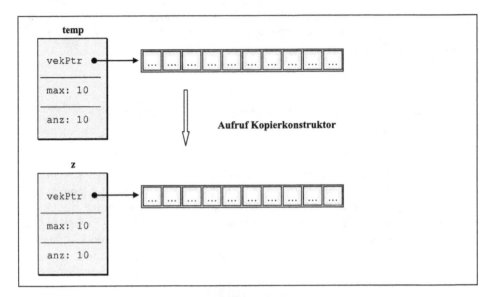

Verschieben eines R-Wertes:

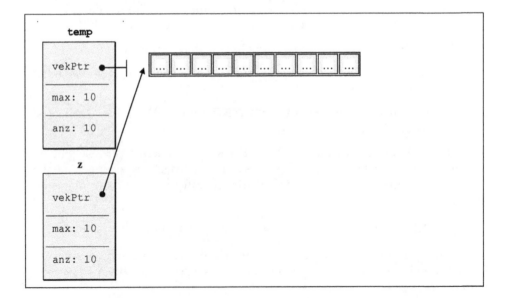

Klassen mit dynamischen Elementen können umfangreiche Datenmengen verwalten. Die Laufzeit der entsprechenden Operationen ist normalerweise von der Anzahl der zu verarbeitenden Daten abhängig. So wächst die Laufzeit des Kopierkonstruktors in der Klasse `FloatVek` linear mit der Anzahl Elemente im Vektor, da deren Werte kopiert werden müssen. Hinzu kommt der Aufwand für die dynamische Reservierung und spätere Freigabe von Speicher. Häufige Kopiervorgänge beeinträchtigen so die Laufzeit des Programms. Die neue Move-Semantik ermöglicht es, unnötiges Kopieren zu vermeiden.

Initialisierung mit R-Werten

Angenommen, in der Klasse `FloatVek` ist der Operator += definiert, der einen anderen Vektor elementweise zum aktuellen Vektor hinzuaddiert. Ist der übergebene Vektor länger als der aktuelle Vektor, wird der aktuelle Vektor entsprechend verlängert und mit 0 aufgefüllt. Dann kann der Operator + zur Addition von zwei Vektoren durch eine globale Operatorfunktion wie folgt definiert werden:

```
FloatVek operator+(const FloatVek& v, const FloatVek& w)
{
 FloatVek temp(v);
 temp += w;
 return temp;
}
```

Für zwei Vektoren v und w vom Typ `FloatVek` wird dann im

Beispiel: `FloatVek z = v + w;`

zunächst der R-Wert v + w berechnet. Hierfür wird die Operatorfunktion `operator+()` aufgerufen, die mit dem Kopierkonstruktor ein temporäres Objekt `temp` anlegt und w hinzuaddiert. Das temporäre Objekt `temp` ist der Return-Wert der Operatorfunktion, der mit einem erneuten Aufruf des Kopierkonstruktors von `FloatVek` in z kopiert wird.

Initialisierung mit temporären Objekten

Da temporäre Objekte nach einer Operation automatisch zerstört werden, können „überflüssige" Kopiervorgänge vermieden werden: Anstatt die Werte aus dem dynamischen Speicherbereich von `temp` in den dynamischen Speicher des Zielobjekts zu kopieren, würde es genügen, den Zeiger des Zielobjekts auf den dynamischen Speicher von `temp` umzubiegen. Man sagt dann, dass der Zustand des temporären Objekts in das Zielobjekt „verschoben" wird.

Deshalb ist ein Konstruktor in der Klasse `FloatVek` wünschenswert, der aus einem als Argument übergebenen R-Wert durch Verschieben ein neues Objekt erzeugt. Ein solcher Konstruktor heißt *Move-Konstruktor*.

Move-Konstruktor

Neue Deklaration in der Klasse FloatVek

```cpp
// FloatVek.h : Darstellung dynamischer float-Vektoren.
// ---------------------------------------------------
class FloatVek
{
  private:
    // . . . Datenelemente wie gehabt
  public:
    // . . . Methoden wie gehabt und
    FloatVek(FloatVek&& src);        // Move-Konstruktor
};
```

Definition des Move-Konstruktors

```cpp
// In der Datei FloatVek.cpp
// Der Move-Konstruktor.
// ---------------------------------------------------
FloatVek::FloatVek(FloatVek&& src)
{
    max    = src.max;          // Datenelemente kopieren.
    anz    = src.anz;
    vekPtr = src.vekPtr;

    src.vekPtr = NULL;         // Wichtig!
}
```

Beispiel-Aufruf

```cpp
#include "FloatVek.h"
int main()
{
    FloatVek w(20, 1.0F);  // Vektor w für 20 float-Werte
                           // mit 1.0 initialisieren.
    FloatVek v(w);         // Aufruf Kopierkonstruktor.
    FloatVek z = v + w;    // Aufruf Move-Konstruktor.
}
```

Deklaration von Referenzen auf R-Werte

Ein Konstruktor, der aus einem R-Wert durch Verschieben ein neues Objekt erzeugt, muss einen speziellen Parameter zur Darstellung des R-Werts besitzen. Der C++-Standard ermöglicht dies durch eine neue Syntax. Mit der Parameterdeklaration

Beispiel: `FloatVek&& rref`

wird eine *Referenz auf einen R-Wert* vereinbart. Die Referenz `rref` kann dann auf einen R-Wert vom Typ `FloatVek` verweisen, jedoch nicht auf einen L-Wert.

Definition des Move-Konstruktors

Referenzen auf R-Werte werden normalerweise als Parameter eingesetzt. Sie garantieren, dass kein L-Wert als Argument akzeptiert wird, und ermöglichen es so, dass „verschiebende" Operationen sicher ausgeführt werden können.

Der Move-Konstruktor in der Klasse `FloatVek` hat folgenden

Prototyp: `FloatVek( FloatVek&& src);`

Er erzeugt aus dem übergebenen R-Wert `src` durch Verschieben ein neues Objekt vom Typ `FloatVek`. Wie die nebenstehende Definition des Konstruktors zeigt, werden hierfür lediglich die Datenelemente von `src` in die Datenelemente des neu erzeugten Objekts kopiert.

Das dynamische Element des neu erzeugten Objekts adressiert dann den ursprünglich zu `src` gehörenden dynamischen Speicher. Damit dieser Speicher durch den anschließenden automatischen Aufruf des Destruktors von `src` nicht freigegeben wird, muss der Move-Konstruktor den Zeiger `src.vekPtr` auf `Null` setzen!

Dies ist auch der Grund dafür, dass der Parameter `src` nicht als `const` deklariert werden darf. Der Move-Konstruktor verändert sein Argument!

Aufruf des Move-Konstruktors

Im nebenstehenden Beispiel wird der Move-Konstruktor zur Erzeugung des Objekts z aus dem R-Wert `v + w` aufgerufen, der das Reservieren und Freigeben von dynamischem Speicher und den Kopiervorgang erspart. Das lokale Objekt `temp` wird in der Operatorfunktion `operator+()` weiterhin mit dem Kopierkonstruktor der Klasse erzeugt.

Move-Zuweisung

Umbiegen dynamischer Elemente

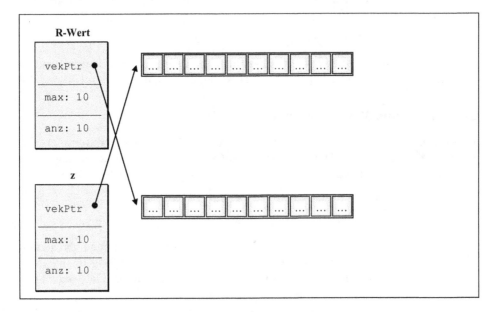

Überladen des Zuweisungsoperators

```
// In der Datei FloatVek.cpp
// ------------------------------------------------
FloatVek& FloatVek::operator=(FloatVek&& src)
{
    if( this != &src )        // Keine Selbstzuweisung!
    {
        float* p = vekPtr;    // Adressen tauschen.
        vekPtr = src.vekPtr;
        src.vekPtr = p;

        max = src.max;        // Andere Elemente zuweisen.
        anz = src.anz;
    }

    return *this;
}
```

Motivierung

Angenommen, v, w und z sind Objekte der Klasse FloatVek. Dann wird mit der Zuweisung

Beispiel: z = v + w;

der überladene Zuweisungsoperator mit einem Parameter vom Typ const FloatVek& aufgerufen. Dieser gibt zunächst den durch z.vekPtr adressierten dynamischen Speicher frei. Anschließend wird neuer Speicher dynamisch reserviert, in den die Vektorelemente des R-Wertes kopiert werden.

Da der R-Wert anschließend zerstört wird, kann auch hier der zeitaufwendige Kopiervorgang vermieden werden. Es brauchen lediglich

- die Adressen der beiden dynamischen Elemente vertauscht zu werden.

- die aktuelle und maximale Anzahl Vektorelemente von z durch die entsprechenden Werte des R-Wertes aktualisiert zu werden.

Dies zeigt auch die nebenstehende Grafik. Der ursprünglich durch z.vekPtr adressierte Speicher wird automatisch freigegeben, wenn der R-Wert zerstört wird. Eine solche Zuweisung heißt *Move-Zuweisung*.

Operatorfunktion

Zur Implementierung einer Move-Zuweisung muss in der Klasse FloatVek der Zuweisungsoperator überladen werden, und zwar durch eine Operatorfunktion, die als Parameter eine Referenz auf einen R-Wert besitzt.

Prototyp: FloatVek& operator=(FloatVek&& src);

Da das Argument src verändert wird, darf der Parameter nicht als const deklariert werden.

Nebenstehend ist die Definition der Operatorfunktion angegeben. Sie wird automatisch aufgerufen, wenn rechts vom Zuweisungsoperator ein R-Wert steht. Ist rechts vom Zuweisungsoperator ein L-Wert angegeben, wird nach wie vor die Version der Operatorfunktion aufgerufen, die eine tiefe Kopie anlegt.

Sowohl der Move-Konstruktor als auch die Move-Zuweisung haben eine konstante Laufzeit. Die Performance rechenintensiver Programme, in denen Klassen mit dynamischen Elementen eingesetzt werden, kann so erheblich verbessert werden. Weitere Anwendungen für verschiebende Operationen werden Sie im Zusammenhang mit Threads kennenlernen.

Die Standardbibliothek von C++ ist so überarbeitet worden, dass sie die Move-Semantik unterstützt. Insbesondere die Container werden so noch effizienter.

Übungen

Neue Methoden der Klasse Liste

```
// Kopierkonstruktor:
Liste::Liste(const Liste&);

// Zuweisung:
Liste& Liste::operator=( const Liste&);
```

Neue Methoden der Klasse FloatVek

```
        // Move-Konstruktor und Move-Zuweisung
        // wie in diesem Kapitel beschrieben.

        FloatVek(FloatVek&& src);
        FloatVek& operator=(FloatVek&& src);

        // Methoden zum Anhängen eines float-Werts
        // oder eines float-Vektors:
        void append( float wert);
        void append( const FloatVek& v);

        // Methode zum elementweisen Hinzuaddieren
        // eines anderen float-Vektors:
        FloatVek& operator+=(const FloatVek& v);

        // Methode zum Tauschen zweier float-Vektoren:
        void swap( FloatVek& v);

        // Methoden zum Einfügen eines float-Werts
        // oder eines float-Vektors:
        bool insert( float wert, int pos);
        bool insert( const FloatVek& v, int pos );

    // In allen Fällen soll der Speicherplatz für den
    // Vektor vergrößert werden, wenn die aktuelle
    // Kapazität nicht ausreichend ist.
```

1. Aufgabe

Die Klasse Liste zur Darstellung einer einfach verketteten Liste soll vollständig definiert und getestet werden. Erweitern Sie zunächst Ihr Testprogramm so, dass eine Kopie einer Liste erzeugt wird. Verwenden Sie außerdem die Standard-Zuweisung für Objekte der Klasse Liste. Wie reagiert Ihr Programm?

Wie ein Testlauf des Programms zeigt, ist die Klasse noch nicht vollständig. Da die Klasse dynamische Elemente besitzt, ist noch Folgendes zu erledigen:

- Es ist für die Klasse Liste ein Kopierkonstruktor zu definieren.

- Der Zuweisungsoperator ist zu überladen.

2. Aufgabe

Erweitern Sie die Klasse FloatVek um die nebenstehenden Methoden. Im Gegensatz zu der vorhandenen Methode

```
bool append( float wert);
```

soll die neue Methode den Speicherplatz nach Bedarf vergrößern. Da dies auch in den anderen Methoden notwendig werden kann, schreiben Sie zu diesem Zweck eine private Hilfsmethode:

```
void expand( int neueGroesse);
```

Diese Methode muss auch die vorhandenen Daten in den neu reservierten Speicher kopieren.

Überladen Sie den Operator += so, dass der als Argument angegebene Vektor elementweise zum aktuellen Vektor hinzuaddiert wird. Ist der übergebene Vektor länger als der aktuelle Vektor, wird der aktuelle Vektor entsprechend verlängert und mit 0 aufgefüllt. Überladen Sie auch den Operator + durch eine globale Operatorfunktion, die den Operator += aufruft.

Die Methode insert() fügt einen float-Wert oder ein FloatVek-Objekt an der Position pos ein. Ab der Position pos müssen also alle Elemente verschoben werden.

Überladen Sie außerdem den Shift-Operator << für die Ausgabe eines Vektors. Dabei ist jedes Element des Vektors mit der anfänglich gesetzten Feldbreite auszugeben.

 Die Methode width() der Klasse ostream liefert die aktuell gesetzte Feldbreite, wenn beim Aufruf kein Argument angegeben ist.

Ergänzen Sie dann das Testprogramm mit Aufrufen der neuen Methoden, insbesondere des Move-Konstruktors und der Move-Zuweisung, und lassen Sie sich das Ergebnis jeweils anzeigen.

Lösungen

Zur 1. Aufgabe:

```cpp
// --------------------------------------------------------
// Liste.h
// Definition der Klassen ListEl und List
// zur Darstellung einer einfach verketteten Liste.
// --------------------------------------------------------
#ifndef _LISTE_H_
#define _LISTE_H_

#include "Datum.h"
#include <iostream>
#include <iomanip>
using namespace std;

class ListEl
{
    // Unverändert, wie in Kapitel 21
};


// ----------------------------------------------------------
// Definition der Klasse Liste
class Liste
{
  private:
    ListEl* first, *last;
  public:
    // Die neuen Methoden:
    Liste(const Liste&);             // Kopierkonstruktor
    Liste& operator=( const Liste&); // Zuweisung
    // Sonst unverändert, wie in Kapitel 21
};
#endif   // _LISTE_H_


// ----------------------------------------------------------
// Liste.cpp
// Implementierung der Methoden der Klasse Liste,
// die nicht schon inline definiert sind.
// ----------------------------------------------------------
#include "Liste.h"
// Kopierkonstruktor:
Liste::Liste(const Liste& src)
{
    // An leere Liste die Elemente aus src anhängen.
    first = last = NULL;
    ListEl *pEl = src.first;
```

```
        for(  ; pEl != NULL;  pEl = pEl->next )
            pushBack( pEl->datum, pEl->betrag);
}

// Zuweisung:
Liste& Liste::operator=( const Liste& src)
{
    // Speicher aller Elemente freigeben:
    ListEl *pEl = first,
           *next = NULL;
    for(  ; pEl != NULL;  pEl = next)
    {
        next = pEl->next;
        delete pEl;
    }
    first = last = NULL;

    // An leere Liste die Elemente aus src anhängen.
    pEl = src.first;
    for(  ; pEl != NULL;  pEl = pEl->next )
        pushBack( pEl->datum, pEl->betrag);

    return *this;
}

// Alle weiteren Methoden wie gehabt.


// ----------------------------------------------------------
// liste_t.cpp
// Die Klasse Liste mit Kopierkonstruktor und
// Zuweisung testen.
// ----------------------------------------------------------
#include "liste.h"

int main()
{
    cout << "\n * * *  Die Klasse Liste testen  * * *\n"
         << endl;
    Liste  liste1;                // Eine Liste
    cout << liste1 << endl;       // Liste noch leer.

    Datum datum( 11,8,1999);      // 3 Elemente einfügen.
    double betrag( +1234.56);
    liste1.pushBack( datum, betrag);
```

Lösungen (Fortsetzung)

```
datum.setDatum( 1, 1, 2000);
betrag = -1000.99;
liste1.pushBack( datum, betrag);

datum.setDatum( 29, 2, 2000);
betrag = +5000.11;
liste1.pushBack( datum, betrag);

cout << "\nDrei Elemente eingefügt!"
        "\nInhalt der Liste:" << endl;
cout << liste1 << endl;

cout << "\nWeiter mit Return! "; cin.get();

Liste liste2( liste1);
cout << "Kopie der 1. Liste angelegt!\n"
        "Inhalt der Kopie:\n" << endl;
cout << liste2 << endl;

cout << "\nErstes Element der Liste entnehmen:\n";

ListEl *ptrEl = ptrEl = liste1.front();
if( ptrEl != NULL)
{
   cout << "Gelöscht wird:  " << *ptrEl << endl;
   liste1.popFront();
}
cout << "\nInhalt der Liste:\n";
cout << liste1 << endl;

liste1 = liste2;            // Kopie wieder zuweisen.

cout << "Zuweisung der Kopie an die 1. Liste erfolgt!\n"
        "Inhalt nach der Zuweisung:\n" << endl;
cout << liste1 << endl;

return 0;
}
```

Zur 2. Aufgabe:

```
// -------------------------------------------------------
// FloatVek.h : Darstellung dynamischer float-Vektoren.
// -------------------------------------------------------
#ifndef _FLOATVEK_
#define _FLOATVEK_

#include <iostream>
#include <cstdlib>
using namespace std;

class FloatVek
{
   private:
     float* vekPtr;      // Dynamisches Element
     int max;            // Maximale Anzahl, ohne
                         // erneut Speicher zu resevieren.
     int anz;            // Aktuelle Anzahl Elemente

     void expand( int neueGroesse);  // Hilfsfunktion, die
                              // den Vektor vergrößert.
   public:
     // Konstruktoren, Destruktor, Zuweisungen, Index-
     // Operator und Methode length() wie in diesem Kapitel

     // Methoden zum Anhängen eines float-Wertes
     // oder eines float-Vektors:
     void append( float wert);
     void append( const FloatVek& v);

     // Methoden zum Einfügen eines float-Wertes
     // oder eines float-Vektors:
     bool insert( float wert, int pos);
     bool insert( const FloatVek& v, int pos );

     bool remove(int pos);      // Position pos löschen.
     // Einen zweiten Vektor elementweise hinzuaddieren:
     FloatVek& operator+=( const FloatVek& v2);

     void swap( FloatVek& v2)   // *this mit v2 tauschen.
     {
       if( this != &v2 )
       { // Datenelemente tauschen:
         float* p = vekPtr;
         vekPtr = v2.vekPtr;  v2.vekPtr = p;
         int i;
         i = max;    max = v2.max;  v2.max = i;
         i = anz;    anz = v2.anz;  v2.anz = i;  }
     }
```

Lösungen (Fortsetzung)

```cpp
        // Ausgabe des Vektors
        friend ostream& operator<<( ostream& os,
                                     const FloatVek& v);
};

// Globale Funktion zum Tauschen (v1 mit v2 tauschen):
inline void swap( FloatVek& v1, FloatVek& v2)
{   v1.swap(v2);    }

// Elementweise Addition zweier Vektoren:
FloatVek operator+( const FloatVek& v1, const FloatVek& v2);
#endif    // _FLOATVEK_

// -------------------------------------------------------
// FloatVek.cpp
// Implementierung der Methoden von FloatVek.
// -------------------------------------------------------

#include "FloatVek.h"
//  Konstruktoren, Destruktor, Zuweisungen,
//  und Indexoperator wie gehabt.

//  ---  Die neuen Funktionen  ---
// private Hilfsfunktion, die den Vektor vergrößert.
void FloatVek::expand( int neueGroesse)
{
   if( neueGroesse == max)
      return;
   max = neueGroesse;
   if( neueGroesse < anz)
      anz = neueGroesse;
   float *temp = new float[neueGroesse];
   for( int i = 0; i < anz; ++i)
      temp[i] = vekPtr[i];

   delete[] vekPtr;
   vekPtr = temp;
}

// float-Werte oder float-Vektor anhängen.
void FloatVek::append( float wert)
{
   if( anz+1 > max)
      expand( anz+1);

   vekPtr[anz++] = wert;
}
```

```
void FloatVek::append( const FloatVek& v)
{
    if( anz + v.anz > max)
        expand( anz + v.anz);

    int anzahl = v.anz;              // falls v == *this
                                     // notwendig.
    for( int i=0; i < anzahl; ++i)
        vekPtr[anz++] = v.vekPtr[i];
}

// float-Werte oder float-Vektor einfügen.
bool FloatVek::insert( float wert, int pos)
{
    return insert( FloatVek(1,wert), pos);
}

bool FloatVek::insert( const FloatVek& v, int pos )
{
    if( pos < 0 || pos >= anz)
        return false;                // unzulässige Position.

    if( max < anz + v.anz)
        expand(anz + v.anz);

    int i;
    for( i = anz-1; i >= pos; --i)   // Ab pos nach oben
        vekPtr[i+v.anz] = vekPtr[i]; // schieben.

    for( i = 0; i < v.anz; ++i)      // Lücke füllen.
        vekPtr[i+pos] = v.vekPtr[i];
    anz = anz + v.anz;
    return true;
}

// Löschen
bool FloatVek::remove(int pos)
{
    if( pos >= 0 && pos < anz)
    {
        for( int i = pos; i < anz-1; ++i)
            vekPtr[i] = vekPtr[i+1];
        --anz;
        return true;
    }
    else
        return false;
}
```

Lösungen (Fortsetzung)

```cpp
// Einen zweiten Vektor elementweise hinzuaddieren:
FloatVek& FloatVek::operator+=( const FloatVek& v2)
{
    if( anz < v2.anz)
    {                                      // *this vergrößern.
        if( max < v2.anz)
            expand(v2.anz);
        for( int i=anz; i < v2.anz; ++i)   // Neue Elemente
            vekPtr[i] = 0;                 // auf 0 setzen.
        anz = v2.anz;
    }
    for( int i=0; i < v2.anz; ++i)
        vekPtr[i] += v2.vekPtr[i];
    return *this;
}

// Elementweise Addition zweier Vektoren:
FloatVek operator+( const FloatVek& v1, const FloatVek& v2)
{
    // Kopie des längeren Vektors anlegen
    // und anderen Vektor addieren:
    if( v1.length() >= v2.length())
    {
        FloatVek v(v1);    v += v2;  return v;
    }
    else
    {
        FloatVek v(v2);    v += v2;  return v;
    }
}

// Ausgabe des Vektors
ostream& operator<<( ostream& os, const FloatVek& v)
{
    int w = os.width();             // Feldbreite merken.
    for( float *p = v.vekPtr; p < v.vekPtr + v.anz; ++p)
    {
        os.width(w);    os << *p;
    }
    return os;
}
```

```
// ----------------------------------------------------
// FloatV_t.cpp
// Die Klasse FloatVek testen.
// ----------------------------------------------------
#include "FloatVek.h"
#include <iostream>
#include <iomanip>
using namespace std;

int main()
{
    FloatVek v(10);          // Vektor v für 10 float-Werte
    FloatVek w(15, 1.0F);    // Vektor w für 15 float-Werte
                             // mit 1.0 initialisieren.
    cout << "Aktuelle Anzahl Elemente in v: "
         << v.length() << endl;
    cout << "Aktuelle Anzahl Elemente in w: "
         << w.length() << endl;

    float x = -5.0F;         // Werte anhängen.
    for( ; x < 6 ; x += 1.7F)
       v.append(x);

    v.append(v);             // Auch möglich!

    cout << "\nDie Vektorelemente von v nach dem Anhängen:"
         << endl;
    cout << setw(5) << v << endl;

    const FloatVek cv(v);    // Konstantes Objekt mit
                             // Kopier-Konstruktor.
    cout << "\nKopie von v wurde angelegt.\n";
    cout << "\nHier die Vektorelemente der Kopie:\n"
         << setw(5) << v << endl;

    w.remove(3);             // Element auf Position 3
                             // löschen.
    w.append(10.0F);         // Neues Element hinzufügen.
    w.append(20.0F);         // Und nochmal!

    v = w;
    cout << "\nZuweisung erfolgt.\n";
    cout << "\nDie Elemente nach der Zuweisung: \n"
         << setw(5) << v << endl;

    v.insert( cv, 0);
    cout << "\nDie Elemente nach dem Einfügen"
            " der Kopie bei 0: \n"
         << setw(5) << v << endl;
```

Lösungen (Fortsetzung)

```cpp
        cout << "\n--- Weiter mit <Return> ---"; cin.get();
        // Vektoren addieren
        // und Move-Konstruktor und Move-Zuweisung testen:
        FloatVek x(7, 1.0F);   // Vektor x der Länge 7
                               // mit 1.0 initialisieren.
        FloatVek y(v+x);       // Move-Konstruktor
        cout << "\nDie ersten 7 Elemente +1: \n"
             << setw(5) << y << endl;

        FloatVek z(0);         // "Leerer" Vektor.
        z = y + y;             // Move-Zuweisung.
        cout << "\n... und verdoppelt: \n"
             << setw(5) << z << endl;

        return 0;
    }
```

Kapitel 23

Vererbung

Dieses Kapitel beschreibt, wie aus bereits existierenden Klassen durch Vererbung abgeleitete Klassen gebildet werden. Neben der Definition abgeleiteter Klassen werden auch

- die Redefinition von Elementen,

- der Auf- und Abbau von Objekten sowie

- verschiedene Möglichkeiten des Zugriffsschutzes

vorgestellt.

Konzept der Vererbung

Ist-Beziehung

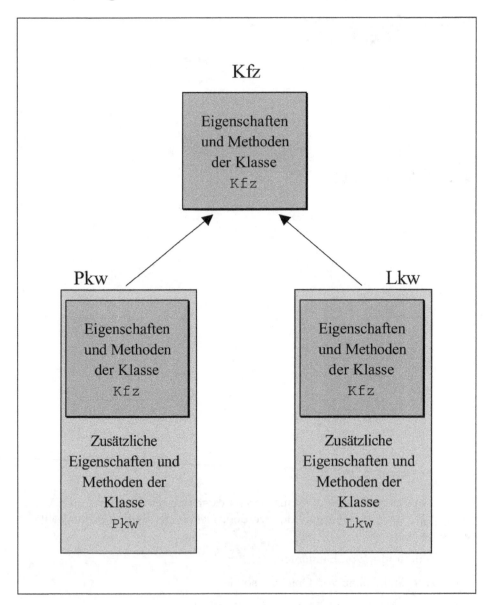

Basisklassen und abgeleitete Klassen

Durch Vererbung können aus bereits existierenden Klassen neue Klassen konstruiert werden. Die neue, *abgeleitete Klasse* „erbt" die Daten und Methoden der sog. *Basisklasse*. Sie kann zusätzlich um weitere Eigenschaften und Fähigkeiten ergänzt werden.

Ein Programm zur Verwaltung des Fuhrparks einer Autovermietung beispielsweise arbeitet mit verschiedenen Arten von Fahrzeugen: Pkws, Motorrädern, Lkws usw. Allen Fahrzeugen gemeinsam ist eine Nummer zur Identifizierung des Fahrzeugs, der Hersteller und der Status wie „Fahrzeug vermietet" oder „Fahrzeug in Reparatur". Außerdem sind für alle Fahrzeuge Operationen wie z.B. „Status ändern" erforderlich.

Zur Unterscheidung verschiedener Fahrzeugarten werden von der Basisklasse `Kfz` weitere Klassen abgeleitet, etwa eine Klasse `Pkw` zur Darstellung von Personenkraftwagen. Diese besitzt zusätzliche Eigenschaften wie „Anzahl Sitzplätze", „Typ", „Schiebedach (ja/nein)" sowie weitere Operationen.

Ist-Beziehung

Ein Objekt vom Typ `Pkw` *ist* dann ein spezielles Objekt der Klasse `Kfz`: Ein Personenkraftwagen ist nämlich ein spezielles Kraftfahrzeug. Man sagt auch, dass die abgeleitete Klasse zur Basisklasse in einer *Ist*-Beziehung steht.

Von dieser engen „verwandtschaftlichen" Beziehung zu unterscheiden ist die *Hat*-Beziehung. Wie bereits erwähnt, besteht zwischen zwei Klassen eine Hat-Beziehung, wenn eine Klasse ein Element vom Typ der anderen Klasse besitzt. So hat z.B. ein `Konto`-Objekt ein Teilobjekt vom Typ `string` für den Namen des Kontoinhabers.

Auch im Fall der Vererbung sagt man, dass ein Objekt der abgeleiteten Klasse ein Objekt vom Typ der Basisklasse als *Teilobjekt* enthält.

Datenabstraktion und Wiederverwendbarkeit

Die Vererbung hat für die Software-Entwicklung entscheidende Vorteile:

- *Datenabstraktion*: Allgemeine Eigenschaften und Vorgänge können mit Oberbegriffen versehen werden (Basisklassen) und durch Spezialisierungen (abgeleitete Klassen) in hierarchischen Beziehungen geordnet werden. Komplexe Sachverhalte und Zusammenhänge werden dadurch einfacher handhabbar.

- *Wiederverwendbarkeit*: Bereits definierte und ausgetestete Klassen können weiterhin verwendet und an neue Anforderungen angepasst werden. Dazu braucht nicht die Implementierung der Basisklasse, sondern nur ihre öffentliche Schnittstelle bekannt sein.

Abgeleitete Klassen

Definition einer abgeleiteten Klasse

```
class C : public B
{
    private:
        // Deklaration der zusätzlichen privaten
        // Datenelemente und Elementfunktionen
    public:
        // Deklaration der zusätzlichen öffentlichen
        // Datenelemente und Elementfunktionen
};
```

Direkte und indirekte Ableitung

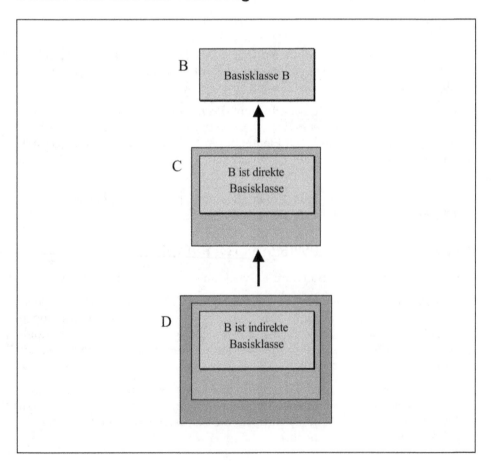

Bei der Definition einer abgeleiteten Klasse werden neben der Basisklasse und zusätzlichen Elementen auch die Zugriffsrechte auf die Basisklasse festgelegt. Nebenstehend ist das Definitionsschema einer abgeleiteten Klasse C angegeben, welche die hinter dem Doppelpunkt mit `public` angegebene Klasse B erbt.

Zugriff auf public-Elemente der Basisklasse

Die Zugriffsrechte auf die Basisklasse B sind durch das Schlüsselwort `public` vor dem Namen B festgelegt. Das bedeutet:

- Alle `public`-Elemente der Basisklasse B werden damit auch in der abgeleiteten Klasse C öffentlich verfügbar gemacht.

Bei dieser so genannten `public`-Vererbung wird die öffentliche Schnittstelle der Basisklasse in die abgeleitete Klasse übernommen und durch zusätzliche Deklarationen erweitert. Für Objekte der abgeleiteten Klasse können also auch die `public`-Methoden der Basisklasse aufgerufen werden. Diese Art der Vererbung implementiert die „Ist-Beziehung" und wird normalerweise eingesetzt.

In seltenen Fällen ist es sinnvoll, den Zugriff auf die Elemente der Basisklasse einzuschränken bzw. zu sperren. Nur die Methoden der Klasse C können dann auf die `public`-Elemente von B zugreifen, nicht aber der Anwender der Klasse. Dies kann durch die `private`- oder `protected`-Vererbung erreicht werden, die später vorgestellt wird.

Zugriff auf private-Elemente der Basisklasse

Die privaten Elemente der Basisklasse bleiben in jedem Fall geschützt. Das heißt:

- Auch eine Methode der abgeleiteten Klasse kann nicht auf die `private`-Elemente der Basisklasse zugreifen.

Andernfalls könnte durch Ableitung einer Klasse der Zugriff auf ihre privaten Elemente „erschlichen" werden. Die Datenkapselung würde so auf ganz einfache Weise unterlaufen.

Direkte und indirekte Basisklassen, finale Klassen

Eine abgeleitete Klasse C kann selbst wieder die Basisklasse einer weiteren Klasse D sein. Auf diese Weise können Klassenhierarchien gebildet werden, wie in der nebenstehenden Grafik dargestellt ist. Der Pfeil ↑ bedeutet „direkt abgeleitet von". Die Klasse D ist also direkt abgeleitet von der Klasse C und indirekt abgeleitet von B.

Manchmal ist es sinnvoll, keine weitere Spezialisierung einer Klasse zuzulassen. Eine solche finale Klasse wird mit dem Schlüsselwort `final` markiert.

Beispiel: `class D` **`final`** `: public C {    /* . . . */    };`

Anschließend kann von D keine Klasse mehr abgeleitet werden.

Elemente abgeleiteter Klassen

Basisklasse Kfz und abgeleitete Klasse Pkw

```cpp
// kfz.h:   Definition der Basisklasse Kfz und
//          der abgeleiteten Klasse Pkw
// -------------------------------------------------
#include <iostream>
#include <string>
using namespace std;

class Kfz                           // Basisklasse
{
  private:
    long   nr;
    string hersteller;
  public:                           // Konstruktor:
    Kfz( long n = 0L, const string& herst = "" );
                                    // Zugriffsmethoden:
    long  getNr(void) const { return nr; }
    void  setNr( long n ) { nr = n; }

    const string& getHerst() const{ return hersteller; }
    void  setHerst(const string& h){ hersteller = h; }

    void display() const;           // Fahrzeug anzeigen
};

class Pkw : public Kfz              // Abgeleitete Klasse
{
  private:
    string pkwTyp;
    bool   schiebe;
  public:                           // Konstruktor:
    Pkw( const string& tp, bool sd,
         long n = 0 , const string& h = "");
                                    // Zugriffsmethoden:
    const string& getTyp() const  { return pkwTyp; }
    void  setTyp( const string s) { pkwTyp = s; }

    bool  getSchiebe() const    { return schiebe; }
    void  setSchiebe( bool b ) { schiebe = b; }
    void  display() const;
};
```

Die Details bei der Definition abgeleiteter Klassen wollen wir anhand des nebenstehenden Beispiels darstellen. Dort wird eine Klasse `Kfz` und eine davon abgeleitete Klasse `Pkw` definiert.

Datenelemente und Methoden

Die Basisklasse `Kfz` besitzt zwei Datenelemente, `nr` und `hersteller`, zur Darstellung der Identifikationsnummer und des Herstellernamens. Die abgeleitete Klasse `Pkw` erbt diese Datenelemente. Ein Objekt der Klasse `Pkw` besitzt also auch die Datenelemente `nr` und `hersteller`.

Die Klasse `Pkw` enthält zusätzlich die Datenelemente `pkwTyp` und `schiebe` zur Darstellung eines Pkw-Typs mit oder ohne Schiebedach. Damit hat ein Objekt vom Typ `Pkw` insgesamt vier Datenelemente. Auf weitere Datenelemente, wie die Anzahl Sitzplätze etc., wird der Einfachheit halber verzichtet.

Die Basisklasse `Kfz` besitzt neben dem Konstruktor und den Zugriffsmethoden auch eine Methode `display()` für die Ausgabe auf dem Bildschirm. Die Methoden werden ebenfalls an die abgeleitete Klasse `Pkw` vererbt.

In der Klasse `Pkw` werden neben einem Konstruktor weitere Zugriffsmethoden sowie ebenfalls eine Ausgabefunktion `display()` deklariert. Die abgeleitete Klasse erbt also eine Methode `display()` und deklariert selbst eine Methode gleichen Namens. Man sagt in dem Fall, dass die Methode `display()` redefiniert wird.

Redefinition von Elementen

In einer abgeleiteten Klasse kann jede Elementfunktion und jedes Datenelement redefiniert werden. Das Element bekommt dann für die abgeleitete Klasse eine neue Bedeutung. Das von der Basisklasse geerbte Element steht ebenfalls zur Verfügung und behält seine alte Bedeutung. Wir gehen später noch genauer darauf ein.

Öffentliche Schnittstelle

Da die Klasse `Pkw` durch `public`-Vererbung aus der Klasse `Kfz` entsteht, sind alle `public`-Elemente der Basisklasse in der abgeleiteten Klasse verfügbar. Für ein Objekt `cabrio` der Klasse `Pkw` kann etwa die Methode `getNr()` aufgerufen werden.

Beispiel: `cout << "Fahrzeug-Nr: "<< cabrio.getNr();`

Die öffentliche Schnittstelle der abgeleiteten Klasse besteht also aus

- den `public`-Elementen der Basisklasse und

- den in der abgeleiteten Klasse zusätzlich definierten `public`-Elementen.

Elementzugriff

Zugriff auf Elemente der Basisklasse Kfz

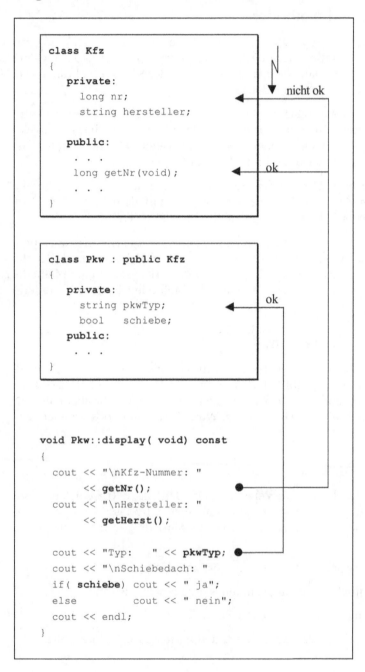

```
class Kfz
{
    private:
      long nr;
      string hersteller;

    public:
      . . .
      long getNr(void);
      . . .
}
```

N → nicht ok

ok

```
class Pkw : public Kfz
{
    private:
      string pkwTyp;
      bool   schiebe;
    public:
      . . .
}
```

ok

```
void Pkw::display( void) const
{
  cout << "\nKfz-Nummer: "
       << getNr();
  cout << "\nHersteller: "
       << getHerst();

  cout << "Typ:    " << pkwTyp;
  cout << "\nSchiebedach: "
  if( schiebe) cout << " ja";
  else         cout << " nein";
  cout << endl;
}
```

Zugriff auf zusätzlich definierte Elemente

Methoden abgeleiteter Klassen können auf alle Elemente zugreifen, die in der abgeleiteten Klasse zusätzlich definiert sind.

Beispiel:
```
const string& getTyp() const
{  return pkwTyp;  }
```

Die Methode `getTyp()` spricht hier das private Datenelement `pkwTyp` aus der Klasse `Pkw` direkt an.

Zugriff auf private-Element der Basisklasse

Ein privates Element aus der Basisklasse hingegen ist für Methoden der abgeleiteten Klasse nicht direkt zugänglich. Die Ausgabefunktion `display()` der abgeleiteten Klasse `Pkw` z.B. darf folgende Anweisung nicht enthalten:

Beispiel:
```
cout << "Hersteller: " << hersteller;
```

Da `hersteller` ein privates Datenelement in der Basisklasse `Kfz` ist, würde der Compiler hier eine Fehlermeldung ausgeben.

Der Zugriff auf private Datenelemente der Basisklasse ist für eine Methode der abgeleiteten Klasse nur indirekt möglich, und zwar mit Hilfe von Zugriffsmethoden, die in der Basisklasse als `public` deklariert sind. Nebenstehend ist eine Version der Methode `display()` angegeben, die die `get`-Methoden der Basisklasse `Kfz` aufruft.

Beim Aufruf einer Zugriffsmethode ist es nicht erforderlich, die Basisklasse anzugeben. Diese wird wie gewohnt über den `this`-Zeiger identifiziert, der implizit als Argument übergeben wird. Der nebenstehende Aufruf von `getHerst()` ist deshalb äquivalent zu:

Beispiel:
```
this->getHerst();
```

Namenssuche

Für die Suche nach dem Namen einer Methode gilt folgendes:

- Der Compiler sucht den Namen einer aufzurufenden Methode zunächst in der abgeleiteten Klasse.

- Findet er ihn dort nicht, geht er in der Klassenhierarchie eine Stufe höher und sucht dort nach einer passenden *öffentlichen* Methode.

Im obigen Beispiel wird also die Methode `getHerst()` der Basisklasse `Kfz` aufgerufen, da diese Methode in der Klasse `Pkw` nicht definiert ist.

Redefinition von Elementen

Neue Version der Methode display()

```
// In der Datei kfz.cpp
// Diese Version der Methode Pkw::display() ruft die
// Methode display() der Basisklasse auf.
// -------------------------------------------------------

void Pkw::display( void) const
{
    Kfz::display();              // Methode der Basisklasse

    cout <<    "Typ:          " << pkwTyp;
    cout << "\nSchiebedach:  ";

    if(schiebe)
        cout << " ja "<< endl;
    else
        cout << " nein " << endl;
}
```

Redefinition

Für die Namen von Datenelementen oder Methoden in der abgeleiteten Klasse gibt es zwei Möglichkeiten:

1. Der Name kommt in der Basisklasse nicht vor: keine Redefinition.

2. Der Name ist in der Basisklasse schon vorhanden: Redefinition.

Im zweiten Fall ist das Element gleichen Namens in der Basisklasse weiterhin vorhanden, ohne verändert worden zu sein. Durch die Redefinition von Elementen in einer abgeleiteten Klasse bleibt die Basisklasse also unverändert.

Die Namenssuche des Compilers führt allerdings dazu, dass

● ein in der abgeleiteten Klasse redefiniertes Element das entsprechende Element in der Basisklasse „verdeckt".

Diese Situation entspricht der von lokalen und globalen Variablen: Eine lokale Variable verdeckt eine zuvor definierte globale Variable gleichen Namens.

Redefinition und Überladung

Normalerweise werden *Methoden* in abgeleiteten Klassen redefiniert. Damit werden die Methoden an die neuen Fähigkeiten der Klasse angepasst. Bei einer Redefinition darf die Signatur und der Return-Typ beider Methoden verschieden sein. Eine Überladung von Funktionen findet dabei jedoch nicht statt, da die abgeleitete Klasse einen neuen Geltungsbereich besitzt.

Die Redefinition einer Methode verdeckt immer die gleichnamige Methode in der Basisklasse. In derselben Klasse dürfen natürlich Methoden überladen werden. Deshalb kann eine Methode der Basisklasse in der abgeleiteten Klasse mehrfach redefiniert werden.

Zugriff auf Elemente der Basisklasse

Wenn eine Methode in der abgeleiteten Klasse redefiniert wurde, so ist die entsprechende Methode in der Basisklasse immer noch vorhanden. Falls diese im `public`-Deklarationsteil der Basisklasse steht, kann sie auch bei der Redefinition verwendet werden. Der Zugriff auf die Basisklassen-Methode erfolgt mit Hilfe des Bereichsoperators `::`.

Die nebenstehende neue Version der Methode `display()` demonstriert dies. Zur Ausgabe der Datenelemente der Basisklasse wird die dort bereits definierte Methode `display()` aufgerufen. Hierbei muss der Name der Basisklasse mit dem Bereichsoperator angegeben werden. Andernfalls würde die Methode `display()` der abgeleiteten Klasse sich selbst aufrufen, was zu einer Endlos-Rekursion führt.

Auf- und Abbau abgeleiteter Klassen

Erste Version des Konstruktors von Pkw

```
// Erste Version des Konstruktors von Pkw
// ---------------------------------------
Pkw::Pkw(const string& tp, bool sd, long n,
         const string& hs)
{
    setNr(n);        // Anfangswerte für Datenelemente
    setHerst(hs);    // der Basisklasse

    pkwTyp  = tp;    // Anfangswerte für Datenelemente
    schiebe = sd;    // der abgeleiteten Klasse
}
```

Zweite Version mit Basisinitialisierer

```
// Zweite Version des Konstruktors von Pkw
// ----------------------------------------------------
Pkw::Pkw(const string& tp, bool sd, long n,
         const string& hs) : Kfz( n, hs)
{
    pkwTyp  = tp;    // Anfangswerte für Datenelemente
    schiebe = sd;    // der abgeleiteten Klasse
}
```

Dritte Version mit Basis- und Elementinitialisierer

```
// Dritte Version des Konstruktors von Pkw
// -----------------------------------------------------
Pkw::Pkw(const string& tp, bool sd, long n,
         const string& hs)
   : Kfz( n, hs), pkwTyp( tp ), schiebe( sd )
{
   // Hier ist nichts mehr zu tun
}
```

Konstruktor-Aufrufe

Für das Anlegen eines Objekts vom Typ einer abgeleiteten Klasse ist der Konstruktor der abgeleiteten Klasse zuständig. Da die abgeleitete Klasse alle Datenelemente der Basisklasse enthält, sind auch diese anzulegen und mit Anfangswerten zu versehen. Dazu wird der Konstruktor der Basisklasse aufgerufen. Ohne weitere Angaben ist dies der Default-Konstruktor.

Die Reihenfolge der Konstruktor-Aufrufe ist hierbei wichtig: Zuerst wird der Konstruktor der Basisklasse und anschließend der Konstruktor der abgeleiteten Klasse ausgeführt. Der Aufbau geschieht also von „innen nach außen".

Die nebenstehende erste Version des Konstruktors von Pkw setzt die Anfangswerte, indem sie entsprechende Zugriffsmethoden der Basisklasse aufruft. Zuvor wird implizit der Default-Konstruktor der Basisklasse aufgerufen, der jedes Element mit einem Default-Wert versieht. Dieses Vorgehen hat dieselben Nachteile, die bereits bei der Erzeugung von Objekten mit Teilobjekten dargestellt wurden: In der Basisklasse muss ein Default-Konstruktor vorhanden sein, und die zunächst falsche Initialisierung und anschließende Zuweisung verursachen unnötige Einbußen bei der Laufzeit des Programms.

Basisinitialisierer

Besitzt die Basisklasse einen Konstruktor mit Parametern, so ist es sinnvoll, diesen auch aufzurufen. Dann werden die Datenelemente sofort richtig initialisiert. Zu dem Zweck kann bei der Definition des Konstruktors der abgeleiteten Klasse ein sog. *Basisinitialisierer* angegeben werden.

Die zweite Version des Konstruktors von Pkw enthält den Basisinitialisierer.

Beispiel: `Kfz( n, hs )`

Die Syntax für Basisinitialisierer entspricht der für Elementinitialisierer. In beiden Fällen handelt es sich um die Initialisierung von Teilobjekten. Deshalb können Basis- und Elementinitialisierer durch Komma getrennt in einer Liste angegeben werden. Dies zeigt auch die dritte Version des Pkw-Konstruktors.

Abbau von Objekten

Beim Abbau eines Objekts wird zunächst der Destruktor der abgeleiteten Klasse und dann der Destruktor der Basisklasse aufgerufen. Die Reihenfolge ist also umgekehrt wie bei den Konstruktor-Aufrufen.

Die Definition eines Destruktors für die abgeleitete Klasse ist erforderlich, wenn Aktionen des Konstruktors rückgängig gemacht werden müssen. Der Destruktor der Basisklasse muss dabei nicht explizit aufgerufen werden. Er wird automatisch ausgeführt.

Objekte abgeleiteter Klassen

Beispielprogramm

```cpp
// kfz_t.cpp:  Zum Testen der Basisklasse Kfz und
//             der abgeleiteten Klasse Pkw.
// ----------------------------------------------------
#include "kfz.h"

int main()
{
    const Pkw kaefer("New Beatle", false, 3421L, "VW");
    kaefer.display();
    cout << "\nUnd hier noch einmal die Pkw-Nummer: "
         << kaefer.getNr() << endl;

    Pkw cabrio("Carrera", true);
    cabrio.setNr(1000L);
    cabrio.setHerst("Porsche");
    cabrio.display();

    cout << "\nNur die Daten der Basisklasse: ";
    cabrio.Kfz::display();

    return 0;
}
```

Ausgabe des Programms

```
----------------------------------------------
Kfz-Nummer:   3421
Hersteller:   VW
Typ:          New Beatle
Schiebedach: nein

Und hier noch einmal die Pkw-Nummer: 3421

----------------------------------------------
Kfz-Nummer:   1000
Hersteller:   Porsche
Typ:          Carrera
Schiebedach: ja

Nur die Daten der Basisklasse:
----------------------------------------------
Kfz-Nummer:   1000
Hersteller:   Porsche
```

Vereinbarung von Objekten

Das nebenstehende Programm zeigt, wie Objekte abgeleiteter Klassen verwendet werden können. Es werden zwei Objekte, `kaefer` und `cabrio`, vom Typ der abgeleiteten Klasse `Pkw` vereinbart. Da die Klasse `Pkw` keinen Default-Konstruktor besitzt, müssen beide Objekte initialisiert werden. Allerdings genügen die Angabe des Pkw-Typs mit bzw. ohne Schiebedach. Für die anderen Datenelemente gibt es Standardwerte.

Das Objekt `kaefer` wird als `const` vereinbart, um zu zeigen, dass die `get`-Methoden und die Methode `display()` auch für ein konstantes Objekt aufrufbar sind. Diese wurden als Read-only-Methoden deklariert.

Dagegen ist folgender Aufruf unzulässig:

Beispiel: `kaefer.setNr( 7564L );`   `// Fehler`

Deshalb müssen für das Objekt in der Vereinbarung alle Anfangswerte richtig gesetzt werden.

Aufruf redefinierter Methoden

Beim Aufruf einer redefinierten Methode entscheidet der Typ des Objekts, welche Version der Methode ausgeführt wird. In der Klasse `Pkw` wurde die Methode `display()` redefiniert. Mit der Anweisung

Beispiel: `cabrio.display();`

werden also auch die zusätzlichen Datenelemente `pkwTyp` und `schiebe` ausgegeben. Dagegen wird für ein Objekt `kombi` der Klasse `Kfz` beim Aufruf

Beispiel: `kombi.display();`

die Methode der Basisklasse ausgeführt.

Aufruf von Methoden der Basisklasse

Es stellt sich die Frage, ob für ein Objekt der abgeleiteten Klasse eine Methode der Basisklasse aufgerufen werden kann, die in der abgeleiteten Klasse redefiniert wurde. Dies ist möglich, und zwar mit Hilfe des Bereichsoperators `::`.

Sollen beispielsweise nur die Basisdaten des Objekts `cabrio` angezeigt werden, so kann dies mit einem direkten Aufruf der Basisklassen-Methode `display()` erreicht werden.

Beispiel: `cabrio.Kfz::display();`

Hier werden der Name der Basisklasse und der Bereichsoperator dem Namen der Methode vorangestellt.

protected-Deklarationen

Beispielklassen

```cpp
// tresor.h : Die Klassen Tresor und Castle
// ---------------------------------------------------
#include <iostream>
using namespace std;

class Tresor
{
   private:
      int topSecret;
   protected:
      int secret;
      void setTopSecret( int n) { topSecret = n;}
      int  getTopSecret() const { return topSecret;}
      void setSecret( int n){ secret = n;}
      int  getSecret() const { return secret;}
   public:
      int notSecret;
      Tresor()
      { topSecret = 100; secret = 10; notSecret = 0; }
};

class Castle : public Tresor
{
   public:
    Castle()
    {
       // topSecret = 10;        // Fehler, da private
       setTopSecret(10);         // ok, da protected
       secret = 1;               // ok, da protected
       notSecret = 0;            // ok, da public
    }
    void test()
    {
    // topSecret = 200;             // Fehler, da private
       setTopSecret(200);           // ok, da protected
       secret = 20;                 // ok, da protected
       notSecret = 2;               // ok, da public
    }
};
```

Zugriff auf geschützte Elemente

Der Zugriff auf die privaten Elemente einer Basisklasse ist auch für die Methoden und `friend`-Funktionen einer abgeleiteten Klasse nicht zulässig.

Beim Aufbau einer Klassenhierarchie kann es jedoch wünschenswert sein, dass Methoden und `friend`-Funktionen einer abgeleiteten Klasse direkt mit den privaten Elementen einer Basisklasse arbeiten können. Dies ist der Fall, wenn in der Basisklasse Elemente definiert werden, die als Bausteine für abgeleitete Klassen, aber nicht zum allgemeinen Gebrauch bestimmt sind.

Beispielsweise kann eine Klasse zur Darstellung eines Bildschirmfensters die Abmessungen und weitere Attribute eines allgemeinen Fensters speichern. Die Eigenschaften sollen einerseits geschützt sein, andererseits soll es den Methoden einer abgeleiteten Klasse dennoch möglich sein, direkt damit zu arbeiten.

protected-Elemente

Um den Zugriff auf geschützte Elemente der Basisklasse für Methoden und `friend`-Funktionen einer abgeleiteten Klasse zu erlauben, muss die Zugriffskontrolle um eine Stufe zwischen `private` und `public` erweitert werden. Dies wird durch *protected-Deklarationen* ermöglicht.

Ein als `protected` deklariertes Element ist wie ein `private`-Element vor dem Zugriff von außen geschützt. Das heißt für Objekte der Basisklasse und einer davon abgeleiteten Klasse ist ein `protected`-Element nicht ansprechbar. Im Gegensatz zu einem `private`-Element können Methoden und `friend`-Funktionen abgeleiteter Klassen jedoch darauf zugreifen.

Die nebenstehend definierten Klassen `Tresor` und `Castle` zeigen, dass die `protected`-Elemente der Basisklasse in einer abgeleiteten Klasse direkt angesprochen werden können. Dagegen sind `protected`-Elemente vor dem Zugriff durch den Anwender der Klassen geschützt.

Beispiel:
```
Castle schatz;
schatz.topSecret = 1;    // Fehler: private
schatz.secret = 2;       // Fehler: protected
schatz.setTopSecret(5);  // Fehler: protected
schatz.notSecret = 10;   // ok
```

Der Einsatz von `protected`-Deklarationen sollte mit Vorsicht vorgenommen werden. Wird die Deklaration eines `protected`-Elements geändert, so müssen alle von dieser Klasse abgeleiteten Klassen auf notwendige Änderungen hin überprüft werden.

Weitere Zugriffseinschränkungen

protected- und private-Vererbung

```
class Tresor
{
   private:
     int topSecret;
   protected:
     int  secret;
     void setTopSecret( int n) { topSecret = n; }
     void setSecret( int n) { secret = n;}
   public:
     int notSecret;
     Tresor()
     { topSecret = 100; secret = 10; notSecret = 0; }
     int getTopSecret() const { return topSecret; }
     int getSecret() const { return secret; }
};

class Castle : protected Tresor   // protected-Vererbung
{
   // Alle public-Elemente der Basisklasse Tresor
   // werden als protected übernommen.
   // Die protected -Elemente der Basisklasse
   // bleiben in dieser Klasse protected.
};

class Palace : private Tresor     // private-Vererbung
{
   // Alle public- und protected- Elemente der
   // Basisklasse Tresor werden als private übernommen.
};
```

Zugriffsdeklaration

```
class Palace : private Tresor // private-Vererbung
{
   public:
     Tresor::notSecret;       // Als public übernehmen

   protected:      //
     Tresor::secret;          // Als protected übernehmen
};
```

Bei der public-Vererbung werden die public- und die protected-Schnittstelle der Basisklasse als solche in die abgeleitete Klasse übernommen. Dadurch steht die abgeleitete Klasse zur Basisklasse in einer Ist-Beziehung, das heißt, ein Objekt der abgeleiteten Klasse ist ein spezielles Objekt der Basisklasse.

protected- und private-Vererbung

In seltenen Fällen ist es sinnvoll, die Zugriffsrechte auf die Basisklasse weiter einzuschränken. Hierfür bietet C++ die Möglichkeit der private- oder protected-Vererbung:

- Bei der protected-Vererbung werden die public- und protected-Elemente der Basisklasse zu protected-Elementen in der abgeleiteten Klasse.

- Bei der private-Vererbung werden die public- und protected-Elemente der Basisklasse zu private-Elementen in der abgeleiteten Klasse.

In beiden Fällen kann für Objekte der abgeleiteten Klasse auf die `public`-Elemente der Basisklasse nicht zugegriffen werden.

Bei der Definition einer abgeleiteten Klasse, die durch private- oder protected-Vererbung entsteht, wird vor dem Namen der Basisklasse anstelle von `public` das Schlüsselwort `private` bzw. `protected` angegeben. Ist keines dieser Schlüsselworte angegeben, liegt eine private-Vererbung vor.

Die öffentliche Schnittstelle der abgeleiteten Klasse besteht dann lediglich aus den in der abgeleiteten Klasse zusätzlich deklarierten `public`-Elementen. Ein Objekt der abgeleiteten Klasse ist folglich nicht mehr ein spezielles Objekt der Basisklasse.

Zugriffsdeklarationen

Bei einer protected- oder private-Vererbung kann es wünschenswert sein, ausgewählte Datenelemente, die in der Basisklasse als `public` oder `protected` deklariert sind, in die öffentliche Schnittstelle der abgeleiteten Klasse zu übernehmen. Dies ist durch eine Zugriffsdeklaration im public-Deklarationsteil der abgeleiteten Klasse möglich:

Syntax: `[using] Basisklasse::element;`

Hierbei ist `element` der Name eines Datenelements der Basisklasse.

Eine Zugriffsdeklaration kann auch im protected-Deklarationsteil der abgeleiteten Klasse erfolgen. Dann wird das jeweilige Element der Basisklasse in die protected-Schnittstelle der abgeleiteten Klasse übernommen.

Nebenstehend wird das Datenelement `notSecret` der Basisklasse `Tresor` in die öffentliche Schnittstelle der abgeleiteten Klasse `Palace` übernommen und das Datenelement `secret` wird zu einem protected-Element von `Palace`.

Übungen

Zur 1. Aufgabe:

Die von Kfz abgeleitete Klasse Lkw

Zusätzliche Datenelemente:

	Typ
Anzahl Achsen	`int`
Ladekapazität	`double`

Zusätzliche Methoden:

```
void   setAchsen( int a );
int    getAchsen() const;
void   setKapazitaet( double cp );

int    getKapazitaet() const;
void   display() const;
```

---

1. Aufgabe

Die Klassen `Kfz` und `Pkw` sollen so modifiziert werden, dass der Auf- und Abbau von Objekten verfolgt werden kann. Außerdem ist die Klassenhierarchie durch eine weitere Klasse `Lkw` zu ergänzen.

- Ändern Sie die Klassen `Kfz` und `Pkw` so, dass der jeweilige Konstruktor die Meldung ausgibt:

```
"Ich baue ein Objekt vom Typ ... auf."
```

Definieren Sie für die Klassen `Kfz` und `Pkw` auch einen Destruktor, der die Meldung ausgibt:

```
"Ich zerstöre ein Objekt vom Typ ...."
```

- Definieren Sie dann die von `Kfz` abgeleitete Klasse `Lkw` mit den nebenstehenden Datenelementen, einem Konstruktor und einem Destruktor sowie den nebenstehend angegebenen zusätzlichen Methoden.

- Implementieren Sie den Konstruktor für die Klasse `Lkw`, der wieder eine passende Meldung ausgibt. Verwenden Sie Basisinitialisierer für die Initialisierung der Datenelemente von `Kfz`.

- Definieren Sie den Destruktor von `Lkw`, der ebenfalls eine passende Meldung ausgibt, und die zusätzlichen Methoden für Lkw.

- Zum Testen vereinbaren Sie in der `main`-Funktion zunächst ein Objekt vom Typ `Lkw` und lassen es anzeigen. Auf Wunsch des Anwenders wird auch je ein Objekt vom Typ `Pkw` und `Kfz` angelegt und angezeigt.

Verfolgen Sie den Auf- und Abbau der verschiedenen Objekte bzw. Teilobjekte.

2. Aufgabe

Von der bereits definierten Klasse `Konto` sollen zwei Klassen – `GiroKonto` und `SparKonto` – abgeleitet werden. Die Klasse `GiroKonto` enthält zusätzlich ein Überziehungslimit und einen Soll-Zinssatz. Die Klasse `SparKonto` enthält neben den Elementen der Basisklasse nur einen Haben-Zinssatz.

- Definieren Sie beide Klassen mit Konstruktoren, die für jeden Parameter einen Default-Wert vorsehen, mit Zugriffsmethoden und mit je einer Methode `display()` für die Ausgabe auf dem Bildschirm.

- Testen Sie die neuen Klassen, indem Sie Objekte vom Typ `GiroKonto` und `SparKonto` in der Vereinbarung initialisieren und ausgeben lassen. Anschließend ändern Sie im Dialog ein Spar- und ein Giro-Konto und lassen die Werte wieder anzeigen.

Übungen (Fortsetzung)

Zur 3. Aufgabe:

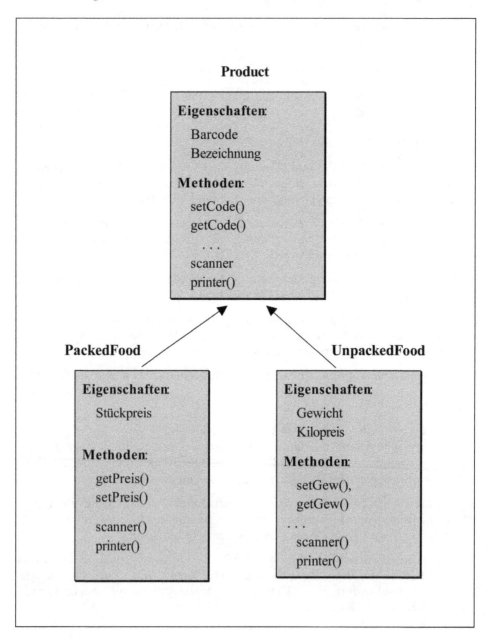

3. Aufgabe

Für eine Supermarktkette ist ein automatisches Registrierkassensystem zu entwickeln. Alle Produkte werden durch einen Barcode und ihre Bezeichnung erfasst. Lebensmittel werden entweder fest verpackt oder je nach Gewicht verkauft. Fest verpackte Lebensmittel haben einen Festpreis. Für Lebensmittel, die abgewogen werden, ergibt sich der Preis aus dem aktuellen Gewicht und dem Kilopreis.

Zunächst werden nur die Klassen zur Darstellung der Produkte entwickelt. Diese sind hierarchisch organisiert. Als gemeinsame Basisklasse dient eine Klasse `Product`, die die allgemeinen Informationen über ein Produkt (Barcode, Bezeichnung) enthält.

- Die Klasse `Product` besitzt zwei Datenelemente zum Speichern des Barcodes vom Typ `long` und der Bezeichnung des Produkts. Es soll ein Konstruktor mit Parametern für beide Datenelemente definiert werden. Die Parameter sind mit Default-Werten zu versehen, so dass auch ein Default-Konstruktor zur Verfügung steht.

  Neben den Zugriffsmethoden wie `setCode()`, `getCode()` usw. sollen auch die Methoden `scanner()` und `printer()` zur Verfügung gestellt werden. Zu Testzwecken geben diese die Daten eines Produkts auf dem Bildschirm aus bzw. lesen die Daten eines Produkts im Dialog ein.

- Im nächsten Schritt werden die Spezialisierungen der Klasse `Product` entwickelt. Definieren Sie zwei von der Klasse `Product` abgeleitete Klassen `PackedFood` und `UnpackedFood`. Zusätzlich zu den Daten eines Produkts soll die Klasse `PackedFood` einen Stückpreis und die Klasse `UnpackedFood` ein Gewicht und einen Kilopreis als Datenelemente besitzen.

  In jeder der beiden Klassen ist ein Konstruktor mit Parametern für jedes Datenelement mit Default-Werten zu definieren. Dabei sind Basis- und Elementinitialisierer zu verwenden.

  Definieren Sie die erforderlichen Zugriffsmethoden für die neuen Datenelemente. Redefinieren Sie außerdem die Methoden `scanner()` und `printer()`, so dass die neuen Datenelemente mit berücksichtigt werden.

- Testen Sie die verschiedenen Klassen in einer `main`-Funktion, die je zwei Objekte vom Typ `Product`, `PackedFood` und `UnpackedFood` anlegt. Ein Objekt jeden Typs wird in der Definition vollständig initialisiert. Das andere Objekt wird mit dem Default-Konstruktor aufgebaut. Testen Sie die `get`- und `set`-Methoden sowie die Methode `scanner()`, und lassen Sie die Produkte auf dem Bildschirm anzeigen.

Lösungen

Zur 1. Aufgabe:

```cpp
// ----------------------------------------------------
// kfz.h :  Definition der Basisklasse Kfz und
//          der abgeleiteten Klassen Pkw und Lkw
// ----------------------------------------------------
#ifndef _KFZ_H_
#define _KFZ_H_

#include <iostream>
#include <string>
using namespace std;

class Kfz
{
  // Wie in diesem Kapitel
};

class Pkw : public Kfz
{
  // Wie in diesem Kapitel
};

class Lkw : public Kfz
{
  private:
    int    achsen;
    double tonnen;

  public:
    Lkw( int a, double t, long n, const string& hs);
    ~Lkw();

    void   setAchsen( int l){ achsen = l;}
    int    getAchsen() const  { return achsen; }
    void   setKapazitaet( double t) { tonnen = t;}
    double getKapazitaet() const   { return tonnen; }

     void display() const;
};

#endif
```

```cpp
// -------------------------------------------------------
// kfz.cpp
// Implementierung der Methoden von Kfz, Pkw  und Lkw
// -------------------------------------------------------
#include "kfz.h"
// -------------------------------------------------------
// Die Methoden der Basisklasse Kfz:
Kfz::Kfz( long n, const string& herst)
{
    cout << "Ich baue ein Objekt vom Typ Kfz auf."
         << endl;
    nr = n;
    hersteller = herst;
}
Kfz::~Kfz()
{
    cout << "Ich zerstöre ein Objekt vom Typ Kfz" << endl;
}
void Kfz::display() const
{
    cout << "\n-------------------------- "
         << "\nKfz-Nummer:   " << nr
         << "\nHersteller:   " << hersteller
         << endl;
}


// -------------------------------------------------------
// Die Methoden der abgeleiteten Klasse Pkw:
Pkw::Pkw(const string& tp, bool sd, long n,
         const string& hs)
      : Kfz( n, hs), pkwTyp( tp ), schiebe( sd )
{
    cout << "Ich baue ein Objekt vom Typ Pkw auf." << endl;
}
Pkw::~Pkw()
{
    cout << "\nIch zerstöre ein Objekt vom Typ Pkw"
         << endl;
}

void Pkw::display( void) const
{
    Kfz::display();              // Methode der Basisklasse
    cout <<    "Typ:          " << pkwTyp
         << "\nSchiebedach:  ";
    if(schiebe)
        cout << "ja "<< endl;
    else
        cout << "nein " << endl;
}
```

Lösungen (Fortsetzung)

```
// -----------------------------------------------------
// Die Methoden der abgeleiteten Klasse Lkw:
Lkw::Lkw( int a, double t, long n, const string& hs)
        : Kfz( n, hs), achsen(a), tonnen(t)
{
    cout << "Ich baue ein Objekt vom Typ Lkw auf." << endl;
}
Lkw::~Lkw()
{
    cout << "\nIch zerstöre ein Objekt vom Typ Lkw"
         << endl;
}
void Lkw::display() const
{
    Kfz::display();
    cout <<    "Achsen:        " << achsen
         << "\nKapazitaet:    " << tonnen << " Tonnen"
         << endl;
}


// -----------------------------------------------------
// kfz_t.cpp : Zum Testen der Basisklasse Kfz und
//             der abgeleiteten Klassen Pkw und Lkw.
// -----------------------------------------------------
#include "kfz.h"
int main()
{
    Lkw brummi(5, 7.5, 1111L, "Volvo");
    brummi.display();
    char c;
    cout << "\nPkw-Objekt erzeugen? (j/n) ";    cin >> c;
    if( c == 'j' || c == 'J')
    {
        const Pkw kaefer("New Beatle", false, 3421L, "VW");
        kaefer.display();
    }

    cout << "\nKfz-Objekt erzeugen? (j/n) ";    cin >> c;
    if( c == 'j' || c == 'J')
    {
        const Kfz oldi(3421, "Rolls Royce");
        oldi.display();
    }
    return 0;
}
```

Zur 2. Aufgabe:

```
// -----  ------------------------------------------------
// konto.h:
// Definition der Klassen Konto, GiroKonto und SparKonto.
// ------------------------------------------------------
#ifndef _KONTO_H
#define _KONTO_H
#include <iostream>
#include <iomanip>
#include <string>
using namespace std;
class Konto
{
  private:
    string name;    unsigned long nr;    double stand;
  public:
    Konto(const string& s="X", unsigned long n = 1111111L,
          double st = 0.0)
    : name(s), nr(n), stand(st)
    { }
    const string& getName() const  { return name; }
    void  setName(const string& n) { name = n;}
    unsigned long getNr() const { return nr; }
    void setNr(unsigned long n) { nr = n; }
    double getStand() const   { return stand; }
    void    setStand(double st){ stand = st; }
    void display()
    {
       cout << fixed << setprecision(2)
            << "-------------------------------------\n"
            << "Kontoinhaber:    " << name  << endl
            << "Kontonummer:     " << nr    << endl
            << "Kontostand:      " << stand << endl;
    }
};

class GiroKonto : public Konto
{
  private:
    double limit;          // Überziehungslimit
    double soll;           // Soll-Zinssatz
  public:
    GiroKonto(const string& s = "X",
            unsigned long n = 1111111L, double st = 0.0,
            double li = 0.0, double so = 0.0)
    : Konto(s, n, st), limit(li), soll(so)
    { }
```

Lösungen (Fortsetzung)

```cpp
    // Zugriffsmethoden:
        double getLimit() const { return limit; }
        void    setLimit(double lt){ limit = lt; }
        double getSoll() const { return soll; }
        void    setSoll(double sl){ soll = sl; }

        void display()
        {
            Konto::display();
            cout << fixed << setprecision(2)
                << "Überziehungslimit: " << limit << endl
                << "Soll-Zinssatz:      " << soll  << endl
                << "--------------------------------\n"
                << endl << endl;
        }
};

class SparKonto: public Konto
{
  private:
    double haben;                // Haben-Zinssatz
  public:
    SparKonto(const string& s = "X",
            unsigned long n = 1111111L, double st = 0.0,
            double ha = 0.0)
      : Konto(s, n, st), haben(ha)
      { }

    // Zugriffsmethoden
    double getHaben() const   { return haben; }
    void    setHaben(double hb){ haben = hb; }

    void display()
    {
        Konto::display();
        cout << fixed << setprecision(2)
            << "Haben-Zinssatz:     " << haben << endl
            << "--------------------------------\n"
            << endl << endl;
    }
};

#endif
```

```
// ----------------------------------------------------------
// konto_t.cpp
// Testen der von der Klasse Konto abgeleiteten Klassen
// GiroKonto und Sparkonto.
// ----------------------------------------------------------
#include "konto.h"

int main()
{
   string s;
   double db;

   SparKonto daniel("Daniel Duesentrieb", 1234567,
                    2.40, 3.5);
   daniel.display();

   cout << "Neuer Name:  "; getline(cin, s);
   cout << "Neuer Haben-Zinssatz: "; cin >> db;

   daniel.setName(s);
   daniel.setHaben(db);
   daniel.display();

   GiroKonto dag("Dagobert Duck", 7654321,
                 -1245.56, 10000, 12.9);
   dag.display();

   cout << "Neues Dispo-Limit: "; cin >> db;
   dag.setLimit(db);
   dag.display();

   return 0;
}
```

Lösungen (Fortsetzung)

Zur 3. Aufgabe:

```cpp
// --------------------------------------------------------
// product.h : Definition der Klassen
//             Product, PackedFood und UnpackedFood
// --------------------------------------------------------
#ifndef _PRODUCT_H
#define _PRODUCT_H
#include <iostream>
#include <iomanip>
#include <string>
using namespace std;

class Product
{
  private:
    long   bar;
    string bez;

  public:
    Product(long b = 0L, const string& s = "")
    : bar(b), bez(s)
    {  }
    void setCode(long b) { bar = b; }
    long getCode() const { return bar; }
    void  setBez(const string& s){ bez = s; }
    const string& getBez() const { return bez; }
    void scanner()
    {
        cout << "\nBarcode:      "; cin >> bar;
        cout <<    "Bezeichnung:  "; cin >> bez;
        cin.sync(); cin.clear();
    }
    void printer() const
    {
        cout << "\n--------------------------------"
             << "\nBar-Code:     " << bar
             << "\nBezeichnung:  " << bez
             << endl;
    }
};

class PackedFood : public Product
{
  private:
    double stk_preis;
  public:
```

```
    PackedFood(double p=0.0, long b=0L, const string& s="")
    : Product(b, s), stk_preis(p)
    {}
    void    setPreis(double p){ stk_preis = p;}
    double getPreis()const    { return stk_preis; }
    void scanner()
    {   Product::scanner();
        cout << "Stückpreis:    "; cin >> stk_preis;
    }
    void printer() const
    {
        Product::printer();
        cout << fixed << setprecision(2)
             << "Preis:        " << stk_preis << endl;
    }
};

class UnpackedFood : public Product
{
  private:
    double gew;
    double kg_preis;

  public:
    UnpackedFood(double g = 0.0, double p = 0.0,
                 long b = 0L, const string& s = "")
    : Product(b, s), gew(g), kg_preis(p) {}
    void    setGew(double g) { gew = g;}
    double getGew()const     { return gew; }
    void    setPreis(double p) { kg_preis = p;}
    double getPreis()const     { return kg_preis; }
    void scanner()
    {
        Product::scanner();
        cout << "Gewicht(kg): "; cin >> gew;
        cout << "Preis/kg:    "; cin >> kg_preis;
        cin.sync(); cin.clear();
    }
    void printer() const
    {
        Product::printer();
        cout << fixed << setprecision(2)
             << "Preis pro Kg: " << kg_preis
             << "\nGewicht:       " << gew
             << "\nEndpreis:      " << kg_preis * gew
             << endl;
    }
};
#endif
```

Lösungen (Fortsetzung)

```
// ----------------------------------------------------------
// product_t.cpp
// Test der Klassen Product, PackedFood und UnpackedFood.
// ----------------------------------------------------------

#include "product.h"

int main()
{
    Product p1(12345L, "Mehl"), p2;

    p1.printer();               // Erstes Produkt ausgeben

    p2.setBez("Zucker");        // Datenelemente setzen
    p2.setCode(543221);


    p2.printer();               // Zweites Produkt ausgeben

                                // Verpackte Produkte:
    PackedFood pf1(0.49, 23456, "Salz"), pf2;

    pf1.printer();          // Erstes verpacktes Produkt
                            // ausgeben
    cout << "\nDaten eines verpackten Produkts eingeben: ";
    pf2.scanner();          // Datenelemente des 2. einlesen
    pf2.printer();          // und ausgeben

    UnpackedFood pu1(1.5, 1.69, 98765, "Trauben"), pu2;

    pu1.printer();          // Erstes unverpacktes Produkt
                            // ausgeben
    cout <<"\nDaten eines unverpackten Produkts eingeben: ";
    pu2.scanner();          // Datenelemente des 2. einlesen
    pu2.printer();          // und ausgeben.

    cout << "\n-------------------------------"
         << "\n-------------------------------"
         << "\nUnd noch einmal im einzelnen: \n"
         << fixed << setprecision(2)
         << "\nBarcode:       " << pu2.getCode()
         << "\nBezeichnung:   " << pu2.getBez()
         << "\nPreis pro Kg:  " << pu2.getPreis()
         << "\nGewicht:       " << pu2.getGew()
         << "\nEndpreis:      " << pu2.getPreis()
                                    * pu2.getGew()
         << endl;

    return 0;
}
```

Kapitel 24

Typumwandlung in Klassenhierarchien

Dieses Kapitel beschreibt implizite Typumwandlungen innerhalb von Klassenhierarchien, die bei Zuweisungen und Funktionsaufrufen vorgenommen werden.

Außerdem werden explizite Casts in Klassenhierarchien, insbesondere Up- und Down-Casts vorgestellt.

Konvertierung in Basisklassen

Beispiel mit impliziter Konvertierung

```
#include "kfz.h"

bool compare( Kfz&, Kfz&);

int main()
{
   Pkw kaefer("New Beatle", false, 3421, "VW"),
       ente( "2CV", true, 2512, "Citroen");

   bool erg = compare( kaefer, ente);
   // ...
}


                                   // ok!
                                   // Implizite Konvertierung
                                   // in die Basisklasse.

                                   // Kfz& a = kaefer;
                                   // Kfz& b = ente;


bool compare( Kfz& a, Kfz& b)
{

   // Hier ist a der Basisanteil von kaefer,
   // b der Basisanteil von ente.
   // Falls dies nicht genügt, muß explizit
   // in den Typ Pkw gecastet werden.

}
```

Implizite Konvertierung

Entsteht eine Klasse durch `public`-Vererbung aus einer anderen Klasse, so übernimmt die abgeleitete Klasse die Eigenschaften und Fähigkeiten der Basisklasse. Objekte vom Typ der abgeleiteten Klasse sind dann *spezielle* Objekte der Basisklasse. So ist beispielsweise ein Pkw ein spezielles Kraftfahrzeug.

Diese „Ist"-Beziehung kann beim Arbeiten mit Objekten genutzt werden. So ist es möglich, einem Objekt der Basisklasse ein Objekt der abgeleiteten Klasse zuzuweisen. Dabei erfolgt eine *implizite Typumwandlung* in den Typ der Basisklasse.

Die Basisklasse wird so zum gemeinsamen Oberbegriff für verschiedene Spezialisierungen. Wurden beispielsweise die Klassen `Pkw` und `Lkw` von der Klasse `Kfz` abgeleitet, so können Objekte vom Typ `Pkw` oder `Lkw` stets als Objekte vom Typ `Kfz` behandelt werden.

Zuweisungen

Eine implizite Typumwandlung in Klassenhierarchien wird bei der Zuweisung an

- ein Objekt der Basisklasse

- einen Zeiger oder eine Referenz auf die Basisklasse

vorgenommen.

Funktionsaufrufe

Außerdem werden beim Aufruf von Funktionen entsprechende implizite Typumwandlungen auch für die Argumente durchgeführt.

Besitzt beispielsweise die Funktion `compare()` folgenden Prototyp

Beispiel: `bool compare( Kfz& , Kfz& );`

und sind `kaefer` und `ente` zwei Objekte vom Typ der abgeleiteten Klasse `Pkw`, so ist folgender Aufruf möglich:

Beispiel: `compare( kaefer, ente);`

Der Compiler nimmt dann eine implizite Typumwandlung der Argumente `kaefer` und `ente` in den Typ der Parameter, d.h. in eine Referenz auf die Basisklasse `Kfz`, vor.

Die Typanpassung von Argumenten bei Funktionsaufrufen entspricht der Typumwandlung bei der Zuweisung, die im folgenden dargestellt wird.

Typumwandlung bei Zuweisungen

Wirkung der Zuweisung

```
Kfz    auto;
Pkw bmw("520i", true, 4325,
        "Bayerische Motorenwerke");

auto = bmw;
```

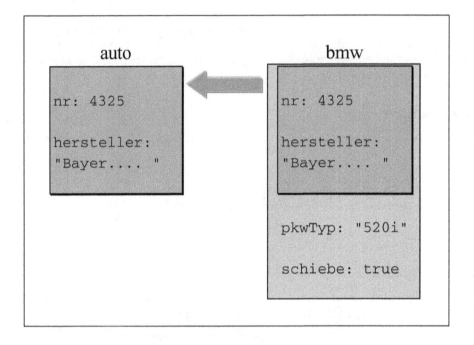

Zuweisung an Basisklassenobjekte

Ein Objekt vom Typ einer abgeleiteten Klasse kann einem Objekt der Basisklasse zugewiesen werden.

Beispiel:
```
Kfz    auto;
Pkw bmw("520i", true, 4325,
         "Bayerische Motorenwerke");
auto = bmw;
```

Das Objekt bmw der abgeleiteten Klasse PKW enthält alle Datenelemente der Basisklasse Kfz, nämlich die Fahrzeugnummer und den Hersteller. Bei der Zuweisung wird das Objekt bmw komponentenweise in die Datenelemente des Objekts auto kopiert.

Damit ist die obige Zuweisung äquivalent zu:

```
auto.nr        = bmw.nr;
auto.hersteller = bmw.hersteller;
```

Die übrigen Datenelemente, die in der abgeleiteten Klasse zusätzlich definiert sind, bleiben unberücksichtigt!

Mit der folgenden Anweisung werden dann die kopierten Datenelemente ausgegeben:

Beispiel: `auto.display();`

Die Möglichkeit, ein Objekt einer abgeleiteten Klasse einem Basisklassenobjekt zuzuweisen, geht davon aus, dass „mehr weniger ausfüllt". Das Objekt rechts vom Zuweisungsoperator enthält nämlich ein Teilobjekt vom Typ des Objekts auf der linken Seite.

Zuweisung an Objekte abgeleiteter Klassen

Diese Situation ist bei der Zuweisung eines Basisklassenobjekts an ein Objekt der abgeleiteten Klasse nicht gegeben. Die Zuweisung

Beispiel: `bmw = auto;    // Fehler!`

ist deshalb im Allgemeinen nicht möglich. Welche Werte sollten auch den zusätzlichen Datenelementen pkwTyp und schiebe zugewiesen werden?

Die Zuweisung in umgekehrter Richtung ist nur möglich, wenn eine entsprechende Zuweisung oder ein Kopierkonstruktor mit einem Parameter vom Typ „Referenz auf die Basisklasse" definiert wurde. Beide können z.B. die zusätzlichen Datenelemente der abgeleiteten Klasse auf Standardwerte setzen.

Konvertierung von Referenzen und Zeigern

Wirkung der Zeiger-Zuweisung

```
Pkw cabrio("Spitfire", true, 1001, "Triumph");
Kfz* kfzPtr = &cabrio;

kfzPtr = &cabrio;
```

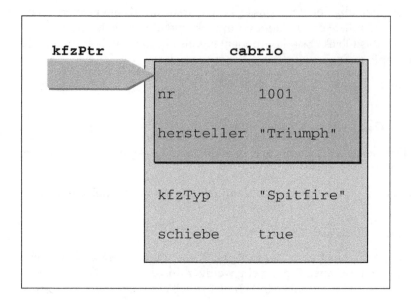

Konvertierung in Basisklassenzeiger

Die Ist-Beziehung zwischen einer abgeleiteten Klasse und einer Basisklasse wird auch bei der Verwendung von Referenzen und Zeigern realisiert. Ein Zeiger vom Typ „Zeiger auf Basisklasse", kurz *Basisklassenzeiger*, kann ein Objekt vom Typ einer abgeleiteten Klasse adressieren.

Beispiel: `Kfz* kfzPtr = &cabrio;`

Hier ist `cabrio` ein Objekt der Klasse `Pkw`.

Was den Zugriff auf das adressierte Objekt betrifft, ist folgendes zu beachten:

* Ein Basisklassenzeiger kann nur die öffentliche Schnittstelle der *Basisklasse* ansprechen.

Die in der abgeleiteten Klasse zusätzlich definierten Elemente sind also nicht ansprechbar. Insbesondere wird mit

Beispiel: `kfzPtr -> display();`

die Methode `display()` der Basisklasse `Kfz` aufgerufen. Obwohl `kfzPtr` hier auf ein Objekt der Klasse `Pkw` zeigt, können keine Methoden aufgerufen werden, die in der abgeleiteten Klasse zusätzlich definiert wurden.

Beispiel: `kfzPtr->setSchiebe(false);    // Fehler`

Das Objekt `*kfzPtr` besitzt den Typ `Kfz` und repräsentiert nur den Basisanteil von `cabrio`. Daher ist auch folgende Zuweisung unzulässig:

Beispiel: `Pkw auto;`
         `auto = *kfzPtr;      // Fehler!`

Obwohl `kfzPtr` in diesem Fall ein Objekt vom Typ `Pkw` adressiert!

Konvertierung in Referenzen auf Basisklassen

Beim Arbeiten mit Referenzen ist eine analoge Situation gegeben. Eine Referenz vom Typ „Referenz auf Basisklasse" kann auf ein Objekt einer abgeleiteten Klasse verweisen. Die Referenz stellt dann nur den Basisanteil des Objekts dar.

Beispiel: `Kfz& kfzRef = cabrio;          // ok`
         `kfzRef.display();          // Basiselemente ausgeben`
         `kfzRef.setSchiebe(true);      // Fehler`
         `Pkw auto;`
         `auto = kfzRef;              // Fehler`

Obwohl die Referenz `kfzRef` auf ein Objekt vom Typ `Pkw` verweist, ist es nicht möglich, dieses Objekt dem Objekt `auto` vom Typ `Pkw` zuzuweisen.

Explizite Typumwandlungen

Down-Cast

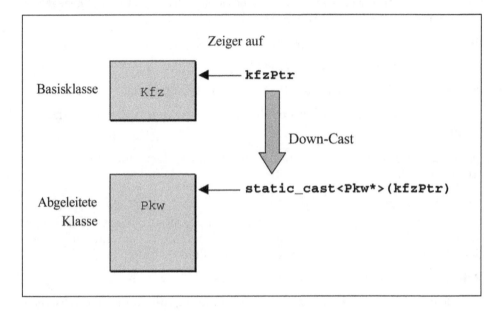

Up-Cast

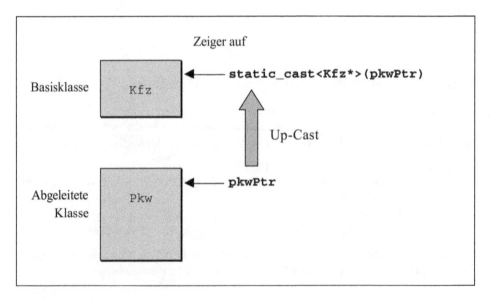

Up- und Down-Casts

Typumwandlungen, die in einer Klassenhierarchie „nach oben" gehen (engl. *Up-Cast*) sind immer möglich und sicher: Up-Casts werden deshalb auch implizit vorgenommen.

Eine Typumwandlung in umgekehrter Richtung (engl. *Down-Cast*) ist nur explizit durch eine Cast-Konstruktion möglich. Hierfür kann der von C her bekannte Cast-Operator (typ) oder der Operator static_cast< > eingesetzt werden. Beide Möglichkeiten sind hier äquivalent.

Explizite Cast-Konstruktionen

Ist cabrio wieder ein Objekt der abgeleiteten Klasse Pkw, so wird mit

Beispiel:
```
Kfz* kfzPtr = &cabrio;
( (Pkw*) kfzPtr )->display();
```

der Basisklassenzeiger kfzPtr zunächst auf das Objekt cabrio gesetzt. Mit Hilfe des Casts wird kfzPtr dann in einen Zeiger auf die abgeleitete Klasse konvertiert. Dies ermöglicht es, über den Zeiger die Methode display() der abgeleiteten Klasse Pkw aufzurufen. Die Klammern sind hier notwendig, da der Verweisoperator -> eine höhere Priorität als der Cast-Operator (typ) hat.

Der Operator static_cast< > hat folgende

Syntax:
```
static_cast<typ>(ausdruck)
```

Er konvertiert den Ausdruck in den Zieltyp typ. Das obige Beispiel ist somit äquivalent zu:

Beispiel:
```
static_cast<Pkw*>(kfzPtr)->display();
```

Hierbei müssen keine zusätzlichen Klammern gesetzt werden, da die Operatoren static_cast<> und -> die gleiche Priorität haben. Sie werden von links nach rechts zusammengefasst.

Nach einem Down-Cast eines Zeigers oder einer Referenz steht die gesamte öffentliche Schnittstelle der abgeleiteten Klasse zur Verfügung.

Sicherheit von Down-Casts

Typumwandlungen „von oben nach unten" müssen jedoch mit großer Sorgfalt erfolgen. Ein Down-Cast ist nämlich nur dann sicher, wenn das durch den Basisklassenzeiger adressierte Objekt tatsächlich den Typ der abgeleiteten Klasse hat. Dies gilt auch für Referenzen auf Basisklassen.

Um auch Down-Casts stets sicher durchführen zu können, gibt es in C++ den sog. *dynamischen Cast*. Dieser ist für polymorphe Klassen einsetzbar und wird im nächsten Kapitel vorgestellt.

Übungen

Klassenhierarchie von Produkten in einem Supermarkt

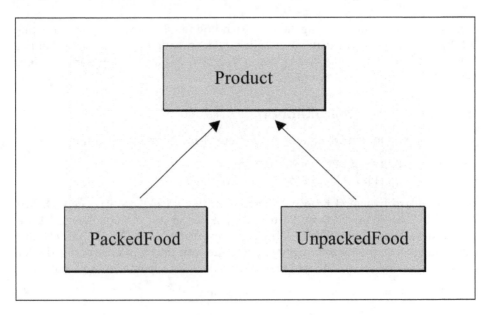

Aufgabe

Das Registrierkassensystem einer Supermarktkette enthält die Basisklasse Product und die davon abgeleiteten Klassen PackedFood und UnpackedFood. Für diese Klassen sollen verschiedene Cast-Möglichkeiten getestet werden (vgl. 3. Aufgabe, Kapitel 23).

- Definieren Sie eine globale Funktion isLowerCode(), die überprüft, welches von zwei Produkten den kleineren Barcode besitzt, und die eine Referenz auf das Produkt mit dem kleineren Barcode zurückliefert.

- Definieren Sie einen Vektor mit drei Zeigern auf die Basisklasse Product. Legen Sie je ein Objekt vom Typ Product, PackedFood und UnpackedFood dynamisch an. Die drei Objekte sollen durch die Zeiger im Vektor adressiert werden.

  Definieren Sie zusätzlich einen Zeiger auf die abgeleitete Klasse UnpackedFood, den Sie mit der Adresse eines dynamisch reservierten Objekts derselben Klasse initialisieren.

- Rufen Sie nun die Methode printer() für alle vier Objekte auf. Welche Version von printer() wird jeweils ausgeführt?

- Nehmen Sie entsprechende Down-Casts vor, so dass die richtigen Versionen der Methode printer() ausgeführt werden. Lassen Sie sich den Wert des Zeigers vor und nach dem Down-Cast anzeigen.

- Über den Zeiger auf die abgeleitete Klasse UnpackedFood soll jetzt nur die Basisklassen-Version von printer() aufgerufen werden. Nehmen Sie den entsprechenden Up-Cast vor.

- Testen Sie nun die Funktion isLowerCode(), die Sie mit verschiedenen Argumenten mehrfach aufrufen. Das Produkt mit dem kleineren Barcode soll ausgegeben werden.

Lösungen

```
// -----------------------------------------------------
// product.h : Definition der Klassen
//             Product, PackedFood und UnpackedFood
// -----------------------------------------------------
//
// Unverändert! Siehe Lösungen zum vorhergehenden Kapitel.



// -----------------------------------------------------
// produc_t.cpp
// Test von Up- und Down-Casts für die Klassen
// Product, PackedFood und UnpackedFood.
// -----------------------------------------------------

#include "product.h"

const Product& isLowerCode(const Product& p1,
                           const Product& p2);

int main()
{
    Product* pv[3];
    UnpackedFood* pu;

    pv[0] = new Product(12345L, "Mehl");
    pv[1] = new PackedFood(0.49, 23456, "Salz");
    pv[2] = new UnpackedFood(1.5, 1.69, 98765, "Trauben");

    pu =  new UnpackedFood(2.5, 2.69, 56789, "Pfirsische");

    cout << "\nEine unverpackte Ware: ";
    pu->printer();

    cout << "\nDie Basis-Info der anderen Produkte:";
    int i;
    for(i=0; i < 3; ++i)
        pv[i]->printer();
    cin.get();

    cout << "\nUnd nun mit Down-Cast: " << endl;
    static_cast<PackedFood*>(pv[1])->printer();
    static_cast<UnpackedFood*>(pv[2])->printer();
    cin.get();
```

```
    cout << "\nUnd ein Up-Cast: " << endl;
    static_cast<Product*>(pu)->printer();

    cout << "\nJetzt werden Barcodes verglichen!" << endl;

    cout << "\nKleinerer Barcode bei Mehl oder Salz?";
    isLowerCode(*pv[0], *pv[1]).printer();

    cout << "\nKleinerer Barcode bei Salz oder Trauben?";
    isLowerCode(*pv[1], *pv[2]).printer();

    return 0;
}

const Product& isLowerCode(const Product& p1,
                           const Product& p2)
{
    if(p1.getCode() < p2.getCode())
        return p1;
    else
        return p2;
}
```

Kapitel 25

Polymorphe Klassen

Dieses Kapitel beschreibt, wie polymorphe Klassen entwickelt und gehandhabt werden. Neben der Definition virtueller Funktionen werden auch dynamische Down-Casts in polymorphen Klassenhierarchien vorgestellt.

Polymorphie

Beispiel

Die Klassen mit virtuellen Methoden:

```
Base:
```

> Basisklasse mit virtueller Methode `display()`.

```
Derived1 und Derived2:
```

> Von Base abgeleitete Klassen mit jeweils einer eigenen Redefinition der Methode `display()`.

Basisklassenzeiger und Objekte:

```
Base*    basePtr;        // Basisklassenzeiger
Derived1 eckig;          // Objekte
Derived2 rund;
```

Aufrufe der virtuellen Methoden:

Beim Aufruf einer virtuellen Methode wird stets die passende Version der Methode für das momentan adressierte Objekt ausgeführt.

```
basePtr = &eckig;
basePtr->display();      // Aufruf von
                         // Derived1::display()

basePtr = &rund;
basePtr->display();      // Aufruf von
                         // Derived2::display()
```

Problemstellung

Wenn es nicht auf die speziellen Fähigkeiten von Objekten abgeleiteter Klassen ankommt, genügt es, ihren Basisklassenanteil zu berücksichtigen. Das ist z.B. dann der Fall, wenn dynamisch reservierte Objekte in einer Datenstruktur eingefügt oder gelöscht werden.

In solchen Fällen ist es von Vorteil, wenn Zeiger oder Referenzen auf Basisklassen verwendet werden können, und zwar unabhängig vom konkreten Typ der Objekte. Allerdings sind dann nur die allen Objekten gemeinsamen Basiselemente verwendbar.

Die speziellen Fähigkeiten eines Objekts vom Typ einer abgeleiteten Klasse sollten jedoch auch dann aktivierbar sein, wenn

- das Objekt über einen Zeiger oder eine Referenz auf die Basisklasse angesprochen wird und

- der konkrete Typ des Objekts erst zur Laufzeit feststeht.

Ist `kfzPtr` ein Basisklassenzeiger, so sollten mit der Anweisung

Beispiel: `kfzPtr->display();`

alle Datenelemente des momentan adressierten Objekts ausgegeben werden.

Traditionelle Lösung

In der traditionellen Programmierung wurde das Problem gelöst, indem man jeden Typ, also den der Basisklasse und der abgeleiteten Klassen, um ein Typfeld erweiterte. Das Typfeld hat sich den Typ der aktuellen Klasse „gemerkt". Eine Funktion, die Objekte über Basisklassenzeiger verwaltet, konnte so den konkreten Typ eines Objekts in einer switch-Anweisung abfragen und die passende Methode aufrufen.

Diese Lösung hat allerdings den Nachteil, dass bei späteren Ableitungen der Quellcode um eine `case`-Marke erweitert und neu kompiliert werden muss.

Objektorientierte Lösung

In der objektorientierten Programmierung ist die Lösung des Problems die *Polymorphie* (griech. Vielgestaltigkeit). In C++ werden polymorphe Klassen mit Hilfe von *virtuellen Methoden* implementiert. Der Aufruf einer virtuellen Methode veranlasst den Compiler, auch dann die zu einem Objekt *passende* Version der Methode zur Ausführung zu bringen, wenn das Objekt über einen Zeiger oder eine Referenz auf die Basisklasse angesprochen wird!

Virtuelle Methoden

Aufruf der virtuellen Methode display()

```
// virtual.cpp : Testen der virtuellen Methode display()
//                der Klassen Kfz und Pkw.
// ------------------------------------------------------
#include "kfz.h"
// In Kfz ist die Methode display() wie folgt deklariert:
// virtual void display() const;

int main()
{
  Kfz* pKfz[3];         // Drei Basisklassenzeiger.
  int i = 0;            // Index
  pKfz[0] = new Kfz( 5634L, "Mercedes");
  pKfz[1] = new Pkw("Ente",true,3421L,"Citroen");
  pKfz[2] = new Lkw( 5, 7.5, 1234L, "MAN");

  while( true)
  {
    cout << "\nEin Objekt vom Typ "
            "Kfz, Pkw oder Lkw anzeigen!"
            "\n 1 = Kfz,  2 = Pkw,  3 = Lkw"
            "\nIhre Eingabe (Abbruch 0): ";
    cin >> i;
    --i;
    if( i < 0  || i > 2)
      break;
    pKfz[i]->display();
  }
  return 0;
}
```

 Die Redefinition einer virtuellen Methode kann mit dem Spezifizierer **override** markiert werden wie beispielsweise die Methode display() in der abgeleiteten Klasse Pkw:

```
void display() const override;
```

Der Compiler gibt dann eine Fehlermeldung aus, wenn es in der Basisklasse keine entsprechende virtuelle Methode gibt – etwa weil die Signaturen nicht übereinstimmen.

Außerdem können weitere Redefinitionen einer virtuellen Methode verhindert werden. Dazu wird die Methode mit dem Spezifizierer **final** markiert.

Deklaration virtueller Methoden

Eine virtuelle Methode wird in der Basisklasse mit dem Schlüsselwort `virtual` deklariert.

Beispiel: `virtual void display() const;`

Die Definition einer virtuellen Methode unterscheidet sich nicht von der anderer Elementfunktionen.

In der abgeleiteten Klasse muss eine virtuelle Methode nicht redefiniert werden. Die abgeleitete Klasse erbt dann die virtuelle Methode der Basisklasse.

Redefinition

Typischerweise wird in der abgeleiteten Klasse jedoch eine „eigene Version" der virtuellen Methode definiert. Diese ist dann den speziellen Fähigkeiten der abgeleiteten Klasse angepasst.

In einer eigenen Version wird eine virtuelle Methode redefiniert. Die Redefinition in einer abgeleiteten Klasse muss hierbei

1. dieselbe Signatur und

2. denselben Ergebnistyp

wie die virtuelle Methode der Basisklasse haben.

Die neue Version einer virtuellen Methode ist automatisch wieder virtuell. In der Deklaration muss das Schlüsselwort `virtual` deshalb nicht mehr angegeben werden.

Bei der Redefinition virtueller Funktionen ist folgendes zu beachten:

- Ist der Ergebnistyp ein Zeiger oder eine Referenz auf die Basisklasse, so darf eine neue Version der virtuellen Methode einen Zeiger bzw. eine Referenz auf eine abgeleitete Klasse liefern. (Hinweis: Nicht alle Compiler unterstützen schon diese Möglichkeit.)

- Konstruktoren können nicht als virtuell deklariert werden.

- Eine Methode der Basisklasse wird nicht nachträglich virtuell, wenn sie in der abgeleiteten Klasse als virtuell deklariert wird.

Wird eine virtuelle Methode in der abgeleiteten Klasse mit einer anderen Signatur oder einem anderen Ergebnistyp redefiniert, so wird lediglich eine neue Methode mit gleichem Namen eingeführt. Diese ist nicht virtuell!

In diesem Fall ist die virtuelle Methode der Basisklasse in der abgeleiteten Klasse verdeckt. Das heißt, für ein Objekt der abgeleiteten Klasse ist nur die nicht virtuelle Version der Methode aufrufbar.

Abbau dynamischer Objekte

Beispielprogramm

```cpp
// v_destr.cpp
// Basisklasse mit virtuellem Destruktor
// ------------------------------------------------------
#include <iostream>
#include <cstring>              // Für strcpy()
using namespace std;

class Base
{
  public:
    Base()
    { cout << "Konstruktor der Klasse Basis\n"; }
    virtual ~Base()
    { cout << "Destruktor der Klasse Basis\n"; }
};

class Data
{
  private:
    char *name;

  public:
    Data( const char *n)
    { cout << "Konstruktor der Klasse Data\n";
      name = new char[strlen(n)+1];
      strcpy(name, n);
    }
    ~Data()
    { cout << "Destruktor der Klasse Data für "
           << "Objekt: " << name << endl;
      delete [] name;
    }
};

class Derived : public Base
{
  private:
    Data data;

  public:
    Derived( const char *n) : data(n)
    { cout << "Konstruktor der Klasse Derived\n"; }
    ~Derived()                     // implizit virtuell
    { cout << "Destruktor der Klasse Derived\n"; }
};

int main()
{
  Base *bPtr = new Derived("DEMO");
  cout << "\nAufruf des virtuellen Destruktors!\n";
  delete bPtr;

  return 0;
}
```

Dynamisch erzeugte Objekte aus einer Klassenhierarchie werden normalerweise mit Basisklassenzeigern verwaltet. Endet die Lebensdauer eines solchen Objekts, so muss der Speicherplatz mit einer `delete`-Anweisung freigegeben werden.

Beispiel:
```
Kfz *kfzPtr;
kfzPtr = new Pkw("500",false,21,"Fiat");
 . . .
delete kfzPtr;
```

Aufrufe von Destruktoren

Bei der Freigabe des Speicherplatzes wird automatisch der Destruktor für ein Objekt ausgeführt. Waren bei der Erzeugung des Objekts mehrere Konstruktoren beteiligt, so werden die entsprechenden Destruktoren in umgekehrter Reihenfolge aufgerufen. Für ein Objekt einer abgeleiteten Klasse heißt das: Zuerst wird der Destruktor der abgeleiteten Klasse und dann der Destruktor der Basisklasse ausgeführt.

Wird ein Objekt über einen Basisklassenzeiger verwaltet, so werden zwar die passenden virtuellen Methoden der abgeleiteten Klasse aufgerufen. Von einer nicht virtuellen Methode wird jedoch stets die Version der Basisklasse ausgeführt.

Im obigen Beispiel wird also nur der Destruktor der Basisklasse `Kfz` aufgerufen. Da der Destruktor von `Pkw` nicht aufgerufen wird, wird auch der Destruktor des Datenelements `pkwTyp`, das zusätzlich in der abgeleiteten Klasse definiert ist, nicht aufgerufen. Das Datenelement `pkwTyp` ist aber vom Typ `string`, das selbst dynamisch Speicher reserviert. Dieser Speicherplatz wird nicht freigegeben.

Wenn zahlreiche Objekte der abgeleiteten Klasse dynamisch angelegt werden, hat das fatale Folgen: Immer mehr Speicherblöcke liegen unreferenziert im Speicher und können nicht neu vergeben werden. Auf Dauer kann diese Situation die Programmausführung erheblich verlangsamen, da dynamischer Speicher durch „Swapping" vom externen Speicher geholt werden muss.

Virtuelle Destruktoren

Das Problem wird dadurch gelöst, dass Destruktoren auch als virtuell deklariert werden. Für die Klasse `Kfz` ist nebenstehend ein virtueller Destruktor definiert. Wie bei jeder anderen virtuellen Methode wird dann die passende Version des Destruktors aufgerufen. Danach werden die Destruktoren der direkten und indirekten Basisklassen ausgeführt.

Eine Klasse, die als Basisklasse für andere Klassen dient, sollte stets einen virtuellen Destruktor besitzen. Auch wenn die Basisklasse keinen eigenen Destruktor benötigt, sollte zumindest ein Dummy-Destruktor, d.h. ein Destruktor mit leerem Funktionsrumpf, definiert werden.

Virtuelle Methodentabelle

VMTs der Klassen Kfz und Pkw

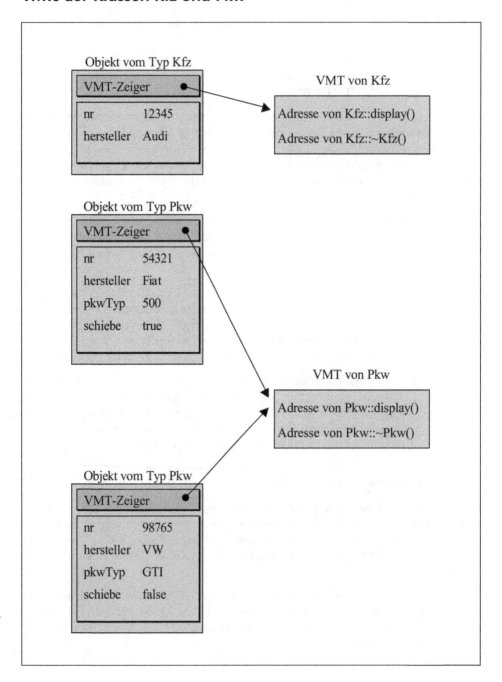

Statische Bindung

Beim Aufruf einer nicht virtuellen Methode ist zum Zeitpunkt der Kompilierung die Adresse der Funktion bekannt. Die Adresse wird direkt in den Maschinencode eingefügt. Man spricht dann auch von *statischer* oder *früher Bindung*.

Wird eine virtuelle Methode über einen Objektnamen aufgerufen, so ist ebenfalls zur Übersetzungszeit bekannt, welche Version der Methode gemeint ist. Hier handelt es sich also auch um frühe Bindung.

Dynamische Bindung

Beim Aufruf einer virtuellen Methode über einen Zeiger oder eine Referenz steht dagegen zur Zeit der Kompilierung noch nicht fest, welche Funktion zur Laufzeit ausgeführt wird. Bei der Anweisung

Beispiel: `kfzPtr->display();`

können verschiedene Versionen der Methode `display()` zur Ausführung kommen, je nachdem welches Objekt der Zeiger momentan adressiert.

Der Compiler muss also Maschinencode erzeugen, bei dem erst zur Laufzeit die Zuordnung zu einer bestimmten Funktion stattfindet. Man spricht in diesem Fall von *später* oder *dynamischer Bindung*.

VMT

Die dynamische Bindung wird intern mit Hilfe von *virtuellen Methodentabellen* (engl. *Virtual Method Table*, kurz: VMT) realisiert. Für jede Klasse mit mindestens einer virtuellen Methode wird eine VMT angelegt, also ein Vektor mit den Adressen der virtuellen Methoden der entsprechenden Klasse.

Jedes Objekt einer polymorphen Klasse besitzt einen VMT-Zeiger, das ist ein versteckter Zeiger auf die VMT der entsprechenden Klasse. Bei der dynamischen Bindung erfolgt der Aufruf einer virtuellen Funktion in zwei Schritten:

1. Im referenzierten Objekt wird der Zeiger auf die VMT gelesen.

2. Der VMT wird die Adresse der virtuellen Methode entnommen.

Im Vergleich zur statischen Bindung hat die dynamische Bindung den Nachteil, dass die VMTs Speicherplatz belegen. Außerdem ist wegen der indirekten Adressierung virtueller Methoden ein etwas schlechteres Laufzeitverhalten des Programms in Kauf zu nehmen.

Dieser Preis ist jedoch gering im Vergleich zum Nutzen: Die dynamische Bindung ermöglicht es, bereits übersetzten Quellcode nachträglich zu erweitern, ohne dass der Quellcode vorliegen muss. Dies ist z.B. wichtig für den Einsatz kommerzieller Klassenbibliotheken, aus denen der Anwender eigene Klassen und eigene Versionen virtueller Funktionen ableiten kann.

Dynamische Casts

Einsatz dynamischer Casts

```cpp
// cast_t.cpp
// Dynamische Casts in Klassenhierarchien
// --------------------------------------------------
#include "kfz.h"
bool inspect( Pkw* ),           // Inspektion verschiedener
     inspect(Lkw* );            // Fahrzeugtypen
bool distribute(Kfz* );         // Fahrzeuge zur Inspektion
                                // verteilen
int main()
{
    Kfz* kfzPtr = new Pkw("520i", true, 3265, "BMW");
    Lkw* lkwPtr = new Lkw(8, 7.5, 5437, "Volvo");
    // ... einige Casts ausprobieren und ...
    distribute(kfzPtr);
    distribute(lkwPtr);
    return 0;
}

bool distribute( Kfz* kfzPtr)
{
    Pkw* pkwPtr = dynamic_cast<Pkw*>(kfzPtr);
    if( pkwPtr != NULL)
        return inspect( pkwPtr);
    Lkw* lkwPtr = dynamic_cast<Lkw*>(kfzPtr);
    if( lkwPtr != NULL)
        return inspect( lkwPtr);
    return false;
}

bool inspect(Pkw* pkwPtr)
{
    cout << "\nIch teste einen Pkw!" << endl;
    cout << "\nHier ist er:";
    pkwPtr->display();
    return true;
}

bool inspect(Lkw* lkwPtr)
{
    cout << "\nIch teste einen Lkw!" << endl;
    cout << "\nHier ist er:";
    lkwPtr->display();
    return true;
}
```

 Hier ist die Compiler-Option „Run-Time-Type-Information (RTTI)" zu aktivieren, z.B. unter Projekt/Einstellungen. Beim GNU Compiler sind diese Optionen automatisch aktiviert.

Unsichere Down-Casts

Down-Casts in Klassenhierarchien sind mit einem C-Cast oder dem statischen Cast-Operator nicht sicher: Wenn das referenzierte Objekt nicht tatsächlich den Typ der abgeleiteten Klasse hat, kommt es zur Laufzeit zu fatalen Fehlern.

Ist `kfzPtr` ein Zeiger auf die Basisklasse `Kfz`, der momentan ein Objekt vom Typ `Lkw` adressiert, so bewirkt die Anweisung

Beispiel: `Pkw* pkwPtr = static_cast<Pkw*>(kfzPtr);`

keine Fehlermeldung des Compilers. Aber z.B. die nachfolgende Anweisung `pkwPtr->setTyp("2CV");` könnte zum Absturz des Programms führen.

Der Operator dynamic_cast< >

Für polymorphe Klassen können sichere Down-Casts mit dem Cast-Operator `dynamic_cast<>` durchgeführt werden. Dieser prüft zur Laufzeit, ob die gewünschte Konvertierung zulässig ist oder nicht.

Syntax: `dynamic_cast<typ>(ausdruck)`

Der Ausdruck `ausdruck` wird dann in den Zieltyp `typ` umgewandelt. Der Zieltyp muss ein Zeiger oder eine Referenz auf eine polymorphe Klasse sein bzw. ein Zeiger auf `void`. Ist der Zieltyp ein Zeigertyp, so muss auch `ausdruck` einen Zeigertyp besitzen. Falls der Zieltyp ein Referenztyp ist, so muss `ausdruck` ein Objekt im Hauptspeicher bezeichnen.

Beispiele

Für den Zeiger `kfzPtr` auf die Basisklasse `Kfz` wird mit

Beispiel: `Pkw* pkwPtr = dynamic_cast<Pkw*>(kfzPtr);`

ein Down-Cast in die abgeleitete Klasse `Pkw` vorgenommen, sofern der Zeiger `kfzPtr` tatsächlich ein Objekt vom Typ `Pkw` adressiert. Ist dies nicht der Fall, so liefert der Operator `dynamic_cast<Pkw>` den NULL-Zeiger zurück.

Ist `cabrio` ein Objekt vom Typ `Pkw`, so wird im folgenden

Beispiel: `Kfz& r_kfz = cabrio;`
            `Pkw& r_pkw = dynamic_cast<Pkw&>(r_kfz);`

ein dynamischer Cast in den Typ „Referenz auf `Pkw`" durchgeführt. Im Fehlerfall, d.h. wenn die Referenz `r_kfz` auf kein Objekt vom Typ `Pkw` verweist, wird eine Exception vom Typ `bad_cast` ausgelöst.

Der dynamische Cast-Operator kann auch für Up-Casts eingesetzt werden. Hierbei brauchen die beteiligten Klassen nicht polymorph zu sein. Eine Typüberprüfung zur Laufzeit findet allerdings nicht statt: Ein fehlerhafter Up-Cast wird bereits vom Compiler erkannt und gemeldet.

Übungen

Das Auswahlmenü

```
    * * *   Verwaltung des StadtAuto-Fuhrparks   * * *

P = Pkw neu aufnehmen

L = Lkw neu aufnehmen

A = Fuhrpark anzeigen

B = Programm beenden

Ihre Wahl :
```

Versionen der Methode insert()

Zur Aufnahme eines neuen Pkws:

```cpp
bool insert( const string& tp, bool sd,
                   long n, const string& hst);
```

Zur Aufnahme eines neuen Lkws:

```cpp
bool insert( int a, double t, long n, const string& hst);
```

1. Aufgabe

Das Programm zur Verwaltung von Kraftfahrzeugen soll so ergänzt werden, dass die Fahrzeuge einer Firma für Autovermietungen verwaltet werden können. Zunächst wird eine Klasse StadtAuto definiert, die einen Vektor von Zeigern auf 100 Objekte der Klasse Kfz besitzt. Damit können dann auch Zeiger auf Objekte vom Typ der abgeleiteten Klassen Pkw und Lkw gespeichert werden. Die Objekte selbst werden zur Laufzeit dynamisch angelegt.

- Definieren Sie die Klasse StadtAuto mit einem Vektor von Zeigern auf die Klasse Kfz sowie eine int-Variable für die aktuelle Anzahl der Elemente im Vektor.

  Der Konstruktor initialisiert die aktuelle Anzahl der Vektorelemente mit 0.

  Der Destruktor muss den dynamisch reservierten Speicherplatz restlicher Objekte wieder freigeben. Achten Sie darauf, dass der Destruktor in der Basisklasse Kfz virtuell deklariert ist, damit der Speicherplatz auch für Pkws und Lkws korrekt freigegeben wird.

  Die Methode insert() ist in zwei Versionen mit den nebenstehend angegebenen Prototypen zu implementieren. In jeder Version wird Speicherplatz für ein Objekt des entsprechenden Typs – nämlich der Klasse Pkw bzw. Lkw – reserviert und mit den übergebenen Argumenten initialisiert. Die Methode liefert false zurück, wenn kein Kfz mehr aufgenommen werden kann (d.h. wenn der Vektor voll ist), andernfalls true.

  Die Methode display() zeigt die Daten aller Fahrzeuge auf dem Bildschirm an. Sie ruft zu diesem Zweck für jedes Objekt die bereits erstellte Methode display() auf.

- Erstellen Sie in einer neuen Quelldatei eine Funktion menu(), die eine Menüauswahl wie nebenstehend anzeigt, die Wahl des Anwenders einliest und zurückgibt.

- Schreiben Sie außerdem zwei Funktionen getPkw() und getLkw(), die die Daten für einen Pkw bzw. Lkw im Dialog einlesen und in die passenden Argumente zurückschreiben.

- Legen Sie in einer main-Funktion ein Objekt vom Typ StadtAuto an. Fügen Sie dann je einen Pkw und Lkw ein. Diese sollen von Anfang an zum Fuhrpark der Firma gehören.

  Wenn im Menü der Punkt „Pkw aufnehmen" oder „Lkw aufnehmen" ausgewählt wird, werden die entsprechenden Daten aufgenommen, und die passende Version von insert() wird aufgerufen.

Übungen (Fortsetzung)

Dialog mit der Kassiererin

In der Funktion registrieren()

```
Was ist der nächste Artikel?

    0 = Kein weiterer Artikel

    1 = Unverpackter Artikel

    2 = Verpackter Artikel

?
```

Im main()-Loop

```
Noch ein Kunde (j/n)?

Falls ja  →  Registrieren
```

2. Aufgabe

Das automatische Registrierkassensystem für eine Supermarktkette soll vervollständigt werden.

- Deklarieren Sie die Methoden `scanner()` und `printer()` in der Basisklasse `Product` als virtuell. Definieren Sie auch einen virtuellen Destruktor.

- Schreiben Sie eine Funktion `registrieren()`, die in einer Schleife das Registrieren und Auflisten von Produkten eines Einkaufs im Supermarkt vorsieht.

  In der Funktion wird ein Vektor mit 100 Zeigern auf die Basisklasse `Produkt` angelegt. Die Kassiererin bzw. der Kassierer gibt im Dialog ein, ob als nächstes ein verpacktes oder unverpacktes Produkt eingescannt wird. Der Speicherplatz für jedes eingescannte Produkt wird dynamisch reserviert und mit dem nächsten Zeiger im Vektor adressiert. Nach dem Einscannen aller Waren werden diese sequenziell ausgegeben. Dabei werden die Preise aller Produkte aufsummiert, und schließlich wird der Gesamtpreis ausgegeben.

- Erstellen Sie jetzt ein Anwendungsprogramm, mit dem eine Registrierkasse simuliert wird. In einer Schleife wird die Kassiererin bzw. der Kassierer gefragt, ob es einen weiteren Kunden gibt. Ist dies der Fall, wird die Funktion `registrieren()` aufgerufen. Andernfalls wird das Programm beendet.

Lösungen

Zur 1. Aufgabe:

```cpp
// ----------------------------------------------------------
// kfz.h :  Definition der Basisklasse Kfz und
//          der abgeleiteten Klasse Pkw und Lkw
// ----------------------------------------------------------
#ifndef _KFZ_H_
#define _KFZ_H_

#include <iostream>
#include <string>
using namespace std;

class Kfz
{
  private:
     long   nr;
     string hersteller;

  public:
     Kfz( long n = 0L, const string& herst = "");
     virtual ~Kfz() {}            // virtueller Destruktor

     // Zugriffsmethoden:
     long  getNr(void) const { return nr; }
     void  setNr( long n ) { nr = n; }

     const string& getHerst() const { return hersteller; }
     void  setHerst(const string& h){ hersteller = h; }

     virtual void display() const;   // Fahrzeug anzeigen
};

// Die abgeleiteten Klassen Pkw und Lkw sind unverändert,
// wie in der 1. Aufgabe aus Kapitel 23.

#endif

// ----------------------------------------------------------
// kfz.cpp
// Implementierung der Methoden von Kfz, Pkw  und Lkw
// ----------------------------------------------------------

// Unverändert, wie in der 1. Aufgabe aus Kapitel 23.
//
```

```
// ----------------------------------------------------
// stadt.h : Definition der Klasse StadtAuto
// ----------------------------------------------------

#ifndef _STADT_H_
#define _STADT_H_

#include "kfz.h"

class StadtAuto
{
  private:
    Kfz* vp[100];
    int anz;
  public:
    StadtAuto(){ anz = 0;}
    ~StadtAuto();

    bool insert(const string& tp, bool sd,
                long n, const string& hst);
    bool insert(int a, double t,
                long n, const string& hst);

    void display() const;
};
#endif   // _STADT_H

// ----------------------------------------------------
// stadt.cpp : Die Methoden der Klasse StadtAuto
// ----------------------------------------------------
#include "stadt.h"

StadtAuto::~StadtAuto()
{
   for(int i=0; i < anz; ++i)
     delete vp[i];
}

// Pkw einfügen:
bool StadtAuto::insert(const string& tp, bool sd,
                       long n, const string& hst)
{
   if( anz < 100)
   {
      vp[anz++] = new Pkw( tp, sd, n, hst);
      return true;
   }
   else
       return false;
}
```

Lösungen (Fortsetzung)

```cpp
// Lkw einfügen:
bool StadtAuto::insert( int a, double t,
                             long n, const string& hst)
{
    if( anz < 100)
    {
        vp[anz++] = new Lkw( a, t, n, hst);
        return true;
    }
    else
        return false;
}


void StadtAuto::display() const
{
    cin.sync(); cin.clear();    // Auf neue Eingabe warten
    for(int i=0; i < anz; ++i)
    {
        vp[i]->display();
        if((i+1)%4 == 0)  cin.get();
    }
}

// ---------------------------------------------------
// stadt_t.cpp : Zum Testen der Klasse StadtAuto
// ---------------------------------------------------
#include "stadt.h"

char menu(void);
void getPkw(string&, bool&, long&, string&);
void getLkw(int&, double&, long&, string&);

int main()
{
    StadtAuto autoExpress;
    string tp, hst; bool    sd;
    int    a;    long  n;  double t;

    // Zwei Autos sind schon da:
    autoExpress.insert(6, 9.5, 54321L, "MAN");
    autoExpress.insert("A-Klasse", true, 54320L, "Mercedes");
    char wahl;
    do
    {
        wahl = menu();
        switch( wahl )
        {
          case 'B':
          case 'b': cout << "Bye Bye!"  << endl;
                    break;
```

```
              case 'P':
              case 'p': getPkw(tp, sd, n, hst);
                        autoExpress.insert(tp, sd, n, hst  );
                        break;
              case 'L':
              case 'l': getLkw(a, t, n, hst);
                        autoExpress.insert(a, t, n, hst);
                        break;
              case 'A':
              case 'a': autoExpress.display();
                        cin.get();
                        break;
              default:  cout << "\a";       // Beep
                        break;
        }
    }while( wahl != 'B'  && wahl != 'b');

    return 0;
}

char menu()                                 // Kommando einlesen.
{
    cout << "\n  *  *  *  "
            "Verwaltung des StadtAuto-Fuhrparks  * * *\n"
         << endl;
    char c;
    cout <<    "\n             P = Pkw neu aufnehmen "
         <<    "\n             L = Lkw neu aufnehmen "
         <<    "\n             A = Fuhrpark anzeigen "
         <<    "\n             B = Programm beenden "
         << "\n\nIhre Wahl: ";
    cin >> c;

    return c;
}

void getPkw(string& tp, bool& sd, long& n, string& hst)
{
    char c;
    cin.sync(); cin.clear();
    cout << "\nDaten für einen PKW eingeben:" << endl;
    cout << "Pkw-Typ:         "; getline(cin, tp);
    cout << "Schiebedach(j/n): "; cin >> c;
    if(c == 'j' || c == 'J')
        sd = true;
    else
        sd = false;

    cout << "Fahrzeug-Nr:     "; cin >> n;
    cin.sync();
    cout << "Hersteller:      "; getline(cin, hst);
    cin.sync(); cin.clear();
}
```

Lösungen (Fortsetzung)

```
void getLkw(int& a, double& t, long& n, string& hst)
{
   cout << "\nDaten für einen LKW eingeben:" << endl;
   cout << "Anzahl Achsen:        "; cin >> a;
   cout << "Anzahl Tonnen:        "; cin >> t;
   cout << "Fahrzeug-Nr:          "; cin >> n;
   cin.sync();
   cout << "Hersteller:           "; getline(cin, hst);
   cin.sync();
}
```

Zur 2. Aufgabe:

```
// --------------------------------------------------------
// product.h : Definition der Klassen
//             Product, PackedFood und UnpackedFood
// --------------------------------------------------------
// . . .

class Product
{
  private:
    long    bar;
    string bez;

  public:
    Product(long b = 0L, const string& s = "")
    : bar(b), bez(s)
    { }

//   Zugriffsmethoden wie gehabt.

    virtual void scanner();        // Jetzt virtuell!
    virtual void printer() const;
};

// Die Klassen PackedFood und UnpackedFood
// sind unverändert! Siehe Lösungen zu Kapitel 23.
//
```

```
// ------------------------------------------------------
// kasse.cpp : Simulation einer Registrierkasse
// ------------------------------------------------------
#include "product.h"

void registrieren();

int main()
{
    cout << "\nHier ist eine Kasse!" << endl;
    char c;
    while(true)
    {
        cin.sync();
        cout << "\nNoch ein Kunde (j/n)?    ";
        cin  >> c;

        if(c == 'j' || c == 'J')
            registrieren();
        else
            break;
    }
    return 0;
}



// ------------------------------------------------------
// registrieren() : Die Waren eines Kunden registrieren
//                  und die Gesamtsumme bilden.
void registrieren()
{
    Product* v[100];
    int x, i, anzahl = 0;
    double sum = 0.0;

    for (i = 0; i < 100; i++)
    {
        cin.sync();
        cout << "\nWas ist der nächste Artikel?" << endl;
        cout << "  0 = Kein weiterer Artikel\n"
             << "  1 = Unverpackter Artikel\n"
             << "  2 = Verpackter Artikel\n"
             << "? " ;
        cin  >> x;

        if( x <= 0 || x >= 3)
            break;
```

Lösungen (Fortsetzung)

```cpp
        switch(x)
        {
          case 2:
              v[i] = new PackedFood;
              v[i]->scanner();
              sum += ((PackedFood*)v[i])->getPreis();
              break;

          case 1:
              v[i] = new UnpackedFood;
              v[i]->scanner();
              sum += ((UnpackedFood*)v[i])->getPreis()
                    * ((UnpackedFood*)v[i])->getGew();
              break;
        }
      }
    anzahl = i;
    for( i=0; i < anzahl; i++)              // Ausgabe
        v[i]->printer();

    cout << "\n----------------------------"
          << fixed << setprecision(2)
          << "\nGesamtpreis:   " << sum << endl;
  }
```

Kapitel 26

Abstrakte Klassen

Dieses Kapitel beschreibt, wie durch die Definition rein virtueller Methoden abstrakte Klassen gebildet werden können und wie abstrakte Klassen als polymorphes Interface für abgeleitete Klassen eingesetzt werden. Als Anwendung wird eine inhomogene Liste implementiert, also eine verkettete Liste, deren Elemente unterschiedliche Datentypen haben können.

Rein virtuelle Methoden

Die Basisklasse Mitarbeiter

```cpp
// mitarb.h:  Definition der abstrakten Klasse
//            Mitarbeiter.
// -----------------------------------------------------
#ifndef _MITARB_H
#define _MITARB_H

#include <string>
#include <iostream>
using namespace std;

class Mitarbeiter
{
   private:
     string name;
     // weitere Infos
   public:
     Mitarbeiter( const string& s = ""){ name = s; }
     virtual ~Mitarbeiter() {}      // Destruktor

     const string&  getName() const{ return name; }
     void  setName( const string& n){ name = n; }

     virtual void display() const;

     virtual double einkommen() const = 0;

     virtual Mitarbeiter& operator=(const Mitarbeiter&);
};
#endif
```

 Die virtuelle Operatorfunktion für die Zuweisung wird im Abschnitt *Virtuelle Zuweisungen* besprochen.

Motivierung

Virtuelle Methoden werden in der Basisklasse deklariert, damit sie über das Basisklassen-Interface in allen abgeleiteten Klassen zur Verfügung stehen. Häufig gibt es für sie in der Basisklasse jedoch noch keine sinnvolle Aufgabe. Beispielsweise braucht ein Destruktor in der Basisklasse noch keine expliziten Aufräumarbeiten auszuführen.

In diesem Fall kann natürlich eine virtuelle Dummy-Methode definiert werden, deren Adresse in die VMT der Basisklasse eingetragen wird. Damit wird jedoch Maschinencode für eine Funktion erzeugt, die nie aufgerufen werden sollte. Besser wäre es, wenn eine solche Funktion erst gar nicht definiert werden müsste. C++ bietet hier die Möglichkeit, *rein virtuelle Methoden* zu deklarieren.

Deklaration

Bei der Deklaration wird eine rein virtuelle Methode durch Anhängen des Ausdrucks = 0 gekennzeichnet.

Beispiel: `virtual void demo()=0;   // rein virtuell`

Damit erhält der Compiler die Information, dass in der Klasse keine Definition der Methode `demo()` vorhanden ist. In der virtuellen Methodentabelle wird für eine rein virtuelle Methode der NULL-Zeiger eingetragen.

Die Basisklasse Mitarbeiter

Nebenstehend ist eine Klasse `Mitarbeiter` definiert, die Informationen über Mitarbeiter in einer Firma darstellt. Die Klasse dient als Basisklasse für verschiedene Mitarbeiter, wie z.B. Arbeiter, Angestellte oder freie Mitarbeiter.

Der Einfachheit halber enthält die Klasse `Mitarbeiter` nur einen Namen als Datenelement. Daneben könnte auch die Adresse eines Mitarbeiters oder die Abteilung, zu der ein Mitarbeiter gehört, dargestellt werden.

Die Klasse `Mitarbeiter` besitzt keine Datenelemente zur Darstellung des Einkommens eines Mitarbeiters. Diese werden sinnvollerweise erst in den entsprechenden abgeleiteten Klassen definiert, wo z.B. Stundenlohn und Anzahl der Stunden für einen Arbeiter bzw. das Monatsgehalt für einen Angestellten festgelegt werden. Die Methode `einkommen()` ist deshalb in der Basisklasse noch nicht definiert und wird als rein virtuelle Methode deklariert.

Abstrakte und konkrete Klassen

Die abgeleitete Klasse Arbeiter

```
// mitarb.h:   Erweiterung der Header-Datei.
// -------------------------------------------------
class Arbeiter : public Mitarbeiter
{
   private:
     double lohn;
     int    std;

   public:
    Arbeiter(const string& s="", double l=0.0, int h=0)
            : Mitarbeiter(s), lohn(l), std(h){ }

    double getLohn() const { return lohn; }
    void   setLohn( double l ){ lohn = l; }

    int    getStd() const { return std; }
    void   setStd(int h ) { std = h; }

    void   display() const;
    double einkommen() const;

    Arbeiter& operator=(const Mitarbeiter&);
    Arbeiter& operator=(const Arbeiter&);
};
```

 Die Operatorfunktionen für die Zuweisung werden im Abschnitt *Virtuelle Zuweisungen* besprochen.

Konkret oder abstrakt?

Besitzt eine Klasse rein virtuelle Methoden, so können keine Objekte vom Typ einer solchen Klasse angelegt werden.

Beispiel: `Mitarbeiter polier("Metz, Udo");`

Hier erzeugt der Compiler eine Fehlermeldung, da die Klasse `Mitarbeiter` eine rein virtuelle Methode `einkommen()` besitzt. Andernfalls könnte für das Objekt `polier` eine Methode aufgerufen werden, die gar nicht definiert ist.

Eine Klasse, von der keine Objekte erzeugt werden können, heißt *abstrakte Klasse*. Deshalb gilt speziell:

- Eine Klasse mit rein virtuellen Methoden ist eine abstrakte Klasse.

Im Gegensatz dazu wird eine Klasse, von der Objekte angelegt werden können, *konkrete Klasse* genannt.

Ableitung abstrakter Klassen

Wird eine Klasse von einer abstrakten Klasse abgeleitet, so erbt sie alle Methoden der Basisklasse, insbesondere auch die rein virtuellen Methoden. Wenn alle rein virtuellen Methoden in der abgeleiteten Klasse implementiert werden, kann natürlich ein Objekt der abgeleiteten Klasse angelegt werden. Das bedeutet:

- Die Ableitung einer Klasse mit rein virtuellen Methoden ist eine konkrete Klasse, wenn für jede rein virtuelle Funktion eine Definition angegeben wird.

In der nebenstehend angegebenen Klasse `Arbeiter` muss also die Methode `einkommen()` implementiert werden. Da für einen Arbeiter der Stundenlohn und die Anzahl der Arbeitsstunden definiert sind, ist dies auch machbar.

Beispiel:
```
double Arbeiter::einkommen()
{
    return ( lohn * std );
}
```

Eine Klasse, die von einer konkreten Klasse abgeleitet ist, kann wieder rein virtuelle Methoden enthalten. Diese werden in der Ableitung zusätzlich deklariert. Damit kann die Ableitung einer konkreten Klasse eine abstrakte Klasse sein.

Eine Basisklasse, die keine rein virtuellen Methoden besitzt, ist stets eine konkrete Klasse. Selbst wenn der Konstruktor der Basisklasse als `private` deklariert wurde, kann eine Methode ein Objekt statisch oder dynamisch anlegen und eine Referenz bzw. einen Zeiger darauf zurückgeben. Von dieser Möglichkeit wird z.B. bei der Implementierung von *Singletons* Gebrauch gemacht, die garantieren, dass höchstens ein Objekt vom Typ der Klasse angelegt wird.

Zeiger und Referenzen auf abstrakte Klassen

Die abgeleitete Klasse Angestellter

```cpp
// mitarb.h:    Erweiterung der Header-Datei
// ------------------------------------------------
class Angestellter : public Mitarbeiter
{
  private:
    double gehalt;          // Monatsgehalt

  public:
    Angestellter( const string& s="", double g = 0.0)
               : Mitarbeiter(s), gehalt(g){ }
    double getGehalt() const { return gehalt; }
    void   setGehalt( double g){ gehalt = g; }
    void   display() const;
    double einkommen()const { return gehalt; }
    Angestellter& operator=( const Mitarbeiter& );
    Angestellter& operator=( const Angestellter& );
};
```

Beispielprogramm

```cpp
// mitarb_t.cpp : Die Mitarbeiter-Klassen verwenden.
// ------------------------------------------------
#include "mitarb.h"

int main()
{
   Mitarbeiter* mitPtr[2];
   mitPtr[0] = new Arbeiter("Nell, Rudi",45., 40);
   mitPtr[1] = new Angestellter("Sommer, Eva", 3850.0);

   for( int i = 0; i < 2; ++i)
   {
     mitPtr[i]->display();
     cout << "\nEinkommen von " << mitPtr[i]->getName()
       << " :  " << mitPtr[i]->einkommen() << endl;
   }
   delete mitPtr[0];
   delete mitPtr[1];
   return 0;
}
```

Obwohl es keine Objekte vom Typ einer abstrakten Klasse gibt, können trotzdem Zeiger und Referenzen auf abstrakte Klassen deklariert werden.

Beispiel: `Mitarbeiter *mitPtr;`

Der Zeiger `mitPtr` ist dann ein Basisklassenzeiger, der Objekte abgeleiteter, konkreter Klassen adressieren kann. Ebenso kann eine Basisklassenreferenz auf Objekte solcher Klassen verweisen. Diese ist wie bei Referenzen üblich in der Definition sofort zu initialisieren.

Referenzen auf abstrakte Basisklassen

Referenzen auf Basisklassen werden oft als Parameter von Funktionen eingesetzt. Der Kopierkonstruktor in der Klasse `Mitarbeiter` ist hierfür ein

Beispiel: `Mitarbeiter( const Mitarbeiter& );`

Dem Kopierkonstruktor wird stets ein Objekt einer abgeleiteten Klasse übergeben, da die Basisklasse abstrakt ist.

Die Zuweisung in der Klasse `Mitarbeiter` besitzt neben einer Referenz als Parameter auch eine Referenz auf die abstrakte Klasse als Return-Wert.

Zeiger auf abstrakte Basisklassen

Zeiger auf Basisklassen werden hauptsächlich zur Adressierung dynamisch reservierter Objekte eingesetzt. Ist die Basisklasse abstrakt, so kann nur Speicherplatz für ein Objekt einer abgeleiteten, konkreten Klasse reserviert werden.

Beispiel: `Mitarbeiter* mitPtr;`
                `mitPtr = new Arbeiter("Nell, Rudi",25.,40);`
                `cout << mitPtr->einkommen();`

Da die Methode `einkommen()` virtuell ist, wird hier die passende Version aus der abgeleiteten Klasse `Arbeiter` ausgeführt.

Polymorphes Interface

Mit der Definition rein virtueller Methoden werden die Schnittstellen für allgemeine Operationen festgelegt, die erst in abgeleiteten Klassen implementiert werden. Besitzt eine abgeleitete Klasse eine eigene Definition für die virtuelle Methode, so wird diese Version auch dann ausgeführt, wenn ein Objekt über einen Basisklassenzeiger bzw. eine Referenz angesprochen wird. Man sagt deshalb, dass abstrakte Klassen ein *polymorphes Interface* für abgeleitete Klassen sind.

Nebenstehend ist die Klasse `Angestellter` definiert, die ebenfalls von der abstrakten Klasse `Mitarbeiter` abgeleitet ist. Die Operatorfunktionen für die Zuweisung werden im folgenden besprochen und implementiert.

Virtuelle Zuweisungen

Zuweisung für die Klasse Mitarbeiter

```
// Virtuelle Zuweisung der Basisklasse
Mitarbeiter& operator=(const Mitarbeiter & m)
{
  if( this != &m )            // Keine Selbstzuweisung
    name = m.name;

  return *this;
}
```

Zuweisungen für die Klasse Angestellter

```
// Redefinition, virtuell
Angestellter& operator=(const Mitarbeiter& m)
{
  if( this != &m )            // Keine Selbstzuweisung
  {
    Mitarbeiter::operator=( m );
    gehalt = 0.0;
  }

  return *this;
}

// Standardzuweisung, nicht virtuell
Angestellter& operator=(const Angestellter& a)
{
   if( this != &a )
   {
     Mitarbeiter::operator=( a );
     gehalt = a.gehalt;
   }
   return *this;
}
```

 Die Redefinition der virtuellen Operatorfunktion operator=(), die als Ergebnistyp eine Referenz auf die abgeleitete Klasse liefert, wird noch nicht von allen Compilern unterstützt. Sollte dies der Fall sein, muss als Ergebnistyp eine Referenz auf die Basisklasse Mitarbeiter angegeben werden.

Virtuelle Operatorfunktionen

Operatorfunktionen, die als Methoden implementiert werden, können auch virtuell sein. In diesem Fall ist sichergestellt, dass stets die richtige Version der Operatorfunktion ausgeführt wird, wenn ein Objekt einer abgeleiteten Klasse über einen Zeiger oder eine Referenz auf die Basisklasse angesprochen wird.

Ein Beispiel dafür ist die Operatorfunktion für die Zuweisung. Wird diese nicht als virtuell deklariert und wird sie über einen Basisklassenzeiger aufgerufen, so wird nur der Basisanteil des Objekts überschrieben. Die zusätzlichen Datenelemente bleiben dann unverändert.

Einsatz der virtuellen Zuweisung

Die Zuweisung wurde in der Basisklasse `Mitarbeiter` als virtuell deklariert. Die beiden abgeleiteten Klassen `Arbeiter` und `Angestellter` definieren ihre eigenen Versionen. Deshalb wird im folgenden

Beispiel:
```
void cpy(Mitarbeiter& a, const Mitarbeiter& b)
{ a = b; }
```

die Zuweisung der Klasse `Angestellter` ausgeführt, wenn als erstes Argument ein Objekt dieser Klasse übergeben wird. Hat das Objekt den Typ `Arbeiter`, so wird die Zuweisung der Klasse `Arbeiter` ausgeführt.

In der Funktion `cpy()` können also zwei Objekte beliebiger, auch nachträglich abgeleiteter Klassen zugewiesen werden, ohne dass die Funktion selbst geändert werden muss! Wichtig ist nur, dass in jeder abgeleiteten Klasse eine eigene Version der Zuweisung definiert ist.

Redefinition der Standardzuweisung

„Eigene Version" bedeutet immer, dass die virtuelle Methode mit derselben Signatur redefiniert wird. Da die Standardzuweisung einer abgeleiteten Klasse eine eigene Signatur hat, ist sie *nicht* virtuell. In der Klasse Arbeiter hat die Standardzuweisung den Prototyp:

Beispiel:
```
Arbeiter& operator=(const Arbeiter&);
```

Der Typ `const Arbeiter&` ist verschieden vom Typ `const Mitarbeiter&` des Parameters der virtuellen Operatorfunktion in der Basisklasse. Die Standardzuweisung überdeckt also die virtuelle Zuweisung in der Basisklasse. Somit ist zweierlei erforderlich:

- Die virtuelle Operatorfunktion für die Zuweisung muss in jeder abgeleiteten Klasse selbst definiert werden.

- Damit dann noch die Standardzuweisung zur Verfügung steht, muss auch sie in der abgeleiteten Klasse redefiniert werden.

Anwendung: Inhomogene Listen

Die abstrakte Basisklasse Cell und Ableitungen

```cpp
// cell.h: Definition der Klassen Cell, BaseEl und DerivedEl
// --------------------------------------------------------
#ifndef _CELL_
#define _CELL_
#include <string>
#include <iostream>
using namespace std;

class Cell
{
  private:
    Cell* next;
  protected:
    Cell(Cell* suc = NULL ){ next = suc; }
  public:
    virtual ~Cell(){ }
    // Hier Zugriffsmethoden
    virtual void display() const = 0;
};

class BaseEl : public Cell
{
  private:
    string name;
  public:
    BaseEl( Cell* suc = NULL, const string& s = "")
    :  Cell(suc), name(s){}
    // Hier Zugriffsmethoden
    void display() const;
};

class DerivedEl : public BaseEl
{
  private:
    string bem;
  public:
    DerivedEl(Cell* suc = NULL,const string& s="",
              const string& b="")
    : BaseEl(suc, s), bem(b) { }
    // Hier Zugriffsmethoden
    void display() const;
};
#endif
```

Begriffsdefinition

Als Anwendung wollen wir eine inhomogene Liste implementieren. Eine inhomogene Liste ist eine lineare Liste, deren Elemente verschiedene Datentypen besitzen. Sind die zu speichernden Informationen Objekte aus einer Klassenhierarchie, so kann ein Listenelement ein Objekt einer Basisklasse enthalten, ein anderes Listenelement dagegen ein Objekt einer abgeleiteten Klasse.

Aufgrund der impliziten Typumwandlungen in Klassenhierarchien können dann die Listenelemente über Basisklassenzeiger verwaltet, d.h. in einer verketteten Liste unterhalten werden. Diese Situation kann so veranschaulicht werden:

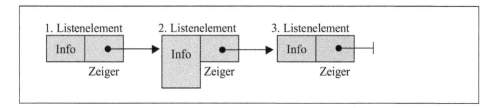

Darstellung von Listenelementen

Um die Verwaltung der Listenelemente von den eigentlichen Informationen zu trennen, definieren wir eine abstrakte Klasse `Cell` als Basisklasse aller Listenelemente. Als Datenelement besitzt die Klasse einen Zeiger vom Typ `Cell*` für die Verkettung der Listenelemente. Da keine Objekte vom Typ `Cell` angelegt werden sollen, ist der Konstruktor von `Cell` als `protected` deklariert.

In der Klasse `Cell` gibt es noch keine Informationen, die auszugeben sind. Jede von `Cell` abgeleitete Klasse enthält jedoch Daten, die vollständig angezeigt werden sollten. Deshalb ist in `Cell` eine rein virtuelle Methode `display()` deklariert, die für verschiedene Ableitungen angepasst werden kann.

Die von `Cell` abgeleiteten Klassen `BaseEl` und `DerivedEl` stellen Listenelemente dar, die Informationen speichern. Der Einfachheit halber werden in `BaseEl` nur ein Name und in `DerivedEl` zusätzlich eine Bemerkung gespeichert. Im `public`-Deklarationsteil sind ein Konstruktor und Zugriffsmethoden deklariert. Außerdem wird jetzt eine passende Version der Methode `display()` definiert. Beide Klassen werden damit zu konkreten Klassen.

Implementierung einer inhomogenen Liste

Definition der Klasse InhomList

```
// List.h:  Definition der Klasse InhomList
// --------------------------------------------
#ifndef _LIST_H
#define _LIST_H
#include "cell.h"

class InhomList
{ private:
    Cell* first;
  protected:
    Cell* getPrev(const string& s);
    void  insertAfter(const string& s,Cell* prev);
    void  insertAfter(const string& s,
                      const string& b,Cell* prev);
  public: // Konstruktor, Destruktor usw....
    void  insert(const string& n);
    void  insert(const string& n, const string& b);
    void displayAll() const;
};
#endif
```

Listenelement in der Mitte einfügen

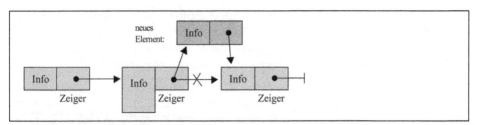

Definition einer Version von insertAfter()

```
void InhomList::insertAfter(const string& s, Cell* prev)
{
  if( prev == NULL )    // Vor allen anderen einfügen:
     first = new BaseEl( first, s);
  else                  // In der Mitte oder am Ende:
  {
     Cell* p = new BaseEl(prev->getNext(), s);
     prev->setNext(p);
  }
}
```

Die Klasse InhomList

Die inhomogene Liste soll so dargestellt werden, dass Listenelemente sortiert eingefügt werden können. Das Einfügen ist jetzt nicht mehr nur an einem Ende der Liste vorzunehmen, sondern muss an beliebigen vorgegebenen Positionen möglich sein. Als Datenelement genügt ein Zeiger auf das erste Listenelement. Über die Zeiger auf nachfolgende Listenelemente kann dann jedes Element in der Liste erreicht werden.

Nebenstehend ist die Definition der Klasse `InhomList` angegeben. Als Datenelement ist ein Zeiger auf `Cell` deklariert. Der Konstruktor hat dann wenig zu tun: Er setzt den Basisklassenzeiger auf NULL und legt so eine leere Liste an.

Wir werden die Liste nach Namen sortiert unterhalten. Wenn ein neues Element in die Liste eingefügt werden soll, so muss zunächst dessen Einfügeposition bestimmt werden. Das ist die Position des Listenelements, hinter dem eingefügt wird („Vorgänger"). In unserem Beispiel enthält der Vorgänger den lexikografisch kleineren Namen. Das Suchen der Einfügeposition erledigt die nebenstehende Methode `getPrev()`. Sie liefert die Position des Vorgängers bzw. NULL, falls es keinen Vorgänger gibt. Im letzten Fall ist das neue Listenelement vor allen anderen Elementen in der Liste einzufügen.

Einfügen eines neuen Listenelements

Ist die Einfügeposition gefunden, so kann die Methode `insertAfter()` den Speicherplatz für ein neues Listenelement reservieren und dieses in die Liste „einklinken". Hierbei sind zwei Fälle zu unterscheiden:

1. Wenn das neue Element vor allen anderen einzufügen ist, wird das „alte" erste Listenelement zum zweiten Element in der Liste. Das neue Element wird zum ersten Element. Der Zeiger `first` muss also aktualisiert werden.

2. Ist das neue Element an anderer Stelle in der Liste einzufügen, so ist der Zeiger `first` nicht davon betroffen. Statt dessen müssen zwei Zeiger „umgebogen" werden: Im Vorgänger muss der Zeiger auf das neue Element gesetzt werden. Der Zeiger im neuen Element muss den „alten" Nachfolger des Vorgängers adressieren. Dies trifft auch dann zu, wenn der „alte" Nachfolger der NULL-Zeiger ist, also das neue Element am Ende der Liste angehängt wird.

Da in der Liste Objekte vom Typ `BaseEl` und `DerivedEl` unterhalten werden, ist die Methode `insertAfter()` in zwei Versionen überladen. Beide unterscheiden sich nur durch die verschiedenen Aufrufe des Operators `new`.

Aus demselben Grund ist auch die Methode `insert()` überladen. Beide Versionen rufen zunächst die Methode `getPrev()` auf und dann die passende Version der Methode `insertAfter()`.

Übungen

Die vollständige Klasse InhomList

```cpp
class InhomList
{
  private:
    Cell* first;

  protected:
   Cell* getPrev(const string& s);
   Cell* getPos(const string& s);

   void  insertAfter(const string& s, Cell* prev);
   void  insertAfter(const string& s,const string& b,
                     Cell* prev);

   void  erasePos(Cell* pos);

  public:
     InhomList(){ first = NULL; }
     InhomList(const InhomList& src);
     ~InhomList();

     InhomList& operator=( const InhomList& src);

     void  insert(const string& n);
     void  insert(const string& n, const string& b);

     void  erase(const string& n);

     void displayAll() const;
};
```

Aufgabe

Die Klasse InhomList zur Darstellung einer inhomogenen Liste soll ergänzt und vollständig definiert werden.

● Schreiben Sie den Destruktor der Klasse InhomList, der den Speicherplatz aller Listenelemente freigibt.

● Implementieren Sie die Methode getPrev() sowie die beiden Versionen der Methoden insert() und insertAfter(). Der Algorithmus zum Einfügen wurde im Abschnitt *Implementierung einer inhomogenen Liste* beschrieben.

● Implementieren Sie die Methode displayAll(), die sequenziell durch die Liste läuft und jedes Objekt ausgibt.

● Testen Sie jetzt das Einfügen und Ausgeben von Listenelementen. Kontrollieren Sie, ob auch die Bemerkungen von Objekten, sofern vorhanden, angezeigt werden.

● Erstellen Sie die Methode getPos(), die die Position eines zu löschenden Listenelements bestimmt. Falls das Element in der Liste vorhanden ist, wird seine Adresse zurückgegeben, andernfalls der NULL-Zeiger.

● Schreiben Sie die Methode erasePos(), die ein Listenelement in einer vorgegebenen Position löscht. Hierbei ist zu unterscheiden, ob das zu löschende Element das erste in der Liste ist oder nicht. Da der Destruktor von Cell virtuell deklariert wurde, ist nur eine Version der Methode erasePos() erforderlich.

● Erstellen Sie die Methode erase(), die zu einem vorgegebenen Namen das entsprechende Listenelement aus der Liste löscht.

● Testen Sie das Löschen von Listenelementen. Lassen Sie sich dabei immer wieder die verbleibenden Listenelemente anzeigen.

● Implementieren Sie jetzt den Kopierkonstruktor und die Zuweisung. Zum Aufbau der Liste rufen Sie die Methode insert() in der passenden Version auf. Den aktuellen Typ des jeweils einzufügenden Listenelements können Sie mit dem Operator typeid() abfragen. Dieser ist in der Header-Datei type-info deklariert.

Beispiel: if(typeid(*ptr) == typeid(DerivedEl)) ...

Der Ausdruck trifft zu, wenn ptr ein Objekt vom Typ DerivedEl adressiert.

● Testen Sie dann den Kopierkonstruktor und die Zuweisung.

Lösungen

```cpp
// ----------------------------------------------------------
// cell.h
// Definition der Klassen Cell, BaseEl und DerivedEl
// ----------------------------------------------------------
#ifndef _CELL_
#define _CELL_

#include <string>
#include <iostream>
using namespace std;

class Cell
{
  private:
    Cell* next;

  protected:
    Cell(Cell* suc = NULL ){ next = suc; }

  public:
    virtual ~Cell(){ }
    Cell* getNext() const { return next; }
    void  setNext(Cell* suc) { next = suc; }

    virtual void display() const = 0;
};

class BaseEl : public Cell
{
  private:
    string name;

  public:
    BaseEl( Cell* suc = NULL, const string& s = "")
    :  Cell(suc), name(s){}

    // Zugriffsmethoden:
    void    setName(const string& s){ name = s; }
    const string& getName() const { return name; }

    void display() const
    {
        cout << "\n----------------------------------"
             << "\nName:        " << name << endl;
    }
};
```

```
class DerivedEl : public BaseEl
{
   private:
     string bem;

   public:
     DerivedEl(Cell* suc = NULL,
               const string& s="", const string& b="")
     : BaseEl(suc, s), bem(b){ }
     // Zugriffsmethoden:
     void    setBem(const string& b){ bem = b; }
     const string& getBem() const { return bem; }
     void display() const
     {
         BaseEl::display();
         cout << "Bemerkung:  " << bem << endl;
     }
};
#endif


// ----------------------------------------------------------
// List.h : Definition der Klasse InhomList
// ----------------------------------------------------------
#ifndef _LIST_H_
#define _LIST_H_
#include "cell.h"
class InhomList
{
  private:
    Cell* first;

  protected:
    Cell* getPrev(const string& s);
    Cell* getPos( const string& s);
    void  insertAfter(const string& s, Cell* prev);
    void  insertAfter(const string& s,const string& b,
                      Cell* prev);
    void  erasePos(Cell* pos);

  public:
     InhomList(){ first = NULL; }
     InhomList(const InhomList& src);
     ~InhomList();
     InhomList& operator=( const InhomList& src);
     void  insert(const string& n);
     void  insert(const string& n, const string& b);
     void  erase(const string& s);
     void displayAll() const;
};
#endif
```

623

Lösungen (Fortsetzung)

```cpp
// --------------------------------------------------------
// List.cpp : Die Methoden der Klasse InhomList
// --------------------------------------------------------
#include "List.h"
#include <typeinfo>

// Kopierkonstruktor:
InhomList::InhomList(const InhomList& src)
{
    // An leere Liste die Elemente aus src anhängen.
    first = NULL;
    Cell *pEl = src.first;
    for( ; pEl != NULL;  pEl = pEl->getNext() )
        if(typeid(*pEl) == typeid(DerivedEl))
            insert(dynamic_cast<DerivedEl*>(pEl)->getName(),
                    dynamic_cast<DerivedEl*>(pEl)->getBem());
        else
            insert(dynamic_cast<BaseEl*>(pEl)->getName());
}


// Zuweisung:
InhomList& InhomList::operator=(const InhomList& src)
{
    // Speicher aller Elemente freigeben:
    Cell *pEl = first,
         *next = NULL;
    while( pEl != NULL )
    {
        next = pEl->getNext();
        delete pEl;
        pEl = next;
    }

    first = NULL;                    // Leere Liste

    // An leere Liste die Elemente aus src anhängen.
    pEl = src.first;

    for( ; pEl != NULL;  pEl = pEl->getNext() )
        if(typeid(*pEl) == typeid(DerivedEl))
            insert(dynamic_cast<DerivedEl*>(pEl)->getName(),
                    dynamic_cast<DerivedEl*>(pEl)->getBem());
        else
            insert(dynamic_cast<BaseEl*>(pEl)->getName());

    return *this;
}
```

```
// Destruktor:
InhomList::~InhomList()
{
   Cell *pEl = first,
        *next = NULL;
   while( pEl != NULL )
   {
      next = pEl->getNext();
      delete pEl;
      pEl = next;
   }
}


Cell* InhomList::getPrev(const string& n)
{
   Cell *pEl  = first,
        *prev = NULL;
   while( pEl != NULL  )
   {
      if( n > dynamic_cast<BaseEl*>(pEl)->getName() )
      {
         prev = pEl;   pEl  = pEl->getNext();
      }
      else
         return prev;
   }
   return prev;
}


Cell* InhomList::getPos( const string& n)
{
   Cell *pEl  = first;
   while( pEl != NULL  &&
          (n != dynamic_cast<BaseEl*>(pEl)->getName()))
      pEl  = pEl->getNext();
   if( pEl != NULL  &&
       n == dynamic_cast<BaseEl*>(pEl)->getName())
      return pEl;
   else
      return NULL;
}


void InhomList::insertAfter(const string& s, Cell* prev)
{
  if( prev == NULL )     // Vor allen anderen einfügen:
     first = new BaseEl( first, s);
  else                   // In der Mitte oder am Ende:
  {
     Cell* p = new BaseEl(prev->getNext(), s);
     prev->setNext(p);
  }
}
```

Lösungen (Fortsetzung)

```cpp
void InhomList::insertAfter( const string& s,
                             const string& b, Cell* prev)
{
  if( prev == NULL )        // Vor allen anderen einfügen:
    first = new DerivedEl( first, s, b);
  else                      // In der Mitte oder am Ende:
  {
    Cell* p = new DerivedEl(prev->getNext(), s, b);
    prev->setNext(p);
  }
}


void InhomList::insert(const string& n)
{
  Cell* pEl = getPrev(n);
  insertAfter(n, pEl);
}


void  InhomList::insert(const string& n, const string& b)
{
  Cell* pEl = getPrev(n);
  insertAfter(n, b, pEl);
}


void  InhomList::erasePos(Cell* pos)
{
  Cell* temp;
  if( pos != NULL)
    if( pos == first )              // Erstes Element löschen
    {
      temp = first;
      first = first->getNext();
      delete temp;
    }
    else                // In der Mitte o. am Ende löschen
    {                   // Vorgänger bestimmen
      temp = getPrev( dynamic_cast<BaseEl*>(pos)
                                         ->getName());
      if(temp != NULL)       // und Zeiger umbiegen.
        temp->setNext(pos->getNext());
      delete pos;
    }
}


void  InhomList::erase(const string& n)
{
  erasePos( getPos(n));
}
```

```
void InhomList::displayAll() const
{
   Cell* pEl = first;
   while(pEl != NULL)
   {
       pEl->display();
       pEl = pEl->getNext();
   }
}

// ----------------------------------------------------------
// List_t.cpp : Testen der sortierten inhomogenen Liste
// ----------------------------------------------------------

#include "List.h"

int main()
{
   InhomList liste1;

   cout << "\nEinfügen testen. " << endl;

   liste1.insert("Raufbold, Max");
   liste1.insert("Süss, Rita", "immer munter");
   liste1.insert("Schnell, Hans", "topfit");
   liste1.insert("Banderas, Antonio");

   liste1.displayAll(); cin.get();

   cout << "\nLöschen testen. " << endl;

   liste1.erase("Banderas, Antonio");
   liste1.erase("Schnell, Hans");
   liste1.erase("Süss, Rita");

   liste1.displayAll(); cin.get();

   cout << "\n----------------------------------"
        << "\nKopie anlegen und Element einfügen. "
        << endl;

   InhomList liste2(liste1),     // Kopierkonstruktor
             liste3;             // und eine leere Liste

   liste2.insert("Lustig, Peter", "gut in Form");

   liste3 = liste2;             // Zuweisung
   cout << "\nNach der Zuweisung: " << endl;
   liste3.displayAll();

   return 0;
}
```

Kapitel 27

Mehrfachvererbung

Dieses Kapitel beschreibt, wie durch Mehrfachvererbung neue Klassen gebildet und eingesetzt werden können. Neben dem Auf- und Abbau von Objekten mehrfach abgeleiteter Klassen werden auch virtuelle Basisklassen vorgestellt, durch die Mehrdeutigkeiten bei der Mehrfachvererbung ausgeschlossen werden können.

Mehrfach abgeleitete Klassen

Die mehrfach abgeleitete Klasse Wohnwagen

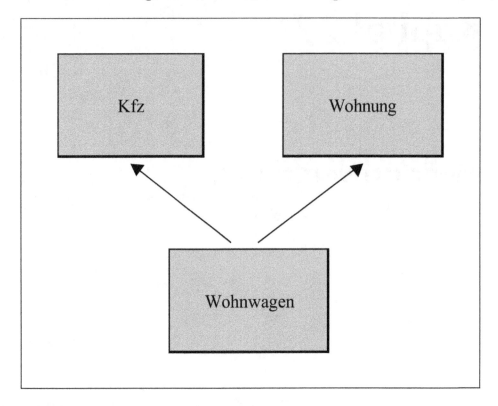

Definitionsschema für die Klasse Wohnwagen

```
class Wohnwagen : public Kfz, public Wohnung
{
   private:
     // Hier zusätzliche private-Elemente

   protected:
     // Hier zusätzliche protected-Elemente

   public:
     // Hier zusätzliche öffentliche Elemente
};
```

Eine Klasse kann nicht nur eine, sondern mehrere verschiedene Basisklassen besitzen. In diesem Fall ist die Klasse von mehreren Basisklassen abgeleitet. Man sagt auch, dass die Klasse durch *Mehrfachvererbung* entsteht.

Die mehrfach abgeleitete Klasse Wohnwagen

Angenommen, neben der Klasse `Kfz` zur Darstellung von Kraftfahrzeugen wurde auch eine Klasse `Wohnung` definiert. Diese enthält charakteristische Werte und Operationen für eine Wohnung, wie z.B. die Quadratmeterzahl, Anzahl und Art von Zimmern sowie das Bauen, Umbauen, Verkaufen oder Vermieten.

Von beiden Klassen kann dann eine Klasse `Wohnwagen` abgeleitet werden. Nebenstehend sind ein Vererbungsdiagramm und ein Definitionsschema für diese Klasse angegeben. Ein Objekt der Klasse `Wohnwagen` besitzt sowohl die Datenelemente von `Kfz` als auch die Datenelemente von `Wohnung`.

Arten der Vererbung

Da die Klasse `Wohnwagen` durch `public`-Vererbung aus zwei Basisklassen entsteht, übernimmt sie die öffentlichen Schnittstellen beider Basisklassen. Für ein Objekt vom Typ `Wohnwagen` sind deshalb nicht nur die zusätzlich definierten `public`-Elemente, sondern auch alle `public`-Elemente der Basisklassen `Kfz` und `Wohnung` ansprechbar.

Wichtig ist, dass bei der Definition einer mehrfach abgeleiteten Klasse die Vererbungsart, also `private`, `protected` oder `public`, für jede Basisklasse separat festgelegt wird. So könnte die Klasse `Wohnwagen` aus der Klasse `Kfz` durch `public`-Vererbung und aus der Klasse `Wohnung` durch `protected`-Vererbung entstehen.

Beispiel:
```
class Wohnwagen:public Kfz,protected Wohnung
{ . . . };
```

Wird kein Schlüsselwort angegeben, so ist dies gleichbedeutend mit `private`.

Beispiel:
```
class Wohnwagen : public Kfz, Wohnung
{ . . . };
```

Hier wird eine `public`-Vererbung der Klasse `Kfz` und eine `private`-Vererbung der Klasse `Wohnung` definiert. Dann werden alle `public`-Elemente von `Wohnung` in der abgeleiteten Klasse zu `private`-Elementen.

Bei der Mehrfachvererbung entspricht jeder `public`-Vererbung eine *Ist-Beziehung*. Dies entspricht der Situation wie bei der einfachen Vererbung. Entsteht die Klasse `Wohnwagen` aus beiden Basisklassen durch `public`-Vererbung, so *ist* ein Wohnwagen ein spezielles Kraftfahrzeug und eine spezielle Wohnung.

Mehrfache indirekte Basisklassen

Die mehrfache indirekte Basisklasse Kfz

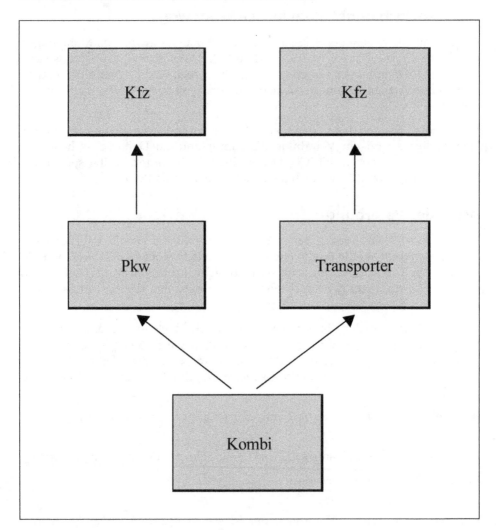

Definitionsschema der Klasse Kombi

```
class Kombi : public Pkw, public Transporter
{
    // Hier zusätzliche Methoden und Datenelemente
};
```

Mehrere gleiche Basisklassen

Bei der Definition einer mehrfach abgeleiteten Klasse kann eine direkte Basisklasse nicht mehrfach vererbt werden. Im folgenden

Beispiel:
```
class B : public A, public A    // Fehler
{ . . . };
```

wird der Compiler deshalb eine Fehlermeldung ausgeben.

Eine Klasse kann jedoch von verschiedenen Klassen abgeleitet sein, die dieselbe Basisklasse besitzen. Man spricht dann auch von einer *mehrfachen indirekten Basisklasse*.

Im nebenstehenden Vererbungsdiagramm ist die Mehrfachableitung der Klasse Kombi von den Klassen Pkw und Transporter dargestellt. Beide Basisklassen sind selbst von der Klasse Kfz abgeleitet. Damit ist Kfz eine mehrfache indirekte Basisklasse der Klasse Kombi.

Mehrdeutigkeiten

Ein Objekt der Klasse Kombi besitzt dann die Elemente von Kfz *zweifach*. Der Zugriff auf Elemente der Klasse Kfz führt deshalb zu *Mehrdeutigkeiten*.

Beispiel:
```
Kombi myKombi(. . .);
cout << myKombi.getHerst();    // Fehler
```

Sowohl die Basisklasse Pkw als auch Transporter besitzen eine Methode getHerst(), die sie von der Klasse Kfz geerbt haben. Deshalb kann der Compiler nicht entscheiden, welche Methode gemeint ist.

Mehrdeutigkeiten im Zusammenhang mit der Mehrfachvererbung können auch dann auftreten, wenn *verschiedene* Basisklassen gleichnamige Elemente besitzen. Besitzt etwa die Klasse Wohnung ebenso wie die Klasse Kfz eine Methode getNr(), so kann im folgenden

Beispiel:
```
Wohnwagen wohnMobil( . . .);
wohnMobil.getNr();
```

die Methode getNr() nicht eindeutig identifiziert werden.

Zur Auflösung solcher Mehrdeutigkeiten kann mit Hilfe des Bereichsoperators festgelegt werden, welche Basisklasse gemeint ist.

Beispiel:
```
cout << wohnMobil.Wohnung::getNr();
cout << myKombi.Pkw::getHerst();
```

Zunächst wird die Methode getNr() der Klasse Wohnung aufgerufen, danach die von der Klasse Kfz an Pkw vererbte Methode getHerst().

Virtuelle Basisklassen

Die virtuelle Basisklasse Kfz

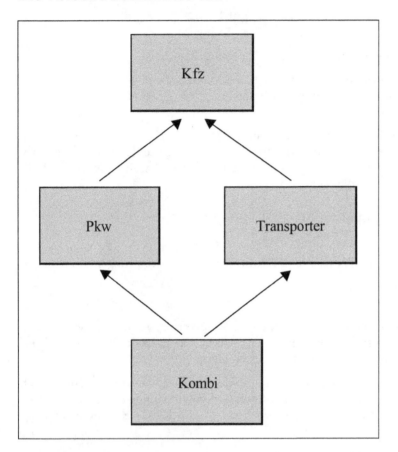

Definitionsschema

```
class Pkw : public virtual Kfz
{
   // Hier die zusätzlichen Elemente
   // der Klasse Pkw
};

class Transporter : public virtual Kfz
{
   // Hier die zusätzlichen Elemente
   // der Klasse Transporter
};
```

Problemstellung

Normalerweise ist es nicht wünschenswert, dass eine durch Mehrfachvererbung entstehende Klasse eine indirekte Basisklasse mehrfach enthält. Wozu sollte ein Kombi den Hersteller und die Kraftfahrzeugnummer doppelt enthalten? Deshalb stellt sich die Frage, ob mehrfach abgeleitete Klassen definiert werden können, die eine indirekte Basisklasse stets nur einmal enthalten?

In C++ ist dies mit *virtuellen Basisklassen* möglich. Ein Objekt einer mehrfach abgeleiteten Klasse enthält die Elemente einer virtuellen Basisklasse nur einmal. Das nebenstehende Vererbungsdiagramm verdeutlicht die Situation am Beispiel der Klasse Kombi.

Deklaration

Eine direkte Basisklasse wird bei der Definition einer abgeleiteten Klasse als virtuell deklariert. Dies geschieht mit dem Schlüsselwort `virtual`, das unmittelbar vor den Namen der Basisklasse gesetzt wird.

Im nebenstehenden Definitionsschema wird die Klasse Kfz zur virtuellen Basisklasse von Pkw und von Transporter. Für die direkt abgeleiteten Klassen hat die Virtualität der Basisklasse Kfz allerdings noch keine Bedeutung.

Eine virtuelle Basisklasse wirkt sich erst bei einer Mehrfachvererbung aus. Nach der Definition

Beispiel:
```
class Kombi : public Pkw, public Transporter
{ . . . };
```

enthält die Klasse Kombi die virtuelle Basisklasse Kfz nur einmal. Für ein Objekt my der Klasse Kombi wird dann nur einmal Speicherplatz für die Datenelemente von Kfz belegt. Insbesondere führt der Aufruf

Beispiel:
```
cout<<"Hersteller: " << my.getHerst();
```

zu keiner Mehrdeutigkeit.

Im Zusammenhang mit virtuellen Basisklassen ist folgendes wichtig:

- Eine virtuelle Basisklasse bleibt auch bei weiteren Ableitungen virtuell. So besitzt jede von Pkw abgeleitete Klasse die Klasse Kfz ebenfalls als virtuelle Basisklasse.

- Eine indirekte Basisklasse kann nicht nachträglich als virtuell deklariert werden.

Es muss also bereits beim Design einer Klassenhierarchie entschieden werden, welche Basisklassen als virtuell zu deklarieren sind. Spätere Änderungen machen Anpassungen im Quellcode aller abgeleiteten Klassen erforderlich.

Aufrufe von Konstruktoren

Entstehung eines Vererbungsdiagramms

Klassendefinition

```
class multiDerived : public Base1, public Base2,
                     public Base3
{
    // Hier Datenelemente und Methoden
};
```

Vererbungsdiagramm

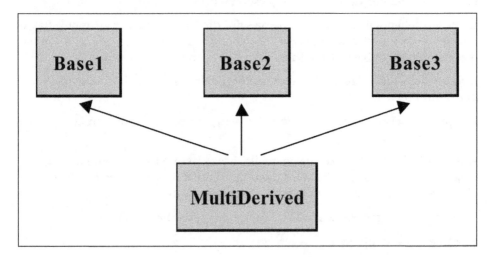

Initialisierung

Wenn ein Objekt einer *einfach* abgeleiteten Klasse angelegt wird, so werden zuerst die Teilobjekte der Basisklassen erzeugt, und zwar in jeder Ebene der Klassenhierarchie. Zuerst wird das Teilobjekt angelegt, dessen Klasse im Vererbungsdiagramm am weitesten oben steht.

Die Reihenfolge der Konstruktoraufrufe geschieht „von oben nach unten" gemäß dem Vererbungsdiagramm. Diese bei der einfachen Vererbung eingesetzte Aktivierungsreihenfolge der Konstruktoren ist für die Mehrfachvererbung verallgemeinert worden.

Vererbungsdiagramm

Dabei spielt das Vererbungsdiagramm wieder eine wichtige Rolle. Dieses wird mit der Definition einer abgeleiteten Klasse festgelegt.

● Im Fall der Mehrfachvererbung werden im Vererbungsdiagramm die Basisklassen von links nach rechts eingetragen, und zwar in der Reihenfolge, wie sie bei der Definition der Klasse angegeben wurden.

In der nebenstehenden Grafik wird dies verdeutlicht.

Enthält eine Klassenhierarchie keine virtuelle Basisklasse, so gilt für die Aktivierungsreihenfolge der Konstruktoren:

● Zunächst werden die Konstruktoren der Basisklassen ausgeführt: im Vererbungsdiagramm von oben nach unten und in jeder Ebene von links nach rechts.

● Zuletzt wird der Konstruktor der eigenen Klasse, die im Vererbungsdiagramm ganz unten steht, ausgeführt.

Bezogen auf das nebenstehende Beispiel werden also zuerst die Teilobjekte der Basisklassen `Base1`, `Base2` und `Base3` (in dieser Reihenfolge) angelegt. Erst dann wird der Konstruktor von `MultiDerived` ausgeführt.

Basisinitialisierer

Die Werte zur Initialisierung von Basisklassen reicht der Konstruktor der Klasse, die im Vererbungsdiagramm ganz unten steht, über Basisinitialisierer an die direkten und indirekten Basisklassen weiter. Fehlt in der Definition eines Konstruktors die Angabe eines Basisinitialisierers, so wird automatisch der Default-Konstruktor der Basisklasse aufgerufen.

Anfangswerte werden also immer „von unten nach oben" an die Konstruktoren von Basisklassen durchgereicht.

Initialisierung virtueller Basisklassen

Die Klasse Kombi

```cpp
class Kombi : public Pkw, public Transporter
{
   private:
     // . . .

   public:
     Kombi( ... ) : Kfz( ... )
     {
        // Zusätzliche Datenelemente initialisieren
     }

     void display() const
     {
        Pkw::display();
        Transporter::display();
        // Zusätzliche Datenelemente ausgeben
     }
};
```

Konstruktoraufrufe virtueller Basisklassen

Beim Erzeugen eines Objekts einer mehrfach abgeleiteten Klasse werden zunächst die Konstruktoren der Basisklassen aufgerufen. Gibt es in der Klassenhierarchie jedoch eine virtuelle Basisklasse, so wird deren Konstruktor *vor* den Konstruktoren nicht virtueller Basisklassen ausgeführt:

● Zuerst werden die Konstruktoren aller virtuellen Basisklassen, dann die Konstruktoren der nicht virtuellen Basisklassen ausgeführt, und zwar in der Reihenfolge, die mit dem Vererbungsdiagramm festgelegt wird.

Als erstes wird also der Konstruktor für die virtuelle Basisklasse ausgeführt, die im Vererbungsdiagramm am weitesten oben steht. Diese muss natürlich nicht in der obersten Ebene der Klassenhierarchie stehen, da eine virtuelle Basisklasse selbst aus einer nicht virtuellen Basisklasse abgeleitet sein kann.

Im Beispiel der mehrfach abgeleiteten Klasse Kombi wird also zuerst der Konstruktor der virtuellen Basisklasse Kfz, dann die Konstruktoren der direkten Basisklassen Pkw und Transporter und schließlich der Konstruktor der Klasse Kombi ausgeführt.

Basisinitialisierer

Es stellt sich die Frage, mit welchen Argumenten der Konstruktor einer virtuellen Basisklasse aufgerufen wird. Für die Initialisierung könnte ein Basisinitialisierer der direkten Ableitung, aber auch jeder weiteren Ableitung zuständig sein. Hier ist folgendes festgelegt:

● Der Konstruktor einer virtuellen Basisklasse wird mit den Argumenten aufgerufen, die im Basisinitialisierer der *zuletzt* abgeleiteten Klasse angegeben sind.

Im nebenstehenden Beispiel der Klasse Kombi ist der Konstruktor mit *einem* Basisinitialisierer definiert. Seine Argumente werden beim Aufruf an den Konstruktor der virtuellen Basisklasse Kfz übergeben.

Für die Initialisierung spielt es keine Rolle, ob eine direkte Ableitung von Kfz einen Basisinitialisierer enthält oder nicht. Basisinitialisierer für virtuelle indirekte Basisklassen, die im Konstruktor einer direkten Basisklasse stehen, werden also ignoriert. Würden auch die Basisklassen Pkw und Transporter Basisinitialisierer für die virtuelle Basisklasse Kfz besitzen, so würden diese ignoriert.

Falls der Konstruktor der zuletzt abgeleiteten Klasse keinen Basisinitialisierer enthält, so wird für die virtuelle Basisklasse der Default-Konstruktor ausgeführt. In diesem Fall muss in jeder virtuellen Basisklasse ein Default-Konstruktor vorhanden sein! Eventuell vorhandene Basisinitialisierer in Basisklassen werden auch hier ignoriert.

Übungen

Die mehrfach abgeleitete Klasse Wohnwagen

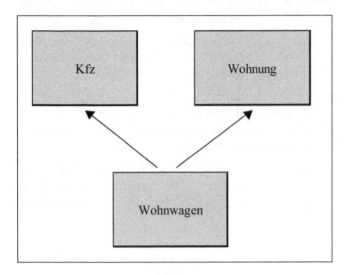

Zusätzliche Elemente der Klasse Wohnwagen

Datenelement:	Typ:
kat	KATEGORIE

Methoden:

```
        Wohnwagen( long, const string&, int, double, KATEGORIE);

        void      setKategorie(KATEGORIE )
        KATEGORIE getKategorie() const ;

        void display() const;
```

1. Aufgabe

Die mehrfach abgeleitete Klasse Wohnwagen soll vollständig implementiert und getestet werden.

- Definieren Sie einen Aufzählungstyp KATEGORIE zur Darstellung der Kategorien „Luxus", „Gehoben", „Mittel" und „Einfach".

- Entwickeln Sie eine Klasse Wohnung mit zwei Datenelementen zum Speichern der Anzahl von Zimmern und der Quadratmeterzahl. Der Konstruktor ist mit Default-Werten zu deklarieren, so dass auch ein Default-Konstruktor zur Verfügung steht. Neben den Zugriffsmethoden ist eine Methode display() zu definieren, die die Datenelemente einer Wohnung ausgibt.

- Definieren Sie eine von den Klassen Kfz und Wohnung abgeleitete Klasse Wohnwagen zur Darstellung eines Wohnwagens. Beide Basisklassen werden public vererbt. Die Klasse Wohnwagen besitzt ein neues Datenelement zum Speichern eines Wertes vom Typ KATEGORIE. Neben einem Konstruktor, der mit Default-Werten zu deklarieren ist, sind entsprechende Zugriffsmethoden und eine Methode display() für die Ausgabe zu definieren.

  Stellen Sie die Definition der Klassen Wohnung und Wohnwagen in eine eigene Header-Datei, in die die bereits erstellte Header-Datei kfz.h inkludiert wird.

- Schreiben Sie eine main-Funktion, in der zunächst ein Objekt vom Typ Wohnwagen vollständig mit eigenen Anfangswerten initialisiert und ausgegeben wird.

  Vereinbaren Sie dann ein zweites Objekt vom Typ Wohnwagen ohne Initialisierungswerte. Lassen Sie dieses Objekt auf dem Bildschirm anzeigen. Rufen Sie anschließend alle set-Methoden der Klasse Wohnwagen und ihrer Basisklassen auf, um eigene Werte zu setzen. Lassen Sie das Objekt dann wieder ausgeben.

Übungen (Fortsetzung)

Klassenhierarchie für die abgeleitete Klasse Kombi

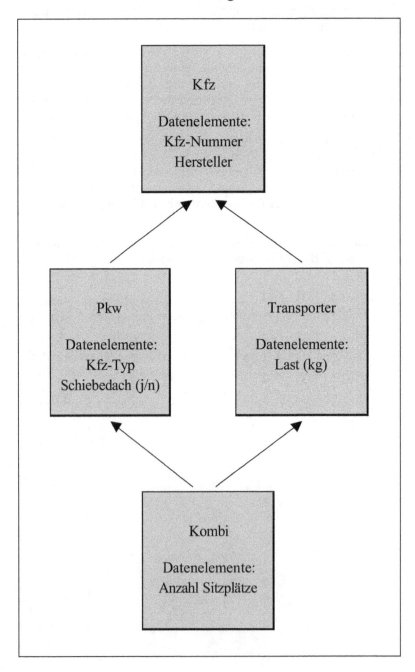

2. Aufgabe

Zum Testen virtueller Basisklassen soll die Klasse Kombi vollständig definiert werden.

- Ändern Sie die Definition der Klasse Pkw in der Header-Datei kfz.h so, dass die Klasse Kfz eine virtuelle Basisklasse von der Klasse Pkw wird.

- Definieren Sie dann die Klasse Transporter mit der Klasse Kfz als virtuelle Basisklasse. Die neue Klasse besitzt ein zusätzliches Datenelement zur Darstellung der Last in Kilogramm, die der Transporter befördern kann. Für einen Transporter sind maximal 750 kg Last zulässig. Der Konstruktor soll alle Datenelemente mit Default-Werten versehen, damit auch ein Default-Konstruktor in der Klasse zur Verfügung steht. Als Last soll maximal der Wert 750 gesetzt werden. Neben Zugriffsmethoden ist eine Methode display() für die Ausgabe auf dem Bildschirm zu definieren.

- Erstellen Sie die von Pkw und Transporter abgeleitete Klasse Kombi zur Darstellung eines Kombis. Als Datenelement soll die Anzahl Sitzplätze, die in einem Kombi zur Verfügung stehen, gespeichert werden.

  Der Konstruktor der Klasse Kombi soll alle Datenelemente eines Kombis durch Basisinitialisierer mit Anfangswerten versehen, wobei Default-Werte für alle Elemente anzugeben sind. Daneben sind Zugriffsmethoden und auch eine Methode display() für die Ausgabe zu definieren.

- Testen Sie die Klasse Kombi mit einer main-Funktion, die verschiedene Kombis mit und ohne Initialisierung anlegt und auf dem Bildschirm anzeigt.

Lösungen

Zur 1. Aufgabe:

```
// ----------------------------------------------------------
// kfz.h : Definition der Basisklasse Kfz und
//         der abgeleiteten Klasse Pkw und Lkw
// ----------------------------------------------------------
// kfz.cpp
// Implementierung der Methoden von Kfz, Pkw und Lkw
// ----------------------------------------------------------
//
// Diese Dateien werden unverändert aus Kapitel 25 bzw. 23
// übernommen.
//


// ----------------------------------------------------------
// wohn.h : Definition der Klasse Wohnung und der
//          mehrfach abgeleiteten Klasse Wohnwagen
// ----------------------------------------------------------
#ifndef _WOHN_H_
#define _WOHN_H_
#include "kfz.h"
#include <iomanip>
#include <iostream>
using namespace std;

enum KATEGORIE {LUXUS, GEHOBEN, MITTEL, EINFACH};

class Wohnung
{
    private:
       int zimmer;
       double qm;

    public:
       Wohnung(int z = 0, double m2 = 0.0)
       { zimmer = z; qm = m2;}
       void setZimmer(int n){ zimmer = n;}
       int  getZimmer() const { return zimmer; }
       void   setQuadratMeter(double m2){ qm = m2;}
       double getQuadratMeter() const { return qm; }
       void display() const
       {
          cout << "Zimmerzahl:   " << zimmer
               << "\nQuadratmeter: "
               << fixed << setprecision(2) << qm
               << endl;
       }
};
```

```cpp
class Wohnwagen : public Kfz, public Wohnung
{
    private:
        KATEGORIE kat;

    public:
        Wohnwagen(long n=0L, const string& hst="", int zi=0,
                  double m2=0.0, KATEGORIE k=EINFACH)
          : Kfz(n, hst), Wohnung(zi, m2), kat(k)
        {}

        void       setKategorie(KATEGORIE k){kat = k;}
        KATEGORIE getKategorie() const { return kat;}

        void display() const
        {
            cout << "\nWOHNWAGEN:";
            Kfz::display();
            Wohnung::display();
            cout << "Kategorie:      ";
            switch(kat)
            {
                case LUXUS:   cout << "Luxus";
                              break;
                case GEHOBEN: cout << "Gehoben";
                              break;
                case MITTEL:  cout << "Mittel";
                              break;
                case EINFACH: cout << "Einfach";
                              break;
            }
            cout << endl;
        }
};
#endif


// ---------------------------------------------------------
// wohn_t.cpp
// Zum Testen der mehrfach abgeleiteten Klasse Wohnwagen
// ---------------------------------------------------------
#include "wohn.h"
int main()
{

    Wohnwagen wan(12345L, "Chrysler", 2, 40.5, LUXUS);
    wan.display();

    Wohnwagen holiday;
    holiday.display();              // Default-Werte
    cin.get();
```

Lösungen (Fortsetzung)

```
        holiday.setNr(54321L);
        holiday.setHerst("VW");
        holiday.setZimmer(1);
        holiday.setQuadratMeter(11.5);
        holiday.setKategorie(MITTEL);
        holiday.display();
        return 0;
}
```

Zur 2. Aufgabe:

```
// ----------------------------------------------------------
// kfz.h :  Definition der Basisklasse Kfz und
//          der abgeleiteten Klassen Pkw und Lkw
// ----------------------------------------------------------
// kfz.cpp
// Implementierung der Methoden von Kfz, Pkw und Lkw
// ----------------------------------------------------------
//
// Diese Dateien werden mit folgender Änderung aus Kapitel 25
// bzw. 23 übernommen:
//
// Die Klasse Kfz ist jetzt eine virtuelle Basisklasse:
class Pkw : public virtual Kfz
{
    // ...
};

class Lkw : public virtual Kfz
{
    // ...
};


// ----------------------------------------------------------
// kombi.h : Definition der Klasse Transporter und
//           der mehrfach abgeleiteten Klasse Kombi
// ----------------------------------------------------------
#ifndef _KOMBI_H
#define _KOMBI_H

#include "kfz.h"

class Transporter : public virtual Kfz
{
  private:
    double last;
```

```
   public:
     Transporter(long n=0L, const string& hst="",
                 double l=0.0)
       : Kfz(n,hst)
     {
         if(l > 750)  l = 750;
         last = l;
     }

     void setLast(double l)
     {
         if(l > 750)
             last= 750;
         else
             last = l;
     }
     double getLast() const { return last; }

     void display() const
     {
         cout << "Last:           "
              << last  << " kg" << endl;
     }
};

class Kombi : public Pkw, public Transporter
{
  private:
    int anz;              // Anzahl Sitzplätze
  public:
     Kombi( const string& tp="ohne Typ", bool sb=false,
            long n=0L, const string& hst="ohne Herst",
            double l=0.0, int z = 1)
       : Pkw(tp,sb), Kfz(n,hst), Transporter(n,hst,l), anz(z)
     { }

     void display() const
     {
        Pkw::display();
        Transporter::display();
         cout << "Sitzplaetze:  " << anz << endl;
     }
};

#endif
```

Lösungen (Fortsetzung)

```cpp
// -------------------------------------------------------
// kombi_t.cpp :  Zum Testen der Klasse Kombi
// -------------------------------------------------------

#include "kombi.h"

int main()
{
    Kombi mobil("Patricia First", true, 120345, "Opel",
                350, 6 );
    mobil.display();

    Kombi trucky;
    trucky.display();

    trucky.setNr(543221);
    trucky.setHerst("Renault");
    trucky.setLast(1000.);

    trucky.display();

    return 0;
}
```

Kapitel 28

Ausnahmebehandlung

Dieses Kapitel beschreibt, wie ein C++-Programm auf Fehlersituationen mit Hilfe der Ausnahmebehandlung (engl. *Exception-Handling*) reagieren kann. Neben dem Auslösen und Auffangen von Exceptions wird auch gezeigt, wie eigene Fehlerklassen definiert und Standardfehlerklassen verwendet werden können.

Traditionelle Fehlerbehandlung

Fehlerabfragen nach Funktionsaufrufen

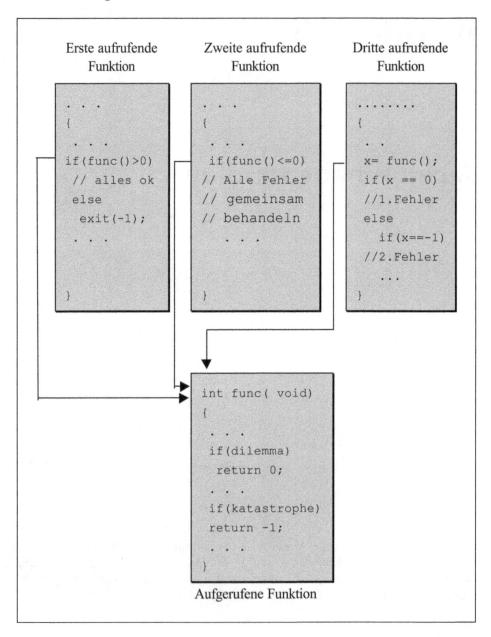

Fehlersituationen

Zur Laufzeit eines Programms können Fehlersituationen entstehen, wodurch der normale Programmablauf gestört wird. Mögliche Fehlerursachen sind:

- Division durch 0, zu große oder zu kleine Werte für einen Datentyp

- kein dynamischer Speicher mehr verfügbar

- Fehler beim Dateizugriff, z.B. Datei nicht vorhanden

- ungültige Adressen im Hauptspeicher

- fehlerhafte Eingaben durch den Benutzer

Solche Fehler führen zu falschen Ergebnissen und möglicherweise zum Absturz des Rechners. Beides kann für eine Anwendung üble Folgen haben.

Eine wichtige Aufgabe der Programmierung besteht darin, Fehlersituationen im Voraus zu erkennen und zu behandeln. Für die Qualität eines Programms wesentlich, aber zugleich schwierig ist es, Fehlerbehandlungen so zu implementieren, dass jede mögliche Fehlersituation berücksichtigt wird.

Traditionelle Fehlerbehandlung

In der traditionellen, strukturierten Programmierung werden Fehlerbehandlungen mit normalen Sprachmitteln durchgeführt.

- Fehler in Funktionsaufrufen werden durch spezielle Return-Werte angezeigt.

- In einer Fehlersituation werden globale Fehlervariablen oder Flags gesetzt und später abgefragt.

Zeigt eine Funktion Fehler mit dem Return-Wert an, so muss dieser nach *jedem* Funktionsaufruf abgefragt werden, auch wenn gar kein Fehler aufgetreten ist.

Beispiel:
```
if ( func ()> 0 )
    // Return-Wert positiv => alles o.k.
else
    // Fehler behandeln
```

Auch Fehlervariablen und Flags müssen nach *jeder* entsprechenden Aktion kontrolliert werden.

Fehlersituationen sind also während des normalen Programmablaufs ständig mit zu berücksichtigen. Wird einmal eine Fehlerabfrage unterlassen, so kann dies fatale Folgen haben.

Exception-Handling

Verwenden der throw-Anweisung

```cpp
// calc_err.cpp: Definition der Funktion calc(),
//                 die Exceptions auslöst.
// ----------------------------------------------------

class Error
{
    // Infos über Fehlerursache. Hier keine.
};


double calc( int a, int b )
{
    if ( b < 0 )
        throw (string) "Nenner ist negativ!";

    if( b == 0 )
    {
        Error errorObj;
        throw errorObj;
    }

    return ((double)a/b);
}
```

Konzept des Exception-Handlings

In C++ wird ein neues Konzept zur Behandlung von Fehlern realisiert. Das *Exception-Handling* (dt. Ausnahmebehandlung) basiert auf einer Trennung des normalen Programmflusses von der Behandlung von Fehlern. Die grundlegende Idee hierbei ist folgende:

* Fehler, die in einem bestimmten Programmteil auftreten, werden einer anderen Stelle im Programm, der sog. *Aufrufumgebung*, gemeldet. Die Aufrufumgebung führt die Fehlerbehandlung zentral durch.

Ob ein Fehler tatsächlich aufgetreten ist, muss das Anwendungsprogramm nicht ständig kontrollieren. Fehler werden automatisch der Aufrufumgebung mitgeteilt. Dabei können auch Informationen über die Fehlerursache gemeldet werden. Diese werden durch Behandlungsroutinen in der Aufrufumgebung ausgewertet.

Die throw-Anweisung

Ein aufgetretener Fehler wird mit der `throw`-Anweisung an die Aufrufumgebung gemeldet. Man sagt auch, dass eine Exception *ausgelöst* wird.

Syntax: `throw fault;`

Der Ausdruck `fault` ist ein *Fehlerobjekt*, das zur Aufrufumgebung *geworfen* wird. Er darf einen beliebigen Datentyp, jedoch nicht den Typ `void` haben.

Beispiel: `throw (string)"Feuer!";`

Hier ist das Fehlerobjekt ein String, der zur Aufrufumgebung geworfen wird.

Fehlerklassen

Normalerweise werden für verschiedene Fehler eigene *Fehlerklassen* definiert. In der `throw`-Anweisung wird dann ein Objekt einer Fehlerklasse ausgeworfen.

Eine Fehlerklasse braucht weder Datenelemente noch Methoden zu besitzen. Wichtig ist zunächst nur der *Typ*, anhand dessen die Art des Fehlers von der Aufrufumgebung erkannt wird. Im Allgemeinen enthält eine Fehlerklasse jedoch Elemente, die genauere Informationen über die Fehlerursache speichern können.

Im nebenstehenden Beispiel löst die Funktion `calc()` in zwei Fällen eine Exception aus: wenn der übergebene Nenner negativ ist oder den Wert 0 hat. Im ersten Fall wird ein String als Exception ausgeworfen. Im zweiten Fall hat die Exception den Typ der Fehlerklasse `Error`. Anstatt ein lokales Fehlerobjekt `errorObj` anzulegen, könnte auch ein temporäres Objekt erzeugt werden:

Beispiel: `throw Error();   // Das ist kürzer`

Exception-Handler

Syntax von try- und catch-Blöcken

```
try
{

    // Exceptions, die in diesem Block ausgelöst werden,
    // werden von den nachfolgend definierten
    // Exception-Handlern aufgefangen.

}

catch( Typ1 exc1)
{
    // Hier werden Exceptions vom Typ1 behandelt.
}

[ catch( Typ2 exc2)
 {
     // Hier werden Exceptions vom Typ2 behandelt.
 }
  . . .                  // usw.
]

[ catch( ... )
 {
     // Hier werden alle übrigen Exceptions behandelt.
 }]
```

 Die Klammern [   ] bedeuten in einer Syntaxbeschreibung, dass dieser Teil optional ist, also weggelassen werden kann.

Ablauf des Exception-Handlings

Der Programmteil in der Aufrufumgebung, der einen Fehler zentral behandelt, heißt *Exception-Handler*. Ein Exception-Handler fängt das ausgeworfene Fehlerobjekt auf und führt die Fehlerbehandlung durch. Dabei entscheidet der Typ des Fehlerobjekts, welcher Handler es auffängt und anschließend zur Ausführung kommt.

Beim Exception-Handling sind also zwei Dinge festzulegen:

● der Programmteil, in dem Exceptions ausgelöst werden können

● die Exception-Handler, die die verschiedenen Typen von Exceptions behandeln

C++ stellt hierfür eigene Sprachmittel, nämlich die neuen Schlüsselworte `try` und `catch`, zur Verfügung. Jedes Schlüsselwort ist einem Block vorangestellt. Man spricht deshalb auch von `try`- und `catch`-Blöcken. Syntaktisch ist jeder `try`- und jeder `catch`-Block eine Anweisung.

try- und catch-Blöcke

Ein *try-Block* enthält den Programmteil, in dem Fehler auftreten und Exceptions ausgelöst werden können. Normalerweise besteht ein `try`-Block aus einer Gruppe von Funktionen, die gleichartige Fehler verursachen können.

Jeder *catch-Block* definiert einen Exception-Handler, wobei die *Exception-Deklaration* in runden Klammern festlegt, welchen Typ von Exceptions der Handler auffangen kann. Die `catch`-Blöcke stehen unmittelbar hinter dem `try`-Block. Dabei muss mindestens ein `catch`-Block vorhanden sein.

Die in den `catch`-Blöcken definierten Exception-Handler fangen die im vorangehenden `try`-Block ausgelösten Exceptions auf. Fehlt zu einer Exception der entsprechende Handler, so stürzt das Programm nicht in einen undefinierten Zustand, sondern wird mit einem Aufruf der Standardfunktion `terminate()` geordnet abgebrochen.

Normalerweise werden Handler für einige Fehlerarten definiert und *ein* Handler für alle übrigen Fehler. Dies ermöglicht eine spezielle Syntax der `catch`-Anweisung, wobei innerhalb der runden Klammern statt einer Exception-Deklaration nur drei Punkte angegeben werden.

Syntax:
```
catch( ... )
{  // Genereller Handler
   // für alle übrigen Exceptions
}
```

Da das Anwendungsprogramm bestimmt, wie auf Fehlersituationen zu reagieren ist, werden die `try`- und `catch`-Blöcke dort formuliert.

Auslösen und Auffangen von Exceptions

Demoprogramm

```
// calc_err.cpp:  Test der Funktion calc(),
//                die Exceptions auslöst.
// -----------------------------------------------------
#include <iostream>
#include <string>
using namespace std;

double calc( int a, int b );

int main()
{
    int x, y;
    double erg;
    bool flag = false;
    do
    {
      try                               // try-Block
      {
        cout << "Zwei positive ganze Zahlen eingeben: ";
        cin >> x >> y;
        erg = calc( x, y);
        cout << x << "/" << y << " = " << erg << endl;
        flag = true;          // Dann Schleife verlassen.
      }
      catch( string& s)              // 1. catch-Block
      {
        cerr << s << endl;
      }
      catch( Error& )               // 2. catch-Block
      {
        cerr << "Division durch 0! " << endl;
      }
      catch(...)                     // 3. catch-Block
      {
        cerr << "Unerwartete Exception! \n";
        exit(1);
      }
    }while( !flag);

    // und weiter im Programm ...
    return 0;
}
```

 Da die Klasse Error keine Datenelemente besitzt, ist im entsprechenden catch-Block nur der Typ der Exception und kein Parameter angegeben. So wird eine Warnung des Compilers vermieden, da der
Parameter nicht benutzt wird.

Rückzug aus einer Fehlersituation

Mit Ausführung der `throw`-Anweisung wird zunächst ein Fehlerobjekt erzeugt. Das heißt, es wird ein temporäres Objekt mit dem Typ und Inhalt des `throw`-Ausdrucks angelegt.

Beispiel: `throw (string)"Wirbelsturm!";`

Hier wird ein String als Fehlerobjekt erzeugt, in den die Zeichenkette `"Wirbelsturm!"` kopiert wird. Ist der Typ des `throw`-Ausdrucks eine Klasse, so wird der Kopierkonstruktor ausgeführt.

Dann wird das Fehlerobjekt ausgeworfen und der `try`-Block verlassen. Die Veränderungen des Stacks, die seit dem Eintritt in den `try`-Block stattgefunden haben, werden dabei wieder rückgängig gemacht. Insbesondere werden alle lokalen, nicht statischen Objekte zerstört. Dieses sog. *Stack-Unwinding* ermöglicht den geordneten Rückzug aus dem regulären Programmablauf.

Handler-Suche

Nach dem Verlassen des `try`-Blocks wird in den folgenden `catch`-Blöcken ein passender Handler gesucht. Die Suche erfolgt stets sequenziell, beginnend mit der ersten `catch`-Anweisung. Dabei entscheidet die Exception-Deklaration des jeweiligen Handlers, ob er zur Ausführung kommt oder nicht.

Ein Handler wird aufgerufen, wenn der Typ in der Exception-Deklaration

- identisch mit dem Typ der ausgeworfenen Exception ist oder

- eine Basisklasse der Klasse der ausgeworfenen Exception ist oder

- ein Basisklassenzeiger ist und die Exception ein Zeiger auf eine Ableitung ist.

Der generelle Exception-Handler `catch( ... )` muss demnach immer als letzter Handler angegeben werden. Da stets der erste passende Handler aufgerufen wird und jede ausgelöste Exception vom generellen Handler aufgefangen wird, würde ein anschließend definierter Handler nie aufgerufen.

Fortsetzung des Programms

Nach der Ausführung eines Handlers wird das Programm mit der ersten Anweisung fortgesetzt, die den `catch`-Blöcken folgt. Es sei denn, der Handler wirft erneut eine Exception aus oder beendet das Programm. Mit der Beendigung der Fehlerbehandlung wird das ausgeworfene Fehlerobjekt wieder zerstört.

Nebenstehend werden in den ersten zwei `catch`-Blöcken die beiden Exceptions behandelt, die die Funktion `calc()` auslösen kann. In diesen Fällen wird eine Meldung ausgegeben und anschließend die Eingabe mit der Berechnung wiederholt. Bei einer unerwarteten Exception wird ebenfalls eine Meldung ausgegeben und danach das Programm beendet.

Schachteln von Ausnahmebehandlungen

Geschachtelte try- und catch-Blöcke

```
try
{
    // Hier werden Exceptions vom Typ1 ausgelöst
    try
    {
      // Hier werden Exceptions vom Typ2 und
      // vom Typ1 ausgelöst
    }
    catch( Typ2 e2)
    {
        // Hier werden Exceptions vom Typ2 vorbehandelt
        throw;                 // und wieder ausgeworfen.
    }
        // Hier können weitere Exceptions vom Typ1
        //ausgelöst werden.
}
catch( Typ1 e1)
{
    // Hier werden Exceptions vom Typ1 behandelt
}
catch(...)
{
    // Hier werden alle übrigen Exceptions behandelt,
    // insbesondere Exceptions vom Typ2 nachbehandelt.
}
```

  Die dargestellte Situation geht davon aus, dass die Fehlerklassen Typ1 und Typ2 nicht voneinander abgeleitet sind. Ist Typ2 eine von der Klasse Typ1 abgeleitete Fehlerklasse, so werden die wieder ausgeworfenen Exceptions vom Typ2 bereits vom Handler für die Basisklasse Typ1 aufgefangen.

Schachteln von try- und catch-Blöcken

Normalerweise enthält ein Programm mehrere try-Blöcke mit entsprechenden Exception-Handlern. So können in verschiedenen Programmteilen unterschiedliche Fehlerbehandlungen durchgeführt werden.

Innerhalb eines try-Blocks können aber auch weitere try-Blöcke angegeben sein. So ist es möglich, spezielle Fehler durch die Handler eines inneren try-Blocks separat zu behandeln, während die Handler des äußeren try-Blocks alle übrigen Fehler auffangen. Handler eines inneren try-Blocks können spezielle Fehler auch vorbehandeln und von einem Handler des umgebenden try-Blocks nachbehandeln lassen.

Wiederauswerfen von Exceptions

Im letzten Fall muss eine im inneren try-Block ausgelöste Exception an den umgebenden try-Block weitergereicht werden können. Dies wird mit einer throw-Anweisung erreicht, der kein Fehlerobjekt übergeben wird.

Beispiel: `throw;    // innerhalb eines catch-Blocks`

Die aktuell bearbeitete Exception wird dann nochmals ausgeworfen, um vom Handler des umgebenden try-Blocks weiter bearbeitet zu werden. Die Anweisung ist deshalb nur innerhalb eines catch-Blocks erlaubt.

Die noexcept-Spezifikation

Die Exceptions, die von einer Funktion ausgelöst werden können, gehören zu den Eigenschaften einer Funktion. Sie müssen dem Anwendungsprogrammierer ebenso bekannt sein wie der Prototyp der Funktion, damit nicht nur ein korrekter Funktionsaufruf, sondern auch geeignete Reaktionen im Fehlerfall programmiert werden können.

Löst eine Funktion keine Exception aus, so wird dies durch die noexcept-Spezifikation am Ende des Funktionskopfes angezeigt.

Beispiel: `void display() noexcept;`

Die noexcept-Spezifikation gehört zum Typ der Funktion. Wenn sie fehlt, ist es möglich, dass die Funktion Exceptions auswirft.

Exception-Spezifikationen der Form throw(Exception-Liste), wobei Exception-Liste die möglichen Exceptions einer Funktion auflistet, werden von C++17 nicht mehr unterstützt.

Definition eigener Fehlerklassen

Exception-Handling für numerische Operationen

```cpp
// calc_neu.cpp: Neue Version der Funktion calc(),
//               die Exceptions vom Typ MathError
//               auslöst.
// --------------------------------------------------------
#include <string>
#include <iostream>
using namespace std;
class MathError
{
   private:
     string message;
   public:
     MathError( const string& s) : message(s) {}
     const string& getMessage() const {return message;}
};

double calc( int a, int b ); // Mögliche Exception: MathError
int main()
{
   int x, y;  bool flag = false;
   do
   {
    try                                  // try-Block
    {
      cout << "Zwei positive ganze Zahlen eingeben: ";
      cin >> x >> y;
      cout << x <<"/"<< y <<" = "<< calc( x, y) << '\n';
      flag = true;           // Dann Schleife verlassen.
    }
    catch( MathError& err)               // catch-Block
    {
      cerr << err.getMessage() << endl;
    }
   }while( !flag);
   // und weiter im Programm ...
   return 0;
}
double calc( int a, int b )
{
   if ( b < 0 )
      throw MathError("Nenner ist negativ!");
   if( b == 0 )
      throw MathError("Division durch 0!");
   return ((double)a/b);
}
```

Elemente von Fehlerklassen

Beim Auswerfen einer Exception entscheidet der Typ des Fehlerobjekts, welcher Exception-Handler zur Ausführung kommt. Die entsprechende Fehlerklasse braucht deshalb keine Elemente zu besitzen.

Eine Fehlerklasse kann jedoch – wie jede andere Klasse auch – Datenelemente und Methoden enthalten. Dies ist auch sinnvoll, denn mit dem Stack-Unwinding werden die lokal definierten, nicht statischen Objekte in der fehlerverursachenden Situation zerstört. Ein Exception-Handler kann deshalb auf diese Objekte nicht mehr zugreifen.

Datenelemente von Fehlerklassen können genutzt werden, um Informationen aus der fehlerverursachenden Situation zu „retten". So ist es möglich, Daten, die für die Fehlerbehandlung wichtig sind, in einem Fehlerobjekt zu sichern.

Die Fehlerklasse MathError

Nebenstehend ist eine Fehlerklasse `MathError` definiert. Die Funktion `calc()` löst eine entsprechende Exception aus, wenn eine im Dialog eingegebene Zahl negativ oder 0 ist. Beim Auslösen einer Exception

Beispiel: `throw MathError("Division durch 0!");`

wird die Fehlermeldung im Fehlerobjekt gesichert. Der Exception-Handler kann dann die Meldung mit der Methode `getMessage()` auswerten.

Fehlerklassenhierarchien

Aus Fehlerklassen können durch Vererbung neue Fehlerklassen gebildet werden. Eine Basisklasse stellt dann eine allgemeine Fehlerart dar. Mit einer abgeleiteten Fehlerklasse werden spezielle Fehler dargestellt.

So kann beispielsweise die Fehlerklasse `MathError` zur allgemeinen Darstellung von Fehlern bei mathematischen Berechnungen definiert werden. Für spezielle Fehler, wie z.B. „Division durch 0" oder „numerischer Überlauf", liegt es nahe, abgeleitete Fehlerklassen, z.B. `DivisionByZero` und `OverflowError`, zu bilden.

Für Exception-Handler ist in diesem Zusammenhang zu beachten:

- Ist T eine abgeleitete Fehlerklasse, so werden die speziellen Fehler dieses Typs durch den Exception-Handler behandelt.

- Ist T eine Basisklasse, so fängt der Handler auch die Fehlerobjekte aller abgeleiteten Fehlerklassen auf. Er behandelt deshalb allgemeine und spezielle Fehler gleichermaßen.

Standardfehlerklassen

Von der Fehlerklasse logic_error abgeleitete Fehlerklassen

invalid_argument	Unzulässiges Argument
out_of_range	Unzulässige Position
length_error	Zulässige Länge überschritten
domain_error	Wertebereichsfehler

Von der Fehlerklasse runtime_error abgeleitete Fehlerklassen

range_error	Bereichsfehler bei Berechnungen
underflow_error	Unterlauf
overflow_error	Überlauf
system_error	Fehler bei einem Systemaufruf

Verwenden von Standardfehlerklassen

```cpp
// Der Index-Operator der Klasse FloatVek löst Excep-
// tions vom Typ der Standardklasse out_of_range aus:
// ----------------------------------------------------
#include <stdexcept>
#include <iostream>
using namespace std;

double& FloatVek::operator[](int i) throw(out_of_range)
{
    if( i < 0 || i >= anz )
        throw out_of_range("Index unzulässig!");
    else return vekPtr[i];
}
// -------------- Testprogramm ------------------
int main()
{
    try
    {
        // Mit Vektoren vom Typ FloatVek arbeiten
    }
    catch(out_of_range& err)
    {
        cerr << err.what()  << endl;
    }
    // Und weiter im Programm.
}
```

Hierarchie der Standardfehlerklassen

Die Standardbibliothek von C++ definiert verschiedene Fehlerklassen, die z.B. in der String-Bibliothek und Container-Bibliothek verwendet werden. Die Standardfehlerklassen können aber auch wie selbst definierte Fehlerklassen eingesetzt werden. Ihre Definitionen sind in der Header-Datei stdexcept enthalten.

Die Standardfehlerklassen sind hierarchisch organisiert. Die gemeinsame Basisklasse ist die Klasse exception. Neben einem Default- und Kopierkonstruktor sowie einer Zuweisung besitzt sie eine virtuelle public-Methode what(), die eine Nachricht über die Fehlerursache als C-String zurückgibt.

Darstellung von logischen Fehlern und Laufzeitfehlern

Von der Klasse exception abgeleitet sind die beiden Fehlerklassen:

logic_error   zur Darstellung von logischen Fehlern, deren Ursache in der Programmlogik liegt. Sie sind prinzipiell vermeidbar.

runtime_error   zur Darstellung von Laufzeitfehlern, wie z.B. Unter- oder Überläufen bei internen Berechnungen. Sie sind nicht vorhersehbar.

Nebenstehend sind die Fehlerklassen zusammengestellt, die von den Klassen logic_error und runtime_error abgeleitet sind. Die Methode at() der Klasse string beispielsweise löst eine Exception vom Typ out_of_range bei einer unzulässigen Positionsangabe in einem String aus. Falls ein String wegen zu großer Länge nicht darstellbar ist, wird eine Exception vom Typ lenght_error ausgelöst.

Eine Exception vom Typ overflow_error bzw. underflow_error wird ausgelöst, wenn ein darzustellender Wert zu groß bzw. zu klein für den entsprechenden Datentyp ist. Mit der Klasse range_error werden Bereichsfehler angezeigt, die bei internen Berechnungen auftreten können.

Funktionen, die mit dem Betriebssystem interagieren, wie beispielsweise der Konstruktor eines Threads, können eine Exception vom Typ system_error werfen. Objekte dieser Klasse speichern auch den Fehlercode, den das System liefert.

In allen von der Klasse exception abgeleiteten Fehlerklassen ist ein Konstruktor definiert, der einen String als Parameter besitzt. Entsprechende Exceptions sind also mit einer Fehlermeldung initialisierbar. Die Methode what() liefert diese Fehlermeldung als C-String zurück.

Übungen

Zur 1. Aufgabe: Fehlermeldungen der Exception-Handler

Meldung des ersten Exception-Handlers:

> Fehler beim Lesezugriff:
>
> Unzulässiger Index: ...

Meldung des zweiten Exception-Handlers:

> Fehler beim Schreibzugriff:
>
> Unzulässiger Index: ...

1. Aufgabe

Die Klasse `FloatVek` soll eine Ausnahmebehandlung für den Fall vorsehen, dass beim Zugriff auf ein Vektorelement ein unzulässiger Index angegeben wird.

- Definieren Sie zu diesem Zweck in der Header-Datei „`floatvek.h`" eine Fehlerklasse `BadIndex` mit einem Datenelement, das einen unzulässigen Index sichert. Der Konstruktor erhält als Argument einen Index, den er in das Datenelement kopiert. Die `const`-Zugriffsmethode `getBadIndex()` gibt das Datenelement zurück.

  Beide Indexoperatoren sollen Exceptions vom Typ `BadIndex` auswerfen.

  Auch die Methoden, die eine Position als Argument erhalten, wie z.B. `insert()` und `remove()`, sollen Exceptions auswerfen. Ändern Sie den Return-Typ von `bool` in `void`.

- Ändern Sie die Definitionen der Methoden und Operatorfunktionen, so dass eine Exception vom Typ `BadIndex` ausgeworfen wird, falls der übergebene Index außerhalb des zulässigen Bereichs liegt.

- Schreiben Sie dann eine `main`-Funktion, in der zunächst ein konstanter Vektor vereinbart und mit einem festen Wert initialisiert wird. Für folgende Situation soll ein Exception-Handling durchgeführt werden: Die Vektorelemente werden angezeigt, und ein Index wird im Dialog eingelesen, und zwar so lange, bis die Indexangabe zulässig ist. Für jede unzulässige Indexangabe gibt ein `catch`-Handler die nebenstehende Information aus.

  Vereinbaren Sie dann einen nicht konstanten Vektor. Jetzt ist eine weitere Ausnahmebehandlung durchzuführen: Innerhalb eines `try`-Blocks werden einige Elemente angehängt oder eingefügt. Dabei soll auch ein unzulässiger Elementzugriff versucht werden. Der `catch`-Handler gibt die nebenstehende Information aus. Außerhalb des `try`- und `catch`-Blocks sollen anschließend die Vektorelemente ausgegeben werden.

665

Übungen (Fortsetzung)

Zur 2. Aufgabe: Fehlermeldungen der Exception-Handler

**Meldungen der Exception-Handler
für ein Fehlerobjekt vom Typ DivisionByZero:**

Fehler bei der Initialisierung:

Der Nenner ist 0 !

Fehler bei der Division:

Durch 0 kann nicht dividiert werden!

Fehler: Nenner ist 0!

Neuer Nenner != 0 : ...

---

2. Aufgabe

Für die Klasse Fraction zur Darstellung von Brüchen (vgl. 2. Aufgabe im 19. Kapitel) soll eine Ausnahmebehandlung implementiert werden: Bei der Division durch 0 wird eine Exception ausgelöst. Hiervon betroffen sind der Konstruktor der Klasse Fraction und die Operatorfunktionen / und >>.

- Definieren Sie innerhalb der Klasse Fraction die Fehlerklasse DivError ohne Datenelemente. Die Fehlerklasse hat dann den Typ:

  `Fraction::DivError`

- Ändern Sie die Definition des Konstruktors der Klasse Fraction: Falls der Wert des Nenners 0 ist, wird eine Exception vom Typ DivisionByZero ausgeworfen.

- Ändern Sie dann die Operatorfunktionen entsprechend.

- Schreiben Sie jetzt die main-Funktion, mit der die einzelnen Exceptions getestet werden. Es sind drei verschiedene try- und catch-Blöcke sequenziell anzuordnen.

  Im ersten try-/catch-Block wird der Konstruktor getestet. Vereinbaren Sie verschiedene Brüche, darunter auch einen Bruch, dessen Zähler 0 ist und einen Bruch, dessen Nenner 0 ist. Der Exception-Handler gibt die nebenstehende Fehlermeldung aus.

  Der zweite try-/catch-Block testet die Division. In einer Anweisung soll versucht werden, durch 0 zu dividieren. Der entsprechende Exception-Handler schickt die nebenstehende zweite Fehlermeldung zur Standardfehlerausgabe.

  Im dritten try-/catch-Block werden Zähler und Nenner eines Bruchs im Dialog eingelesen. Falls die Eingabe für den Nenner 0 ist, wird zunächst der Nenner erneut eingelesen. Ist die Eingabe immer noch 0, wird die nebenstehende dritte Fehlermeldung ausgegeben und das Programm beendet.

Lösungen

Zur 1. Aufgabe:

```
// ----------------------------------------------------------
// FloatVek.h : Darstellung dynamischer float-Vektoren.
// Methoden werfen eine Exception bei unzulässigem Index.
// ----------------------------------------------------------
#ifndef _FLOATVEK_
#define _FLOATVEK_

#include <iostream>
using namespace std;

class BadIndex
{
  private:
   int index;
  public:
    BadIndex(int i){index = i;}
    int getBadIndex() const {return index;}
};

class FloatVek
{
    private:
      float* vekPtr;     // Dynamisches Element
      int max;           // Maximale Anzahl, ohne
                         // erneut Speicher zu resevieren.
      int anz;           // Aktuelle Anzahl Elemente

      void expand( int neueGroesse);   // Hilfsfunktion, die
                                       // den Vektor vergrößert.
    public:
      FloatVek( int n = 256 );                 // Konstruktoren
      FloatVek( int n, float wert);
      FloatVek(const FloatVek& src);
      FloatVek(FloatVek&& src);

      ~FloatVek();                             // Destruktor

      FloatVek& operator=( const FloatVek&); // Zuweisungen
      FloatVek& operator=( FloatVek&&);

      int  length() const { return anz; }

       // Index-Operatoren:
      float& operator[](int i);
      float operator[](int i) const;
```

```
    // Anhängen eines float-Wertes oder float-Vektors:
     void append( float wert);
     void append( const FloatVek& v);

     // Einfügen eines float-Wertes oder float-Vektors:
     void insert( float wert, int pos);
     void insert( const FloatVek& v, int pos);

     void remove(int pos);  // Position pos löschen.

     // Einen zweiten Vektor elementweise hinzuaddieren:
     FloatVek& operator+=( const FloatVek& v2);

     void swap( FloatVek& v2)    // *this mit v2 tauschen.
     { // wie in Kapitel 22 }

     // Ausgabe des Vektors
     friend ostream& operator<<( ostream& os,
                                 const FloatVek& v)
     {
       int w = os.width();       // Feldbreite merken.
       for( float *p = v.vekPtr; p < v.vekPtr + v.anz; ++p)
       {
         os.width(w);  os << *p;
       }
       return os;
     }
};

// Globale Funktion zum Tauschen (v1 mit v2 tauschen):
inline void swap( FloatVek& v1, FloatVek& v2)
{   v1.swap(v2);    }

// Elementweise Addition zweier Vektoren:
FloatVek operator+(const FloatVek& v1, const FloatVek& v2);

#endif   // _FLOATVEK_

// ---------------------------------------------------------
// floatvek.cpp
// Implementierung der Methoden von FloatVek.
// ---------------------------------------------------------
#include "FloatVek.h"

// Konstruktoren, Destruktor, Zuweisungen und die Methode
// expand() wie im 22. Kapitel.
```

669

Lösungen (Fortsetzung)

```cpp
float& FloatVek::operator[]( int i )
{
    if( i < 0 || i >= anz )  throw BadIndex(i);
    return vekPtr[i];
}

float FloatVek::operator[]( int i ) const
{
    if( i < 0 || i >= anz )  throw BadIndex(i);
    return vekPtr[i];
}

// float-Werte oder float-Vektor anhängen.
void FloatVek::append( float wert)
{
    if( anz+1 > max)
        expand( anz+1);
    vekPtr[anz++] = wert;
}

void FloatVek::append( const FloatVek& v)
{
    if( anz + v.anz > max)
        expand( anz + v.anz);
    int anzahl = v.anz;              // falls v == *this
                                     // notwendig.
    for( int i=0; i < anzahl; ++i)
      vekPtr[anz++] = v.vekPtr[i];
}

// float-Werte oder float-Vektor einfügen.
void FloatVek::insert(float wert, int pos)
{
    insert( FloatVek(1, wert), pos);
}

void FloatVek::insert( const FloatVek& v, int pos )
{
    if( pos < 0 || pos > anz)    // Auch "anhängen" möglich.
        throw BadIndex(pos);
    if( max < anz + v.anz)
        expand(anz + v.anz);
    int i;
    for( i = anz-1; i >= pos; --i)    // Ab pos nach oben
        vekPtr[i+v.anz] = vekPtr[i];   // schieben.
}
```

```
      for( i = 0; i < v.anz; ++i)          // Lücke füllen.
         vekPtr[i+pos] = v.vekPtr[i];
      anz = anz + v.anz;
}
// Löschen
void FloatVek::remove(int pos)
{
   if( pos >= 0 && pos < anz)
   {
      for( int i = pos; i < anz-1; ++i)
         vekPtr[i] = vekPtr[i+1];
      --anz;
   }
   else
      throw BadIndex(pos);
}

// Einen zweiten Vektor elementweise hinzuaddieren:
FloatVek& FloatVek::operator+=( const FloatVek& v2)
{  // wie in Kapitel 22 }

// Elementweise Addition zweier Vektoren:
FloatVek operator+( const FloatVek& v1, const FloatVek& v2)
{  // wie in Kapitel 22 }

// ---------------------------------------------------------
// vek_t.cpp
// Ausnahmebehandlung für float-Vektoren testen.
// ---------------------------------------------------------
#include <iostream>
#include <iomanip>
using namespace std;
#include "FloatVek.h"

int main()
{
   const FloatVek v(10, 9.9f);
   bool ok = false;

   while( !ok)
   {
      try
      {
        cout << "Hier der konstante Vektor v: \n";

        cout << setw(8) << v <<endl;
        int i;
        cout << "Index? "; cin >> i;
        cout << "\n Gelesener Wert: " <<  v[i] << endl;
        ok = true;
      }
```

671

Lösungen (Fortsetzung)

```
        catch(BadIndex& err)
        {
          cerr << "Fehler beim Leszugriff.\n"
               << "\nUnzulaessiger Index: "
               << err.getBadIndex() << endl;
        }
    }


    FloatVek w(20);              // Vektor w
    try
    {
        w.insert(1.1F, 0);       // Schreibzugriffe.
        w.insert(2.2F, 1);

//      w.insert(3.3F, 3);       // Fehler!
        w[10] = 5.0;             // Fehler!
//      w.remove(7);             // Fehler!
    }
    catch(BadIndex& err)
    {
        cerr << "\nFehler beim Schreibzugriff! "
             << "\nUnzulaessiger Index: "
             << err.getBadIndex() << endl;
    }

    cout << "\nHier der Vektor w: \n";
    cout << setw(5) << w << endl;
    return 0;
}
```

Zur 2. Aufgabe:

```
// -----------------------------------------------------------
// fraction.h
// Eine numerische Klasse zur Darstellung von Brüchen
// mit Exception-Handling
// -----------------------------------------------------------
#ifndef _FRACTION_
#define _FRACTION_
#include <iostream>
#include <cstdlib>
using namespace std;

class Fraction
{
```

```
private:
 long zaehler, nenner;

public:
 class DivisionByZero
 {
      // Keine Datenelemente
 };
 Fraction(long z = 0, long n = 1);
 Fraction operator-() const
 {
    return Fraction(-zaehler, nenner);
 }

 Fraction& operator+=(const Fraction& a)
 {
    zaehler = a.zaehler * nenner + zaehler * a.nenner;
    nenner *= a.nenner;
    return *this;
 }

 Fraction& operator-=(const Fraction& a)
 {
    *this += (-a);
    return *this;
 }

 Fraction& operator++()
 {
    zaehler += nenner;
    return *this;
 }

 Fraction& operator--()
 {
    zaehler -= nenner;
    return *this;
 }
 friend Fraction operator+(const Fraction&,
                           const Fraction&);
 friend Fraction operator-(const Fraction&,
                           const Fraction&);
 friend Fraction operator*(const Fraction&,
                           const Fraction&);
 friend Fraction operator/(const Fraction&, const Fraction&);
```

Lösungen (Fortsetzung)

```
    friend ostream& operator<<(ostream&, const Fraction&);
    friend istream& operator>>(istream& is, Fraction& a);
};

#endif

// ----------------------------------------------------------
// fraction.cpp
// Definition der Methoden und friend-Funktionen
// ----------------------------------------------------------

#include "fraction.h"
// Konstruktor:
Fraction::fraction(long z, long n)
{
  if(n == 0)   throw DivisionByZero();
  if( n < 0)   z = -z, n = -n;
  zaehler = z;
  nenner  = n;
}

Fraction operator+(const Fraction& a, const Fraction& b)
{
    Fraction temp;
    temp.nenner = a.nenner * b.nenner;
    temp.zaehler = a.zaehler*b.nenner
                   + b.zaehler * a.nenner;
    return temp;
}
Fraction operator-(const Fraction& a, const Fraction& b )
{
    Fraction temp = a;    temp += (-b);
    return temp;
}

Fraction operator*(const Fraction& a, const Fraction& b )
{
    Fraction temp;
    temp.zaehler = a.zaehler * b.zaehler;
    temp.nenner  = a.nenner  * b.nenner;
    return temp;
}
```

```
Fraction operator/(const Fraction& a, const Fraction& b )
{
   if( b.zaehler == 0)  throw Fraction::DivisionByZero();
   // a mit dem Kehrwert von b multiplizieren:
   Fraction temp;
   temp.zaehler = a.zaehler * b.nenner;
   temp.nenner  = a.nenner  * b.zaehler;

   if( temp.nenner < 0 )
     temp.zaehler = -temp.zaehler,
     temp.nenner  = -temp.nenner;
   return temp;
}

ostream& operator<<(ostream& os, const Fraction& a)
{
   os << a.zaehler << "/" << a.nenner;
   return os;
}

istream& operator>>(istream& is, Fraction& a)
{
   cout << "Bruch eingeben:\n"
           "  Zaehler:        ";   is >> a.zaehler;
   cout << "  Nenner != 0:  ";   is >> a.nenner;

   if( !is) return is;

   if( a.nenner == 0)
   {
      cout << "\nFehler: Der Nenner ist 0\n"
           << "  Neuer Nenner != 0: ";   is >> a.nenner;
   }
   if( a.nenner == 0)
      throw Fraction::DivisionByZero();
   if( a.nenner < 0 )
      a.zaehler = -a.zaehler,
      a.nenner  = -a.nenner;

  return is;
}
```

Lösungen (Fortsetzung)

```cpp
// --------------------------------------------------------
// fract_t.cpp : Die Klasse Fraction testen.
// Module: fract_t.cpp  fraction.cpp
// --------------------------------------------------------

#include "fraction.h"
int main()
{
   try                  // Exception des Konstruktors testen:
   {
      Fraction c(5,0);
   }
   catch(Fraction::DivisionByZero& )
   {
     cout << "\nFehler bei der Vereinbarung: "
          << "\nDer Nenner ist 0\n";
   }

   Fraction a(1,3), b(3);

   try
   {
     cout << "\nEinige Testausgaben:\n\n";

     cout << " a = " << a << endl;
     cout << " b = " << b << endl;

     cout << " a + b = " << (a + b) << endl;
     cout << " a - b = " << (a - b) << endl;
     cout << " a * b = " << (a * b) << endl;
     b = 0;
     cout << " a / b = " << (a / b) << endl;    // Fehler!
   }
   catch(Fraction::DivisionByZero& )
   {
     cout << "\nFehler bei der Division: "
          << "\nDurch 0 kann nicht dividiert werden 0\n";
   }

   cout << "  --a =  " <<  --a << endl;
   cout << "  ++a = " <<  ++a << endl;

   a += Fraction(1,2);
   cout << " a+= 1/2;  a = " << a << endl;
```

```
    a -= Fraction(1,2);
    cout << " a-= 1/2;  a = " << a << endl;

    cout << "-b = " << -b << endl;

    cout << "\nUnd jetzt eine Eingabe\n";
    try
    {
      cin  >> a;
    }
    catch(Fraction::DivisionByZero&)
    {
      cerr << "\nFehler: Der Nenner ist 0\n";
      exit(1);
    }

    cout << "\nIhre Eingabe: " << a  << endl;

    return 0;
}
```

Kapitel 29

Mehr über Dateien

Dieses Kapitel beschreibt

- den wahlfreien Dateizugriff auf der Basis von File-Streams
- die Möglichkeiten zur Statusabfrage von Dateien
- das Exception-Handling für Dateien
- den portablen Zugriff auf das Dateisystem mit der neuen Bibliothek `filesystem`

Außerdem wird gezeigt, wie Objekte polymorpher Klassen persistent gemacht, d.h. in Dateien gespeichert werden können. Als Anwendung werden einfache Indexdateien und Hash-Dateien vorgestellt.

679

Dateien für wahlfreien Zugriff öffnen

Kombinierte Eröffnungsmodi für Lese- und Schreibzugriff

Eröffnungsmodus	Bedeutung	Muss Datei existieren?
`ios::in` `| ios::out`	Datei zum Lesen und Schreiben öffnen.	ja

`ios::in`
`| ios::out`
`| ios::trunc`
	Datei zum Lesen und Schreiben öffnen. Falls die Datei schon existiert, wird sie auf Länge 0 gekürzt.	nein

`ios::in`
`| ios::out`
`| ios::app`
	Datei zum Lesen und Schreiben öffnen. Falls die Datei noch nicht existiert, wird sie neu angelegt.
	Vor jedem Schreiben wird auf das Dateiende positioniert.
		nein

1. Ist zusätzlich das Flag `ios::binary` gesetzt, so wird die Datei im Binärmodus geöffnet.

2. Ist zusätzlich das Flag `ios::ate` gesetzt, so wird die aktuelle Lese-/Schreibposition nach dem Öffnen auf das Dateiende gesetzt.

Wahlfreier Dateizugriff

Bisher war nur der sequenzielle Zugriff auf eine Datei möglich. Soll eine bestimmte Information aus einer Datei geholt werden, so muss der Dateiinhalt, beginnend beim Dateianfang, der Reihe nach gelesen werden. Neue Datensätze werden stets am Ende der Datei angefügt.

Der *wahlfreie Dateizugriff* bietet die Möglichkeit, die gewünschten Informationen direkt an einer bestimmten Position zu lesen und zu schreiben. Dazu ist es nötig, die aktuelle Dateiposition zum Lesen, auch get-Zeiger genannt, bzw. die aktuelle Dateiposition zum Schreiben, auch put-Zeiger genannt, explizit zu verändern, nämlich auf das nächste zu verarbeitende Byte zu positionieren. Anschließend können die bereits bekannten Schreib-/Leseoperationen benutzt werden.

Eröffnungsmodi

Für den wahlfreien Dateizugriff müssen die Positionen der Datensätze eindeutig identifizierbar sein. Die Datei ist deshalb im Binärmodus zu öffnen, damit keine zusätzlichen Steuerzeichen in die Datei übertragen werden.

Beispiel:
```
ios::openmode mode = ios::in | ios::out |
                     ios::app | ios::binary;
fstream fstr("Konten.dat", mode);
```

Hier wird die Datei "Konten.dat" im Binärmodus zum Lesen und *Schreiben ab Dateiende* geöffnet. Existiert die Datei noch nicht, so wird sie neu angelegt. Die Datei kann dann wahlfrei gelesen werden. Beim Schreiben werden Datensätze stets am Ende der Datei angehängt.

Soll nicht nur der Lesezugriff, sondern auch der Schreibzugriff an beliebigen Dateipositionen möglich sein, so kann eine Datei wie folgt geöffnet werden:

Beispiel:
```
ios::openmode mode =  ios::in | ios::out |
                      ios::binary;
fstream fstr("Konten.dat", mode);
```

Die Datei muss jedoch bereits existieren, andernfalls misslingt das Öffnen. Existiert die Datei noch nicht, so kann sie durch Angabe des Flags ios::trunc neu angelegt werden.

Wie im Fehlerfall reagiert werden kann, z.B. wenn im obigen Beispiel die Datei „Konten.dat" nicht existiert, wird im Abschnitt „Status abfragen und ändern" besprochen.

Wahlfreies Positionieren

Die drei Bezugspunkte in einer Datei

Bezugspunkt	Positionierungs-Flag	Datei
Dateianfang	ios::beg	
Aktuelle Position	ios::cur	
Dateiende	ios::end	

Aktuelle Dateiposition setzen

Die aktuelle Dateiposition zum Lesen kann durch Angabe eines Byte-Offsets relativ zu einem der drei Bezugspunkte neu gesetzt werden. Dafür gibt es die istream-Methode seekg() mit folgendem Prototyp:

```
istream& seekg( streamoff offset, ios::seekdir bezug);
```

Dabei ist bezug einer der drei Bezugspunkte ios::beg, ios::cur oder ios::end. Der Typ streamoff des Parameters offset ist ein ganzzahliger Typ mit Vorzeichen und typischerweise als long long definiert.

Die aktuelle Dateiposition zum Schreiben kann analog mit der ostream-Methode seekp() neu gesetzt werden.

Dateiposition abfragen

Die File-Stream-Klassen besitzen Methoden, mit denen die aktuelle Position in der Datei abgefragt und verändert werden kann. Die Methoden `tellp()` und `tellg()` liefern die aktuelle Position des `put-` bzw. `get`-Zeigers als Wert vom Typ `pos_type`, der in den Stream-Klassen definiert ist. Der Typ `pos_type` ist in den Typ `long long` konvertierbar und umgekehrt.

Beispiel: `ios::pos_type rpos = mydat.tellg();`

Hier wird die aktuelle Position des Lesezeigers im Stream `mydat` abgefragt. Die aktuelle Position wird als Byte-Offset relativ zum Dateianfang zurückgegeben.

Flags zur Positionierung

Die drei Positionierungens-Flags `ios::beg`, `ios::cur` und `ios::end` sind in der Klasse `ios` als Konstanten vom Typ `ios::seekdir` definiert.

Soll etwa das Objekt `kto` beim Offset `pos` in die Datei „`Konten.dat`" geschrieben werden, so kann dies wie folgt geschehen:

Beispiel:
```
ofstream fstr("Konten.dat", ios::out | ios::in |
                            ios::binary);
fstr.seekp(pos, ios::begin);
kto.write( fstr );
```

Hier wird die Methode `write()` aus der Klasse `Konto` aufgerufen, mit der ein Objekt seine Datenelemente selbst in eine Datei schreibt (vgl. 18. Kapitel).

Ohne Angabe eines Positionierungs-Flags erfolgt das Positionieren stets relativ zum Dateianfang. Die Anweisung im letzten Beispiel zur Positionierung des Schreibzeigers kann deshalb auch wie folgt formuliert werden:

Beispiel: `fstr.seekp(pos );`

Beim Aufruf der Methoden `seekp()` und `seekg()` kann der relative Byte-Offset auch negativ sein. Es ist jedoch nicht zulässig, den Schreib-/Lesezeiger vor den Dateianfang zu positionieren.

Eine Positionierung hinter das Dateiende mit anschließender Schreiboperation ist möglich und erzeugt eine Lücke in der Datei mit undefiniertem Inhalt. Dies ist jedoch nur sinnvoll, wenn alle Datensätze in der Datei die gleiche Länge haben. Die freien Speicherplätze (engl. *slots*) können dann zu einem späteren Zeitpunkt überschrieben werden. Von dieser Möglichkeit wird z.B. bei der Programmierung von Hash-Dateien Gebrauch gemacht.

Wahlfreies Positionieren (Fortsetzung)

Darstellung eines Indexeintrags

```
// index.h:  Definition der Klasse IndexEntry
// ---------------------------------------------------
#ifndef _INDEX_H
#define _INDEX_H

#include <fstream>
#include <iostream>
using namespace std;

class IndexEntry
{
  private:
    long key;                  // Schlüssel
    long recNr;                // Offset
  public:
    IndexEntry(long k=0L, long n=0L){ key=k; recNr=n; }

    // Zugriffsmethoden ... und:

    int recordSize() const
        { return sizeof(key) + sizeof(recNr); }

    fstream& write( fstream& ind ) const;
    fstream& read( fstream& ind);

    fstream& write_at(fstream& ind, long pos ) const;
    fstream& read_at( fstream& ind, long pos);
};
#endif
```

Die Methoden read_at() und write_at()

```
// index.cpp:  Implementierung der Methoden
// ---------------------------------------------------
// ...
fstream& IndexEntry::write_at(fstream& ind, long pos) const
{
   ind.seekp(pos);
   ind.write((char*)&key, sizeof(key) );
   ind.write((char*)&recNr, sizeof(recNr) );

   return ind;
}

fstream& IndexEntry::read_at(fstream& ind, long pos)
{
   ind.seekg(pos);
   ind.read((char*)&key, sizeof(key) );
   ind.read((char*)&recNr, sizeof(recNr));

   return ind;
}
```

Positionierungs-Methoden einsetzen

Häufig benutzte Anweisungen zur wahlfreien Positionierung sind

```
fstr.seekg( 0L);  und  fstr.seekp( 0L, ios::end );
```

Sie bewirken, dass die aktuelle Position der Dateianfang bzw. das Dateiende ist.

Soll die Dateilänge bestimmt werden, so kann der get-Zeiger auf das Dateiende gesetzt und seine Position anschließend abgefragt werden:

Beispiel:
```
fstr.seekg(0L, ios::end);
long long count = fstr.tellg();
```

Die Variable count enthält dann die Anzahl der von der Datei belegten Bytes.

Die Positionierungs-Methoden sind für Dateien einsetzbar, die im Binärmodus geöffnet sind. Die Verwendung für Text- und insbesondere Gerätedateien ist in der Regel nicht sinnvoll. Im Textmodus verhindern die Umwandlungen LF <=> CR/LF ein einwandfreies Arbeiten der Methoden.

Positionen in einer Datei bestimmen

Die Positionen von Datensätzen in einer Datei können berechnet werden, wenn die Länge aller Datensätze in der Datei gleich ist. Ist size die Länge eines Datensatzes, so sind

```
0L,  size,  2*size,  ...
```

die Positionen des ersten, zweiten, dritten Datensatzes usw.

Bei Datensätzen variabler Länge können deren Positionen in der Datei nicht direkt berechnet werden. Für den wahlfreien Dateizugriff ist es deshalb erforderlich, dass die Positionen von Datensätzen in einer separaten Struktur, einem sog. *Index*, gesichert werden.

Der Index enthält Paare von Schlüsseln und Datensatzpositionen in der Datei, die sog. *Index-Einträge*. Ein Schlüssel, z.B. eine Personal- oder Kundennummer, muss einen Datensatz eindeutig identifizieren. Der Index selbst wird gewöhnlich auch in einer Datei gespeichert, die *Indexdatei* genannt wird.

Die Klasse IndexEntry

Nebenstehend ist eine Klasse IndexEntry zur Darstellung eines Index-Eintrags definiert. Sie verfügt über Methoden zum Lesen bzw. Schreiben eines Index-Eintrags an der aktuellen Dateiposition und. in einer vorgegebenen Position. Der entsprechende File-Stream wird dabei als Argument übergeben.

Dateistatus

Darstellung einer Indexdatei

```
// index.h:    Ergänzung um die Definition einer Indexdatei
// ------------------------------------------------------------
#include <string>

class IndexFile
{
   private:
    fstream index;
    string  name;                // Name der Indexdatei

   public:
    IndexFile( const string& s);
    ~IndexFile() { index.close(); }

    void insert( long key, long pos);
    long search( long key);
    void retrieve( IndexEntry& entry, long pos );
};
```

Der Konstruktor der Klasse IndexFile

```
// index.cpp: Ergänzung um die Metoden von IndexFile
// --------------------------------------------------
IndexFile::IndexFile(const string& file)
{
   ios::openmode mode =  ios::in | ios::out | ios::binary;

   index.open(file.c_str(), mode);

   if(!index)              // Falls Datei nicht existiert
   {
       index.clear();
       mode |= ios::trunc;
       index.open(file.c_str(), mode);
       if(!index)
           return;
   }
   name = file;
}
// . . .
```

Status-Flags

Ein File-Stream kann sich in verschiedenen Zuständen befinden. Beispielsweise wenn das Dateiende erreicht ist und nicht weiter eingelesen werden kann. Eine Dateioperation kann auch fehlerhaft verlaufen, etwa wenn eine Datei nicht geöffnet werden konnte oder wenn ein Block unvollständig übertragen wurde.

Zur Darstellung der verschiedenen Zustände einer Datei sind in der Klasse ios so genannte *Status-Flags* definiert. Jedem Status-Flag entspricht ein einzelnes Bit in einem *Status-Wort*, für das in der Klasse ios der Datentyp iostate definiert ist. Die Status-Flags sind folgende:

- `ios::eofbit`   Dateiende erreicht
- `ios::failbit`   Letzte Operation fehlerhaft
- `ios::badbit`   Stream wegen fatalem, nicht behebbarem Fehler defekt
- `ios::goodbit`   Stream ok, d.h. keine Fehlerbits gesetzt

Hier ist nur das "Flag" `ios::goodbit` eine Ausnahme. Ihm entspricht kein einzelnes Bit sondern der Wert 0, wenn im Status-Wort kein Bit gesetzt ist. Das heißt, das Status-Wort hat den Wert `ios::goodbit`, wenn alles o.k. ist.

Status abfragen und ändern

Der Zustand eines Streams kann mit verschiedenen Methoden abgefragt und verändert werden. Zu jedem Status-Flag gibt es eine Methode, nämlich eof(), fail(), bad() und good(), die true liefert, wenn das entsprechende Flag gesetzt ist. So kann das Dateiende wie folgt abgefragt werden:

Beispiel: `if( fstr.eof() ) ...`

Das Status-Wort eines Streams wird mit der Methode rdstate() gelesen. Einzelne Flags können dann durch einen Vergleich abgefragt werden:

Beispiel: `if( mydat.rdstate() == ios::badbit ) . . .`

Zum Ändern des Status-Wortes steht die Methode clear() zur Verfügung. Wird clear() ohne Argument aufgerufen, so werden alle Status-Flags gelöscht. Ein an clear() übergebenes Argument vom Typ iostate wird zum neuen Status-Wort des Streams.

Die Klasse IndexFile

Die nebenstehende Klasse IndexFile repräsentiert eine Indexdatei. Im Konstruktor der Klasse wird die Methode clear() verwendet, um nach dem Versuch, eine nicht existierende Datei zu öffnen, das fail-Bit wieder zurückzusetzen. Anschließend kann dann eine neue Datei angelegt werden.

Die Klasse IndexFile besitzt Methoden zum Einfügen, Hervorholen und Suchen von Indexeinträgen, die später in diesem Kapitel implementiert werden.

Exception-Handling für Dateien

Arbeiten mit selbst definierten Fehlerklassen

```
// exceptio.h : Fehlerklassen zur Dateiverarbeitung
// ------------------------------------------------
#ifndef _EXCEPTIO_H
#define _EXCEPTIO_H

#include <string>
#include <iostream>
using namespace std;

class file_error
{
  private:
     string dateiname;
  public:
     file_error(const string& file) : dateiname(file){}
     string getName() const{ return dateiname; }
};
class open_error : public file_error
{
  public:
     open_error(const string& file) : file_error(file){}
};

class read_error : public file_error
{
  public:
     read_error(const string& file) : file_error(file){}
};

class write_error : public file_error
{
  public:
    write_error(const string& file) : file_error(file){}
};

#endif
```

Implementieren eines eigenen Exception-Handlings

Die Möglichkeiten zur Fehlererkennung mit Hilfe von Status-Flags können benutzt werden, um ein eigenes Exception-Handling für Dateien zu implementieren. So kann beispielsweise eine Methode, die Datensätze aus einer Datei einliest, eine Exception auswerfen, sobald das Status-Flag ios::eof gesetzt, also das Dateiende erreicht ist.

Nebenstehend sind typische Fehlerklassen in einer Hierarchie definiert, mit denen Fehlersituationen beim Öffnen, beim Lesen und Schreiben einer Datei dargestellt werden können. In jedem Fall wird der Dateiname gesichert, der vom entsprechenden Exception-Handler ausgewertet werden kann.

Standardmäßiges Exception-Handling für Streams

C++ sieht auch standardmäßig ein Exception-Handling für Streams vor. Mit der Methode exceptions() kann festgelegt werden, welche Flags im Status-Wort eines Streams Exceptions auslösen.

Die Methode exceptions() ist in der Basisklasse ios der Stream-Klassen definiert. Als Argument erwartet sie ein oder mehrere Status-Flags, die durch | verknüpft werden. Für die angegebenen Flags wird dann eine Exception ausgelöst.

Beispiel:
```
ifstream fstrm("Konten.dat");
fstrm.exceptions(ios::failbit | ios::badbit);
```

Beim Zugriff auf den Stream fstrm wird eine Exception ausgeworfen, sobald eines der Flags ios::failbit oder ios::badbit gesetzt ist. Anschließend wird die Operation, die den Fehler verursachte, abgebrochen. Danach werden die Status-Flags durch einen Aufruf von clear(rdstate()); wieder zurückgesetzt.

Die ausgeworfene Exception hat den Typ der Standard-Fehlerklasse failure. Diese ist in der in der Basisklasse ios als public-Element definiert. Sie besitzt eine virtuelle Methode what(), die eine Meldung über die Fehlerursache als C-String zurückgibt. Der String wird gewöhnlich vom Exception-Handler an die Fehlerausgabe geschickt.

Mit einem Aufruf der Methode exceptions() ohne Argument, kann abgefragt werden, welche Fehler-Flags im Status-Wort des Streams eine Exception auslösen. Ein gesetztes Bit im Return-Wert bedeutet, dass eine entsprechende Exception im Fehlerfall ausgeworfen wird.

Beispiel:
```
iostate except = fstrm.exceptions();
if( except & ios::eofbit) ...
```

Mit Hilfe der bitweisen UND-Verknüpfung wird hier abgefragt, ob bei Erreichen des Dateiendes eine Exception ausgelöst wird.

Persistenz von polymorphen Objekten

```
// konto.h :  Definition der Klassen
//            Konto, GiroKonto und SparKonto
//            mit virtuellen read- und write-Methoden.
// --------------------------------------------------------

enum TypeId {KONTO, GIRO, SPAR };

class Konto
{
   private:   // Datenelemente: wie gehabt.
   public:    // Konstruktor, Zugriffsmethoden.
     virtual TypeId getTypeId() const { return KONTO;}
     virtual ostream& write(ostream& fs) const;
     virtual istream& read(istream& fs);
};
class GiroKonto : public Konto
{    // Datenelemente, Konstruktor, . . .
     TypeId getTypeId() const { return GIRO; }
     ostream& write(ostream& fs) const;
     istream& read(istream& fs);
};
class SparKonto: public Konto
{    // Datenelemente, Konstruktor, . . .
     TypeId getTypeId() const { return SPAR; }
     ostream& write(ostream& fs) const;
     istream& read(istream& fs);
};
```

Die Methoden read() und write() der Klasse GiroKonto

```
// konto.cpp:  Implementierung der Methoden.
// --------------------------------------------------------
#include "konto.h"

ostream& GiroKonto::write( ostream& os) const
{
   if(!Konto::write(os))
       return os;
   os.write((char*)&limit, sizeof(limit) );
   os.write((char*)&soll, sizeof(soll) );
   return os;
}
istream& GiroKonto::read( istream& is)
{
   if(!Konto::read(is))
       return is;
   is.read((char*)&limit, sizeof(limit) );
   is.read((char*)&soll, sizeof(soll));
   return is;
}
```

Polymorphe Objekte speichern

Wir wollen Objekte aus einer polymorphen Klassenhierarchie persistent machen, d.h. in einer Datei speichern. Es muss dabei sichergestellt sein, dass beim Einlesen ein Objekt exakt rekonstruiert werden kann. Hierbei stellt sich jedoch folgendes Problem:

- Objekte einer polymorphen Klassenhierarchie besitzen virtuelle Methoden. Es genügt also nicht, die Datenelemente eines Objekts zu Datensätzen zusammenzufassen und diese in eine Datei zu schreiben.

Es ist deshalb erforderlich, dass nicht nur die Datenelemente eines Objekts sondern auch dessen Typ in einer Datei abgelegt werden. Falls Objekte dynamische Komponenten besitzen, müssen die referenzierten Objekte selbst zusammen mit ihrer Typinformation gespeichert werden.

Damit das Speichern unter Kontrolle der Klasse steht, sollten Methoden zur Verfügung stehen, mit denen das Objekt seine Datenelemente selbst in eine Datei schreibt, bzw. einliest. Innerhalb einer Klassenhierarchie können diese Methoden virtuell definiert werden. Werden Objekte über Zeiger angesprochen, so wird dann die passende Schreib-/Leseoperation für das jeweilige Objekt ausgeführt.

Objekte aus der Konto-Hierarchie speichern

Nebenstehend ist die bereits bekannte Klasse `Konto` um virtuelle Methoden für die Datei-Ein-/Ausgabe ergänzt. Die Implementierung der Methoden `read()` und `write()` wurde bereits im 18. Kapitel, „Grundlagen der Dateiverarbeitung" vorgestellt und bleibt unverändert.

In den abgeleiteten Klassen `GiroKonto` und `SparKonto` sind ebenfalls Methoden `read()` und `write()`definiert, die „ihr" Objekt einlesen bzw. in die Datei schreiben. Bei der Implementierung wird zunächst die entsprechende Methode der Basisklasse aufgerufen. Falls dabei kein Fehler auftritt, brauchen nur noch die zusätzlichen Datenelemente der abgeleiteten Klasse in die bzw. aus der Datei übertragen werden.

An der Stelle werden noch keine Typinformationen in eine Datei geschrieben oder eingelesen. Diese Aufgabe wird von einer eigenen Klasse übernommen, welche die Funktionalitäten für die Dateiverwaltung bereitstellt. Dazu mehr im folgenden Abschnitt.

Persistenz von polymorphen Objekten (Fortsetzung)

```cpp
// konto.h : Mit der Definition der Klasse KontoFile
// ----------------------------------------------------------
#include "exceptio.h"

class KontoFile
{
  private:
    fstream f;                // Stream
    string  name;             // Dateiname

  public:
    KontoFile(const string& s);
    ~KontoFile(){ f.close(); }
    long    append(const Konto& kto);
    Konto* retrieve( long pos );
};
```

Die Methode append()

```cpp
// konto.cpp: Implementierung der Methoden.
// ----------------------------------------------------------
// . . .

long KontoFile::append(const Konto& kto)
{
    f.seekp(0L, ios::end);    // Auf Dateiende positionieren,
    long pos = f.tellp();     // Position sichern.

    if( !f )
        throw write_error(name);

    TypeId id = kto.getTypeId();      // Typ-Id holen

    f.write( (char*)&id, sizeof(id));

    if(!f)
        throw write_error(name);
    else
        kto.write(f);         // Objekt in Datei schreiben.

    if(!f)
        throw write_error(name);

    return pos;
}
```

Aufgabenstellung

Wir wollen die Daten von verschiedenen Konten, darunter auch Girokonten und Sparkonten in einer Datei speichern. Da die zu speichernden Objekte verschiedene Typen haben, muss außer den Datenelementen auch der Typ des entsprechenden Objekts gespeichert werden. Nur so kann ein Objekt beim Einlesen wieder exakt rekonstruiert werden.

Die Methoden der zu definierenden Klasse sollen im Fehlerfall Exceptions auswerfen. Der Typ der Exception, die eine Methode auswirft, ist eine in `exceptio.h` selbst definierte Fehlerklasse.

Die Klasse KontoFile

Nebenstehend ist die Klasse `KontoFile` definiert, welche den wahlfreien Zugriff auf eine Datei mit Bank-Konten vorsieht. Sie enthält als Datenelemente einen File-Stream vom Typ `fstream` und einen String zum Speichern des Dateinamens.

Der Konstruktor sichert den Dateinamen und öffnet die angegebene Datei zum Lesen und Schreiben ab Dateiende. Falls das Öffnen der Datei misslingt, löst der Konstruktor eine Exception vom Typ der Fehlerklasse `open_error` aus.

Die Methode `append()` erhält als Argument eine Referenz auf ein polymorphes Konto-Objekt, das an die Datei angehängt werden soll. Damit beim Lesen des Objekts das entsprechende Konto wieder richtig rekonstruiert werden kann, wird zunächst die Typidentifikation des Objekts in die Datei geschrieben. Diese Typ-ID liefert die virtuelle Methode `getTypeId()`.

Anschließend ruft `append()` die virtuelle Methode `write()` auf, mit der sich das aktuelle Objekt selbst in die Datei schreibt. Als Return-Wert liefert `append()` die Position des neuen Eintrags in der Datei. Bei einem Schreibfehler löst die Methode eine Exception vom Typ `write_error` aus.

Die Methode `retrieve()` liest zunächst die Typidentifikation aus der Datei ein und entscheidet daraufhin, für welches Objekt Speicherplatz zu reservieren ist. Ein Aufruf der virtuellen Methode `read()` überträgt dann die Daten aus der Datei in das dynamisch erzeugte Objekt. Auch hier wird beim Aufreten eines Fehlers eine Exception ausgelöst.

Anwendung: Indexdateien

Die Methode insert() der Klasse IndexFile

```
// index.cpp: Mit den Methoden der Klasse IndexFile
// -------------------------------------------------------
// . . .
void IndexFile::insert(long k, long n)
{
   IndexEntry entry;
   int size = entry.recordSize();     // Länge Indexeintrag.

   index.clear();
   index.seekg(0, ios::end);
   long nr = index.tellg();           // Dateilänge,
                                      // 0, falls Datei leer
   if(!index)
      throw read_error(name);

   nr -= size;                        // Letzter Eintrag.
   bool found = false;
   while( nr >= 0 && !found )         // Einfügeposition
   {                                  // suchen
     if( !entry.read_at(index, nr))
        throw read_error(name);

     if( k < entry.getKey())          // Shiften.
     {
       entry.write_at(index, nr + size);
       nr -= size;
     }
     else                            // Gefunden
     {
       found = true;
     }
   }

   entry.setKey(k); entry.setPos(n);   // Einfügen.
   entry.write_at(index, nr + size);

   if(!index)
      throw write_error(name);
}
```

Die sequenzielle Organisation von Dateien ist dann sinnvoll, wenn regelmäßig alle Datensätze der Reihe nach bearbeitet werden müssen. Das ist zum Beispiel der Fall bei Dateien, die Gehalts- oder Telefonabrechnungen speichern.

Zahlreiche Anwendungen erfordern jedoch einen schnellen Zugriff auf bestimmte Datensätze. So ist es beispielsweise wünschenswert, ein Konto in einer Datei anhand der Kontonummer schnell zu lokalisieren, ohne die Datei von Anfang an durchsuchen zu müssen. Indexdateien schaffen hier eine wesentliche Beschleunigung.

Index-Dateisysteme

Ein *Index-Dateisystem* besteht aus einer sog. *Primärdatei*, welche die eigentlichen Informationen speichert, und einer oder mehreren Indexdateien. Eine Indexdatei besteht aus Paaren von Schlüsseln und Positionen von Datensätzen in der Primärdatei. Über den Schlüssel im Index erhält man die Position des entsprechenden Datensatzes in der Primärdatei. Die Situation lässt sich so veranschaulichen:

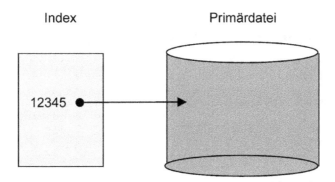

Für den schnellen Zugriff auf Index-Einträge wird der Index nach Schlüsseln sortiert unterhalten. Zum Suchen einer Datensatzposition kann dann das binäre Suchverfahren eingesetzt werden.

Einfügen im Index

Zur Darstellung der Indexdatei verwenden wir die bereits definierte Klasse `IndexFile`. Nebenstehend ist die Methode `insert()` definiert, die einen neuen Eintrag in die Indexdatei einsortiert.

Zum Einfügen wird der Lesezeiger zunächst auf das Dateiende positioniert. Dann wird die Einfügeposition gesucht. Dabei werden alle Einträge, deren Schlüssel größer als der neue Schlüssel sind, in der Datei nach hinten verschoben, um Platz für den neuen Eintrag zu schaffen. Ist die Datei leer, so wird die Schleife zur Suche der Einfügeposition nicht durchlaufen.

Implementierung eines Index-Dateisystems

Darstellung des Index-Dateisystems

```cpp
// index.h:   Definition der Klasse IndexFileSystem
// ---------------------------------------------------
class IndexFileSystem
{
  private:
    KontoFile konten;                   // Primärdatei
    IndexFile index;                    // Indexdatei

  public:
    IndexFileSystem(const string& s)
    : konten(s + ".prim"), index(s + ".ind")
    {}

    bool   insert  ( const Konto& kto );
    Konto* retrieve( long key );
};
```

Die Methoden insert() und retrieve()

```cpp
// index.cpp:   Implementierung der Methoden.
// ---------------------------------------------------
bool IndexFileSystem::insert( const Konto& kto)
{                               // Keine mehrfachen Einträge:
  if( index.search(kto.getNr()) == -1)
  {
    long pos = konten.append(kto); // In Primärdatei einfügen.
    if(pos != -1) {
      index.insert(kto.getNr(), pos);    // Im Index einfügen.
      return true;
    }
  }
  return false;
}

Konto* IndexFileSystem::retrieve(long key )
{                       // Im Index Datensatzadresse holen:
  long pos = index.search(key);   // Byte-Offset im Index.

  if( pos == -1 )                      // Kontonummer gefunden?
    return NULL;
  else {                               // Kontonummer vorhanden:
    IndexEntry entry;                  // Index-Eintrag lesen:
    index.retrieve(entry, pos);
                              // Datensatz aus Primärdatei holen:
    return konten.retrieve( entry.getPos() );
  }
}
```

Index-Dateisystem zur Verwaltung von Konten

Ein Index-Dateisystem verwaltet eine Primärdatei und mindestens eine Index-datei. Daher ist es sinnvoll, entsprechende Datenelemente in die Klasse aufzu-nehmen, die ein Index-Dateisystem darstellt. Wir wollen dies am Beispiel einer Kontenverwaltung beschreiben.

Nebenstehend ist die Klasse `IndexFileSystem` mit zwei Datenelementen defi-niert: `konten` repräsentiert die Primärdatei und `index` die Indexdatei. Der Konstruktor erhält einen Dateinamen als Argument und bildet Namen für die Primärdatei und den Index durch Anhängen einer passenden Kennung. Mit Hilfe der Basisinitialisierer werden die entsprechenden Dateien dann geöffnet.

Die Definition eines Destruktors ist nicht erforderlich, da die Dateien mit den Destruktor-Aufrufen für die Basisklassen automatisch geschlossen werden.

Einfügen und Hervorholen von Datensätzen

Zum *Einfügen* eines neuen Datensatzes ist die Methode `insert()` definiert, die zunächst durch einen Aufruf der Methode `search()` überprüft, ob die Kontonummer im Index bereits vorhanden ist. Ist dies nicht der Fall, so wird der neue Datensatz mit `append()` am Ende der Primärdatei eingefügt. Anschlie-ßend wird der Schlüssel zusammen mit der Datensatzadresse im Index einge-fügt.

Zum *Hervorholen* eines Datensatzes aus der Primärdatei ist in der Klasse `Index-FileSystem` die Methode `retrieve()` deklariert. Anhand des übergebenen Schlüssels `key` wird zunächst mit der Methode `search()` der entsprechende Eintrag in der Indexdatei gesucht. Mit der darin enthaltenen Adresse kann dann der Datensatz direkt aus der Primärdatei geholt werden.

Für die vollständige Implementierung fehlen jetzt nur noch die Methoden `retrieve()` der Klassen `IndexFile` und `KontoFile`, sowie die Methode `search()`, die eine binäre Suche in der Indexdatei ausführt. Die Definition der drei Methoden wird dem Leser als Übung überlassen.

Die Implementierung eines Index als sortierte Datei hat den Nachteil, dass Datensätze beim Einfügen verschoben werden müssen. Da dieses "Shiften" zeit-aufwendig ist, wird ein Index normalerweise als Baum unterhalten, der weniger Reorganisationen erfordert.

Portabler Zugriff auf das Dateisystem

Beispielprogramm

```cpp
// fs_demo.cpp : Zeigt den Pfad eines Verzeichnisses oder
//               die Größe einer regulären Datei an.
// --------------------------------------------------------
#include <iostream>
#include <filesystem>
using namespace std;
using namespace std::filesystem;

int main(int argc, char* argv[])
{
   switch( argc)
   {
     case 1:          // Kein Argument aus der Kommandozeile.
       cout << "Das aktuelle Verzeichnis:\n"
            << current_path() << endl;
       break;
     case 2:          // Ein Argument aus der Kommandozeile.
     { path p(argv[1]);
       if( is_directory(p))        // Ist p ein Verzeichnis?
        cout << p << " ist ein Verzeichnis. Absoluter Pfad:\n"
              << canonical(p) << endl;
       else if( is_regular_file(p))  // Eine reguläre Datei?
         cout << p << " hat die Groesse "
               << file_size(p) << endl;
       else
         cout << p << " existiert nicht oder ist keine "
               "reguläre Datei bzw. kein Verzeichnis." << endl;
       break;
     }
     default: cout << "Verwendung: fs_demo [Pfad]" << endl;
   }
   return 0;
}
```

Die filesystem-Bibliothek verwenden

Die Klassen und Funktionen sind im Header `<filesystem>` deklariert, und
zwar in einem eigenen Namensbereich `std::filesystem`. Dieser Namensbereich kann mit einer entsprechende `using`-Direktive importiert werden.

Die Klasse `path` repräsentiert einen Pfad und stellt beispielsweise Methoden
zur Verfügung, um auf die einzelnen Elemente eines Pfades zuzugreifen. Ein
String ist implizit in ein `path`-Objekt konvertierbar und umgekehrt.

Die mit C++17 neu eingeführte Bibliothek „Filesystem" ermöglicht den portablen Zugriff auf Dateisysteme. So können beispielsweise Verzeichnisse oder ganze Teilbäume eines hierarchischen Dateisystems bequem durchlaufen werden. Die Bibliothek wurde weitgehend unverändert von der häufig verwendeten Boost-Bibliothek übernommen (`www.boost.org`).

Das nebenstehende Beispielprogramm zeigt mithilfe der Funktion `current_path()` das aktuelle Verzeichnis an, falls das Programm ohne ein Argument aufgerufen wurde. Falls das Argument ein Verzeichnis oder eine reguläre Datei ist, wird der absolute Pfad bzw. die Größe der Datei angezeigt.

Komponenten eines Dateisystems

Jede Datei eines Dateisystems besitzt einen Namen und Attribute, wie beispielsweise die Zugriffsrechte und den Typ der Datei. Die wichtigsten Dateitypen sind:

- *Verzeichnis* (engl. *directory*): Eine Sammlung von Verzeichniseinträgen, wobei jeder Eintrag eine bestimmte Datei kennzeichnet. Eine solche Datei kann auch wieder ein Verzeichnis sein.

- *Verweis* (engl. *link*): Ein Verzeichniseintrag, der einen Namen entweder mit einer existierenden Datei (*hard link*) oder mit einem Pfad (*symbolic link*) assoziiert.

- *Reguläre Datei* (engl. *regular file*): Eine Datei, die keinen der anderen Dateitypen hat. Beispielsweise sind Textdateien oder Bilddateien reguläre Dateien.

Es hängt vom zugrundeliegenden Dateisystem ab, welche Zeichenfolgen für die Bildung von Dateinamen zulässig sind und ob Klein- und Großschreibung unterschieden werden. Der spezielle Name „`.`" bezeichnet das aktuelle Verzeichnis und „`..`" bezeichnet das Elternverzeichnis, also das Verzeichnis, in dem das aktuelle Verzeichnis eingetragen ist. Ein *Pfad* (engl. *path*) identifiziert eine Datei im Dateisystem und besteht aus einer Folge von Namen. Der erste Name ist ein optionaler *Wurzelname* (engl. *root-name*), wie beispielsweise die Laufwerksangabe „`C:`" unter Windows oder ein Servername. Alle weiteren Namen, ausgenommen der letzte Name, müssen Verzeichnisnamen oder Links auf Verzeichnisse sein. Ist das erste Verzeichnis das *Wurzelverzeichnis* (engl. *root-directory*), also „`/`" unter Unix oder „`\`" unter Windows, ist der Pfad ein *absoluter Pfad*.

Beispiel: `C:\Users\Public\Memo.txt`

Dieser absolute Pfad unter Windows ist gleichbedeutend mit dem absoluten Pfad `\Users\Public\Memo.txt`, wenn `C:` das aktuelle Laufwerk ist.

Pfade, deren Verzeichnisse nicht mit dem Wurzelverzeichnis beginnen, sind *relative Pfade*. Sie geben den Speicherort einer Datei relativ zu einem anderen Verzeichnis an, meistens relativ zum aktuellen Verzeichnis.

Beispiel: `../docs` verweist auf das „benachbarte" Verzeichnis `docs`.

Als Trennzeichen in einem Pfad kann sowohl der Slash „`/`" als auch der Backslash „`\`" verwendet werden.

Portabler Zugriff auf das Dateisystem (Fortsetzung)

Ein Verzeichnis auflisten

```cpp
// listDir.cpp : Zeigt das aktuelle Verzeichnis oder
//               das angegebene Verzeichnis an.
// ----------------------------------------------------------
#include <iostream>
#include <filesystem>
using namespace std;
namespace fs = std::filesystem;      // Abkürzung

bool listDirectory( const fs::path& p);

int main(int argc, char* argv[])
{
    if( argc > 2)
    { cout << "Verwendung: listDir [Verzeichnis]" << endl;
      return 1;
    }

    try
    {
      fs::path p( (argc < 2) ? "." : argv[1]);
      if( !fs::exists(p))                 // Existiert der Pfad?
        cout << p << " existiert nicht." << endl;
      else
        if( !listDirectory(p) )
          cout << p << " existiert, ist aber kein Verzeichnis."
               << endl;
    }
    catch( const fs::filesystem_error& ex)
    { cout << ex.what() << endl;   }

    return 0;
}

bool listDirectory(const fs::path& p) // Verzeichnis auflisten.
{
    if( fs::is_directory(p) )            // Ein Verzeichnis?
    {
      cout << "Verzeichnis: " << fs::canonical(p) << endl;
      for( auto& entry : fs::directory_iterator(p))
        cout << "     " << entry.path().filename() << endl;

      return true;
    }
    else
      return false;
}
```

Verzeichnisse durchlaufen

Für das Durchlaufen von Verzeichnissen stellt die Klasse `directory_itera-tor` einen Input-Iterator zur Verfügung, der auf Verzeichniseinträge verweist. Der Konstruktor erhält den Pfad eines Verzeichnisses und erzeugt einen Iterator, der auf den ersten Verzeichniseintrag verweist. Der Default-Konstruktor erzeugt den End-Iterator, so dass ein Verzeichnis mit dem Pfad p wie folgt angezeigt werden kann.

Beispiel:
```
for( auto di = directory_iterator(p);
          di != directory_iterator(); ++di)
     cout << "    " << di->path() << endl;
```

Dabei werden die speziellen Einträge „." und „.." übersprungen. Für Objekte der Klasse `directory_iterator` sind die Funktionen `begin()` und `end()` überladen. Somit ist auch eine Range-for-Schleife möglich, wie das nebenstehende Beispielprogramm mit der Funktion `listDirectory()` zeigt.

Verzeichniseinträge haben den Typ `directory_entry` und speichern einen Pfad sowie Attribute der Datei. Die Methode `path()` liefert den Pfad und wird im obigen Beispiel mit `di->path()` aufgerufen.

Es ist auch möglich, ganze Teilbäume eines Dateisystems zu durchlaufen. Einen entsprechenden Iterator, der auch Unterverzeichnisse durchläuft stellt die Klasse `recursive_directory_iterator` zur Verfügung.

Fehlerbehandlung

Bei Operationen im Dateisystem können Fehler auftreten, beispielsweise wegen fehlender Zugriffsrechte oder falscher Dateitypen. Als Reaktion auf einen solchen schwerwiegenden Fehler werfen die Funktionen der `filesystem`-Bibliothek standardmäßig eine Exception vom Typ `filesystem_error`. Diese Fehlerklasse ist im Namensbereich `std::filesystem` von der Standardfehlerklasse `system_error` abgeleitet und besitzt daher auch die Methode `what()`, die einen String mit der Fehlerursache zurückgibt. Im nebenstehenden Beispielprogramm werden Exceptions vom Typ `filesystem_error` aufgefangen und der entsprechende `what`-String angezeigt. Das Beispiel zeigt auch, wie eine Abkürzung für den Namensbereich `std::filesystem` eingeführt werden kann, statt diesen zu importieren.

Es besteht die Möglichkeit, Exceptions zu vermeiden und einen Fehler über einen Fehlercode zu behandeln. Zu diesem Zweck besitzen alle Funktionen, die Exceptions auslösen, eine Überladung mit einem zusätzlichen Parameter vom Typ `std::error_code`, die keine Exception auswirft. Ein Beispiel:

```
bool create_directory( const std::filesystem::path& p);

bool create_directory( const std::filesystem::path& p,
                       std::error_code& ec ) noexcept;
```

Kann kein neues Verzeichnis erzeugt werden, weil z.B. die angegebene Datei p bereits existiert und kein Verzeichnis ist, so gibt die zweite Version lediglich im durch `ec` referenzierten Objekt einen Fehlercode ungleich Null zurück.

Übungen

Zur 1. Aufgabe:

Die Klasse IndexFile

```
class IndexFile
{
   private:
    fstream index;
    string  name;              // Dateiname des Index

   public:
    IndexFile(const string& s);
    ~IndexFile() { index.close(); }
    void insert( long key, long pos);
    long search( long key);
    void retrieve(IndexEntry& entry, long pos );
    void display();
};
```

Die Klasse KontoFile

```
enum TypeId { KONTO, GIRO, SPAR };
class KontoFile
{
  private:
    fstream f;
    string  name;             // Dateiname
  public:
      KontoFile(const string& s);
      ~KontoFile(){ f.close(); }
      long   append( const Konto& kto);
      Konto* retrieve( long pos );
      void display();
};
```

1. Aufgabe

Die Klasse `IndexFileSystem` soll vollständig implementiert und getestet werden. Die Methoden lösen im Fehlerfall entsprechende Exceptions aus, die einen von der Klasse `file_error` abgeleiteten Typ haben.

a) Ergänzen Sie den Konstruktor der Klasse `IndexFile` so, dass im Fehlerfall eine Exception vom Typ `open_error` ausgelöst wird.

b) Schreiben Sie die Methode `retrieve()` der Klasse `IndexFile`, die einen Eintrag an einer vorgegebenen Position im Index hervorholt.

c) Definieren Sie die Methode `search()`, die zu einer als Argument übergebenen Kontonummer den entsprechenden Index-Eintrag sucht. Als Algorithmus soll das binäre Suchverfahren verwendet werden:

Zunächst wird die Kontonummer mit dem mittleren Eintrag im Index verglichen. Ist die Nummer kleiner, so wird in der vorderen Hälfte, andernfalls in der hinteren Hälfte (incl. dem mittleren Eintrag) im Index weitergesucht.

Return-Wert: Die gefundene Datensatzposition bzw. -1, falls die Kontonummer im Index nicht vorkommt.

d) Erstellen Sie die Methode `retrieve()` der Klasse `KontoFile`, welche an einer vorgegebenen Position aus der Kontendatei zunächst das Typfeld einliest, dann ein leeres Objekt des entsprechenden Typs dynamisch anlegt und anschließend die Daten des Kontos aus der Datei einliest.

Return-Wert: Zeiger auf das neue Konto-Objekt oder NULL, falls eine ungültige Typ-ID gelesen wird.

e) Zur Kontrolle der Dateiinhalte sind die Klassen `IndexEntry`, `IndexFile` und `KontoFile` um je eine Methode `display()` zu ergänzen. Die Methode `IndexFile::display()` gibt den Inhalt der Indexdatei aus und ruft dabei die display-Methode von `IndexEntry` auf. Entsprechend gibt die Methode `KontoFile::display()` die Primärdatei mit Hilfe der display-Methode von `Konto` aus.

Die Klasse `IndexFileSystem` ist um die Methoden `displayKontoFile()` und `displayIndexFile()` zu ergänzen. Jede ruft nur die display-Methode des entsprechenden Datenelements auf.

f) Erstellen Sie eine `main`-Funktion, in der innerhalb eines try-Blocks ein Objekt vom Typ `IndexFileSystem` angelegt und mehrere Konten verschiedenen Typs in das Index-Dateisystem eingefügt werden. Kontrollieren Sie die Dateiinhalte. Anschließend wird ein Schlüssel im Dialog eingelesen und der entsprechende Datensatz auf dem Bildschirm angezeigt. Schreiben Sie Exception-Handler zur Behandlung der verschiedenen Fehlerarten. In jedem Fall sind der Name der Datei und die Fehlerursache als Meldung auszugeben.

Übungen (Fortsetzung)

Hash-Dateien

Bei Hash-Dateien wird die Möglichkeit des wahlfreien Dateizugriffs genutzt, um Datensätze direkt zu lokalisieren. Jeder Datensatz muss die gleiche Länge haben und durch einen Schlüssel eindeutig identifizierbar sein.

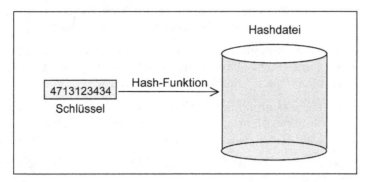

Die Adresse eines Datensatzes wird mit Hilfe einer sog. *Hash-Funktion* (engl. *Key to Address Transformation*) aus dem Datensatzschlüssel berechnet. Sind die Datensätze durchnummeriert und ist der Schlüssel die Datensatznummer, so ist eine einfache Hash-Funktion die identische Abbildung. Schlüssel, wie z.B. Personal- oder Kontonummern, bestehen jedoch meist aus einer festen Anzahl von Ziffern, die nicht bei 0 beginnen.

Eine häufig verwendete Hash-Funktion ist folgende

Beispiel: `Hash(key) = key % b;`

Die Funktion bildet einen Schlüssel `key` auf eine Datensatznummer zwischen `0` und `b-1` ab. Die Nummer `0` ist dann die erste und `b-1` die letzte Nummer eines Datensatzes im sog. *Adressraum* der Hash-Datei. Für eine genügend große Primzahl b liefert die Funktion `Hash()` eine gute Verteilung der Datensätze im Adressraum.

Die Hash-Funktion bildet allerdings die Schlüssel `key`, `key + b`, `key + 2*b` u.s.w auf dieselbe Datensatznummer im Adressraum ab. In dem Fall tritt eine *Kollision* ein. Wird ein neuer Datensatz in die Hash-Datei eingefügt, so führt eine Kollision zum Konflikt, da an der berechneten Datensatzadresse bereits ein anderer Datensatz gespeichert ist.

Um diesen Konflikt zu lösen, wird eine sog *Überlaufstrategie* eingesetzt, die festlegt, wo im Fall einer Kollision ein neuer Datensatz einzufügen ist.

Eine mögliche Überlaufstrategie ist die *lineare Lösung*. Ab der Adresse, wo die Kollision auftrat, wird sequenziell nach einem nächsten freien Platz (engl. *slot*) im Adressraum der Datei gesucht. Dort wird der neue Datensatz abgelegt.

2. *Aufgabe*

Für den schnellen Zugriff auf Kundeninformationen soll eine Hash-Datei angelegt werden. Der Begriff der Hash-Datei ist nebenstehend definiert. Der Einfachheit halber enthält ein Datensatz in der Hash-Datei nur eine Kundennummer und einen Namen. Die Kundennummer ist der Schlüssel, aus dem die Datensatzadresse mit der nebenstehenden Hash-Funktion berechnet wird. Als Überlaufstrategie soll die lineare Lösung eingesetzt werden.

 Mit der linearen Lösung erreicht man hinreichend gute Zugriffszeiten, wenn der Adressraum der Datei grosszügig bemessen und nicht zu "voll" ist. Außerdem ist wichtig, dass die Hash-Funktion die aus den Schlüsseln berechneten Datensatznummern im Adressraum gleichmäßig verteilt. Dies trifft bei der nebenstehenden Hash-Funktion zu, wenn b eine hinreichend große Primzahl ist.

- Entwickeln Sie eine Klasse `HashEntry` zur Darstellung einer Kundeninformation. Es sollen die Kundennummer als `unsigned long`-Wert und der Name eines Kunden als `char`-Vektor der Länge 30 gespeichert werden. Der Konstruktor ist mit Default-Werten zu deklarieren.. Außerdem sind die Methoden `read_at()` und `write_at()` zu deklarieren, die eine Kundeninformation an einer vorgegebenen Position in einem Stream lesen bzw. dorthin schreiben. Beide Methoden erhalten die Position und den Stream als Argument.

- Definieren Sie dann eine Klasse `HashFile` zur Darstellung einer Hash-Datei. Als `private`-Elemente besitzt die Klasse einen File-Stream vom Typ `fstream`, einen String zum Sichern des Dateinamens, eine `int`-Variable zum Speichern der Zahl b und die nebenstehende Hash-Funktion als Methode. Zu den `public`-Elementen gehört ein Konstruktor, dem ein Dateiname und die Zahl b als Argument übergeben wird. Er öffnet die entsprechende Datei zum Lesen und Schreiben. Der Destruktor schließt die Datei wieder.

Außerdem sind die Methoden `insert()` und `retrieve()` zum Einfügen bzw. Hervorholen einzelner Datensätze zu deklarieren. Beide Methoden lassen durch einen Aufruf der Hash-Funktion die entsprechende Datensatznummer in der Hash-Datei berechnen. Im Fall einer Kollision suchen die Methoden sequenziell im Adressraum (modulo dessen Größe) nach einem freien Platz, bzw. nach der gesuchten Kundeninformation.

- Testen Sie die Klasse `HashFile` mit einer `main`-Funktion, in der eine Hash-Datei mit einem kleinen Adressraum (z.B. b = 7) angelegt wird. Lassen Sie verschiedene Kundeninformationen in die Hash-Datei schreiben und anschließend einzeln hervorholen werden. Provozieren Sie dabei auch einige Kollisionen, z.B. mit den Kundennummern 5, 12 und 19.

Lösungen

Zur 1. Aufgabe:

```cpp
// ----------------------------------------------------------
// exceptio.h : Fehlerklassen zur Dateiverarbeitung
// ----------------------------------------------------------

// Unverändert wie in diesem Kapitel.



// ----------------------------------------------------------
// konto.h :
// Definition der Klassen
//        Konto, GiroKonto und SparKonto
// mit virtuellen read- und write-Methoden sowie
// der Klasse KontoFile zur Darstellung von Konto-Dateien.
// ----------------------------------------------------------
#ifndef _KONTO_H
#define _KONTO_H

#include <fstream>
#include <iostream>
#include <iomanip>
#include <string>
using namespace std;

#include "exceptio.h"

enum TypeId { KONTO, GIRO, SPAR };

class Konto
{
   private:
     string name;
     unsigned long nr;
     double stand;
   public:
     Konto( const string& k_name = "X",
            unsigned long k_nr    = 1111111L,
            double  k_stand       = 0.0)
       :name(k_name), nr(k_nr), stand(k_stand)
       { }

     virtual ~Konto() {}

     // Hier die get- und set-Methoden:
     // . . .
```

```
      // Virtuelle Methoden:
      virtual TypeId getTypeId() const { return KONTO; }

      virtual istream& read( istream& is);
      virtual ostream& write( ostream& os) const;

      virtual void display() const
      {
          cout << fixed << setprecision(2)
               << "-------------------------------\n"
               << "Kontoinhaber:      " << name  << endl
               << "Kontonummer:       " << nr    << endl
               << "Kontostand:        " << stand << endl
               << "-------------------------------"
               << endl;
      }
};

class GiroKonto : public Konto
{
   private:
      double limit;           // Überziehungslimit
      double soll;            // Soll-Zinssatz

   public:
      GiroKonto( const string& s = "X",
                 unsigned long n = 1111111L,
                 double st = 0.0,
                 double li = 0.0, double so = 0.0)
      : Konto(s, n, st), limit(li), soll(so)
      { }

      // Zugriffsmethoden:
      // . . .
                                    // implizit virtuell:
      TypeId getTypeId() const { return GIRO; }

      ostream& write(ostream& fs) const;
      istream& read(istream& fs);

      void display() const
      {
          Konto::display();
          cout << "Ueberziehungslimit: " << limit << endl
               << "Soll-Zinssatz:      " << soll  << endl
               << "-------------------------------\n"
               << endl;
      }
};
```

Lösungen (Fortsetzung)

```cpp
class SparKonto: public Konto
{
    private:
      double haben;                 // Habens-Zinssatz

    public:
    // ...  Methoden wie in der Klasse GiroKonto.

};

class KontoFile
{
    private:
      fstream f;                // File-Stream
      string  name;             // Dateiname

    public:
      KontoFile(const string& s);

      long    append( const Konto& kto);
      Konto* retrieve( long pos );

      void display();
};
#endif


// ---------------------------------------------------------
// konto.cpp
// Die Implementierung der Methoden der Klassen
// Konto, GiroKonto, Sparkonto und KontoFile.
// ---------------------------------------------------------
#include "konto.h"

ostream& Konto::write(ostream& os) const
{
    os << name << '\0';
    os.write((char*)&nr, sizeof(nr) );
    os.write((char*)&stand, sizeof(stand) );
    return os;
}
```

```
istream& Konto::read(istream& is)
{
   getline( is, name, '\0');
   is.read((char*)&nr, sizeof(nr) );
   is.read((char*) &stand, sizeof(stand));
   return is;
}

ostream& GiroKonto::write(ostream& os) const
{
   if(!Konto::write(os))
      return os;
   os.write((char*)&limit, sizeof(limit) );
   os.write((char*)&soll, sizeof(soll) );
   return os;
}

istream& GiroKonto::read(istream& is)
{
   if(!Konto::read(is))
      return is;
   is.read((char*)&limit, sizeof(limit) );
   is.read((char*)&soll, sizeof(soll));
   return is;
}

// ostream& SparKonto::write(ostream& os) const
// istream& SparKonto::read(istream& is)
// wie für die Klasse GiroKonto.


// -----------------------------------------------------
// Methoden der Klasse KontoFile
KontoFile::KontoFile(const string& s)
{
   ios::openmode  mode = ios::in | ios::out | ios::app
                         | ios::binary;
   f.open( s.c_str(), mode );
   if(!f)
      throw open_error(s);
   else
      name = s;
}
```

Lösungen (Fortsetzung)

```
void KontoFile::display()
{
    Konto      kto,  *kto_p = NULL;
    GiroKonto giroKto;
    SparKonto sparKto;
    TypeId id;

    if( !f.seekg(0L))
       throw read_error(name);

    cout << endl << "Die Konten-Datei: " << endl;

    while( f.read((char*)&id, sizeof(TypeId)) )
    {
        switch(id)
        {
          case KONTO:  kto_p = &kto;
                       break;
          case GIRO:   kto_p = &giroKto;
                       break;
          case SPAR:   kto_p = &sparKto;
                       break;
          default: cerr << "Falsche Typ-ID in Kontendatei"
                        << endl;
                   exit(1);
        }

        if(!kto_p->read(f))
            break;

        kto_p->display();
        cin.get();             // Weiter mit Return
    }

    if( !f.eof())
        throw read_error(name);
    f.clear();
}


long KontoFile::append(const Konto& kto)
{
    f.seekp(0L, ios::end);    // Schreibzeiger positionieren
    long pos = f.tellp();     // und sichern.

    if( !f )
       throw write_error(name);
```

```
    TypeId id = kto.getTypeId();

    f.write( (char*)&id, sizeof(id));   // TypeId in die
                                        // Datei schreiben.
    if(!f)
        throw write_error(name);
    else
        kto.write(f);                   // Objekt in Datei
                                        // schreiben.
    if(!f)
        throw write_error(name);

    return pos;
}


Konto* KontoFile::retrieve( long pos)
{
    f.clear();
    f.seekg(pos);                // Lesezeiger positionieren

    if( !f )
        throw read_error(name);

    TypeId id;
    f.read( (char*)&id, sizeof(id) );

    if(!f)
        throw read_error(name);

    Konto* buf;
    switch( id )
    {
        case KONTO:  buf = new Konto;
                     break;
        case SPAR:   buf = new SparKonto;
                     break;
        case GIRO:   buf = new GiroKonto;
                     break;
        default:     return NULL;
    }
    if(!(buf->read(f)))
        throw read_error(name);

    return buf;
}
```

Lösungen (Fortsetzung)

```
// ------------------------------------------------------------
// index.h: Enthält die Definition der Klassen
//          IndexEntry zur Darstellung eines Indexeintrags,
//          IndexFile  zur Darstellung einer Index-Datei
//          IndexFileSystem zur Darstellung eines
//                          Index-Datei-Systems.
// ------------------------------------------------------------
#ifndef _INDEX_H_
#define _INDEX_H_

#include <fstream>
#include <iostream>
#include <string>
#include "konto.h"
using namespace std;

class IndexEntry
{
  private:
    long key;
    long recNr;
  public:
    IndexEntry(long k=0L, long n=0L) { key = k; recNr = n;}
    void setKey(long k) { key = k; }
    long getKey() const { return key; }
    void setPos(long n) { recNr = n; }
    long getPos() const { return recNr; }

    int recordSize() const
    { return sizeof(key) + sizeof(recNr); }

    fstream& write(fstream& ind ) const;
    fstream& read( fstream& ind);

    fstream& write_at(fstream& ind, long pos ) const;
    fstream& read_at( fstream& ind, long pos);

    void display()
    {
       cout << "Kto-Nr: " << key
            << "   Pos: " << recNr << endl;
    }
};
```

```cpp
// -------------------------------------------------------
// Definition der Klasse IndexFile:

class IndexFile
{
  private:
    fstream index;
    string  name;                // Name der Indexdatei

  public:
    IndexFile(const string& s);
    ~IndexFile() { index.close(); }

    void insert( long key, long pos);
    long search( long key);
    void retrieve(IndexEntry& entry, long pos );
    void display();
};


// -------------------------------------------------------
// Definition der Klasse IndexFileSystem:

class IndexFileSystem
{
   private:
     KontoFile konten;          // Primärdatei
     IndexFile index;           // Indexdatei

   public:
     IndexFileSystem(const string& s)
     : konten(s + ".prim"), index(s + ".ind")
     { }

     bool   insert  ( const Konto& kto );
     Konto* retrieve( long key );

     void displayIndexFile()
     { index.display(); }
     void displayKontoFile()
     { konten.display(); }
};

#endif
```

Lösungen (Fortsetzung)

```cpp
// ----------------------------------------------------------
// index.cpp : Implementiert die Methoden der Klassen
//             IndexEntry, IndexFile und IndexFileSystem
// ----------------------------------------------------------

#include "index.h"

// --------------------------------------------------
// Methoden der Klasse IndexEntry

fstream& IndexEntry::write(fstream& ind) const
{
   ind.write((char*)&key, sizeof(key) );
   ind.write((char*)&recNr, sizeof(recNr) );

   return ind;
}

fstream& IndexEntry::read(fstream& ind)
{
   ind.read((char*)&key, sizeof(key) );
   ind.read((char*)&recNr, sizeof(recNr));

   return ind;
}

fstream& IndexEntry::write_at(fstream& ind, long pos) const
{
   ind.seekp(pos);
   ind.write((char*)&key, sizeof(key) );
   ind.write((char*)&recNr, sizeof(recNr) );

   return ind;
}

fstream& IndexEntry::read_at(fstream& ind, long pos)
{
   ind.seekg(pos);
   ind.read((char*)&key, sizeof(key) );
   ind.read((char*)&recNr, sizeof(recNr));

   return ind;
}
```

```
// --------------------------------------------------
// Methoden der Klasse IndexFile

IndexFile::IndexFile(const string& file)
{
    ios::openmode  mode = ios::in | ios::out | ios::binary;
    index.open(file.c_str(), mode);  // Öffnen, falls Datei
                                     // schon existiert.
    if(!index)                 // Falls Datei nicht vorhanden.
    {
        index.clear();
        mode |= ios::trunc;
        index.open(file.c_str(), mode);
        if(!index)
            throw open_error(name);
    }
    name = file;
}

void IndexFile::display()
{
    IndexEntry entry;
    index.seekg(0L);
    if(!index)
        throw read_error("Index : Positionieren des "
                    "get-Zeigers");
    cout << endl << "Der Index: " << endl;
    while( true)
    {
        if( !entry.read(index))
            break;
        entry.display();
    }
    if( !index.eof())
        throw read_error(name);
    index.clear();
}

long IndexFile::search(long k)
{
    IndexEntry entry;
    long key;
    long mid, begin = 0, end;      // Datensatznummern.
    int  size = entry.recordSize();  // Länge eines
                                     // Index-Eintrags.
    index.clear();
    index.seekg(0L, ios::end);
    end = index.tellg() / size;      // Anzahl Einträge.
```

Lösungen (Fortsetzung)

```
    if(!index)
       throw read_error(name);

    if( end == 0)
       return -1;

    end -= 1;              // Nummer des letzten Eintrags
    while( begin < end )
    {
       mid = (begin + end +1)/2 ;
       entry.read_at(index, mid*size);

       if(!index)
           throw read_error(name);
       key = entry.getKey();
       if( k < key)
           end = mid - 1;
       else
           begin = mid;
    }

    entry.read_at( index, begin * size);
    if(!index)
        throw read_error(name);

    if ( k == entry.getKey() )    // Schlüssel gefunden?
        return begin * size;
    else
        return -1;
}

void IndexFile::insert(long k, long n)
{
    IndexEntry entry;
    int size = entry.recordSize();   // Länge eines
                                     // Index-Eintrags.
     index.clear();
     index.seekg(0, ios::end);
     long nr = index.tellg();        // Dateilänge,
                                     // 0, falls Datei leer.
     if(!index)
         throw read_error(name);
```

```
    nr-= size;                        // Letzter Eintrag.
    bool found = false;
    while( nr >= 0 && !found )        // Position zum
    {                                 // Einfügen suchen
       if(!entry.read_at(index, nr))
          throw read_error(name);

       if( k < entry.getKey())        // Shiften, um Platz
       {                              // zu machen.
          entry.write_at(index, nr + size);
          nr -= size;
       }
       else                           // Gefunden
       {
          found = true;
       }
    }

    entry.setKey(k);  entry.setPos(n);    // Einfügen.
    entry.write_at(index, nr + size);

    if(!index)
       throw write_error(name);
}

void IndexFile::retrieve( IndexEntry& entry, long pos )
{
    index.clear();
    if( !entry.read_at(index, pos))
       throw read_error(name);
}


// ---------------------------------------------------
// Methoden der Klasse IndexFileSystem.

bool IndexFileSystem::insert( const Konto& kto)
{
  if(index.search(kto.getNr()) == -1) // Keine mehrfachen
  {                                    // Einträge.
    long pos = konten.append(kto);     // In Primärdatei
                                       // einfügen.
    if(pos != -1)
    {
      index.insert(kto.getNr(), pos); // Im Index einfügen.
      return true;
    }
  }
  return false;
}
```

Lösungen (Fortsetzung)

```cpp
Konto* IndexFileSystem::retrieve(long key )
{
   // Im Index Datensatzadresse holen:
   long pos = index.search(key);    // Byte-Offset des
                                     // Index-Eintrags.
   if( pos == -1 )          // Kontonummer nicht vorhanden.
      return NULL;
   else                     // Falls Kontonummer vorhanden:
   {
      IndexEntry entry;
      index.retrieve(entry, pos);   // Index-Eintrag lesen.
                                     // Datensatz holen:
      return konten.retrieve( entry.getPos() );
   }
}


// ----------------------------------------------------------
// index_t.cpp : Zum Testen der Klasse IndexFileSystem
// ----------------------------------------------------------
#include <iostream>
#include <string>
#include "index.h"
#include "konto.h"
using namespace std;

int main()
{
  try
  {
    IndexFileSystem  data("KontoTest");

    Konto kto1( "Vivi", 490UL, 12340.57);
    data.insert( kto1 );

    SparKonto kto2( "Ulla", 590UL, 4321.19, 2.5);
    data.insert( kto2 );

    GiroKonto kto3("Jeany",390UL, 12340.20, 10000.0, 12.9);
    data.insert( kto3 );

    data.displayIndexFile();
    cin.get();
    data.displayKontoFile();
```

```
    unsigned long key;
    cout << "Key? ";
    cin >> key;

    Konto* p = data.retrieve(key);
    if( p  != NULL )
    {
        p->display();
        delete p;
    }
    else
      cout << "Schluessel " << key << " nicht gefunden!"
           << endl;
}

catch(open_error& err)
{
    cerr << "Fehler beim Oeffnen der Datei: "
         << err.getName() << endl;
    exit(1);
}
catch(write_error& err)
{
    cerr << "Fehler beim Schreibzugriff in Datei: "
         << err.getName() << endl;
    exit(1);
}
catch(read_error& err)
{
    cerr << "Fehler beim Lesezugriff auf Datei: "
         << err.getName() << endl;
    exit(1);
}

return 0;
}
```

Lösungen (Fortsetzung)

Zur 2. Aufgabe:

```
// ----------------------------------------------------------
// exceptio.h : Fehlerklassen zur Dateiverarbeitung
// ----------------------------------------------------------

// Unverändert wie in diesem Kapitel.


// ----------------------------------------------------------
// hash_dat.h
// Definition der Klassen HashEntry zur Darstellung eines
// Datensatzes in der Hash-Datei und HashFile zur
// Darstellung der Hash-Datei.
// ----------------------------------------------------------
#ifndef _HASH_H_
#define _HASH_H_

#include <fstream>
#include <iostream>
#include <iomanip>
#include <string>
#include <string.h>
using namespace std;

#include "exceptio.h"

class HashEntry
{
  private:
    unsigned long nr;
    char name[30];

  public:
    HashEntry(unsigned long n = 0L, const string& s = "")
    {
       nr = n;
       setName(s);
    }

    long   getNr() const { return nr; }
    void   setNr(unsigned long n){ nr = n; }
    string getName() const { return name; }
    void   setName(const string& s)
    {  strncpy(name, s.c_str(), 29); name[29]='\0'; }

    int getSize() const
    { return(sizeof(long) + sizeof(name)); }
```

```
    fstream& write(fstream& fs) const;
    fstream& read(fstream& fs);

    fstream& write_at(fstream& fs, unsigned long pos) const;
    fstream& read_at( fstream& fs, unsigned long pos);

    virtual void display() const
    {
        cout << fixed << setprecision(2)
             << "-------------------------------\n"
             << "Kundennummer:        " << nr    << endl
             << "Kunde:               " << name  << endl
             << "-------------------------------"
             << endl;
        cin.get();
    }
};

class HashFile
{
  private:
    fstream f;              // File-Stream
    string  name;           // Dateiname
    unsigned long b;        // Groesse des Adressraums

  protected:
    unsigned long hash_func(unsigned long key)
    { return key % b; }

  public:
    HashFile(const string s, unsigned long n );
    ~HashFile() { f.close(); }

    void insert( HashEntry& rec);
    HashEntry& retrieve( unsigned long key );
    void display();
};

#endif
```

721

Lösungen (Fortsetzung)

```cpp
// ------------------------------------------------------------
// hash_dat.cpp : Die Methoden von HashEntry und HashFile
// ------------------------------------------------------------

#include "hash_dat.h"

fstream& HashEntry::write(fstream& f) const
{
    f.write((char*)&nr, sizeof(nr) );
    f.write( name, sizeof(name) );

    return f;
}
fstream& HashEntry::read(fstream& f)
{
    f.read((char*)&nr, sizeof(nr) );
    f.read( name, sizeof(name));
    return f;
}

fstream& HashEntry::write_at( fstream& f,
                              unsigned long pos) const
{
    f.seekp(pos);
    f.write((char*)&nr, sizeof(nr) );
    f.write( name, sizeof(name) );
    return f;
}

fstream& HashEntry::read_at(fstream& f, unsigned long pos)
{
    f.seekg(pos);
    f.read((char*)&nr, sizeof(nr) );
    f.read( name, sizeof(name));
    return f;
}

// ----------------------------------------------------
// Methoden der Klasse HashFile

HashFile::HashFile(const string file, unsigned long n)
{
    ios::openmode mode =  ios::in | ios::out | ios::binary;

    f.open(file.c_str(), mode);      // Öffnen, falls Datei
                                     // schon existiert.
```

```
      if(!f)                  // Falls Datei nicht vorhanden
      {
         f.clear();
         mode |= ios::trunc;
         f.open(file.c_str(), mode);
         if(!f)
            throw open_error(name);
      }
      name = file;
      b = n;
      HashEntry rec(0L, "");
      f.seekp(0L);
      for( unsigned long i=0; i < b; i++)     // Adressraum
      {                                       // vorbelegen.
         rec.write(f);
         if(!f)
            throw write_error(name);
      }
   }

void HashFile::insert( HashEntry& rec)
{
      HashEntry temp;
      int   size = temp.getSize();
      // Hash-Wert:
      unsigned long pos = hash_func(rec.getNr());

      temp.read_at(f, pos*size);         // Slot einlesen.
      if(!f)
         throw read_error(name);
      else
      {
         if(temp.getNr() == 0L)          // Slot frei?
            rec.write_at(f, pos*size);   // Ja  => In Datei
                                         // schreiben.
         else                            // Nein => Freien
         {                               // Slot suchen.
            bool found = false;
            unsigned long p = (pos*size + size)%(b*size);

            while( !found && p!= pos*size  )
            {
               temp.read_at(f, p);
               if(!f)
                  throw read_error(name);
               else
                  if(temp.getNr() == 0L)  // Freier Slot
                     found = true;        // gefunden.
                  else
                     // Zum nächsten Slot:
                     p = (p + size)%(b*size);
            }
```

Lösungen (Fortsetzung)

```
            if( p == pos*size )         // Adressraum voll.
                throw write_error(name);

            if( found == true )         // In Datei schreiben.
                rec.write_at(f,p);
        }

        if(!f)
            throw write_error(name);
    }
}


HashEntry& HashFile::retrieve( unsigned long key )
{
    static HashEntry temp;
    int size = temp.getSize();

    unsigned long pos = hash_func(key);     // Hash-Wert.

    temp.read_at(f, pos*size);              // Slot einlesen.

    if(!f) throw read_error(name);

    if(temp.getNr() == key)                 // Gefunden?
        return temp;                        // Ja   => fertig
    else                                    // Nein => suchen
    {
      unsigned long p = (pos*size + size) % (b*size);
      while( p!= pos *size )
      {
         temp.read_at(f, p);
         if(!f)
            throw read_error(name);
         else
            if(temp.getNr() == key)         // Satz gefunden.
                return temp;
            else
                p = (p + size)%(b*size);    // Zum nächsten
      }                                     // Slot.

      temp.setNr(0L); temp.setName("");     // Schlüssel
                                            // existiert nicht.
      return temp;
    }
}
```

```
void HashFile::display()
{
    HashEntry temp;
    f.seekg(0L);

    for(unsigned int i = 0; i < b; i++)
    {
        temp.read(f);
        if(!f)
            throw read_error(name);
        temp.display();
    }
    f.clear();
}

// --------------------------------------------------------
// hash_t.cpp : Zum Testen von Hash-Dateien
// --------------------------------------------------------

#include <iostream>
#include <string>
#include "hash_dat.h"
using namespace std;

int main()
{
  try
  {
    HashFile hash("Kunden.dat", 7);         // Adressraum
                                            // der Länge 7
    cout << "\nEinfügen: " << endl;
    HashEntry kde( 3L, "Vivi");
    hash.insert( kde );

    kde.setNr(10L); kde.setName("Peter");
    hash.insert( kde );

    kde.setNr(17L); kde.setName("Ulla");
    hash.insert( kde );

    kde.setNr(21L); kde.setName("Peter");
    hash.insert( kde );

    kde.setNr(15L); kde.setName("Jeany");
    hash.insert( kde );
    cout << "\nEinfügen fertig: " << endl;

    hash.display();
```

Lösungen (Fortsetzung)

```cpp
         unsigned long key;
         cout << "Key? ";   cin >> key;

         HashEntry temp = hash.retrieve(key);
         if(temp.getNr() != 0L)
            temp.display();
         else
            cout << "Schlüssel " << key
                 << " nicht gefunden" << endl;
      }
   catch(open_error& err)
   {
      cerr << "Fehler beim Öffnen der Datei: "
           << err.getName() << endl;
      exit(1);
   }

   catch(write_error& err)
   {
      cerr << "Fehler beim Schreibzugriff in Datei: "
           << err.getName() << endl;
      exit(1);
   }
   catch(read_error& err)
   {
      cerr << "Fehler beim Lesezugriff auf Datei: "
           << err.getName() << endl;
      exit(1);
   }

   return 0;
}
```

Kapitel 30

Mehr über Zeiger

Dieses Kapitel beschreibt weitergehende Möglichkeiten für die Verwendung von Zeigern. Dazu gehören Zeiger auf Zeiger, Funktionen mit einer variablen Anzahl von Argumenten und Zeiger auf Funktionen.

Als Anwendung wird eine Klasse zur Darstellung dynamischer Matrizen vorgestellt.

Zeiger auf Zeiger

Die Funktion kontoSort()

```cpp
// kontosort.cpp: Sortiert einen Vektor von Zeigern
//                auf Konten nach Kontonummern.
// ---------------------------------------------------

#include "konto.h"

void ptrSwap(Konto**, Konto** );

void kontoSort( Konto** kptr, int n)
{
   Konto **temp, **minp, **lastp;
   lastp = kptr + n - 1;     // Zeiger auf letzten Zeiger
                             // im Vektor.

   for(   ; kptr < lastp; ++kptr )
   {
     minp = kptr;

     for( temp = kptr + 1; temp <= lastp; ++temp )
     {
       if( (*temp)->getNr() < (*minp)->getNr() )
           minp = temp;
     }
     ptrSwap( kptr, minp );
   }
}

void ptrSwap( Konto **p1, Konto **p2 )
{
   Konto *help;
   help = *p1; *p1 = *p2; *p2 = help;
}
```

Motivation

Zeigervariablen sind Objekte mit einer Adresse im Hauptspeicher. Sie sind daher über Zeiger referenzierbar. Es ist also möglich, *Zeiger auf Zeiger* zu bilden.

Die Notwendigkeit ergibt sich bereits,

- wenn ein Vektor von Zeigern dynamisch angelegt wird oder

- wenn eine Funktion einen Vektor von Zeigern als Argument erwartet.

Im beiden Fällen muss eine Zeigervariable deklariert werden, die in der Lage ist, das erste Vektorelement zu adressieren. Da jedes Element im Vektor ein Zeiger ist, muss die Zeigervariable also ein Zeiger auf einen Zeiger sein.

Zeigervektoren dynamisch anlegen

Im folgenden wollen wir einen Vektor von Zeigern auf Objekte der Klasse Konto dynamisch anlegen.

Beispiel: `Konto** ptr = new Konto*[400];`

Der Zeiger `ptr` adressiert dann den ersten Zeiger im Vektor mit insgesamt 400 Zeigern vom Typ `Konto*`. Die Vektorelemente sind wie folgt ansprechbar:

```
*ptr         und ptr[0]  (Zeiger beim Index 0)
*(ptr + i) und ptr[i]  (Zeiger beim Index i)
```

Der Zugriff auf die Objekte, die mit dem Vektor verwaltet werden, erfolgt so:

```
**ptr        und *ptr[0] (Objekt, das der 0-te Zeiger adressiert)
**(ptr+i)   und *ptr[i] (Objekt, das der i-te Zeiger adressiert)
```

Zeigervektoren als Argumente

Bei der Definition einer Funktion, die einen Vektor von Zeigern als Argument erwartet, muss ein entsprechender Parameter vereinbart werden.

Beispiel: `void kontoSort( Konto **kptr, int len);`

Mit dem Parameter `kptr` kann dann ein Vektor von Zeigern bearbeitet werden, dessen Länge der zweite Parameter `len` speichert. Nach dem Aufruf

Beispiel: `kontoSort( ptr, 100);`

zeigt `kptr` auf den ersten Zeiger `ptr[0]` im Zeigervektor `ptr`. Anstelle von `Konto **kptr` ist auch die äquivalente Form `Konto *kptr[]` möglich.

Nebenstehend ist die Funktion `kontoSort()` implementiert. Sie verwendet den bereits bekannten Selection-Sort-Algorithmus zum Sortieren. Wichtig ist hier, dass nicht die Konten selbst in eine sortierte Reihenfolge gebracht werden, sondern nur die Zeiger. Das erspart zeitaufwendige Kopiervorgänge.

Variable Anzahl von Argumenten

Feste und optionale Argumente auf dem Stack

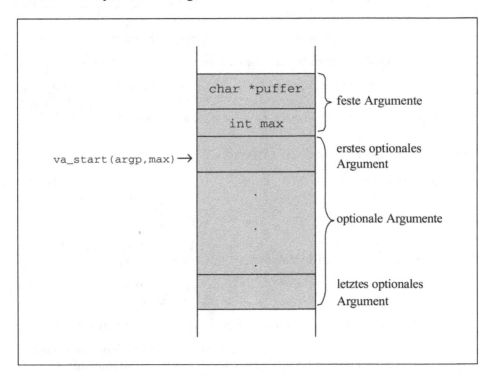

Struktur einer Funktion mit variabler Anzahl von Argumenten

```
#include <stdarg.h>

int func( char *puffer, int max, ... )
{
   va_list argptr;      // Argument-Zeiger vereinbaren.
   long arg3;
    . . .
   va_start( argptr, max);            // Initialisierung.
   arg3 = va_arg( argptr, long );   // Argumente lesen.

   // Mit Argument arg3 arbeiten.
    . . . .

   va_end(argptr);   // Argument-Zeiger auf NULL setzen.
}
```

In C++ besteht die Möglichkeit, Funktionen zu definieren, die eine variable Anzahl von Argumenten zulassen. Ein Beispiel für eine derartige Funktion ist die C-Standardfunktion `printf()`. Sie erhält immer mindestens ein Argument, nämlich den Format-String. Mit Hilfe der Formatelemente im Formatstring ermittelt `printf()` dann die Anzahl und den Typ der weiteren Argumente.

Feste und optionale Argumente

Funktionen mit variabler Anzahl von Argumenten erwarten stets eine feste Anzahl *obligatorischer* Argumente und eine variable Anzahl *optionaler* Argumente. Es muss mindestens ein obligatorisches Argument vorhanden sein.

Wie gewöhnlich wird bei der Definition einer solchen Funktion für jedes obligatorische Argument ein entsprechender Parameter vereinbart. Für die optionalen Argumente werden in der Parameterliste drei Punkte **. . .** eingesetzt. So erwartet die nebenstehende Funktion `func()` zwei oder mehr Argumente. Entsprechend lautet der

Prototyp: `int func( char *puffer, int max, ...);`

Um die Definition von Funktionen mit variabler Anzahl von Argumenten zu ermöglichen, wird in C++ das letzte Argument zuerst auf den Stack gelegt. Nach dem Aufruf der Funktion `func()` ergibt sich daher ein Stack-Aufbau, wie er nebenstehend skizziert ist.

Der Zugriff auf die optionalen Argumente erfolgt durch einen Zeiger, den so genannten *Argument-Zeiger,* der hier mit `argptr` bezeichnet wird. Für die Behandlung dieses Zeigers sind in der Header-Datei `cstdarg` bzw. `stdarg.h` Makros definiert, die dem ANSI-Standard entsprechen und so die Portabilität des Quellcodes sicherstellen.

Argument-Zugriff

Zum Lesen der optionalen Argumente sind nun folgende Schritte notwendig:

1. Im Funktionsblock wird neben anderen lokalen Variablen auch der Argument-Zeiger `argptr` mit dem Typ `va_list` vereinbart. Der Datentyp `va_list` ist in der Header-Datei `stdarg.h` als typenloser Zeiger oder als `char`-Zeiger definiert.

2. Mit dem Aufruf des Makros `va_start()` wird dann der Argument-Zeiger `argptr` auf das erste optionale Argument gesetzt. `va_start()` erhält zwei Argumente: den Namen des Argument-Zeigers und den Namen des letzten obligatorischen Parameters.

Beispiel: `va_start( argptr, max );`

731

Variable Anzahl von Argumenten (Fortsetzung)

Die Funktion input()

```cpp
// input.cpp:  Die Funktion input() liest Zeichen von
//             der Tastatur und hängt '\0' an. Mit Back-
//             space kann die Eingabe gelöscht werden.
// Argumente:  1. Zeiger auf den Eingabepuffer.
//             2. Anzahl maximal einzulesender Zeichen.
//             3. Die optionalen Argumente: Zeichen, mit
//                denen die Eingabe abgebrochen wird.
//                Diese Liste muss mit CR = '\r' enden!
// Return-Wert: Zeichen, mit dem das Einlesen abbricht.
// --------------------------------------------------
#include <stdarg.h>
#include <conio.h>      // Für getch() und putch()

int input(char *puffer, int max,... )
{
   int c, breakc;   // Aktuelles Zeichen, Abbruchzeichen
   int nc = 0;      // Anzahl eingelesener Zeichen
   va_list argp;    // Zeiger auf die weiteren Argumente

   while(true)
   {
     *puffer = '\0';
     if( ( c = getch()) == 0)  // Zeichen einlesen.
        c = getch() + 256;     // Bei Sondertasten:
                               // Erweiteter Code + 256.
     va_start(argp, max);      // argp initialisieren.
     do    // Mit Zeichen der Abbruchliste vergleichen
       if( c == (breakc = va_arg(argp,int)) )
          return(breakc);
     while( breakc != '\r');
     va_end( argp);

     if( c == '\b' &&  nc > 0)    // Backspace?
     {
        --nc,  --puffer;
        putch(c);  putch(' '); putch(c);
     }
     else if( c >= 32  &&  c <= 255  &&  nc < max )
     {                  // Zeichen -> Puffer und ausgeben.
        ++nc,  *puffer++ = c;  putch(c);
     }
     else if( nc == max)    // Ende des Puffers erreicht?
        putch('\a');        // Ton ausgeben.
   }
}
```

3. Mit dem Aufruf des Makros `va_arg()` wird das optionale Argument, auf das `argptr` zeigt, im Stapel gelesen. Die Argumente von `va_arg()` sind der Name des Argument-Zeigers und der Typ des optionalen Arguments:

Beispiel: `arg3 = va_arg( argptr, long);`

Mit jedem Aufruf des Makros `va_arg()` wird der Argument-Zeiger auf das nächste optionale Argument gesetzt. Das Ergebnis von `va_arg()` hat den im Aufruf angegebenen Typ. Er muss mit dem Typ des entsprechenden optionalen Arguments identisch sein.

Eine spezielle Endebedingung für das letzte optionale Argument gibt es nicht. Hier kann ein bestimmter Wert (wie z.B. NULL, `-1` oder CR) vereinbart werden, oder ein festes Argument legt die aktuelle Anzahl der Argumente fest.

4. Nach Auswertung der Argumente sollte der Argument-Zeiger mit dem Makro `va_end()` auf NULL gesetzt werden:

Beispiel: `va_end( argptr);`

Die optionalen Argumente können auch mehrfach gelesen werden. Im obigen Ablauf wird dann wieder mit dem 2. Schritt begonnen, also zunächst das Makro `va_start()` aufgerufen.

Zum nebenstehenden Beispiel

Die nebenstehende Funktion `input()` liest mit Hilfe der Funktion `getch()` Zeichen von der Tastatur in den vom ersten Argument adressierten Puffer. Das zweite Argument legt die maximale Anzahl einzulesender Zeichen fest. Die weiteren Argumente sind Zeichen, durch die die Eingabe abgebrochen werden kann. Das letzte Argument *muss* ein Return (`'\r'`) sein!

Beispiel:
```
#define ESC   27            // ESC-Taste
#define F1    (256 + 59)    // F1-Taste
input( name, 20, ' ', ESC, F1, '\r');
```

Dieser Aufruf von `input()` liest bis zu 20 Zeichen in den Vektor name, wobei die Eingabe durch die Leer-, ESC-, F1- oder Return-Taste abgebrochen werden kann. Der entsprechende Zeichen-Code ist dann der Return-Wert. Nicht-druckbare Zeichen werden bei der Eingabe ignoriert, es sei denn, sie sind bei den optionalen Argumenten aufgeführt.

Sondertasten, wie z.B. die Funktionstasten, liefern beim ersten Aufruf von `getch()` den Wert 0 und beim nachfolgenden Aufruf einen *erweiterten Code*. Für die Funktionstasten sind dies die Werte `59 - 68`. Um die erweiterten Codes von den gewöhnlichen ASCII-Codes (`0 - 255`) zu unterscheiden, wird zu den erweiterten Codes `256` hinzuaddiert.

Zeiger auf Funktionen

Eine Sprungtabelle

```
// funcptr.cpp:  Demonstriert die Verwendung eines
//               Vektors mit Zeigern auf Funktionen.
// -------------------------------------------------
#include  <iostream>
#include  <cstdlib>     // Prototyp von atoi()
#include  <cctype>      // Makros  toupper(), tolower()
using namespace std;

void  error_message(char *), message(char *),
      message_up(char *), message_low(char *);

void (*functab[])(char *) = { error_message, message,
                              message_up, message_low };

char aufruf[]="Eingabe: 1,2 oder 3";

int main()
{
   int n = 0;
   cout << "Welche von drei Funktionen soll "
        << "aufgerufen werden(1,2 oder 3)?\n";
   cin >> n;

   if( n<1 || n>3)
     (*functab[0])( aufruf );
    else
     (*functab[n])("Hello, world\n");
     return 0;
}

void error_message( char *s)  {  cerr << s << endl; }

void message( char *s)        {  cout << s << endl; }

void message_up( char *s)
{   int c;
    for( ; *s != '\0';++s) c = toupper(*s),cout.put(c);
}

void message_low( char *s)
{   int c;
    for( ; *s != '\0';++s) c = tolower(*s), cout.put(c);
}
```

Einsatz von Zeigern auf Funktionen

In C++ ist der Name einer Funktion ein konstanter Zeiger auf die Funktion. Er adressiert den Maschinencode der Funktion. Dies entspricht der bekannten Situation bei Vektoren: Auch der Name eines Vektors ist ein konstanter Zeiger auf das erste Vektorelement.

Für Zeiger auf Funktionen gibt es verschiedene Anwendungen: Man kann sie in einem Vektor speichern und so eine *Sprungtabelle* bilden. Die einzelnen Funktionen sind dann über einen Index ansprechbar.

Ein Zeiger auf eine Funktion kann auch einer anderen Funktion als Argument übergeben werden. Dies ist dann sinnvoll, wenn die aufgerufene Funktion von Fall zu Fall mit verschiedenen Funktionen arbeiten soll.

Die Standardfunktion `qsort()` ist hierfür ein Beispiel. Sie sortiert einen Vektor mit dem schnellen *Quick-Sort-Algorithmus*. Abhängig vom Typ der Vektorelemente und vom Vergleichskriterium erhält die Funktion `qsort()` als Argument eine andere Vergleichsfunktion.

Deklaration von Zeigern auf Funktionen

Ein Zeiger auf eine Funktion wird wie folgt vereinbart:

Syntax: `typ (* funcptr)( Parameterliste );`

Hier wird eine Variable `funcptr` definiert, die die Adresse einer Funktion speichern kann. Die Funktion besitzt den Datentyp `typ` und die angegebene Parameterliste. Bei der Deklaration ist auch das erste Klammernpaar wesentlich. Mit `typ *funcptr(Parameterliste);` würde nämlich `funcptr` als Funktion deklariert, die einen Zeiger zurückgibt.

Wir wollen den Zeiger `funcptr` auf die Funktion `compare()` zeigen lassen und `compare()` mit Hilfe dieses Zeigers aufrufen.

Beispiel:
```
bool compare(double, double);  // Prototyp
bool (*funcptr)(double, double);
funcptr = compare;
(*funcptr)(9.1, 7.2);
```

Der Aufruf von `(*funcptr)()` ist dann äquivalent zum Aufruf von `compare()`. Die Deklaration von `compare()` ist notwendig, damit der Compiler weiß, dass `compare` der Name einer Funktion ist.

Im nebenstehenden Programm ist `functab` ein Vektor mit vier Zeigern auf Funktionen vom Typ `void`, die jeweils einen C-String als Argument erhalten. Er wird in der Definition mit den angegebenen Funktionen initialisiert. `functab[0]` zeigt also auf `error_message()`, `functab[1]` auf `message()` usw. Bei Ausführung des Programms wird diejenige Funktion aufgerufen, deren Index beim Aufruf angegeben wurde.

Komplexe Deklarationen

---

1. Beispiel:

```
char      (*      strptr)      [50]
 ⇧         ⇧        ⇧            ⇧
 3.        1.       0.           2.
```

0. `strptr` ist ein
1. Zeiger auf
2. einen Vektor mit 50 Elementen vom Typ
3. char.

---

2. Beispiel:

```
long      *      (*      func      ()      )      []
 ⇧        ⇧       ⇧        ⇧        ⇧       ⇧       ⇧
 5.       4.      2.       0.       1.              3.
```

0. `func` ist eine
1. Funktion mit einem Return-Wert vom Typ
2. Zeiger auf
3. einen Vektor mit Elementen vom Typ
4. Zeiger auf
5. long.

---

3. Beispiel:

```
char      *      (*      (*      funcptr )      ()      )      []
 ⇧        ⇧       ⇧       ⇧        ⇧             ⇧       ⇧       ⇧
 6.       5.      3.      1.       0.            2.              4.
```

0. `funcptr` ist ein
1. Zeiger auf
2. eine Funktion mit dem Return-Wert vom Typ
3. Zeiger auf
4. einen Vektor mit Elementen vom Typ
5. Zeiger auf
6. char.

Operatoren und komplexe Deklarationen

In der Deklaration und Definition einer Funktion bzw. einer Variablen werden neben dem Grundtyp und dem Namen dieselben Operatoren benutzt, wie sie auch in Ausdrücken vorkommen. Es handelt sich hierbei um die Operatoren:

Operator	Bedeutung
[]	Vektor mit Elementen vom Typ
()	Funktion mit Return-Wert von Typ
*	Zeiger auf
&	Referenz auf

Eine *komplexe Deklaration* liegt vor, wenn mehr als einer dieser Operatoren verwendet wird.

Beispiel: `char *strptr[50];`

Hier wird `strptr` als Vektor von Zeigern auf `char` vereinbart. In einer Deklaration sind alle Kombinationen der drei Operatoren erlaubt, allerdings mit folgenden Ausnahmen:

* Die Elemente eines Vektors können keine Funktionen sein.

* Eine Funktion kann keine Funktion und keinen Vektor zurückgeben (wohl aber Zeiger darauf).

Operatoren haben in einer Deklaration die gleiche Priorität wie in Ausdrücken. Es können auch Klammern gesetzt werden, um eine andere Priorität zu bestimmen.

Regeln

Bei der Interpretation einer komplexen Deklaration kann man nach folgenden Regeln vorgehen:

1. Man beginnt stets beim Bezeichner, der deklariert wird.

Dann sind folgende Schritte zu wiederholen, bis alle Operatoren aufgelöst sind:

2. Steht *rechts* das Klammernpaar () oder [], so wird dieses interpretiert.

3. Steht rechts nichts oder die Klammer), wird *links* der Stern, falls vorhanden, interpretiert.

   Zuletzt wird der Grundtyp angewendet.

Dieses Vorgehen demonstrieren die nebenstehenden Beispiele. Stehen im Prototyp einer Funktion mehrere Bezeichner, so sind die obigen Regeln sowohl für die Funktion selbst als auch für jeden Parameter anwendbar.

Definition von Typnamen

1. Beispiel:

```
typedef DayTime UHRZEIT;

UHRZEIT zeitVek[100];
```

2. Beispiel:

```
typedef struct { double re, im; } COMPLEX;

COMPLEX z1, z2, *zp;
```

3. Beispiel:

```
typedef enum { Mo, Di, Mi, Do, Fr } WERKTAG;

WERKTAG tag;
```

4. Beispiel:

```
typedef enum { Karo, Herz, Pik, Kreuz } FARBE;

typedef enum { sieben, acht, neun, zehn ,
               Bube, Dame, König, As } WERT;
typedef struct
{
    FARBE f;
    WERT w;
} KARTE;

typedef KARTE[10] BLATT;

BLATT spieler1, spieler2, spieler3;
```

Das Schlüsselwort typedef

C++ bietet die Möglichkeit, Typen einen neuen Namen zu geben. Hierfür steht das Schlüsselwort typedef zur Verfügung. Im

Beispiel: `typedef unsigned char BYTE;`

wird der Typname BYTE definiert, der im folgenden als Abkürzung für den Datentyp unsigned char verwendet werden kann. Mit der Vereinbarung

Beispiel: `BYTE array[100];`

wird dann ein Vektor array mit 100 Elementen vom Typ unsigned char vereinbart. Die Großschreibung für Typnamen ist üblich, aber nicht zwingend.

Beispiele: `typedef int* INTPTR;`
`typedef enum{ ROT, GELB, GRUEN } Ampel;`

Hier bezeichnen INTPTR den Datentyp „Zeiger auf int" und Ampel einen Aufzählungstyp.

In einer typedef-Definition nimmt der neue Name für den Datentyp immer die Position eines Variablennamens ein. Ohne das führende Wort typedef würde also eine neue Variable und kein neuer Typname definiert.

Typdefinitionen reservieren keinen Speicherplatz, und es wird auch kein neuer Datentyp konstruiert. Es wird lediglich ein neuer Name für einen bereits existierenden Datentyp eingeführt.

Beispiel: `typedef char* (*PTR_TO_FUNC)();`

Der Typname PTR_TO_FUNC ist dann eine Abkürzung für den Typ „Zeiger auf eine Funktion, die einen Zeiger auf char liefert". Die Deklaration

Beispiel: `PTR_TO_FUNC search;`

ist dann gleichbedeutend mit:

```
char* (*search)();
```

Vorteile

Für die Verwendung von typedef spricht, dass die Lesbarkeit eines Programms verbessert wird, vor allem wenn komplexe Datentypen einen Namen erhalten.

Ein weiterer Vorzug ist, dass maschinenabhängige Typen isoliert werden können: Bei der Portierung eines Programms auf einen anderen Rechner muss der maschinenabhängige Datentyp nur einmal in der typedef-Definition geändert werden.

Matrizen als Argumente von Funktionen

Zeiger-Beispiele

```cpp
#include <iostream>
using namespace std;

#define COLS 3
typedef int Row_t[COLS];      // Row_t: Zeilentyp einer Matrix

void init( Row_t pMat[], int nRows)     // oder  Row_t *pMat
{
   for(int i = 0; i < nRows; ++i)       // Jedem Element der
      for(int j = 0; j < COLS; ++j)     // Matrix einen Wert
         pMat[i][j] = i + j;            // zuweisen.
}

void display(const Row_t pMat[], int nRows)
{
  for(int i = 0; i < nRows; ++i)        // Matrix zeilenweise
  {                                     // anzeigen.
      for( int j = 0; j < COLS; ++j)
         cout << pMat[i][j] << " ";
      cout << endl;
  }
}
```

Referenz-Beispiele

```cpp
#include <iostream>
using namespace std;

#define COLS 3
#define ROWS 4
typedef int Matrix_t[ROWS][COLS]; // Matrix_t: Typ der Matrix

void init( Matrix_t& rMat)
{
   for(int i = 0; i < ROWS; ++i)        // Jedem Element der
      for(int j = 0; j < COLS; ++j)     // Matrix einen Wert
         rMat[i][j] = i + j;            // zuweisen.
}
// Matrix anzeigen:
void display(const Matrix_t& rMat)
{
  for(int i = 0; i < ROWS; ++i)         // Matrix zeilenweise
  {                                     // anzeigen.
      for( int j = 0; j < COLS; ++j)
         cout << rMat[i][j] << " ";
      cout << endl;
  }
}
```

Eine Matrix ist ein eindimensionaler Vektor mit Elementen, die selbst eindimensionale Vektoren sind. Jeder dieser eindimensionalen Vektoren stellt eine Zeile der Matrix dar und heißt deshalb auch „Zeilenvektor". Er besitzt so viele Elemente, wie die Matrix Spalten hat.

Zeiger als Parameter

Der Name eines Vektors ist ein Zeiger auf das erste Vektorelement. Im Fall einer Matrix ist das ein Zeiger auf die erste Zeile. Für die Übergabe einer Matrix an eine Funktion ist es daher naheliegend, als Parameter einen entsprechenden Zeiger zu deklarieren, d.h. einen Zeiger auf einen Zeilenvektor. Dafür muss der Compiler die Größe des Zeilenvektors, also die Anzahl Spalten kennen.

Sind die Matrixelemente vom Typ `int` und ist `COLS` die Anzahl der Spalten, so kann der Typ eines Zeilenvektors wie folgt definiert werden:

Beispiel: `int (*pMat)[COLS]`   `// Zeiger auf erste Zeile`

Zur besseren Lesbarkeit kann dem Typ eines Zeilenvektors ein eigener Name gegeben werden:

Beispiel: `typedef int Row_t[COLS]; // Typ des Zeilenvektors`

Mit dem Typnamen `Row_t` lautet dann die Parameter-Deklaration:

```
Row_t *pMat    // oder äquivalent: Row_t pMat[]
```

Bei den nebenstehenden Zeiger-Beispielen ist der Parameter pMat der Funktion `display()` zusätzlich als „Read-only" deklariert. Die Anzahl der Zeilen ist variabel und wird den Funktionen mit dem zweiten Argument übergeben.

Beispiel:
```
Row_t mat[5];       // Matrix mat mit 5 Zeilen.
init( mat, 5);      // Aufruf der Funktionen
display( mat, 5);   // init() und display().
```

Referenzen als Parameter

Ein Parameter kann als Referenz auf eine Matrix deklariert werden, wenn auch die Anzahl der Zeilen feststeht. Ist `ROWS` die Zeilenzahl, so wird ein Name für den Matrixtyp wie folgt definiert:

Beispiel: `typedef int Matrix_t[ROWS][COLS];`

Eine Matrix vom Typ `Matrix_t` belegt `ROWS*COLS*sizeof(int)` Byte. Die nebenstehenden Funktionen deklarieren Referenz-Parameter für eine solche Matrix. Der Parameter der Funktion `display()` ist wieder als „Read-only" deklariert. Das folgende Beispiel zeigt einen Aufruf der Funktionen.

Beispiel:
```
Matrix_t mat;       // Matrix vom Typ Matrix_t.
init( mat);         // Aufruf der Funktionen
display( mat);      // init() und display().
```

Anwendung: Dynamische Matrizen

Die Klasse Matrix

```cpp
// matrix.h:  Darstellung dynamischer Matrizen
// ----------------------------------------------------
#include <stdexcept>
#include <iostream>
using namespace std;

class Zeile
{ double *z;
  int size;
 public:
  Zeile( int s) { size = s; z = new double[s]; }
  ~Zeile(){ delete[]z; }

  double& operator[](int i) throw(out_of_range)
  {if(i < 0 || i >= size)
     throw out_of_range("Spaltenindex: Out of Range\n");
   else
     return z[i];
  }
};

class Matrix
{
    Zeile **mat;          // Zeiger auf "Zeilen"-Vektor
    int lines, cols;      // Zeilen- und Spaltenzahl

  public:
   Matrix(int z , int s )
   { lines = z; cols = s;
     mat = new Zeile*[lines];
     for(int i=0; i < lines; i++)
         mat[i] = new Zeile(cols);
   }

   ~Matrix()
   {    for(int i=0; i < lines; i++)
            delete mat[i];
        delete[] mat;
   }
   int  getLines() const { return lines; }
   int  getCols() const { return cols; }
   Zeile& operator[](int i) throw(out_of_range)
   { if(i < 0 || i > =lines)
       throw out_of_range("Zeilenindex: Out of Range\n");
     else
       return *mat[i];
   }
};
```

Als Anwendung wollen wir eine Klasse zur Darstellung von dynamischen Matrizen entwickeln. Matrizen werden bei vektoriellen Operationen eingesetzt, beispielsweise in der Grafikprogrammierung, um Bilder zu verschieben, zu drehen oder zu zoomen.

Die Klasse Matrix

Für eine Matrix m soll der Speicherplatz zur Laufzeit dynamisch reserviert werden können. Außerdem soll es möglich sein, mit Hilfe des Index-Operators wie gewohnt auf die Elemente der Matrix zuzugreifen.

Beispiel: `m[i][j]   // Element in Zeile i, Spalte j`

Die entsprechende Klasse wird deshalb ein dynamisches Element enthalten, das die Matrix adressiert. Wie bereits bekannt, ist eine Matrix ein eindimensionaler Vektor mit Elementen, die selbst eindimensionale Vektoren sind.

Nebenstehend ist deshalb eine Klasse `Zeile` vereinbart, mit der eindimensionale Vektoren von `double`-Werten darstellbar sind. Der Indexoperator ist für die Klasse `Zeile` so überladen, dass für einen unzulässigen Index eine Exception vom Typ `out_of_range` ausgelöst wird.

Die Klasse `Matrix` besitzt ein dynamisches Element `mat`, das einen Vektor von Zeigern auf `Zeile`-Objekte adressieren kann; `mat` ist also ein Zeiger auf einen Zeiger.

Konstruktor, Destruktor und Indexoperator

Der Konstruktor der Klasse `Matrix` legt einen Vektor mit `lines` Zeigern auf Objekte vom Typ `Zeile` an. Anschließend wird der Speicherplatz für die Zeilen selbst in einer Schleife dynamisch reserviert.

Der Destruktor gibt im Gegenzug als erstes den Speicherplatz für die Zeilenvektoren frei. Danach wird der Platz für den Zeigervektor `mat` selbst wieder freigegeben.

Der Index-Operator der Klasse `Matrix` liefert zu einem vorgegebenen Index `i` den `i`-ten Zeilenvektor. Bei der Auswertung des Ausdrucks

Beispiel: `m[2][3]`

wird dann zunächst der Index-Operator der Klasse `Matrix` aufgerufen, der den Zeilenvektor zum Index 2 liefert. Danach wird für diesen Zeilenvektor der Index-Operator der Klasse `Zeile` aufgerufen. Er liefert eine Referenz auf den `double`-Wert beim Index 3.

In den Übungen wird die Klasse `Matrix` noch weiter vervollständigt, indem z.B. der Kopierkonstruktor und Zuweisungen überladen werden.

Übungen

Listing zur 1. Aufgabe

```
#include <iostream>
using namespace std;

char* farbe[] = { "WEISS", "PINK", "BLAU", "GRÜN" };
int main()
{
    cout << *farbe[1] << "   "
         << *farbe << "   "
         << *(farbe[3] + 3) << "   "
         << farbe[2] + 1 << "   "
         << *( *(farbe + 1) + 3)
         << endl;
    return 0;
}
```

Zur 3. Aufgabe

Die Standardfunktion qsort()

```
#include <cstdlib>
void qsort( void* array, size_t n, size_t size,
            int (*compare)(const void*, const void*));
```

Die Funktion qsort(), „Quick-Sort", sortiert den Vektor array in aufsteigender Reihenfolge nach dem Quick-Sort-Algorithmus. Der Vektor besitzt n Elemente der Größe size.

Das letzte Argument compare ist ein Zeiger auf eine Funktion zum Vergleichen von Vektorelementen. qsort() ruft diese Funktion auf, wenn zwei Vektorelemente zu vergleichen sind, und übergibt dabei Zeiger auf die beiden Elemente.

Die Vergleichsfunktion muss normalerweise selbst definiert werden. Die Parameter dieser Funktion sind zwei Zeiger auf die Vektorelemente, die zu vergleichen sind. Der Return-Wert ist kleiner als 0, gleich 0 oder größer als 0, je nachdem, ob das erste Vektorelement kleiner, gleich oder größer als das zweite Element ist.

 Da die Vergleichsfunktion compare als C-Funktion aufgerufen wird, sollte als extern "C" int compare(....); deklariert und definiert werden. Siehe den Abschnitt *Einbinden von C-Funktionen* im Anhang.

1. Aufgabe

Was gibt das nebenstehende Programm auf dem Bildschirm aus?

2. Aufgabe

Schreiben Sie die Funktion min(), die das Minimum von positiven ganzen Zahlen berechnet und zurückgibt. Als Argumente erwartet die Funktion eine *variable* Anzahl von unsigned-int-Werten. Das letzte Argument muss die Zahl 0 sein.

3. Aufgabe

Schreiben Sie ein C++-Programm, das die Geschwindigkeit des Quick-Sort- und des Selection-Sort-Algorithmus vergleicht.

Lassen Sie zu dem Zweck zwei identische Folgen von Zufallszahlen des Typs int sortieren, deren Anzahl im Dialog eingelesen wird. Der dafür benötigte Speicherplatz ist dynamisch zu reservieren Für jeden Sortiervorgang ist die gemessene Zeit in Sekunden auf dem Bildschirm anzuzeigen.

Bem.: Für das Sortieren von int-Werten mit dem Selection-Sort-Algorithmus ist die bereits erstellte Funktion SelectionSort() aus der 4. Aufgabe in Kapitel 17 zu verwenden.

Für das Sortieren mit dem Quick-Sort-Algorithmus verwenden Sie die Standardfunktion qsort(), deren Prototyp nebenstehend angegeben ist.

4. Aufgabe

Die Klasse Matrix soll durch weitere Methoden vervollständigt werden.

- Ergänzen Sie die Klassen Zeile und Matrix um eine const-Version des jeweiligen Index-Operators. Die Implementierung erfolgt inline.

- Definieren Sie für die Klasse Matrix einen Konstruktor, der eine Matrix mit vorgegebener Zeilen- und Spaltenzahl dynamisch anlegt und mit einem vorgegebenen Wert initialisiert. Erstellen Sie den Kopierkonstruktor.

- Überladen Sie den Zuweisungsoperator = und den zusammengesetzten Zuweisungsoperator +=.

  Die *Addition* ist für zwei zxs-Matrizen A und B mit gleicher Zeilen- bzw. Spaltenzahl definiert. Die Summe C ist eine zxs-Matrix, deren Elemente wie folgt durch elementweises Addieren entstehen:

  C[i,j] = A[i,j] + B[i,j] für i=0, ..., z-1 und j=0, ..., s-1

- Testen Sie die Klasse Matrix mit einer geeigneten main-Funktion, die sämtliche Methoden aufruft. Die Ergebnisse von Berechnungen sind am Bildschirm anzuzeigen.

Lösungen

Zur 1. Aufgabe:

Die Bildschirmausgabe: P WEISS N LAU K

Zur 2. Aufgabe:

```cpp
// --------------------------------------------------------
// minvar.cpp
// Definition und Test der Funktion min(), die das Minimum
// von positiven ganzen Zahlen berechnet und zurückgibt.
// Als Argumente erwartet die Funktion eine variable Anzahl
// von unsigned-int-Werten.
// Das letzte Argument muss die Zahl 0 sein!
// --------------------------------------------------------
#include <stdarg.h>

unsigned int min( unsigned int first, ... )
{
    unsigned int minarg, arg;
    va_list argptr;  // Zeiger auf die optionalen Argumente
    if( first == 0)
        return 0;
    va_start( argptr, first);
    minarg = first;
    while( (arg = va_arg(argptr, unsigned int) ) != 0)
        if( arg < minarg)
            minarg = arg;
    va_end (argptr);
    return minarg;
}

// ----- Ein kleines main() zum Testen ---------------
#include <iostream>
using namespace std;
int main()
{
    cout << "\nDas Minimum der Zahlen: 34 47 19 22 58 "
         << "ist:  " << min(34, 47, 19, 22,58, 0)
         << endl;
    return 0;
}
```

Zur 3. Aufgabe:

```
// -- ----------------------------------------------------
// sort_t.cpp
// Die Performance der Sortieralgorithmen
//              Quick-Sort  und  Selection-Sort
// wird verglichen. Dazu werden zwei identische Vektoren
// mit Zufallszahlen dynamisch erzeugt. Die gemessenen
// Zeiten fuer das Sortieren werden ausgegeben.
// ------------------------------------------------------
#include <iostream>
#include <iomanip>
#include <cstdlib>
#include <ctime>
using namespace std;

void isort(int *v, int lenv);

// Fuer qsort():
extern "C" int intcmp(const void*, const void*);

main()
{
   unsigned int  i, size;
   int   *zahlen1, *zahlen2;
   long zeit1, zeit2;

   cout << "\n     Die Performance der Sortieralgorithmen"
        << "\n       Quick-Sort  und  Selection-Sort"
        << "\n     wird verglichen.\n\n"
        << "\nWie viele Zahlen sollen sortiert werden?    ";

   cin >> size;
   zahlen1 = new int[size];
   zahlen2 = new int[size];

   cout << "\nEs werden "
        << size << " Zufallszahlen erzeugt.\n";
   srand((unsigned)time(NULL));      // Initialisierung des
                                     // Zufallszahlen-
                                     // generators.
   for(i = 0 ; i < size ; ++i)
      zahlen1[i] = zahlen2[i] = rand();   // Zufallszahlen.

   cout << "\nDas Sortieren beginnt! Bitte warten.\n";
   time(&zeit1);                     // Zeitmessung für
                                     // Quick-Sort.
```

Lösungen (Fortsetzung)

```
    qsort(zahlen1, size, sizeof(int), intcmp);
    time(&zeit2);

    cout  << "\nDie Zeit für den Quick-Sort: "
          <<    zeit2 - zeit1 << " Sekunden.\n";

    cout << "\nIch sortiere wieder. Bitte warten!\n";

    time(&zeit1);                       // Zeitmessung für
    isort(zahlen2, size);               // Selection-Sort.
    time(&zeit2);

    cout << "\nDie Zeit für den Selection-Sort: "
         << zeit2 - zeit1 << " Sekunden.\n"

         << "\nSortierte Zahlen ausgeben? (j/n)\n\n";

    char c;  cin >> c;
    if( c == 'J' || c == 'j')
      for( i = 0 ; i < size ; ++i)
        cout << setw(10) <<  zahlen1[i];

    cout << endl;
    return 0;
}


extern "C" int intcmp( const void *a, const void *b)
{
    return (*(int*)a - *(int*)b);
}

// --------------------------------------------------------
// isort()   sortiert einen int-Vektor mit dem
//           Selection-Sort-Algorithmus.

void isort( int *a, int len)     // Vektor a der Laenge len
{                                // aufsteigend sortieren.
    register int *b, *minp;
    int *last, help;

    last = a + len - 1;       // Zeigt auf das letzte Elem.
```

```
    for( ; a <= last; ++a)     // Jeweils ab der Stelle a das
    {                          // kleinste Element suchen.
       minp = a;               // minp zeigt auf das bis dahin
                               // kleinste Vektorelement.
       for( b = a+1; b <= last; ++b)     // Im Restvektor das
          if( *b < *minp )                //  Minimum suchen.
              minp = b;

       help = *a, *a = *minp, *minp = help;     // Tauschen.
    }
}
```

Zur 4. Aufgabe:

```
// -- -------------------------------------------------------
// matrix.h :  Darstellung von dynamischen Matrizen
// ----------------------------------------------------------
#ifndef _MATRIX_H_
#define _MATRIX_H_

#include <stdexcept>
#include <iostream>
using namespace std;

class Zeile
{
    double *z;
    int size;
  public:
    Zeile( int s) { size = s; z = new double[s]; }
    ~Zeile(){ delete[]z; }

    double& operator[](int i)
    {
      if(i < 0 || i >= size)
        throw out_of_range("Spaltenindex: Out of Range\n");
      return z[i];
    }
    const double& operator[](int i)  const
    {
      if(i < 0 || i >= size)
        throw out_of_range("Spaltenindex: Out of Range\n");
      return z[i];
    }
};
```

Lösungen (Fortsetzung)

```cpp
class Matrix
{
  private:
    Zeile **mat;           // Zeiger auf "Zeilen"-Vektor
    int lines, cols;       // Zeilen- und Spaltenzahl

  public:
    Matrix(int z , int s)
    {
      lines = z; cols = s;
      mat = new Zeile*[lines];
      for(int i=0; i < lines; i++)
          mat[i] = new Zeile(cols);
    }
    Matrix:: Matrix( int z, int s, double wert);

     Matrix( const Matrix& );
    ~Matrix()
    {
       for(int i=0; i < lines; i++)
          delete mat[i];
       delete[] mat;
    }
    int  getLines() const { return lines; }
    int  getCols()  const { return cols; }

    Zeile& operator[](int i)
    {
      if(i < 0 || i >= lines)
         throw out_of_range("Zeilenindex: Out of Range\n");
      return *mat[i];
    }

    const Zeile& operator[](int i) const
    {
      if(i < 0 || i >= lines)
         throw out_of_range("Zeilenindex: Out of Range\n");
      return *mat[i];
    }
                                    // Zuweisungen:
    Matrix& operator=( const Matrix& );
    Matrix& operator+=( const Matrix& );
};
#endif
```

```
// ---------------------------------------------------------
// matrix.cpp : Definition der Methoden von Matrix
// ---------------------------------------------------------
#include "matrix.h"

Matrix:: Matrix( int z, int s, double wert)
{
    lines = z; cols = s;
    mat = new Zeile*[lines];        // Vektor für Zeiger
                                    // auf Zeilenvektoren

    int i, j;
    for(i=0; i < lines; i++)        // Zeilenvektoren:
    {
        mat[i] = new Zeile(cols);   // Speicher reservieren
        for(j = 0; j < cols; ++j)
            (*this)[i][j] = wert;   // und Werte kopieren.
    }
}

Matrix:: Matrix( const Matrix& m)
{
    lines = m.lines; cols = m.cols; // Zeilen, Spalten
    mat = new Zeile*[lines];        // Vektor für Zeiger
                                    // auf Zeilenvektoren

    int i, j;
    for(i=0; i < lines; i++)        // Zeilenvektoren:
    {
        mat[i] = new Zeile(cols);   // Speicher
                                    // reservieren

        for( j = 0; j < cols; ++j)
            (*this)[i][j] = m[i][j]; // und Werte kopieren.
    }
}

Matrix& Matrix::operator=(const Matrix& m)
{
    int i, j;                   // Alten Speicher freigeben:
    for(i=0; i < lines; i++)
        delete mat[i];
    delete[] mat;
    lines = m.lines; cols = m.cols; // Zeilen, Spalten
    mat = new Zeile*[lines];        // Vektor für
                                    // Zeilenvektoren
    for(i=0; i < lines; ++i)        // Zeilenvektoren:
    {
        mat[i] = new Zeile(cols);   // Speicher
                                    // reservieren
```

Lösungen (Fortsetzung)

```cpp
            for( j = 0; j < cols; ++j)
                (*this)[i][j] = m[i][j];    // und Werte kopieren.
        }
        return *this;
    }


    Matrix& Matrix::operator+=( const Matrix& m)
    {
        int i, j;
        if( cols == m.cols && lines == m.lines)
            for( i=0; i < lines; ++i)
                for( j=0; j < cols; ++j)
                    (*this)[i][j] += m[i][j];
        return *this;
    }


    // --------------------------------------------------------
    // matrix_t.cpp : Zum Testen dynamischer Matrizen
    // --------------------------------------------------------
    #include "matrix.h"
    void display( Matrix& m);         // Matrix anzeigen.
    int main()
    {
        Matrix m(4,5);
        try
        {
          int i,j;
          for( i=0; i < m.getLines(); i++)
            for( j=0; j < m.getCols(); j++)
              m[i][j] = (double)i + j/ 100.0;

          cout << "Matrix angelegt" << endl;
          display(m);

          Matrix  cop(m);
          cout << "Kopie angelegt" << endl;
          display(cop);

          cop += m;
          cout << "Summe gebildet:" << endl;
          display(cop);

          Matrix m1(4, 5, 0.0);
          cout << "Matrix mit Wert 0 initialisiert:" << endl;
          display(m1);
```

```
        m = m1;
        cout << "Matrix zugewiesen:" << endl;
        display(m);
    }
    catch(out_of_range& err)
    {   cerr << err.what() << endl;     exit(1);   }
    return 0;
}


void display( Matrix& m)
{
    for(int i=0; i < m.getLines(); i++)
    {
      for(int j=0; j < m.getCols(); j++)
         cout << m[i][j] << "  ";
      cout << endl;
    }
    cin.get();
}
```

Kapitel 31

Bitmanipulationen

Dieses Kapitel beschreibt Bitoperatoren und die Verwendung von Bitmasken. Als Anwendungen werden u.a. die Berechnung von Paritätsbits, die Umwandlung von Klein-/Großbuchstaben und die Umwandlung von Dualzahlen dargestellt. Außerdem wird gezeigt, wie Bitfelder definiert werden können.

Logische Bitoperatoren

Wahrheitstafeln für logische Bitoperatoren

UND-Verknüpfung	Ergebnis
0 & 0	0
0 & 1	0
1 & 0	0
1 & 1	1

ODER-Verknüpfung	Ergebnis
0 | 0	0
0 | 1	1
1 | 0	1
1 | 1	1

Exklusiv ODER-Verknüpfung	Ergebnis
0 ^ 0	0
0 ^ 1	1
1 ^ 0	1
1 ^ 1	0

NICHT-Verknüpfung	Ergebnis
~0	1
~1	0

Beispiele

unsigned int a,b,c;	Bitmuster:
a = 5;	0 0 . . . . 0 0 1 0 1
b = 12;	0 0 . . . . 0 1 1 0 0
c = a & b;	0 0 . . . . 0 0 1 0 0
c = a | b;	0 0 . . . . 0 1 1 0 1
c = a ^ b;	0 0 . . . . 0 1 0 0 1
c = ~a;	1 1 . . . . 1 1 0 1 0

Bitcodierung von Daten

Wenn Speicherplatz sparsam verwendet werden muss, werden Daten häufig bit-codiert. Informationen werden dann in einzelnen Bits dargestellt. Beispiele für bitcodierte Daten sind die Zugriffsrechte einer Datei oder das Status-Wort eines Streams.

Für den Zugriff auf bitcodierte Daten ist es notwendig, einzelne Bits zu lesen oder zu ändern. Hierfür stellt C++ sechs Bitoperatoren zur Verfügung:

- **Logische Bitoperatoren**

&	UND	|	ODER
^	Exklusiv ODER	~	NICHT

- **Shift-Operatoren**

<<	Links-Shift	>>	Rechts-Shift

Die Operanden der Bitoperatoren müssen einen ganzzahligen Datentyp haben. Nicht zulässig sind z.B. Operanden vom Typ `float` oder `double`.

Die Wirkung der *logischen* Bitoperatoren auf die einzelnen Bits ist in den neben-stehenden Wahrheitstafeln angegeben: Ist ein Bit gesetzt, also 1, so wird es als „wahr" interpretiert. Ist ein Bit gelöscht, also 0, so wird es als „falsch" interpre-tiert. Anschließend ist für jeden Bitoperator ein Beispiel angegeben.

Das Ergebnis einer Bitoperation hat einen ganzzahligen Datentyp, der vom Typ der Operanden abhängt. Haben z.B. beide Operanden den Typ `int`, so ist das Ergebnis ebenfalls vom Typ `int`.

Arithmetische Typanpassungen und Vorrang

Haben die Operanden eines Bitoperators verschiedene Datentypen, so werden die üblichen arithmetischen Typanpassungen vorgenommen. Ist etwa ein Ope-rand vom Typ `int` und der andere vom Typ `long`, so wird der `int`-Wert vor der Operation zu `long` erweitert.

Die logischen Bitoperatoren `&amp;` bzw. `|` dürfen nicht mit den logischen Operatoren `&amp;&amp;` und `||` verwechselt werden. Letztere wirken nicht auf einzelne Bits, son-dern interpretieren den gesamten Wert ihres Operanden als booleschen Wert und liefern einen booleschen Wert zurück. So hat der Ausdruck `1 &amp;&amp; 2` den Wert `true`, hingegen hat `1 &amp; 2` den Wert `0`.

Der *Vorrang* des NICHT-Operators `~` ist als unärer Operator hoch. Wie aus der Vorrangtabelle im Anhang zu entnehmen ist, haben die binären Operatoren `&amp;`, `^` und `|` einen geringen Vorrang. Er ist jedoch höher als der Vorrang der logischen Operatoren `&amp;&amp;` und `||`.

Shift-Operatoren

Rechts- und Links-Shift

unsigned int a,b;	Bitmuster:
a = 12;	0 0 . . . . 0 0 0 0 1 1 0 0
b = a << 3;	0 0 . . . . 0 1 1 0 0 0 0 0
b = a >> 2;	0 0 . . . . 0 0 0 0 0 0 1 1

Beispiel für die Verwendung der Shift-Operatoren

```
// getbin_t.cpp: Definition der Funktion getbin(), die
//               eine Dualzahl (z.B. " 0101") einliest
//               und den entsprechenden Wert als
//               unsigned int zurückgibt.
// -------------------------------------------------
#include <iostream>
using namespace std;

unsigned int getbin()
{
   char c;
   unsigned int wert = 0;

   while ( (c = cin.get()) == ' ' || c == '\t' )
      ;              // Führende Blanks und Tabs überlesen

   while( c == '0' || c == '1' )    // Dualzahl einlesen
   {                                // und umwandeln.
      wert = (wert << 1) | (c - '0');
      c = cin.get();
   }

   return wert;
}
```

Links- und Rechts-Shift

Die Shift-Operatoren << und >> verschieben das Bitmuster ihres linken Operanden um eine bestimmte Anzahl von Bitpositionen. Die Anzahl ist durch den Wert des rechten Operanden festgelegt. Die nebenstehenden Beispiele demonstrieren dies.

Beim *Links-Shift* werden immer 0-Bits nachgeschoben. Die links herausgeschobenen Bits gehen verloren.

Beispiel:
```
short x = 0xFF00;
x = x << 4;              // Ergebnis: 0xF000
```

Beim *Rechts-Shift* werden von links 0-Bits nachgeschoben, falls der linke Operand den Typ unsigned oder einen nicht negativen Wert hat. Andernfalls hängt es vom Compiler ab, ob links mit 0-Bits (*logischer Shift*) oder mit dem Vorzeichenbit (*arithmetischer Shift*) aufgefüllt wird. Normalerweise wird der arithmetische Shift ausgeführt.

Beispiel:
```
short x = 0xFF00;
x = x >> 4;              // Ergebnis: 0xFFF0
```

Zugunsten eines portablen Quellcodes sollten Rechts-Shifts nur auf nicht negative Werte angewendet werden.

Ganzzahl-Erweiterung

Bei den Operanden eines Shift-Operators wird wie üblich zunächst die Ganzzahl-Erweiterung durchgeführt, also z.B. char zu int erweitert. Der Typ des Ergebnisses einer Shift-Operation ist dann gleich dem Typ des linken Operanden nach der Ganzzahl-Erweiterung.

Das Ergebnis einer Shift-Operation ist undefiniert, wenn der Wert des rechten Operanden negativ ist oder größer als die Länge des linken Operanden in Bits.

Beispiel:
```
char x = 0xFF;
x = x >> 9;              // Ergebnis undefiniert
```

Anwendungen

Sie Shift-Operatoren ermöglichen es, auf effiziente Weise Multiplikationen und Divisionen mit Zweier-Potenzen durchzuführen. Die Verschiebung um n Stellen nach links (bzw. rechts) entspricht einer Multiplikation (bzw. Division) mit 2^n.

Beispiele:
```
unsigned ergebnis, zahl = 5;
ergebnis = zahl << 3;       // 5 * 2³ = 40
ergebnis = zahl >> 1;       // 5 / 2¹ = 2
```

Bitmasken

Bitpositionen

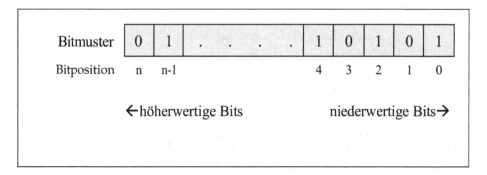

Beispiel

```
#define MASK 0x20
char c = 'A';
c = c | MASK;
```

Beteiligte Bitmuster:	0 1 0 0 0 0 0 1	'A' = 0x41
|	0 0 1 0 0 0 0 0	MASK = 0x20
	0 1 1 0 0 0 0 1	'a' = 0x61

Der neue Typ std::byte

C++17 hat den neuen Typ std::byte zur Darstellung eines Bytes im Speicher eingeführt. Er ist im Header <cstddef> als ein enum mit dem Basistyp unsigned char definiert. Auf Objekte vom Typ std::byte sind nur die Bitoperatoren anwendbar.

Beispiel:

```
// Initialisierung mit einelementiger Liste:
   const byte mask{0x20};   // Bit in Bitpos. 5 gesetzt
   byte b{'A'};             // 'A' = 0x41;

   b |= mask;       // Bit setzen.
// b += 1;          // Fehler: Nur Bitoperatoren zulässig.

// Konvertierung in einen Integer mit to_integer():
   cout << to_integer<char>(b) << endl;   // 'a' = 0x61
   cout << to_integer<int>(b) << endl;    // 97  = 0x61
   cout << int(b) << endl;                // Auch möglich.
```

Bits löschen

Der *UND-Operator* wird üblicherweise benutzt, um bestimmte Bits zu löschen. Welche Bits dies sind, wird durch eine so genannte *Maske* festgelegt.

Beispiel: `c = c & 0x7F;`

In der Maske `0x7F` sind die sieben niederwertigen Bits auf `1` gesetzt, alle höherwertigen dagegen auf `0`. Dadurch werden in `c` alle Bits gelöscht – mit Ausnahme der niederwertigen sieben Bits. Diese bleiben unverändert.

Die Variable `c` kann hierbei einen beliebigen ganzzahligen Datentyp haben. Belegt die Variable mehr als ein Byte, so wird die Maske `0x7F` bei der Ganzzahlerweiterung in den höherwertigen Bits mit `0`-Bits aufgefüllt.

Bits setzen und invertieren

Mit dem *ODER-Operator* `|` können bestimmte Bits gesetzt werden. Nebenstehend wird dies am Beispiel der Umwandlung eines Buchstabens gezeigt. Im ASCII-Code unterscheidet sich nämlich ein Kleinbuchstabe vom entsprechenden Großbuchstaben nur durch das fünfte Bit.

Schließlich können mit dem *Exklusiv-ODER-Operator* `^` bestimmte Bits invertiert werden. Dabei wird jedes `0`-Bit auf `1` gesetzt und jedes `1`-Bit gelöscht, das in der Maske den Wert `1` hat.

Beispiel: `c = c ^ 0xAA;`

Das Bitmuster von `0xAA` ist `10101010`. Jedes zweite Bit in den niederwertigen acht Bits von `c` wird deshalb invertiert.

Bemerkenswert ist, dass man durch zweifache Invertierung mit derselben Maske das ursprüngliche Bitmuster zurückerhält, d.h. `(x ^ MASK) ^ MASK` ergibt wieder den Wert `x`.

Zusammenfassend gilt folgendes für einen ganzzahligen Ausdruck `x` und eine beliebige Maske `MASK`:

- `x & MASK`   löscht alle Bits, die in `MASK` den Wert 0 haben.

- `x | MASK`   setzt alle Bits, die in `MASK` den Wert 1 haben.

- `x ^ MASK`   invertiert alle Bits, die in `MASK` den Wert 1 haben.

Die übrigen Bits bleiben unverändert.

Verwenden von Bitmasken

Parität eines int-Wertes berechnen

```cpp
// parity_t.cpp: Definition der Funktion parity(),
//               welche die Parität einer unsigned-Zahl
//               berechnet.
// Return-Wert:  0, falls die Anzahl der 1-Bits gerade,
//               1 sonst.
// --------------------------------------------------
inline unsigned int bit0( unsigned int x )
{
    return (x & 1);
}

int parity( unsigned int n)
{
    unsigned int par = 0;
    for( ; n != 0; n >>=1 )
      par ^= bit0(n);
    return par;
}


// --------------------------------------------------
// Funktion parity() testen.
#include <iostream>
using namespace std;

int main()
{
    unsigned int x;

    cout << "Bitte eine positive Zahl eingeben:  ";
    cin >> x;

    if( parity(x) != 0)
        cout << "Die Zahl " << x
             << " hat eine ungerade Anzahl Bits";
    else
        cout << "Die Zahl " << x
             << " hat eine gerade Anzahl Bits";
    cout << endl;

    return 0;
}
```

Erstellen eigener Masken

Spezielle Masken können mit Hilfe der Bitoperatoren selbst erzeugt werden.

Beispiel: `x = x & ~3;`

Im Bitmuster von `3` sind nur die Bits in den Bitpositionen 0 und 1 gesetzt. Die Maske `~3` enthält deshalb lauter 1-Bits, nur die beiden niederwertigen Bits sind 0. Im obigen Ausdruck werden also die beiden niederwertigen Bits in `x` gelöscht.

Die Maske `~3` ist von der Wortlänge des Rechners unabhängig. Sie ist deshalb der Maske `0xFFFC` vorzuziehen.

Ein weiteres Beispiel sind Masken, die genau ein Bit in einem Wort ansprechen. Sie werden durch Links-Shiften der `1` gebildet.

Beispiele: `x = x | (1 << 6);`
`x = x & ~(1 << 6);`

Im ersten Ausdruck wird das sechste Bit in `x` gesetzt. Anschließend wird dasselbe Bit gelöscht, da in der Maske `~(1 << 6)` nur das sechste Bit den Wert 0 hat.

Es ist natürlich auch möglich, Masken wie `(1 << n)` zu verwenden, wobei n eine Variable ist, die die Bitposition enthält.

Beispiel:
```
int setBit(int x, unsigned int n)
{
    if( n < 8 * sizeof(int) )
        return ( x | (1 << n));
}
```

Bitoperatoren in zusammengesetzten Zuweisungen

Die binären Bitoperatoren `&`, `|`, `^`, `<<` und `>>` können in zusammengesetzten Zuweisungen benutzt werden.

Beispiele: `x >>= 1;`
`x ^= 1;`

Beide Anweisungen sind äquivalent zu:

```
x = x >> 1;
x = x ^ 1
```

In der nebenstehenden Funktion `parity()` werden zusammengesetzte Zuweisungen mit Bitoperatoren verwendet. Die Berechnung von Paritätsbits wird zur Fehlererkennung bei der Datenübertragung eingesetzt.

Bitfelder

Header von ATM-Zellen

Byte		
1	**General Flow Control**	**Virtual Path Identifier**
2	**Virtual Path Identifier**	**Virtual Channel Identifier**
3	**Virtual Channel Identifier**	
4	**Virtual Channel Identifier** / **Payload Type** / **CLP**	
5	**Header Error Control**	

Darstellung einer ATM-Zelle

```
struct ATM_Cell
{
    unsigned GFC : 4;      // General Flow Control
    unsigned VPI : 8;      // Virtual Path Identifier
    unsigned VCI : 16;     // Virtual Channel Identifier
    unsigned PT  : 3;      // Payload Type
    unsigned CLP : 1       // Cell Loss Priority
    unsigned HEC : 8;      // Header Error Control
    char payload[48];      // Nutzinformationen
};
```

In C++ besteht die Möglichkeit, ein Rechnerwort in *Bitfelder* aufzuteilen und den Bitfeldern einen Namen zu geben. Gegenüber der Manipulation einzelner Bits mit Hilfe von Masken und Bitoperatoren haben Bitfelder den Vorzug, übersichtlicher und damit weniger fehleranfällig zu sein.

Definition von Bitfeldern

Bitfelder werden als Datenelemente einer Klasse definiert. Jedes Bitfeld besitzt einen ganzzahligen Typ, optional einen *Namen* und eine bestimmte *Breite*. Die Breite ist die Anzahl der Bits, die das Bitfeld im Rechnerwort belegt. Sie wird durch einen Doppelpunkt vom Namen des Bitfelds getrennt.

Beispiel:
```
struct {unsigned bit0_4 : 5;
        unsigned        : 10;
        unsigned bit15  : 1; } word;
```

Das Element `word.bit0_4` spricht die unteren 5 Bits in einem Rechnerwort an und kann Werte im Bereich von 0 bis 31 speichern. Das zweite Datenelement hat keinen Namen und dient dazu, eine Lücke von 10 Bits zu erzeugen. Das Element `word.bit15` enthält den Wert in der Bitposition 15.

Bitfelder, die keinen Namen haben, können nicht angesprochen werden. Durch sie werden nachfolgende Bitfelder auf bestimmte Bitpositionen ausgerichtet.

Die Breite eines Bitfeldes darf die eines Rechnerwortes nicht überschreiten. Die Breite 0 hat eine besondere Bedeutung: Das nachfolgende Bitfeld wird auf die nächste Wortgrenze ausgerichtet, d.h. es beginnt im nachfolgenden Rechnerwort. passt ein Bitfeld nicht mehr in ein Rechnerwort, so wird ein nachfolgendes Bitfeld ebenfalls auf die nächste Wortgrenze ausgerichtet.

Im Zusammenhang mit Bitfeldern sind einige Besonderheiten zu beachten:

- Auf Bitfelder kann der Adressoperator nicht angewendet werden. Es können keine Vektoren von Bitfeldern gebildet werden. Beide Einschränkungen gelten jedoch nicht für eine Klasse, die Bitfelder enthält.

- Die Anordnung der Bitfelder ist maschinenabhängig. Entsprechend der Rechnerarchitektur können sie auch in umgekehrter Reihenfolge abgelegt werden. Dies ist z.B. bei Alpha-Workstations von DEC der Fall.

Zum nebenstehenden Beispiel

Nebenstehend ist eine Klasse zur Darstellung von ATM-Zellen definiert. Die Zellen werden in ATM-Netzen (*Asynchronous Transfer Mode*) für den Datentransport eingesetzt. Jede Zelle besitzt einen fünf Byte langen Header mit Adressen und einer Prüfsumme zur Fehlererkennung sowie einen 48 Byte langen Datenteil (engl. *payload*). Der hier dargestellte Header wird im *User Network Interface*, auf der Verbindung eines Rechners zum Netz, verwendet.

Übungen

Beispiel einer Bildschirmausgabe zur 1. Aufgabe

```
      ******   BITOPERATOREN   ******

  Bitte geben Sie zwei ganze Zahlen ein.

  1. Zahl   -->   57
  2. Zahl   -->  -3

  Das Bitmuster von 57 = x :   0000 0000 0011 1001
  Das Bitmuster von -3 = y :   1111 1111 1111 1101
  Das Bitmuster von  x & y :   0000 0000 0011 1001
  Das Bitmuster von  x | y :   1111 1111 1111 1101
  Das Bitmuster von  x ^ y :   1111 1111 1100 0100

  Um wie viele Positionen soll x geshiftet werden?
  Anzahl --> 4

  Das Bitmuster von x << 4 : 0000 0011 1001 0000
  Das Bitmuster von x >> 4 : 0000 0000 0000 0011

  Wiederholen (j/n)?
```

1. Aufgabe

a) Schreiben Sie die Funktion `putBits()`, die das Bitmuster einer Zahl vom Typ `unsigned int` ausgibt. Unabhängig von der Wortlänge des Rechners sollen nur die unteren 16 Bits ausgegeben werden. Die Funktion erhält als Argument die Zahl und besitzt keinen Return-Wert.

b) Schreiben Sie ein „Lernprogramm", das die Wirkung der Bitoperatoren demonstriert. Von der Tastatur sollen zunächst zwei dezimale Ganzzahlen in die Variablen x und y eingelesen werden. Dann sind mit Hilfe der Funktion `putBits()` die Bitmuster von x, x & y, x | y, x ^ y und ~x auszugeben.

Zur Demonstration der Shift-Operatoren soll anschließend der Wert von x um eine bestimmte Anzahl von Bitpositionen nach rechts und nach links geshiftet werden. Dabei ist die Anzahl der Bitpositionen über die Tastatur einzugeben. Bei einer unzulässigen Eingabe soll die Zahl 1 verwendet werden.

Ein Beispiel für einen Programmablauf ist nebenstehend angegeben.

2. Aufgabe

Zur „Spionage-Abwehr" bei der Datenkommunikation sollen Daten verschlüsselt übertragen werden. Der Sender verschlüsselt die zu übertragenden Daten mit Hilfe eines Filters. Der Empfänger benutzt denselben Filter, um die Daten wieder zu entschlüsseln.

a) Definieren Sie die Funktion `swapBits()`, die in einem `int`-Wert zwei Bits vertauscht. Als Argumente erhält die Funktion den `int`-Wert und die Positionen der zu vertauschenden Bits. Der Return-Wert ist der neue `int`-Wert. Ist eine der übergebenen Positionen unzulässig, soll der `int`-Wert unverändert zurückgegeben werden.

b) Schreiben Sie einen Filter, der in allen Zeichen, die keine Steuerzeichen sind (ASCII-Code >= 32), die Bits an den Bitpositionen 5 und 6, 0 und 4, 1 und 3 vertauscht.

Testen Sie den Filter, indem Sie zunächst die verschlüsselte Ausgabe in eine Datei umlenken. Anschließend lassen Sie die neue Datei mit Hilfe des Filters ausgeben. Es müssen sich wieder die unverschlüsselten Daten ergeben.

Lösungen

Zur 1. Aufgabe:

```cpp
// -------------------------------------------------------
// bits_t.cpp
// Programm zur Demonstration der Bitoperatoren
// -------------------------------------------------------

#include <iostream>
#include <iomanip>
using namespace std;

void putbits( unsigned int n);   // Prototyp von putbits()

int main()                       // Lernprogramm zu Bitoperatoren
{
    int  x, y, anzahl;
    char jn;

    do
    {
        cout << "\n\n      ******  BITOPERATOREN  ******\n";

        cout << "\nBitte geben Sie zwei ganze Zahlen ein.\n\n"
             << "1. Zahl --> ";
        cin >> x;

        cout << "2. Zahl --> ";
        cin >> y;

        cout << "\nDas Bitmuster von "
             << setw(6) << x << " = x  :     ";
        putbits(x);

        cout << "\nDas Bitmuster von "
             << setw(6) << y << " = y  :     ";
        putbits(y);

        cout << "\nDas Bitmuster von     x & y  :     ";
        putbits(x&y);

        cout << "\nDas Bitmuster von     x | y  :    ";
        putbits(x|y);

        cout << "\nDas Bitmuster von     x ^ y  :    ";
        putbits(x^y);
```

```
        cout << "\n\nUm wie viele Positionen"
                 " soll x geshiftet werden?"
              << "\nAnzahl --> ";
        cin >> anzahl;

        if( anzahl < 0  ||  anzahl > 15)
        {
           cout << "Falsche Eingabe!"
                  << " Es wird um eine Position geshiftet.\n";
           anzahl = 1;
        }
        cout << "\nDas Bitmuster von    x << "
              << setw(2) << anzahl << " :    ";
        putbits( x << anzahl);

        cout << "\nDas Bitmuster von    x >> "
              << setw(2) << anzahl << " :    ";
        putbits( x >> anzahl);

        cout << "\nWiederholen (j/n)? ";
        cin >> jn;
        while( (jn | 0x20) != 'j'  &&  jn != 'n')
           ;

    }while( jn == 'j');

    return 0;
}

// --------------------------------------------------------
// Bitmuster von n ausgeben   (nur die unteren 16 Bits).

void putbits( unsigned int n )
{
    int i;

    for( i = 15; i >= 0 ; --i)
    {
       cout << (char)( ((n>>i) & 1) + '0');   // i-tes Bit
       if( i % 4 == 0  &&  i > 0)     // und nach vier Bits
          cout << ' ';                 // ein Blank.
    }
}
```

Lösungen (Fortsetzung)

Zur 2. Aufgabe:

```
// -------------------------------------------------------------
// hide_t.cpp:  Filter zur Verschluesselung von Daten.
//              In allen Zeichen, die keine Steuerzeichen
//              sind, werden die Bits in den Positionen
//              5 und 6, 0 und 4, 1 und 3  vertauscht.
//
//              Module: hide_t.cpp, swapbits.cpp
//
// Aufruf:      hide_t [ < Quelldatei ] [ > Zieldatei ]
// -------------------------------------------------------------

#include <iostream>
using namespace std;

int swapbits( int ch, int bitnr1, int bitnr2); // Prototyp

int main()                                // Daten verschluesseln
{
    int c;
    while( (c = cin.get()) != EOF)
    {
        if( c >= 32)                      // Steuerzeichen?
        {
            c = swapbits(c, 5, 6);        // Bits tauschen
            c = swapbits(c, 0, 4);
            c = swapbits(c, 1, 3);
        }
        cout << (char) c;
    }
    return 0;
}

// -------------------------------------------------------------
// swapbits.cpp: Die Funktion swapbits() vertauscht in
//               einem int-Wert zwei Bits.
// Argumente:    Der int-Wert und zwei Bit-Nummern.
// Return-Wert:  Der neue int-Wert.
// -------------------------------------------------------------

int swapbits( int x, int bitnr1, int bitnr2)
{                               // In x zwei Bits tauschen.
    int newx, mask1, mask2;
    int msb = 8 * sizeof(int) - 1;  // Höchste Bit-Nummer
```

```
    if( bitnr1 < 0 || bitnr1 > msb ||
        bitnr2 < 0 || bitnr2 > msb)
      return x;           // Zurück, falls ungültige Bit-Nr.

    mask1 = (1 << bitnr1);       // 1 in die Position bitnr1
    mask2 = (1 << bitnr2);       // 1 in die Position bitnr2

    newx = x & ~(mask1 | mask2);      // Beide Bits löschen

    if( x & mask1 )  newx |= mask2;       // Bits tauschen
    if( x & mask2 )  newx |= mask1;

    return( newx);
}
```

Kapitel 32

Templates

Mit Hilfe von Templates können sowohl Funktionen als auch Klassen in Abhängigkeit von einem noch festzulegenden Typ konstruiert werden. Templates sind deshalb ein mächtiges Werkzeug, mit dem die Erstellung von Programmcode automatisiert werden kann.

Dieses Kapitel beschreibt, wie Funktions- und Klassen-Templates definiert und eingesetzt werden. Darüber hinaus werden spezielle Möglichkeiten, wie Default-Argumente, variable Anzahl von Parametern und Spezialisierungen, vorgestellt.

Als Anwendung lernen Sie den Einsatz des Standard-Templates zur Darstellung von Bitsets kennen.

Funktions- und Klassen-Templates

Template und Instantiierung

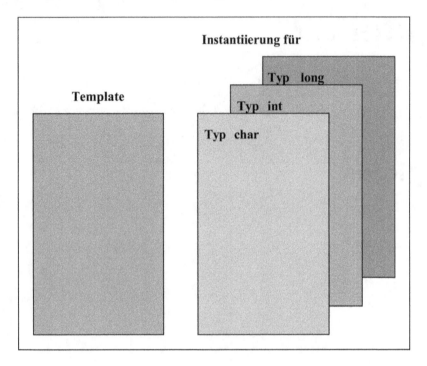

Motivation

Es kommt häufig vor, dass „gleiche" Funktionen oder „ähnliche" Klassen mehrfach implementiert werden müssen, da sie für verschiedene Typen zur Verfügung stehen müssen.

So ist eine Klasse zur Darstellung eines Vektors von `int`-Werten einer Klasse für einen Vektor von `double`-Werten sehr ähnlich. Die Implementierungen unterscheiden sich nur durch den Typ der darzustellenden Elemente. Operationen mit den Elementen, wie z.B. Such- und Sortieralgorithmen, müssen für den jeweiligen Datentyp separat definiert werden.

C++ bietet die Möglichkeit, mit Hilfe von *Templates* (dt. Schablonen, Vorlagen) eine parametrisierte Familie verwandter Funktionen oder Klassen zu definieren:

- Ein *Funktions-Template* legt die Anweisungen einer Funktion fest, wobei statt eines konkreten Typs ein Parameter eingesetzt wird.

- Ein *Klassen-Template* legt die Definition einer Klasse fest, wobei statt eines konkreten Typs ein Parameter eingesetzt wird.

So kann beispielsweise ein Klassen-Template eine allgemeine Definition zur Darstellung von Vektoren verschiedenen Typs bereitstellen. Erst bei der sog. *Instantiierung*, also bei der Festlegung des konkreten Typs, wird eine einzelne Klasse anhand des Templates erzeugt.

Vorteile von Templates

Templates sind ein mächtiges Werkzeug für die Programmierung.

- Ein Template muss nur einmal codiert werden. Einzelne Funktionen bzw. Klassen werden anhand des entsprechenden Templates automatisch erzeugt, sobald sie benötigt werden.

- Ein Template bietet eine einheitliche Lösung für gleichartige Probleme, wobei typunabhängige Bestandteile frühzeitig ausgetestet werden können.

- Fehler durch mehrfache Codierung werden vermieden.

Templates der Standardbibliothek

Die Standardbibliothek von C++ definiert zahlreiche Klassen-Templates, wie die Stream-Klassen für die Ein-/Ausgabe, String- und Container-Klassen. Die bereits bekannten Klassen `string`, `istream`, `ostream`, `iostream` usw. sind Instantiierungen für den Typ `char`.

Die Standardbibliothek enthält auch eine Algorithmen-Bibliothek, die u.a. zahlreiche Such- und Sortieralgorithmen zu Verfügung stellt. Die verschiedenen Verfahren sind als globale Funktions-Templates implementiert und können für beliebige Objektsammlungen eingesetzt werden.

Definition von Templates

Das Klassen-Template Stack

```cpp
// stack.h : Das Klassen-Template Stack mit
//           den Methoden push() und pop()
//-----------------------------------------------------
template<class T>
class Stack
{
  private:
    T* basePtr;         // Zeiger auf Vektor
    int tip;            // Stack-Spitze
    int max;            // maximale Anzahl der Elemente
  public:
    Stack(int n){ basePtr = new T[n]; max = n; tip = 0;}
    Stack( const Stack<T>&);
    ~Stack(){ delete[] basePtr; }

    Stack<T>& operator=( const Stack<T>& );

    bool empty(){ return (tip == 0); }
    bool push( const T& x);
    bool pop(T& x);
};

template<class T>
bool Stack<T>::push( const T& x)
{
    if(tip <= max - 1)              // Falls noch Platz
    {
        basePtr[tip++] = x;   return true;
    }
    else return false;
}

template<class T>
bool Stack<T>::pop( T& x)
{
    if(tip > 0)                     // Falls Stack nicht leer
    {
        x = basePtr[--tip];   return true;
    }
    else return false;
}
```

Definition von Funktions-Templates

Der Definition eines Templates wird stets das Präfix

```
template<class T>
```

vorangestellt. Dabei ist der Parameter T ein Typname, der in der folgenden Definition benutzt wird. Obwohl das Schlüsselwort class anzugeben ist, steht T für einen beliebigen Datentyp, also z.B. auch int oder double. Statt class kann auch das Schlüsselwort typename verwendet werden.

Beispiel:
```
template <typename T>
void exchange(T& x, T&y)
{
    T help(x); x = y; y = help;
}
```

Hier wird das Funktions-Template exchange() definiert. Der Parameter T bezeichnet den noch festzulegenden Typ der Variablen, die zu vertauschen sind. Die Wahl des Namens T ist üblich, aber nicht zwingend.

Definition von Klassen-Templates

Beispiel:
```
template <class U>
class Demo
{
    U elem;     . . . // usw.
};
```

Damit wird ein Klassen-Template Demo<U> definiert. Sowohl U als auch Demo<U> werden in der Klassendefinition wie normale Typen behandelt. Im Geltungsbereich der Klasse genügt es, den Template-Namen Demo anzugeben.

Die Methoden eines Klassen-Templates sind ebenfalls über den noch festzulegenden Typ parametrisiert. Jede Methode eines Klassen-Templates ist deshalb ein Funktions-Template. Erfolgt die Definition außerhalb des Klassen-Templates, so wird deshalb die Syntax von Funktions-Templates verwendet. Dem Methodennamen wird wie üblich der Typ des Klassen-Templates mit dem Bereichsoperator vorangestellt.

Dies demonstriert das nebenstehende Beispiel, in dem ein *Stack* (dt. Kellerstapel) als Template definiert wird. Ein Stack wird nach dem Last-In,-First-Out-Prinzip verwaltet, das heißt, das zuletzt auf den Stack gelegte („gepushte") Element wird als erstes wieder vom Stack geholt („gepoppt").

Die Definition von Methoden eines Klassen-Templates wird normalerweise in derselben Header-Datei vorgenommen. Damit ist sichergestellt, dass der Compiler die Definition „sieht", aus der er den Maschinencode für konkrete Template-Argumente erzeugt.

Instantiierung von Templates

Beispielprogramm

```cpp
// stack_t.cpp: Zum Testen eines Stacks
// --------------------------------------------------------
#include <iostream>
#include <iomanip>
using namespace std;

#include "stack.h"

typedef Stack<unsigned> USTACK;   // Stack für Elemente
                                  // vom Typ unsigned.
void fill(  USTACK& stk );
void clear( USTACK& stk );

int main()
{
    USTACK ustk(256);         // Original
    fill( ustk);              // füllen.
    USTACK ostk(ustk);        // Kopieren,
    cout << "Die Kopie:" << endl;
    clear( ostk);             // Kopie ausgeben u. leeren
    cout << "Das Original:" << endl;
    clear( ustk );            // Original zeigen u. leeren

    return 0;
}

void fill( USTACK& stk )
{
    unsigned x;
    cout << "Positive ganze Zahlen eingeben "
         << "(Abbruch mit 0): \n";
    while( cin >> x  && x != 0 )
      if( !stk.push(x) )
        {
            cerr << "Stack voll!"; break;
        }
}
void clear( USTACK& stk )
{
    if(stk.empty())  cerr << "Stack leer!" << endl;
    else
    {
       unsigned x;
       while( stk.pop(x))
         cout << setw(8) << x << "   ";
       cout << endl;
    }
}
```

Mit der Definition eines Templates wird weder eine konkrete Funktion noch eine Klasse erzeugt. Der Maschinencode für Funktionen bzw. Methoden wird erst bei der Instantiierung angelegt.

Instantiierung von Template-Funktionen

Eine *Template-Funktion* wird instantiiert, wenn sie zum erstenmal aufgerufen wird. Dabei ermittelt der Compiler den Parametertyp T anhand der Funktionsargumente.

Beispiel:
```
short a = 1, b = 7;
exchange( a, b );
```

Anhand des Templates wird zunächst der Maschinencode der Funktion exchange() für den Datentyp short erzeugt. Erst dann kann die Template-Funktion aufgerufen werden.

So ist es möglich, eine Template-Funktion exchange() für jeden Datentyp zu generieren. Sind x und y Variablen vom Typ double, so wird mit dem Aufruf

Beispiel:
```
exchange( x, y );
```

eine zweite Template-Funktion erzeugt, nämlich für den Datentyp double.

Instantiierung von Template-Klassen

Die Instantiierung einer *Template-Klasse* erfolgt implizit, wenn sie zum erstenmal benötigt wird, etwa bei der Deklaration eines Objekts der Template-Klasse.

Beispiel:
```
Stack<int> istack(256);    // implizit
```

Hier wird zunächst die Template-Klasse Stack<int> angelegt, wobei der Maschinencode aller Methoden für den Datentyp int erzeugt wird. Erst dann kann das Objekt istack vom Typ Stack<int> aufgebaut werden.

Wird eine weitere Template-Klasse, etwa Stack<float> angelegt, so besitzen die Methoden dieser Template-Klasse einen anderen Maschinencode als die Methoden von Stack<int>.

Die Entwicklung von Templates ermöglicht also keine Reduzierung des Maschinencodes in einem Programm. Sie erspart es dem Programmierer jedoch, „ähnliche" Funktionen und Klassen mehrfach codieren zu müssen.

Templates werden vom Compiler zweimal auf *Fehler* hin überprüft: einmal beim Kompilieren der Template-Definition und einmal bei der Instantiierung. Im ersten Fall können Fehler erkannt werden, die unabhängig vom Parameter des Templates sind. Erst bei der Instantiierung können solche Fehler erkannt werden, die von der Parametrisierung abhängen, etwa wenn ein Operator für den Argumenttyp des Templates nicht definiert ist.

Template-Parameter

Das Stack-Template mit zwei Template-Parametern

```cpp
// stackn.h: Klassen-Template Stack<T, n>
// -------------------------------------

template <class T, int n>
class Stack
{
  private:
    T    vek[n];        // Vektor
    int tip;            // Stack-Spitze
    int max;            // maximale Anzahl Elemente
  public:
    Stack(){ max = n; tip = 0; };

    bool empty(){ return (tip == 0); }
    bool push( const T& x);
    bool pop(T& x);
};

template<class T, int n>
bool Stack<T, n>::push( const T& x)
{
    if(tip <= max - 1)
    {
        vek[tip++] = x; return true;
    }
    else return false;
}

template<class T, int n>
bool Stack<T, n>::pop(T& x )
{
    if(tip > 0)
    {
        x = vek[--tip];   return   true;
    }
    else return false;
}
```

Mehrere Template-Parameter

Templates können auch mit mehreren Parametern definiert werden. Beispielsweise besitzt folgendes Klassen-Template

Beispiel:
```
template <class U, class V>
class Demo
{  // . . .      };
```

die beiden Parameter U und V. Für jedes Paar von Typen U, V wird dann eine Klasse Demo<U,V> definiert.

Ein Template-Parameter muss nicht immer ein Typname sein. Es sind auch normale „Funktionsparameter" erlaubt, speziell Zeiger und Referenzen.

Beispiel:
```
template<class T, int n>
class Stack{ . . . };
```

Hier wird das Klassen-Template Stack<T, n> definiert, das mit dem Typ T und einer ganzen Zahl n parametrisiert ist.

Im nebenstehenden Beispiel wird der Parameter n dazu benutzt, die Größe des Vektors zur Darstellung eines Stacks festzulegen. Das hat den Vorteil, dass bereits bei der Instantiierung einer Template-Klasse die Anzahl der Vektorelemente bekannt ist. Objekte können dann angelegt werden, ohne dynamischen Speicher in Anspruch zu nehmen.

Das vereinfacht die Definition des Stack-Templates: Der Kopierkonstruktor, die Zuweisung und der Destruktor müssen nicht mehr definiert werden.

Einschränkungen

Für Template-Parameter, die keine Typ-Parameter sind, gelten zwei Einschränkungen:

- Sie dürfen nicht verändert werden.
- Sie dürfen keinen Gleitpunkt-Typ besitzen.

In der nebenstehenden Definition wäre also folgender Ausdruck unzulässig:

Beispiel:
```
++n;  // Fehler: Template-Parameter ändern
```

Auch wenn ein Template-Parameter vom Typ double nicht erlaubt ist:

Beispiel:
```
template<class T, double d>  // Fehler!
class Demo { . . . };
```

so sind doch Zeiger und Referenzen auf Gleitpunkt-Typen möglich:

Beispiel:
```
template<class T, double& ref>
class Demo { . . . };
```

Template-Argumente

Beispielprogramm

```cpp
// mini_t.cpp: Zum Testen der Argumentübergabe
//             bei Funktions-Templates
// ----------------------------------------------
#include <iostream>
using namespace std;

template <class T>
T minimum( T x, T y)
{
    return( (x < y) ? x : y);
}

int main()
{
    short x = 10, y = 2;
    cout << "x = " << x << "  y = " << y << endl;
    cout << "Die kleinere Zahl: "
         << minimum(x, y) << endl;       // Aufruf o.k.

    double z1 = 2.2;
    float  z2 = 1.1F;

    cout << "\nDie kleinere Zahl: "
         << minimum(z1, z2) << endl;     // Nicht o.k.

    double z3 = 1.1;
    cout << "\nz1 = " << z1
         << "  z3 = " << z3 << endl;
    cout << "Die kleinere Zahl: "
         << minimum(z1, z3) << endl;     // Aufruf o.k.

    return 0;
}
```

Argumentübergabe

Die Instantiierung eines Templates erfolgt mit der Übergabe der Template-Argumente. Dabei müssen die Typen der Argumente exakt mit den Typen der Template-Parameter übereinstimmen.

Es wird nicht mal eine implizite Typanpassung, wie von `float` nach `double`, vorgenommen. Im Fall der Template-Funktion `minimum()` bedeutet dies, dass beide Argumente denselben Datentyp haben müssen. Der Aufruf

Beispiel:
```
float x = 1.1; double y = 7.7;
minimum ( x , y );
```

würde zu einer Fehlermeldung führen, da die Template-Funktion mit dem

Prototyp: `void minimum( float , double );`

nicht angelegt werden kann.

Einschränkungen

Bei Template-Argumenten, die keine Typnamen sind, gibt es verschiedene Einschränkungen:

* Ist der Template-Parameter eine Referenz, so darf nur ein globales oder statisches Objekt als Template-Argument angegeben werden.

* Ist der Template-Parameter ein Zeiger, so darf nur die Adresse eines Objekts oder die Adresse einer Funktion mit globalem Geltungsbereich angegeben werden.

* Ist der Template-Parameter weder eine Referenz noch ein Zeiger, so darf nur ein konstanter Ausdruck als Template-Argument angegeben werden.

Beispiel:
```
int anz = 256;            // Fehler:
typedef Stack<short, anz> ShortStack;
```

Da als zweites Template-Argument nur eine `int`-Konstante erlaubt ist, wird hier eine Fehlermeldung ausgegeben.

Auch Zeichenketten wie z.B. `"Oktoberfest"` sind als Template-Argumente nicht zulässig. Ihr Geltungsbereich ist nämlich nicht global, sondern statisch.

Beispiel: `template<class T,char* s> class Demo{...};`

Hier darf nur mit einem global definierten String instantiiert werden, wie etwa:

```
char str[] = "Oktoberfest";  // global
Demo<double, str> income;    // ok
```

Spezialisierungen

Spezialisierung von Funktions-Templates

```
// Das Funktions-Template minimum()
template <class T>
T minimum( T x, T y)
{
    return( (x < y) ? x : y);
}
// Spezialisierung für C-Strings:
#include <cstring>

template<>
const char* minimum( const char* s1, const char* s2 )
{
    return( (std::strcmp(s1, s2) < 0 ) ? s1: s2 );
}
```

Spezialisierung von Klassen-Templates

```
template <class T>
class Stack
{
  private:
    T*  basePtr;    // Zeiger auf Vektor
    int tip, max;   // Stack-Spitze, max. Anzahl Elemente
  public:           // wie zuvor.
};
// Spezialisierung für C-Strings:
template<>
class Stack<char*>
{
  private:
    char** basePtr;     // Zeiger auf Vektor von char-Zeigern
    int tip, max;       // Stack-Spitze, max. Anzahl Elemente
  public:
    // Konstruktor, Destruktor, Kopierkonstruktor,
    // Zuweisungsoperator, push(), pop(), empty()
};
```

Motivation

Eine Template-Funktion kann nur dann instantiiert werden, wenn alle Anweisungen innerhalb der Funktion auch ausführbar sind. Wird etwa die Template-Funktion `exchange()` mit zwei Objekten einer Klasse aufgerufen, so müssen in der Klasse der Kopierkonstruktor und die Zuweisung definiert sein.

In einer Template-Funktion müssen insbesondere alle Operatoren für den jeweiligen Argument-Typ definiert sein. So kann z.B. ein Funktions-Template `minimum()`, das das kleinere von zwei Argumenten bestimmt, nur dann instantiiert werden, wenn für den Argument-Typ der Operator < definiert ist.

Neben nicht ausführbaren Anweisungen gibt es noch weitere Gründe, warum ein Funktions-Template für einen bestimmten Datentyp nicht einsetzbar ist:

- Die allgemeine Lösung, die das Template festlegt, liefert für bestimmte Datentypen kein sinnvolles Ergebnis.
- Für bestimmte Datentypen gibt es effizientere Lösungen.

So wird beim Aufruf

Beispiel: `minStr = minimum( "VIVIAN", "vivian" );`

lediglich die kleinere der beiden Adressen, bei denen die C-Strings gespeichert sind, zurückgegeben.

Definition von Spezialisierungen

In solchen Fällen ist es sinnvoll, eine Spezialisierung der Template-Funktion zu definieren. Dabei wird die Template-Funktion durch eine separat definierte Funktion überladen, der das Schlüsselwort `template` gefolgt von spitzen Klammern `<>` vorangestellt wird. Nebenstehend ist dies anhand des Funktions-Templates `minimum()` dargestellt. Eine Spezialisierung wird hier für den Datentyp `char*` definiert.

Wenn eine Template-Funktion durch eine Spezialisierung ersetzt wird, so muss sichergestellt sein, dass beim Aufruf auch die richtige Version ausgeführt wird. Die Reihenfolge, in der der Compiler nach der passenden Funktion sucht, garantiert dies:

- Sind ein Funktions-Template und eine Spezialisierung für einen bestimmten Typ definiert, so wird stets die Spezialisierung aufgerufen.

Das gilt natürlich auch für Methoden eines Klassen-Templates, die ja Funktions-Templates sind. Insbesondere kann eine Template-Klasse nur dann angelegt werden, wenn alle Methoden aus den entsprechenden Funktions-Templates instantiiert werden können. Dies demonstriert auch die nebenstehend angegebene Spezialisierung für C-Strings des Klassen-Templates `Stack<T>`.

Default-Argumente von Templates

Ein Template für quadratische Matrizen

```cpp
// quadmat.h:  Definition des Templates QuadMatrix
//             zur Darstellung quadratischer Matrizen
// -------------------------------------------------------
#include <iostream>
#include <stdexcept>
using namespace std;

template <class T=int, int anz = 10>
class QuadMatrix
{
  private:
    T mat[anz][anz];
  public:
    int dim() const{ return anz; }

    T*  operator[](int line) throw(out_of_range)
    {
      if( line < 0 || line >= anz)
        throw out_of_range("Matrix: Index out of range");
      else
        return mat[line];
    }

    const T*  operator[](int line) const
                                    throw(out_of_range)
    {
      if( line < 0 || line >= anz)
        throw out_of_range("Matrix: Index out of range");
      else
        return mat[line];
    }
    friend QuadMatrix& operator+(const QuadMatrix&,
                                 const QuadMatrix&);
            // usw.
};
```

Default-Werte setzen

Template-Parameter können, wie Funktionsparameter auch, mit Default-Argumenten versehen werden. Fehlt bei der Instantiierung einer Template-Klasse oder -Funktion das entsprechende Argument, so wird der Default-Wert eingesetzt.

Die Festlegung von Default-Werten geschieht in der Definition eines Templates oder bei der ersten Deklaration eines Templates in einem Modul.

Das Klassen-Template QuadMatrix<T, n>

Das nebenstehend definierte Klassen-Template `QuadMatrix<T, n>` stellt quadratische Matrizen dar. Der Indexoperator ist so überladen, dass für die Matrix `m` einer Instantiierung der Zugriff auf ein Matrixelement wie gewohnt mit `m[i][j]` erfolgt. Ist der Zeilenindex `i` außerhalb des zulässigen Bereichs, so wird eine Standard-Exception vom Typ `out_of_range` ausgelöst.

Die Default-Werte sind so gesetzt, dass nach der Definition

Beispiel:
```
typedef QuadMatrix < > IntMat;
IntMat m;
```

eine Matrix `m` für `int`-Werte mit zehn Zeilen und zehn Spalten angelegt wird. Die spitzen Klammern dürfen hierbei nicht weggelassen werden, da es den Typ `QuadMatrix` nicht gibt. `QuadMatrix` ist nur der Name des Templates.

Mit der folgenden Definition

Beispiel:
```
typedef QuadMatrix<double> DoubleMat;
DoubleMat dm;
```

wid eine Matrix `dm` von `double`-Werten mit zehn Zeilen und zehn Spalten angelegt.

Regeln

Für Default-Argumente von Templates sind dieselben Regeln zu beachten, die auch für Default-Argumente von Funktionen gelten:

● Wenn mindestens ein Parameter mit einem Default-Argument deklariert wird, so müssen alle nachfolgenden Parameter ebenfalls mit Default-Werten versehen werden.

● Fehlt bei der Instantiierung ein Template-Argument, für das ein Default-Wert deklariert wurde, so müssen auch alle nachfolgenden Template-Argumente weggelassen werden.

Explizite Instantiierung

Beispielprogramm für das Klassen-Template QuadMatrix

```cpp
// expIns_t.cpp:  Zum Testen expliziter Instantiierungen
// -----------------------------------------------------
#include <iostream>
using namespace std;

#include "quadmat.h"
                            // Explizite Instantiierung:
template class QuadMatrix<long double, 5>;

int main()
{
    QuadMatrix<long double, 5> m;

    try
    {
        for(int k=0; k < m.dim(); k++)
        {
            for( int l = 0; l < m.dim(); l++)
            {
                m[k][l] = k*l;
                cout << m[k][l] << " ";
            }
            cout << endl;
        }
    }
    catch(out_of_range& err )
    {
        cerr << err.what() << endl;
    }

    return 0;
}
```

Außer der impliziten Instantiierung von Templates, etwa beim Aufruf einer Template-Funktion, ist auch eine explizite Instantiierung möglich. Wichtig ist dies beispielsweise bei der Erstellung von Bibliotheken, die Template-Funktionen und -Klassen für Anwendungsprogramme zur Verfügung stellen.

Syntax

Eine explizite Instantiierung geschieht mit folgender

Syntax: `template Deklaration;`

wobei `Deklaration` den Namen des Templates und die Template-Argumente enthält.

Für das Klassen-Template `Stack` kann eine explizite Instantiierung so erfolgen:

Beispiel: `template class Stack<long double, 50>;`

Mit der Deklaration wird dann die Template-Klasse `Stack<long double, 50>` mit maximal 50 Elementen vom Typ `long double` angelegt.

Auch Funktions-Templates können explizit instantiiert werden.

Beispiel: `template short min( short x, short y);`

Hier wird aus dem Funktions-Template `min()` eine Template-Funktion für den Typ `short` angelegt.

Erweiterte Syntax für Funktions-Templates

Der C++-Standard sieht für Funktions-Templates eine weitere Möglichkeit zur expliziten Instantiierung vor. Beim Aufruf werden Template-Argumente in spitzen Klammern hinter dem Funktionsnamen angegeben.

Beispiel: `min<long>(x, y);`

Dann wird in jedem Fall eine Template-Funktion `min()` für den Datentyp `long` generiert. Diese erweiterte Syntax für Funktions-Templates wird allerdings noch nicht von allen C++-Compilern unterstützt.

Die explizite Instantiierung von Funktions-Templates erweitert deren Einsatzmöglichkeiten:

- Funktions-Templates können mit Typen parametrisiert werden, die nicht aus den Funktionsargumenten hergeleitet werden können, speziell können sie ohne Funktionsparameter definiert werden.

- Funktions-Templates können mit Funktionsparametern definiert werden, die keine Template-Parameter sind.

Variable Anzahl von Parametern

```cpp
// varTemplate.cpp: Variadische Template-Funktion
//------------------------------------------------
#include <iostream>
#include <string>
using namespace std;

template<class T>                         // Basisfall
T add(const T& a)
{
    return a;
}

template<class T, class ... Args>  // Rekursion
T add(const T& first, const Args& ...rest)
{
    return first + add(rest...);
}

int main()
{
    cout << add(1, 2) << endl;
    cout << add(3.5, 7.1, 8.2) << endl;
    cout << add(-10, -21, 30, 45) << endl;

    string s1 ="Sonnen", s2 ="blumen", s3 ="kerne";
    cout << add(s1, s2, s3) << endl;
    return 0;
}
```

Ausgabe des Programms:

```
3
18.8
44
Sonnenblumenkerne
```

Parameterpacks

C++ bietet die Möglichkeit, Templates mit einer variablen Anzahl von Parametern zu definieren. Man spricht dann von *variadischen Templates* (*engl.* variadic templates). Die Syntax wird im Folgenden anhand variadischer Funktions-Templates vorgestellt.

Beispiel:
```
template<class ...Types>
void g(Types ...args){ /* Funktionsblock */ }
```

Namen, denen drei Punkte ... voranstellt sind, heißen *Parameterpacks*. Im Beispiel bezeichnet

Types   ein *Template-Parameterpack*, das die Typen der variablen Template-Parameter darstellt

args   ein *Funktions-Parameterpack*, das die Funktions-Parameter zu den in Types angegebenen Typen darstellt.

Dann ist g() mit beliebig vielen Argumenten unterschiedlichen Typs aufrufbar, insbesondere auch ohne Argumente.

Rekursives Entpacken

Werden in einem Funktionsaufruf oder in einer Initialisierungsliste einem Parameterpack drei Punkte *nachgestellt*, so ersetzt der Compiler diesen Ausdruck durch die Liste der Parameter. Enthält etwa das Parameterpack args die drei Parameter arg1, arg2 und arg3, so erweitert der Compiler einen Funktionsaufruf wie folgt:

Beispiel: g(args...) ergibt g(arg1, arg2, arg3).

Parameterlisten zusammen mit der Überladung von Funktionen ermöglichen das rekursive Entpacken von Parameterpacks. Dies zeigt das nebenstehende Beispiel der Funktion add(), die für Argumente gleichen Typs die Summe bildet.

Der sogenannte *Basisfall* definiert die Template-Funktion add() mit einem Parameter. Der *allgemeine Fall* für zwei oder mehr Parameter wird durch „rekursive" Aufrufe auf den Basisfall zurückgeführt. Weil die Template-Funktion add() einen festen Parameter besitzt, reduziert sich die Anzahl der variablen Parameter bei jedem Aufruf um 1.

Beispiel: int sum = add(4, 2, 7);

Hier wird die Summe rekursiv durch folgende Aufrufe von add() berechnet:

4 + add(2,7) und 2 + add(7).

Mit dem letzten Aufruf ist der Basisfall erreicht, und die Rekursion bricht ab.

Operationen mit Parameterpacks

```cpp
// pack_demo.cpp: Operationen mit Parameterpacks.
//------------------------------------------------
#include <iostream>
#include <string>
#include <cmath>              // Für sqrt()
using namespace std;

template<class ... Args>
auto add( const Args& ...args)
{
    return (args + ...);      // Faltungsausdruck.
//   return ( ... + args);    // Auch möglich.
}


template<class T>             // Hilfsfunktion.
void print( const T& arg) { cout << "  " << arg; }

template<typename... T>
void sqrts(T... args)         // Quadratwurzeln anzeigen.
{
    const int size = sizeof...(args);
                              // Initialisierungsliste:
    double sqroots[size] = { sqrt(args)... };
    for( int i; i < size; ++i)
       cout << "  " << sqroots[i];
    cout << endl;

    // Einige fold expressions:
    ( cout << ... << args);        // Argumente anzeigen.
    cout << endl;
    ( print( args), ... );         // print() für jedes
    cout << endl;                  // Argument aufrufen.
    ( print( sqrt(args)), ... );   // Und die ´Wurzeln.
    cout << endl;
}

int main()
{
// Aufrufe von add() wie im vorhergehenden Beispiel.
//   . . .
    sqrts( 2, 3.1, 4.2, 9);
    return 0;
}
```

Ausdrücke mit Parameterpacks entpacken

Auch ein Ausdruck, der ein Parameterpack enthält, wird durch drei nachgestellte Punkte zu einer Liste entpackt. Voraussetzung ist, dass der Ausdruck in einem Kontext vorkommt, der eine kommaseparierte Liste erwartet. In der nebenstehenden Funktion sqrts() wird der Vektor sqroots[] durch die Liste { sqrt(args)... } initialisiert. Enthält das Parameterpack args die Elemente 2, 3.1 und 4.2, ergibt sich folgende Liste: { sqrt(2), sqrt(3.1), sqrt(4.2) }.

Die Standardfunktion sqrt() berechnet die Wurzel einer Zahl. Der Operator sizeof... ermittelt die Anzahl Elemente eines Parameterpacks.

Faltung von Parameterpacks

Ab C++17 können die Parameter in Parameterpacks durch einen Operator verknüpft werden. Man sagt auch, dass das Parameterpack „gefaltet" wird. Hierbei verknüpft ein sog. Faltungsausdruck (engl. *fold expression*) alle Elemente eines Parameterpacks hintereinander mit einem Operator. Im einfachsten Fall haben Faltungsausdrücke folgende

Syntax: (pack op ...) oder (... op pack)

Dabei ist op ein beliebiger binärer Operator mit einer niedrigeren Priorität als die eines Cast-Operators. Wenn pack die Elemente e1, e2 und e3 hat, erweitert der Compiler den Ausdruck (pack op ...) zu e1 op (e2 op e3) („*Rechtsfaltung*"). Im Unterschied dazu führt die Erweiterung von (... op pack) zu (e1 op e2) op e3, d.h. es wird von links her geklammert („*Linksfaltung*").

Die neue Syntax erlaubt die variadische Funktion add() von der vorhergehenden Doppelseite sehr viel einfacher zu implementieren.

Beispiel:
```
template<class ... Args>
auto add( const Args& ...args)
{ return (args + ...); }
```

Ein „Basisfall" muss nicht extra programmiert werden. Beispielsweise führt der Aufruf add(1,2,3) zur Erweiterung return 1 + (2 + 3);

Der Ausdruck (print(args), ...) im nebenstehenden Beispiel zeigt, wie mit Hilfe des Kommaoperators eine Funktion für jedes Element eines Parameterpacks aufgerufen werden kann. Es ist auch möglich, Faltungsausdrücke mit einem zusätzlichen Ausdruck zu kombinieren. Dafür gibt es die folgende erweiterte Syntax:

Syntax: (pack op ... op init) oder (init op ... op pack)

Der Ausdruck init darf kein Parameterpack enthalten und auch keinen Operator mit einer niedrigeren Priorität als die eines Cast-Operators.

Beispiel: (cout << ... << args);   // Argumente anzeigen.

Die Erweiterung ergibt ((cout << arg1) << arg2) << arg1, wenn args die drei Elemente arg1, arg2 und arg3 enthält.

Standard-Template für Tupel

Beispielprogramm

```cpp
// tuple_demo.cpp: Das Template tuple verwenden.
//-------------------------------------------------
#include <tuple>
#include <iostream>
#include <string>
using namespace std;

tuple<long, string, double> einArtikel()
{
   return make_tuple( 333L, "TV", 499.49);
   // return { 100L, "TV", 499.49 };    // Auch möglich.
}

int main()
{
   tuple<long, string, double> art0(100L, "Radio", 199.19);
   // Typableitung aus den Konstruktor-Argumenten (C++17):
   tuple art1( 200L, "Notebook", 666.66);
   auto art2 = einArtikel();

   get<2>(art0) -= 50.0;          // Preis von art0 reduzieren.
   cout << "\nNummer: " << get<0>(art0) << '\n'
        <<   "Name:   " << get<1>(art0) << '\n'
        <<   "Preis:  " << get<2>(art0) << endl;

   long nr1;  string name1;  double preis1;
   tie( nr1, name1, preis1) = art1;
   cout << "\nNummer: " << nr1 << '\n'
        <<   "Name:   " << name1 << '\n'
        <<   "Preis:  " << preis1 << endl;

   auto [nr2, name2, preis2] = art2;  // Structured Bindings
   cout << "\nNummer: " << nr2 << '\n'
        <<   "Name:   " << name2 << '\n'
        <<   "Preis:  " << preis2 << endl;
   return 0;
}
```

Hinweis: Die Template-Funktionen make_tuple() und make_pair() erzeugen ein Objekt des Klassen-Templates tuple bzw. pair, wobei die Typen der Parameter automatisch aus den Argumenten abgeleitet werden.

Ein Tupel ist eine Sammlung von Werten, die verschiedene Typen haben können. Das einfachste Tupel ist ein Paar.

Das Template pair

Zur Darstellung von Paaren, wie beispielsweise Schlüssel/Objekt-Paare, bietet die Standardbibliothek das Template `pair<T1,T2>`. Es ist im Header `<utility>` als Struktur mit den zwei Elementen `first` vom Typ `T1` und `second` vom Typ `T2` definiert.

Beispiel:
```
string s1("Emely"), s2("Daniel");
pair<int,string> p1(1,s1);
cout << p1.first << "  " << p1.second << endl;
```

Neu in C++17 ist, dass auch bei Klassen-Templates die explizite Angabe der Template-Parametern entfallen kann, wenn die Typen aus den Argumenten des Konstruktors ableitbar sind.

Beispiel:
```
pair p2(2,s2);                        // C++17
// äquivalent zu: pair<int, string> p2(2,s2);
```

Das variadische Template tuple

Zur Darstellung beliebiger Tupel definiert die Standardbibliothek im Header `<tuple>` das Klassen-Template `tuple`. Es ist eine Verallgemeinerung des Templates `pair`. Somit können `pair`-Objekte implizit in entsprechende `tuple`-Objekte konvertiert werden.

Neben einem Default-Konstruktor, der alle Elemente defaultmäßig initialisiert, besitzt eine `tuple`-Klasse nur Konstruktoren mit Parametern zur Initialisierung aller Elemente.

Beispiele:
```
tuple<string, int, double>
        tup0,               // Default-Konstruktor.
        tup1("Max Muster", 1977, 1.82);
tup0 = make_tuple("Lisa Lustig", 1984, 1.78);
```

Implizite Typumwandlungen, sofern möglich, werden vorgenommen. Im Beispiel hat das erste Element des von `make_tuple()` erzeugten Tupels den Typ einer String-Konstanten, also `const char*`. Bei der Zuweisung an `tup0` wird das erste Element in den Typ `string` konvertiert.

Der Zugriff auf einzelne Elemente eines Tupels erfolgt mit den `get`-Templates. Als Template-Argument wird der Index des Elements oder sein Typ angegeben, sofern der Typ eindeutig ist. Das Ergebnis ist eine Referenz auf das entsprechende Element.

Beispiele:
```
get<0>(tup0) = "Lisa Muster";    // Neuer Name.
int gebJahr = get<int>(tup1);    // 1977
```

Das Funktions-Template `tie()` ermöglicht das gleichzeitige Entpacken aller Elemente. Die Funktion `tie()` erzeugt ein Tupel mit Referenzen auf die als Argumente angegebenen Variablen. Durch Zuweisung eines Tupels erhalten dann die Variablen die Werte der Elemente, wie das Beispielprogramm zeigt.

Typsichere Varianten

Beispielprogramm

```cpp
// variant_demo.cpp: Das Template variant verwenden.
// ------------------------------------------------
#include <variant>
#include <iostream>
using namespace std;

int main()
{
  try
  {
    variant<long, double> var0(12.3), var1;
    cout << "var0.index = " << var0.index() << '\n'    // 1
         << "var1.index = " << var1.index() << endl;   // 0

    var1 = 111L;
    cout << get<0>(var1) << endl;           // OK.
    ++get<0>(var1);
    cout << get<long>(var1) << endl;     // Auch OK.

    var1 = var0;
    // Speicher var1 ein double?
    if( holds_alternative<double>(var1) )
      cout << get<double>(var1) << endl;

    // double x = get<2>(var1);   // Compiler meldet Fehler:
                                  // Nur Index 0 oder 1 möglich.
    cout << get<0>(var1) << endl; // Exception!
                                  // var1 speichert ein double.
    return 0;
  }
  catch (const bad_variant_access& ex)
  {  cerr << ex.what() << endl;  }
}
```

Ausgabe des Programms:

```
var0.index = 1
var1.index = 0
111
112
12.3
Unexpected index
```

C++17 stellt die drei neuen generischen Datentypen `variant`, `optional` und `any` zur Verfügung, die eine flexible und sichere Verwendung von Speicherplatz ermöglichen.

Das variadische Template variant

Eine Union ermöglicht, auf einem Speicherplatz Objekte verschiedenen Typs zu speichern (vgl. Kapitel 13). Dabei muss der Programmierer selbst darauf achten, dass der aktuelle Inhalt einer Union richtig interpretiert wird.

Das Klassen-Template `variant`, das im Header `<variant>` definiert ist, bietet eine typsichere Alternative zu Unions. `variant`-Objekte kennen den jeweiligen Datentyp ihrer Komponenten! Die möglichen Datentypen, werden bei der Definition als Template-Argumente festgelegt. Ohne einen Initialisierer enthält eine Variante den Default-Wert des ersten Datentyps.

Beispiele:
```
variant<int,string> var(7);   // var.index() ist 0.
// Eine Zuweisung überschreibt den aktuellen Wert:
var = "Hallo ";         // var.index() ist jetzt 1.
get<1>(var) += "Tim";
cout << get<string>(var) << endl;   // Hallo Tim
```

Die möglichen Datentypen, auch *Alternativen* genannt, sind in der Reihenfolge indiziert, in der sie als Template-Argumente angegeben wurden. Die `variant`-Methode `index()` liefert den Index zur aktuellen Belegung. Mit der Funktion `holds_alternative<T>(var)` kann auch der Typ abgefragt werden: Die Funktion liefert `true`, falls die Variante `var` aktuell einen Wert vom Typ `T` speichert, andernfalls `false`.

Zugriff und Fehlerbehandlung

Wie das Beispiel zeigt, erfolgt der Zugriff auf den Inhalt einer Variante wieder mit den `get`-Templates. Dabei kann als Template-Argument der aktuelle Index oder der aktuelle Typ angegeben werden. Der Compiler beendet die Übersetzung mit einer Fehlermeldung, wenn beim Zugriff ein Index oder ein Typ angegeben wird, der grundsätzlich nicht möglich ist. Es kommt zu einem Laufzeitfehler, falls beim Zugriff der Index oder der Typ nicht zur aktuellen Belegung der Variante passt. Dieser Fehler löst eine Exception vom Typ `bad_variant_access` aus, die von der Standardklasse `exception` abgeleitet ist.

Um Exceptions zu vermeiden, kann der Zugriff auch mit den `get_if`-Templates erfolgen. Als Template-Argument wird wieder ein Index oder ein möglicher Typ angegeben. Das Funktionsargument ist ein Zeiger auf die Variante. Das Ergebnis ist ein Zeiger auf den Inhalt oder ein Null-Zeiger, wenn der Zugriff nicht zur aktuellen Belegung passt.

Beispiele:
```
if(int *iPtr = std::get_if<int>(&var))
    cout << "Wert: " << *iPtr << endl;
```

Die Standard-Klassen optional und any

Beispielprogramm

```cpp
// optional_any_demo.cpp: Klassen optional und any verwenden.
// ----------------------------------------------------------
#include <optional>
#include <any>
#include <iostream>
#include <string>
using namespace std;

optional<string> find(int key)   // Wert zum Schlüssel suchen.
{
   static pair<int,string> arr[] = {{111,"Tom"}, {222,"Jerry"}};
   for( auto& el : arr)
      if( key == el.first)   return el.second;
   return {};                    // Keinen Wert zurückgeben, falls
}                               // Schlüssel nicht gefunden wurde.

int main()
{
   optional<string> str;
   if( !str)            // oder: if( str.has_value() == false)
      cout << "str speichert keinen Wert!\n";

   str = find(222);
   if( str)                      // oder: if( str.has_value())
      cout << "find(222) liefert: " << *str << endl;

   cout << "find(123) liefert: "
        << find(123).value_or("\"leer\"") << endl;

   any any1, any2(1.2); // Objekte für einen beliebigen Wert.
   // any1 ist leer, d.h. any1.has_value() gibt false zurück.

   any1 = any2;            // Werte haben Typ double.
   try
   {  cout << any_cast<int>(any1) << endl;    // Fehler, da
   }                               // any1 kein int enthält.
   catch( const bad_any_cast& ex)
   {   cout << ex.what() << endl;   }

   any1 = string("Hallo ");            // Neue Werte.
   any2 = "Emil";

   cout << "Objekt any1: " << any_cast<string&>(any1) << endl;

   if( any2.type() == typeid(string))  // false, da any2 ein
   {                                    // const char* enthält.
      string name = any_cast<string>(any2);
   }
}
```

Die in C++17 neu eingeführten Klassen `optional` und `any` bilden eine Hülle um ein anderes Objekt.

Das Klassen-Template optional

Das Template `optional` ist im Header `<optional>` definiert und erweitert einen anderen Datentyp mit der zusätzlichen Fähigkeit, auch den Zustand „kein Wert" zu repräsentieren. Diesen Zustand hat ein `optional`-Objekt, wenn es leer ist, also kein anderes Objekt enthält.

Der Typ `optional` ist besonders nützlich als Return-Typ von Funktionen, die auch fehlschlagen können, wie beispielsweise Funktionen, die Objekte erzeugen (sogenannte factory-Funktionen). Die Funktion `find()` im nebenstehenden Beispielprogramm gibt „keinen Wert" zurück, falls der übergebene Schlüssel nicht gefunden wird. Sowohl der Default-Konstruktor als auch der Konstruktor, der als Argument die Konstante `nullopt` erhält, erzeugen ein leeres `optional`-Objekt.

Beispiel: `optional<string> s0, s1(nullopt), s2("Hi");`

Dann sind `s0` und `s1` leer und `s2` enthält das Objekt `string("Hi")`. Der Test, ob ein Wert gesetzt ist, kann mit der Methode `has_value()` erfolgen. Sie gibt `false` zurück, falls das Objekt leer ist, andernfalls `true`. Das gleiche Ergebnis liefert eine Konvertierung in den Typ `bool`.

Beispiel: `if(s2) { cout << *s2 << endl; }`

Wie das Beispiel auch zeigt, erfolgt der Zugriff auf das enthaltene Objekt mit dem Operator `*`. Der vorherige Test ist notwendig, da das Verhalten undefiniert ist, wenn kein Wert gesetzt ist. Auch die Methoden `value()` und `value_or()` geben den enthaltenen Wert zurück. Falls kein Wert gesetzt ist, wirft `value()` eine Exception vom Typ `bad_optional_access` und `value_or()` liefert den übergebenen Ersatzwert.

Die Klasse any

Ein Objekt vom Typ `any` enthält irgendein Objekt oder ist leer. Im Gegensatz zur Klasse `optional` kann das enthaltene Objekt einen beliebigen Typ haben. Ob ein Wert gesetzt ist, kann wieder mit der Methode `has_value()` getestet werden. Eine Konvertierung in den Typ `bool` ist nicht möglich.

Beispiel:
```
any myAny("Ein C-String");    // Typ const char*.
myAny = string("Ein string-Objekt");
myAny = 123;                  // Typ int.
cout << any_cast<int>(myAny) << endl;
```

Der Zugriff auf das enthaltene Objekt erfolgt mit `any_cast<T>`, wobei `T` der Typ des enthaltenen Objekts oder eine Referenz darauf ist. Die Methode `type()` liefert die Typinformationen wie der Operator `typeid(T)`; insbesondere `typeid(void)`, wenn kein Wert gesetzt ist. Daher kann der Typ des Objekts wie im Beispielprogramm getestet werden.

Standard-Templates für Bitsets

Darstellung eines Bildspeichers für Rastergrafiken

```cpp
// bitmap.h : Definition des Templates Bitmap<XN, NY>
//            zur Darstellung von Rastergrafiken.
// ---------------------------------------------------
#ifndef _BITMAP_
#define _BITMAP_

#include <bitset>
#include <stdexcept>
using namespace std;

template <int NX, int NY>            // Anzahl Pixel
class Bitmap : public bitset<NX*NY>  // in x-/y-Richtung
{
   private:
        int ax, ay;        // Aktuelle Cursorposition
   public:
        Bitmap();
        void moveTo(int x, int y);
        void lineTo(int x, int y);
        size_t xSize() const { return NX; }
        size_t ySize() const { return NY; }
};

template <int NX, int NY>
Bitmap<NX, NY>::Bitmap()
{
   reset();                 // Alle Bits auf 0.
   ax = 0;                  // Aktuelle Position
   ay = 0;                  // in x-/y-Richtung.
}

template <int NX, int NY>
void Bitmap<NX, NY>::moveTo(int x, int y)
{
  if( x >= 0 && x < NX && y >= 0 && y < NY)
  {   ax = x;
      ay = y;
  }
  else throw invalid_argument("Ungültiges Argument\n");
}
// Fortsetzung folgt
```

Vereinbaren von Bitsets

Ein Bitset speichert eine Bitfolge vorgegebener Länge. Umfangreiche bitcodierte Daten, wie z.B. Rastergrafiken, können so mit minimalem Speicherverbrauch dargestellt werden.

Das in der Header-Datei `bitset` definierte Klassen-Template `bitset<N>` bietet zahlreiche Funktionalitäten zur Verwaltung von Bitsets. Der Parameter `N` ist die Länge eines Bitsets, d.h. die maximale Anzahl der gespeicherten Bits.

Ein Bitset kann ohne Angabe von Initialisierungswerten mit dem Default-Konstruktor angelegt werden. Daneben ist es möglich, ein Bitset mit einem vorgegebenen Bitmuster zu initialisieren. Das Bitmuster wird entweder durch einen unsigned-long-Wert oder durch einen String festgelegt.

Beispiel:
```
string s = "10101010";
bitset<1024> b(s);
```

Der String `s` darf nur die Zeichen `'0'` oder `'1'` enthalten. Das letzte Zeichen im String wird dann der erste Bitwert (also 0 oder 1) in der Bitposition 0, das vorletzte Zeichen im String wird zum Bitwert in der Bitposition 1 usw. Restliche Bits werden bis zur Länge `N` mit 0 aufgefüllt. Dies gilt auch für die Initialisierung mit einem unsigned-long-Wert.

Zum nebenstehenden Beispiel

Mit dem nebenstehend definierten Template `Bitmap<NX, NY>` können einfache Schwarz/Weiß-Rastergrafiken dargestellt werden. Einem Pixel (engl. *picture element*) entspricht ein Bit in einem Bitset. Ist das Bit gesetzt, so leuchtet das Pixel weiß, andernfalls wird ein schwarzer Punkt dargestellt.

Die Anzahl der darstellbaren Pixel in horizontaler und vertikaler Richtung hängt von der verwendeten Auflösung ab. Typische Auflösungen sind z.B. 1280*800 für Bildschirme und 3300*2300 für Lazer-Drucker (bei 300 dpi) mit DIN-A4-Papier. Die Gesamtzahl darzustellender Pixel, also die Anzahl Bits im Bitset, ist stets das Produkt der Anzahl Pixel in horizontaler und vertikaler Richtung.

Das Klassen-Template `Bitmap<NX, NY>` ist mit der Anzahl `NX` und `NY` von Pixeln in horizontaler bzw. vertikaler Richtung parametrisiert. Es entsteht aus der Klasse `bitset<NX*NY>` durch `public`-Vererbung und besitzt deshalb ein Bitset und alle geerbten `public`-Methoden zur Verwaltung des Bitsets. Zusätzlich werden Datenelemente zur Sicherung der aktuellen Cursor-Position bereitgestellt. Die Methode `moveTo()` bewegt den Cursor zum Punkt mit den angegebenen Koodinaten. Die Methode `lineTo()` zeichnet eine Gerade von der aktuellen Cursor-Position zum Punkt mit den angegebenen Koordinaten.

Standard-Templates für Bitsets (Fortsetzung)

Der Bresenham-Algorithmus

```cpp
// bitmap.h: Ergänzung um den Bresenham-Algorithmus.
// -------------------------------------------------
template <int NX, NY>
void Bitmap<NX, NY>::lineTo(int x, int y)
{
  if( x >= 0 && x < NX && y >= 0 && y < NY)
  {
    int savex = x, savey = y;
    if(ax > x) // In aufsteigender x-Richtung zeichnen
    {              // => (ax,ay) und (x,y) ggf. tauschen
      int temp = ax; ax = x; x = temp;
      temp = ay; ay = y; y = temp;
    }
    int dx = x - ax, dy = y - ay;
    int xinc = 1, yinc = 1;        // Zum Inkrementieren

    if( dy < 0)                    // Steigung < 0 ?
    {                              // Ja: In y-Richtung
       dy = -dy; yinc = -1;        // dekrementieren.
    }

    int count = dx + dy;    // Anzahl zu setzender Pixel

    int d = (dx - dy)/2;    // Bestimmt Richtung
                            // für nächstes Pixel.
    while( count-- > 0)
    {
      int i = ax + ay * NX;      // Index im Bitset
      set(i);                    // Bit setzen

      if( d < 0)                 // Nächstes Pixel in
      { ay += yinc;   d += dx; }  // y-Richtung,
      else                        // sonst in
      { ax += xinc;   d  -= dy; }  // x-Richtung
    }

    ax = savex; ay = savey; // Aktuelle Cursor-Position
  }
  else throw invalid_argument("Ungültiges Argument\n");
}
#endif
```

Bits manipulieren

Zum Lesen und Schreiben einzelner Bits stellt das Template `Bitset<N>` get- und set-Methoden zur Verfügung. Sie erwarten eine Bitposition als Argument. Der set-Methode kann zusätzlich der Wert `0` oder `1` übergeben werden, der in die angegebene Bitposition geschrieben wird. Als Default-Wert ist hier die `1` vorgesehen.

Wird die Methode `set()` ohne Argument aufgerufen, so werden *alle* Bits im Bitset auf 1 gesetzt. Mit der Methode `reset()` hingegen werden alle Bits gelöscht. Zum Invertieren von Bits gibt es die Methode `flip()`. Jedes `0`-Bit im Bitset wird dabei auf `1` und jedes `1`-Bit auf `0` gesetzt. Bits in einzelnen Bitpositionen können auch mit dem Index-Operator angesprochen werden. Der Index ist die Bitposition, also eine Zahl zwischen `0` und `N-1`.

Zur Manipulation von Bits sind wie gewohnt Bit-Operatoren einsetzbar. Hierfür sind die Bit-Operatoren `&`, `|` und `^` für Bitsets global überladen. Die Operator-Funktionen für den NICHT-Operator `~`, die Shift-Operatoren `<<` und `>>` sowie die Operatoren für zusammengesetzte Zuweisungen `&=`, `|=`, `^=` sind als Methoden implementiert.

Der Bresenham-Algorithmus

Nebenstehend ist die Methode `lineTo()` implementiert, die von der aktuellen Cursor-Position pixelweise eine Gerade zum Punkt mit den übergebenen Koordinaten zeichnet. Der verwendete Bresenham-Algorithmus geht inkrementell vor: Von der aktuellen Position des Cursors ausgehend wird als nächstes stets das Nachbarpixel in x-Richtung oder in y-Richtung gesetzt. Dabei ist nur die x-Koordinate bzw. die y-Koordinate um 1 zu inkrementieren bzw. zu dekrementieren. Zeitaufwendige Gleitpunkt-Arithmetik, die beim Verwenden einer Geradengleichung erforderlich wäre, wird so vermieden.

Damit stets in positiver x-Richtung gezeichnet werden kann, werden ggf. Anfangs- und Endpunkt der Geraden vertauscht. Die Differenz der y-Koordinaten von Anfangs- und Endpunkt `dy = y - ay` bestimmt dann, ob in y-Richtung stets um 1 inkrementiert oder dekrementiert werden muss.

Durch das Setzen von Nachbarpixeln wird statt einer Geraden eine "Treppe" gezeichnet, die sich von der tatsächlichen Geraden entfernen kann. Die Variable `d = (dx - dy)/2` legt fest, ob der nächste Schritt in x- oder in y-Richtung erfolgt. Ist der Wert von `d` negativ, so steigt die Gerade stärker in y-Richtung und es wird als nächstes ein Pixel in y-Richtung gesetzt. Danach wird die Abweichung korrigiert, indem `dx` hinzuaddiert wird. Sobald `d` in den positiven Bereich wechselt, wird dann in x-Richtung weitergezeichnet und die Abweichung mit `dy` korrigiert.

Übungen

Das Verfahren der Interpolationssuche

Es wird vorausgesetzt, dass der numerische Vektor in aufsteigender Reihenfolge sortiert ist und dass die Vektorelemente eindeutig sind.

Interpolationssuche:

Der gesuchte Wert wird mit dem Vektorelement verglichen, in dessen Position der Wert „erwartet" wird. Ist dieser Wert kleiner als das Vektorelement in der erwarteten Position, so wird – wie beim binären Suchverfahren – im linken Teil des Vektors weitergesucht, andernfalls im rechten Teil.

Die „erwartete" Position expect in einem Vektor v kann wie folgt berechnet werden: Ist key der gesuchte Wert, begin der niedrigste und end der höchste Index im entsprechenden Teilvektor, so gilt:

```
double temp = (double)(key-vp[begin]);
temp /= (vp[end]-vp[begin]);
temp  = temp * (end - begin) +0.5;
expect = begin + (int)temp;
```

Das Verfahren des Insertion-Sort-Algorithmus

Der Vektor wird in einen linken, bereits sortierten Teil, und einen rechten, noch unsortierten Teil zerlegt, und zwar wie folgt:

Jedes nächste Element im noch unsortierten Teil wird aus dem Vektor genommen. Solange im linken Teil, vom Ende her kommend, ein größeres Element gefunden wird, wird dieses um eine Position hochgeschoben. Sobald ein kleineres Element gefunden ist, wird das herausgenommene Vektorelement an der freien Position eingefügt.

 Zu Beginn des Sortiervorgangs besteht der linke bereits sortierte Teil nur aus dem ersten Element im Vektor.

Grafik:

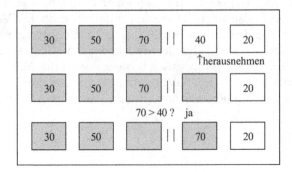

1. Aufgabe

- Es soll ein Funktions-Template `interpolSearch()` definiert werden, mit dem ein vorgegebenes Element in einem numerischen, sortierten Vektor gesucht wird. Die Vektorelemente besitzen den Typ des Template-Parameters T.

  Das Funktions-Template besitzt drei Parameter: den zu suchenden Wert vom Typ T, einen Zeiger auf das erste Vektorelement und die Anzahl der Vektorelemente. Der Return-Wert ist der Index des ersten Elements im Vektor, das mit dem gesuchten Wert übereinstimmt, bzw. -1, falls der gesuchte Wert im Vektor nicht vorkommt.

  Implementieren Sie das Funktions-Template. Verwenden Sie als Algorithmus das nebenstehend beschriebene Verfahren für die Interpolationssuche. Stellen Sie die Definition des Funktions-Templates in eine Header-Datei `search.h`.

- Definieren Sie ein Funktions-Template `insertionSort()`, das einen numerischen Vektor in aufsteigender Reihenfolge sortiert. Die Vektorelemente besitzen den Typ des Template-Parameters T.

  Das Funktions-Template besitzt zwei Parameter: einen Zeiger auf das erste Vektorelement und die Anzahl der Vektorelemente. Es gibt keinen Return-Wert.

- Definieren Sie ein Funktions-Template `display()`, das einen numerischen Vektor auf dem Bildschirm anzeigt.

  Das Funktions-Template besitzt zwei Parameter: einen Zeiger auf das erste Vektorelement und die Anzahl der Vektorelemente. Es gibt keinen Return-Wert.

- Aus den Funktions-Templates `interpolSearch()`, `insertionSort()` und `display()` sollen Template-Funktionen für den Typ `double` und `short` erzeugt werden. Definieren Sie zu diesem Zweck einen Vektor mit `double`-Werten und einen Vektor mit `short`-Werten ihrer Wahl.

  Schreiben Sie eine `main`-Funktion, in der je eine Template-Funktion `insertionSort()` für den Typ `int` und für den Typ `double` erzeugt und aufgerufen wird. Lassen Sie anschließend den sortierten Vektor anzeigen.

  Ergänzen Sie die `main`-Funktion, indem Sie jede Template-Funktion `search()` aufrufen, und zwar mit einem Wert, der im Vektor vorhanden bzw. nicht vorhanden ist.

Übungen (Fortsetzung)

Die bereits definierte Klasse FloatVek

```cpp
class FloatVek    // Mit neuer Bedeutung des Operators +=
{                 // und ohne den Operator +.
  private:
   float* vekPtr;    // Dynamisches Element
   int max;          // Maximale Anzahl, ohne
                     // erneut Speicher zu reservieren.
   int anz;          // Aktuelle Anzahl Elemente

   void expand( int neueGroesse);   // Hilfsfunktion, die
                               // den Vektor vergrößert.
  public:
   FloatVek( int n = 256 );
   FloatVek( int n, float wert);

   FloatVek(const FloatVek& src);
   FloatVek(FloatVek&& src);

   ~FloatVek();

   FloatVek& operator=( const FloatVek& );
   FloatVek& operator=( FloatVek&& );

   int  length() const { return anz; }

   float& operator[](int i) throw(BadIndex);
   float operator[](int i) const  throw(BadIndex);

   void append( float wert);
   void append( const FloatVek& v);

   void insert( float wert, int pos) throw(BadIndex);
   void insert( const FloatVek& v, int pos )
                                   throw(BadIndex);

   void remove(int pos) throw(BadIndex);

   friend ostream& operator<<( ostream& os,
                         const FloatVek& v);

};
```

2. Aufgabe

Es soll ein Klassen-Template `Vektor<T, n>` zur Darstellung von Vektoren mit maximal n Elementen vom Typ T definiert werden. Beim Versuch, ein Vektorelement mit einem unzulässigen Index anzusprechen, soll eine Exception vom Typ der bereits definierten Fehlerklasse `BadIndex` ausgelöst werden. Falls beim Einfügen kein Platz mehr im Vektor verfügbar ist, soll eine Exception vom Typ `OutOfRange` ausgelöst werden.

- Definieren Sie zunächst die Fehlerklasse `OutOfRange` ohne Datenelemente. Übernehmen Sie die bereits definierte Fehlerklasse `BadIndex` (vgl. 1. Aufgabe in Kapitel 28)

- Ändern Sie die bereits definierte Klasse `FloatVek` in ein Klassen-Template `Vektor<T, n>` . Als Default-Wert für den Parameter n des Klassen-Templates ist der Wert 255 vorzusehen.

  Der Speicherplatz für den Vektor wird jetzt statisch zur Verfügung gestellt. Es soll ein Default-Konstruktor sowie ein Konstruktor, der eine vorgegebene Anzahl von Vektorelementen mit einem festen Wert versieht, definiert werden. Ein Kopierkonstruktor, der Destruktor und der Zuweisungsoperator müssen nicht mehr selbst definiert werden.

  Als Zugriffsmethoden sind eine Methode `size()`, die die maximale Anzahl Vektorelemente – also n – zurückgibt, und eine Methode `length()`, die die aktuelle Anzahl Elemente im Vektor liefert, zu definieren.

  Daneben sind die Methoden zum Einfügen und Löschen, wie sie auch für die Klasse `FloatVek` entwickelt wurden, zu definieren. Die Methoden haben den Returntyp `void` und lösen Exceptions vom Typ `BadIndex` und/bzw. `OutOfRange` aus.

  Außerdem sollen der Indexoperator und der Shift-Operator `<<` überladen werden. Der Indexoperator löst Exceptions vom Typ `BadIndex` aus.

- Das Klassen-Template `Vektor<T,n>` soll zunächst für die Typen `double` und `int` getestet werden. Vereinbaren Sie entsprechende Vektoren, in denen Sie Elemente einfügen und löschen. Lassen Sie alle Vektorelemente ausgeben.

- Erweitern Sie das Testprogramm, indem Sie einen Vektor für Objekte einer Klasse anlegen. Sie können dazu die Klasse `DayTime` aus der 1. Aufgabe von Kapitel 19 verwenden.

  Testen Sie das Vektor-Template, indem Sie einen Vektor mit fünf Elementen der Klasse `Time` definieren und einige Elemente einfügen. Lassen Sie dann alle Elemente auf dem Bildschirm anzeigen.

Lösungen

Zur 1. Aufgabe:

```cpp
// ---------------------------------------------------------
// interpol.cpp : Die Template-Funktion interpolSearch()
// ---------------------------------------------------------
#include <iostream>
using namespace std;

template <class T>
long interpolSearch(const T& key, T* vp, int len)
{
    int  expect, begin = 0, end = len - 1;
    double temp;

    if( end < 0                        // Vektor leer
        || key > vp[end]               // oder key nicht im
        || key < vp[begin] )           // Bereich des Vektors
        return -1;

    while( begin <= end )
    {
        if(key > vp[end] || key < vp[begin] ) // key nicht
            return -1;                 // im Bereich
        temp = (double)(key - vp[begin])
               / (vp[end]-vp[begin]);
        temp = temp * (end - begin) +0.5;
        expect = begin + (int)temp;
        if( vp[expect] == key )        // Schlüssel gefunden?
            return expect;
        if( vp[expect] > key)
            end = expect - 1;
        else begin = expect+1;
    }
    return -1;
}

template <class T>
void insertionSort( T* vp, int len)
{
    T temp;
    for( int i=0; i < len; i++)
    {
        temp = vp[i];        // Element herausnehmen.
        int j;               // Größere Elemente hochshiften:
        for( j = i-1; j >= 0 && vp[j] > temp; j--)
            vp[j+1] = vp[j];
        vp[j+1] = temp;             // Einfügen.
    }
}
```

```cpp
template <class T>
void display(T* vp, int len)
{
    cout << "\n\nDer Vektor: " << endl;
    for(int i = 0; i < len; i++)
    {
        cout << vp[i] << "  ";
        if( (i+1)%10 == 0)
            cout << endl;
    }
    cout << endl; cin.get();
}

// Zwei Vektoren zum Testen:
short  sv[5] = { 7, 9, 2, 4, 1};
double dv[5] = { 5.7, 3.5, 2.1, 9.4, 4.3 };

int main()
{
    cout << "\nInstantiierung für Typ short: " << endl;
    display(sv, 5);

    insertionSort(sv, 5);
    cout << "\nNach dem Sortieren: ";
    display(sv, 5);

    short key;
    cout << "\nVektorelement? ";  cin >> key; cin.sync();
    int pos = interpolSearch(key, sv, 5);
    if( pos != -1)
        cout << "\nGefunden!" << endl, cin.get();
    else
        cout << "\nNicht gefunden!" << endl, cin.get();
    // -------------------------------------------------
    cout << "\nInstantiierung für Typ double: " << endl;
    display(dv, 5);

    insertionSort(dv, 5);
    cout << "\nNach dem Sortieren: ";
    display(dv, 5);

    double dkey;
    cout << "\nVektorelement? "; cin >> dkey; cin.sync();
    pos = interpolSearch(dkey, dv, 5);
    if( pos != -1)
        cout << "\nGefunden!" << endl, cin.get();
    else
        cout << "\nNicht gefunden!" << endl, cin.get();

    return 0;
}
```

Lösungen (Fortsetzung)

Zur 2. Aufgabe:

```cpp
// -------------------------------------------------------
// vektor.h
// Darstellung von Vektoren durch Klassen-Templates
// -------------------------------------------------------
#ifndef _VEKTOR_H_
#define _VEKTOR_H_

#include <iostream>
#include <iomanip>
using namespace std;

class BadIndex
{
  private:
    int index;
  public:
    BadIndex(int i):index(i){}
    int getBadIndex() const { return index; }
};

class OutOfRange {   /* Ohne Datenelemente */ };

template <class T, int n = 256>
class Vektor
{
   private:
     T    vek[n];          // Der Vektor
     int anz;              // Aktuelle Anzahl der Elemente

   public:
     Vektor( ){ anz = 0;}
     Vektor(int n, const T& wert );

     int  length() const { return anz; }
     int  size()   const { return n; }

     T& operator[](int i) throw(BadIndex)
     {
        if( i < 0 || i >= anz ) throw BadIndex(i);
        return vek[i];
     }
     const T&  operator[](int i) const throw(BadIndex)
     {
        if( i < 0 || i >= anz ) throw BadIndex(i);
        return vek[i];
     }

     Vektor& operator+=( float wert) throw(OutOfRange)
```

```
        {
            append( wert);    return *this;
        }

        Vektor& operator+=(const Vektor& v)   throw(OutOfRange)
        {
            append(v);    return *this;
        }

        void append( T wert) throw(OutOfRange);
        void append( const Vektor& v) throw(OutOfRange);
        void insert( T wert, int pos)
                                    throw(BadIndex, OutOfRange);
        void insert ( const Vektor& v, int pos )
                                    throw(BadIndex, OutOfRange);
        void remove(int pos) throw(BadIndex);
};

template <class T, int n >
Vektor<T,n>::Vektor(int m, const T& wert )
{
    anz = m;
    for(int i=0; i < anz; i++ )
        vek[i] = wert;
}

template <class T, int n >
void Vektor<T,n>::append( T wert) throw(OutOfRange)
{
    if( anz < n)
        vek[anz++] = wert;
    else
        throw OutOfRange();
}

template <class T, int n >
void Vektor<T,n>::append( const Vektor<T,n>& v) throw
                                        (OutOfRange)
{
    if( anz + v.anz > n)                // Nicht genug Platz
        throw OutOfRange();

    int anzahl = v.anz;                 // falls v == *this
                                        // notwendig.
    for( int i=0; i < anzahl; ++i)
        vek[anz++] = v.vek[i];
}
```

Lösungen (Fortsetzung)

```cpp
template <class T, int n >
void Vektor<T,n>::insert( T wert, int pos)
                                  throw(BadIndex, OutOfRange)
{
   insert( Vektor<T,n>(1,wert), pos);
}


template <class T, int n >
void Vektor<T,n>::insert( const Vektor<T,n>& v, int pos )
                                  throw(BadIndex, OutOfRange)
{
   if( pos < 0 || pos >= anz)
      throw BadIndex();              // unzulässige Position.

   if( n < anz + v.anz)
      throw OutOfRange();

   int i;
   for( i = anz-1; i >= pos; --i)    // Ab pos nach oben
      vek[i+v.anz] = vek[i];         // schieben.

   for( i = 0; i < v.anz; ++i)       // Lücke füllen.
      vek[i+pos] = v.vek[i];
   anz = anz + v.anz;
}


template <class T, int n >
void Vektor<T,n>::remove(int pos) throw(BadIndex)
{
   if( pos >= 0 && pos < anz)
   {
      for( int i = pos; i < anz-1; ++i)
         vek[i] = vek[i+1];
      --anz;
   }
   else  throw BadIndex(pos);
}


template <class T, int n>
ostream& operator<<( ostream& os,
                              const Vektor<T,n>& v)
{
   int w = os.width();          // Feldbreite merken.

   for( int i = 0; i < v.anz; ++i)
   {
       os.width(w);     os << v [i];
   }
   os << endl;
   return os;
}
```

```
#endif
// ----------------------------------------------------
// DayTime.h
// Die Klasse DayTime mit allen Vergleichsoperatoren,
// den Operatoren ++ und -- (Präfix und Postfix)
// sowie den Operatoren << und >> für Ein- und Ausgabe.
// ----------------------------------------------------

// Unverändert wie in Kapitel 19.


// -----------------------------------------------------
// vektor_t.cpp
// Zum Testen des Klassen-Templates Vektor<T,n>
// -----------------------------------------------------

#include "vektor.h"
#include "DayTime.h"
#include <cstdlib>
#include <iostream>
#include <iomanip>
using namespace std;

typedef Vektor<int, 100>   IntVek;
typedef Vektor<double>     DoubleVek;

typedef Vektor<DayTime, 5> DayTimeVek;

int main()
{
  try
  {
    const DoubleVek vd(10, 9.9);
    DoubleVek kd;

    cout << "\nHier der konstante double-Vektor: \n";
    cout << setw(8) << vd;

    kd = vd;
    cout <<   "\nEin double-Vektor nach der Zuweisung:  "
         << endl;
    cout << setw(8) << kd;

    kd.remove(3);          // Element beim Index 3
                           // löschen.
    kd.append(10.0);       // Neues Element hinzufügen.
    kd.append(20.0);       // Und noch einmal!

    cout <<   "\nHier der geänderte double-Vektor: "
         << endl;
    cout << setw(8) << kd;
```

Lösungen (Fortsetzung)

```
    IntVek vi;

    int i;
    for(i=0; i < 10; i++)
        vi.append(rand()/100);

    cout << "\nHier der int-Vektor: \n";
    cout << setw(5) << vi;

    vi += vi;
    cout << "\nUnd verdoppelt: \n";
    cout << setw(5) << vi;

    IntVek ki(vi);
    cout << "\nHier die Kopie des int-Vektors: \n";
    cout << setw(5) << ki;

    DayTimeVek vt;      // Vektor mit DayTime-Objekten.
    DayTime temp;

    for(i=0; i < 3; i++)
    {

        if( !(cin >> temp))
            break;
        vt.append(temp);
    }

    cout << "\nDer Vektor mit Objekten vom Typ DayTime:\n";
    cout << setw(20) << vt << endl;
}
catch(BadIndex& err)
{
    cerr << "\nIndex " << err.getBadIndex()
         << " unzulässig";
    exit(1);
}
catch(OutOfRange& )
{
    cerr << "\nVektor voll!";
    exit(2);
}

    return 0;
}
```

Kapitel 33

Container

Dieses Kapitel beschreibt die Standardklassen zur Darstellung von Containern, mit denen Objektsammlungen in effizienter Weise verwaltet werden können. Dazu gehören:

- sequenzielle Container, wie Listen, Stacks und Queues
- assoziative Container zur Darstellung von Sets, Multisets, Maps und Multimaps
- ungeordnete assoziative Container zur Darstellung von Hash-Tabellen.

Neben der Handhabung von Containern werden auch typische Anwendungsbeispiele, wie z.B. Routing-Verfahren und eine Passwort-Verwaltung mit Hash-Tabellen, vorgestellt.

Arten von Containern

Sequenzielle und assoziative Container

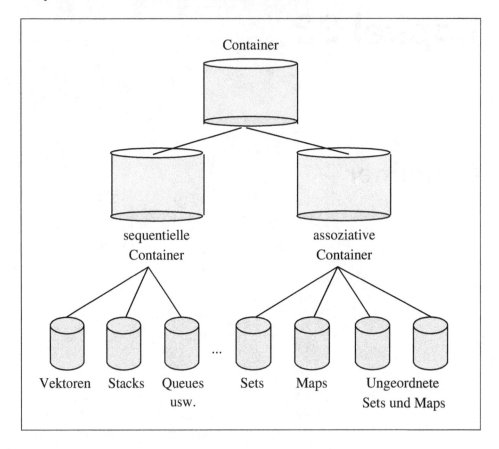

Der Begriff Container

Container speichern Objekte gleichen Typs und stellen Operationen zur Verwaltung dieser Objekte zur Verfügung. Zu den Operationen gehören z.B. das Einfügen, Löschen und Hervorholen von Objekten. Die Speicherverwaltung für Container erfolgt zur Laufzeit dynamisch. Container bieten damit eine bequeme und sichere Handhabung von Objektsammlungen.

Die Standardbibliothek von C++ stellt in der *Containers Library* zahlreiche Klassen-Templates zur Darstellung von Containern bereit. Diese Klassen gliedern sich in zwei Gruppen:

- **sequenzielle Container** (engl. *sequences*), bei denen die Objekte sequenziell angeordnet sind und der Zugriff auf ein Objekt entweder direkt oder sequenziell erfolgt.

- **assoziative Container** (engl. *associative containers*), die Objekte auf effiziente Weise in einer Baumstruktur oder in einer Hash-Tabelle verwalten. Die Objekte werden mit Hilfe von Schlüsseln angesprochen.

Sequenzielle Container

Sequenzielle Container unterscheiden sich durch die Operationen, die in größerer Allgemeinheit oder in eingeschränkter Form zur Verfügung gestellt werden. Operationen in eingeschränkter Form, wie z.B. das Einfügen nur am Ende eines Containers, haben eine konstante Laufzeit. Das heißt, die Laufzeit ist proportional zu einer festen Zeit, und zwar unabhängig von der Anzahl Objekte im Container.

Zu den sequenziellen Containern gehören u.a.:

- **Vektoren**, die die für C-Vektoren üblichen Operationen bieten, im Unterschied zu C-Vektoren aber dynamisch wachsen und schrumpfen.

- **Queues** (dt. Warteschlangen), die nach dem FIFO-Prinzip (engl. *First In, First Out*) verwaltet werden. Das zuerst eingefügte Element wird stets als erstes wieder entnommen.

- **Stacks** (dt. Kellerstapel), die nach dem LIFO-Prinzip (engl. *Last In, First Out*) verwaltet werden. Das zuletzt eingefügte Element wird stets als erstes wieder entfernt.

Assoziative Container und ungeordnete assoziative Container

Zu den assoziativen Containern gehören *Sets* und *Maps*, die Objekte anhand von sortierbaren Schlüsseln in Bäumen unterhalten und so einen schnellen Zugriff ermöglichen.

Die ungeordneten assoziativen Container verwalten Objekte in Hash-Tabellen. Für die Schlüssel muss lediglich eine Gleichheitsrelation definiert sein.

Sequenzielle Container-Klassen

Operationen für sequenzielle Container

Klassen-Template	Laufzeiten für das Einfügen und Löschen eines Objekts
`vector<class T, class Allocator` `           = allocator<T> >`	Am Ende konstant. Am Anfang und in der Mitte linear.
`list<class T,    class Allocator` `           = allocator<T> >`	In jeder Position konstant.
`deque<class T,   class Allocator` `           = allocator<T> >`	Am Anfang und am Ende konstant. In der Mitte linear.

Adapterklassen

Klassen-Template	Einfügen	Löschen
`stack<class T,   class Container` `           = dequeue<T> >`	am Ende	am Ende
`queue<class T,   class Container` `           = dequeue<T> >`	am Ende	am Anfang

`priority_queue<class T,`
`     class Container = vector<T>,`
`     Compare=less<T> >`
	gemäß Priorität	am Anfang

Sequenzielle Container und Header-Dateien

Container-Klasse	Header-Datei
`vector<T, Allocator>`	`<vector>`
`list<T, Allocator>`	`<list>`
`deque<T, Allocator>`	`<deque>`
`stack<T, Container>`	`<stack>`
`queue<T, Container>`	`<queue>`
`priority_queue<T,` `     Container, Compare >`	`<queue>`

Darstellung sequenzieller Container

Zur Darstellung von Containern sind in der *Containers Library* sog. *Container-Klassen* definiert. Das sind Klassen-Templates, die über den Typ T der zu verwaltenden Objekte parametrisiert sind.

Für sequenzielle Container sind drei grundlegende Klassen-Templates definiert:

- Die Container-Klasse vector<T, Allocator> unterstützt die für Vektoren üblichen Operationen, wie den direkten Zugriff auf einzelne Objekte mit dem Indexoperator [] sowie schnelles Einfügen und Löschen am Ende des Containers. Die Laufzeit zum Einfügen und Löschen am Anfang oder in der Mitte eines Containers ist jedoch linear, d.h. proportional zur Anzahl der im Container enthaltenen Objekte.

- Die Container-Klasse list<T, Allocator> bietet die für doppelt verkettete Listen typischen Funktionalitäten. Dazu gehören schnelles Einfügen und Löschen in beliebigen, vorgegebenen Positionen. Daneben sind auch allgemeine Listenoperationen, wie z.B. Sortieren und Mischen, definiert.

- Die Container-Klasse deque<T, Allocator> (engl. *double ended Queue*, sprich: deck) verfügt wie ein Vektor über direkten Zugriff mit dem Indexoperator und ist für Einfüge- und Löschoperationen am Anfang und am Ende des Containers optimiert. In der Mitte eines Containers haben dieselben Operationen eine lineare Laufzeit.

Der zweite Template-Parameter legt das zu verwendende Speichermodell fest. Das Speichermodell wird durch eine sog. *Allokator-Klasse* dargestellt, die über den Typ T der Objekte parametrisiert ist. Sie ermöglicht die dynamische Speicherverwaltung für Objekte vom Typ T. Der Default-Wert des Template-Parameters ist die *Standard-Allokator-Klasse* allocator<T>, die mit den Operatoren new und delete Speicher reserviert und freigibt.

Adapterklassen

Aus den obengenannten grundlegenden Klassen zur Darstellung sequenzieller Container werden die sog. *Adapterklassen* konstruiert. Eine Adapterklasse erhält einen sequenziellen Container als Template-Argument und speichert ihn in einem protected-Datenelement.

Nebenstehend sind die verschiedenen Adapterklassen zusammengestellt. Das Template priority_queue stellt Warteschlangen mit Prioritäten dar. Zur Verwaltung der Prioritäten werden Schlüssel verwendet, für die in der *Comparator-Klasse* Compare eine Vergleichsrelation definiert ist. Der Default-Wert des Template-Parameters ist die vordefinierte Comparator-Klasse less<T>, die den Kleiner-Operator < für den Typ T verwendet.

Iteratoren

Iterieren in Listen

```
// Eine Liste mit int-Werten ausgeben.
// ---------------------------------------------------
#include <list>
#include <iostream>
using namespace std;
typedef list<int> INTLIST;              // int-Liste

int display(const INTLIST& c)
{
   int z = 0;                          // Zähler
   INLIST::const_iterator pos;         // Iterator

   for( pos = c.begin(); pos != c.end(); pos++, z++)
     cout << *pos << endl;
   cout << endl;

   return z;
}
```

Iterieren in Vektoren

```
// iterat_t.cpp: Einen Vektor mit Konten ausgeben.
// ---------------------------------------------------
#include <vector>
#include <iostream>
using namespace std;

#include "konto.h"
typedef vector<Konto> KontoVec;         // Kontenvektor

void display(const KontoVec& v)
{
   KontoVec::const_iterator pos = v.begin(); // Iterator
// oder:
// auto pos = v.begin();
   for( ; pos < v.end(); pos++)
       pos->display();
   cout << endl;
}
```

Positionieren und Iterieren in Containern

Jedes Objekt in einem Container besitzt eine bestimmte Position, in der es abgelegt ist. Um mit den Objekten eines Containers arbeiten zu können, müssen die Positionen der Objekte im Container erreichbar sein. Es muss also einen Mechanismus geben, der es mindestens erlaubt,

● an jeder Position auf das entsprechende Objekt lesend und/oder schreibend zuzugreifen und

● von der Position eines Objekts zur Position des nächsten Objekts im Container zu wechseln.

Diese Situation ist von Zeigern her vertraut: Ist p ein Zeiger auf ein Vektorelement, so ist *p das Vektorelement und mit ++p wird der Zeiger auf das nachfolgende Element gesetzt. *Iteratoren* sind eine Abstraktion von Zeigern. Sie wurden in C++ eingeführt, um für unterschiedliche Container eine einheitliche Basis zum Positionieren und Iterieren zu schaffen.

Arten von Iteratoren

In dem Zusammenhang sind zwei Arten von Iteratoren wichtig:

● **Bidirektionale Iteratoren**, die mit dem Inkrement-Operator ++ vorwärts, mit dem Dekrement-Operator - - rückwärts laufen und mit den Operatoren * und - > schreibend oder lesend auf Objekte zugreifen können.

● **Random-Access-Iteratoren** sind bidirektionale Iteratoren, die zusätzlich wahlfrei positioniert werden können. Hierfür sind der Index-Operator [], die Addition/Subtraktion ganzer Zahlen und der Vergleich von Iteratoren definiert.

Die Container vector<T> und deque<T> besitzen Random-Access-Iteratoren. Alle anderen Container, ausgenommen die Adapter-Klassen, besitzen bidirektionale Iteratoren.

Iterator-Klassen

Container-Klassen, die Iteratoren bereitstellen, definieren zur Darstellung ihrer Iteratoren die Datentypen iterator und const_iterator. Ein Iterator vom Typ const_iterator ist ein „Read-only" Iterator und kann auch konstante Objekte referenzieren.

Einen Iterator auf das erste Objekt im Container erhält man mit der Methode begin(). Dagegen gibt die Methode end() einen Iterator zurück, der die Position *hinter* dem letzten Objekt im Container repräsentiert. Diese Methoden liefern für einen konstanten Container einen Read-only Iterator.

Die automatische Typableitung erlaubt die komfortable Definition von Iteratoren. Der Typ des Iterators muss nicht mehr selbst angegeben werden, sondern kann wie im nebenstehenden Beispiel vom Return-Typ der Methoden begin() oder end() abgeleitet werden.

Vereinbarung sequenzieller Container

Die abgeleitete Container-Klasse sortVec<T, Compare>

```
// sortvec.h: Das Klassen-Template SortVec zur
//            Darstellung eines sortierten Vektors
//-----------------------------------------------------
#include <vector>       // Für Klassen-Template vector<T>
#include <functional>  // Für Comparator-Klasse less<T>
using namespace std;

template <class T, class Compare = less<T> >
class SortVec : public vector<T>
{
  public:
    SortVec()   { }
    SortVec(int n, const T& x = T()):vector<T>(n,x){}

    void insert(const T& obj);       // Sortiert Einfügen
    int  search(const T& obj);       // Objekt suchen
    void merge(const SortVec& v);    // Mischen
};
//...
```

Verwenden der Container-Klasse sortVec

```
// sortv_t.cpp :   Zum Testen des Templates SortVec
//-----------------------------------------------------
#include "sortvec.h"

typedef SortVec<int> IntSortVec;

int main()
{
   IntSortVec v, w;              // Default-Konstruktor

   v.insert(2);                  // Einfügen
   v.insert(7); v.insert(1);

   int n = v.search(7);          // Suchen
   //...
   w.insert(3); w.insert(9);     // Einfügen

   v.merge(w);                   // Mischen
   return 0;
}
// Danach enthält der Vektor v die Elemente: 1 2 3 7 9
```

Konstruktoren von vector, list und deque

Zum Anlegen von sequenziellen Containern sind in den Container-Klassen vector, list und deque verschiedene Konstruktoren definiert, insbesondere ein Kopier- und Move-Konstruktor. Ihre Fähigkeiten sind für die verschiedenen Klassen ähnlich und werden im Folgenden am Beispiel der Klasse vector vorgestellt.

Mit der Vereinbarung

Beispiel: `vector<Konto> v;`

wird ein leerer Container v für Objekte vom Typ Konto angelegt. Anschließend können Objekte in den Container eingefügt werden.

In der Definition kann ein Container auch mit einer vorgegebenen Anzahl von Kopien eines Objekts aufgefüllt werden.

Beispiel: `Bruch x(1, 1);`
               `vector<Bruch> cont(100, x);`

Hier wird der Container cont mit 100 Objekten vom Typ Bruch angelegt und mit dem Objekt x aufgefüllt. Ohne Angabe des zweiten Arguments wird ein Objekt mit dem Default-Konstruktor erzeugt und zur Initialisierung aller Vektorelemente verwendet..

Schließlich besteht die Möglichkeit, einen Container mit dem Teil eines anderen Containers zu initialisieren. Hierbei ist ein Bereich von Iteratoren vorzugeben.

Beispiel: `vector<double> v(first,last);`

Die Argumente first und last sind Iteratoren im bereits existierenden Container. Der neue Container v wird dann mit den Objekten aus dem Bereich [first, last) initialisiert: Das sind alle Objekte zwischen den Positionen first (einschließlich) und last (ausschließlich).

Konstruktoren für Adapterklassen

Für die Adapterklassen sind ein Default-, Kopier- und Move-Konstruktor definiert. Ist wait eine bereits definierte Warteschlange vom Typ der Container-Klasse queue<double>, so wird mit

Beispiel: `queue<double> warte(wait);`

eine neue Warteschlange warte angelegt und mit wait initialisiert.

Nebenstehend ist eine abgeleitete Container-Klasse sortVec zur Darstellung sortierter, dynamischer Vektoren definiert. Die Klasse ist über den Typ T der Vektorelemente parametrisiert. Der zweite Template-Parameter ist eine Comparator-Klasse, die ein Vergleichskriterium zum Sortieren darstellt. Wird das Default-Argument less<T> verwendet, muss für T der Operator < definiert sein.

Einfügen in sequenziellen Containern

Methoden zum Einfügen

Methode	Wirkung
`void push_back(const T&x);`	Fügt x hinter dem letzten Objekt in den Container ein.
`void push_front(const T& x);`	Fügt x vor dem ersten Objekt in den Container ein.
`iterator insert(iterator pos, const T& x = T() );`	Fügt x vor der Position pos ein und liefert die Einfügeposition zurück.
`size_type insert(iterator pos, size_type n, const T& x);`	Fügt n Kopien von x vor der Position pos ein und gibt die Anzahl der eingefügten Objekte zurück.
`void insert(iterator pos, InputIterator first, InputIterator last);`	Kopiert die Elemente aus dem Bereich [first,last) vor die Position pos in den Container.

Die Methode insert() der abgeleiteten Klasse SortVec

```
// Die Methode insert() fügt ein neues Objekt am Ende
// des Vektors ein und sortiert es dann ein.
//---------------------------------------------------
template <class T, class Compare >
void SortVec<T, Compare>::insert(const T& obj)
{
   SortVec::iterator  pos, temp;
   push_back(obj);                 // Am Ende einfügen.

   pos = end();  pos--;            // Letzte Position

while( pos > begin())             // Einsortieren:
{
  --pos;
  if( Compare()(obj,*pos) )        // Tauschen:
    { temp = pos; *(++temp) = *pos;  *pos = obj; }
    else    break;
  }
}
```

Methoden zum Einfügen

In den Container-Klassen `vector`, `deque` und `list` sind die Methoden

* `push_back()` zum Einfügen am Ende und

* `insert()` zum Einfügen vor einer vorgegebenen Position

definiert. In den Klassen `list` und `deque` gibt es außerdem die Methode

* `push_front()` zum Einfügen eines Objekts am Anfang.

Diese Methode ist in der Klasse `vector` nicht definiert.

Die Methode `insert()` ist in verschiedenen Versionen überladen. Dabei können ein Objekt, mehrere Kopien eines Objekts oder Kopien von Objekten aus einem anderen Container eingefügt werden. Sind beispielsweise v und w zwei Container vom Typ `vector<double>`, so werden im

Beispiel: `w.insert(w.begin(), v.begin(), v.end());`

die Objekte aus dem Container v vor allen anderen Objekten in w eingefügt.

Die Methode `emplace()` erzeugt aus den übergebenen Argumenten mit einem entsprechenden Konstruktor ein neues Objekt und fügt es in den Container ein. Ist cont ein Objekt vom Typ `vector<Bruch>` und p eine Position im Vektor, so wird im

Beispiel: `cont.emplace(p, 1, 10);`

zunächst der Bruch `1/10` erzeugt und dieser vor p in den Vektor eingefügt.

Laufzeitverhalten

Die Methoden `push_back()` und `push_front()` sind wegen ihrer konstanten Laufzeit bevorzugt einzusetzen. Das Einfügen *eines* Objekts mit `insert()` bzw. `emplace()` hat für die Klasse `list` ebenfalls eine konstante Laufzeit. Für die Klassen `vector` und `deque` ist sie jedoch linear.

Das unterschiedliche Laufzeitverhalten der Methoden ist durch die Implementierung der verschiedenen Container-Klassen bedingt. Container vom Typ `list` werden durch doppelt verkettete Listen dargestellt. Das Einfügen in einer vorgegebenen Position ist deshalb sehr schnell. Die Container-Klassen `vector` und `deque` werden vektoriell dargestellt, das heißt, beim Einfügen in der Mitte müssen Objekte im Container verschoben werden. Deshalb ist die Laufzeit linear.

Einfügen in Adapterklassen

Für die Adapterklassen gibt es die Methoden `push()` und `emplace()` zum Einfügen eines Objekts am Ende bzw. gemäß seiner Priorität. Die Laufzeit ist bei Stacks und Queues konstant, für Priority-Queues hingegen logarithmisch.

Elementzugriff

Die Methode search() von sortVec

```
// sortvec.h
// Die Methode search() sucht ein Objekt mit dem
// binären Suchverfahren im Container.
// Hierbei wird das Objekt mit dem mittleren Element
// im Vektor verglichen. Ist das Objekt kleiner, so
// wird in der linken Hälfte, andernfalls in der
// rechten Hälfte weitergesucht.
// Das binäre Suchverfahren hat eine logarithmische
// Laufzeit und ist damit sehr schnell.
// Return-Wert: Index mit dem gefundenen Objekt
//              oder -1, falls nicht vorhanden.
// -----------------------------------------------------
template <class T, class Compare >
int SortVec<T, Compare>::search(const T& obj)
{
  int first = 0, last = end() - begin() - 1, mid;

  while( first < last )
  {
      mid = (first + last + 1)/ 2;
                              // In unterer Hälfte suchen:
      if( Compare() (obj, (*this) [mid]) )
          last = mid - 1;
      else first = mid;        // bzw. in oberer Hälfte.
  }

  if ( obj == (*this)[first] )  // Gefunden?
        return first;           // Ja.
  else  return -1;              // Nicht gefunden.
}
```

 Kommt ein Objekt mehrfach im Vektor vor, so liefert die Methode den größten Index

Die Methoden front() und back()

Für den Zugriff auf einzelne Objekte sind in den Containers-Klassen vector, deque und list die Methoden

- front() für den Zugriff auf das erste Element und

- back() für den Zugriff auf das letzte Element

definiert. Beide Methoden liefern eine Referenz auf das entsprechende Objekt.

Beispiel: double z = v.front();
              v.front() = 1.9;

Hier wird das erste Objekt im Container v zunächst in der Variablen z gesichert und anschließend überschrieben.

Zugriff mit Indizes

Um auf Objekte eines Containers über Indizes zugreifen zu können, wurde in den Klassen vector und deque der Indexoperator [] überladen. Ein Index ist eine nicht negative ganze Zahl vom Typ size_type.

Beispiel: v[20] = 11.2;   // das 21. Objekt

Ist pos ein Iterator, der das erste Objekt im Container v referenziert, so ist der Ausdruck v[20] äquivalent zu pos[20].

Bei der Verwendung des Indexoperators muss der Programmierer selbst dafür sorgen, dass ein Index den zulässigen Bereich nicht überschreitet. Soll eine Exception ausgelöst werden, sobald ein Index den zulässigen Bereich verlässt, so kann die Zugriffsmethode at() verwendet werden.

Beispiel: v.at(20) = 11.2;

Die Methode at() löst im Fehlerfall eine Exception vom Typ der Standardfehlerklasse out_of_range aus.

In der Klasse list sind der Indexoperator und die Methode at() nicht definiert. Soll beispielsweise das zehnte Objekt im Container bearbeitet werden, so muss man den Container bis zu dieser Position sequenziell durchlaufen.

Elementzugriff für Adapterklassen

In den Adapterklassen priority_queue und stack ist die Methode top() für den Zugriff auf das Element mit der höchsten Priorität bzw. an der Stack-Spitze definiert.

Die Klasse queue besitzt die Methoden front() und back(), um auf das erste bzw. letzte Element zuzugreifen.

Größe von Containern

Die Methode merge() der Klasse sortVec

```
// sortvec.h:  Die Methode merge() mischt einen als
//             Argument übergebenen sortierten Vektor
//             in den Vektor *this.
// --------------------------------------------------
template <class T, class Compare >
void SortVec<T,Compare>::merge(const SortVec<T, Compare>& v)
{
  SortVec temp;                          // Temporärer Vektor
  SortVec::iterator pos = begin();  // Iterator
  int n1 = 0, n2 = 0;

        // Das jeweils kleinere Objekt in temp kopieren:
  while(n1 < size() &&  n2 < v.size())
    if( Compare()(pos[n1], v[n2]) ) // if(pos[n1] < v[n2] )
      temp.push_back(pos[n1++]);
    else
        temp.push_back(v[n2++]);
                                    // Rest anhängen:
  while( n1 < size())
    temp.push_back(pos[n1++]);

  while( n2 < v.size())
    temp.push_back(v[n2++]);

  this->swap(temp);               // effektiver als *this = temp;
}
```

Zu den Kennzahlen eines Containers gehören:

- die *Größe*, das ist die Anzahl der im Container enthaltenen Objekte, und

- die *maximale Größe*, das ist die maximale Anzahl von Objekten, die im Container gespeichert werden können.

Die Größe eines Containers ändert sich mit jeder Einfüge- und Löschoperation.

Größe eines Containers

Die Größe eines Containers wird mit der Methode `size()` abgefragt. Die Methode gibt eine Ganzzahl vom Typ `size_type` als Return-Wert zurück.

Beispiel: `Bruch x(1, 1); vector<Bruch> v(100, x);`
`vector<Bruch>::size_type sz = v.size();`

Die Variable `sz` enthält dann den Wert `100`. Die Größe eines leeren Containers ist stets `0`. Die Situation kann auch mit der Methode `empty()` abgefragt werden, welche in dem Fall `true` liefert.

Beispiel: `while( !cont.empty() ) ...`

Die Methoden `size()` und `empty()` sind in allen Container-Klassen definiert. Die Methode `resize()` ändert die Größe eines Containers.

Beispiel: `cont.resize( n, x);`

Die Größe wird auf n erhöht, falls `n > size()` gilt, bzw. verringert, falls `n < size()` gilt. Im Fall von `n == size()` passiert nichts.

Bei einer Erhöhung der Größe werden `n - size()` Kopien des Objekts x am Ende des Containers angehängt. Das zweite Argument x kann auch weggelassen werden. Dann wird entsprechend oft der Default-Konstruktor für ein Objekt vom Typ T aufgerufen.

Maximale Größe und Kapazität

Die maximale Größe eines Containers liefert die Methode `max_size()`.

Beispiel: `size_type k = cont.max_size();`

Der zurückgegebene Wert ist vom verfügbaren Speicher und der Größe eines Objekts abhängig. Für die Klasse `vector<T>` ist außerdem die *Kapazität* definiert. Das ist die Anzahl Objekte, die ein Verktor speichern kann, ohne erneut Speicherplatz anfordern zu müssen. Die Kapazität kann mit der Methode `capacity()` abgefragt und mit `reserve()` vergrößert werden.

Für Adapter-Klassen sind nur die Methoden `size()` und `empty()` definiert. Es kann also weder die maximale Größe abgefragt noch die Größe mit `resize()` verändert werden.

Löschen in sequenziellen Containern

Eine PriorityQueue

```cpp
// prior_t.cpp : Zum Testen einer Priority-Queue
// ------------------------------------------------
#include <queue>
#include <string>
#include <iostream>
using namespace std;

class Paket
{
  private:
   unsigned int prio;                    // Priorität
   string info;
  public:
   Paket(unsigned int p, const string& s)
                                :prio(p), info(s) {}
   // Zugriffsmethoden, ... überladene Operatoren:
   friend bool operator<(const Paket& x1,const Paket& x2)
   { return (x1.prio < x2.prio); }
   friend ostream& operator<<(ostream& os,const Paket& x)
   { os << x.prio << "  "<<  x.info; return os; }
};

int main()
{
   priority_queue<Paket>  pq;

   pq.push(Paket(7,"Uwe"));      // Einfügen
   pq.push(Paket(1,"Peter"));
   pq.push(Paket(4,"Susanne"));

   while( !pq.empty() )
   {
     cout << pq.top() << endl; // Anschauen
     pq.pop();                  // Löschen
   }
   return 0;
}

// Ausgabe:    7  Uwe
//             4  Susanne
//             1  Peter
```

Methoden zum Löschen

Zum Löschen von Objekten stehen in den Container-Klassen `vector`, `deque` und `list` folgende Methoden zur Verfügung:

- `pop_back()` löscht das letzte Objekt im Container.
- `erase()` löscht das Objekt in einer vorgegebenen Position bzw. löscht die Objekte in einem vorgegebenen Bereich.
- `clear()` löscht alle Elemente in einem Container.

In den Klassen `deque` und `list` ist außerdem folgende Methode definiert:

- `pop_front()` löscht das erste Objekt im Container.

Die Methode besitzt wie die Methode `pop_back()` keinen Return-Wert.

Die Methoden `pop_back()` und `pop_front()` sind wegen ihrer konstanten Laufzeit bevorzugt einzusetzen. Das Löschen eines Objekts am Anfang oder in der Mitte mit der Methode `erase()` hat für die Container-Klasse `list` ebenfalls eine konstante Laufzeit. Für die Klassen `vector` und `deque` ist die Laufzeit jedoch linear, da zum Füllen der „Lücke" im Container Objekte verschoben werden müssen.

Löschen von Teilbereichen

Beim Löschen von Objekten aus einem vorgegebenen Bereich mit der Methode `erase()` wird die Position des ersten zu löschenden Elements und die Position *hinter* dem letzten zu löschenden Element als Argument angegeben.

Beispiel: `cont.erase(cont.begin() + 10, cont.end());`

Hier werden ab dem elften Element die restlichen Objekte im Container gelöscht. Die Methode `erase()` liefert die neue Position des Objekts hinter den zu löschenden Objekten zurück.

Löschen in Adapterklassen

Für die Adapterklassen gibt es nur eine Methode zum Löschen, nämlich `pop()`. Ist `wait` eine Warteschlange vom Typ `queue`, so wird mit

Beispiel: `wait.pop();`

das Element am Anfang der Warteschlange gelöscht. Für einen Stack löscht `pop()` das Element an der Stack-Spitze, für eine Warteschlange mit Prioritäten das Objekt mit der höchsten Priorität. In jedem Fall ist die Laufzeit konstant.

Listenoperationen

Beispielprogramm

```cpp
// list_t.cpp:  Zum Testen von Listenoperationen
// -----------------------------------------------------
#include <list>
#include <cstdlib>
#include <iostream>
using namespace std;

typedef list<int>  INTLIST;
int display( const INTLIST& c);

int main()
{
  INTLIST ls, sls;
  int i;
  for( i=1; i<=3; i++)
    ls.push_back( rand()%10 );   // z.B. 1 7 4

  ls.push_back(ls.front());      // 1 7 4 1

  ls.reverse();                  // 1 4 7 1

  ls.sort();                     // 1 1 4 7

  for( i=1; i<=3; i++)
    sls.push_back( rand()%10 ); // z.B. 0 9 4

  // Erstes Objekt von sls vor letztes von ls:
  INTLIST::iterator pos = ls.end();

  ls.splice(--pos, sls, sls.begin());   // 1 1 4 0 7

  display(sls);                  // 9 4

  ls.sort();                     // 0 1 1 4 7
  sls.sort();                    // 4 9
  ls.merge(sls);                 // 0 1 1 4  4 7 9
  ls.unique();                   // 0 1 4 7 9

  return 0;
}
```

Die Container-Klasse `list` enthält Methoden für Listenoperationen, die in den anderen Container-Klassen nicht definiert sind. Dazu gehören:

- das Sortieren und Invertieren von Listen

- das Mischen von zwei sortierten Listen

- das Verschweißen von Listen (engl. *splice operations*)

Sortieren, invertieren und mischen

Ein Container vom Typ `list`, kurz Listen-Container genannt, wird mit der Methode `sort()` sortiert. Dies setzt voraus, dass in der Klasse T der Operator < definiert ist. Nach dem Aufruf von `sort()` ist der Container in aufsteigender Reihenfolge sortiert.

Mit der Methode `reverse()` wird ein Listen-Container invertiert, das heißt, die Reihenfolge der Objekte im Container wird umgedreht. Das ursprünglich erste Element im Container wird zum letzten, das zweite wird zum vorletzten usw.

Das Mischen von zwei sortierten Listen-Containern geschieht mit der Methode `merge()`. Sind `ls1` und `ls2` zwei sortierte Listen-Container, so ist nach dem Aufruf

Beispiel: `ls1.merge(ls2);`

`ls1` eine sortierte Liste, deren Objekte aus den ursprünglichenObjekten von `ls1` und den Objekten von `ls2` bestehen. Der Container `ls2` ist anschließend leer.

Splice-Operationen

Mit den *Splice-Operationen* (dt. verschweißen) werden Objekte aus einem Listen-Container an eine bestimmte Position eines *anderen* Listen-Containers übernommen und im ursprünglichen Container entfernt. Hierbei kann ein ganzer Container oder ein Teil davon transferiert werden.

Beispiel: `ls1.splice(pos, ls2);`

Hier wird der ganze Container `ls2` *vor* die Position `pos` in `ls1` eingefügt. Danach ist `ls2` leer. Mit der Anweisung

Beispiel: `ls1.splice(pos1, ls2, pos2);`

wird das Element an Position `pos2` von `ls2` *vor* das Element an Position `pos1` von `ls1` eingefügt und dabei in `ls2` gelöscht. Soll der Teil eines Containers übertragen werden, so wird mit dem dritten und vierten Argument die Anfangs- und Endposition übergeben.

Assoziative Container

Container-Klassen

Container-Klasse	Darstellung von

`set< class T,`
`   class Compare = less<T>,`
`   class Allocator = allocator<T> >`
	Objektsammlungen mit eindeutigen, sortierbaren Schlüsseln

`multiset< class T,`
`   class Compare= less<T>,`
`   class Allocator = allocator<T> >`
	Objektsammlungen mit mehrdeutigen, sortierbaren Schlüsseln

`map< class Key, class T,`
`   class Compare= less<T>,`
`   class Allocator =`
`      allocator< pair<const Key,T> >`
	Sammlungen von Objekt-/Schlüssel-Paaren mit eindeutigen, sortierbaren Schlüsseln

`multimap< class Key, class T,`
`   class Compare= less<T>,`
`   class Allocator =`
`      allocator< pair<const Key,T> >`
	Sammlungen von Objekt-/Schlüssel-Paaren mit mehrdeutigen, sortierbaren Schlüsseln

Assoziative Container und Header-Dateien

Container-Klasse	Header-Datei
`set< T, Compare, Allocator >`	`<set>`
`multiset< T, Compare, Allocator >`	`<set>`
`map< Key, T, Compare, Allocator >`	`<map>`
`multimap< Key, T, Compare, Allocator >`	`<map>`

Sequenzielle Container speichern Objekte in linearer Anordnung. Die Suche nach einem bestimmten Objekt benötigt deshalb immer eine lineare Laufzeit. Sind nur wenige Objekte zu verwalten, so bedeutet dies keine wesentliche Verzögerung. Für umfangreiche Objektsammlungen ist dies jedoch ein entscheidender Nachteil.

Darstellung von Sets und Maps

Assoziative Container mit den verschiedenen Klassen zur Darstellung von Sets und Maps bieten hier eine Optimierung. Sie verwalten Objekte in balancierten binären Suchbäumen. Diese sind als AVL-Bäume oder Rot-Schwarz-Bäume implementiert.

Einfüge-, Lösch- und Such-Operationen in Sets und Maps werden anhand von sortierbaren Schlüsseln ausgeführt, und zwar mit logarithmischer Laufzeit. Das heißt, die Laufzeit ist proportional zu log(n), wobei n die Anzahl der Objekte im Container bezeichnet. Da die Logarithmus-Funktion sehr langsam wächst, ist diese Laufzeit „olympisch" schnell.

Eindeutige und mehrdeutige Schlüssel

In einem Set enthält jedes Objekt einen Schlüssel als Komponente. Man spricht deshalb auch vom „eingebetteten Schlüssel". Eine Vergleichsrelation für die Objekte wird anhand dieses Schlüssels definiert. Neben Sets, bei denen die Schlüssel eindeutig sind, können auch sog. *Multisets* gebildet werden, bei denen es mehrere Objekte mit demselben Schlüssel geben kann.

Maps verwalten Schlüssel/Objekt-Paare. Ein Schlüssel ist also nicht im Objekt selbst enthalten, sondern wird separat gespeichert. Der Datentyp der Schlüssel ist Key, und T ist der Typ der Objekte. Eine Vergleichsrelation wird wieder anhand der Schlüssel definiert.

Neben Maps, die nur eindeutige Schlüssel speichern, sind auch *Multimaps* definiert, bei denen es zu einem Schlüssel mehrere Objekte geben kann.

Assoziative Container-Klassen

Nebenstehend sind die verschiedenen Klassen zur Darstellung von Sets, Multisets, Maps und Multimaps zusammengestellt. Der Template-Parameter Compare ist eine Comparator-Klasse und Allocator ist eine Allokator-Klasse. Beide Parameter besitzen Default-Werte, wie sie von sequenziellen Containern her bekannt sind.

Für den Zugriff auf Positionen sind in allen assoziativen Container-Klassen die Methoden begin() und end() definiert, die die Position des ersten bzw. hinter dem letzten Element liefern.

Sets und Multisets

Beispiele für Sets und Multisets

```cpp
// set_t.cpp:  Zum Testen von Sets und Multisets
// ----------------------------------------------------
#include <set>
#include <cstdlib>
#include <ctime>
#include <iostream>
using namespace std;

typedef set<int> IntSet;              // Set

typedef multiset<int> IntMultiSet; // Multiset

int main()
{
   IntSet  lotto;                // Set anlegen

   srand((unsigned) time(NULL));
   while( lotto.size() < 6)     // Einfügen
     lotto.insert(1+ rand()%49 );

   cout << "Hier Ihre Lottozahlen: " << endl;
   for(auto pos = lotto.begin(); pos != lotto.end(); pos++)
       cout << *pos << "   ";
   cout << endl << endl;

   IntMultiSet  ms;              // Multiset anlegen

   for( int i=0; i < 10; i++)    // Einfügen
     ms.insert( rand()%10 );

   cout << "Und hier 10 Zufallszahlen "
        << " zwischen 0 und 10: " << endl;
   for(auto mpos = ms.begin(); mpos != ms.end(); mpos++)
       cout << *mpos << "   ";
   cout << endl;

   return 0;
}
```

Sets und Multisets verwalten Objektsammlungen mit sortierbaren Schlüsseln in effizienter Weise, das heißt, Einfüge-, Lösch- und Suchoperationen können mit logarithmischer Laufzeit ausgeführt werden. Der Schlüssel ist stets Teil eines Objekts, also ein Datenelement, für das in der entsprechenden Klasse eine Vergleichsrelation definiert sein muss. Standardmäßig wird die Kleiner-Relation verwendet, das heißt, für die Klasse muss der Operator < überladen sein.

Vereinbaren von Sets und Multisets

Zum Anlegen von Containern sind in den Container-Klassen `set` und `multiset` je zwei Konstruktoren definiert. Mit dem Default-Konstruktor können Sets und Multisets der Länge `0` angelegt werden. Der zweite Konstruktor fügt Objekte aus einem Bereich von Iteratoren in das neue Set bzw. Multiset ein.

Beispiel:
```
typedef set<Konto> KontoSet;
KontoSet mySet(first, last);
```

Dabei ist `[first, last)` ein Bereich von Iteratoren aus einem bereits existierenden Container, dessen Elemente vom Typ `Konto` sind.

Außerdem gibt es einen Kopier- und Move-Konstruktor, die einen Container mit einem bereits existierenden Container desselben Typs initialisieren.

Einfügen und Löschen

Zum Einfügen stehen die Methoden `insert()` und `emplace()` zur Verfügung. Mit `insert()` können ein einzelnes Objekt oder mehrere Objekte aus einem vorgegebenen Bereich von Iteratoren eingefügt werden. Mit `emplace()` wird ein Objekt zunächst neu erzeugt und dann eingefügt.

Beispiel:
```
mySet.emplace(1234,"Mayer, Hans",100);
```

Im Unterschied zu Multisets wird ein neues Objekt im Set nur dann eingefügt, wenn es im Container noch nicht vorhanden ist.

Mit der Methode `erase()` werden Objekte gelöscht. Hierbei kann das zu löschende Objekt selbst oder seine Position im Container angegeben werden.

Beispiel:
```
mySet.erase(mySet.begin());
```

Hier wird das erste Element im Set `KontoSet` gelöscht.

Es kann auch ein ganzer Bereich von Iteratoren im Container gelöscht werden:

Beispiel:
```
mySet.erase( mySet.begin(), mySet.end() );
```

Um einen ganzen Container zu leeren, kann auch die Methode `clear()` verwendet werden. Mit der Methode `empty()` kann abgefragt werden, ob ein Container leer ist. Die Anzahl der Elemente im Container ist mit der Methode `size()` bestimmbar.

Maps und Multimaps

Verwenden von Multimaps

```cpp
// mulmap_t.cpp:  Zum Testen von Multimaps
// ------------------------------------------
#include <map>
#include <string>
#include <iostream>
using namespace std;

typedef multimap<int, string> MULTI_MAP;
typedef MULTI_MAP::iterator ITERATOR;

int main()
{
    MULTI_MAP  m;               // Multimap anlegen.
    ITERATOR pos;               // Iterator.
                                // Einfügen:
    m.insert(pair<int, string>(7, "Uwe") );
    m.insert(pair<int, string>(3, "Edith"));
    m.insert(pair<int, string>(1, "Dina"));
    m.insert(pair( 1, "Lino")); // Automatische Ermittlung von
                                // Template-Argumenten (C++17).

    cout << "Hier die Multimap: " << endl;

    for(pos = m.begin(); pos!= m.end(); pos++)
        cout << pos->first << "  "
             << pos->second << endl;
    cout << endl;

    pos = m.find(3);            // Paar zum Schlüssel suchen:
    if( pos != m.end())
    cout << pos->first << "  " << pos->second << endl;

    int key = 1;                // Anzahl Objekte bestimmen:
    cout << "Zum Schlüssel " << key << " gibt es "
         <<  m.count(key) << " Objekte " << endl;

    return 0;
}
```

Darstellung von Schlüssel/Objekt-Paaren

Maps und Multimaps speichern Paare von sortierbaren Schlüsseln und Objekten. Der Schlüssel dient wieder zur Identifizierung eines Objekts, wird aber separat gespeichert. Das Vergleichskriterium wird auf die Schlüssel angewendet.

Zur Darstellung von Schlüssel/Objekt-Paaren wird das Klassen-Template `pair<const Key, T>` mit den zwei public-Elementen `first` und `second` verwendet, das im Kapitel 32 vorgestellt wurde. Der erste Template-Parameter `Key` ist der Typ des Schlüssels, der zweite ist der Typ `T` der Objekte. Das Datenelement `first` speichert den Schlüssel und das Element `second` das zugehörige Objekt.

Ist `pos` die Position eines Objekts in einer Map bzw. Multimap, so kann also mit `pos->first` der Schlüssel und mit `pos->second` das zugehörige Objekt angesprochen werden.

Verwenden von Maps und Multimaps

Die Container-Klassen `map` und `multimap` besitzen Konstruktoren mit denselben Fähigkeiten wie die Klassen `set` und `multiset`. Es kann also ein Container der Länge 0 angelegt oder mit einem Teil der Objekte eines bereits existierenden Containers initialisiert werden. Daneben sind auch ein Kopier-und Move-Konstruktor definiert.

Die Methoden `insert()` und `emplace()` fügen Schlüssel-/Objekt-Paare in den Container ein. Die Methode `erase()` ist in mehreren Versionen überladen, um Elemente zu vorgegebenem Schlüssel oder in einer vorgegebenen Position bzw. in einem Bereich zu löschen. Für Maps ist auch der Operator `[]` überladen, der bei lesendem Zugriff zu einem übergebenen Schlüssel das entsprechende Objekt liefert bzw. beim Schreibzugriff das Schlüssel/Objekt-Paar in den Container einfügt.

Für die Suche nach einem Schlüssel/Objekt-Paar gibt es die Methode `find()`, die in den Klassen `map` und `multimap` einen Schlüssel als Argument erwartet. Sie gibt die entsprechende Position im Container zurück. Bei Multimaps, wo es mehrere Objekte mit demselben Schlüssel geben kann, ist dies die erste gefundene Position. War die Suche erfolglos, so wird der Wert von `end()` als Pseudoposition geliefert.

Mit der Methode `count()` kann für einen übergebenen Schlüssel die Anzahl Schlüssel/Objekt-Paare im Container bestimmt werden. Bei Maps liefert die Methode 0 oder 1, je nachdem ob es ein entsprechendes Paar gibt oder nicht. Bei Multimaps kann der Return-Wert natürlich auch größer als 1 sein.

Initialisierungslisten und Range-for-Schleifen

Beispielprogramm

```cpp
// initList.cpp:  Initialisierungslisten und Range-for-loop
// -----------------------------------------------------------
#include <vector>
#include <map>
#include <string>
#include <iostream>
#include "konto.h"
using namespace std;

int main()
{
   int arr[] { 1, 2, 3, 4, 5 };    // int-Array initialisieren.
   for( int& el : arr)             // el ist eine Referenz
   {                               // auf ein Vektorelement.
      el += 10;                    // Jedes Element verändern
      cout << el << "  ";          // und anzeigen.
   }
   cout << endl;

   // Ein vector-Objekt mit Konto-Elementen initialisieren:
   vector<Konto> kontoVec { Konto("Heidi", 12345UL, 1950.99),
                            Konto("Hansi", 54321UL, 1150.99),
                            Konto("Irmi",  98765UL,  950.99) };
   // Vektor anzeigen:
   for( const auto& k : kontoVec)        // k ist eine
      k.display();                       // Read-only-Referenz.

   // Eine Multimap initialisieren.
   multimap<int,string> mmap = { { 5, "Jeany" }, { 3, "Vivi" },
                                 { 5, "Anna" } };

   cout << "Die Multimap enthaelt "
        << mmap.size() << " Elemente:" << endl;
   for( const auto& pair : mmap)
      cout << pair.first << "  " << pair.second << endl;
   cout << endl;
   return 0;
}
```

Weitere Initialisierungsmöglichkeiten

Zusätzlich zu den vorhandenen Möglichkeiten sieht der C++-Standard eine einheitliche Syntax für Initialisierungen vor: In jeder Initialisierung können die Initialisierungswerte in geschweiften Klammern angegeben werden.

Beispiele:
```
int limit1{1000};
int limit2 = {2000};      // Auch möglich.
X obj{"Hans", 12345};     // Konstruktoraufruf
```

Die Verwendung des Gleichheitszeichens ist optional. In der letzten Zeile wird vorausgesetzt, dass die Klasse X einen passenden Konstruktor besitzt.

Auch das Arbeiten mit Containern wurde mit den Neuerungen im C++-Standard komfortabler. So können Container wie gewöhnliche Vektoren mit einer Liste initialisiert und ohne Iteratoren durchlaufen werden, wie die folgenden Abschnitte zeigen.

Initialisierungslisten

Alle Standard-Container, ausgenommen die Adapterklassen, besitzen mindestens einen Konstruktor mit einem Parameter vom Typ der neuen Template-Klasse `initializer_list<T>`. Dies ermöglicht es, einen Container bei der Definition mit einer Liste von Werten in geschweiften Klammern zu initialisieren. Im nebenstehenden Beispielprogramm werden so der Vektor `arr` und die zwei Container `kontoVec` und `mmap` initialisiert.

Das Klassen-Template `initializer_list` ist in der Header-Datei `<initializer_list>` definiert und kann auch für selbstdefinierte Klassen eingesetzt werden, um die Initialisierung mit einer Liste zu ermöglichen.

Range-for-Schleifen

Mit einer *Range-for-Schleife* kann ein Container ohne Angabe von Iteratoren durchlaufen werden. Sie ist sehr übersichtlich und kann für gewöhnliche Vektoren, Initialisierungslisten sowie Standard-Container und eigene Klassen , welche die Methoden `begin()` und `end()` besitzen, eingesetzt werden.

Syntax:
```
for( var_deklaration : objekt_sammlung )
    schleifen_anweisung
```

Mit `var_deklaration` wird eine Variable oder eine Referenz deklariert, die nacheinander alle Objekte in `objekt_sammlung` repräsentiert. Im folgenden Beispiel nimmt die Variable `i` alle Werte der Liste an, so dass jeder Wert angezeigt wird.

Beispiel:
```
for( int i : { 1, 2, 3, 4, 5} )
    cout << i << ' ';
```

Um unnötiges Kopieren zu vermeiden, sollte die „Laufvariable" wie im nebenstehenden Programm als Referenz oder Read-only-Referenz deklariert werden. Mit der Typangabe `auto&` wird der Typ automatisch vom Typ der Objekte in der Objektsammlung abgeleitet.

Hash-Tabellen

Hash-Tabelle

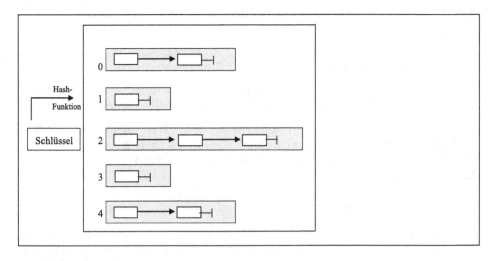

Hash-Funktion für den Typ Customer

```cpp
class Customer
{
  private:
    int id; string name;    // Schlüssel und Kundename
  public:
    Customer(int i=0, const string& s="X"){id=i; name= s;}

    // Zugriffsmethoden getID() usw. und Operatorfunktion:
    friend bool operator==(const Customer& a,
                           const Customer& b)
    {   return a.id == b.id;   }

    // Außerdem Operator <<
};

namespace std   // Spezialisierung im selben Namensbereich,
{               // in dem auch hash<T> definiert ist.
  template<> struct hash<Customer>
  {
    size_t operator()(const Customer& ct) const
    {
      hash<int> int_hash;
      return int_hash(ct.getID());
    }
  };
}
```

Hash-Tabellen

C++ hat ungeordnete assoziative Container eingeführt (s. nächste Doppelseite), die Objekte in Hash-Tabellen verwalten. Eine Hash-Tabelle besteht hierbei aus Einträgen variabler Länge, den so genannten *Buckets* (dt. Eimer), die von 0 beginnend durchnummeriert sind. Jeder Bucket wird als verkettete Liste unterhalten und kann mehrere Objekte speichern.

Beim Anlegen einer Hash-Tabelle wird standardmäßig eine bestimmte Anzahl b von Buckets vorgesehen. Ist n die Anzahl der in der Hash-Tabelle gespeicherten Objekte, so ist der *Belegungsfaktor* (*engl.* load factor) wie folgt definiert:

```
load_factor = n / b
```

Überschreitet der Belegungsfaktor einen vorgegebenen Wert (defaultmäßig: 1), wird die Anzahl b der Buckets vergrößert und die Hash-Tabelle umorganisiert.

Hash-Funktion

Der Zugriff auf ein Objekt in der Hash-Tabelle erfolgt über eine *Hash-Funktion*, die den Schlüssel des Objekts in einen ganzzahligen Wert vom Typ `size_t` umrechnet. Der Funktionswert modulo b ist dann die Nummer des Buckets, in dem das Objekt abgelegt ist. Objekte, deren Schlüssel den gleichen Hash-Wert haben, werden also im selben Bucket gespeichert.

Ist der Belegungsfaktor klein (< 1) und die Hash-Funktion weitgehend injektiv, so ist die Zugriffszeit in der Regel konstant. Dies ist beispielsweise der Fall, wenn jeder Bucket höchstens ein Objekt enthält. Im schlimmsten Fall, etwa wenn alle Objekte im selben Bucket liegen, ist die Zugriffszeit linear.

Das Template hash<T>

Eine Hash-Funktion ist als Objekt vom Typ der Struktur `hash<T>` darstellbar, die über den Typ T der Schlüssel parametrisiert ist und eine Überladung des Operators () zur Verfügung stellt. Für elementare Datentypen, Strings und Zeiger sind Spezialisierungen vordefiniert. Im folgenden

Beispiel: `hash<string> string_hash;`

wird ein Objekt zur Darstellung einer Hash-Funktion vereinbart, das mit dem Aufruf des Operators () einen String in eine Zahl vom Typ `size_t` umrechnet. Man spricht deshalb auch von einem *Funktionsobjekt*.

Nebenstehend ist eine Spezialisierung `hash<Customer>` für die selbst definierte Klasse `Customer` definiert. In der Operatorfunktion wird ein Funktionsobjekt vom Typ `hash<int>` vereinbart, das den Schlüssel `id` der Klasse `Customer` in einen Wert vom Typ `size_t` umrechnet.

Ungeordnete assoziative Container

Ungeordnete Map

```
// unordered_map_t.cpp:  Zum Testen von ungeordneten Maps
// ---------------------------------------------------------

#include <unordered_map>
#include <string>
#include <iostream>
using namespace std;

typedef unordered_map<string, unsigned long> UNORDERED_MAP;

int main()
{
    UNORDERED_MAP  m;        // Ungeordnete Map anlegen.
                             // Einfügen:
    m.insert(pair<string, unsigned long>("Mayer",1234567));
                             // Auch möglich:
    m["Mahler"] = 7654321UL;
    m["Mandel"] = 1357642UL;

    for(auto pos = m.begin(); pos!= m.end(); pos++)
        cout << "Bucketnr. "<< m.bucket(pos->first)<< ":  "
             << pos->first << "  " << pos->second << endl;

    cout << "\nAnzahl Buckets:   "      << m.bucket_count()
         << "\nAnzahl Objekte:   "      << m.size()
         << "\nBelegungsfaktor:  "      << m.load_factor()
         << "\nMax. Belegungsfaktor: " << m.max_load_factor();

    return 0;
}
```

Beispielausgabe des Programms:

```
Bucketnr. 1: Mayer 1234567
Bucketnr. 4: Mahler 7654321
Bucketnr. 0: Mandel 1357642
Anzahl Buckets: 8
Anzahl Objekte: 3
Belegungsfaktor: 0,375
Max. Belegungsfaktor: 1
```

Die ungeordneten assoziativen Container bestehen aus ungeordneten Sets und ungeordneten Maps. Ungeordnete Sets besitzen eingebettete Schlüssel, während ungeordnete Maps Objekt-/Schlüssel-Paare verwalten. Die Schlüssel müssen allerdings nicht wie bei Sets und Maps sortierbar sein. Es ist lediglich erforderlich, die Gleichheit von Schlüsseln überprüfen zu können.

Je nachdem ob die Schlüssel eindeutig sind oder nicht, unterscheidet man ungeordnete Sets und ungeordnete Multisets bzw. ungeordnete Maps und ungeordnete Multimaps. Dies entspricht der Situation bei Sets und Maps.

Klassen-Templates

Die Klassen-Templates unordered_set und unordered_multiset zur Darstellung von ungeordneten Sets und Multisets sind in der Header-Datei unordered_set definiert. Beide sind über den Typ T der zu speichernden Objekte, eine Klasse zur Darstellung der Hash-Funktion, eine Klasse zur Darstellung der Vergleichsrelation und eine Allocator-Klasse parametrisiert.

Beispiel:
```
unordered_set< class T, class Hash = hash<T>,
               class Pred = equal_to<T>,
               class Allocator = allocator<T> >
```

Defaultmäßig werden die Klasse hash<T> und der Operator == vewendet.

Die Klassen-Templates unordered_map und unordered_multimap sind in der Header-Datei unordered_map definiert. Sie sind zusätzlich mit dem ersten Parameter über den Typ Key der Schlüssel parametrisiert, der auch der Parameter für die Hash-Funktion und die Vergleichsrelation ist.

Die Templates zur Darstellung ungeordneter assoziativer Container besitzen Konstruktoren, Methoden zum Einfügen, zum Löschen, zum Suchen, zur Bestimmung der Anzahl Elemente und zum Iterieren, die von den assoziativen Containern her bekannt sind. Dies zeigt auch das nebenstehende Beispiel.

Bucketnummer und Belegungsfaktor bestimmen

Zur Bestimmung der Nummer des Buckets, der ein Objekt enthält, steht die Methode bucket() zur Verfügung. Sie erwartet als Argument den Schlüssel des Objekts. Dies demonstriert auch das nebenstehende Beispiel.

Die Anzahl der reservierten Buckets ist mit der Methode bucket_count() und der aktuelle Belegungsfaktor mit der Methode load_factor() bestimmbar. Die Methode max_load_factor() ermittelt den maximalen Belegungsfaktor (standardmäßig: 1). Sie setzt diesen Wert neu, falls ihr ein Argument vom Typ float übergeben wird. Das Beispielprogramm ruft diese Funktionen auf und zeigt die Informationen über die Hash-Tabelle an.

Hash-Tabellen für selbstdefinierte Typen

Hashtabelle für Objekte vom Typ Customer

```cpp
// unordered_set.cpp
// Demonstriert die Verwendung des Templates unordered_set<T>
// -----------------------------------------------------------
#include <unordered_set>
#include <string>
#include <iostream>
using namespace std;
// Klassen Customer und hash<Customer> wie zuvor

typedef unordered_set<Customer> HashTable;

int main()
{
    HashTable hashtable;
    hash<Customer> hash = hashtable.hash_function();

    hashtable.max_load_factor(2); // Max. Belegungsfaktor: 2
                                  // Zu Testzwecken einfügen:
    for(int i= 1; i <= 15; i++)
       hashtable.emplace(12 + i);
                                       // Bucketweise ausgeben:
    HashTable::const_local_iterator loc_it;
    for(size_t  i = 0; i < hashtable.bucket_count(); i++)
    {
      cout << "Bucketnummer: " << i << endl;
      if(hashtable.bucket_size(i) > 0)
      {
        loc_it = hashtable.begin(i);
        while(loc_it!=hashtable.end(i))
            cout  << "Kunde: " << *loc_it++  << endl;
      }
    }
    cout << "\nAnzahl Buckets: "
         << hashtable.bucket_count()  << endl;
                                          // Bucket suchen:
    cout <<   "Kunde mit Kundennummer 21 suchen. "  << endl;

    auto it = hashtable.find(21);
    cout << "Kunde: " << *it << endl;
    size_t nr = hashtable.bucket(it->getID());
    cout << "Bucketnummer: " << nr << endl;
    cout << "Anzahl Objekte im Bucket: "
         << hashtable.bucket_size(nr) << endl;
    cout << "Hash-Wert: " << hash(*it) << endl;

    return 0;
}
```

Hash-Tabellen für eigene Typen erzeugen

Um eine Hash-Tabelle mit Objekten einer selbstdefinierten Klasse anlegen zu können, ist zweierlei erforderlich:

1. Für die Klasse muss der Vergleichsoperator == überladen werden.

2. Es muss eine Hash-Funktion definiert werden.

Da das Template hash<T> als Defaultwert für ungeordnete assoziative Container verwendet wird, ist die Hash-Funktion durch eine Spezialisierung des Templates definierbar. Hierfür ist lediglich der Operator () zu überladen. Eine Spezialisierung hash<Customer> haben Sie bereits kennengelernt.

Alternativ kann auch eine eigene Klasse so definiert werden, dass die Überladung des Operators () die Hash-Funktion darstellt. Beim Anlegen der Hash-Tabelle ist dann die Klasse als zweites Template-Argument anzugeben.

Im nebenstehenden Beispiel wird ein ungeordnetes Set für Objekte vom Typ Customer angelegt. Da der maximale Belegungsfaktor auf 2 gesetzt ist, werden die 15 eingefügten Objekte so auf die Buckets verteilt, dass jeder Bucket normalerweise bis zu zwei Objekte speichert.

Iterieren in Buckets

Hash-Tabellen können auch bucketweise durchlaufen werden. Zur Darstellung der entsprechenden Iteratoren sind für ungeordnete assoziative Container die Typen local_iterator und const_local_iterator definiert. Ein Iterator dieses Typs referenziert nicht konstante bzw. konstante Objekte.

Außerdem sind die Methoden begin() und end() mit einer Bucketnummer aufrufbar. Der Aufruf begin(i) liefert die Position des ersten Objekts im Bucket mit der Nummer i und end(i) die Position *hinter* dem letzten Objekt im entsprechenden Bucket (0 <= i < bucket_count()).

Hash-Tabellen reorganisieren

Die Anzahl der Buckets in einer Hash-Tabelle wächst dynamisch in Abhängigkeit vom maximalen Belegungsfaktor. Ist dieser Wert erreicht, so wird die Hash-Tabelle reorganisiert, das heißt, die Anzahl Buckets wird vergrößert und die Objekte werden neu verteilt. Dieser Vorgang ist natürlich zeitaufwendig.

Werden viele neue Objekte in eine Hash-Tabelle auf einmal eingefügt, so ist es sinnvoll, die Gesamtzahl der Buckets vor der Reorganisation explizit vorzugeben. Für ein Objekt hashtable vom Typ einer Hash-Tabelle wird im

Beispiel: `hashtable.rehash(500);`

die Gesamtzahl der Buckets auf mindestens 500 gesetzt und die Hash-Tabelle reorganisiert. Bei der Reorganisation verlieren „alte" Iteratoren und Bucketnummern von Objekten ihre Bedeutung.

Übungen

Der Hot-Potato-Algorithmus

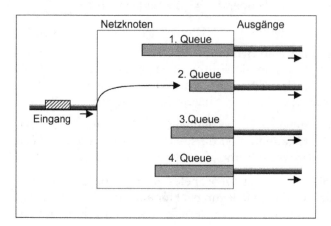

Testausgabe:

```
Es wurden 9 Queues angelegt.

Jetzt werden die Queues mit Hilfe des
Hot-Potato-Algorithmus gefüllt.

Einige Elemente aus zufaellig gewaehlten
Queues entfernen.

Queues ausgeben:

1.Queue: 28  88  70  60  6

2.Queue: 64   6  54   1

3.Queue:  2  88  64  30  66  29  11  74  49  41

4.Queue: 17  25

5.Queue: 96  97  47  27  71  34  87  58

6.Queue: 77  82  54

7.Queue: 35  65  23  40   5  83  92

8.Queue: 32  23  54

9.Queue: 28  55  54  73  28  82  21  99
```

1. Aufgabe

Bei der Datenkommunikation zwischen entfernten Rechnern werden Nachrichten durch unterschiedliche Teilnetze transportiert. Auf dem Weg zum Zielrechner speichern sog. *Router* die Nachrichten in Queues, bevor sie auf die nächste freie Leitung in Richtung des Ziels gesetzt werden. Die Router übernehmen dabei die Aufgabe der Wegefindung, was normalerweise durch umfangreiche Adresstabellen realisiert wird.

Unter den zahlreichen Routing-Verfahren gibt es einen einfachen Algorithmus, der ohne Adresstabellen auskommt: den sog. *Hot-Potato-Algorithmus*. Der Router versucht dabei, eine eintreffende Nachricht so schnell wie möglich wieder los zu werden: Er setzt jede eintreffende Nachricht auf die Ausgangsleitung mit der kürzesten Queue.

● Zur Darstellung dieser Situation entwerfen Sie eine Container-Klasse `VekQueue<T>`, die mit dem Typ `T` einer Nachricht parametrisiert ist. Die Klasse besitzt einen Vektor von Queues mit dem Typ `vector< queue<T> >` sowie ein Datenelement zur Speicherung der aktuellen Anzahl Queues im Vektor.

Der Konstruktor legt eine als Argument übergebene Anzahl leerer Queues im Vektor an. Außerdem sind die Methoden `size()`, `empty()`, `push()` und `pop()` zu deklarieren.

Die Methode `size()` ist in zwei Versionen zu überladen: Ohne Argument liefert sie die Anzahl aller Nachrichten. Mit einem Argument `i` vom Typ `int` gibt sie die Anzahl Nachrichten in der i-ten Queue zurück. Entsprechend sind die Methoden `empty()` und `empty(int i)` zu definieren, die true liefern, wenn alle Queues bzw. die i-te Queue leer sind.

Die Methode `push()` fügt eine als Argument übergebene Nachricht mit dem Hot-Potato-Algorithmus am Ende der kürzesten Queue ein.

Das Abholen von Nachrichten aus Queues soll hier durch die Methoden `pop()` und `pop(i)` simuliert werden. Die Methode `pop()` entnimmt eine Nachricht aus einer zufällig gewählten Queue und gibt sie zurück. Die Methode `pop(i)` entnimmt eine Nachricht aus der i-ten Queue.

● Zum Testen vereinbaren Sie in der `main`-Funktion einen Container vom Typ `VekQueue<int>`. Eine Nachricht wird dann durch eine Zahl dargestellt. Fügen Sie in einer Schleife Zufallszahlen zwischen 0 und 99 in den Container ein. Schicken Sie einen Teil davon auf Ausgangsleitungen. Lassen Sie dann die restlichen Nachrichten in den Queues wie nebenstehend auf dem Bildschirm anzeigen. Verwenden Sie dazu die Methode `pop(int i)`.

Übungen (Fortsetzung)

Das Menü des Programms

```
1 = Neues Benutzerkonto anlegen
2 = Einloggen
3 = Ausloggen
4 = Benutzerkonto entfernen
5 = Aktive User anzeigen
0 = Programm beenden
```

public-Methoden der Klasse UserTable

Methode	Aktion
addUser()	fügt ein neues Benutzerkonto in die Hash-Tabelle ein, falls es noch nicht existiert. Der Benutzer wird dabei nicht eingeloggt.
login()	loggt einen Benutzer ein, falls dieser ein Benutzerkonto besitzt. Das Flag im entsprechenden Benutzerkonto wird dabei auf true gesetzt.
logout()	loggt einen Benutzer aus, indem das Flag im entsprechenden Benutzerkonto auf false gesetzt wird.
removeUser()	entfernt ein Benutzerkonto aus der Hash-Tabelle.
displayActiveUsers()	zeigt alle eingeloggten Benutzer auf dem Bildschirm an.

 Jede Methode erhält ein Passwort und einen Benutzernamen als Argumente. Die ersten vier Methoden haben einen Return-Wert vom Typ bool. Die Methode für die Ausgabe hat keinen Return-Wert.

2. Aufgabe

Der Zugang zu einem Internetportal soll durch Passworte geschützt werden. Zu dem Zweck wird für jeden neuen Benutzer ein Konto mit einem Benutzernamen und einem Passwort eingerichtet.

Der Benutzername und der *Hash-Wert* des Passwortes werden intern in einer Hash-Tabelle hinterlegt. Aus Sicherheitsgründen wird das Passwort nicht gespeichert. Wenn das Konto angelegt ist, kann sich der Benutzer mit seinem Benutzernamen und seinem Passwort einloggen.

- Zur Darstellung eines Benutzerkontos definieren Sie eine Klasse `WebAccount` mit einem Datenelement vom Typ `string` für den Benutzernamen und einem Flag, das anzeigt, ob der Benutzer eingeloggt ist. Außerdem sind ein Konstruktor und entsprechende Zugriffsmethoden zur Verfügung zu stellen.

- Entwerfen Sie dann eine Klasse `UserTable` mit folgenden Datenelementen:

  - einer Hash-Funktion vom Typ `hash<string>`

  - einem Objekt vom Typ einer ungeordneten Multimap, die mit dem Typ `size_t` der Hash-Werte und dem Typ `WebAccount` instantiiert wird.

Die nebenstehenden Methoden sind als `public` und folgende Hilfsmethoden als `private` zu deklarieren:

`find()` bestimmt die Position eines Benutzerkontos in der Hash-Tabelle

`isUser()` prüft, ob ein Benutzerkonto in der Hash-Tabelle existiert.

Beide Methoden erhalten einen Benutzernamen und ein Passwort als Argumente. Die Methode `find()` bestimmt zunächst mit der Methode `equal_range()` den Bereich, in dem der Hashwert des übergebenen Passwortes liegt. Dann iteriert die Funktion durch diesen Bereich, wobei sie den Benutzernamen sucht.

- Testen Sie die Klasse `UserTable` mit einer `main`-Funktion, die ein Objekt vom Typ der Multimap anlegt, die nebenstehende Menüauswahl anbietet und die entsprechenden Methoden aufruft. Der Benutzername und das Passwort werden stets im Dialog eingelesen.

Lösungen

Zur 1. Aufgabe:

```
// -----------------------------------------------------
// VekQueue.h
// Definition des Klassen-Templates VekQueue<T>
// zur Darstellung eines Vektors von Queues.
// -----------------------------------------------------

#ifndef _VEKQUEUE_H
#define _VEKQUEUE_H

#include <vector>
#include <queue>
#include <cstdlib>              // Fuer srand(), rand()
#include <ctime>                // Fuer time()
using namespace std;

template <class T>
class VekQueue
{
  private:
    vector< queue<T> > v;
    size_t sz;                  // Anzahl Queues

  public:
    VekQueue(size_t n);         // Konstruktor

    size_t size() const;        // Anzahl aller Elemente
    size_t size(int i) const    // Anzahl in der i-ten Queue
    { return v[i].size(); }

    bool empty() const      { return size() == 0; }
    bool empty(int i) const { return size(i) == 0; }

    void push(const T& a);      // Hot-Potato-Algorithmus.

    const T& pop();         // Entnimmt das Element am Anfang
                            // einer zufällig gewählten Queue.
    const T& pop(int i);    // Entnimmt das Element am Anfang
                            // der i-ten Queue.
};

template <class T>
VekQueue<T>::VekQueue( size_t n )
{
    if(n > 0)
      v.resize(n);              // Platz fuer n Queues

    sz = n;
    srand(time(NULL));          // Zufallszahlen initialisieren
}
```

```cpp
template <class T>                // Anzahl aller Elemente
size_t VekQueue<T>::size() const
{
    size_t count = 0;
    for( int i=0; i < sz; ++i)
      count += v[i].size();
    return count;
}

template <class T>          // Fuegt a in kuerzeste Queue ein
void VekQueue<T>::push(const T& a)
{
    int small = 0;              // Kuerzeste Queue bestimmen
    for(int i = 0; i < sz; i++)
      if( v[i].size() < v[small].size() )
        small = i;

    v[small].push(a);           // und dort einfuegen.
}

template <class T>              // Element aus zufaellig
const T& VekQueue<T>::pop()     // ausgewaehlter Queue
{                               // entnehmen.
    static T temp;
    int i, i0;

    i = i0 = rand() % sz;
    do
    {
      if(!v[i].empty())         // Falls i-te Queue nicht leer:
      {                         // Element am Anfang der Queue
        temp = v[i].front(); // hervorholen
        v[i].pop();             // und loeschen.
        break;
      }
      i = (i+1) % sz;           // Sonst nächste Queue.
    }
    while( i != i0);
    return temp;
}

template <class T>                // Element aus i-ter Queue
const T& VekQueue<T>::pop(int i) // entnehmen.
{
    static T temp;
    if( i >= 0 && i < sz)       // Falls gueltiger Index:
    {                           // Element am Anfang der Queue
      temp = v[i].front();   // hervorholen
      v[i].pop();               // und loeschen.
    }
    return temp;
}
#endif   // _VEKQUEUE_H
```

Lösungen (Fortsetzung)

```
// --------------------------------------------------------
// hotpot_t.cpp : Simulation eines Routing-Verfahrens,
//                dem Hot-Potato-Algorithmus, mit Hilfe
//                eines Vektors von Queues.
// --------------------------------------------------------

#include <cstdlib>        // Fuer srand(), rand()
#include <ctime>          // Fuer time()

#include <iostream>
#include <iomanip>
using namespace std;

#include "VekQueue.h"

int main()
{
    const int nQueues = 9;
    VekQueue<int> vq(nQueues);      // Vektor mit 9 Queues

    cout << "\nEs wurden " << nQueues << " Queues angelegt."
         << endl;
    srand(time(NULL));

    cout << "\nJetzt werden die Queues mit Hilfe des "
         << "Hot-Potato-Algorithmus gefuellt." << endl;

    int i;
    for( i = 0; i < 100; ++i)       // 100 Elemente einfuegen
      vq.push(rand()%100);

    cout << "\nEinige Elemente aus zufaellig "
            "gewaehlten Queues entfernen ... "
         << endl;
    for( i = 0; i < 50; ++i)        // 50 Elemente loeschen
        vq.pop();

    cout << "\nDie restlichen Elemente:" << endl;
    for( i = 0; i < nQueues; ++i)   // Elemente entnehmen
    {                               // und anzeigen.
      cout << "\n" << i+1 << ".Queue: ";
      while( vq.size(i) > 0 )
      {
          cout << setw(4) << vq.pop(i);
      }
      cout << endl;
    }

    return 0;
}
```

Zur 2. Aufgabe:

```
// -----------------------------------------------------
// WebAccount.h
// Definition der Klassen WebAccount und UserTable
// zur passwortgeschützten Benutzerverwaltung.
// -----------------------------------------------------

#ifndef _WEBACCOUNT_H
#define _WEBACCOUNT_H

#include <unordered_map>
#include <string>
#include <iostream>
using namespace std;

class WebAccount
{
    string user;
    bool login;

  public:
    WebAccount(const string& s) : user(s), login(false){}

    void   setUser(const string s){ user = s; }
    string getUser() const { return user; }
    void   setLogin(bool flag){ login = flag; }
    bool   getLogin() const { return login; }
};

typedef unordered_multimap<size_t,WebAccount>
                                    UNORDERED_MULTIMAP;
typedef UNORDERED_MULTIMAP::iterator ITERATOR;

class UserTable
{
  private:
    UNORDERED_MULTIMAP ht;
    hash<string> hasher;

    ITERATOR find(const string& pw, const string& s);
    bool isUser(const string& pw, const string& s);

  public:

    bool addUser(const string& pw, const string& s);
    bool removeUser(const string& pw, const string& s);

    bool login(const string& pw, const string& s);
    bool logout(const string& pw, const string& s);

    void displayActiveUsers();
};

#endif   //  _WEBACCOUNT_H
```

Lösungen (Fortsetzung)

```cpp
// ----------------------------------------------------------
// WebAccount.cpp
// Definition von Methoden der Klasse UserTable
// zur passwortgeschützten Benutzerverwaltung.
// ----------------------------------------------------------

#include "WebAccount.h"

ITERATOR UserTable::find(const string& pw, const string& s)
{
    auto er = ht.equal_range(hasher(pw)); // In diesem
                                          // Bereich suchen.
    ITERATOR it = er.first;
    for( ; it != er.second; ++it)
        if( (it->second).getUser() == s)
            break;                        // Benutzerkonto gefunden.
    return it;
}

bool UserTable::isUser(const string& pw, const string& s)
{
    ITERATOR it = find(pw, s);
    return (it != ht.end()) ? true : false;
}

bool UserTable::addUser(const string& pw, const string& s)
{
    if( !isUser(pw, s))  // Einfügen, falls nicht vorhanden.
    {
        WebAccount user(s);
        ht.insert(pair<size_t,WebAccount>(hasher(pw), user));
        return true;
    }
    else
        return false;
}

bool UserTable::removeUser( const string& pw,
                           const string& s)
{
    ITERATOR it  = find(pw, s);
    if(it != ht.end())
    {
        ht.erase(it);
        return true;
    }
    else
        return false;
}
```

```
bool UserTable::login(const string& pw, const string& s)
{
    ITERATOR it = find(pw, s);
    if(it != ht.end())          // Falls Webaccount gefunden:
    {
        it->second.setLogin(true);      // Login-Flag setzen.
        return true;
    }
    else
        return false;
}

bool UserTable::logout(const string& pw, const string& s)
{
    ITERATOR it = find(pw, s);
    if(it != ht.end())          // Falls Webaccount gefunden:
    {
        it->second.setLogin(false);
        return true;
    }
    else
        return false;
}

void UserTable::displayActiveUsers()
{
    for(ITERATOR it = ht.begin(); it != ht.end(); it++)
        if( it->second.getLogin())
            cout << it->second.getUser() << endl;
}

// ------------------------------------------------------------
// WebAccount_t.cpp
// Testet die Klassen WebAccount und UserTable
// zur passwortgeschützten Benutzerverwaltung.
// ------------------------------------------------------------
#include "WebAccount.h"

int menu()
{
    int choice;

    cin.clear(); cin.sync();
    cout <<    " 1 = Neues Webaccount anlegen "
         << "\n 2 = Einloggen "
         << "\n 3 = Ausloggen "
         << "\n 4 = Webaccount entfernen"
         << "\n 5 = Aktive User anzeigen"
         << "\n 0 = Programm beenden " << endl;
    cin >> choice;

    return choice;
}
```

Lösungen (Fortsetzung)

```cpp
void userInput( string& pw, string& name)
{
    cout << "Bitte geben Sie Ihren Benutzernamen an: "
         << endl;
    cin >> name;

    cout << "Bitte geben Sie Ihr Passwort ein: " << endl;
    cin >> pw;
}

int main()
{
    string passw, uname;
    UserTable ht;
    int choice;

    while( (choice = menu())  != 0 )
    {
      switch( choice )
      {
        case 1:                    // Neues Account anlegen
           userInput(passw, uname);

           if(ht.addUser(passw, uname))
              cout << "\nNeues Konto wurde angelegt. "
                   << endl;
           else
              cout << "\nKonto existiert bereits." << endl;
           break;

        case 2:                    // Einloggen
           userInput(passw, uname);
           if( ht.login(passw, uname))
              cout << "\nHerzlich willkommen " << uname
                   << "!" << endl;
           else
              cout << "\nLogin fehlgeschlagen. " << endl;
           break;

        case 3:                    // Ausloggen
           userInput(passw, uname);
           if( ht.logout(passw, uname))
              cout << "\nLogout erfolgreich. "
                      "Auf Wiedersehen!" << endl;;
           else
              cout << "\nWebaccount existiert nicht. "
                   << endl;
           break;
```

```
      case 4:                       // Webaccount entfernen
        userInput(passw, uname);
        if( ht.removeUser(passw, uname))
          cout << "\nWebaccount wurde entfernt."
              <<endl;
        else
          cout << "\nWebaccount existiert nicht."
              <<endl;
        break;

      case 5:
        cout << "\nAlle aktiven User: " << endl;
        ht.displayActiveUsers();
        break;
    }
    cout << "\nWeiter mit Return.\n\n";
    cin.clear(); cin.sync();
    cin.get();
  }
  return 0;
}
```

Kapitel 34

Smart Pointer

Die C++-Standardbibliothek definiert drei Klassen-Templates für Smart Pointer, deren Einsatz in diesem Kapitel beschrieben wird.

Smart Pointer sind „intelligente Zeiger", die typischerweise auf dynamisch erzeugte Objekte verweisen. Ihr Einsatz hilft dem Programmierer, Fehler mit Zeigern zu vermeiden, wie zum Beispiel die Entstehung von Speicherlecks.

Grundlagen

Entstehung eines Speicherlecks

Ein typisches Code-Fragment in C++:

```
void func( ... )
  {
    KlasseX *pObj;
    pObj = new KlasseX( ... );    // Objekt dynamisch anlegen
        .
    // Hier Code, der eine Exception auslösen kann
        .
    delete pObj;
  }
```

Wenn eine Exception auftritt, wird der lokal definierte Zeiger pObj zerstört, nicht aber das mit new erzeugte Objekt. Damit kann auf das Objekt nicht mehr zugegriffen werden und es entsteht ein sog. Speicherleck.

Gerüst eines Klassen-Templates für Smart Pointer

```
template <class T>
class SmartPtr
{
    private:
      T *objPtr;
      // . . .
    public:
      SmartPtr() : objPtr(0) { }
      explicit SmartPtr(T *ptr) : objPtr(ptr) { ... }
      ~SmartPtr();                  // Zerstört *objPtr, wenn es
                                    // keinen weiteren Besitzer gibt.
      T& operator*() const
      { // . . .
        return *objPtr;
      }
      T* operator->() const
      { // . . .
        return objPtr;
      }
      explicit operator bool() const { return objPtr != 0; }
      // Kopierkonstruktor und Zuweisung:
      SmartPtr(const SmartPtr&);
      SmartPtr& operator=(const SmartPtr& );
      // . . .
};
```

Warum Smart Pointer?

Ein Smart Pointer – auch „intelligenter Zeiger" genannt – ist ein Objekt, das weitgehend wie ein gewöhnlicher Zeiger verwendet werden kann. Im Unterschied zu einem gewöhnlichen Zeiger kann aber ein Smart Pointer weitere nützliche Aufgaben übernehmen, wie beispielsweise die Zerstörung des referenzierten Objekts, wenn der Smart Pointer selbst zerstört wird und kein anderer Smart Pointer mehr auf das Objekt verweist. Auf diese Weise können Speicherlecks vermieden werden.

Im nebenstehenden Beispiel entsteht ein Speicherleck, wenn während der Ausführung der Funktion func() eine Exception auftritt. Zur Lösung des Problems gibt es zwei Möglichkeiten:

1. Exceptions auffangen (try-catch-Block) und das dynamisch erzeugte Objekt zerstören.

   Das kann aufwendig und unübersichtlich werden, falls mehrere Objekte in verschiedenen Verschachtelungstiefen dynamisch angelegt werden.

2. Statt eines gewöhnlichen Zeigers einen Smart Pointer verwenden.

   Der Destruktor des Smart Pointers zerstört automatisch das referenzierte Objekt. Damit entfällt die eigene delete-Anweisung. Ansonsten bleibt der Code unverändert.

Definition eines Smart Pointers

Eine Klasse für Smart Pointer sollte so definiert sein, dass sie für unterschiedliche Zeigertypen verwendbar sind. Daher wird sie als Klassen-Template mit mindestens einem Template-Parameter definiert, der den Typ der referenzierten Objekte angibt.

Nebenstehend ist ein Klassen-Template SmartPtr<T> definiert, das als privates Datenelement einen gewöhnlichen Zeiger auf T enthält. Die Überladung der Operatoren * und -> erlaubt, Smart Pointer wie gewöhnliche Zeiger einzusetzen:

Beispiel:
```
class Game { bool run(); /* . . . */ };
SmartPtr<Game> gPtr = new Game;
if( gPtr)
    gPtr->run();   // oder  (*gPtr).run();
```

Bis auf die Definition des Zeigers gPtr gibt es hier keinen Unterschied zur Verwendung eines gewöhnlichen Zeigers.

Um in einem bereits existierenden Quellcode die Vorteile von Smart Pointern zu nutzen, kann ein gewöhnlicher Zeiger auf ein dynamisch erzeugtes Objekt ohne großen Aufwand durch einen Smart Pointer ersetzt werden. Allerdings ist Zeigerarithmetik mit Smart Pointern nicht sinnvoll und daher auch nicht definiert.

Die Smart Pointer der Standardbibliothek

Der C++-Standard definiert folgende Klassen

Klassen-Template	Eigenschaften der Pointer

unique_ptr< class T,
          class D =
      default_delete<T> >
	unique_ptr ist der alleinige Besitzer eines Objekts.
	Für Vektoren ist eine Spezialisierung definiert.
	unique_ptr ist nicht kopierbar.

shared_ptr<class T>	**shared_ptr** kann sich den Besitz eines Objekts mit anderen teilen. **shared_ptr** ist kopierbar.
weak_ptr<class T>	**weak_ptr** verweist auf ein Objekt, das einem **shared_ptr** gehört, ohne selbst Besitzer des Objekts zu sein. **weak_ptr** ist kopierbar.

1. Diese Templates sind in der Header-Datei <memory> definiert.

2. Das leistungsfähigere Klasse-Template unique_ptr ersetzt das veraltete Template auto_ptr. Aus Kompatibilitätsgründen ist auto_ptr nach wie vor in <memory> definiert.

Objekte der Klasse unique_ptr<int> erzeugen

```
// uniquePtr1.cpp
// ----------------------------------------------------
#include <iostream>
#include <memory>
using namespace std;

int main()
{
   unique_ptr<int>  up1,                  // Default-Konstruktor.
                    up2(new int(20));  // Konstruktor für
                                          // int-Zeiger.
   cout << " up1 = " << (void*)up1.get() << endl;    // Null
   cout << " up2 = " << (void*)up2.get() << endl;
   cout << "*up2 = " << *up2 << endl;                // *up2 = 20

// unique_ptr<int> up3(up2);        // Compiler-Fehler!
                                     // Kein Kopierkonstruktor!
   unique_ptr<int> up3( move(up2));  // OK! Move-Konstruktor.
   // up3 besitzt jetzt den Speicher und up2 ist null.
   *up3 += 10;
   cout << "*up3 = " << *up3 << endl;               // *up3 = 30
   return 0;
}
```

Besitzverhältnisse

Nach der Zuteilung von dynamischem Speicher, wie im

Beispiel: `int *ptr = new int(10);`

besitzt der Zeiger `ptr` das Objekt, auf das er verweist. Denn nur mit `delete ptr;` kann der Speicher wieder freigegeben werden.

Smart Pointer verwalten den Speicher ihrer Objekte. Daher ist es eine wichtige Design-Entscheidung, ob ein Smart Pointer stets alleiniger Besitzer eines Objekts ist oder ob sich mehrere Smart Pointer ein Objekt teilen dürfen.

Für beide Fälle definiert C++ in der Header-Datei `<memory>` ein entsprechendes Klassen-Template, nämlich `unique_ptr` und `shared_ptr`. Diese wurden in weiten Teilen von der häufig verwendeten Boost-Bibliothek übernommen (s. `www.boost.org`).

Konstruktoren des Klassen-Templates unique_ptr

Ein Objekt der Klasse `unique_ptr<T>` speichert einen Zeiger auf ein dynamisches Objekt und ist dessen alleiniger Besitzer. Zur Initialisierung des Zeigers gibt es einen Konstruktor mit dem Parametertyp `T*`. Außerdem ist ein Default-Konstruktor definiert, der den gespeicherten Zeiger auf Null setzt.

Das nebenstehende Programm erzeugt mit diesen Konstruktoren die Smart Pointer `up1` und `up2`. Anschließend werden die Zeigerwerte angezeigt. Dies ermöglicht die Methode `get()`, die den gespeicherten Zeiger zurückgibt.

Es gibt aber keinen Kopierkonstruktor, denn es ist nicht zulässig, dass zwei Smart Pointer vom Typ `unique_ptr<T>` auf dasselbe Objekt zeigen. Da der Destruktor eines Smart Pointers das referenzierte Objekt zerstört, würde ein zweiter Smart Pointer auf dasselbe Objekt anschließend ins Leere zeigen.

Eine Besitzübergabe ist jedoch möglich. Daher gibt es einen Move-Konstruktor. Dieser initialisiert das neue `unique_ptr`-Objekt mit den Werten des Arguments und setzt den gespeicherten Zeiger im Argument auf null. Der Move-Konstruktor wird immer aufgerufen, wenn die Quelle ein temporärer `unique_ptr` ist. Ein Beispiel dafür ist ein Smart Pointer, der von einer Funktion zurückgegeben wird.

Die Standardfunktion `move()` ermöglicht, den Besitz an einem Objekt von einem beliebigen `unique_ptr` auf einen neuen Smart Pointer zu übertragen.

Beispiel: `unique_ptr<int> up3( move(up2));`

Anschließend besitzt `up3` das Objekt und `up2` ist auf null gesetzt.

Das Konzept der Smart Pointer ist geeignet, auch eine andere Ressource als den Speicher zu verwalten, z.B. den Zugriff auf eine Datei oder ein Gerät. Zu diesem Zweck ist es möglich, als zweiten Template-Parameter den Typ einer Funktion (oder eines Funktionsobjekts) anzugeben, die die Ressource freigibt. Ein Objekt des Default-Typs `default_delete<T>` gibt mit dem Operator `delete` den Speicher frei. Die folgende Beschreibung geht von dieser Standardsituation aus.

Smart Pointer vom Typ unique_ptr<T> einsetzen

unique_ptr<T> und Funktionen

```cpp
// uniquePtr2.cpp
// unique_ptr als Argument/Return-Wert von Funktionen
// -------------------------------------------------
#include <iostream>
#include <memory>
using namespace std;

void test( unique_ptr<int> p)
{   cout << "In test():  *p = " << *p << endl; }

void square(unique_ptr<int>& p)  { if(p) *p *= *p; }

void print( unique_ptr<int> *a, int len)
{   for( int i = 0; i < len; ++i)
        if(a[i]) { cout.width(6); cout << *a[i]; }
    cout << endl;
}
unique_ptr<int> create()
{   static int a(0);
    return unique_ptr<int> (new int(a++));
}
int main()
{
    unique_ptr<int> up(new int(5));
    unique_ptr<int> up_arr[10];    // Vektor mit Smart Pointern.

    square( up);              // Ok, "call by reference".
    cout << "Quadrat: " << *up << endl;

//  test(up);                // Fehler! Kein Kopierkonstruktor.
    test( move(up));         // OK! Move-Konstruktor. Vorsicht!
//  *up = 7;                 // Fehler: up ist jetzt Null.
    up = create();           // Move-Zuweisung!
    up_arr[0] = move(up);    // Ebenso.

    for( int i = 0; i < 10; ++i) // Die Move-Zuweisung zerstört
      up_arr[i] = create();      // das alte Objekt *up_arr[0].
    print(up_arr, 10);           // Vektor anzeigen.

    for( int i = 0; i < 10; i+=2)    // Objekte mit geradem
      up_arr[i].reset();             // Index löschen.
    print(up_arr, 10);               // Vektor anzeigen.

    for( int i = 0; i < 10; ++i)     // Alle Objekte löschen.
      up_arr[i].reset();             // reset() mit Null ok.
    return 0;
}
```

Zuweisung von unique_ptr-Objekten

Da ein unique_ptr stets der alleinige Besitzer eines Objekts ist, darf es keine gewöhnliche Zuweisung geben. Aber ein Besitzerwechsel ist möglich, denn neben dem Move-Konstruktor gibt es auch eine Move-Zuweisung.

Beispiel:
```
unique_ptr<int> up1, up2(new int(20));
up1 = up2;          // Compiler-Fehler!
up1 = move(up2);    // OK! Move-Zuweisung.
```

Anschließend besitzt up1 das int-Objekt und der in up2 gespeicherte Objektzeiger ist null. Da zuvor up1 Null war, ist die obige Move-Zuweisung äquivalent mit folgendem Aufruf der swap-Funktion:

Beispiel:
```
swap(up1,up2);      // up1 und up2 "tauschen".
```

Die für unique_ptr spezialisierte swap-Funktion ruft die Methode swap() auf. swap(up1,up2) ist also äquivalent mit up1.swap(up2).

Methoden von unique_ptr<T>

Das Klassen-Template besitzt zwei Zugriffsmethoden:

- T* get(); gibt den gespeicherten Zeiger zurück.
- D& get_deleter(); liefert eine Referenz auf den „Deleter", also standardmäßig eine Referenz auf das Objekt default_delete<T>.

Außerdem gibt es drei Methoden, die den Smart Pointer verändern:

- T* release(); setzt den Zeiger auf Null und gibt den zuvor gespeicherten Zeiger zurück; gibt also den Besitz am Objekt ab.
- void reset(T* p = nullptr); zerstört das im Besitz befindliche Objekt und speichert p; nimmt also das Objekt in Besitz, auf das p zeigt.
- void swap(unique_ptr& up); tauscht die gespeicherten Werte mit den Werten des Argumentes aus. Es erfolgt ein „Besitzertausch".

Die Kombination der Methoden release() und reset() bewirkt einen Besitzerwechsel wie bei der Move-Zuweisung:

Beispiel:
```
u1.reset(u2.release());    // u1 = move(u2);
```

Die get-Methode erlaubt einen direkten Zugriff auf das referenzierte Objekt. Sie ist daher mit Vorsicht zu verwenden. Beispielsweise kann damit leicht ein zweiter Zeiger auf dasselbe Objekt erzeugt werden:

Beispiel:
```
unique_ptr<int> u2(u1.get());    // Fehler!
```

Das Beispielprogramm zeigt die Verwendung von unique_ptr-Objekten als Argumente und Return-Werte. Ein „Call by Value" wie bei der Funktion test() ist nur mit dem Move-Konstruktor möglich. Die Funktion wird also Besitzer des Objekts. Die Funktion create() zeigt, dass bei der Rückgabe der Objekt-Besitz durch eine Move-Zuweisung an den Aufrufer übergeht.

Smart Pointer vom Typ unique_ptr<T> einsetzen (2)

unique_ptr<T> und dynamische Arrays

```cpp
// uniquePtr3.cpp
// Ein unique_ptr auf ein dynamisches Array.
// --------------------------------------------------
#include <iostream>
#include <string>
#include <memory>
using namespace std;

class Person
{
    string name;
  public:
    Person( const string n = "NN") : name(n) {}
    ~Person()
    { cout << "Destruktor fuer " << name << endl; }

    void setName(const string& n) { name = n; }
    const string& getName() const { return name; }
};
typedef unique_ptr<Person[]> PersonArr_t;

void print( const PersonArr_t& parr, int l)
{
    for( int i=0; i < l; ++i)
        cout << '\t' << parr[i].getName();
    cout << endl;
}
int main()
{
    int len = 4;        // Ein Smart Pointer auf Vektor:
    PersonArr_t PersonArr(new Person[len]);

    PersonArr[0].setName("Jim");
    PersonArr[1].setName("Max");
    PersonArr[3].setName("Eva");

    print( PersonArr, len);
    PersonArr.reset();      // delete [] PersonArr.get();
    return 0;
}
```

Ausgabe des Programms:

```
        Jim     Max     NN      Eva
Destruktor fuer Eva
Destruktor fuer NN
Destruktor fuer Max
Destruktor fuer Jim
```

868

Konvertierungen

Das Klassen-Template `unique_ptr` definiert die Konvertierung in den Typ `bool`, so dass für einen Smart Pointer p folgende Anweisung möglich ist.

Beispiel: `if(p){ *p += 10; }    // falls p.get() != 0`

Die Konvertierung in den Typ `bool` ist als `explicit` deklariert, damit außerhalb von Bedingungsausdrücken keine implizite Konvertierung erfolgt.

Der Move-Konstruktor und die Move-Zuweisung sind so überladen, dass implizite Konvertierungen vom Typ `unique_ptr<U>` in `unique_ptr<T>` möglich sind, wenn `U*` in `T*` konvertierbar ist. Das ist im folgenden Beispiel der Fall, wo B eine Basisklasse von D ist und pD vom Typ `unique_ptr<D>`.

Beispiel: `unique_ptr<B> pB(move(pD));`

Vergleiche

Ein Smart Pointer u1 vom Typ `unique_ptr<T>` ist mit einem anderen Smart Pointer u2 vom Typ `unique_ptr<U>` vergleichbar, wenn Zeiger vom Typ `T*` und `U*` vergleichbar sind. Die entsprechenden Operatorfunktionen führen nämlich den Vergleich auf die gespeicherten Zeiger zurück. So liefert der Ausdruck u1 < u2 das Ergebnis `u1.get() < u2.get()`. Auch der Vergleich eines Smart Pointers mit einem Null-Zeiger ist möglich.

Spezialisierung für dynamische Vektoren

Dynamische Vektoren, also Vektoren, die mit dem Operator `new[]` erzeugt werden, müssen mit dem Operator `delete[]` zerstört werden (s. Kapitel 21). Daher ist eine Spezialisierung für Vektortypen `T[]` definiert. Es gibt folgende Unterschiede zur Template-Klasse `unique_pr<T>` für einzelne Objekte:

- Der „Deleter" `default_delete<T[]>` wendet den Operator `delete[]` auf den gespeicherten Zeiger an.

- `T& operator[](size_t i);` gibt eine Referenz auf das i-te Vektorelement zurück. Die Operatoren `*` und `->` sind nicht definiert.

Beim Aufruf des Indexoperators muss der Programmierer selbst darauf achten, dass der Index kleiner als die Anzahl Elemente ist.

Im nebenstehenden Programm ist `PersonArr` ein Objekt vom Typ `unique_ptr<Person[]>`, also ein Smart Pointer auf einen dynamischen Vektor. Dessen Elemente `PersonArr[i]` sind Objekte vom Typ `Person`. Da die Operatoren `*` und `->` nicht definiert sind, ist auch ein Ausdruck wie `PersonArr->getName()` nicht möglich.

Das Programm zeigt mit Hilfe der Funktion `print()` den Inhalt des Vektors an und zerstört ihn dann durch den Aufruf der Methode `reset()`. Wie die Ausgabe zeigt, wird der Destruktor für jedes Vektorelement ausgeführt.

Das Klassen-Template shared_ptr

Beispielprogramm

```cpp
// sharedPtr1.cpp
// Konstruktoren und Destruktor von shared_ptr<T>
// ----------------------------------------------------
#include <iostream>
#include <memory>
using namespace std;

struct Base { void msg(){ cout << "Base-Objekt!" << endl; } };

struct Derived : public Base
{  void msg() { cout << "Derived-Objekt!" << endl; }
   ~Derived() { cout << "Derived-Destruktor!" << endl; }
};

void test( shared_ptr<Base> pB)        // Kopierkonstruktor
{
   pB->msg();                          // Base::msg()
   cout << "Es gibt " << pB.use_count() << " Besitzer.\n";
}

int main()
{
   shared_ptr<int> sp1(new int(10));
   shared_ptr<int> sp2(sp1);           // Kopierkonstruktor.
                        // Beide zeigen auf dasselbe Objekt.
   *sp1 += 10;
   cout << "*sp2 = " << *sp2 << endl;     // *sp2 = 20

   cout << "sp1.use_count() = " << sp1.use_count() << endl;
   sp1.reset();                        // Objekt existiert noch.
   cout << "sp1.use_count() = " << sp1.use_count() << endl;
   cout << "sp2.use_count() = " << sp2.use_count() << endl;

   shared_ptr<int> sp3(move(sp2));     // Move-Konstruktor.
   if( sp3.unique())                   // sp3.unique() == true
      cout << "sp3 alleiniger Besitzer: " << *sp3 << endl;
   sp3.reset();                        // Gibt Speicher frei.

   shared_ptr<Base> pBase(new Derived);       // ok!
   shared_ptr<Derived> pDerived(new Derived); // ok!
// shared_ptr<Derived> pBase(new Base);       // Fehler!

   pBase->msg();                       // Base::msg()
   pBase.reset();                      // Derived-Destruktor!

   test(pDerived);                     // ok!
   pDerived->msg();                    // Derived:msg()
   return 0;
}
```

Charakteristika von shared_ptr<T>

Mehrere Smart Pointer vom Typ `shared_ptr<T>` können sich den Besitz an einem Objekt teilen. Daraus folgt:

* Die Klasse `shared_ptr<T>` besitzt einen Kopierkonstruktor und einen Zuweisungsoperator.

* Es muss garantiert werden, dass das referenzierte Objekt zerstört wird, wenn der letzte Smart Pointer den Besitz am Objekt abgibt.

Ein Smart Pointer gibt den Besitz am Objekt ab, wenn er selbst zerstört wird, durch eine Zuweisung an den Smart Pointer oder durch den Aufruf von `reset()`. Um feststellen zu können, ob der Smart Pointer der letzte Besitzer des Objekts ist, verwendet die Klasse `shared_ptr<T>` einen *Referenzzähler*.

Der erste Smart Pointer, der ein Objekt in Besitz nimmt, legt gewöhnlich einen Kontrollblock an, der den Referenzzähler und andere Informationen enthält. Diesen Kontrollblock teilen sich die Smart Pointer, die auf dasselbe Objekt verweisen. Die genaue Implementierung ist durch den Standard nicht festgelegt.

Es gibt zwei Methoden, die Informationen über die Anzahl Besitzer liefern:

* `long use_count() const;` liefert den Wert des Referenzzählers, also die aktuelle Anzahl Besitzer am Objekt.

* `bool unique() const;` liefert „wahr", wenn der Smart Pointer der einzige Besitzer des Objekts ist, sonst „falsch".

Die Methode `unique()` liefert also den Wert (`use_count() == 1`). Aber die Methode `unique()` kann viel effektiver sein als `use_count()`.

Konstruktoren

Der Default-Konstruktor erzeugt ein „leeres" `shared_ptr`-Objekt, das heißt, er setzt den gespeicherten Zeiger auf Null und erzeugt keinen Kontrollblock. Dagegen erfordert die Initialisierung mit der Adresse eines neuen Objekts die Reservierung von Speicher für den Referenzzähler. Daher ist es möglich, dass der Konstruktor eine Exception vom Typ `std::bad_alloc` auslöst. In diesem Fall wird auch das referenzierte Objekt zerstört, so dass kein Speicherleck entsteht.

Auch Definitionen der Form `shared_ptr<T>  sp(new U);` sind möglich, wenn der Typ `U*` in den Typ `T*` konvertierbar ist. Der Kontrollblock enthält den wahren Typ `U` des Objekts, so dass in jedem Fall der richtige Destruktor ausgeführt wird, obwohl der gespeicherte Zeiger den Typ `T*` hat.

Beispiel:
```
shared_ptr<Base> pBase(new Derived);
pBase.reset();        // Derived-Destruktor!
```

Wie das nebenstehende Beispielprogramm zeigt, muss dafür der Destruktor nicht als `virtual` deklariert werden. Auch der Kopierkonstruktor und der Move-Konstruktor sind so überladen, dass der Compiler, falls möglich, implizite Konvertierungen vornimmt. Beispielsweise erfolgt im nebenstehenden Aufruf `test(pDerived);` eine Konvertierung in `shared_ptr<Base>`.

Das Klassen-Template shared_ptr (2)

Smart Pointer als Objekte in einem STL-Container

```cpp
// sharedPtr2.cpp
// ------------------------------------------------------
#include <iostream>
#include <list>
#include <algorithm>
#include <memory>
using namespace std;

struct Shape                                 // Eine Figur
{  int id;                                   // ID der Figur
   Shape(int _id) : id(_id) {}
   ~Shape() { cout <<"Shape-Destruktor: id = " << id << endl;}
   virtual void draw() const = 0;
};
struct Rectangle : public Shape              // Rechteck
{  Rectangle(int id): Shape(id) {}
   void draw() const { cout << "Rechteck " << id << endl; }
};
struct Circle : public Shape                 // Kreis
{  Circle(int id) : Shape(id) {}
   void draw() const { cout << "Kreis   " << id << endl; }
};
typedef shared_ptr<Shape> ShapePtr;
void shapePtrDraw( const ShapePtr& p) { p->draw(); }

int main()
{
  list<ShapePtr> sPtrList;  // Liste mit Zeigern auf Figuren.
  list<ShapePtr>::iterator pos;    // Ein Iterator

  sPtrList.push_back( ShapePtr(new Rectangle(3)) );
  sPtrList.push_back( ShapePtr(new Circle(5)) );
  sPtrList.push_front( ShapePtr(new Rectangle(0)) );

  // Zeiger auf Rechteck hinter erstem Element einfügen:
  pos = sPtrList.begin();   ++pos;
  sPtrList.insert(pos, ShapePtr(new Circle(2)) );

  if( !sPtrList.empty() )
  {   cout << "Erstes Element: "; sPtrList.front()->draw();
      cout << "wird geloescht." << endl;
      sPtrList.pop_front();          // Löscht Rectangle(0).
  }
  cout << "\nFiguren in der Liste: " << endl;
  for_each( sPtrList.begin(), sPtrList.end(), shapePtrDraw);
                   // Circle(2), Rectangle(3), Circle(5).
  sPtrList.clear();     // Alle Zeiger in der Liste löschen
  return 0;             // => Alle Figuren werden gelöscht.
}
```

Operatoren von shared_ptr<T>

Ebenso wie `unique_ptr` definiert `shared_ptr` die Zugriffsoperatoren `*` und `->`, die Konvertierung in den Typ `bool` und die Move-Zuweisung. Aber auch die gewöhnliche Zuweisung ist zulässig.

Beispiel:
```
shared_ptr<int> sp1, sp2(new int(100));
sp1 = sp2;          // Zuweisung ist ok!
cout << sp1;        // Ausgabe von sp1.get().
```

Anschließend hat der Referenzzähler den Wert 2. Wie die letzte Anweisung zeigt, ist der Operator `<<` so überladen, dass der Wert des gespeicherten Zeigers auf einen Stream ausgegeben werden kann.

Auch die Move-Zuweisung eines `unique_ptr`-Objekts an ein `shared_ptr`-Objekt ist möglich. Darüber hinaus können zwei Smart Pointer (oder ein Smart Pointer und ein Null-Zeiger) verglichen werden. Der Vergleich wird auf den Vergleich der gespeicherten Zeiger zurückgeführt.

In einem Ausdruck müssen die beteiligten Smart Pointer nicht notwendig denselben Typ haben. Der Compiler nimmt eine implizite Konvertierung von `shared_ptr<U>` in den Typ `shared_ptr<T>` vor, wenn `U*` in `T*` konvertierbar ist. Das ist immer der Fall, wenn `T` eine Basisklasse von `U` ist. Ein weiteres Beispiel ist die Konvertierung von `shared_ptr<T>` in `shared_ptr<const T>`.

Methoden von shared_ptr<T>

Das Klassen-Template `shared_ptr<T>` besitzt die schon vorgestellten Methoden `use_count()` und `unique()`, so wie die von `unique_ptr<T>` her bekannten Methoden `get()`, `reset()` und `swap()`. Die Methode `release()` ist dagegen nicht vorhanden, da ein `shared_ptr`-Objekt nicht notwendig der alleinige Besitzer eines Objekts ist.

Beispiele:
```
shared_ptr<int> sp1, sp2(new int(10));
sp1.swap(sp2);      // *sp1 == 10 und sp2 leer.
sp1.reset(new int(20));   //Gibt int(10) frei.
sp1 = sp2;          // sp1.reset(); da sp2 leer.
```

Smart Pointer und STL-Container

Objekte in Containern der Standard Template Library (STL) müssen kopiert und zugewiesen werden können. Diese Bedingung erfüllen Smart Pointer vom Typ `shared_ptr<T>`. Das nebenstehende Beispielprogramm definiert eine inhomogene Liste mit unterschiedlichen Figuren, aus denen eine Grafik besteht. Dazu müssen in der Liste Zeiger auf die gemeinsame Basisklasse `Shape` gespeichert werden. Die Liste ist also ein Objekt vom Typ `list<ShapePtr>`.

Der Destruktor der abstrakten Basisklasse `Shape` gibt zur Kontrolle eine Meldung aus. Die Definition der Klassen ist natürlich unvollständig, da die eigentlichen Daten wie der Radius eines Kreises fehlen.

Das Klassen-Template shared_ptr (3)

Beispielprogramm mit selbstdefiniertem Deleter

```cpp
// sharedPtr3.cpp
// -----------------------------------------------------
#include <iostream>
#include <memory>
using namespace std;

template <class T> struct arrayDeleter
{
    void operator()(T *p)  {
        cout << "--- arrayDeleter aufgerufen! ---" << endl;
        delete [] p;
    }
};

struct X
{
    static long idCount;
    long id;
    X() : id(++idCount) { }
    ~X() { cout << "X-Destruktor " << id << endl; }
};
long X::idCount = 100;

int main()
{
    int len = 16;
    shared_ptr<int> spArr(new int[len], arrayDeleter<int>());

    *spArr = 1;
    int* arr = spArr.get();        // Startadresse des Vektors.
    for( int i = 1; i < len; ++i)
        arr[i] = 2*arr[i-1];
    for( int i = 0; i < len; ++i)      // 1  2  4  8  16 ....
        cout << "  " << arr[i];
    cout << endl;
    spArr.reset();    // Aufruf von arrayDeleter: delete[] arr;

    {
        shared_ptr<X> spXarr(new X[3], arrayDeleter<X>());
        cout << "Deleter von spXarr: "
            << (void*)get_deleter<arrayDeleter<X>,X>(spXarr)
            << endl;
        cout << "Erstes Element *spXarr == " << spXarr->id
            << endl;                        // 101
    }         // spXarr-Destruktor => Aufruf von arrayDeleter.
              // Ausgabe der X-Destruktoren:  103 102 101
    return 0;
}
```

Selbstdefinierte „Deleter"

Das Klassen-Template `smart_ptr` besitzt keinen zweiten Template-Parameter für einen so genannten *Deleter*, d.h. für den Typ eines Funktionsobjekts, das die verwaltete Ressource freigibt. Die Konstruktoren sind aber so überladen, dass beim Erzeugen eines `shared_ptr`-Objekts ein Deleter als zweites Argument angeben werden kann.

Das nebenstehende Beispiel zeigt die Definition eines Deleters für dynamische Vektoren. Die Definition ist notwendig, da `smart_ptr` – im Gegensatz zu `unique_ptr` – keine entsprechende Spezialisierung besitzt.

Beispiel: `shared_ptr<int> spArr(new int[len],`
                              `arrayDeleter<int>());`

Das Beispielprogramm setzt einen zweiten Smart Pointer auf einen Vektor mit drei Objekten vom Typ `X`. Der Konstruktor von `X` initialisiert die drei Elemente mit 101, 102 und 103. Bei der Zerstörung des Vektors mit `delete[]` zeigt der Destruktor von `X` diese Werte an.

Das Programm enthält auch einen Aufruf der Template-Funktion `get_deleter<D>(sp)`. Mit dieser Funktion lässt sich feststellen, ob zu einem Smart Pointer ein Deleter mit dem Typ `D` gehört. Ist dies der Fall, gibt `get_deleter<D>(sp)` einen Zeiger auf den Deleter zurück, andernfalls 0.

Effizienz

Während die Verwendung eines Smart Pointers vom Typ `unique_ptr<T>` im Wesentlichen genau so effizient ist wie die eines gewöhnlichen Zeigers, erfordert ein Smart Pointer vom Typ `shared_ptr<T>` einen nicht unerheblichen Overhead: Der erste Smart Pointer, der ein Objekt in Besitz nimmt, muss einen Kontrollblock dynamisch erzeugen, den alle Smart Pointer auf dasselbe Objekt abfragen und evtl. aktualisieren können.

Dieser Nachteil kann erheblich verringert werden, wenn der dynamische Speicher für das Objekt und für den Kontrollblock zusammenhängend in einer new-Operation reserviert wird. Zu diesem Zweck stellt C++ die „Factory"-Funktion `make_shared()` bereit.

Beispiel: `shared_ptr<int> sp = make_shared<int>(7);`

Die Funktion `make_shared<T>()` erzeugt mit dem globalen Operator `new` ein Objekt vom Typ `T` und gleichzeitig einen Smart Pointer auf das Objekt, den die Funktion zurückgibt. Die Funktion ist ein Beispiel für ein variadisches Template und akzeptiert eine variable Anzahl von Argumenten. Die Argumente werden einem passenden Konstruktor von `T` übergeben. Falls eine Exception auftritt, zum Beispiel `bad_alloc`, passiert nichts, das heißt, die Funktion ist *„exception safe"*.

Eine Variante von `make_shared<T>()` ist `allocate_shared<T>()`. Dieser Funktion wird zusätzlich als erstes Argument ein eigener Allocator übergeben, mit dem dann die Speicherreservierung erfolgt.

Das Klassen-Template weak_ptr

Beispiel für zyklische Verweise

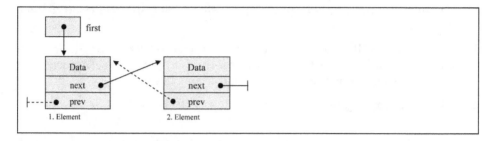

weak_ptr verwenden

```cpp
// weakPtr1.cpp
// -------------------------------------------------------
#include <iostream>
#include <memory>
using namespace std;

void print( weak_ptr<int> wp)           // Call by value
{
    shared_ptr<int> sp = wp.lock();
    if(sp)                          // Falls Objekt noch existiert
        cout << "Adresse: " << sp << "   Wert: " << *sp << endl;
    else
        cout << "Objekt nicht mehr vorhanden!" << endl;
}

int main()
{
    shared_ptr<int> sp(new int(7));
    weak_ptr<int> wp1   ,              // Leerer Zeiger
                  wp2(sp);             // Verweis auf *sp
    wp1 = sp;                    // ok, alle zeigen jetzt auf *sp.

    cout << "Referenzzaehler: "<< wp2.use_count() << endl; // 1
    print(wp2);                  // Kopierkonstruktor.
    sp.reset();                  // Zerstört *sp
    print(wp2);                  // wp.lock() ist leer.
    try {
        shared_ptr<int> sp(wp2);     // Exception bad_weak_ptr.
        cout << "Diese Anweisung wird nicht erreicht" << endl;
    }
    catch( bad_weak_ptr& e) { cerr << e.what() << endl; }
    catch(...) { cerr << "Unerwartete Exceptionn!" << endl; }
    return 0;
}
```

Zyklische Verweise

Die Verwendung eines Referenzzählers kann zu Speicherlecks führen, wenn *zyklische Verweise* auftreten, das heißt, wenn sich Objekte direkt oder indirekt gegenseitig referenzieren. In einem solchen Fall werden die Referenzzähler nie 0, auch wenn kein Verweis von außen mehr existiert. Die Objekte werden also nicht zerstört, obwohl kein Zugriff mehr auf sie möglich ist.

Ein Beispiel ist eine doppelt verkettete Liste mit mehr als einem Element, wie die nebenstehende Grafik veranschaulicht. Der Entwickler muss selbst darauf achten, dass keine zyklischen Verweise mit Smart Pointern vom Typ shared_ptr<T> auftreten. Zur Auflösung zyklischer Verweise können Smart Pointer vom Typ weak_ptr<T> eingesetzt werden..

Smart Pointer vom Typ weak_ptr<T>

Ein Smart Pointer vom Typ weak_ptr<T> kann nur auf ein Objekt verweisen, das bereits im Besitz eines Smart Pointers vom Typ shared_ptr<T> ist. Dabei wird der Referenzzähler nicht verändert und somit auch die Lebensdauer des Objekts nicht beeinflusst. Im folgenden Beispiel ist sp ein Smart Pointer vom Typ shared_ptr<int>.

Beispiel: weak_ptr<int> wp(sp);   // Definiton von wp.

Anschließend liefern wp.use_count() und sp.use_count() den gleichen Wert, und zwar den Wert wie vor der Definition von wp. Wenn der letzte Smart Pointer vom Typ shared_ptr<T> den Besitz eines Objekts abgibt, wird das Objekt zerstört, unabhängig davon, ob noch ein weak_ptr auf das Objekt verweist. Hier ist die weak_ptr-Methode expired() hilfreich. Sie liefert genau dann true, wenn das Objekt bereits zerstört wurde.

weak_ptr-Objekte können kopiert und zugewiesen werden, wobei auch die Zuweisung eines shared_ptr-Objekts an ein weak_ptr-Objekt möglich ist. Der Zugriff auf das referenzierte Objekt muss stets über einen Smart Pointer vom Typ shared_ptr<T> erfolgen. Das stellt sicher, dass auch in einer Multithreading-Umgebung das Objekt während der Operationen existent bleibt. Es gibt zwei Möglichkeiten, zu einem weak_ptr-Objekt ein entsprechendes shared_ptr-Objekt zu erhalten:

1. Die Methode lock() von weak_ptr<T> gibt ein shared_ptr<T>-Objekt zurück.

2. Ein Konstruktor von shared_ptr<T> akzeptiert ein Argument vom Typ weak_ptr<U>, wenn U* in T* konvertierbar ist.

Falls das referenzierte Objekt bereits zerstört wurde, gibt die Methode lock() ein leeres shared_ptr-Objekt zurück und der Konstruktor wirft eine Exception vom Typ der Standardfehlerklasse bad_weak_ptr. Das nebenstehende Beispiel zeigt beide Möglichkeiten. Die Fehlerklasse bad_weak_ptr ist von der Klasse exception abgeleitet und besitzt somit die Methode what().

Übungen

Zur 1. Aufgabe:

Eine Beispielausgabe

```
Die Daten im vector-Container:
     2.2      3.3      1.1      3.3

Die Daten im multiset-Container:
     1.1      2.2      3.3      3.3

Die Anzahl der Besitzer nach dem Loeschen:
     1.1 : 1     2.2 : 2     3.3 : 2     3.3 : 1

Destruktor fuer x = 3.3
Destruktor fuer x = 1.1

Ende von main().
Destruktor fuer x = 2.2
Destruktor fuer x = 3.3
```

Zur 2. Aufgabe:

Methoden der Klasse MyList<T>

```
size_t size() const;
bool empty() const;
void clear();

void push_front(const T& obj);
void pop_front();
T& front() const;

void push_back(const T& obj);
void pop_back();
T& back() const;

void append( const MyList& list2);
```

friend-Funktion der Klasse MyList<T>

```
// Operator << zur Ausgabe der Liste ohne Iteratoren.
// Für T muss der Operator << definiert sein.
template<class T>
friend ostream& operator<<( ostream& os,
                            const MyList<T>& list);
```

1. Aufgabe

Ein Programm zur Verarbeitung von Messwerten benötigt die Daten sowohl in der ursprünglichen Reihenfolge ihres Eintreffens als auch nach ihrer Größe sortiert. Jeder Messwert zusammen mit weiteren Informationen, z.B. Ort und Zeit, soll jedoch nur einmal gespeichert werden. Daher werden Smart Pointer vom Typ `shared_ptr<T>` auf die Daten sowohl in einem `vector`-Container als auch in einem `multiset`-Container gespeichert.

- Definieren Sie die Struktur `Data`, die hier nur einen Wert vom Typ `float` speichert. Neben einem passenden Konstruktor soll zu Testzwecken auch ein eigener Destruktor vorhanden sein, der eine Meldung mit dem Messwert ausgibt.

- Für den Typ `shared_ptr<Data>` wird der Operator < so definiert, dass die Daten im `multiset`-Container aufsteigend sortiert sind.

- Die Funktion `main()` legt zunächst einen `vector`-Container an und fügt am Ende einige Smart Pointer auf `Data`-Objekte ein. Dann werden die Daten in dieser Reihenfolge angezeigt.

- Anschließend werden die Smart Pointer in einen `multiset`-Container eingefügt. Verwenden Sie dazu einen passenden `multiset`-Konstruktor. Bei der Ausgabe der Daten gemäß der Reihenfolge im `multiset`-Container erscheinen die Daten jetzt sortiert.

- Löschen Sie die letzten zwei Elemente im `vector`-Container und zeigen Sie die Daten gemäß der Reihenfolge im `multiset`-Container erneut an, diesmal zusammen mit der jeweiligen Anzahl der Besitzer. Leeren Sie dann vor dem Ende von `main()` explizit den `multiset`-Container.

2. Aufgabe

Definieren Sie ein Klassen-Template `MyList<T>` für eine doppelt verkettete Liste, die zur Verkettung Smart Pointer verwendet (siehe Skizze auf der vorhergehenden Doppelseite).

Die Klasse besitzt drei private Datenelemente: Einen Zeiger `first` auf das erste Element, einen Zeiger `last` auf das letzte Element und einen Zähler für die Elemente. Der Typ der Elemente wird als private Struktur definiert. Der Zeiger `first` und die Zeiger auf die Nachfolger haben den Typ `shared_ptr`, der Zeiger `last` und die Zeiger auf die Vorgänger den Typ `weak_ptr`. Für das Löschen aller Elemente genügt also ein Reset des Zeigers `first`.

Außer dem Default-Konstruktor sind ein eigener Kopierkonstruktor und die Zuweisung zu definieren. Zusätzlich werden die nebenstehenden Methoden bereitgestellt und zur Ausgabe der Liste der Operator << überladen.

Testen Sie die Liste mit Objekten, deren Destruktor eine Meldung ausgibt, z.B. mit der Klasse `Person` aus dem Beispiel `unique_ptr3.cpp`. Testen Sie insbesondere den Kopierkonstruktor und die Zuweisung einer Liste.

Ein Iterator für MyList<T>

```
#include <iterator>
template<class T>
class MyList<T>::Iterator :
public std::iterator<std::bidirectional_iterator_tag, T>
{   /* Konstruktoren und
        Operatoren ++, --, *, ->, ==, !=      */
}
```

Zur 3. Aufgabe

Das öffentliche Interface der Klasse SmartPtr

```
Konstruktoren:
    SmartPtr();                   // leerer Smart Pointer

    template <class U>
    explicit SmartPtr(U *ptr);

    // Kopierkonstruktor (ein neuer Besitzer)
    SmartPtr(const SmartPtr& p);

    // Kopierkonstruktor mit impliziter Konvertierung
    template <class U>
    SmartPtr(const SmartPtr<U>& p);

Zuweisungen:
    SmartPtr& operator=(const SmartPtr& p);
    // Zuweisung mit impliziter Konvertierung
    template <class U>
    SmartPtr& operator=(const SmartPtr<U>& p);

Destruktor:
    ~SmartPtr();

Objekt freigeben und als letzter Besitzer loeschen:
    void reset();

Objektzugrffe:
    T* operator->() const;
    T& operator*() const;

Get-Methoden:
    T* getObjPtr() const;
    const int* getCountPtr() const;

bool-Konvertierung:
    operator bool() const;

Tauschen:
    void swap( SmartPtr& p);
```

Fortsetzung der 2. Aufgabe

Ohne Iteratoren ist die Klasse `MyList<T>` noch nicht sehr nützlich. Daher soll ein bidirektionaler Iterator `MyList<T>::Iterator` definiert werden sowie die Methoden `begin()` und `end()`. Die Methode `begin()` liefert einen Iterator auf das erste Element und `end()` einen Iterator „hinter" dem letzten Element (das heißt, `--end()` verweist auf das letzte Element).

Um die Anforderungen des C++-Standards an Iteratoren zu erfüllen, sollte die eigene Iterator-Klasse wie nebenstehend von der Klasse `std::iterator` abgeleitet werden.

3. Aufgabe

Zum tieferen Verständnis von intelligenten Zeigern soll ein eigenes Template für Smart Pointer mit Referenzzähler definiert werden. Die Zeiger sollen nur auf einzelne dynamische Objekte verweisen, also nicht auf dynamische Arrays oder andere Ressourcen. Das vereinfacht die Implementierung, da als „Deleter" nur der Operator `delete` zur Anwendung kommt.

Das Klassen-Template `SmartPtr` soll mindestens die nebenstehende Funktionalität bereitstellen. Dabei sind folgende Punkte zu beachten:

- Neben dem Zeiger auf das Objekt hat jeder Smart Pointer auch einen Zeiger auf den zugehörigen Referenzzähler. Der erste Smart Pointer, der ein Objekt in Besitz nimmt, erzeugt und initialisiert den Referenzzähler mit dem globalen `new`-Operator.

- Der Default-Konstruktor erzeugt einen leeren Smart Pointer, das heißt, es wird noch kein Referenzzähler erzeugt.

- Die Template-Methoden ermöglichen die implizite Konvertierung von `SmartPtr<U>` in den Typ `SmartPtr<T>`, wenn `U*` in `T*` konvertierbar ist, insbesondere die üblichen Konvertierungen in Klassenhierarchien.

- Stellen Sie beim Objektzugriff mit dem `assert`-Makro (Header: `assert.h`) sicher, dass die Objektzeiger nicht Null sind.

- Die Konvertierung in den Typ `bool` sollte nur explizit erfolgen.

Testen Sie Ihre Implementierung der Klasse `SmartPtr<T>` mit einem Programm, das jede Methode mindestens einmal aufruft. Definieren Sie dazu eine Klasse `Base` und eine davon abgeleitete Klasse `Derived`. Die Klassen besitzen eine virtuelle Methode `hello()`, die eine Meldung „Ich bin ..." ausgibt, und einen virtuellen Destruktor, der zu Testzwecken ebenfalls eine Meldung ausgibt.

Anmerkung: Sie können `SmartPtr<T>` noch weiter verbessern, indem Sie Move-Konstruktoren und Move-Zuweisungen hinzufügen. Außerdem können Sie die `reset`-Methode so überladen, dass sie einen Zeiger als Argument akzeptiert. Zum Vergleich zweier Smart Pointer sollten auch die Operatoren `==`, `!=` und `<` als globale Operatorfunktionen definiert werden.

Lösungen

Zur 1. Aufgabe:

```cpp
// ----------------------------------------------------
// shared_ptr_STL.cpp
// shared_ptr in einem STL-Contaier
// ----------------------------------------------------
#include <iostream>
#include <vector>
#include <set>
#include <algorithm>
#include <memory>
using namespace std;

struct Data
{
  float x;                        // Messwert
  // Weitere Daten wie Uhrzeit, Datum, ...
  Data( float xx = 0.0F ) : x(xx) {}
  ~Data() { cout << "Destruktor fuer x = " << x << endl; }
  // Weitere Methoden
};

inline bool operator<(const Data& d1, const Data& d2)
{   return d1.x < d2.x;   }

typedef shared_ptr<Data> DataPtr;

// Operationen für DataPtr
inline bool operator<(const DataPtr& p1, const DataPtr& p2)
{   return *p1 < *p2;   }

void printData( const DataPtr& p)
{ cout.width(8); cout << p->x; }

void printCount( const DataPtr& p)
{ cout.width(8); cout << p->x << " : " << p.use_count(); }

int main()
{
   vector<DataPtr>  dataPtr_vec;

   // Einige Daten am Ende einfügen:
   dataPtr_vec.push_back( DataPtr(new Data(2.2F)) );
   dataPtr_vec.push_back( DataPtr(new Data(3.3F)) );
   dataPtr_vec.push_back( DataPtr(new Data(1.1F)) );
   dataPtr_vec.push_back( DataPtr(new Data(3.3F)) );

   cout << "Die Daten im vector-Container:" << endl;
   for_each( dataPtr_vec.begin(), dataPtr_vec.end(),
             printData);
   cout << endl;
```

```
    // Ein multiset-Container mit den Daten:
    // (Daten können gleich sein.)
    multiset<DataPtr> dataPtr_mset( dataPtr_vec.begin(),
                                    dataPtr_vec.end());

    cout << "Die Daten im multiset-Container:" << endl;
    for_each( dataPtr_mset.begin(), dataPtr_mset.end(),
              printData);
    cout << endl;

    dataPtr_vec.pop_back();     // Im Vektor die zwei letzten
    dataPtr_vec.pop_back();     // Elemente löschen.

    cout << "Die Anzahl der Besitzer nach dem Loeschen:"
         << endl;
    for_each( dataPtr_mset.begin(), dataPtr_mset.end(),
              printCount);
    cout << endl;

    dataPtr_mset.clear();   // Liste löschen => Destruktoren
                            // der Elemente, die auch im
                            // Vektor gelöscht wurden.
    cout << "Ende von main()." << endl;
    return 0;
}
```

Zur 2. Aufgabe:

```
// -------------------------------------------------
// myList.h
// Eine doppelt verkettete Liste.
// Verkettung mit shared_ptr und weak_ptr.
// -------------------------------------------------
#ifndef MYLIST_H
#define MYLIST_H

#include <iostream>
#include <cassert>
#include <memory>
#include <iterator>
using namespace std;

template<class T>
class MyList {
    struct Element {            // Typ der Elemente
      T obj;
      shared_ptr<Element> next;
      weak_ptr<Element> prev;
      Element(const T& a = T()) : obj(a) {}
    };
    shared_ptr<Element> first;
    weak_ptr<Element> last;
    size_t size_val;
```

Lösungen (Fortsetzung)

```cpp
public:
  MyList() : size_val(0) {}
                                    // Kopierkonstruktor:
  MyList( const MyList& list2) : size_val(0)
  { append( list2); }


                                    // Zuweisung:
  MyList& operator=( const MyList& list)
  {   if( this != &list)            // Keine Selbstzuweisung.
      {  clear();  append( list);  }
      return *this;
  }

  size_t size() const { return size_val; }
  bool empty() const  { return size_val == 0; }
  void clear()
  {   first.reset();         // Löscht alle Elemente!
      last.reset();
      size_val = 0;
  }

  void push_front(const T& obj)
  {
    shared_ptr<Element> ePtr(new Element(obj));
    if(first) {
      ePtr->next = first;    // Nicht leer => verketten
      first->prev = ePtr;
      first = ePtr;
    }
    else
       last = first = ePtr;
    ++size_val;
  }
  void pop_front()
  {
    if(size_val > 1) {     // Mindestens zwei Elemente.
      first = first->next;   // Auf 2. Element setzen.
                             // => 1. Element wird zerstört.
      first->prev.reset();   // Kein Vorgänger.
      --size_val;
    }
    else clear();
  }
  T& front() { assert(first); return first->obj; }

  void push_back(const T& obj)
  {
    shared_ptr<Element> ePtr(new Element(obj));
    if(!empty()) {
      ePtr->prev = last;     // Nicht leer => anhängen
      last.lock()->next = ePtr;
      last = ePtr;
    }
```

```
      else
         last = first = ePtr;
      ++size_val;
   }
   void pop_back()
   {
      if(size_val > 1) {          // Mindestens zwei Elemente.
         last = last.lock()->prev;    // Vorletztes Element.
         last.lock()->next.reset();   // Kein Nachfolger,
                         // => letztes Element wird zerstört.
         --size_val;
      }
      else clear();
   }
   T& back() { assert(first); return last.lock()->obj; }

   void append( const MyList& list2)
   {
      if( this != &list2)      // Quelle != Ziel
      {
         shared_ptr<Element> p = list2.first;
         while( p )
         {
            push_back(p->obj);
            p = p->next;
         }
      }
   }

   template<class T>
   friend ostream& operator<<( ostream& os,
                               const MyList<T>& list);

   // Ein bidirektionaler Iterator:
   class Iterator;
   Iterator begin() { return Iterator(first,this); }
   Iterator end() { return Iterator(this); }
};

// Ausgabe ohne Iteratoren.
// Für T muss der Operator << definiert sein.
template<class T>
inline ostream& operator<<( ostream& os,
                            const MyList<T>& l)
{
   shared_ptr<MyList<T>::Element> ptr = l.first;
   while( ptr )
   {
      os << '\t' << ptr->obj;
      ptr = ptr->next;
   }
   return os;
}
```

Lösungen (Fortsetzung)

```cpp
// --------------------------------------------------
// Ein Iterator für MyList<T>
template<class T>
class MyList<T>::Iterator
: public std::iterator<std::bidirectional_iterator_tag, T>
{
    weak_ptr<Element> ptr;
    MyList<T> *listPtr;          // Zugrunde liegende Liste.
  public:
    Iterator(MyList * const lp=0 ) : listPtr(lp) {}
    Iterator(const weak_ptr<Element>& p, MyList * const lp)
    : ptr(p), listPtr(lp) {}

    T& operator*() const {
        shared_ptr<Element> ep = ptr.lock();
        assert(ep);
        return ep->obj;
    }
    T* operator->() const {
        shared_ptr<Element> ep = ptr.lock();
        assert(ep);
        return &ep->obj;
    }
    Iterator& operator++() {           // preincrement
        shared_ptr<Element> ep = ptr.lock();
        if(ep)  ptr = ep->next;
        return *this;
    }
    Iterator operator++(int) {         // postincrement
        Iterator tmp = *this;
        ++*this;
        return tmp;
    }
    Iterator& operator--() {
        shared_ptr<Element> ep = ptr.lock();
        if(ep)
        { assert(ep!=listPtr->first);  ptr = ep->prev; }
        else
        { assert(!listPtr->empty());  ptr = listPtr->last;}
        return *this;
    }
    Iterator operator--(int) {         // postdecrement
        Iterator tmp = *this;
        --*this;
        return tmp;
    }
    bool operator==( const Iterator& i2) const
    { return ptr.lock() == i2.ptr.lock(); }
    bool operator!=( const Iterator& i2) const
    { return !(*this == i2); }
};
#endif    // MYLIST_H
```

```
// --------------------------------------------------
// myList_t.cpp
// Die doppelt verkettete Liste MyList<T> testen.
// --------------------------------------------------
#include <iostream>
#include <algorithm>
#include <cctype>
#include "person.h" // Klasse Person wie in diesem Kapitel
#include "myList.h"
using namespace std;

void toUpper( Person& person)        // Name in Großbuchstaben
{                                    // Für for_each()
    string n(person.getName());
    for( unsigned i = 0; i < n.length(); ++i)
        n[i] = toupper(n[i]);
    person.setName(n);
}

int main()
{
    MyList<Person> myList;
    cout << "Liste wird gefuellt.\n"
            "(Temporaere Objekte werden kopiert.)" << endl;
    myList.push_front( Person("Max"));
    myList.push_front( Person("Vivi"));
    myList.push_back( Person("Eva"));

    cout << "\nDas erste Element: "
         << myList.front().getName() << endl;      // Vivi
    cout << "Das letzte Element: "
         << myList.back().getName() << endl;        // Eva

    MyList<Person> yourList( myList);    // Kopierkonstruktor
    cout << "Kopie der Liste: " << endl;
    cout << yourList << endl;            // Vivi   Max   Eva

    yourList.append( myList);
    yourList.pop_front();
    yourList.pop_back();
    yourList.front().setName("Xaver");

    cout << "2. Liste nach einigen Operationen: \n"
         << yourList << endl;      // Xaver  Eva  Vivi  Max

    cout << "Und eine Zuweisung." << endl;
    myList = yourList;                            // Zuweisung

    cout << "Operationen mit Iteratoren:" << endl;
    // Ausgabe mit Iteratoren:
    MyList<Person>::Iterator iter = myList.begin();
    for( ; iter != myList.end(); ++iter)
        cout << '\t' << iter->getName();
    cout << endl;
```

Lösungen (Fortsetzung)

```
    cout << " ... in umgekehrter Reihenfolge:" << endl;
    if( !myList.empty())
    {
      iter = myList.end();
      do {
          cout << '\t' << (--iter)->getName(); }
      while( iter != myList.begin() );
      cout << endl;                    // Max  Vivi  Eva  Xaver
    }

    cout << " ... in Grossbuchstaben:" << endl;
    for_each( myList.begin(), myList.end(), toUpper);
    cout << myList << endl;          // XAVER  EVA  VIVI  MAX

    cout << "Weiter mit der <Return>-Taste ... ";
    cin.get();
    cout << "\n1. Liste wird geloescht:" << endl;
    myList.clear();

    cout << "Ende von main()." << endl;
    return 0;
}
```

Zur 3. Aufgabe:

```
// ----------------------------------------------------------
// mySmartPtr.h
// Smart Pointer auf dynamische Objekte mit Referenzzähler:
// Das Objekt wird zerstört, wenn der letzte Zeiger darauf
// zerstört wird.
// ----------------------------------------------------------
#ifndef MYSMARTPTR_H
#define MYSMARTPTR_H
#include <assert.h>

template <class T>
class SmartPtr
{
  private:
    T *objPtr;         // Zeiger auf das dynamische Objekt.
    int* countPtr;     // Referenzzähler (Anzahl Besitzer
                       // = Anzahl Zeiger auf das Objekt).
  public:
    SmartPtr() : objPtr(0),countPtr(0) {} // Leerer Pointer
    template <class U>
    explicit SmartPtr(U *ptr)
    : objPtr((T*)ptr), countPtr(new int(1)) {}

    // Kopierkonstruktor (ein neuer Besitzer)
    SmartPtr(const SmartPtr& p)
    : objPtr(p.objPtr), countPtr(p.countPtr)
    { if(countPtr) ++*countPtr; }    // Falls p nicht leer.
```

```
// Kopierkonstruktor mit impliziter Konvertierung

template <class U>
SmartPtr(const SmartPtr<U>& p)
: objPtr((T*)p.getObjPtr()),
  countPtr((int*)p.getCountPtr())
{ if(countPtr) ++*countPtr; }    // Falls p nicht leer.

// Zuweisung
SmartPtr& operator=(const SmartPtr& p)
{
   if( objPtr != p.objPtr)
   {   reset();
       objPtr   = p.objPtr;
       countPtr = p.countPtr;
       if(countPtr) ++*countPtr; // Falls p nicht leer.
   }
   return *this;
}

// Zuweisung mit impliziter Konvertierung
template <class U>
SmartPtr& operator=(const SmartPtr<U>& p)
{
   if( objPtr != p.getObjPtr())
   {   reset();
       objPtr   = (T*)p.getObjPtr();
       countPtr = (int*)p.getCountPtr();
       if(countPtr) ++*countPtr;
   }
   return *this;
}

// Destruktor
~SmartPtr() { reset();  }

// Objekt freigeben und als letzter Besitzer loeschen:
void reset();

// Objektzugriffe:
T* operator->() const
{
   assert(objPtr);
   return objPtr;
}
T& operator*() const
{
   assert(objPtr);
   return *objPtr;
}
T* getObjPtr() const  { return objPtr; }
const int* getCountPtr() const  { return countPtr; }

operator bool() const { return objPtr != 0; }
```

Lösungen (Fortsetzung)

```cpp
      void swap( SmartPtr& p)
      {
         T* op = objPtr;        objPtr = p.objPtr;
         p.objPtr = op;
         int* cp = countPtr;  countPtr = p.countPtr;
         p.countPtr = cp;
      }
};

template <class T>
inline void SmartPtr<T>::reset()
// Der letzte Besitzer löscht das Objekt und den Zähler.
{
    if( countPtr && --*countPtr == 0)
    {
        delete objPtr; delete countPtr;
        objPtr = 0; countPtr = 0;
    }
}
#endif    // MYSMARTPTR_H


// ----------------------------------------------------------
// mySmartPtr_t.cpp
// Test der eigenen Klasse SmartPtr<T>
// ----------------------------------------------------------
#include "mySmartPtr.h"
#include <iostream>
using namespace std;

struct Base
{
    virtual void hello()
    { cout << "Hier ist die Klasse Base" << endl; }
    virtual ~Base() { cout << "Base-Destruktor" << endl; }
};

struct Derived : public Base
{
    void hello()
    { cout << "Hier ist die Klasse Derived" << endl; }
    ~Derived() { cout << "Derived-Destruktor" << endl; }
};

// Übergabe per value:
void func(SmartPtr<Base> p)
{
    cout << "In der Funktion func(): ";
    p->hello();              // (p.operator->())->hello();
}
```

```cpp
int main()
{
    cout << "--- Smart Pointer auf dynamische Objekte ---"
        << endl;
    SmartPtr<Base> sptrB(new Base);   // Mit Initialisierung
    SmartPtr<Derived> sptrD;          // Zeigt auf nichts
    // Zuweisung eines temporären Pointers:
    sptrD = (SmartPtr<Derived>)new Derived;

    cout << "\nOperator ->" << endl;
    sptrB->hello();       // (sptrB.operator->())->hello();
    sptrD->hello();

    cout << "\nOperator *" << endl;
    (*sptrB).hello();
    (*sptrD).hello();

    cout << "\nKopierkonstruktor und Zuweisung" << endl;
    if( sptrB)                    // wahr, da sptrB != 0.
    {
      // Initialisierung mit Kopierkonstruktor
      SmartPtr<Base> sptrB2(sptrB);           // 2. Besitzer

      // Zuweisung von Smart Pointern:
      SmartPtr<Base> sptrB3;                  // leer
      sptrB3 = sptrB;                         // 3. Besitzer
      cout << "Anzahl Besitzer von Base-Objekt:    "
          << *(sptrB.getCountPtr()) << endl;  // 3
    }                   // Jetzt nur noch ein Besitzer.
    cout << "\nPolymorphismus:" << endl;
    // Parameterübergabe eines smartPointer
    func(sptrB);        // Call by Value.
    func(sptrD);        // Mit Konvertierung in Base-Ptr.

    // Basisklassenzeiger auf ein Derived-Objekt:
    sptrB = sptrD;      // Base-Objekt wird zerstört.
                        // Jetzt zwei Besitzer von *sptrD
    cout << "Anzahl Besitzer des Derived-Objekts: "
        << *(sptrD.getCountPtr()) << endl;

    sptrD.reset();                    // Noch ein Besitzer.
    sptrB->hello();                   // Derived::hello();

    SmartPtr<Base> sptrB2(new Base);  // Neues Base-Objekt.
    sptrB.swap( sptrB2);
    sptrB->hello();                   // Base::hello();
    sptrB2->hello();                  // Derived::hello();

    cout << "\nEnde von main()!" << endl;
    return 0;
}
```

Kapitel 35

Multithreading

Dieses Kapitel beschreibt, wie in einem Programm mehrere Threads ausgeführt werden können. Sie lernen insbesondere,

- Threads anzulegen und zu initialisieren

- konkurrierende Speicherzugriffe mit einem Mutex zu synchronisieren

- die Kommunikation von Threads durch Bedingungsvariablen zu steuern

Als Anwendungen werden unter anderem Lösungen für das Reader-Writer-Problem und das Producer-Consumer-Problem vorgestellt.

Threads

Threads in Multi-Core-Systemen

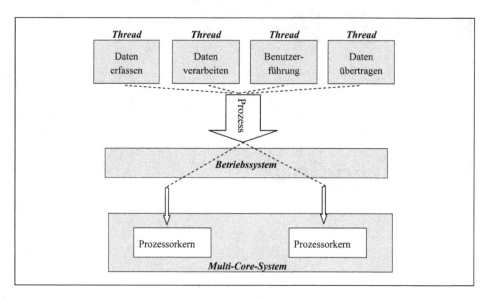

Thread-Kontext

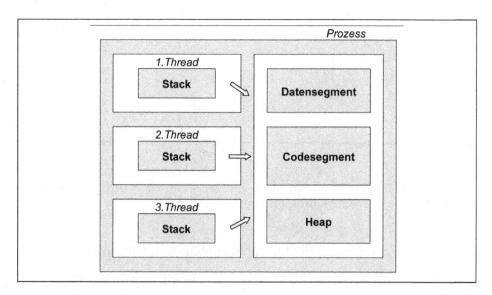

Parallele und quasi-parallele Verarbeitung

Ein *Thread* (dt. Faden) ist ein sequenzieller Ausführungsfaden innerhalb eines Prozesses, d.h. eines Programms, das ausgeführt wird. Mit dem Start eines Prozesses beginnt die Ausführung des Haupt-Threads. In einem Prozess können weitere Threads gestartet werden, die sich denselben Adressraum teilen.

Bei einem Rechner mit einem Prozessor kann zu einem Zeitpunkt immer nur ein Prozess und darin nur ein Thread ausgeführt werden. Mehrere Prozesse bzw. Threads werden „quasi-parallel" bearbeitet, indem das Betriebssystem die verfügbare CPU-Zeit aufteilt und zwischen den Threads wechselt. Bei Mehrprozessor-Systemen (engl. *multicore systems*) sind mehrere Threads tatsächlich parallel ausführbar. Beispielsweise können bei einem Dualcore-System zwei Threads gleichzeitig bearbeitet werden.

Multithreading hat für ein Programm wesentliche Vorteile:

- Spezifische, zeitaufwendige Operationen können im „Hintergrund" ausgeführt werden, wie z.B. das Schreiben/Lesen auf externen Speichern.

- Unabhängige Operationen blockieren sich gegenseitig nicht, wie z.B. die Datenerfassung über Messgeräte in einem Thread und die Bearbeitung von Grafiken in einem anderen Thread derselben Applikation.

- Die parallele Lösung rechenintensiver Operationen, die in Teilaufgaben zerlegbar sind, kann mit Threads beschleunigt werden.

Synchronisation

Jeder Thread hat einen eigenen Stack, teilt sich aber globale Daten mit anderen Threads in einem Prozess. Threads können deshalb lokale Daten unabhängig voneinander bearbeiten, auch wenn sie beispielsweise dieselbe Funktion ausführen. Andererseits sind *konkurrierende Speicherzugriffe* möglich, wenn mehrere Threads auf dieselben globalen Daten zugreifen.

So kann ein Thread beginnen, in einem Vektor ein Element zu löschen. Bevor die Operation abgeschlossen ist, kommt ein anderer Thread zur Ausführung und greift auf den momentan inkonsistenten Vektor zu. In der Situation sind die Speicherzugriffe zu synchronisieren, das heißt, der Vektor sollte für weitere Zugriffe gesperrt werden, bis die Löschoperation abgeschlossen ist.

In anderen Fällen ist die Kommunikation von Threads erforderlich, um Methodenaufrufe zu synchronisieren. So sollte ein Thread, der Messwerte in eine Queue schreibt, anderen Threads den Abschluss der Schreiboperation signalisieren können. Anschließend können die Messwerte von anderen Threads verarbeitet werden.

Erzeugen und Ausführen von Threads

```cpp
// thread_sort.cpp
// Sortiert zwei Vektorhälften und mischt sie.
//-----------------------------------------------------
#include <thread>
#include <cstdlib>               // Für rand(), srand()
using namespace std;

#define MAX 1000

void initialize(int* pv, int len)
{
  for(int i= 0; i < len; i++)   pv[i] = rand();
}
void selectionSort(int* pv, int n)   // Selection-Sort-
{                                     // Algorithmus.
   int i, j, merke, temp;
   for(i = 0; i < n-1; i++)
   {                                  // Position vorläufig
     merke = i;                       // kleinstes Element.
      for(j = i+1; j < n; j++)        // Kleineres Element
       if(pv[j] < pv[merke])          // suchen.
         merke = j;
                                      // Elemente tauschen:
      temp = pv[i]; pv[i] = pv[merke]; pv[merke] = temp;
   }
}
void merge (int* pv, int n);
void main()
{
   int v[MAX];
   initialize(v, MAX);               // Initialisierung.
   int len1 = MAX/2 ;
   int len2 = MAX % 2 ? MAX/2 + 1: MAX/2 ;
              // Vektorhälften mit Threads sortieren:
   thread t1(selectionSort, v, len1);
   thread t2(selectionSort, v + len1, len2);

   t1.join(); t2.join(); // Warten bis Sortierung
                         // abgeschlossen.
   merge(v, MAX);        // Sortierte Hälften mischen:
                         // wie in Kap. 21, 2. Aufgabe.
}
```

Threads erzeugen

In C++ wird ein Thread durch ein Objekt der Klasse `thread` dargestellt. Beim Anlegen des Threads kann zugleich die auszuführende Funktion angegeben werden. Ist `f()` eine globale Funktion ohne Parameter, so wird im

Beispiel: `thread t(f);`

ein Objekt `t` der Klasse `thread` vereinbart. Der Konstruktor der Klasse startet den Thread, der – sobald er zur Ausführung kommt – die Funktion `f()` aufruft.

Falls die Funktion `f()` Parameter besitzt, werden beim Anlegen des Threads auch die Argumente der Funktion übergeben.

Beispiel: `thread t(f, 7, 9.3);`

Als Erstes ist der Name der auszuführenden Funktion `f` angegeben und nachfolgend sind die Funktions-Argumente aufgelistet. Beim Start des Threads wird dann die Funktion `f(7, 9.3)` aufgerufen.

Zustände von Threads

Nach dem Aufruf des Konstruktors der Klasse `thread` befindet sich ein Thread im Zustand *„lauffähig"*, das heißt, der Thread wartet, bis ihm das Betriebssystem Prozessorzeit zur Verfügung stellt und er die Funktion `f()` ausführen kann. Der Thread befindet sich dann im Zustand *„aktiv"*.

Ist die zugeteilte Prozessorzeit abgelaufen, wechselt der Thread wieder in den Zustand „lauffähig" oder – wenn die Funktion `f()` beendet wurde – in den Zustand „beendet". Im letzten Fall stellt das Objekt `t` keinen Thread mehr dar.

Im nebenstehenden Beispiel werden zwei Threads `t1` und `t2` angelegt, die zwei Vektorhälften mit dem Selection-Sort-Algorithmus sortieren. Das Betriebssystem verteilt die verfügbare Prozessorzeit auf drei Threads, nämlich `t1`, `t2` und den Haupt-Thread der Funktion `main()`. Da die beiden Sortiervorgänge abgeschlossen sein müssen, bevor `main()` mit dem Mischen der beiden Vektorhälften beginnen kann, sind die Aufrufe

Beispiel: `t1.join(); t2.join();`

erforderlich. Sie bewirken, dass der aufrufende Thread in den Zustand *„blockiert"* versetzt wird, bis `t1` und `t2` beendet worden sind.

Die Verwendung von Threads zum parallelen Sortieren von Vektorhälften auf einem Dual-Core-System halbiert die Laufzeit des Programms. Werden vier oder mehr Threads zum Sortieren von kleineren Teilvektoren in Mehrprozessor-Systemen eingesetzt, kann die Laufzeit weiter optimiert werden.

Initialisierung und Zuweisung

```cpp
// thread_initialize.cpp
// Initialisiert einen Thread mit einem Funktionsobjekt.
// ----------------------------------------------------------
#include <thread>
#include <iostream>
using namespace std;
struct FuncObj
{
    FuncObj()                          // Default-Konstruktor
    { cout << "\nDefault-Konstruktor erzeugt Objekt: "
           << (void*)this << endl;}
    FuncObj(const FuncObj& mt)         // Kopier-Konstruktor
    { cout <<"\nKopierkonstruktor erzeugt Objekt: "
           << (void*) this << endl;}
    FuncObj(FuncObj&& mt)              // Move-Konstruktor
    { cout << "\nMove-Konstruktor erzeugt Objekt: "
           << (void*) this << endl;}
    ~FuncObj()
    { cout << "\nDestruktor zerstoert Objekt: "
           << (void*) this << endl; }

    void operator()()
    {
        cout << "\n()-Operator aufgerufen fuer Objekt: "
           << (void*) this << ". \n()-Operator beendet. "
           << endl;
    }
};

int main()
{
    FuncObj a;
    thread t(a);
    t.join();
    return 0;
}
```

Beispielausgabe des Programms:

```
Default-Konstruktor erzeugt Objekt: 0012FF57
Kopierkonstruktor erzeugt Objekt: 0012FE40
Move-Konstruktor erzeugt Objekt: 001535A0
Destruktor zerstoert Objekt: 0012FE40
()-Operator aufgerufen fuer Objekt: 001535A0.
()-Operator beendet.
Destruktor zerstoert Objekt: 001535A0
Destruktor zerstoert Objekt: 0012FF57
```

Default-Konstruktor und Zuweisung

Ein Objekt der Klasse `thread` muss noch nicht mit einem Thread verbunden sein. In der Definition

Beispiel: `thread t1;`

legt der Default-Konstruktor der Klasse `thread` ein Objekt `t1` an, das keinen Thread darstellt. Nach Ausführung eines Threads stellt das entsprechende Objekt der Klasse `thread` ebenfalls keinen aktiven Thread mehr dar.

Zwei Objekte der Klasse `thread` können nicht denselben Thread darstellen. Zu dem Zweck wird in der Klasse `thread` die Definition eines Kopierkonstruktors und des Zuweisungsoperators wie folgt unterdrückt:

Beispiel: `thread(const thread& ) = delete;`
                `thread& operator=(const thread&) = delete;`

Beide Methoden sind also in der Klasse `thread` deaktiviert. Ist das Objekt `t2` der Klasse `thread` mit einem Thread verbunden, so gibt der Compiler deshalb im

Beispiel: `t1 = t2;`   `// Fehler!`

eine Fehlermeldung aus.

In der Klasse `thread` stehen ein Move-Konstruktor und eine Move-Zuweisung zur Verfügung. Die Zuweisung und Initialisierung mit R-Werten ist deshalb möglich. So wird das Objekt `t1` im

Beispiel: `t1 = thread t(f);`   `// Funktion f() global`

mit einem temporären Thread-Objekt `t` initialisiert, das anschließend wieder zerstört wird.

Initialisierung mit Funktionsobjekten

Zur Initialisierung eines Threads kann auch ein Funktionsobjekt eingesetzt werden. Das nebenstehende Beispiel demonstriert dies mit der Klasse `FuncObj`, für die der Operator `()` überladen ist.

Bei der Initialisierung des Thread-Objekts `t` mit dem Funktionsobjekt a wird zunächst eine Kopie von a erstellt, woraus der Move-Konstruktor der Klasse `FuncObj` ein neues Objekt erstellt. Dann wird die Kopie von a zerstört und für das mit dem Move-Konstruktor erzeugte Objekt der Operator `()` aufgerufen. Ein Thread arbeitet also immer mit der Kopie eines Funktionsobjekts.

Konkurrierende Speicherzugriffe

```cpp
// mutex.cpp
// Demonstriert die Synchronisation von Speicherzugriffen
// ------------------------------------------------------
#include <thread>
#include <mutex>
#include <string>
#include <iostream>
using namespace std;

string s;               // Speicher für konkurrierende Zugriffe
mutex mtx;              // Mutex global vereinbaren

void writeHallo()
{
    mtx.lock();
    s = "Hallo, hallo!";   cout << s << endl;
    mtx.unlock();
}
void writeBye()
{
    mtx.lock();
    s = "Bye, Bye!";       cout << s << endl;
    mtx.unlock();
}
int main()
{
    thread t1(writeHallo);
    thread t2(writeBye);
    t1.join(); t2.join();
}
```

Beispielausgabe des Programms

```
// Ohne Aufrufe von mtx.lock() und mtx.unlock() beispielsweise:
Hall Bye! lo!Bye, Bye!

// Mit Aufrufen  von mtx.lock() und mtx.unlock()
Hallo, hallo!
Bye, Bye!
```

Hinweis zu Thread-lokalen Objekten

Bei Thread-lokalen Objekten sind konkurrierende Speicherzugriffe ausgeschlossen. Ein Objekt ist *Thread-lokal*, wenn die Deklaration den Speicherklassen-Spezifizierer thread_local enthält.

Beispiel: thread_local static int var = 1;

Jeder Thread besitzt seine eigene Instanz, die beim Start des Threads erzeugt und initialisiert wird. Die Lebensdauer ist die gesamte Laufzeit des Threads.

Ausführungsreihenfolge und Thread-Wechsel

Das Betriebssystem stellt jeden lauffähigen Thread in eine Queue. Es entnimmt den ersten Thread der Queue, der dann zur Ausführung kommt. Die Reihenfolge, in der zwei neu angelegte Threads in die Queue gestellt werden, ist beliebig. Sind `inc()` und `dec()` zwei globale Funktionen ohne Parameter, so kann nach der Vereinbarung

Beispiel: `thread t1(inc), t2(dec);`

zunächst `t1` und dann `t2` in die Queue gestellt werden oder umgekehrt. Die Reihenfolge der Aufrufe von `inc()` und `dec()` ist deshalb nicht festgelegt.

Wenn beide Funktionen auf denselben Speicherbereich zugreifen, sind *konkurrierende Speicherzugriffe* (engl. *racing conditions*) möglich. Angenommen, eine globale `int`-Variable x speichert den Wert 0 und `inc()` inkrementiert den Wert von x zweimal mit folgenden Anweisungen

Beispiel: `x++; x++;     // Kritischer Abschnitt`

während die Funktion `dec()` den Wert von x zweimal dekrementiert. Egal in welcher Reihenfolge die Threads `t1` und `t2` ausgeführt werden, sollte das Ergebnis gerade sein und x nach Beendigung der Threads den Wert 0 speichern.

Nun kann ein Thread-Wechsel stattfinden, etwa wenn `inc()` einen Wert zum zweiten Mal inkrementiert, aber noch nicht in x zurückgeschrieben hat. Dann rechnet die anschließend zur Ausführung kommende Funktion `dec()` mit einem ungeraden Wert weiter, das heißt, die Variable x wird inkonsistent.

Mutex

Zur Vermeidung der Inkonsistenz von Betriebsmitteln ist ein *Mutex* (von „mutual exclusion") einsetzbar, der kritische Abschnitte in einem Programm schützt. Während ein Thread im Besitz eines Mutex ist, werden andere Threads, die versuchen, in den Besitz des Mutex zu kommen, blockiert.

Zur Darstellung eines Mutex ist in der Header-Datei `<mutex>` die Klasse `mutex` definiert. Ist `mtx` ein Objekt der Klasse `mutex`, so erhält ein Thread mit dem erfolgreichen Aufruf der Methode `lock()` den Mutex.

Beispiel: `mtx.lock();`

Jeder andere Thread, der dann mit dem Aufruf von `mtx.lock()` versucht, in den Besitz desselben Mutex zu kommen, wird blockiert. Erst wenn der aktive Thread mit einem Aufruf von `mtx.unlock()` den Mutex freigibt, kann ein anderer Thread `mtx.lock()` erfolgreich aufrufen („exclusive ownership"). Dies demonstriert auch das nebenstehende Beispiel, in dem drei Threads die globale Variable s verändern und ausgeben.

Thread-ID

```cpp
// threadID.cpp
// Bestimmt die ID von Threads.
// -----------------------------------------------------------
#include <thread>
#include <mutex>
#include <iostream>
using namespace std;

mutex mtx;
class ThreadID
{
  public:
    void operator()()
    {
      mtx.lock();
      cout << "\nAktiver Thread: " << this_thread::get_id();
      mtx.unlock();
    }
};
int main()
{
    ThreadID a;        thread t1(a), t2(a);
    mtx.lock();
    cout << "\nThread-ID von t1: " << t1.get_id();
    cout << "\nThread-ID von t2: " << t2.get_id();
    mtx.unlock();
    t1.detach();
    mtx.lock();
    cout << "\nThread von t1 getrennt.\nThread-ID von t1: "
         << t1.get_id();
    mtx.unlock();
    t2.join();
    mtx.lock();
    cout << "\nNach dem Aufruf von  join()."
         << "\nThread-ID von t2: " << t2.get_id() << endl;
    mtx.unlock();
    return 0;
}
```

Beispielausgabe des Programms

```
Aktiver Thread: 5444
Aktiver Thread: 5160
Thread-ID von t1: 5444
Thread-ID von t2: 5160
Thread von t1 getrennt.
Thread-ID von t1: 0
Nach dem Aufruf von  join().
Thread-ID von t2: 0
```

Die Klasse thread::id

Jedem Objekt der Klasse `thread` ist ein eindeutiger Wert zugeordnet, die sog. *Thread-ID*. Dieser Wert wird durch ein Objekt der Klasse `id` dargestellt, die lokal in der Klasse `thread` deklariert ist.

Stellt das Thread-Objekt einen Thread dar, so ist die Thread-ID eine positive Ganzzahl. Falls das Thread-Objekt mit keinem Thread verbunden ist, stellt die Klasse `thread::id` den Pseudo-Wert `Not-any-thread` bereit.

Thread-ID ermitteln

Die Thread-ID kann für ein Objekt `t` der Klasse `thread` mit der Methode `get_id()` ermittelt und wie folgt auf dem Bildschirm ausgegeben werden:

Beispiel: `cout << t.get_id();`

Zu dem Zweck ist die globale Operatorfunktion `<<` für die Klasse `thread::id` überladen. Der Pseudo-Wert Not-any-thread wird als 0 ausgegeben.

Um die Thread-ID eines aktiven Threads zu bestimmen, ist im Namensbereich `this_thread` eine globale Funktion `get_id()` definiert. Sie kann von der im Thread ausgeführten Routine wie folgt aufgerufen werden:

Beispiel: `thread::id x = this_thread::get_id();`

In der Klasse `thread::id` sind die Operatoren ==, !=, <, <=, > und >= überladen, so dass Thread-IDs auch verglichen werden können.

Verbindung eines Thread-Objekts zum Thread lösen

Ein Thread-Objekt kann durch einen Aufruf der Methode `detach()` frühzeitig von einem Thread getrennt werden. Ist `t` ein Objekt der Klasse `thread`, dem ein Thread entspricht, so wird im

Beispiel: `t.detach();`

der Thread vom Thread-Objekt getrennt. Dies hat zur Folge, dass

1. der Aufruf `t.get_id()` den Pseudo-Wert {`Not-any-thread`} liefert

2. der Thread bis zu seiner Beendigung weiter ausgeführt wird.

Der Thread selbst behält seine ID. Im aktiven Thread würde deshalb ein Aufruf von `this_thread::get_id()` die ID liefern, die `t` vor dem Aufruf von `detach()` zugeordnet war.

Dies demonstriert auch das nebenstehende Beispiel, in dem die Thread-IDs von zwei Thread-Objekten vor und nach dem Aufruf der Methoden `detach()` bzw. `join()` ausgegeben werden.

Locks

```cpp
// lock.cpp
// Verwendung der Klasse lock_guard
// -----------------------------------------------------------
---
#include <thread>
#include <mutex>
#include <iostream>
using namespace std;

mutex mtx;
unsigned long summe = 0;

class Add
{
    int fct;
    long nextSumme()    // Führt eine "lange" Berechnung aus:
    {                   // summe += fct.
        for(int i=1; i <= fct; i++)
            summe++;
        return summe;
    }

  public:           // Ein Lock sichert, dass die Berechnung
                    // nicht unterbrochen wird.
    Add(int n = 256) : fct(n){}
    void operator()(int m)
    {
        lock_guard<mutex> lock(mtx);    // Lock anlegen.

        for(int i=1; i <= m; i++)
        {
          summe = nextSumme();
                                    // Prüfen, ob Ergebnis
          if( summe % fct != 0 )        // korrekt:
              cout << "\nThread-ID " << this_thread::get_id()
                   << ": Ergebnis nicht durch "
                   << fct << " teilbar!";
        }
        cout << "Zwischenergebnis: " << summe << endl;
    }
};
int main()
{
        Add d;              // Vielfache von 256 berechnen
        thread t1(d,10);    // und separat aufaddieren:
        thread t2(d,20);    // 10 * 256 + 20*256
        t1.join(); t2.join();
        cout << " Endergebnis = " << summe << endl;
        return 0;
}
```

Deadlocks

Was passiert nun, wenn nach einem Aufruf von `lock()` die Methode `unlock()` nicht aufgerufen wird, etwa weil eine Exception ausgelöst wurde? Falls eine andere Routine versucht, in den Besitz desselben Mutex zu kommen, hängt das Programm. Damit tritt ein sog. *Deadlock* ein.

Diese Situation kann durch Anlegen eines *Locks* vermieden werden, der die Aufrufe von `lock()` und `unlock()` sicher macht. In C++ ist ein Lock durch ein Objekt der Template-Klasse `lock_guard<mutex>` darstellbar, die über den Typ des Mutex parametrisiert ist. Ist `mtx` ein Mutex, so wird mit

Beispiel: `lock_guard<mutex> lock(mtx);`

ein Lock vereinbart, der eine Referenz auf den Mutex `mtx` als Argument erhält. Beim Erzeugen des Locks ruft der Konstruktor die Methode `mtx.lock()` auf.

Beim Zerstören des Locks ruft der Destruktor `mtx.unlock()` auf. Ein Lock kontrolliert also während seiner Lebensdauer den Besitz eines Mutex. Dies zeigt auch das nebenstehende Beispielprogramm, in dem zwei Threads die Methode `nextSumme()` der Klasse `Add` wiederholt aufrufen. Da der Lock in der Methode `operator()` definiert ist, wird ein Thread vollständig abgearbeitet, bevor der andere Thread zum Zuge kommt.

Rekursiver Mutex

Angenommen, eine Routine ist im Besitz eines Mutex und ruft sich selber auf. Dann wird `lock()` erneut aufgerufen, obwohl der Mutex noch nicht freigegeben ist. Auch in dieser Situation entsteht ein Deadlock!

Die Klasse `recursive_mutex` ermöglicht die Definition eines *rekursiven Mutex*, der rekursive Aufrufe in einem Thread zulässt. Andere Threads, die versuchen, in den Besitz des Mutex zu kommen, werden weiterhin blockiert.

Beispiel: `recursive_mutex m;`

In der Klasse `recursive_mutex` sind auch die Methoden `lock()` und `unlock()` definiert. Zu beachten ist, dass die Anzahl der Aufrufe `m.lock()` in den verschiedenen Ebenen der Selbstaufrufe identisch ist mit der Anzahl der Aufrufe von `m.unlock()` im selben Thread.

Ein *rekursiver Lock*, dem ein Objekt der Klasse `recursive_mutex` als Referenz übergeben wird, macht diesen Vorgang Thread-sicher.

Beispiel: `lock_guard<recursive_mutex> reclock(m);`

Der rekursive Lock `reclock` wird erst dann zerstört, wenn sein Geltungsbereich im ersten Aufruf der auszuführenden Routine verlassen wird.

Bedingungsvariablen

```cpp
// producer_consumer.h
// Demonstriert die Verwendung von Bedingungsvariablen
// ----------------------------------------------------------
#include <thread>
#include <mutex>
#include <condition_variable>
#include <ctime>          // Fuer time()
#include <cstdlib>        // Fuer rand(), srand() und NULL
#include <iostream>
using namespace std;

class Buffer
{
   private:
    unsigned buf;
    bool empty;        // true, falls Puffer leer, sonst false.
    bool done;         // Nach letzter Schreiboperation true
    mutex mtx;
    condition_variable cond;
   public:
    Buffer(): buf(0), empty(true), done(false){}

    void put(unsigned val)
    {
      unique_lock<mutex> lock(mtx);
      while(!empty)                // Solange Puffer nicht leer:
        cond.wait(lock);          // schlafen.
      buf = val;                   // Puffer leer: schreiben.
      empty = false;               // Puffer nicht mehr leer.
      cond.notify_one();          // Nächsten Thread aufwecken.
    }
    unsigned get()
    {
      unique_lock<mutex> lock(mtx);
      while(empty)                 // Warten, falls Puffer leer.
        cond.wait(lock);
      unsigned res = buf;       // Puffer lesen.
      empty = true;              // Puffer wieder leer.
      cond.notify_one();          // Nächsten Thread aufwecken.
      return res;
    }
    void setDone()
    {   unique_lock<mutex> lock(mtx);
        while(!empty)               // Solange Puffer nicht leer:
            cond.wait(lock);     // schlafen.
        done = true;
        cond.notify_one();
    }
    bool isDone() const{ return done; }
};
```

Das Producer-Consumer-Problem

Angenommen, zwei Threads greifen auf denselben Puffer zu. Der eine Thread (Produzent, engl. *producer*) schreibt Daten in den Puffer, während der andere Thread die Daten liest (Konsument, engl. *consumer*). Allerdings kann der Producer Daten nur dann schreiben, wenn Platz im Puffer ist, und der Consumer kann Daten nur dann lesen, wenn der Puffer nicht leer ist.

Zur Lösung dieses Problems genügt es nicht, mit einem gemeinsamen Mutex konkurrierende Speicherzugriffe zu verhindern. Sinnvoll wäre es, wenn

* der Consumer sich schlafen legt (also in den Zustand „blockiert" wechselt), solange der Puffer leer ist, und dass der Producer ihn aufweckt, wenn er Daten in den Puffer geschrieben hat.

* der Producer sich schlafen legt, wenn der Puffer voll ist, und der Consumer ihn aufweckt, wenn der Puffer leer ist.

Die Klasse condition_variable

Zur Synchronisierung der Methodenaufrufe ist die Kommunikation beider Threads erforderlich. Hierfür stellt C++ so genannte *Bedingungsvariablen* zur Verfügung, die durch Objekte der Klasse `condition_variable` dargestellt werden. Eine Bedingungsvariable hat die Fähigkeit, Threads in Abhängigkeit vom Wert einer Bedingung zu blockieren und Blockierungen aufzuheben.

Eine Bedingungsvariable vom Typ `condition_variable` arbeitet mit einem Lock vom Typ der Template-Klasse `unique_lock<mutex>` zusammen. Dieses Template besitzt mehr Funktionalitäten als die einfache Template-Klasse `lock_guard<mutex>`. Insbesondere kann ein Lock einen Mutex frühzeitig freigeben und zu einem späteren Zeitpunkt wieder in den Besitz des Mutex kommen.

Zum nebenstehenden Beispiel

Im nebenstehenden Beispiel wird eine Klasse `Buffer` zur Darstellung eines Schreib-/Lesepuffers definiert. Der Einfachheit halber wird hier nur ein `int`-Wert `buf` gelesen bzw. geschrieben. Die boolesche Variable `empty` zeigt an, ob der Puffer leer ist. Über die boolesche Variable `done` kann abgefragt werden, ob der letzte Schreibvorgang abgeschlossen wurde.

Neben einem Mutex `mtx` wird auch eine Bedingungsvariable `cond` mit dem Default-Konstruktor erzeugt. In den beiden Methoden `put()` und `get()` wird dann ein Lock vom Typ `unique_lock<mutex>` angelegt, der den Mutex `mtx` verwaltet. Die Aktionen der Bedingungsvariablen in den Methoden `put()` und `get()` werden wir im Folgenden genauer anschauen.

Bedingungsvariablen (Fortsetzung)

Die Klassen Producer und Consumer

```cpp
// producer_consumer.h (Fortsetzung)
// Die Klassen Producer und Consumer
// ------------------------------------------
class Producer
{
  private:
   Buffer& bufref;
  public:
   Producer(Buffer& b):bufref(b)
   { srand((unsigned)time(NULL)); }
   void operator()()
   {
     for(int i=0; i < 10; i++)  bufref.put(rand());
     bufref.setDone();          // Schreibvorgang beendet
   }
};
class Consumer
{
  private:
    Buffer& bufref;
  public:
    Consumer(Buffer& b) : bufref(b){}
    void operator()()
    {
      int val;
      while(!bufref.isDone())
      {
        val = bufref.get();
        cout << "Customer liest " << val << endl;
      }
    }
};
```

Die main-Funktion

```cpp
// producer_consumer_t.cpp
// Testet die Verwendung von Bedingungsvariablen.
// -------------------------------------------------
#include "producer_consumer.h"
int main()
{
   Buffer b; Producer p(b); Consumer c(b);
   thread t1(p); thread t2(c);
   t1.join(); t2.join();
   return 0;
}
```

Die Methode wait()

Zum Blockieren eines Threads stellt die Klasse condition_variable eine Methode wait() zur Verfügung. Enthält die boolesche Variable empty den Wert false, so wird im

Beispiel:
```
while(!empty)        // In der Methode put()
    cond.wait(lock);
```

der aktive Thread blockiert. Die Bedingungsvariable cond gibt dabei den von lock verwalteten Mutex mit einem Aufruf von unlock() frei. Sobald ein anderer Thread empty auf true setzt und die Blockierung aufhebt, versucht die Methode wait() wieder, in den Besitz des Mutex zu kommen.

Die Methode put() schreibt dann einen Wert in den Puffer und setzt empty auf false. Anschließend ist get() in der Lage, eine Leseoperation auszuführen und empty wieder auf true zu setzen.

Die Methode notify_one()

Eine Bedingungsvariable kann einem anderen, wartenden Thread mitteilen, dass sich die Bedingung geändert hat, und die Blockierung des wartenden Threads aufheben. Dies geschieht durch einen Aufruf der Methode notify_one().

Beispiel: `cond.notify_one();`

Die Methode hebt die Blockierung des nächsten wartenden Threads auf, so dass dieser Thread wieder versuchen kann, in den Besitz des Mutex zu kommen.

Auf diese Weise stößt die Methode put() nach erfolgtem Schreibvorgang einen Lesevorgang durch get() an und die Methode get() veranlasst nach erfolgtem Lesen einen Schreibvorgang durch put().

Die Klassen Producer und Consumer

Was passiert nun, wenn die Methode put() in einem Thread zum letzten Mal aufgerufen und der Thread beendet wird? Dann liest die Methode get() den Wert im Puffer noch einmal, setzt empty auf true und wartet, dass sich die Bedingung ändert. Um den so entstehenden Deadlock zu verhindern, ist in der Klasse Buffer eine boolesche Variable done definiert, die nach dem letzten Schreibvorgang mit dem Aufruf von setDone() auf true gesetzt wird. Zusätzlich hebt die Methode die Blockierung eines evtl. wartenden Threads auf.

Die nebenstehenden Klassen Producer und Consumer besitzen beide eine Referenz auf ein Objekt vom Typ Buffer. Objekte, die eine Referenz auf denselben Puffer erhalten, können deshalb auf diesen Puffer zugreifen. In beiden Klassen ist der Operator () so überladen, dass eine Zufallszahl wiederholt in den Puffer geschrieben bzw. aus dem Puffer gelesen wird.

Übungen

Zur 1. Aufgabe: Beispielausgabe des Programms

```
1. Thread wird fuer das Funktionsobjekt ausgefuehrt:
Thread-ID = 1696
10 Zufallszahlen:
   71  99  72  94  97  96  22  12  26  99

2. Thread wird fuer das Funktionsobjekt ausgefuehrt:
Thread-ID = 6056
20 Zufallszahlen:
    3  79  73  51  38  95  78   8   2  55
   95  81  36  27  28  35  16  73  43  21

In der Funktion main(): Thread-ID = 5292
```

Zur 2. Aufgabe: Die Methoden request() und repond()

Die Methode request() legt sich schlafen, solange der Server aktiv ist. Anschließend

● sichert die Methode die als Argument übergebene Anfragenummer im entsprechenden Datenelement der Klasse,

● weckt sie den Server auf und wartet, bis der Server die Beantwortung der Anfrage abgeschlossen hat,

● gibt sie die Antwort des Servers aus und lässt die nächste Anfrage zu.

Die Methode respond() legt sich schlafen, solange der Client aktiv ist und weitere Anfragen gestellt werden können. Anschließend

● liest die Methode die Anfragenummer im entsprechenden Datenelement,

● schreibt die Antwort in das entsprechende Datenelement der Klasse,

● löscht das „Server-Busy"-Flag und weckt den Client auf.

Wenn keine Anfrage mehr ansteht, wird die Methode verlassen.

1. Aufgabe

In verschiedenen Threads sollen Zufallszahlen erzeugt und ausgegeben werden. Dabei sind konkurrierende Speicherzugriffe zu vermeiden.

Definieren Sie zu dem Zweck in einer Header-Datei eine Klasse RandomFunktor zur Darstellung eines Funktionsobjekts. Die Klasse besitzt ein statisches Datenelement count für die laufende Nummer des Threads, der das Funktionsobjekt aufruft. Die Operatorfunktion operator() erhält als Argument die Anzahl der Zufallszahlen, die ausgegeben werden sollen. Sie inkrementiert die Thread-Nummer und zeigt sie zusammen mit der Thread-ID an. Zur Synchronisierung der Zugriffe auf den Ausgabepuffer ist in der Operatorfunktion ein Lock anzulegen.

In einer cpp-Datei vereinbaren Sie global einen Mutex und initialisieren das statische Datenelement von RandomFunktor. Legen Sie in der Funktion main() ein Funktionsobjekt vom Typ der Klasse RandomFunktor an, mit dem Sie mehrere Threads initialisieren. Lassen Sie auch die Thread-ID des Haupt-Threads anzeigen.

2. Aufgabe

Ein Client nimmt die Dienste eines Servers in Anspruch, der zeitaufwendige Recherchen durchführen soll. Der Nachrichtenaustausch erfolgt über einen gemeinsamen Kommunikationspuffer. Eine Anfrage des Clients wird durch eine Nummer identifiziert. Die Antwort des Servers ist hier einfach ein String.

Zur Darstellung des Kommunikationspuffers definieren Sie eine Klasse ClientServerStream mit Datenelementen vom Typ int für die Anfragenummer und string für die Antwort. Außerdem sind zwei boolesche Variablen zu deklarieren, die true gesetzt werden, wenn der Server aktiv ist bzw. wenn der Client die Antwort auf seine letzte Anfrage gelesen hat. Ferner sind ein Mutex und eine Bedingungsvariable in der Klasse zu deklarieren. Außer einem Konstruktor und Zugriffsmethoden sind die nebenstehend beschriebenen Methoden request() und respond() zur Verfügung zu stellen.

Definieren Sie dann zwei Klassen Client und Server, die beide eine Referenz auf ein Objekt vom Typ ClientServerStream besitzen. Die Operatorfunktionen operator() sind so zu überladen, dass in einer Schleife Anfragen gestellt bzw. diese ausgewertet und beantwortet werden.

Schreiben Sie ein Testprogramm, das einen Kommunikationspuffer anlegt und je ein Objekt vom Typ Client bzw. Server damit initialisiert. Anschließend wird je ein Thread für das Objekt vom Typ Client bzw. Server gestartet.

Übungen (Fortsetzung)

Zur 3. Aufgabe:

Beispielausgabe des Programms

```
Geschrieben:  Mond
Gesamtzahl Writer:1

Gelesen:  Mond
Gesamtzahl Reader:3

Geschrieben:  Mond  Sonne
Gesamtzahl Writer:1

Geschrieben:  Mond  Sonne  Sterne
Gesamtzahl Writer:1

Gelesen:  Mond  Sonne  Sterne
Gesamtzahl Reader:2

Gelesen:  Mond  Sonne  Sterne
Gesamtzahl Reader:1
```

Methoden der Klasse Database

- Der *Konstruktor* setzt die Zähler auf 0 und die Flags auf false.

- Die Methode write() verwaltet den Zähler cntWriter und das busy-Writer-Flag. Solange ein anderer lesender oder schreibender Thread aktiv ist, blockiert sie sich mithilfe der Bedingungsvariablen okToWrite. Dann hängt sie den als Argument übergebenen String an das Ende der Ressource und zeigt diese mit der Gesamtzahl Writer auf dem Bildschirm an. Schließlich hebt sie die Blockierungen für einen nächsten Schreibzugriff und für alle weiteren Lesezugriffe auf.

- Die Methode read() verwaltet den Zähler cntReader und das busy-Reader-Flag. Solange ein Writer aktiv oder die Ressource leer ist, blockiert sie sich mithilfe der Bedingungsvariablen okToRead. Dann liest sie die Ressource und zeigt sie mit der Gesamtzahl Reader auf dem Bildschirm an. Anschließend hebt sie die Blockierung für einen nächsten Schreibzugriff auf.

3. Aufgabe

Angenommen viele Threads greifen lesend oder schreibend auf eine gemeinsame Ressource zu. Während eines Schreibzugriffs darf kein anderer Thread lesend oder schreibend auf die Ressource zugreifen. Wenn die Ressource Daten speichert, sollte sie von mehreren Threads gelesen werden können.

Zur Lösung dieses „Reader-Writer"-Problems genügt es nicht, die gemeinsame Ressource durch einen Lock zu schützen. Zahlreiche Lesezugriffe könnten einen Thread, der schreiben will, „verhungern" lassen. Ein Thread, der schreibend auf die Ressource zugreifen will, sollte dies so bald wie möglich tun können.

Es soll eine Lösung des Read-Writer-Problems implementiert werden, die den Zugriff auf die gemeinsame Ressource durch zwei Bedingungsvariablen steuert.

- Definieren Sie zu dem Zweck in einer Header-Datei eine Klasse `Database` mit folgenden Datenelementen:

  - einen String `data` zur Darstellung der gemeinsamen Ressource

  - zwei Zähler `cntReader` und `cntWriter` für die aktuelle Anzahl schreibender und lesender Threads

  - zwei boolesche Flags `busyReader` und `busyWriter`, die anzeigen, ob ein schreibender bzw. lesender Thread aktiv ist

  - ein Mutex und zwei Bedingungsvariablen `okToRead` und `okToWrite`

  Nebenstehend sind die Methoden von `Database` beschrieben.

- Anschließend definieren Sie in derselben Header-Datei zwei Klassen `Reader` und `Writer`, die eine Referenz vom Typ `Database` als Datenelement und neben einem Konstruktor eine überladene Version der Operatorfunktion `operator()` zur Verfügung stellen In der jeweiligen Operatorfunktion wird lediglich die Methode `read()` bzw. `write()` der Klasse `Database` aufgerufen.

Testen Sie Ihre Lösung, indem Sie in der main-Funktion mehrere Threads mit Funktionsobjekten vom Typ `Reader` und `Writer` starten.

Lösungen

Zur 1. Aufgabe:

```cpp
// RandomFunktor.h
// Definiert die Klasse RandomFunktor zur Darstellung eines
// Funktionsobjekts.
// -----------------------------------------------------------

#include <thread>
#include <mutex>
#include <cstdlib>
#include <iostream>
#include <iomanip>
using namespace std;

extern mutex mtx;                          // Extern-Deklaration

class RandomFunktor
{
    static int count;                      // Für die Thread-Nummer

  public:

    static int getCount()   { return count; }

    void operator()(unsigned n)
    {
        unique_lock<mutex> lock(mtx);

        count++;
        cout << count << ". Thread wird ausgefuehrt: "
             << "\nThread-ID = " << this_thread::get_id()
             << endl;
        cout <<   n << " Zufallszahlen: " << endl;

        for (unsigned i = 0; i < n; i++)
        {
            cout << setw( 4) << rand() % 100;
            if( (i > 0) && (i % 10 == 9)) cout << endl;
        }
        cout << endl;

    }
};

// RandomFunktor_t.cpp
// Erzeugt mehrere Threads, denen dasselbe Funktionsobjekt
// übergeben wird, und gibt deren ID aus.
// -----------------------------------------------------------

#include "RandomFunktor.h"
```

```
mutex mtx;                          // Definitionen für RandomFunktor
int RandomFunktor::count = 0;
int main()
{
    RandomFunktor a;
    thread t1(a, 10), t2(a, 20);

    t1.join(), t2.join();

    cout << "In der Funktion main(): "
         << "Thread-ID = " << this_thread::get_id() << endl;
    return 0;
}
```

Zur 2. Aufgabe:

```
// ClientServer.h
// Definiert die Klassen ClientServerStream, Client und Server
// zur Kommunikation zwischen einem Client und einem Server
// ----------------------------------------------------------
#include <thread>
#include <mutex>
#include <condition_variable>
#include <string>
#include <iostream>
using namespace std;

class ClientServerStream
{
    int    requ;        // Anfragenummer
    string resp;        // Antwort

    bool busyServer;    // true: Server aktiv,
                        // false: Client aktiv.
    bool done;          // Setzt der Client nach dem letzten
                        // Lesen auf true.
    mutex mtx;
    condition_variable cond;

  public:
    ClientServerStream() : requ(0), resp(""),
                           busyServer(false), done(false){}

    void request(int n)
    {
        unique_lock< mutex> lock(mtx);

        while(busyServer)             // Falls Server aktiv:
            cond.wait(lock);          // warten.

        requ = n;                     // Anfrage stellen.
```

Lösungen (Fortsetzung)

```
        busyServer = true;            // Beantwortung zulassen.
        cond.notify_one();            // Server aufwecken.

        while(busyServer)             // Warten auf Antwort:
          cond.wait(lock);

                                      // Antwort auswerten:
        cout << "\nAuswertung der Antwort im Client: "
             << resp << endl;
                                      // Nächste Anfrage
        cond.notify_one();            // zulassen.
      }

  void respond()
  {

      unique_lock<mutex> lock(mtx);

      while(!busyServer && !done )    // Falls Client aktiv:
               cond.wait(lock);       // warten.

      if(done)                        // Falls letzte Frage bereits
        return;                       // beantwortet.

      switch( requ )
      {
        case 1: resp = " Anfrage hat Nummer 1\n";
                break;
        case 2: resp = " Anfrage hat Nummer 2\n";
                break;
        case 3: resp = " Anfrage hat Nummer 3\n";
                break;
        default: resp = "Anfragenummer existiert nicht\n";
      }

      busyServer = false;      // Server fertig.
      cond.notify_one();       // Client aufwecken.
    }

    void setDone(){done = true;}
    bool isDone(){ return done; }
};

class Client
{
      ClientServerStream& buf;

    public:
```

```
        Client(ClientServerStream& cs) : buf(cs) {}

    void operator()(int n)      // n ist die Anfragenummer
    {
        for(int i=1; i <= n; i++)
            buf.request(i);

        buf.setDone();
    }
};

class Server
{
    ClientServerStream& buf;

  public:
    Server(ClientServerStream& cs) : buf(cs) {}

    void operator()()
    {
        while(!buf.isDone())
            buf.respond();
    }
};

// -----------------------------------------------------------
// ClientServer_t.cpp
// Demonstriert die Verwendung von Bedingungsvariablen
// -----------------------------------------------------------

#include "ClientServer.h"

int main()
{
    ClientServerStream st;

    Server ser(st);
    Client clt(st);

    thread t1(ser),             // Server
           t2(clt, 3);          // Client

    t1.join(); t2.join();

    cout << "\nProgramm beendet." << endl;
    return 0;
}
```

Lösungen (Fortsetzung)

Zur 3. Aufgabe:

```cpp
// ReaderWriter.h
// Definiert die Klassen Database, Reader und Writer zur
// Lösung des Reader-Writer Problems
// ----------------------------------------------------------
#include <thread>
#include <mutex>
#include <condition_variable>
#include <string>
#include <iostream>
using namespace std;

class Database
{
  private:
      string data;                    // Daten
      int cntWriter;                  // Anzahl Writer
      int cntReader;                  // Anzahl Reader

      bool busyWriter;                // busyWriter-Flag
      bool busyReader;                // busyReader-Flag

      mutex mtx;
      condition_variable okToRead;
      condition_variable okToWrite;

  public:
      Database() : cntWriter(0), cntReader(0),
                   busyWriter(false), busyReader(false){}

      void write(const string& s)
      {
        unique_lock<mutex> lock(mtx);

        cntWriter++;
        while(busyWriter || busyReader)    // Falls anderer
           okToWrite.wait(lock);           // Thread aktiv:
                                           // warten.
        busyWriter = true;
        data += s;

        cout << "\nGeschrieben: " << data << endl;
        cout << "Gesamtzahl Writer:" << cntWriter << endl;

        cntWriter--;
        busyWriter = false;
        okToWrite.notify_one();   // Blockierungen aufheben:
        okToRead.notify_all();
      }
```

```
    void read()
    {
      unique_lock<mutex> lock(mtx);

      cntReader++;                          // Solange anderer
      while (busyWriter || data == "")      // Writer aktiv
         okToRead.wait(lock);               // oder nichts zu
                                            // lesen: warten.
      busyReader = true;

      cout << "\nGelesen: " << data << endl;
      cout << "Gesamtzahl Reader:" << cntReader << endl;

      cntReader--;
      busyReader = false;

      okToWrite.notify_one();       // Blockierung aufheben.
    }
};


class Writer
{
   private:
     Database& dataref;
   public:
     Writer(Database& b): dataref(b){ }

     void operator()(const string& s)
     {
        dataref.write(s);
     }
};


class Reader
{
   private:
     Database& dataref;

   public:
     Reader(Database& b) : dataref(b){}

     void operator()()
     {
        dataref.read();
     }
};
```

Lösungen (Fortsetzung)

```cpp
// --------------------------------------------------
// ReaderWriter_t.cpp
// Testet die Lösung des Reader-Writer Problems.
// --------------------------------------------------

#include "ReaderWriter.h"

int main()
{
    Database b;

    Reader r1(b), r2(b), r3(b);
    Writer w1(b), w2(b), w3(b);

    thread t1(r1), t2(r2), t3(r3);
    thread t4(w1," Sonne "),
           t5(w2," Mond "),
           t6(w3," Sterne ");

    t1.join(); t2.join(); t3.join();
    t4.join(); t5.join(); t6.join();

    cout << "Programm beendet." << endl;

    return 0;
}
```

Kapitel 36

Algorithmen der Standardbibliothek

Dieses Kapitel beschreibt die Algorithmen der Standard-Template-Library (STL). Iteratoren legen den Bereich innerhalb eines Containers fest, auf dem eine Operation ausgeführt werden soll. Die Arbeitsweise der Algorithmen kann durch die Art der Iteratoren und durch Funktionen bzw. Funktionsobjekte weitgehend variiert werden.

Zu den nur lesenden Algorithmen gehören die Algorithmen zum

- Suchen, Vergleichen und Zählen

Die meisten Algorithmen modifizieren jedoch ihren Zielbereich. Dazu gehören die Algorithmen zum

- Kopieren, Ersetzen und Löschen
- Permutieren der Reihenfolge, Umwandeln in einen Heap und Sortieren.

Algorithmen: Grundlagen

Ein erstes Beispielprogramm

```cpp
// algorithm1.cpp: Ein erstes Beispiel mit den Algorithmen
//                 for_each() und max_element().
// ------------------------------------------------------------
#include <iostream>
#include <list>                 // Definition des list-Templates
#include <algorithm>            // Definition der Algorithmen
#include <ctime>                // Funktionen time(), ...
#include <cstdlib>             // Funktionen srand(), rand(), ...
using namespace std;

typedef list<int> INTLIST;   // Typ: int-Liste

void print( int elm) { cout.width(5);   cout << elm; }

int main()
{
   INTLIST intList;                      // Leere Liste anlegen

   srand( (unsigned int)time(NULL));
   for( int i = 0; i < 10; ++i)         // 10 Zufallszahlen
      intList.push_back(rand()%100); // zwischen 0 und 99
                                       // in die Liste einfügen.
   // Mit for_each() die Liste durchlaufen.
   // Für jedes Element wird die Funktion print() aufgerufen:
    for_each( intList.begin(), intList.end(), print );
    cout << endl;

   // Mit min_element() das Minimum suchen:
   INTLIST::iterator pos;                // Ein Iterator.
   pos = min_element( intList.begin(), intList.end() );
   cout << "Das Minimum: " << *pos << endl;

   // Und mit max_element() das Maximum suchen:
   pos = max_element( intList.begin(), intList.end());
   cout << "Das Maximum: " << *pos << endl;

   return 0;
}
```

Beispielausgabe:

```
   75    36    88    14    50    24    11    66     1    69
Das Minimum: 1

Das Maximum: 88
```

Konzept

Die Standard-Template-Library (STL) stellt zur Verarbeitung umfangreicher Daten zahlreiche *Algorithmen* zur Verfügung. Dazu gehören Algorithmen zum Suchen, Vergleichen, Kopieren, Bearbeiten, Sortieren und Arbeiten mit Heaps. Diese Operationen sind auf die verschiedenartigsten Objekt-Mengen („Container") mit frei definierbaren Element-Typen anwendbar. Diese Flexibilität ergibt sich aus der Art der Implementierung: Die Algorithmen sind nicht als Methoden der Container-Klassen definiert, sondern als globale Template-Funktionen, die mit allen „Objekt-Sammlungen" auf Basis von Iteratoren arbeiten können. Dazu gehören die bereits vorgestellten Container der Standard-Bibliothek, aber auch gewöhnliche Vektoren, Strings und selbst definierte Container. Ein weiterer Vorteil ist, dass die Algorithmen auch Elemente aus unterschiedlichen Containern verknüpfen können.

Container implementieren aber auch bestimmte Algorithmen selbst. Beispielsweise besitzt die Klasse `list<T>` eine Methode `sort()`. In einem solchen Fall sollte immer die Methode dem „globalen" Algorithmus vorgezogen werden, da die Methode in Kenntnis der inneren Struktur effizienter ist.

Bereiche

Die Objekte, mit denen ein Algorithmus arbeitet, werden beim Aufruf als *Bereich* angegeben, der durch ein Paar von Iteratoren [`first`, `last`) festlegt ist. Die Bearbeitung beginnt stets mit dem Objekt an der Position `first`, also mit dem Objekt `*first`, und wird so lange fortgesetzt, bis die Position `last` erreicht ist. Die Position `last` gehört nicht mehr zum Bereich! Man bezeichnet daher den Bereich auch als *halboffen*.

Alle Standard-Container besitzen die Methoden `begin()` und `end()`, wobei `begin()` die Position des ersten Objekts im Container liefert und `end()` die Position *hinter* dem letzten Objekt. Für einen Container cont umfasst daher der Bereich [`cont.begin()`, `cont.end()`) alle Objekte des Containers.

Ein Bereich ist nur *gültig*, wenn der Iterator `last` von `first` aus erreichbar ist, das heißt, die Iteratoren `first` und `last` müssen zum selben Container gehören und die folgende Schleife darf nicht endlos sein:

```
while( ++first != last)  /* . . . */ ;
```

Der Programmierer muss selbst darauf achten, dass Algorithmen nur mit gültigen Bereichen aufgerufen werden. Andernfalls ist das Ergebnis nicht definiert.

Das nebenstehende Programm füllt zunächst eine Liste mit Zufallszahlen und wendet dann die Algorithmen `for_each()`, `min_element()` und `max_element()` auf die Liste an. Dazu muss die Header-Datei `algorithm` inkludiert werden, da in ihr die Algorithmen-Templates definiert sind.

Das erste und zweite Argument legt bei allen Algorithmen den zu durchlaufenden Bereich fest. Das dritte Argument von `for_each()` ist eine Funktion, die für jedes Element des Bereiches aufgerufen wird. Statt einer Funktion kann auch ein *Funktionsobjekt* angegeben werden. Dazu mehr auf den folgenden Seiten.

Funktionsobjekte

Beispielklassen

```cpp
// funcObj.h: Beispielklassen für Funktionsobjekte.
// -----------------------------------------------------
#include <iostream>
using namespace std;

// Klasse zur formatierten Ausgabe von Gleitpunktzahlen
class PrintDbl
{
  private:                  // Daten zur Formatierung der Ausgabe:
    int spalten, zaehler,   // Für die Anzahl Spalten pro Zeile.
        feldbreite,         // Feldbreite
        genauigkeit;        // Nachkommastellen
    ios::fmtflags fmtfl;    // Zur Sicherung der Formatflags
  public:
    // Konstruktor
    PrintDbl(int sp = 5, int br = 10, int gen = 2)
    : zaehler(0), spalten(sp), feldbreite(br), genauigkeit(gen)
    {
        fmtfl = cout.flags();  // Formatflags sichern.
        cout.precision( genauigkeit); cout.setf(ios::fixed);
    }
    // Destruktor              // Formatflags wieder herstellen.
    ~PrintDbl() { cout.clear();  cout.flags(fmtfl);  }

    // Element ausgeben:
    void operator() ( double x)
    {
        cout.width(feldbreite); cout << x;
        if( ++zaehler % spalten == 0)
           cout << endl;
    }
};

// Klasse für Funktionsobjekte, die Summen bilden.
class Summe
{
  private:
    double summe;        // Aktuelle Summe
    int anzahl;          // Aktuelle Anzahl
  public:
    // Konstruktor:
    Summe() : summe(0.0), anzahl(0)
    {}
    // Element hinzuaddieren:
    void operator()( double x) { summe += x; ++anzahl; }
    // Get-Methoden:
    double getSumme() const { return summe; }
    int getAnzahl() const { return anzahl; }
};
```

Die Algorithmen der Standardbibliothek erwarten als Argument oft eine Funktion, wie beispielsweise der Algorithmus `for_each()`. Die übergebene Funktion wird vom Algorithmus aufgerufen, um bestimmte Elemente auszuwählen, Elemente zu vergleichen oder zu manipulieren.

Überladung des Operators ()

Bei allen Algorithmen ist es aber möglich, statt einer gewöhnlichen Funktion ein Objekt zu übergeben, das wie eine Funktion „aufgerufen" werden kann. Das ist der Fall, wenn in der entsprechenden Klasse der Operator () überladen ist. Solche Objekte werden *Funktionsobjekte* genannt. Beispielsweise kann zur Ausgabe von Gleitpunktzahlen statt einer Funktion auch ein Objekt der folgenden Klasse übergeben werden. Der Einfachheit halber werden die Beispielklassen nicht als Templates definiert, was natürlich auch möglich ist.

Beispiel:
```
class PrintDbl
{ public:
    void operator() ( double x)
    {
        cout.width(10);  cout << x;
    }
};
```

Für ein Objekt vom Typ `PrintDbl` kann dann der Operator () mit einem `double`-Wert als Argument aufgerufen werden:

```
PrintDbl prDbl;
prDbl(1.23);      // Wert mit Feldbreite 10 ausgeben.
```

Ist `cont` ein Container, dessen Elemente Gleitpunktzahlen sind, so wird sein Inhalt mit folgender Anweisung angezeigt:

```
for_each( cont.begin(), cont.end(), PrintDbl());
```

Hier ist das dritte Argument ein temporäres Objekt der Klasse `PrintDbl`, das in den entsprechenden Parameter kopiert wird. Diese Kopie des Funktionsobjekts wird dann für jedes Element „aufgerufen".

Funktionen versus Funktionsobjekte

Der wesentliche Vorteil von Funktionsobjekten ist, dass sie Datenelemente besitzen können. Außerdem stehen Konstruktoren und ein Destruktor zur Verfügung. So besitzt die nebenstehende verbesserte Klasse `printDbl` Datenelemente, die die Feldbreite, Anzahl der Nachkommastellen und Anzahl der Spalten pro Zeile festlegen. Der Konstruktor initialisiert auch den Stream `cout`. Der Destruktor stellt die Formatflags des Streams `cout` wieder so her, wie sie vom Konstruktor gesichert wurden.

Die zweite Beispielklasse `Summe` kann zusammen mit `for_each()` verwendet werden, um numerische Elemente eines Containers aufzusummieren. Die folgende Funktion `main()` zeigt die Verwendung der Beispielklassen.

Funktionsobjekte (Fortsetzung)

Funktionsobjekte verwenden

```cpp
// funcObj.cpp: Ein Beispiel mit Funktionsobjekten.
// ----------------------------------------------------
#include "funcObj.h"          // Definition eigener Klassen
#include <iostream>
#include <algorithm>          // Definition der Algorithmen
#include <functional>         // Vordefinierte Funktionsobjekte
using namespace std;

int main()
{
    double werte[] =
          { 3.91, 5.29, 7.88, 10.31, 8.47, 6.05, 4.77 };
    int len = sizeof(werte)/sizeof(double);    // Anzahl
                                               // Vektorelemente
    // Alle Elemente anzeigen:
    cout << "Die Elemente des Vektors:" << endl;
    for_each( werte, werte + len, PrintDbl()); // 5 Spalten,
    cout << endl;                              // Feldbreite 10

    // Alle Elemente aufsummieren und Durchschnitt anzeigen:
    Summe s = for_each( werte, werte + len, Summe());
    cout << "\nSumme:          " << s.getSumme() << endl
         <<    "Durchschnitt: " << s.getSumme() / s.getAnzahl()
         << endl;

    // Vektor absteigend sortieren
    sort( werte, werte + len, greater<double>() );
    // und ausgeben:
    cout << "\nDer absteigend sortierte Vektor: " << endl;
    for_each( werte, werte + len, PrintDbl(8,6)); // 8 Spalten,
    cout << endl;                                 // Feldbreite 6
    return 0;
}
```

Vordefinierte Klassen für Funktionsobjekte (Beispiele)

Klassen-Template	Operator ()	Klassen-Template	Operator ()
negate<T>	-arg	equal_to<T>	arg1 == arg2
plus<T>	arg1 + arg2	not_equal_to<T>	arg1 != arg2
minus<T>	arg1 - arg2	less<T>	arg1 < arg2
multiplies<T>	arg1 * arg2	less_equal<T>	arg1 <= arg2

Vektoren als Container

Gewöhnliche Vektoren sind Container, wobei Zeiger auf Vektorelemente als Iteratoren fungieren. Alle Standard-Algorithmen sind daher auch auf Vektoren anwendbar. Im nebenstehenden Programm wird der double-Vektor `werte` mehrfach mit `for_each()` durchlaufen. Hierbei werden Funktionsobjekte vom Typ `PrintDbl` und `Summe` übergeben. Außerdem wird zum Sortieren des Vektors der Algorithmus `sort()` aufgerufen.

Als Bereich wird hier stets `[wert, wert+len)` angegeben, also ein Zeiger auf das erste Element und ein Zeiger, der hinter das letzte Element verweist. Innerhalb dieses Bereiches sind alle Elemente des Vektors positioniert.

Was for_each zurückgibt

Ein Funktionsobjekt wird dem Algorithmus `for_each()` als Kopie und nicht als Referenz übergeben. Das bedeutet, dass eventuelle Änderungen am Funktionsobjekt nur an der Kopie vorgenommen werden. So liefert das folgende Code-Fragment nicht das gewünschte Ergebnis:

```
Summe sumObj;                    // Ein Funktionsobjekt sumObj
for_each( wert, wert+len, sumObj); // Summe bilden.
cout << sumObj.getSumme() << endl; // sumObj unverändert!
                                 // Ausgabe: 0
```

Da der Algorithmus `for_each()` das von ihm verwendete Funktionsobjekt als Return-Wert liefert, steht das Ergebnis auch beim Aufrufer zur Verfügung:

```
Summe s = for_each( wert, wert+len, sumObj);
```

Vordefinierte Funktionsobjekte

Nicht jede Klasse für Funktionsobjekte muss selbst definiert werden. Die Standard-Bibliothek enthält bereits passende Templates für arithmetische Operationen, Vergleiche und logische Operationen. Diese sind in der Header-Datei `functional` definiert. Beispiele sind nebenstehend aufgelistet. Alle Klassen besitzen einen Default-Konstruktor. Die Argumente des Operators () werden per Referenz übergeben.

Im Beispielprogramm erhält der Algorithmus `sort()` als drittes Argument das temporäre Objekt `greater<double>()`:

```
sort( werte, werte + len, greater<double>() );
```

Dadurch wird der Vektor `werte` in absteigender Reihenfolge sortiert. Ohne Angabe eines Vergleichsobjekts benutzt `sort()` den Operator <. Das Ergebnis ist dann ein aufsteigend sortierter Vektor.

Funktionen oder Funktionsobjekte, die einen booleschen Wert zurückgeben, werden auch *Prädikate* genannt. Man unterscheidet *einstellige* Prädikate, die ein Argument erhalten, wie z.B. `logical_not<T>`, und *zweistellige* Prädikate, die zwei Argument erhalten, wie z.B. `greater<T>`.

Lambda-Funktionen

Syntax eines Lambda-Ausdrucks

Lambda-Start mit Zugriffsdeklaration

$\downarrow$

[*capture*] (*parameterliste*) mutable$_{opt}$ noexcept$_{opt}$ -> *return-typ*$_{opt}$
{   /* *Funktionsblock* */   }

Lambda-Funktionen verwenden

```cpp
// Lamdas.cpp
// Beispiele für Lambda-Funktionen.
// -----------------------------------------------------------
#include <algorithm>
#include <thread>
#include <iostream>
using namespace std;

int main()
{
    auto lambda1 = []{ cout << "Eine Lambda-Funktion" << endl;};
    lambda1();

    [](){ cout << "Direkter Aufruf" << endl; } ();

    int n = 1;
    auto lambda2 = [=] (int a) mutable
    {   n+=a;
        cout << "In der Lambda-Funktion:   n = " << n << endl;
    };
    lambda2(7);                                             // 8
    cout << "Nach der Lambda-Funktion: n = " << n << endl; // 1

    int arr[5] = { 1,2,3,4,5};
    for_each(arr, arr+5,
            [](int n){ cout.width(4); cout << n*n; } );
    cout << endl;

    // In einem Thread 10 Sterne ausgeben:
    thread thr( [] {
            for (int n = 10; n > 0; --n) { cout << " *"; }
            cout << endl; });
    thr.join();
    return 0;
}
```

Definition einer Lambda-Funktion

Lambda-Funktionen sind lokale, anonyme Funktionen, die auf Objekte ihrer Umgebung zugreifen können. Sie stellen eine flexible Alternative zu selbst definierten Funktionsobjekten dar. Die Definition erfolgt mit einem *Lambda-Ausdruck*, dessen Syntax nebenstehend angegeben ist. Dabei gilt:

`[capture]`	Legt den Zugriff auf die Objekte der Umgebung fest: `[]` kein Zugriff, `[=]` per Kopie, `[&]` per Referenz, oder den Zugriff auf einzelne Objekte in einer Liste explizit angeben, beispielsweise `[=,&var]` alle per Kopie, aber `var` per Referenz.
`parameterliste`	Enthält die Deklarationen der Funktionsparameter. Kann entfallen, wenn es keine Parameter gibt.
`mutable`	optional: Beim Zugriff auf Objekte per Kopie (also mit `=`) können die Objekte nicht verändert werden, außer wenn `mutable` angegeben ist.
`noexcept`	optional: Die Funktion wirft keine Exception.
`-> return-typ`	optional: Festlegung des Return-Typs. Ohne den nachgestellten Return-Typ wird der Return-Typ aus dem Typ des `return`-Ausdrucks abgeleitet oder ist `void`, wenn es keine `return`-Anweisung gibt.

Jeder Lambda-Ausdruck definiert eine anonyme Klasse mit einem eindeutigen Typ (engl. *closure type*) und stellt ein Objekt dieser Klasse dar. Für diese Klasse ist der Aufrufoperator `()` dem Lambda-Ausdruck entsprechend überladen.

Generische Lambdas

Der C++-Standard hat die Einsatzmöglichkeiten von Lambda-Funktionen wesentlich erweitert: Als Typ für einen Parameter ist der Platzhalter `auto` zulässig. Der konkrete Typ wird dann aus dem Typ des entsprechenden Arguments abgeleitet. Dadurch wird ein sogenanntes *generisches Lambda* definiert, das sich wie eine Template-Funktion verhält.

Beispiel:
```
auto twice = [](auto a) { return a+a; };
cout << twice(7) << endl;            // 14
cout << twice( string("go")) << endl;  // gogo
```

Für ein generisches Lambda generiert der Compiler eine anonyme Klasse, die den Aufrufoperator `()` als Funktions-Template inline überlädt. Die Instantiierung erfolgt dann beim Aufruf der Lambda-Funktion.

Eine zweite Erweiterung betrifft die Zugriffsdeklaration. Hier können auch neue lokale Variablen und Referenzen deklariert werden, wobei der Typ automatisch vom Initialisierer abgeleitet wird. Im folgenden Beispiel hat `max` den Typ `int`.

Beispiel:
```
int n = 10;
auto lf = [&n, max = n+90]() -> int { . . . };
```

Algorithmen und Iteratoren

Iterator-Kategorien

Iterator	Zweck
Input-Iterator	Nur lesender Elementzugriff, nur vorwärts
Output-Iterator	Nur schreibender Elementzugriff, nur vorwärts
Forward-Iterator	Lesender und schreibender Elementzugriff, nur vorwärts
Bidirektionaler Iterator	Lesender und schreibender Elementzugriff, vorwärts und rückwärts
Random-Access-Iterator	Lesender und schreibender Elementzugriff, beliebig positionierbar

Beispielprogramm mit Stream-Iteratoren

```cpp
// streamIteratoren.cpp: Algorithmen und Stream-Iteratoren.
// Zeigt den Inhalt einer Datei mit Gleitpunktzahlen an.
// ----------------------------------------------------------
#include <iostream>
#include <fstream>          // Die File-Stream-Klassen
#include <algorithm>        // Definition der Algorithmen
using namespace std;

int main()
{
   char filename[] = "data.txt";   // Datei mit float-Werten
   ifstream inFile(filename);      // Filestream anlegen
   if( !inFile)
   { cout << "Fehler beim Oeffnen von "<< filename << endl;
     return 1;
   }
   // Daten aus Datei lesen und auf cout ausgeben:
   copy( istream_iterator<float>(inFile), // Input-Iterator
        istream_iterator<float>(),       // Iterator für EOF
        ostream_iterator<float>(cout,"\n")); // Output-
                                             // Iterator
   if( !inFile.eof())
   { cout << "Fehler beim Lesen von " << filename << endl;
     return 2;
   }
   return 0;
}
```

Eigenschaften von Iteratoren

Iteratoren müssen nicht alle Eigenschaften von Zeigern haben. Entsprechend den Anforderungen der Algorithmen definiert der C++-Standard daher die nebenstehenden fünf Iterator-Kategorien. Beispielsweise benötigen Algorithmen wie `for_each()` oder `max_element()` nur Iteratoren, mit denen die Elemente eines Bereiches sequenziell gelesen werden können. Genau dies ermöglicht ein *Input-Iterator*, für den die Operatoren * (lesender Elementzugriff), ++ (Iterator weitersetzen), == und != (zwei Iteratoren vergleichen) definiert sein müssen.

Ein *Output-Iterator* ermöglicht lediglich den schreibenden Elementzugriff. Das muss nicht notwendigerweise den lesenden Zugriff umfassen. Beispielsweise ist für die Klasse `ostream` ein Output-Iterator definiert, mit dem in einen Stream nur geschrieben werden kann. Für die Klasse `istream` ist ein entsprechender Input-Iterator definiert.

Forward-Iteratoren haben alle Fähigkeiten von Input- und Output-Iteratoren. *Bidirektionale Iteratoren* wiederum sind Forward-Iteratoren, für die auch der Operator - - definiert ist. Sie können also einen Bereich auch rückwärts durchlaufen.

Random-Access-Iteratoren sind bidirektionale Iteratoren, die zusätzlich wahlfrei positioniert werden können. Es sind alle von der Zeigerarithmetik her bekannten Operationen definiert, wie z.B. die Addition/Subtraktion ganzer Zahlen.

Die Container `vector` und `deque` besitzen Random-Access-Iteratoren. Alle anderen Container der Standardbibliothek besitzen bidirektionale Iteratoren.

Stream-Iteratoren

Die *Stream-Iteratoren* ermöglichen es, dass Algorithmen direkt mit Ein-/Ausgabe-Streams arbeiten können. Dem Konstruktor von Stream-Iteratoren wird der zu verarbeitende Stream als Argument übergeben. Der Input-Iterator

```
istream_iterator< T >(istream)
```

liest mit dem Operator >> Elemente vom Typ `T` aus dem angegebenen Stream `istream`. Der Konstruktor liest und speichert bereits das erste Element. Jede Operation ++ liest und speichert dann das nächste Element. Dieses kann mit dem Operator * dereferenziert werden. Falls aus dem Stream nicht mehr gelesen werden kann, hat der Iterator den Wert eines speziellen EOF-Iterators, der vom Default-Konstruktor erzeugt wird.

Für das Schreiben in einen Stream gibt es den Output-Iterator

```
ostream_iterator< T >(ostream [, string])
```

Jede Zuweisung eines Elementes an den Iterator bewirkt, dass das Element mit dem Operator << in den Stream geschrieben wird. Für den Iterator sind zwar die Operatoren * und ++ definiert. Sie bewirken aber nichts und liefern lediglich den Iterator selbst zurück. Dem Konstruktor kann optional ein String übergeben werden, der zusätzlich direkt nach jedem Wert mit ausgegeben wird.

Vordefinierte Iteratoren

Beispielprogramm

```cpp
// inserter.cpp: Algorithmen und vordefinierte Iteratoren.
// Gleitpunktzahlen aus einer Datei einlesen und verarbeiten.
// ---------------------------------------------------------
#include <iostream>
#include <fstream>              // File-Stream-Klassen
#include <vector>               // vector-Template
#include <set>                  // set-/multiset-Templates
#include <algorithm>            // Algorithmen-Templates
#include <iterator>             // Definition von Iteratoren
using namespace std;
// Zur Anzeige von float-Werten:
void print( float x) {  cout.width(8);  cout << x; }

char filename[] = "data.txt";     // Datei mit float-Werten
vector<float> flArr;              // float-Vektor
multiset<float> flSet;           // Multiset für float-Werte.

int main()
{
   ifstream inFile(filename);         // Filestream anlegen
   if( !inFile)
   { cerr << "Fehler beim Oeffnen von "<< filename << endl;
     return 1;
   }
   // Daten der Datei in einen Vektor einlesen:
   copy( istream_iterator<float>(inFile), // Input-Iterator
        istream_iterator<float>(),         // EOF-Iterator
        back_inserter(flArr));             // Back-Inserter

   if( !inFile.eof())
       cerr << "Fehler beim Lesen von " << filename << endl;
   inFile.close();                        // Datei schließen
   if( flArr.size() == 0)
   { cerr << "Keine Daten vorhanden!" << endl;  return 2;
   }
   // Vektor anzeigen:
   cout << "Die eingelesenen Werte:" << endl;
   for_each( flArr.begin(), flArr.end(), print);  // Anzeigen
   // Vektor mit Reverse-Iterator durchlaufen:
   cout << "\n... und in umgekehrter Reihenfolge:" << endl;
   for_each( flArr.rbegin(), flArr.rend(),print); // Anzeigen

   // Werte in den Set-Container einfügen.
   // Dadurch werden die Werte auch sortiert:
   copy( flArr.begin(), flArr.end(),         // Quell-Bereich
        inserter(flSet, flSet.begin()) );  // Ziel
   cout << "\n... und jetzt sortiert:" << endl;
   for_each( flSet.begin(), flSet.end(), print);  // Anzeigen
   cout << endl;
   return 0;
}
```

Die *vordefinierten Iteratoren* erweitern die Anwendungsmöglichkeiten der Algorithmen-Bibliothek. Neben den zuvor behandelten *Stream-Iteratoren* sind auch noch *Insert-Iteratoren* und *Reverse-Iteratoren* definiert. Die entsprechenden Templates stehen in der Header-Datei `iterator`.

Insert-Iteratoren

Insert-Iteratoren sind Output-Iteratoren, die eine Zuweisung der Form
```
*iterator = wert;
```
in eine Einfüge-Operation umsetzt, anstatt das Element an der Position zu überschreiben. Die vorstehende Zuweisung ist wirkungsgleich mit
```
iterator = wert;        // Für Insert-Iteratoren
```
Die Operatoren `*` und `++` sind nämlich wie bei den Ostream-Iteratoren definiert: Sie bewirken nichts und liefern lediglich den Iterator selbst zurück. Die Zuweisung ist für den Iterator definiert, der die Einfüge-Operation vornimmt.

Ein Element kann entweder am Anfang, am Ende oder vor einer angegebenen Position eingefügt werden. Dazu rufen die Iteratoren entweder die Methode `push_front()`, `push_back()` oder `insert()` des Containers auf. Entsprechend gibt es folgende drei Arten von Iteratoren:

	Klassen-Template	Funktion zur Erzeugung
Front-Inserter	front_insert_iterator<*CT*>	front_inserter(*container*)
Back-Inserter	back_insert_iterator<*CT*>	back_inserter(*container*)
Inserter	insert_iterator<*CT*>	inserter(*container, position*)

Das Template-Argument `CT` ist der Container-Typ. Ein Insert-Iterator ist nur anwendbar, wenn der betreffende Container die benötigte Methode bereitstellt! Front-Inserter sind also nur bei Listen und Deques möglich, Back-Inserter zusätzlich bei Vektoren und Inserter bei allen STL-Containern.

Reverse-Iteratoren

Bidirektionale Iteratoren und Random-Access-Iteratoren haben entsprechende *Reverse-Iteratoren*, die die Elemente in umgekehrter Richtung durchlaufen: Die Operation `++` wird in `--` umgesetzt und umgekehrt. Dies erlaubt, bei allen Algorithmen die Verarbeitungsreihenfolge auf einfache Weise umzukehren.

Alle Container definieren den Typ `reverse_iterator` und besitzen die Methoden `rbegin()` und `rend()`, die Reverse-Iteratoren zurückgeben:

● `rbegin()` liefert die Position des letzten Elementes.

● `rend()` liefert die Position vor dem ersten Element.

Beispiel: `for_each( flArr.rbegin(), flArr.rend(), print);`

Hiermit wird der Vektor `flArr` in umgekehrter Reihenfolge angezeigt.

Reverse-Iteratoren speichern intern einen „normalen" Iterator und verweisen auf das Element davor. Den gespeicherten Iterator liefert die Methode `base()`. Beispielsweise liefert `rend().base()` den Iterator `end()`.

Nicht-modifizierende Algorithmen

Beispielprogramm

```cpp
// find_elem.cpp: Bestimmte Elemente suchen.
// ------------------------------------------------------------
#include <iostream>
#include <deque>                 // Definition des deque-Templates
#include <algorithm>             // Definition der Algorithmen
#include <iterator>              // Definition der Iteratoren
using namespace std;

void print( int elm) {  cout.width(4);  cout << elm; }
bool odd(int elm) {  return elm % 2 == 1; }

int main()
{
   deque<int> intDeque;                        // Leere Deque anlegen

   for( int i = 0; i < 5; ++i)                 // Elemente einfügen:
      intDeque.push_front(i),                  // am Anfang,
      intDeque.push_back(i);                   // am Ende.

   // intDeque anzeigen:
   for_each( intDeque.begin(), intDeque.end(), print);
   cout << endl;              // Ausgabe: 4 3 2 1 0 0 1 2 3 4

   // Erste 0 suchen und Bereich bis dahin anzeigen:
   deque<int>::iterator iter;          // Ein Iterator.
   iter = find( intDeque.begin(), intDeque.end(), 0);
   if( iter != intDeque.end())             // Falls 0 gefunden:
      for_each( intDeque.begin(), iter+1, print), // (incl. 0)
      cout << endl;              // Ausgabe: 4 3 2 1 0

   // Letzte ungerade Zahl suchen, Bereich bis dahin anzeigen:
   deque<int>::reverse_iterator riter;    // Reverse-Iterator.
   riter = find_if( intDeque.rbegin(), intDeque.rend(), odd);
   if( riter != intDeque.rbegin())         // Falls gefunden:
      for_each( intDeque.begin(), riter.base(), print),
      cout << endl;              // Ausgabe: 4 3 2 1 0 0 1 2 3

   // Erste 0 oder 1 suchen und Bereich bis dahin anzeigen:
   int suchen[] = { 0, 1 };
   iter = find_first_of( intDeque.begin(), intDeque.end(),
                         suchen, suchen+2);
   if( iter != intDeque.end())    // Falls 0 oder 1 gefunden:
      for_each( intDeque.begin(), iter+1, print),
      cout << endl;              // Ausgabe: 4 3 2 1

   return 0;
}
```

Die *nicht-modifizierenden Algorithmen* greifen auf Container nur lesend zu, d.h., sie verändern weder die Elemente noch ihre Anordnung im Container. In der folgenden systematischen Beschreibung bezeichnen iFirst und iLast einen zu lesenden Bereich [iFirst, iLast), der immer vorwärts durchlaufen wird. Entsprechend werden Iteratoren für die Ausgabe mit oFirst und oLast bezeichnet, Iteratoren für die Ein- und Ausgabe mit ioFirst und ioLast.

Für jedes Element ...

    for_each(iFirst, iLast, function)

ruft für jeden Iterator iter im Bereich [iFirst, iLast) die Funktion bzw. das Funktionsobjekt function(*iter) auf. Dabei wird ein eventueller Return-Wert von function ignoriert. Der Algorithmus for_each() gibt die Funktion bzw. das Funktionsobjekt function zurück.

Suchen in unsortierten Bereichen

Es können bestimmte Elemente oder bestimmte Teilfolgen gesucht werden. Die Algorithmen geben die Position des gefundenen Elements bzw. die erste Position der gefundenen Teilfolge zurück. Wird nichts gefunden, ist der Return-Wert immer das Ende des durchsuchten Bereichs, also der Iterator iLast.

    find(iFirst, iLast, value)

    find_if (iFirst, iLast, predicate)

sucht die Position des ersten Elementes elem, dessen Wert gleich *value* ist bzw. für das der Funktionsaufruf predicate(elem) wahr ist.

Hinweis: Die assoziativen Container (Sets und Maps) besitzen eine Methode find(), die sehr viel schneller ist als der Algorithmus find(), da die Elemente dieser Container in einer Baumstruktur verwaltet werden.

    find_first_of(iFirst1, iLast1, iFirst2, iLast2)

    find_first_of(iFirst1, iLast1, iFirst2, iLast2, binaryPred)

sucht im Bereich [iFirst1, iLast1) das erste Element elem1, das gleich einem Element elem2 aus dem Bereich [iFirst2, iLast2) ist bzw. für das der Funktionsaufruf binaryPred(elem1, elem2) wahr ist.

    min_element(iFirst, iLast)

    min_element(iFirst, iLast, compare)

    max_element(iFirst, iLast)

    max_element(iFirst, iLast, compare)

liefert die Position des ersten Elements, das gleich dem Minimum bzw. dem Maximum ist. Ist keine Vergleichsfunktion angegeben, werden zwei Elemente mit dem Operator < verglichen, andernfalls mit der Funktion *compare*.

Nicht-modifizierende Algorithmen (Fortsetzung)

Beispielprogramm

```
// search_count.cpp: Teilfolge suchen und Elemente zaehlen.
// ------------------------------------------------------------
#include <iostream>
#include <string>
#include <list>                 // Definition des list-Templates
#include <algorithm>            // Definition der Algorithmen
using namespace std;

void print( const string& s)
{   cout.width(8);    cout << left << s; }

struct Laenger
{   int cmp;
    Laenger(int val) : cmp(val) {}
    bool operator()(const string& s){ return s.length() > cmp;}
};

int main()
{
    string suchFolge[] = {"Eva", "Hans", "Max"}; // Zum Suchen.
    list<string> namen(suchFolge, suchFolge+3);  // Liste mit
                                                 // Namen.
    // Weitere Namen hinzufügen:
    namen.push_back("Petra");   namen.push_front("Otto");
    // und nochmal die suchFolge anhängen
    namen.insert( namen.end(), suchFolge, suchFolge+3);

    cout << "Liste der Namen:" << endl;      // Liste anzeigen.
    for_each( namen.begin(), namen.end(), print);
    cout << endl;       // Otto Eva Hans Max Petra Eva Hans Max

    // Die Namen zählen, die länger als 3 Zeichen sind:
    int anzahl =
        (int)count_if( namen.begin(), namen.end(), Laenger(3));
    cout << anzahl << " Namen sind laenger als 3 Zeichen."
         << endl;                            // 4 Namen sind ...

    // Erstes Vorkommen einer Teilfolge suchen:
    list<string>::iterator i =               // Ein Iterator.
    search(namen.begin(), namen.end(), suchFolge, suchFolge+3);
    if( i != namen.end()) {                  // Gefunden?
        cout << "\nListe ab gefundener Teilfolge: " << endl;
        for_each( i, namen.end(), print);
        cout << endl;
    }
    else cout << "\nTeilfolge nicht gefunden" << endl;

    return 0;
}
```

Teilfolgen suchen

```
search_n( iFirst, iLast, n, value)
search_n( iFirst, iLast, n, value, binaryPred)
```

sucht die erste Teilfolge der Länge *n*, so dass alle Elemente der Teilfolge den Wert `value` haben bzw. so dass für alle Elemente der Funktionsaufruf `binary-Pred(elem,value)` wahr ist.

```
search(iFirst1, iLast1, iFirst2, iLast2)
search(iFirst1, iLast1, iFirst2, iLast2, binaryPred)
```

sucht im Bereich [`iFirst1,iLast1`) die erste Teilfolge, so dass ihre Elemente mit den Elementen des zweiten Bereichs [`iFirst2,iLast2`) übereinstimmen bzw. so dass für entsprechende Elemente der Funktionsaufruf `binary-Pred(elem1,elem2)` wahr ist.

```
find_end(iFirst1, iLast1, iFirst2, iLast2)
find_end(iFirst1, iLast1, iFirst2, iLast2, binaryPred)
```

Wie `search()`, nur dass die letzte passende Teilfolge gesucht wird.

```
adjacent_find( iFirst, iLast)
adjacent_find( iFirst, iLast, binaryPred)
```

Sucht die erste 2-elementige Teilfolge, deren Elemente gleich sind bzw. für die der Funktionsaufruf `binaryPred(elem1,elem2)` `true` liefert.

Zählen und Vergleichen

```
count( iFirst, iLast, value)
count_if( iFirst, iLast, predicate)
```

liefert die Anzahl der Elemente, die gleich dem Wert `value` sind bzw. für die der Funktionsaufruf `predicate(elem)` `true` ergibt.

```
equal( iFirst1, iLast1, iFirst2)
```

vergleicht den Bereich [`iFirst1,iLast1`) mit dem Bereich, der bei `iFirst2` beginnt. Der Return-Wert ist `true`, wenn die Elemente der beiden Bereiche gleich sind.

```
mismatch( iFirst1, iLast1, iFirst2)
```

vergleicht wie `equal()` zwei Bereiche. Der Return-Wert ist aber ein Objekt der Template-Klasse `pair`. Das Template enthält die beiden Positionen, in denen sich die Bereiche zum ersten Mal unterscheiden. Die erste Position ist `iLast1`, falls es keinen Unterschied gibt.

```
lexicographical_compare(iFirst1, iLast1, iFirst2, iLast2)
```

liefert `true`, falls die Elemente des ersten Bereichs lexikografisch kleiner sind als die Elemente des zweiten Bereichs, andernfalls `false`.

Die letzten drei Funktionen sind auch in einer überladenen Version vefügbar, wobei der dritte Parameter das Vergleichskriterium festlegt.

Modifizierende Algorithmen

Beispielprogramm

```cpp
// transform.cpp: Elemente kopieren und transformieren.
// ---------------------------------------------------------
#include <iostream>
#include <vector>              // Definition des vector-Templates
#include <algorithm>          // Definition der Algorithmen
#include <functional>        // Vordefinierte Funktionsobjekte
#include <iterator>          // Definition von Iteratoren
#include <cmath>             // Für sqrt()
using namespace std;

int main()
{
   vector<double> dblVec1;           // Leeren Vektor anlegen

   // Zahlen von der Standard-Eingabe in den Vektor einlesen:
   cout << "Einige Zahlen eingeben "
           "(Eingabe mit einem Buchstaben beenden):" << endl;
   copy( istream_iterator<double>(cin),    // Input-Iterator
         istream_iterator<double>(),       // EOF-Iterator
         back_inserter(dblVec1));          // Back-Inserter

   cout << "\nIhre Eingabe: " << endl;
   copy( dblVec1.begin(), dblVec1.end(),  // Vektor
         ostream_iterator<double>(cout, " "));  // ausgeben.
   cout << endl;
   // Zweiten Vektor mit der Länge von dblVec1 anlegen:
   vector<double> dblVec2( dblVec1.size());
   // Wurzeln berechnen:
   transform( dblVec1.begin(), dblVec1.end(), // Quellbereich
              dblVec2.begin(),                 // Zielbereich
              (double(*)(double))sqrt );       // Funktion
   // Ergebnis anzeigen:
   cout << "\nDie Wurzeln der Zahlen: " << endl;
   copy( dblVec2.begin(), dblVec2.end(),
         ostream_iterator<double>(cout, " "));
   cout << endl;

   // Zweiten Vektor elementweise zum ersten hinzuaddieren:
   transform(dblVec1.begin(), dblVec1.end(),// 1. Quellbereich

             dblVec2.begin(),               // 2. Quellbereich
             dblVec1.begin(),               // Zielbereich
             plus<double>() );              // Funktionsobjekt
   // Ergebnis anzeigen:
   cout << "\nSumme der zwei Vektoren: " << endl;
   copy( dblVec1.begin(), dblVec1.end(),
         ostream_iterator<double>(cout, " "));
   cout << endl;
   return 0;
}
```

Die *modifizierenden Algorithmen* greifen auf den Container auch schreibend zu, das heißt, sie verändern den Inhalt der Elemente. Viele Algorithmen, wie etwa `rotate()`, ändern nur die Anordnung der Elemente im Container. Aber auch diese *mutierenden* Algorithmen benutzen die Zuweisung an Elemente, da sie keine Information über die innere Struktur der Container haben.

Die Elemente eines assoziativen Containers, also Sets und Maps, können nur durch Methoden verändert werden. Insbesondere erlauben auch die Iteratoren nur den lesenden Zugriff. Daher können modifizierende Algorithmen nicht verwendet werden, wenn der Ziel-Bereich in einem assoziativen Container liegt.

Die nachfolgend beschriebenen Algorithmen operieren auf unsortierten Containern. Sofern ein separater Zielbereich anzugeben ist, muss der Programmierer selber darauf achten, dass der Zielbereich groß genug ist. Der Return-Wert dieser Algorithmen ist stets die Position hinter dem zuletzt bearbeiteten Element im Zielbereich. In den anderen Fällen wird nichts zurückgegeben oder der Return-Wert ist bei der Beschreibung angegeben.

Kopieren, Tauschen und Transformieren

`copy( iFirst, iLast, oFirst)`

kopiert die Elemente des Bereichs `[iFirst,iLast)` vorwärts in den Zielbereich, der bei `oFirst` beginnt. Quell- und Zielbereich dürfen sich überlappen, aber `oFirst` darf keine Position aus dem Quellbereich sein.

`copy_backward( iFirst, iLast, oLast)`

kopiert die Elemente des Bereichs `[iFirst,iLast)` rückwärts in den Zielbereich, der bei `oLast` endet. Die Iteratoren müssen bidirektional sein. Der Unterschied zwischen `copy()` und `copy_backward()` ist nur dann relevant, wenn sich Quell- und Zielbereich überlappen.

`swap_ranges( ioFirst1, ioLast1, ioFirst2)`

tauscht die Elemente des Bereichs `[ioFirst1,ioLast1)` mit den entsprechenden Elementen des Bereichs, der bei `ioFirst2` beginnt.

`transform( iFirst, iLast, oFirst, unaryFunc)`

ruft für jedes Element `elem` des Bereichs `[iFirst,iLast)` die Funktion `unaryFunc(elem)` auf und weist den Return-Wert dem entsprechenden Element im Zielbereich zu, der bei `oFirst` beginnt. Quell- und Zielbereich dürfen sich überlappen, insbesondere auch identisch sein.

`transform( iFirst1, iLast1, iFirst2, oFirst, binaryFunc)`

ruft für jedes Element `elem1` des ersten Bereichs `[iFirst1,iLast1)` und dem entsprechenden Element `elem2` im zweiten Bereich, der bei `iFirst2` beginnt, die Funktion `binaryFunc(elem1,elem2)` auf. Der Return-Wert wird dann dem entsprechenden Element im Zielbereich zugewiesen, der bei `oFirst` beginnt.

Modifizierende Algorithmen (Fortsetzung)

Beispielprogramm

```cpp
// generate_remove.cpp: Elemente erzeugen und löschen.
// ------------------------------------------------------
-
#include <iostream>
#include <vector>              // Definition des vector-Templates
#include <algorithm>           // Definition der Algorithmen
using namespace std;

class Fibonacci         // Die ersten beiden Fibonacci-Zahlen
{ long f0, f1;          // sind 0 und 1. Jede weitere ist die
 public:                // Summe ihre beiden Vorgänger.
    Fibonacci() : f0(0), f1(1) {}
    long operator() (){ long f=f0+f1; f0=f1; f1=f;  return f; }
};
void print( long elm) {  cout.width(8);  cout << elm; }
bool even( long elm) { return elm % 2 == 0; }
bool odd( long elm)  { return elm % 2 != 0; }

int main()
{
    vector<long> lVec1, lVec2;  // Zwei leere Vektoren anlegen.

    // 1. Vektor mit den ersten 20 Fibonacci-Zahlen füllen:
    generate_n( back_inserter(lVec1), 20, Fibonacci() );

    cout << "Die ersten 20 Fibonacci-Zahlen: " << endl;
    for_each( lVec1.begin(), lVec1.end(), print);
    cout << endl;

    // Nur gerade Zahlen kopieren, d.h. ungerade entfernen:
    remove_copy_if( lVec1.begin(), lVec1.end(), // Quellbereich
                    back_inserter(lVec2),       // Zielbereich
                    odd);                        // Bedingung
    cout << "\nDavon sind gerade:" << endl;
    for_each( lVec2.begin(), lVec2.end(), print);
    cout << endl;

    // Im ersten Vektor die geraden Zahlen löschen:
    vector<long>::iterator new_last =           // Neues Ende
    remove_if( lVec1.begin(), lVec1.end(),      // Bereich
               even);                            // Bedingung
    cout << "\nDie ungeraden Zahlen:" << endl;
    for_each( lVec1.begin(), new_last, print);  cout << endl;

    // Die restlichen Elemente im ersten Vektor löschen:
    lVec1.erase( new_last, lVec1.end());
    cout << "Anzahl ungerader Zahlen: "<< lVec1.size() << endl;
    return 0;
}
```

Ersetzen und Löschen

```
replace( ioFirst, ioLast, old_value, new_value)
replace_if( ioFirst, ioLast, predicate, new_value)
```

ersetzt die Elemente des Bereichs [ioFirst,ioLast), die gleich dem Wert old_value sind bzw. für die der Funktionsaufruf predicate(elem) true liefert, durch den neuen Wert new_value.

```
replace_copy(iFirst, iLast, oFirst, old_value, new_value)
replace_copy_if(iFirst, iLast, oFirst, predicate, new_value)
```

kopiert den Bereich [iFirst,iLast) in den Zielbereich, der bei oFirst beginnt, und nimmt dabei die Ersetzungen wie replace() bzw. replace_if() vor. Quell- und Zielbereich dürfen sich nicht überlappen.

```
fill( ioFirst, ioLast, value)
fill( oFirst, n, value)
```

weist allen Elementen des Bereichs [ioFirst,ioLast) bzw. den ersten n Elementen des Bereichs, der bei oFirst beginnt, den Wert value zu.

```
generate( ioFirst, ioLast, function)
generate_n( oFirst, n, function)
```

füllt den angegebenen Bereich. Im Unterschied zu fill() wird den Elementen aber der Return-Wert des Funktionsaufrufs function() zugewiesen. Die Funktion erhält kein Argument und wird für jedes Element erneut aufgerufen.

```
remove( ioFirst, ioLast, value)
remove_if( ioFirst, ioLast, predicate)
```

löscht die Elemente, die den Wert value haben bzw. für die der Funktionsaufruf predicate(elem) true liefert. Dies geschieht durch Kopieren des Bereichs [ioFirst,ioLast) in sich selbst, wobei die zu löschenden Elemente nicht kopiert werden. Der Return-Wert ist der Iterator, der das neue Ende des Bereichs markiert. Es werden keine Elemente aus dem Container entfernt und die Elemente ab dem neuen Ende bleiben unverändert.

```
remove_copy( iFirst, iLast, oFirst, value)
remove_copy_if( iFirst, iLast, oFirst, predicate)
```

ist die „copy-Version" von remove(), das heißt, der Zielbereich beginnt beim Iterator oFirst. Quell- und Zielbereich dürfen sich nicht überlappen.

```
unique( ioFirst, ioLast)
```

löscht die Elemente, die gleich dem Vorgänger sind. Sonst gibt es keinen Unterschied zu remove().

```
unique_copy( iFirst, iLast, oFirst)
```

Bei der „copy-Version" von unique() beginnt der Zielbereich bei oFirst.

Die letzten beiden Funktionen sind wieder in einer überladenen Version verfügbar, wobei der dritte Parameter das Vergleichskriterium festlegt.

Mutierende Algorithmen

Beispielprogramm

```cpp
// mutations.cpp: Beispiele zu den mutierenden Algorithmen.
// ---------------------------------------------------------
#include <iostream>
#include <deque>            // Definition des deque-Templates
#include <algorithm>        // Definition der Algorithmen
#include <functional>       // Fuer less<T>
#include <iterator>         // Definition von Iteratoren
using namespace std;

void print( const deque<int>& q)
{  copy(q.begin(), q.end(), ostream_iterator<int>(cout," "));
   cout << endl;
}
int main()
{  deque<int> iDeq;                    // Leere Queue
   for( int i = 1; i <= 5; ++i)
       iDeq.push_front(i);            // 5 4 3 2 1
   cout << "Die Elemente:          "; print( iDeq);

   // Reihenfolge umdrehen:
   reverse( iDeq.begin(), iDeq.end());   // 1 2 3 4 5
   cout << "Nach reverse():        "; print( iDeq);

   // Rotation nach links um 2 Stellen:
   rotate( iDeq.begin(), iDeq.begin()+2, iDeq.end());
                                      // 3 4 5 1 2
   cout << "Nach rotate() um 2 Stellen: "; print( iDeq);

   // Zufällige Reihenfolge:
   random_shuffle( iDeq.begin(), iDeq.end());
   cout << "Nach random_shuffle():    "; print( iDeq);

   // Zerlegen in Zahlen < 3 und >= 3:
   partition(iDeq.begin(),iDeq.end(), bind2nd(less<int>(),3));
   cout << "Nach partition() mit < 3:   "; print( iDeq);

   sort( iDeq.begin(), iDeq.end());   // Wieder sortiert.
   iDeq.pop_back(); iDeq.pop_back();  // Elm. 4 u. 5 löschen.
   // Alle Permutationen von 1 2 3  (3! = 9 Permutationen):
   cout << "Alle Permutationen von 1 2 3:" << endl;
   do  print( iDeq);                  // 1 2 3,  1 3 2,  2 1 3, ...
   while( next_permutation( iDeq.begin(), iDeq.end()) );

   return 0;
}
```

Mutierende Algorithmen ändern die Anordnung der Elemente im Container.

```
reverse( ioFirst, ioLast)
reverse_copy( iFirst, iLast, oFirst)
```

kehren die Reihenfolge um: `reverse()` tauscht das erste Element mit dem letzten, das zweite Element mit dem vorletzten usw. Dagegen kopiert `reverse_-copy()` den Bereich `[iFirst, iLast)` in den Bereich, der bei `oFirst` beginnt, und kehrt dabei die Reihenfolge um. Abgesehen vom Iterator `oFirst` müssen die beteiligten Iteratoren bidirektional sein.

```
rotate( ioFirst, ioMiddle, ioLast)
rotate_copy(ioFirst, ioMiddle, ioLast, oFirst)
```

führen eine Rotation der Elemente im Bereich `[ioFirst, ioLast)` durch. Das Element auf der Position `ioMiddle` ist anschließend das erste Element. Bei der „copy-Version" wird das Ergebnis in den Bereich kopiert, der bei `oFirst` beginnt, wobei der Quellbereich unverändert bleibt.

```
random_shuffle( ioFirst, ioLast)
random_shuffle( iFirst, iLast, randFunc)
```

ändert zufällig die Reihenfolge der Elemente im Bereich `[ioFirst,ioLast)` und verwendet dafür einen standardmäßigen Zufallsgenerator oder die angegebene Zufallsfunktion `randFunc()`. Die Funktion `randFunc()` wird mit einem ganzzahligen Wert n aufgerufen und muss eine nichtnegative Zufallszahl zurückgeben, die kleiner als n ist. Die Iteratoren müssen Random-Access-Iteratoren sein.

```
partition( ioFirst, ioLast, predicate)
stable_partition( ioFirst, ioLast, predicate)
```

zerlegt den Bereich `[ioFirst,ioLast)` in einen ersten Bereich mit den Elementen, für die der Funktionsaufruf `predicate(elem)` `true` liefert, und in einen zweiten Bereich mit Elementen, für die der Funktionsaufruf `predicate(elem)` `false` liefert. Der Return-Wert ist die Position des ersten Elements im zweiten Bereich. Im Unterschied zu `partition()` bleibt bei `stable_partition()` die relative Reihenfolge der Elemente innerhalb der zwei Bereiche erhalten. Die Iteratoren müssen bidirektional sein.

```
next_permutation( ioFirst, ioLast)
prev_permutation( ioFirst, ioLast)
```

erzeugt die nächste bzw. vorhergehende Permutation der Elemente im Bereich `[ioFirst,ioLast)`. Dabei wird ausgenutzt, dass die Menge aller Permutationen lexikografisch sortiert ist. Die kleinste (größte) Permutation ist die Reihenfolge, in der die Elemente aufsteigend (absteigend) sortiert sind. Zwei Elemente werden mit dem Operator < verglichen.

Der Return-Wert ist `true`, falls noch nicht die größte bzw. kleinste Permutation erreicht wurde, andernfalls `false`. Die Iteratoren müssen bidirektional sein.

Sortieren und verwandte Operationen

Beispielprogramm

```cpp
// sort.cpp: Beispiele zu den Sortier-Algorithmen.
// ------------------------------------------------------------
#include <iostream>
#include <algorithm>          // Definition der Algorithmen
using namespace std;

void pr(int i) { cout.width(4); cout << i;  }
void print(int v[], int len)
{  for_each( v, v+len, pr);  cout << endl; }

bool odd(int a) { return a%2 != 0; }
// gerade "kleiner als" ungerade:
bool evenCmp(int a, int b) { return !odd(a) && odd(b); }

int main()
{
    // Die zu sortierenden Zahlen:
    int zahlen[] = { 4, 1, 0, -5, 3, -1, 2, -3 };
    int len = sizeof(zahlen)/sizeof(int);    // Anzahl Elemente

    cout << "Unsortiert:                    ";  print(zahlen,len);

    // Das zweit-kleinste Element:
    nth_element( zahlen, zahlen+1, zahlen+len);
    cout << "Das zweit-kleinste Element: " << zahlen[1]
         << endl;
    cout << "Ergebnis von nth_element(): ";  print(zahlen,len);

    // "normale" Sortierung mit Operator <
    sort( zahlen, zahlen+len);
    cout << "Sortiert mit Operator <      ";  print(zahlen,len);

    // Gerade Zahlen vor ungeraden anordnen. Mit stabel_sort()
    // bleiben die geraden (ungeraden) Zahlen sortiert:
    stable_sort( zahlen, zahlen+len, evenCmp);
    cout <<"Gerade Zahlen vor ungeraden: ";  print(zahlen,len);

    // Position des ersten ungeraden Elements:
    int *pos = find_if(zahlen, zahlen+len, odd);
    cout << "Erste ungerade Zahl:  " << *pos << endl;

    // Die zwei sortierten Bereiche wieder mischen:
    inplace_merge(zahlen, pos, zahlen+len);
    cout <<"Ergebnis von inplace_merge(): "; print(zahlen,len);

    return 0;
}
```

Alle folgenden Algorithmen haben zwei Versionen: Eine Version vergleicht zwei Elemente mit dem Operator <. Die andere Version benutzt zum Vergleichen eine Vergleichsfunktion. Diese wird immer als letztes, zusätzliches Argument übergeben. Da sonst kein Unterschied besteht, ist im Folgenden immer nur die erste Version angegeben. Falls in der Beschreibung der Return-Wert nicht erwähnt wird, liefern die Algorithmen nichts zurück.

Sortieren

Neben den Algorithmen, die einen Bereich vollständig sortieren, gibt es auch Algorithmen, die nur eine teilweise Sortierung durchführen. Diese sind schneller und daher vorzuziehen, wenn eine teilweise Sortierung genügt. Die Iteratoren des Zielbereichs müssen immer Random-Access-Iteratoren sein.

> **sort**(*ioFirst*, *ioLast*)
>
> **stable_sort**(*ioFirst*, *ioLast*)

sortiert alle Elemente im Bereich [ioFirst,ioLast). Zusätzlich bleibt bei stable_sort() die Reihenfolge gleicher Elemente erhalten.

> **partial_sort**(*ioFirst*, *ioMiddle*, *ioLast*)

sortiert die Elemente des Bereichs [ioFirst,ioLast) nur so lange, bis im Bereich [ioFirst,ioMiddle) die ersten sortierten Elemente stehen.

> **partial_sort_copy**(*iFirst1*, *iLast1*, *ioFirst2*, *ioLast2*)

sortiert die Elemente des Bereichs [iFirst1,iLast1) und legt das Ergebnis im Zielbereich [ioFirst2,ioLast2) ab. Ist der Zielbereich kleiner als der Quellbereich, wird nur eine partielle Sortierung durchgeführt und der Zielbereich enthält anschließend den Anfang der sortierten Elementfolge. Der Return-Wert ist die Position hinter dem zuletzt kopierten Element im Zielbereich.

> **nth_element**(*ioFirst*, *ioNth*, *ioLast*)

Nach einem Aufruf von nth_element() befindet sich an der Position ioNth das Element, das sich auch nach einer vollständigen Sortierung dort befinden würde. Außerdem enthält der Bereich [ioFirst,ioNth) nur Elemente, die kleiner oder gleich den Elementen im Bereich [ioNth,ioLast) sind.

Mischen

> **merge**(*iFirst1*, *iLast1*, *iFirst2*, *iLast2*, *oFirst*)

kopiert (=„mischt") die beiden sortierten Bereiche [iFirst1,iLast1) und [iFirst2,iLast2) so in den Zielbereich, dass dieser sortiert ist. Der Zielbereich beginnt beim Output-Iterator oFirst und darf sich nicht mit einem der Quellbereiche überlappen. Der Return-Wert ist die Position hinter dem zuletzt kopierten Element im Zielbereich.

Ein Bereich, der aus zwei sortierten Teilen besteht, kann mit dem Algorithmus inplace_merge() gemischt werden. Dies zeigt das nebenstehende Beipielprogramm. Die Iteratoren müssen hierbei bidirektional sein.

Sortieren und verwandte Operationen (Fortsetzung)

Beispielprogramm

```
heap.cpp: Beispiele zu den Heap-Algorithmen.
// --------------------------------------------------------
#include <iostream>
#include <vector>              // Definition des vector-Templates
#include <algorithm>          // Definition der Algorithmen
#include <iterator>
#include <cstdlib>            // Fuer rand()
using namespace std;

void print( const vector<int>& v)
{  copy(v.begin(), v.end(), ostream_iterator<int>(cout," "));
   cout << endl;
}
int main()
{  vector<int> arr;                        // Leerer Vektor
   int i;                                  // Index
   for( i = 0; i < 10; ++i)
      arr.push_back( rand()%10 );
   cout << "Vektor vor make_heap():   ";  print( arr);

   make_heap( arr.begin(), arr.end());
   cout << "Vektor nach make_heap():  ";  print( arr);

   // Größtes Element entnehmen:
   pop_heap( arr.begin(), arr.end());
   cout << "Vektor nach pop_heap():   ";  print( arr);
   cout << "\"Entnommen\" wurde:  " << arr[9] << endl;
   // und das zweitgrösste Element entnehmen:
   pop_heap( arr.begin(), arr.end()-1);
   cout << "Vektor nach pop_heap():   ";  print( arr);
   cout << "\"Entnommen\" wurde:  " << arr[8] << endl;

   cout << arr[8] << " wieder einfuegen:" << endl;
   push_heap( arr.begin(), arr.end()-1);
   cout << "Vektor nach push_heap():  ";  print( arr);

   // Den restlichen Heap sortieren:
   sort_heap( arr.begin(), arr.end()-1);
   cout << "Vektor nach sort_heap():  ";  print( arr);

   vector<int>::iterator pos =             // Ein Iterator
      lower_bound( arr.begin(), arr.end(), 2);
   i = (int)(pos - arr.begin());           // Index zu pos
   if( pos != arr.end() && *pos == 2)
     cout << "Die erste 2 ist das "<< i+1 << ".te Element\n";
   else
     cout << "2 ist nicht im Vektor vorhanden." << endl;
    return 0;
}
```

Suchen in einem sortierten Bereich

Diese Algorithmen verwenden das binäre Suchverfahren und können mit Forward-Iteratoren aufgerufen werden. Sie sind aber speziell für Random-Access-Iteratoren optimiert.

```
lower_bound( iFirst, iLast, value)
upper_bound( iFirst, iLast, value)
```

liefert die Position des letzten Elements im Bereich [iFirst,iLast), für das alle Vorgänger echt kleiner bzw. kleiner oder gleich sind als value.

```
equal_range( iFirst, iLast, value)
```

liefert ein Objekt der Template-Klasse pair mit den zwei Iteratoren, die lower_bound() und upper_bound() zurückgeben. Das ist der Bereich, dessen Elemente gleich dem Wert value sind.

```
binary_search( iFirst, iLast, value)
```

sucht das Element mit dem Wert value. Der Return-Wert ist true, wenn das Element vorhanden ist, andernfalls false.

Heap-Operationen

Ein *Heap* ist eine spezielle Datenstruktur, die als Baum organisiert ist. Ohne hier auf Details einzugehen: Ein Heap wird normalerweise vektoriell implementiert, und zwar so, dass das größte Element im Heap immer das erste Vektorelement ist. Mit den Operationen pop_heap() und push_heap() wird das erste Element entnommen bzw. ein neues Element eingefügt.

Die vektorielle Implementierung eines Heaps ermöglicht einen sehr schnellen und stabilen Sortieralgorithmus, den sog. Heap-Sort-Algorithmus. Die folgenden Algorithmen für Heaps haben keinen Return-Wert und die Iteratoren müssen Random-Access-Iteratoren sein.

```
make_heap( ioFirst, ioLast)
```

macht den Bereich [ioFirst,ioLast) zu einem Heap.

```
pop_heap( ioFirst, ioLast)
```

vertauscht im Heap [ioFirst,ioLast) das erste Element mit dem letzten Element und macht aus dem Bereich [ioFirst,ioLast-1) wieder einen Heap. Das entnommene Element befindet sich also an der Position ioLast-1.

```
push_heap( ioFirst, ioLast)
```

fügt das letzte Element, in den vorhandenen Heap [ioFirst,ioLast-1) ein. Anschließend ist der Bereich [ioFirst,ioLast) ein Heap. push_heap() ist also die Gegenoperation zu pop_heap() und umgekehrt.

```
sort_heap( ioFirst, ioLast)    // Heap-Sort-Algorithmus
```

sortiert die Elemente des Heaps [ioFirst,ioLast). Anschließend ist der Bereich kein Heap mehr!

Kapitel 37

Numerische Bibliothek

Die numerische Bibliothek stellt Klassen-Templates zur Darstellung von

- komplexen Zahlen und
- numerischen Vektoren

zur Verfügung. Die Implementierung der Templates ist im Hinblick auf das Laufzeitverhalten von Operationen optimiert. Arithmetische Operatoren, zahlreiche Methoden und globale Funktionen unterstützen den effizienten Einsatz.

Komplexe Zahlen

Darstellung von komplexen Zahlen

Kartesische Koordinaten

Komplexe Zahl:
```
z = x + i*y;
```

Polarkoordinaten

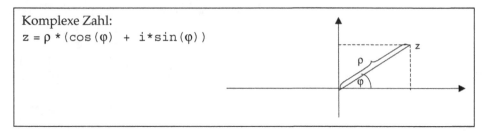

Komplexe Zahl:
```
z = ρ * (cos(φ) + i*sin(φ))
```

Arithmetische Operationen

Für zwei kompexe Zahlen

$z_1 = x_1 + i* y_1$ und $z_2 = x_2 + i * y_2$

sind arithmetische Operationen wie folgt definiert:

$z_1 + z_2 = (x_1 + x_2) + i*(y_1 + y_2)$

$z_1 - z_2 = (x_1 - x_2) + i*(y_1 - y_2)$

$z_1 * z_2 = (x_1 * x_2 - y_1 * y_2) + i*(x_1* y_2 + y_1* x_2)$

$z_1 / z_2 = (x_1* x_2 + y_1* y_2) / (x_2{}^2 + y_2{}^2) + i*(x_2* y_1 - x_1*y_2) / (x_2{}^2 + y_2{}^2)$

Die komplexen Zahlen spielen eine wichtige Rolle in der Physik und den Ingenieurwissenschaften. Sie erweitern den Bereich der reellen Zahlen, so dass auch die Wurzeln negativer Zahlen berechnet werden können.

Realteil und Imaginärteil komplexer Zahlen

Jede komplexe Zahl ist wie folgt darstellbar:

```
z = x + i*y,
```

dabei sind x, y reelle Zahlen und i ist die sog. *imaginäre Einheit*. Die Zahl x heißt *Realteil* und y heißt *Imaginärteil* von z. Die imaginäre Einheit i ist als Zahl definiert, deren Quadrat -1 ergibt. Sie ist also eine Lösung der Gleichung $x^2 + 1 = 0$

Hat der Imaginärteil einer komplexen Zahl z den Wert 0, so ist z = x eine reelle Zahl, d.h. die reellen Zahlen sind als Teilmenge der komplexen darstellbar. Hat der Realteil von z den Wert 0, so gilt z = i*y. In diesem Fall heißt z *rein imaginär*.

Kartesische Koordinaten und Polarkoordinaten

So wie eine reelle Zahl als Punkt auf einem Zahlenstrahl darstellbar ist, kann eine komplexe Zahl als Punkt in der sog. *komplexen Ebene* interpretiert werden.

Die dem Realteil entsprechende Achse im kartesischen Koordinatensystem heißt *reelle Achse*. Dem Imaginärteil entspricht die sog. *imaginäre Achse*.

Daneben gibt es auch eine Darstellung in sog. *Polarkoordinaten*

```
z = ρ * (cos(φ) + i*sin(φ))
```

Dabei ist φ der Winkel zwischen der Verbindungsgeraden (0, z) und der positiven reellen Achse. Die Zahl ρ ist der Abstand von z zum Nullpunkt der Ebene. Der Winkel φ heißt auch das *Argument* von z und ρ heißt der *Betrag* von z.

Für eine gegebene komplexe Zahl ist das Argument φ vieldeutig, d.h. mit den Polarkoordinaten (ρ, φ) stellt auch (ρ, φ + 2*k*π) dieselbe komplexe Zahl dar. Für den *Hauptwert* des Arguments gilt $-\pi < \varphi \leq +\pi$

Operationen für komplexe Zahlen

Für komplexe Zahlen sind arithmetische Operationen definiert, d.h. komplexe Zahlen können addiert, subtrahiert, multipliziert und dividiert werden. Nebenstehend sind die entsprechenden Formeln angegeben.

Zwei komplexe Zahlen sind gleich, wenn ihre Real- und Imaginärteile jeweils gleich sind. Für $z_1 = x_1 + i* y_1$ und $z_2 = x_2 + i* y_2$ gilt also

```
z₁ == z₂  <=>  x₁ == x₂ und y₁ == y₂.
```

Da komplexe Zahlen nicht linear geordnet werden können, sind keine „größer" und „kleiner" Relationen definiert.

Das Klassen-Template complex<T>

Beispielprogramm

```
// komplex.cpp:      Demonstration komplexer Zahlen
// -------------------------------------------------
#include <complex>
#include <iostream>
using namespace std;

int main()
{
                           // Konstruktoren:
  complex<long double> zld; // Real- und Imaginärteil: 0
  complex<double> zd1(1.0); // Imaginärteil: 0
  complex<float> zf1(1.0f, 1.0f);


                           //  Kopierkonstruktoren:
  complex<float>  zf2(zf1);    //  gleiche Typen
  complex<double> zd2(zf2);    // "kleiner" -> "größer"
  complex<double> zd3(zld);    // "größer" -> kleiner"

  cout << "zf1 =             " << zf1 << endl;
  cout << "zf2 =             " << zf2 << endl;
  cout << "zf1 + zf2 =       " << zf1 + zf2 << endl;
  cout << "\nzd1 =           " << zd1 << endl;
  cout << "zd2 =             " << zd2 << endl;
  cout << "zd1 - zd2=        " << zd1 - zd2 << endl;

  cout << "Geben Sie eine komplexe Zahl ein "
       << "(Format: x, (x) oder (x,y)):" << endl;
  cin >> zf1;
  cout << "\nzf1 =           " << zf1 << endl;
  cout << "zf2 =             " << zf2 << endl;
  cout << "zf1 * zf2 =       " << zf1 * zf2 << endl;

  if( zf2 != complex<float>(0.0, 0.0))
    cout << "zf1 / zf2 =       " << zf1 / zf2 << endl;

  return 0;
}
```

Konstruktoren

In der Header-Datei `complex` ist das Klassen-Template `complex<T>` zur Darstellung komplexer Zahlen definiert, das über den Typ `T` des Real- und Imaginärteils der komplexen Zahlen parametrisiert ist. Der Konstruktor von `complex<T>` ermöglicht es, aus einem übergebenen Real- und Imaginärteil eine komplexe Zahl zu erzeugen.

Beispiel: `complex<float> z(0.0f, 1.0f);`

Der Realteil von `z` wird hier mit `0.0f` und der Imaginärteil mit `1.0f` initialisiert, d.h. `z` wird als imaginäre Einheit definiert.

Beim Aufruf des Konstruktors können beide Argumente oder auch nur das zweite Argument weggelassen werden. Für fehlende Argumente wird der Default-Konstruktor aufgerufen. Bei der Instantiierung mit einem Gleitpunkttyp wird als Default-Wert 0 verwendet.

Beispiel: `complex<double> z1(1.0), z2;`

Hier werden die fehlenden Anfangswerte durch `0.0` ersetzt.

Kopierkonstruktoren

Das Klassen-Template `complex<T>` besitzt einen Kopierkonstruktor, der eine komplexe Zahl mit einer bereits existierenden komplexen Zahl gleichen Typs initialisiert. Darüber hinaus ist es möglich, eine komplexe Zahl eines „größeren" komplexen Typs mit einer komplexen Zahl eines „kleineren" komplexen Typs zu initialisieren.

Beispiel: `complex<float> zf(1.7f, 2.5f);`
`complex<double> zd(zf);`

Ferner sind für die Template-Klassen `complex<float>` und `complex <double>` Spezialisierungen der Kopierkonstruktoren definiert, so dass eine komplexe Zahl eines „kleineren" komplexen Typs aus einer komplexen Zahl eines „größeren" komplexen Typs erzeugt werden kann. Beim Aufruf muss der Programmierer selbst darauf achten, dass kein Überlauf eintritt.

Implizite Typanpassungen von einem „größeren" in einen „kleineren" Typ sind nicht möglich. Die entsprechenden Konstrukoren sind als `explicit` deklariert.

Global definierte Operatoren

Für komplexe Zahlen stehen die

- binären arithmetischen Operatoren +, -, * und /
- unären arithmetischen Operatoren + und -
- Vergleichsoperatoren == und !=

zur Verfügung. Die Operatoren sind so überladen, dass die entsprechende Operation auch mit einem Operanden vom Typ T möglich ist.

Außerdem sind die Operatoren >> und << zur Ein-/Ausgabe komplexer Zahlen überladen. Die Operatoren <, <=, > und >= sind nicht definiert.

Methoden von complex<T>

Die Funktion mandelbrot()

```
// mandelbrot.cpp:   Testet, ob eine komplexe Zahl c
//                   zur Mandelbrot-Menge gehört.
// -----------------------------------------------------
#include <complex>
using namespace std;
#define count 10000
bool mandelbrot(const complex<double>& c)
{
   complex<double> z(0.0, 0.0);
   for(int i=0; i < count; i++)
   {
      z = z*z + c;
      if(abs(z) > 2)
         return false;   // c gehört nicht zu M
   }
   return true;          // Wahrscheinlich gehört c zu M.
}
```

Die Mandelbrot-Menge M

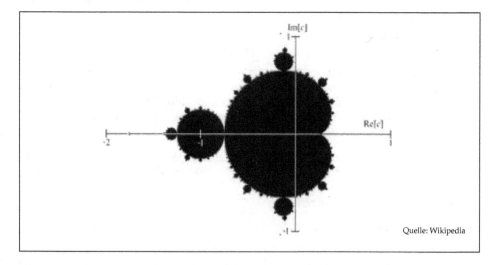

Quelle: Wikipedia

Zugriff auf komplexe Zahlen

Für den Zugriff auf den Real- und Imaginärteil einer komplexen Zahl z stehen in complex<T> die Read-only-Methoden real() und imag() zur Verfügung.

Beispiel:
```
cout << "Realteil: "<< z.real() << endl;
cout << "Imaginärteil: " << z.imag();
```

Daneben gibt es auch gleichnamige globale Template-Funktionen, die zu einer als Argument übergebenen komplexen Zahl den Real- bzw. Imaginärteil zurückliefern.

Der schreibende Zugriff auf eine komplexe Zahl wird durch die Zuweisungs-operatoren ermöglicht:

=, += , -=, *= und /=

Sie sind in complex<T> als Methoden definiert. Der rechte Operand kann eine komplexe Zahl sein oder ein *Skalar*, d.h. ein Objekt vom Typ T.

Beispiel:
```
complex<float> z1(0.0, 3.14), z2;
z1 = 1.0f;        // Skalar
z2 = z1;          // Komplexe Zahl
```

Bei der Zuweisung eines Skalars wird nur der Realteil der komplexen Zahl mit dem Skalar überschrieben.

Polarkoordinaten

Zur Bestimmung der Polarkoordinaten einer komplexen Zahl z sind in complex <T> die globalen Funktionen arg() und abs() definiert.

Beispiel:
```
complex<float> z(1.0, 3.1415927);
cout << "Argument: " << abs(z) << endl;
cout << "Betrag:   " << arg(z);
```

Die Funktion arg() liefert das Argument, also den Winkel zwischen der Verbindungsgeraden (0, z) und der reellen Achse, im Bogenmaß zurück.

Außerdem gibt es die globale Funktion polar(), die zu einem übergebenen Betrag und Argument die komplexe Zahl liefert.

Beispiel: `complex<float> z = polar(1.0, 3.142/2.0);`

Hier wird die komplexe Zahl z mit dem Return-Wert der Funktion polar() initialisiert. Der Betrag ist 1.0 und das Argument $\pi/2$.

Die Mandelbrot-Menge

Die nebenstehende Funktion mandelbrot() testet, ob eine komplexe Zahl c zur sog. *Mandelbrot-Menge* M gehört. M ist die Menge aller komplexen Zahlen c, für die die Zahlenfolge

$$z_0 = 0, z_{n+1} = z_n * z_n + c \text{ (für } n = 0, 1, 2, ...)$$

beschränkt bleibt.

In der Funktion wird ausgenutzt, dass eine komplexe Zahl c nicht zu M gehört, wenn der Betrag einer Zahl aus der Folge größer als 2 ist.

Komplexe Funktionen

Eulersche Formel

```cpp
// euler.cpp: Verwendung von sin(), cos(), exp()
//-----------------------------------------------------
#include <complex>
#include <iostream>
#include <iomanip>
using namespace std;

#define i complex<double>(0,1)     // Imaginäre Einheit

int main()
{
   complex<double> z;

   cout << "  z       exp(iz)        sin(z)           cos(z)"
        << "            cos(z) + i*sin(z)\n";
   cout << setprecision(3);
   for(int x=0; x <= 1; x++)
      for(int y=0; y <= 1; y++)
         {
            z = complex<double>(x,y);
            cout << left << setw(10) <<  z;
            cout << left << setw(17) <<  exp( i*z);
            cout << left << setw(17) <<  sin(z);
            cout << left << setw(17) <<  cos(z)
                 << cos(z) + i*sin(z) << endl;
         }
   return 0;
}
```

Potenzreihenentwicklungen komplexer Funktionen

$\exp(z) = 1 + z/1! + z^2/2! + z^3/3! + \ldots$

$\sin(z) = z^1/1! - z^3/3! + z^5/5! \ldots$

$\cos(z) = 1 - z^2/2! + z^4/4! - \ldots$

$\sinh(z) = z^1/1! + z^3/3! + z^5/5! \ldots$

$\cosh(z) = 1 + z^2/2! + z^4/4! + \ldots$

Die Potenzreihen konvergieren in der ganzen komplexen Ebene.

Die numerische Bibliothek definiert verschiedene globale Template-Funktionen, die elementare und transzendente komplexe Funktionen implementieren.

Elementare Funktionen

Neben den bereits vorgestellten globalen Template-Funktionen `real()`, `imag()`, `abs()` und `arg()` sind folgende elementare Funktionen definiert:

`conj()`   liefert zu einer übergebenen komplexen Zahl z = x + i*y die *konjugiert komplexe Zahl* x – i*y.

`norm()`   berechnet die Norm, d.i. das Quadrat des Betrags der komplexen Zahl.

`pow()`   berechnet zu zwei komplexen Zahlen z und y die Potenz z^y. Die Funktion ist in mehreren Versionen überladen. Dabei kann eines der beiden Argumente z und y auch den Typ T haben. Außerdem darf y vom Typ `int` sein.

`sqrt()`   berechnet die Quadratwurzel der übergebenen komplexen Zahl. Das Ergebnis liegt im Bereich der rechten komplexen Halbebene.

Transzendente Funktionen

Die numerische Bibliothek bietet die Funktion `exp()`, „natürliche Exponentialfunktion", die trigonometrischen Funktionen `sin()`, „Sinus", `cos()`, „Cosinus", `tan()`, „Tangens" und die Hyperbelfunktionen `sinh()`, „Sinus Hyperbolicus", `cosh()`, „Cosinus Hyperbolicus" und `tanh()`, „Tangens Hyperbolicus".

Die Exponentialfunktion ist periodisch mit der Periode 2*k*π*i , d.h.

```
exp(z) = exp(z + 2*k*π*i)
```

und es gilt die *Eulersche Formel*:

```
exp(i*z) = cos(z) + i*sin(z)
```

Aus der Darstellung einer komplexe Zahl in Polarkoordinaten

```
z = ρ * (cos(φ) + i*sin(φ))
```

ergibt sich mit der Eulerschen Formel die *Exponentialdarstellung* von z

```
z = = ρ * exp(i* φ)
```

Die Umkehrfunktion der natürlichen Exponentialfunktion ist der natürliche Logarithmus: `log(z)` = w, falls `exp(w)` = z.

Wegen `log(z)` = log(ρ * exp(i*φ)) = log(ρ) + i* (φ + 2*k*π) ist der Logarithmus eine mehrdeutige Funktion. Beschränkt man das Argument φ auf seinen Hauptwert, so ergibt sich der Hauptwert des *Logarithmus*, der für alle komplexen Zahlen außer der 0 definiert ist.

Die Template-Funktion `log()` berechnet den Hauptwert des natürlichen Logarithmus. Daneben steht auch die Template-Funktion `log10()` zur Verfügung, die durch `log10(z)` = `log(z)/log(10)` definiert ist.

Wenn das Ergebnis einer komplexen Funktion nicht innerhalb der darstellbaren Wertemenge liegt, ist das Ergebnis undefiniert.

Das Klassen-Template valarray<T>

Darstellung von Polynomen

```cpp
// polynom.h:    Darstellung von Polynomen
//------------------------------------------------------
#include <valarray>
using namespace std;

template <class T>
class Polynom
{
  private:
    valarray<T> koeff;
  public:
    Polynom(size_t grad = 0) : koeff(grad+1){}
    Polynom(const T& a, size_t grad) : koeff(a, grad+1){}
    Polynom(const T* pk, size_t grad):koeff(pk, grad+1){}
                    // Hier ohne Bereichsüberprüfung:
    T& operator[](int i) { return koeff[i];}
    T  operator[](int i) const { return koeff[i];}
    int grad() const;                // Grad des Polynoms
    size_t size() const{ return koeff.size();}
    Polynom<T>& resize(size_t n);
};

template <class T>
int Polynom<T>::grad() const
{
  // Suche hoechsten von 0 verschiedenen Koeffizienten
  for( int i=(int)koeff.size()-1; i >= 0; i--)
    if(koeff[i] != T(0))
      return i;
  return 0;
}

template <class T>
Polynom<T>& Polynom<T>::resize(size_t n)
{
  size_t oldsize = koeff.size();
  koeff.resize(n+1);
  for(size_t i=oldsize; i<=n; i++) // Neue Koeffizienten
    koeff[i] = T(0);                // auf 0 setzen.
  return *this;
}
```

Die numerische Bibliothek definiert in der Header-Datei `valarray` das Klassen-Template `valarray<T>` zur Darstellung numerischer Vektoren. Diese sind im Hinblick auf das Laufzeitverhalten von Operationen optimiert.

Konstruktoren von valarray<T>

Die Konstruktoren des Klassen-Templates ermöglichen es, numerische Vektoren vorgegebener Länge anzulegen und ggf. zu initialisieren.

Beispiel: `valarray<double> v, w(10);`

Der Vektor v wird mit dem Default-Konstruktor angelegt und hat zunächst die Länge 0. Der Vektor w kann bis zu 10 Elemente vom Typ `double` speichern. Seine Elemente sind also w[0], w[1], ... w[9].

Zur Initialisierung kann ein fester Wert oder auch ein bereits existierender numerischer Vektor gleichen Typs verwendet werden.

Beispiel: `valarray<double> v(1.0, 15);`
`valarray<double> w(v);`

Die 15 Elemente von v werden mit `1.0` initialisiert. Anschließend wird ein neuer Vektor w angelegt und mit v initialisiert. Daneben ist es möglich, einen numerischen Vektor mit einem C-Vektor zu initialisieren.

Beispiel: `float vp [4] = {1.0, 2.0, 3.0, 4.0};`
`valarray<float> w(vp, 3);`

Der Vektor w speichert dann die ersten drei Elemente von vp.

Länge von Vektoren

Die Länge eines Vektors ist die maximale Anzahl der Elemente, die im Vektor gespeichert werden können. Sie kann mit der Methode `size()` abgefragt werden.

Beispiel: `size_t len = w.size();`

Aus Gründen der Effizienz werden numerische Vektoren intern statisch verwaltet und ihre Größe nicht automatisch angepasst. Deshalb verursacht folgende Anweisung eine Fehlermeldung:

Beispiel: `w[len] = 1.7;`   `// Fehler`

Ein numerischer Vektor kann aber explizit vergrößert oder verkleinert werden. Dafür steht die Methode `resize()` zur Verfügung.

Beispiel: `w.resize(2*len)`

Bei der Reallokierung des Speichers werden Zeiger und Referenzen auf die „alten" Elemente von w ungültig.

Darstellung von Polynomen

Ein *Polynom* ist eine Funktion p, die wie folgt definiert ist:

$$p(z) = a_n*z^n + a_{n-1}*z^{n-1} + \ldots + a_1* z + a_0$$

Die Zahlen a_n, a_{n-1}, ..., a_0 heißen die *Koeffizienten* von p. Ist a_k der höchste Koeffizient mit $a_k \neq 0$, so heißt k der *Grad* des Polynoms.

Zur Darstellung von Polynomen ist nebenstehend das Klassen-Template `Polynom<T>` definiert, das über den Typ der Koeffizienten parametrisiert ist. Die Koeffizienten werden in einem numerischen Vektor gespeichert.

Zuweisung numerischer Vektoren

Darstellung von Polynomen (Fortsetzung)

```
// polynom.h:  Darstellung von Polynomen (Fortsetzung)
//-------------------------------------------------------
#include <valarray>
using namespace std;

template <class T>
class Polynom
{
   // Datenelement, Konstruktoren,... wie gehabt.

    Polynom<T>& operator=(const Polynom<T>& a);
    Polynom<T>& operator=(const T& a);

    T operator()(const T& x);        // Funktionswert
};

template <class T>
Polynom<T>& Polynom<T>::operator=(const Polynom<T>& a)
{
   int n = a.size();
   if(size() != n)       // Verschiedene Längen?
      koeff.resize(n);
   koeff = a.koeff;
   return *this;
}

template <class T>
Polynom<T>& Polynom<T>::operator=(const T& a)
{
   koeff = a;
   return *this;
}

// Funktionswert des Polynoms nach dem Horner-Schema
template <class T>
T Polynom<T>::operator()(const T& z)
{
  T sum(0);
  for(int i = grad(); i >= 0 ; i--)
     sum = sum * z + koeff[i];
  return sum;
}
```

Einfache und zusammengesetzte Zuweisungen

In der Klasse `valarray<T>` ist der Zuweisungsoperator = so überladen, dass numerische Vektoren gleicher Länge einander zugewiesen werden können.

Beispiel:
```
double vp[4] = {1.0, 2.0, 3.0, 4.0};
valarray<double> v(vp,4), w(4);
w = v;
```

Hier wird der numerische Vektor v mit dem C-Vektor vp initialisiert. Die Zuweisung von v an w erfolgt wie üblich elementweise.

Für Objekte vom Typ `valarray<T>` sind die zusammengesetzten Zuweisungen +=, -=, *=, /= und %= definiert, die elementweise die entsprechende Operation ausführen. Auch hier sieht der C++-Standard vor, dass beide Operanden die gleiche Länge haben müssen.

Beispiel: **w *= v;** // w[0]=1, w[1]=4, w[2]=9, w[3]=16

Bei der einfachen und der zusammengesetzten Zuweisung darf der rechte Operand auch ein *Skalar*, d.h. ein Element vom Typ T sein. In dem Fall wird die Operation mit dem Skalar für jedes Element des linken Operanden ausgeführt.

Beispiel: **w /= 2.0;** // w[0]=.5, w[1]= 2, w[2]= 4.5, w[3]= 8

Zuweisung von Polynomen

Beim Rechnen mit Polynomen ist es sinnvoll, dass Polynome mit einer unterschiedlichen Anzahl von Koeffizienten einander zugewiesen werden können. Deshalb ist nebenstehend der Zuweisungsoperator für das Klassen-Template `Polynom<T>` überladen.

Die Operatorfunktion passt zunächst die Länge des aktuellen Objekts der Länge des übergebenen Arguments an. Anschließend wird der numerische Vektor `a.koeff` dem aktuellen Datenelement zugewiesen.

Bei der Zuweisung eines Skalars kann die Operatorfunktion die entsprechende Zuweisung für numerische Vektoren direkt verwenden.

Horner-Schema

Operationen mit Polynomen können zeitaufwendig sein. Beispielsweise erfordert die Berechnung des Funktionswertes eines Polynoms für ein übergebenes Argument z gemäß der Formel

$$p(z) = a_n*z^n + a_{n-1}*z^{n-1} + \ldots +a_1* z + a_0$$

n Additionen, 2n Multiplikationen und 2*n+2 Zuweisungen.

Das *Horner-Schema* optimiert die Anzahl der Operationen, indem es die Summanden des Polynoms wie folgt zusammen fasst:

$$p(z)=(\ldots(((a_n*z + a_{n-1})*z + a_{n-2})*z \quad +a_1)*z + a_0$$

Damit sind nur noch n Additionen, n Multiplikationen und n+1 Zuweisungen erforderlich.

Die nebenstehend definierte Operatorfunktion `operator()` benutzt das Horner-Schema und beginnt mit der Auswertung der innersten Klammer.

Arithmetische Operationen

Addition und Multiplikation von Polynomen

```cpp
// polynom.h:    Implementierung von Operatoren
//-----------------------------------------------------

template <class T>
Polynom<T>& Polynom<T>::operator+=(const Polynom<T>& a)
{
    int n = grad(), m = a.grad();
    Polynom<T> temp(a);
                                  // Gleiche Längen?
    if( n < m)        resize(m+1);
    else if(n > m)   temp.resize(n+1);

    koeff += temp.koeff;   return *this;
}

template <class T>
Polynom<T>& Polynom<T>::operator*=(const Polynom<T>& a)
{
    int n = grad(), m = a.grad(), i, j;
    Polynom<T>   res(T(0),n+m);

    for( i = 0; i <= n; ++i)      // Multiplizieren
      for( j = 0; j <= m; ++j)
        res[i+j] += koeff[i]* a[j];

    return (*this = res);
}

// Globale Operatorfunktionen:
template<class T>
Polynom<T> operator+(const Polynom<T>& a, const Polynom<T>& b)
{
    Polynom<T> c(a);   c += b;   return c;
}

template<class T>
Polynom<T> operator*(const Polynom<T>& a, const Polynom<T>& b)
{
    Polynom<T> c(a);   c *= b;    return c;
}
```

Arithmetische Operatoren für numerische Vektoren

In der numerischen Bibliothek sind die Operatoren +, -, *, / und % für Objekte vom Typ `valarray<T>` gleicher Länge global überladen. Dabei wird jedes Element des ersten Operanden mit dem entsprechenden Element des zweiten Operanden durch den Operator verknüpft. Das Ergebnis ist ein Objekt vom Typ `valarray<T>`.

Beispiel:
```
double vp[4] = {1.0, 2.0, 3.0, 4.0};
double wp[4] = {2.0, 2.0, 2.0, 2.0};

valarray<double> v(vp, 4), w(wp, 4);
valarray<double> prod(v * w);
```

Hier wird der Vektor prod mit dem Produkt aus v und w initialisiert. Das heißt, es gilt `prod[i] = v[i]*w[i]` für i = 0, .., 3.

Die oben angegebenen Operationen können auch für einen numerischen Vektor und ein Skalar ausgeführt werden. Dabei spielt es keine Rolle, ob als erster Operand der Vektor oder das Skalar angegeben ist.

Beispiel: `valarray<double> sum(1.0 + v);`

Zu jedem Vektorelement von v wird hier der Wert `1.0` hinzuaddiert.

Summe von Polynomen

Bei der Addition von Polynomen werden die beiden algebraischen Ausdrücke aufsummiert. Sind

$$a(z) = a_n*z^n + a_{n-1}*z^{n-1} + \ldots + a_1*z + a_0 \text{ und}$$
$$b(z) = b_m*z^m + b_{m-1}*z^{m-1} + \ldots + b_0$$

zwei Polynome, dann berechnen sich die Koeffizienten der Summe $c(z) = a(z) + b(z)$ wie folgt:

$$c_0 = a_0 + b_0,$$
$$c_1 = a_1 + b_1$$
$$c_2 = a_2 + b_2 \text{ usw.}$$

Dies entspricht der in `valarray<T>` definierten Addition numerischer Vektoren. Die nebenstehend definierte Operatorfunktion für die zusammengesetzte Zuweisung += berücksichtigt zusätzlich, dass die Grade der Polynome verschieden sein können.

Produkt von Polynomen

Bei der Multiplikation von zwei Polynomen werden die beiden algebraischen Ausdrücke ausmultipliziert. Die Koeffizienten des Produkts $c(z) = a(z) * b(z)$ berechnen sich also wie folgt:

$$c_0 = a_0 * b_0,$$
$$c_1 = a_1 * b_0 + a_0 * b_1$$
$$c_2 = a_2 * b_0 + a_1 * b_1 + a_0 * b_2$$
$$\ldots$$
$$c_{n+m-1} = a_{n-1} * b_m + a_n * b_{m-1}$$
$$c_{n+m} = a_n * b_m$$

Im Gegensatz zur Addition, die mit linearer Laufzeit ausführbar ist, hat die Multiplikation gemäß den angegebenen Formeln eine quadratische Laufzeit.

Weitere Operationen

Verwenden der Methode apply()

```cpp
// apply.cpp: Verwendung der valarray-Methode apply()
// -------------------------------------------------
#include <complex>
#include <valarray>
#include <iostream>
#include <iomanip>
using namespace std;

typedef complex<double> COMPLEX;

COMPLEX func(COMPLEX z);

int main()
{
   COMPLEX vp[] = { COMPLEX(0,0), COMPLEX(1,0),
                    COMPLEX(0,1), COMPLEX(1,1) };

   valarray<COMPLEX> v(vp, 4);
                        // Aufruf mit Standardfunktion:
   valarray<COMPLEX> vc = v.apply(conj);
                        // Aufruf mit selbstdef. Funktion:
   valarray<COMPLEX> vf = v.apply(func);

   cout << "  z        conj(z)           exp(i*z) ";
   cout << setprecision(3) << endl;

   for(int j=0; j < 4; j++)
   {
     cout << left << setw(10) <<  v[j];
     cout << left << setw(17) <<  vc[j];
     cout << left << setw(17) <<  vf[j];
     cout << endl;
   }
   return 0;
}

COMPLEX func(COMPLEX z)
{
    return exp( COMPLEX(0,1)*z );  // exp(i*z)
}
```

Read-only Methoden von valarray\<T>

Neben den bereits erwähnten Methoden stehen in `valarray<T>` auch die Read-only Methoden `sum()`, `min()` und `max()` zur Verfügung, mit denen die Summe der Elemente und das kleinste bzw. größte Element in einem numerischen Vektor bestimmt werden können. Die Methoden `min()` und `max()` können nur verwendet werden, wenn für den Typ `T` der Vergleichsoperator < bzw. > definiert ist.

Die Read-only-Methode `shift()` liefert einen Vektor derselben Größe, in dem die Vektorelemente um die übergebene Anzahl n verschoben sind. Ist n positiv, so wird nach vorne, sonst nach hinten verschoben.

Beispiel:
```
double vp[4] = {1.0, 2.0, 3.0, 4.0};
valarray<double> v(vp, 4), w;
w = v.shift(2);
```

Nachgeschobene Elemente werden mit dem Default-Konstruktor von `T` erzeugt. Somit gilt: `w[0] = 3`, `w[1] = 4`, `w[2] = w[3] = 0`.

Mit der Methode `cshift()` kann ein *Ring-Shift* gemacht werden. Für ein übergebenes Argument n wird das Element beim Index `i` zum Index `(i-n)` `%size()` geschoben. Auch hier kann n negativ sein.

Schließlich steht die Read-only-Methode `apply()` zur Verfügung, die als Argument eine Funktion mit einem Parameter und einen Return-Wert vom Typ `T` erwartet. Für jedes Vektorelement ruft `apply()` die übergebene Funktion auf und schreibt deren Return-Wert in das jeweilige Element des Ergebnisvektors.

Global definierte Template-Funktionen

Die Methoden `sum()` und `max()` von `valarray<T>` sind auch als globale Template-Funktionen definiert. Daneben gibt es globale Template-Funktionen `abs()` und `sqrt()`, die für jedes Element des übergebenen Vektors den Betrag bzw. die Wurzel berechnen und in das entsprechende Element des Ergebnisvektors kopieren. Mit dem Aufruf der Template-Funktion `pow(v, w)` wird jedes Element des Vektors v mit dem entsprechenden Element des Vektors w potenziert. Die Funktion ist so überladen, dass v oder w auch Skalare sein können.

Außer der Exponentialfunktion `exp()`, den Logarithmusfunktionen `log()` und `log10()` sowie den trigonometrischen und hyperbolischen Funktionen stehen auch die inversen trigonometrischen Funktionen `asin()`, `acos()` und `atan()` zur Verfügung. Schließlich gibt es die Template-Funktion `atan2()`, die mit dem Aufruf

Beispiel: `atan2(v, w);`

für zwei gleich lange numerische Vektoren v und w den Arcus Tangens von `v[i]/w[i]` berechnet und in das Element beim Index i des Ergebnisvektors kopiert ($0 <= i < v.size()$). Die Template-Funktion ist so überladen, dass das erste oder das zweite Argument auch ein Skalar x sein kann. In dem Fall werden die Werte `x/w[i]` bzw. `v[i]/x` berechnet und in den Ergebnisvektor kopiert.

Selektive Indizierung

```cpp
// fourier.cpp: Definiert die Template-Funktion
// Fourier() zur Berechnung der diskreten Fourier-
// Transformierten für die Koeffizienten
// (a[0], ..., a[n-1]), wobei n eine Potenz von 2 ist.
// ----------------------------------------------------
#include <complex>
#include <valarray>
using namespace std;

#define PI 3.1415927
typedef complex<double> COMPLEX;

valarray<COMPLEX> Fourier(const valarray<COMPLEX>& a)
{
    int n = a.size();
    if(n <= 1)
       return a;
    else
    {
      COMPLEX wn(cos(2*PI/n), sin(2*PI/n));
      COMPLEX w = COMPLEX(1,0);
                  // Teilvektor aus geraden Indizes:
      valarray<COMPLEX> a0 = a[slice(0, n/2, 2)];
                  // Teilvektor aus ungeraden Indizes:
      valarray<COMPLEX> a1 = a[slice(1, n/2, 2)];
                  // Rekursiver Aufruf für 1. Teilvektor:
      valarray<COMPLEX> y0 = Fourier(a0);
                  // Rekursiver Aufruf für 2. Teilvektor:
      valarray<COMPLEX> y1 = Fourier(a1);
                  // Ergebnisse zusammenfügen:
      valarray<COMPLEX> y(n);
      for(int k=0; k <= n/2 - 1; k++)
      {
          y[k]     = y0[k] + w * y1[k];
          y[k+n/2] = y0[k] - w * y1[k];
          w *= wn;
      }
      return y;
    }
}
```

Teilvektoren

Aus einem numerischen Vektor können mit Hilfe der sog. *selektiven Indizierung* Teilvektoren extrahiert und manipuliert werden. Dabei wird aus der Indexmenge des Vektors eine Teilmenge ausgewählt, die durch einen Startindex, eine Anzahl und eine Schrittweite festgelegt wird.

Hierfür ist in der Header-Datei `valarray` die Klasse `slice` definiert. Die Klasse `slice` besitzt einen Konstruktor, der als Argumente in dieser Reihenfolge den Startindex, die Anzahl der Elemente und die Schrittweite erwartet.

Beispiel:
```
double vp[9] = { 1, 2, 3, 4, 5};
valarray<double> v(vp, 5), w(3);
w = v[slice(0, 3, 2)];
```

Hier werden die drei Elemente v[0], v[2] und v[4] als Teilvektor ausgewählt und wie folgt an w zu gewiesen: `w[0] = 1`, `w[1] = 3` und `w[2] = 5`.

Operationen mit Teilvektoren

Die selektive Indizierung kann auch genutzt werden, um Operationen mit Teilvektoren durchzuführen. Die übrigen Elemente im ursprünglichen Vektor bleiben dabei unverändert.

Beispiel:
```
double xp[] = { 0, 2, 4, 6, 8, 10 };
double yp[] = { 1, 3, 5 };
valarray<double> x(xp, 6), y(yp, 3);
x[slice(1, 3, 2)] += y;
```

Damit wird `x[1]` um `y[0]`, `x[3]` um `y[1]` und `x[5]` um `y[2]` erhöht. `x[0]`, `x[2]` und `x[4]` bleiben unverändert. Außer dem Operator `+=` können auch die Operatoren `-=`, `*=`, `/=` und `%=` eingesetzt werden. Der rechte Operand muss dabei vom Typ `valarray<T>` sein.

Für Elemente eines ganzzahligen numerischen Vektors sind auch die Operatoren `^=`, `&=`, `|=`, `<<=` und `>>=` definiert. Die Bitoperationen werden für jedes Element des selektierten Teilvektors durchgeführt.

Diskrete Fourier-Transformierte

Im nebenstehenden Beispiel wird die selektive Indizierung genutzt, um die diskreten Fourier-Transformierten eines Koeffizienten-Vektors a_0, a_1, ..., a_{n-1} zu berechnen. Die diskreten Fourier-Transformierten y_0, ..., y_{n-1} sind die Funktionswerte des Polynoms

$$A(x) = a_0 + a_1{}^* x^1 + ... + a_{n-1}{}^* x^{n-1}$$

an den Stellen der n-ten komplexen Einheitswurzeln $\omega_n{}^k = e^{2\pi i k/n}$ (k=0,..,n-1). Der nebenstehende Algorithmus zerlegt das Polynom A(x) rekursiv in jeweils zwei Polynome

$$A0(x) = a_0 + a_2{}^* x + a_4{}^* x^2 ..... + a_{n-2}{}^* x^{(n/2)-1} \quad \text{und}$$
$$A1(x) = a_1 + a_3{}^* x + a_5{}^* x^2 ..... + a_{n-1}{}^* x^{(n/2)-1}$$

Wegen $A(x) = A0(x^2) + x * A1(x^2)$ brauchen A0 und A1 nur an den Stellen $\omega_n{}^{2k}$ bewertet zu werden. Die Laufzeit ist proportional zu n*log(n).

Mit Hilfe der diskreten Fourier-Transformierten kann ein schneller Algorithmus zur Multiplikation von Polynomen formuliert werden.

Verallgemeinerte selektive Indizierung

Template-Klasse zur Darstellung einer Matrix

```cpp
// matrix.h:          Darstellung von Matrizen
// ----------------------------------------------------
#include <valarray>
#include <stdexcept>
using namespace std;

template<class T>
class Matrix
{
  private:
    valarray<T> element;    // Numerischer Vektor
    int rows, cols;         // Anzahl Zeilen und Spalten.
  public:
    Matrix(int n, int m, const T& a = T(0))
          : rows(n), cols(m), element(a, n*m){}
    Matrix(const valarray<T>& v, int n, int m)
          : rows(n), cols(m), element(v) {}
    Matrix(const T *v, int n, int m)
          : rows(n), cols(m), element(v, n*m) {}

    int getRows() const { return rows; }
    int getCols() const { return cols; }

    valarray<T> operator[](int i) const // i. Zeilenvektor
    {
      if( i >= 0 && i < rows)
         return element[slice(i*cols, cols, 1)];
      else
         throw(out_of_range("Unzulässiger Zeilenindex!"));
    }
    // Zuweisung, Operatoren etc.

    Matrix subMatrix(int is, int js, int ie, int je)
    {
      if( is <= ie && ie < rows && js <= je && je < cols)
      {
        int srows =  ie - is + 1, scols = je - js + 1;
        size_t vlen[] = { srows, scols};
        size_t vdist[] = {cols, 1};
        valarray<size_t> len(vlen, 2), dist(vdist, 2);
        valarray<T> gsl(element[gslice(is*cols+js, len, dist)]);
        return Matrix(gsl, srows, scols);
      }
      else throw(out_of_range("Unzulässiger Index!"));
    }
};
```

Die verallgemeinerte selektive Indizierung ermöglicht es, unter flexibleren Bedingungen aus einem numerischen Vektor Teilvektoren zu extrahieren. Auf diese Weise können beispielsweise aus einem höher-dimensionalen Vektor, der intern als numerischer Vektor dargestellt ist, Teilvektoren gleicher oder niedrigerer Dimension gebildet werden.

Linearisierung n-dimensionaler Vektoren

Grundlage hierfür ist stets eine Linearisierung des n-dimensionalen Vektors, d.h. jedem Indextupel $(i_0, i_1, ..., i_{n-1})$ des n-dimensionalen Vektors entspricht ein-eindeutig ein Index im zugrundeliegenden numerischen Vektor. Maßgeblich für diese Abbildung sind die Anzahl Elemente pro Dimension und die sog. *Schrittweiten*, mit denen für jede Dimension festgelegt wird, wie aus dem Index eines Elements der Index des Nachbarelements in derselben Dimension berechnet wird.

Eine Matrix M mit n Zeilen und m Spalten kann beispielsweise durch einen numerischen Vektor dargestellt werden, indem ihre Elemente von oben links beginnend zeilenweise durchnummeriert werden. Dem Matrixelement mit dem Index [i, j] entspricht dann das Element mit dem Index k = i*m + j im numerischen Vektor $(0<= i < n, 0 <= j < m)$.

Dem Index [i+1,j] bzw. [i, j+1] des Nachbarelements in der nächsten Zeile bzw. nächsten Spalte entspricht der Index k + m bzw. k + 1 im numerischen Vektor. Daraus ergibt sich für die erste Dimension die Schrittweite m und für die zweite Dimension die Schrittweite 1.

Zur Bildung einer Teilmenge des n-dimensionalen Vektors ist außerdem ein Startindex anzugeben, d.i. die Position des Elements im numerischen Vektor, das zum ersten Element im Teilvektor werden soll.

Die Klasse gslice

Die Header-Datei `valarray` definiert zur verallgemeinerten selektiven Indizierung die Klasse `gslice`. Der Konstruktor der Klasse erwartet als erstes Element einen Startindex und als zweites und drittes Element einen numerischen Vektor mit der Anzahl der Elemente bzw. Schrittweiten.

Nebenstehend wird ein Klassen-Template zur Darstellung von Matrizen auf der Basis eines numerischen Vektors definiert. Die Anzahl der Zeilen und Spalten werden dem Konstruktor als Argumente übergeben.

Die Methode `subMatrix()` erzeugt aus der aktuellen Matrix eine Teilmatrix, deren erstes Element „links oben" dem Element beim Index (is, js) und deren letztes Element dem Element beim Index (ie, je) in der aktuellen Matrix entspricht. Die Anzahl der Zeilen in der Teilmatrix sind deshalb srows = ie − is + 1 und die Anzahl Spalten scols = je − js + 1.

Bei der Bestimmung des Teilvektors, der die Teilmatrix erzeugt, wird ausgenutzt, dass der Indexoperator der Klasse `valarray<T>` mit einem Argument der Klasse `gslice` aufgerufen werden kann. Er liefert einen Vektor vom Typ `valarray<T>` zurück, der die Werte der durch gs indizierten Elemente enthält. Wichtig ist hierbei, dass das Objekt gs nicht *degeneriert* ist, d.h., je zwei Indextupeln $(i_0, i_1, ..., i_{n-1})$ und $(j_0, j_1, ..., j_{n-1})$ entsprechen zwei verschiedenen Indizes im numerischen Vektor.

Verallgemeinerte selektive Indizierung (Fortsetzung)

Hilfsmethode zur Bestimmung des Minors einer Matrix

```
// matrix.h:    Darstellung von Matrizen (Fortsetzung)
// -------------------------------------------------
template<class T>
class Matrix
{
    // Datenelemente, Konstruktoren usw., wie gehabt.
 public:
  Matrix minor(int i,int j)
  {
    if(i >= 0 && i < rows && j >= 0 && j < cols)
    {
      size_t vdist[] = {cols-1, 1};     // Schrittweiten für neue
      valarray<size_t> dist(vdist, 2), len(2);    // Matrix.
      Matrix<T> adj(rows - 1, cols - 1);  // Teilmatrix:
      if(i != 0 && j !=  0)                 // links oberhalb [i,j]
      {
        len[0] = i; len[1] = j;
        Matrix<T> subMat = subMatrix(0,0,i-1,j-1);
        adj.element[gslice(0, len, dist)] = subMat.element;
      }
      if( i != 0 && j != cols-1)          // rechts oberhalb [i,j]
      {
        len[0]= i; len[1] = cols - j - 1;
        Matrix<T> subMat = subMatrix(0,j+1,i-1,cols-1);
        adj.element[gslice(j, len, dist)] = subMat.element;
      }
      if(i != rows-1 && j != 0)           // links unterhalb [i,j]
      {
        len[0]= rows - i - 1; len[1] = j;
        Matrix<T> subMat = subMatrix(i+1,0,rows-1,j-1);
        adj.element[gslice(i*(cols-1), len, dist)] =
        subMat.element;
      }
      if( i!=rows-1  && j != cols-1)    // rechts unterhalb [i,j]
      {
        len[0]= rows - i - 1; len[1] = cols - j - 1;
        Matrix<T> subMat= subMatrix(i+1,j+1,rows-1,cols-1);
        adj.element[gslice(i*(cols-1)+j,len,dist)] = sub
        Mat.element;
      }
     return adj;
    }
    else throw out_of_range("Unzulässiger Index!");
  }
};
```

Weitere Methoden der Klasse gslice

Für ein Objekt gs vom Typ gslice kann mit der Methode start() der Startindex abgefragt werden. Der Index wird vom Typ size_t zurückgegeben. Der Typ size_t ist normalerweise als unsigned int definiert.

Beispiel: size_t ind = gs.start();

Die Methoden size() und stride() liefern einen numerischen Vektor vom Typ valarray<size_t>, der die Anzahl der Elemente pro Dimension bzw. die Schrittweiten enthält.

Neben dem Zuweisungsoperator = stehen in valarray<T> auch die zusammengesetzten Zuweisungen

+=, -=, *=, /= und %=

zur Verfügung, so dass arithmetische Operationen mit selektierten Teilvektoren ausführbar sind. Ist etwa v ein numerischer Vektor und gs ein nicht degeneriertes Objekt vom Typ gslice, so wird im

Beispiel: v[gs] += w;

jedes Element des Teilvektors v[gs] um den Wert des entsprechenden Elements von w erhöht. Die übrigen Elemente in v bleiben unverändert. Zu beachten ist, dass v[gs] und w die gleiche Länge haben.

Für Elemente eines ganzzahligen numerischen Vektors sind zusätzlich auch die zusammengesetzten Zuweisungen ^=, &=, |=, <<= und >>= definiert. Die Bitoperationen werden für jedes Element des selektierten Teilvektors durchgeführt.

Zum nebenstehenden Beispiel

Nebenstehend wird für die Klasse Matrix eine zusätzliche Methode minor() definiert. Die Methode erwartet als Argument den Index (i,j) eines Matrixelements und erzeugt eine Teilmatrix, die durch Streichung der i-ten Zeile und j-ten Spalte entsteht.

Beispiel   Matrix   Teilmatrix zu (2,3)

$$\begin{bmatrix} 1 & 2 & 3 & 4 & 5 \\ 6 & 7 & 8 & 9 & 0 \\ -1 & -2 & -3 & -4 & -5 \\ -6 & -7 & -8 & -9 & 0 \end{bmatrix} \qquad \begin{bmatrix} 1 & 2 & 3 & 5 \\ 6 & 7 & 8 & 0 \\ -6 & -7 & -8 & 0 \end{bmatrix}$$

Die Methode bestimmt nacheinander die vier Teilmatrizen links und rechts oberhalb bzw. unterhalb des Index (i,j) in der ursprünglichen Matrix. Die zu diesen Teilmatrizen gehörenden Teilvektoren werden dann dem numerischen Vektor zugewiesen, aus dem die zu konstruierende Teilmatrix erzeugt wird.

Die Determinante der Teilmatrix, die von minor() zurückgegeben wird, heißt *Minor*. Minoren werden beispielsweise eingesetzt, um Determinanten und Inverse quadratischer Matrizen zu berechnen.

Indirekte und maskierte Indizierung

Transponierte und Dreiecksmatrizen

```
// matrix.h:    Darstellung von Matrizen (Fortsetzung)
// -------------------------------------------------
template<class T>
class Matrix
{
    // Datenelemente und Methoden, wie gehabt.
  public:                              // Weitere Methoden :
   Matrix transponierte()
   {
      size_t* v = new size_t[cols*rows];
      for(int i = 0; i < rows; i++)
         for(int j = 0; j < cols; j++)
            v[j*rows + i] = i*cols + j;
      valarray<size_t> indirect(v, rows*cols);
      delete v;
                          // Indirekte Indizierung:
      Matrix trans(element[indirect], cols, rows);
      return trans;
   }

   Matrix& upperTriangle(const Matrix& m)
   {                          // Matrizen kompatibel?
      if( rows == cols)
      {
       valarray<bool> mask(false, cols*cols);  // Maske:
       for(int i = 0; i < rows; i++)    // Obere Dreiecks-
         for(int j = i+1; j < rows; j++)        // matrix
            mask[i*cols + j] = true;
                                  // Maskierte Indizierung:
       element[mask] = m.element;
       return *this;
      }
      else
       throw(length_error("Matrix nicht quadratisch"));
   }
};
```

Indirekte Indizierung

Die indirekte Indizierung ermöglicht es, die Reihenfolge der Indizes 0, 1, 2, ... n-1 eines numerischen Vektors v der Länge n zu ändern. Damit kann aus v ein Vektor gleicher Länge gebildet werden, der die Elemente von v in anderer Reihenfolge besitzt.

Zu dem Zweck kann dem Indexoperator von `valarray<T>` ein Vektor vom Typ `valarray<size_t>` als Operand übergeben werden. Dieser legt die neue Reihenfolge der Indizes fest.

Beispiel:
```
size_t ind[] = {3, 2, 1, 0};
valarray<size_t> indirect(ind,4);
double va[] = { 1.1, 2.2, 3.3, 4.4};
valarray<double> a(va, 4), b(4);
b[indirect] = a;
```

Die indirekte Indizierung wird hier durch den Vektor `indirect` gesteuert. Es ergibt sich: a[0] == b[3], a[1] == b[2], a[2] == b[1] und a[3] == b[0].

Der Indexoperator für die indirekte Indizierung ist auch in einer Read-only-Version überladen. Die letzte Anweisung im obigen Beispiel könnte deshalb wie folgt formuliert werden:

Beispiel:
```
b = a[indirect];
```

Nebenstehend wird mit Hilfe der indirekten Indizierung aus einer Matrix M die Transponierte T erzeugt, d.i. eine Matrix, für die M[i][j] = T[j][i] (0 <= i < rows, 0 <= j < cols) gilt. Die Elemente der zugrundeliegenden numerischen Vektoren mit den Indizes `i*cols+j` und `j*rows+i` speichern also denselben Wert.

Maskierte Indizierung

Die maskierte Indizierung eines numerischen Vektors v erfolgt mit Hilfe eines *booleschen* numerischen Vektors b gleicher Länge. Der selektierte Teilvektor besteht dann aus denjenigen Elementen in v, für die das entsprechende Element von b den Wert `true` enthält.

Zur maskierten Indizierung wird der boolesche numerische Vektor dem Indexoperator von `valarray<T>` als Operand übergeben.

Beispiel
```
bool b[] = { true, false, true, false };
valarray<bool> mask(v, 4);
int av[] = { 10, 20, 30, 40 };
valarray<int> a(av, 4);
a[mask] = 1;
```

Hier werden a[0] und a[2] mit dem Wert 1 überschrieben. Die anderen Elemente in a bleiben unverändert.

Die nebenstehende Methode `upperTriangle()` nutzt die maskierte Indizierung, um in einer quadratischen Matrix die obere Dreiecksmatrix zu überschreiben. Diese besteht aus den Matrixelementen oberhalb der Diagonalen, d.h. aus den Elementen, deren Spaltenindex größer als der Zeilenindex ist.

Anhang A

Der Anhang enthält:

- Die binäre Zahlendarstellung
- Präprozessor-Direktiven
- Vordefinierte Standardmakros
- Einbinden von C-Funktionen
- Operatorenübersicht
- Vorrangtabelle für Operatoren
- ASCII-Code-Tabelle
- Bildschirmsteuerzeichen
- Compiler, Beispiele und Lösungen

Binäre Zahlendarstellung

Zahlen, die ein Programm verarbeitet, können abhängig von ihrem Typ in zwei Gruppen geteilt werden:

- *Ganzzahlen* vom Typ `char`, `signed char`, `unsigned char`, `short`, `unsigned short`, `int`, `unsigned int`, `long`, `unsigned long` sowie

- *Gleitpunktzahlen* vom Typ `float`, `double` und `long double`

Sowohl Ganzzahlen als auch Gleitpunktzahlen werden im Rechner binär dargestellt, d.h. als eine Folge von 0- und 1-Werten. Ganzzahlen und Gleitpunktzahlen besitzen jedoch unterschiedliche Darstellungsformate. Das Bitmuster einer Ganzzahl und einer Gleitpunktzahl wird also rechnerintern anders interpretiert.

Darstellung von Ganzzahlen mit und ohne Vorzeichen

Die binäre Darstellung von Ganzzahlen ist für die verschiedenen Typen `char`, `short`, `int` und `long` im Prinzip gleich und unterscheidet sich nur

- durch die Anzahl der Bytes, die für den jeweiligen Typ zur Verfügung stehen und

- dadurch, ob die Zahl mit oder ohne Vorzeichen interpretiert wird.

Das Bitmuster einer *positiven Ganzzahl* ergibt sich aus ihrer Potenzdarstellung zur Basis 2. Bei `signed`-Typen markiert das Vorzeichenbit 0 zusätzlich, dass die Zahl positiv ist.

Beispielsweise ist die Potenzdarstellung der Zahl 4:

$$0*2^0 + 0*2^1 + 1*2^2 + 0*2^3 + 0*2^4 \ldots$$

Die binäre Darstellung der Zahl 4 als Wert vom Typ `signed char` (8 Bits) sieht dann so aus:

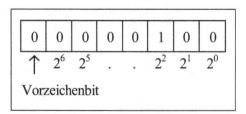

Zur Darstellung einer *negativen Zahl*, z.B. -4, wird das *Zweier-Komplement* gebildet:

Dafür wird zunächst das *Einer-Komplement* von 4 gebildet, d.h. alle Bits werden invertiert:

1	1	1	1	1	0	1	1

Dann wird die Zahl 1 hinzuaddiert:

0	0	0	0	0	0	0	1

Das ergibt das Bitmuster von -4:

1	1	1	1	1	1	0	0

Den *Absolutwert* einer negativen Zahl erhält man ebenfalls durch Bildung des Zweier-Komplements. So ergibt das Zweier-Komplement von -4 wieder den Wert 4.

Für unsigned-Typen entfällt die Notwendigkeit eines Vorzeichenbits. Das entsprechende Bit wird zur Darstellung weiterer positiver Zahlen verwendet, wodurch sich der Bereich der darstellbaren positiven Zahlen verdoppelt.

In der folgenden Tabelle ist die binäre Darstellung von ganzzahligen 8-Bit-Werten mit und ohne Vorzeichen zusammengestellt:

binär	dezimal mit Vorzeichen	dezimal ohne Vorzeichen
0000 0000	0	0
0000 0001	1	1
0000 0010	2	2
0000 0011	3	3
.	.	.
.	.	.
0111 1101	125	125
0111 1110	126	126
0111 1111	127	127
1000 0000	-128	128
1000 0001	-127	129
.	.	.
.	.	.
1111 1100	-4	252
1111 1101	-3	253
1111 1110	-2	254
1111 1111	-1	255

Binäre Zahlendarstellung (Fortsetzung)

Wird das Bitmuster einer negativen Zahl als unsigned-Wert interpretiert, so ändert sich der Wert der Zahl. Dem Bitmuster 1111 1100 der Zahl -4 beispielsweise entspricht der unsigned-Wert

$$0*2^0 + 0*2^1 + 1*2^2 + 1*2^3 + 1*2^4 + 1*2^5 + 1*2^6 + 1*2^7$$

also dezimal die Zahl 252.

Darstellung von Gleitpunktzahlen

Die Darstellung einer Gleitpunktzahl x beruht immer auf einer Zerlegung in ein *Vorzeichen* v, eine *Mantisse* m und einen *Exponenten* exp zur Basis 2:

$$x = v * m * 2^{exp}$$

Die Speicherbelegung für die Werte v, m und exp wird normalerweise im IEEE-Format (Institute of Electronics and Electronical Engineers) vorgenommen. Für den Datentyp float (32 Bit) beispielsweise hat man folgende Aufteilung:

Bitposition 31 30   23 22   0
(v = Vorzeichenbit)

In der „normalisierten" Form ist die Darstellung von Gleitpunktzahlen eindeutig. Die Mantisse m hat dann einen Wert, der größer oder gleich 1 und kleiner als 2 ist. Nur für x == 0 hat die Mantisse den Wert 0.

Beispiel: $-4.5 = -1 * 1.125 * 2^2$

Die erste Ziffer der Mantisse ist stets 1. Sie wird deshalb nicht gespeichert. Der Exponent wird mit einer Verschiebung (*Bias*) gespeichert. Beim Datentyp float ist der Bias 127, d.h. ein Exponent e wird intern als e + 127 abgelegt.

Der reservierte Speicherplatz für die Mantisse bestimmt die *Genauigkeit*, der für den Exponenten den *Wertebereich* der Gleitpunktzahl.

Sollten maschinenabhängige Größen dieser Darstellung in einem Programm wichtig sein, wie z.B. die Länge der Mantisse, der kleinste oder größte darstellbare Wert, so können die entsprechenden Werte der Header-Datei cfloat bzw. climits entnommen werden.

Eine Instantiierung des Klassen-Templates numeric_limits für den entsprechenden Datentyp ermöglicht die Abfrage maschinenabhängiger Größen mit Hilfe von Methoden.

Präprozessor-Direktiven

Die #define-Direktive

Mit der *#define-Direktive* werden symbolische Konstanten und Makros definiert.

Syntax: `#define name[(Parameterliste)] [Ersatztext]`

Der Präprozessor ersetzt überall im nachfolgenden Programmtext `name` bzw. `name(Parameterliste)` durch `Ersatztext`. Fehlt die Angabe `Ersatztext`, so löscht der Präprozessor die symbolische Konstante bzw. das Makro aus dem nachfolgenden Programmtext. (Vgl. auch Kapitel 7, *Symbolische Konstanten und Makros*.)

Beispiel:
```
#define BUFSIZ   512        // Symbolische Konstante
#define  CLS      cout << "\033[2J"    // Makro
#define  MAX(a,b) ((a)>(b) ? (a):(b))  // Makro
```

Der Operator

Dem Parameter eines Makros kann im Ersatztext der Operator # (engl. *stringizing token*) vorangestellt werden. Beim Aufruf des Makros wird dann das entsprechende Argument in Anführungsstriche gesetzt, d.h. es wird eine String-Konstante mit den Zeichen des aktuellen Arguments gebildet.

Beispiel: `#define TITEL(s)  "****  " #s "  *****"`

Beim Aufruf

```
cout << TITEL(Katalog);
```

bildet der Präprozessor zunächst folgende Erweiterung

```
"****  " "Katalog" "  ****"
```

die anschließend zu `"****  Katalog  ****"` verkettet wird.

Die Zeichen `"` und `\` innerhalb eines Arguments werden durch `\"` und `\\` dargestellt.

Beispiel: `#define pfad(logid,subdir)`
                 `"\\user\\" #logid "\\bin\\" #cmd`

Mit   `pfad(Schmid, spiele)`

wird dann die Zeichenkette `"\user\Schmid\bin\spiele"` gebildet.

Präprozessor-Direktiven (Fortsetzung)

Der Operator

Bei der Definition eines Makros können im Ersatztext auch Zeichenfolgen zusammengezogen werden. Dies geschieht mit dem Operator ## (engl. *past token*).

Beim Aufruf des Makros wird zunächst ein Parameter vor bzw. hinter dem Token ## durch das entsprechende Argument ersetzt. Anschließend wird das Token mit führenden und nachfolgenden Zwischenraumzeichen entfernt.

Beispiel: `#define debug(n) cout << "x" #n "=" << x ## n`

Beim Aufruf von

```
debug(1);
```

wird dann die Anweisung

```
cout << "x1=" << x1;
```

generiert.

Die Argumente eines Makros werden nicht auf symbolische Konstanten oder Makros hin untersucht. Ist hingegen das Ergebnis der Verkettung eine symbolische Konstante oder ein Makro, so wird erneut der Textersatz vorgenommen.

Die #undef-Direktive

Soll die Definition einer symbolischen Konstanten oder eines Makros zur Laufzeit des Programms geändert werden, so muss die alte Definition zunächst entfernt werden. Dies geschieht mit der *#undef-Direktive*.

Syntax: `#undef name`

Bei parametrisierten Makros ist die Parameterliste nicht anzugeben.

Anschließend kann name mit der #define-Direktive neu definiert werden.

Beispiel:
```
#define   BUFSIZE   512
       .
       .
       .
#undef    BUFSIZE
#define   BUFSIZE   1024
```

Die #include-Direktive

Die #include-Direktive kopiert eine Datei in das Programm. Die #include-Direktive wird durch den Inhalt der Datei ersetzt.

Syntax: `#include <dateiname>`
         `#include "dateiname"`

Ist der Dateiname von den Zeichen `<` und `>` eingeschlossen, so wird die Datei nur in den Directories gesucht, die durch die Umgebungsvariable (gewöhnlich INCLUDE) festgelegt wurden.

Ist der Dateiname in Anführungszeichen gesetzt, so wird die Datei zusätzlich im aktuellen Directory gesucht, und zwar als erstes.

Der Name `dateiname` kann Pfadangaben enthalten. In diesem Fall wird nur in dem entsprechenden Directory gesucht.

Der Dateiname kann auch als symbolische Konstante angegeben werden. Der Ersatztext ist in dem Fall in Anführungszeichen oder in eckige Klammern einzuschließen.

Beispiel:
```
#include <iostream>
#include "project.h"
#if VERSION == 1
    #define MYPROJ_H "version1.h"
#else
    #define MYPROJ_H "version2.h"
#endif
#include MYPROJ_H
```

Die Direktiven #if, #elif, #else und #endif

Mit den Direktiven #if, #elif und #endif ist es möglich, bestimmte Teile einer Quelldatei zu übersetzen, andere dagegen nicht. Man nennt sie deshalb auch Direktiven für die bedingte Kompilierung.

Syntax:
```
#if Ausdruck1
    [text1]
[#elif  Ausdruck2
    text2]
       .
       .
[#elif  Ausdruck(n)
    text(n)]
[#else
    text(n+1)]
#endif
```

Präprozessor-Direktiven (Fortsetzung)

Jede #if-Direktive muss mit einer #endif-Direktive enden. Dazwischen können beliebig viele #elif-Direktiven angegeben sein. Die #else-Direktive darf jedoch höchstens einmal vorkommen.

Der Präprozessor bewertet Ausdruck1, Ausdruck2, ... der Reihe nach. Beim ersten Ausdruck, der „wahr", d.h. von 0 verschieden ist, wird der abhängige Text bearbeitet.

Trifft keiner der Ausdrücke zu, so wird die #else-Direktive ausgeführt. Fehlt diese, so wird keiner der abhängigen Texte bearbeitet.

Ausdruck1, Ausdruck2, ... müssen konstante Ausdrücke ganzzahligen Typs sein. Sie dürfen den Cast-Operator nicht enthalten. Bei manchen Compilern darf auch der Sizeof-Operator nicht vorkommen.

Der abhängige Text besteht aus dem Programmtext, also aus Präprozessor-Direktiven, C++-Anweisungen oder auch aus einem ganzen C++-Programm.

Bei der Bearbeitung eines abhängigen Textes führt der Präprozessor evtl. vorhandene Direktiven aus, bevor der erweiterte Quellcode dem Compiler zur Übersetzung gegeben wird. Texte, die der Präprozessor nicht bearbeitet, werden aus dem Quellcode entfernt.

Der Ausdruck __has_include()

Mit __has_include() kann vorab überprüft werden, ob eine Header-Datei, die inkludiert werden soll, auch vorhanden ist. Falls die Datei existiert, kann sie inkludiert werden.

Beispiel:
```
#if __has_include(<dateiname>)
#include<dateiname>
#define HEADER_EXIST 1
#else
#define HEADER_EXIST 0
#endif
```

Der __has_include-Ausdruck hat den Wert 1, wenn die Datei existiert, andernfalls 0. Ist der Dateiname in " " eingeschlossen, so wird die Header-Datei nicht nur im INCLUDE-Verzeichnis sondern auch im aktuellen Verzeichnis gesucht.

Der Operator defined

Mit dem Operator defined kann überprüft werden, ob eine symbolische Konstante oder ein Makro definiert ist.

Syntax: defined(name)   //oder: defined name

Der Operator liefert einen von 0 verschiedenen Wert, wenn für `name` eine gültige Definition vorliegt, andernfalls den Wert 0.

Eine Definition mit der #define-Direktive ist so lange gültig, bis sie mit einer #undef-Direktive entfernt wird. Wurde in der #define-Direktive kein Ersatztext hinter `name` angegeben, so handelt es sich trotzdem um eine gültige Definition.

Der Operator `defined` wird typischerweise in einer #if- oder #elif-Direktive verwendet, wie etwa bei

Beispiel: `#if defined VERSION`
                      `. . .`

Die Verwendung des `defined`-Operators hat den Vorteil, dass der von ihm zurückgegebene Wert in einem Präprozessor-Ausdruck weiterverwendet werden kann.

Die #ifdef- und #ifndef-Direktiven

Derselbe Test kann auch mit der #ifdef- und der #ifndef-Direktive durchgeführt werden.

Syntax: `#ifdef    name`
                    `#ifndef   name`

Die Direktive #ifdef liefert einen von 0 verschiedenen Wert, wenn `name` definiert ist, andernfalls den Wert 0.

Die #ifndef-Direktive dagegen prüft, ob `name` nicht definiert ist. Sie liefert deshalb den Wert 0, wenn `name` definiert ist, andernfalls einen von 0 verschiedenen Wert.

Beispiel: `#if defined(STATUS) && defined(COND)`
                      `. . .`

Die #line-Direktive

Der Compiler benutzt Zeilennummern und den Namen einer Quelldatei, um bei der Übersetzung entdeckte Fehler anzuzeigen. Mit der #line-Direktive kann die Numerierung der Zeilen und der Dateiname geändert werden.

Syntax: `#line neu_nummer ["dateiname"]`

An dieser Stelle beginnt die weitere Numerierung der Zeilen mit `neu_nummer`. Falls `dateiname` angegeben wird, ist dies der neue Dateiname, auf den sich der Compiler bei Fehlermeldungen bezieht.

Der neue Dateiname muss in Anführungszeichen stehen, und `neu_nummer` `muss` eine ganzzahlige Konstante sein.

Präprozessor-Direktiven (Fortsetzung)

Beispiel: `#line 170 "genprog1.cpp"`

Die Zeilennummer und der Dateiname können auch als symbolische Konstanten angegeben werden.

Beispiel:
```
#if VERSION == 1
    #define NEUNUMMER 20
#else
    #define NEUNUMMER 25
#line NEUNUMMER
```

Die `#line`-Direktive wird typischerweise von Programmgeneratoren benutzt, die einen bestimmten Code in ein C++-Programm übersetzen. Bei einer Fehlermeldung kann dann auf die entsprechende Zeile im ursprünglichen Code und dessen Dateinamen Bezug genommen werden.

Die aktuell gespeicherte Zeilennummer und der entsprechende Dateiname sind über die Standardmakros `__LINE__` und `__FILE__` zugänglich.

Beispiel:
```
cout << "Aktuelle Zeilennummer: "
     << __LINE__ << endl
     << "Dateiname: " << __FILE__ << endl;
```

Die #error-Direktive

Mit der `#error`-Direktive können Fehlermeldungen des Präprozessors angezeigt werden.

Syntax: `#error fehlertext;`

Die Meldung `fehlertext` wird angezeigt, und der Kompiliervorgang wird abgebrochen.

Beispiel:
```
#if defined   VERSION
    #if VERSION < 3
    #error VERSION zu klein.\n
    ##error Mindestens 3 erforderlich.
    #endif
    #include "version.h"
```

In dem Fall, dass die symbolische Konstane `VERSION` definiert ist und einen Wert kleiner als 3 hat, wird folgende Fehlermeldung ausgegeben:

```
VERSION zu klein.
Mindestens 3 erforderlich.
```

Die #pragma-Direktive

Die #pragma-Direktive ist *compilerabhängig*. Sie erlaubt die Definition von beliebigen Präprozessor-Befehlen für einen bestimmten Compiler.

Syntax: #pragma Befehl

Ein anderer Compiler, der die #pragma-Direktive unterstützt, aber den nach #pragma angegebenen Befehl nicht kennt, ignoriert diesen einfach.

Beispiel: #pragma pack(1)

Diese Direktive bewirkt beim Microsoft-Compiler, dass die Komponenten einer Klasse byteweise ausgerichtet werden, also keine Lücken entstehen. Weitere Möglichkeiten sind pack(2) und pack(4).

Vordefinierte Standardmakros

Gemäß dem C++-Standard gibt es sechs vordefinierte Standardmakros. Ihre Namen beginnen und enden mit je zwei Unterstrichen:

__LINE__	Liefert die Nummer der Zeile, in der __LINE__ steht. Die erste Zeile einer Quelldatei hat die Nummer 1. Die Numerierung kann mit der #line-Direktive geändert werden.
__FILE__	Liefert den Namen der Quelldatei, in der __FILE__ steht. Der Name kann mit der #line-Direktive geändert werden.
__DATE__	Liefert das Datum im Format mm tt jjjj. Dabei ist mm eine Abkürzung für den Monat, tt der Tag im Monat und jjjj das Jahr, also z.B. Jul 17 2001. __DATE__ bezieht sich auf den Zeitpunkt, zu dem der Präprozessor die Bearbeitung begonnen hat. Das Makro liefert also an jeder Stelle in der Quelldatei dasselbe Ergebnis.
__TIME__	Liefert die Uhrzeit als String im Format hh:mm:ss. Dabei steht hh für die Stunden, mm für die Minuten und ss für die Sekunden, also z.B. 15:23:47. __TIME__ bezieht sich auf den Zeitpunkt, zu dem der Präprozessor die Bearbeitung begonnen hat. Das Makro liefert also an jeder Stelle in der Quelldatei dasselbe Ergebnis.
__STDC__	Ist nur definiert, wenn ausschließlich ANSI-Schlüsselworte in der Quelldatei zugelassen sind.
__cplusplus	Ist definiert, wenn die Quelldatei mit einem C++-Compiler übersetzt wird. Die Konstante vom Typ long bezeichnet die verwendete C++-Version, beispielsweise 201402L für C++14 oder 201703L für C++17. Nicht Standard-konforme Compiler definieren das Makro durch eine Zahl, die mindestens fünf Ziffern besitzt..

Einbinden von C-Funktionen

Aufruf von C-Funktionen in C++-Programmen

C-Funktionen aus C-Bibliotheken können in einem C++-Programm aufgerufen werden. Allerdings werden Funktionsaufrufe vom C++-Compiler anders übersetzt als vom C-Compiler. Deshalb sind für den Aufruf von C-Funktionen zusätzliche Bindungsinformationen erforderlich, die mit einer extern "C"-Deklaration verfügbar gemacht werden.

Beispiel: `extern "C" void oldfunc(int size);`

Hier erhält der C++-Compiler die Information, dass die Funktion `oldfunc()` mit einem C- Compiler übersetzt wurde.

Sind mehrere C-Funktionen zu deklarieren, so können ihre Prototypen hinter `extern "C"` in geschweiften Klammern eingeschlossen werden. Falls die Funktionen bereits in einer Header-Datei deklariert sind, kann die Header-Datei in einem `extern "C"`-Bock inkludiert werden.

Beispiel:
```
extern "C"
{
    #include "graphik.h"
}
```

Üblicherweise wird die `extern "C"`-Deklaration bereits in einer C-Header-Datei vorgenommen. Dann kann die C-Header-Datei sowohl in C- als auch in C++-Programmen inkludiert werden.

Beispiel:
```
#if defined _cpluplus
extern "C"
{
#endif

    // Hier Prototypen von C-Funktionen

#if defined __cpluplus
}
#endif
```

Die symbolische Konstante __cplusplus wird ausgewertet, um festzustellen, ob der aktuelle Compiler ein C- oder ein C++-Compiler ist. Ist __cplusplus definiert, also ein C++-Compiler aktiv, so wird der extern "C"-Block eingeblendet.

Definition von C-Funktionen in C++-Programmen

Es ist auch möglich, in einem C++-Programm eigene C-Funktionen zu definieren. Dies ist erforderlich, wenn eine Funktion aufgerufen wird, die als Argument eine C-Funktion erwartet, wie z.B. die Standardfunktionen qsort() und bsearch().

Die Definition einer C-Funktion in einem C++-Programm wird in einen extern "C"-Block eingeschlossen. Der Compiler wird damit angewiesen, die Funktion als C-Funktion zu kompilieren.

Beispiel:
```cpp
#include <string>
#include <iostream>
#include <cstdlib>
using namespace std;

static char* orte[] = { "Paris", "London",
                        "Barcelona", "Berlin" }
static char* key = "New York";

extern "C" int scmp(const void*, const void*);

int main()
{                               // Städte sortieren:
  qsort( orte, 4, sizeof(char*), scmp);
                                // Stadt suchen:
  if( bsearch( &key, farben, 4,
              sizeof(char*),scmp) == NULL)
  cout << "Stadt" << (string) key
              << "nicht gefunden.\n";
}

extern "C"
{
   int scmp(const void *s1, const void *s2)
   {
     return strcmp( *(const char**)s1,
                  *(const char**)s2 );
   }
}
```

Die C-Funktion scmp() wird den Standardfunktionen bsearch() für die binäre Suche und qsort() für den Quick-Sort-Algorithmus übergeben.

Operatorenübersicht

Operator	Bezeichnung
Arithmetische Operatoren:	
+ –	Addition, Subtraktion
⋆	Multiplikation
/ %	Division, Modulodivision
+ –	Vorzeichenoperator (unär)
++ – –	Inkrement-, Dekrement-Operator
Vergleichsoperatoren:	
== ! =	"gleich", "ungleich"
< <=	"kleiner", "kleiner oder gleich"
> >=	"größer", "größer oder gleich"
Logische Operatoren:	
&& ||	UND, ODER
!	NICHT
Zuweisungsoperatoren:	
=	einfache Zuweisung
op=	zusammengesetzte Zuweisung
	(op ist ein binärer arithmetischer oder binärer Bit-Operator)
Bitoperatoren:	
& ~	UND, NICHT
| ^	ODER, exklusiv-ODER
<< >>	Links-Shift, Rechts-Shift

Operatorenübersicht (Fortsetzung)

Operator	Bezeichnung
Zugriffsoperatoren:	
`::`	Bereichsoperator
`[]`	Indexoperator
`*`	Verweisoperator
`.` `->`	Punktoperator, Pfeiloperator
`.*` `->*`	Dereferenzierung von Elementzeigern
Cast-Operatoren:	
`(typ)`	C-Cast
`dynamic_cast<>`	dynamischer Cast
`static_cast<>`	statischer Cast
`const_cast<>`	const-Cast
`reinterpret_cast<>`	reinterpret-Cast
Operatoren zur Speicherverwaltung	
`new` `new []`	Objekt bzw. Klassen-Array dynamisch anlegen
`delete` `delete []`	Dynamisch angelegtes Objekt bzw. Klassen-Array zerstören
Weitere Operatoren:	
`?:` `,`	Auswahloperator, Kommaoperator
`&`	Adressoperator
`name()`	Aufruf der Funktion `name`
`typ()`	Temporäres Objekt vom Typ `typ` erzeugen
`sizeof()`	sizeof-Operator (Datentyp-Größe)
`typeid()`	typeid-Operator (Typinformationen)

Vorrangtabelle für Operatoren

Priorität	Operator	Zusammenfassung
1.	`::`	von links

2.	`.` `->` `[]`
	`++` („Postfix") `--` („Postfix")
	`name()` `typeid()` `typ()`
	`dynamic_cast<>`
	`static_cast<>` `const_cast<>`
	`reinterpret_cast<>`
		von links

3.	`!` `~`
	`+` („unär") `-` („unär")
	`++` („Präfix") `-` („Präfix")
	`&` („Adresse") `*` („Verweis")
	`new` `new[]` `delete` `delete[]`
	`(typ)` `sizeof()`
		von rechts

4.	`.*` `->*`	von links
5.	`*` `/` `%`	von links
6.	`+` („binär") `-` („binär")	von links
7.	`>>` `<<`	von links
8.	`<` `<=` `>` `>=`	von links
9.	`==` `!=`	von links
10.	`&` („bitweises UND")	von links
11.	`^`	von links
12.	`|`	von links
13.	`&&`	von links
14.	`||`	von links
15.	`?:`	von rechts
16.	`=` `+=` `-=` `*=` `/=` `%=` `&=` `^=` `|=` `<<=` `>>=`	von rechts
17.	`,`	von links

ASCII-Code-Tabelle

dezimal	oktal	hex	Zeichen	dezimal	oktal	hex	Zeichen
0	000	00	(NUL)	32	040	20	(Blank)
1	001	01	(SOH)	33	041	21	!
2	002	02	(STX)	34	042	22	"
3	003	03	(ETX)	35	043	23	#
4	004	04	(EOT)	36	044	24	$
5	005	05	(ENQ)	37	045	25	%
6	006	06	(ACK)	38	046	26	&
7	007	07	(BEL)	39	047	27	'
8	010	08	(BS)	40	050	28	(
9	011	09	(HT)	41	051	29	)
10	012	A	(LF)	42	052	2A	*
11	013	B	(VT)	43	053	2B	+
12	014	C	(FF)	44	054	2C	'
13	015	D	(CR)	45	055	2D	-
14	016	E	(SO)	46	056	2E	.
15	017	F	(SI)	47	057	2F	/
16	020	10	(DLE)	48	060	30	0
17	021	11	(DC1)	49	061	31	1
18	022	12	(DC2)	50	062	32	2
19	023	13	(DC3)	51	063	33	3
20	024	14	(DC4)	52	064	34	4
21	025	15	(DC5)	53	065	35	5
22	026	16	(SYN)	54	066	36	6
23	027	17	(ETB)	55	067	37	7
24	030	18	(CAN)	56	070	38	8
25	031	19	(EM)	57	071	39	9
26	032	1A	(SUB)	58	072	3A	:
27	033	1B	(ESC)	59	073	3B	;
28	034	1C	(FS)	60	074	3C	<
29	035	1D	(GS)	61	075	3D	=
30	036	1E	(RS)	62	076	3E	>
31	037	1F	(US)	63	077	3F	?

dezimal	oktal	hex	Zeichen	dezimal	oktal	hex	Zeichen
64	100	40	@	96	140	60	'
65	101	41	A	97	141	61	a
66	102	42	B	98	142	62	b
67	103	43	C	99	143	63	c
68	104	44	D	100	144	64	d
69	105	45	E	101	145	65	e
70	106	46	F	102	146	66	f
71	107	47	G	103	147	67	g
72	110	48	H	104	150	68	h
73	111	49	I	105	151	69	i
74	112	4A	J	106	152	6A	j
75	113	4B	K	107	153	6B	k
76	114	4C	L	108	154	6C	l
77	115	4D	M	109	155	6D	m
78	116	4E	N	110	156	6E	n
79	117	4F	O	111	157	6F	o
80	120	50	P	112	160	70	p
81	121	51	Q	113	161	71	q
82	122	52	R	114	162	72	r
83	123	53	S	115	163	73	s
84	124	54	T	116	164	74	t
85	125	55	U	117	165	75	u
86	126	56	V	118	166	76	v
87	127	57	W	119	167	77	w
88	130	58	X	120	170	78	x
89	131	59	Y	121	171	79	y
90	132	5A	Z	122	172	7A	z
91	133	5B	[	123	173	7B	{
92	134	5C	\	124	174	7C	|
93	135	5D	]	125	175	7D	}
94	136	5E	^	126	176	7E	~
95	137	5F	_	127	177	7F	(DEL)

Bildschirmsteuerzeichen

Die folgenden Steuerzeichen entsprechen dem ANSI-Standard zur Steuerung des Bildschirms. Das Zeichen # ist durch die entsprechende dezimale Zahl zu ersetzen.

ESC[#**A**	Cursor # Zeilen hoch
ESC[#**B**	Cursor # Zeilen tiefer
ESC[#**C**	Cursor # Zeichen nach rechts
ESC[#**D**	Cursor # Zeichen nach links
ESC[z, s**H** oder ESC[z ; s**f**	Cursor in Zeile z und Spalte s setzen
ESC[**s**	Cursorposition sichern
ESC[**u**	Gesicherte Cursorposition laden
ESC[#**K**	# = 0: Löschen ab Cursorposition bis Zeilenende
	# = 1: Löschen ab Zeilenanfang bis Cursorposition
	# = 2: Löschen der ganzen Zeile
ESC[**2J**	Bildschirm löschen
ESC[#(;#...)$_{op}$**m**	# = 0: alle Attribute normal
	# = 1: doppelte Helligkeit ein
	# = 4: Unterstreichen ein (Monochrom-Bild-schirm)
	# = 5: Blinken ein
	# = 7: Invers ein
	# = 3x: Vordergrundfarbe
	# = 4x: Hintergrundfarbe

x = 0: Schwarz	x = 4: Blau
x = 1: Rot	x = 5: Magenta
x = 2: Grün	x = 6: Cyan
x = 3: Gelb	x = 7: Weiß

ESC[c1;c2**p**	Tastaturbelegung ändern: Die Taste mit dem dezima-len Code c1 liefert anschließend den Code c2.

Damit die Steuerzeichen wirksam sind, muss ein entsprechender Bildschirmtreiber geladen sein. Unter Windows9x beispielsweise geschieht dies durch folgende Zeile in der
Datei CONFIG.SYS:

```
DEVICE = C:\Windows\Command\Ansi.sys
```

Windows NT, XP und 2000 unterstützen diese Steuerzeichen nicht (vgl. Seite 145, Anm.).

Compiler, Beispiele und Lösungen

Von der folgenden Webseite des Verlages können Sie alle Beispielprogramme und Musterlösungen aus dem Buch downloaden:

```
http://www.mitp.de/808
```

Nach dem Download und Entpacken der Zip-Datei in ein Verzeichnis Ihrer Wahl sehen Sie zwei Verzeichnisse und eine Readme-Datei. Beide Verzeichnisse enthalten alle Quelldateien des Buches. Ein Verzeichnis ist für das Arbeiten mit der Entwicklungsumgebung Visual Studio 2017 von Microsoft vorbereitet und enthält insbesondere die entsprechenden Projektdateien. Weitere Informationen zu den Quelldateien finden Sie in der Readme-Datei.

Visual Studio installieren

Der Compiler Visual C++ von Microsoft ist in der kostenlosen Version von Visual Studio enthalten:

- Visual Studio Community[1]

Die Community-Version entspricht weitgehend der Version Visual Studio Professional. Alle Visual-Studio-Versionen stehen zum Download auf der folgenden Microsoft-Seite bereit:

```
https://www.visualstudio.com/de/downloads/
```

Die Installation ist normalerweise unproblematisch und beinhaltet das aktuelle Microsoft .NET Framework. Die aktuelle Version Visual Studio 2017 benötigt als Systemvoraussetzung Windows 7 Service Pack 1 oder höher. Wählen Sie bei der Installation mindestens den Workload „Desktopentwicklung mit C++" aus. Visual Studio unterstützt auch viele weitere Programmiersprachen, insbesondere C# und Visual Basic.

Innerhalb der ersten 30 Tage nach der Installation können Sie sich mit Ihrer E-Mail-Adresse ein Microsoft-Konto einrichten und das Produkt registrieren.

Mit Visual Studio arbeiten

Mit Visual Studio können Sie die im Buch vorgestellten Beispielprogramme nachvollziehen und die Lösungen zu den Übungen programmieren. Um Visual Studio zu starten, klicken Sie auf dem Desktop oder im Startmenü von Windows auf das entsprechende Symbol. Wenn es dort noch nicht vorhanden ist, finden Sie Visual Studio unter allen Apps in der Gruppe V. Mit einem Rechtsklick auf

---

1. Die Community-Version ist kostenlos für Studenten, einzelne Entwickler und Open-Source-Anwendungen.

das Symbol von Visual Studio können Sie es dann am Startmenü und/oder an die Taskleiste anheften.

Für jedes Programm, das mit Visual Studio erstellt werden soll, ist ein Projekt anzulegen. Das Projekt enthält die zu compilierenden Dateien und legt fest, wie diese übersetzt werden. Die Informationen zu einem Projekt werden in einer Datei mit der Endung .vcxproj gespeichert.

Jedes Projekt ist in einer Projektmappe enthalten, die auch mehrere Projekte umfassen kann. In der englischen Version heißt eine Projektmappe „Solution" und die entsprechende Datei hat die Endung .sln (für *engl.* solution). Zum Öffnen einer vorhandenen Projektmappe genügt es, im Windows-Explorer die entsprechende Datei mit der Endung .sln doppelt anzuklicken.

Wenn Sie ein Programm neu entwickeln, legen Sie zunächst ein leeres Projekt in einer Projektmappe an und fügen später neue oder vorhandene Quelldateien hinzu. Klicken Sie dazu im Menü DATEI auf den Punkt Neu->Projekt... oder auf das entsprechende Icon in der Symbolleiste. In dem sich öffnenden Dialog wählen Sie links unter Installiert den Projekttyp Visual C++ und darunter Windows Desktop aus. Rechts davon klicken Sie auf die Vorlage Windows-Desktopassistent. Außerdem legen Sie noch den Namen des Projekts und seinen Speicherort fest. Wenn Sie auf OK klicken, öffnet sich der Desktopassistent. Wählen Sie hier den Anwendungstyp Konsolenanwendung und die Option Leeres Projekt aus. (ATL, MFC und SDL werden nicht benötigt.) Schließen Sie nun den Vorgang mit OK ab.

In Visual Studio sehen Sie jetzt rechts den Projektmappen-Explorer mit einer Projektmappe, die Ihr neues C++-Projekt enthält. Die angezeigten Ordner „Headerdateien", „Quelldateien" und „Ressourcendateien" enthalten Ihre Quelldateien. Diese sind natürlich noch leer. Klicken Sie mit der rechten Maustaste auf den Projektnamen und dann auf Hinzufügen, um neue oder vorhandene Quelldateien hinzuzufügen. Nachdem Sie den Quellcode eingegeben haben, können Sie nun das Programm übersetzen und ausführen.

Um ein Programm zu übersetzen und mit dem Debugger auszuführen, genügt es, die Taste $\boxed{\text{F5}}$ zu drücken. Mit der Tastenkombination $\boxed{\text{Strg}}$ + $\boxed{\text{F5}}$ kann das Programm auch ohne den Debugger ausgeführt werden. Dann wird das Konsolenfenster, in dem das Programm läuft, am Ende des Programms auch erst nach Drücken einer Taste geschlossen.

Wenn Sie mehrere Projekte in einer Projektmappe verwalten, ist ein Projekt das Startprojekt. Zur Auswahl klicken Sie im Projektmappen-Explorer mit der rechten Maustaste zunächst auf das gewünschte Projekt und dann auf den Punkt Als Startprojekt festlegen. Es ist auch möglich, nur ein einzelnes Projekt zu übersetzen, ohne es auszuführen. Entsprechende Symbole finden Sie auf der Symbolleiste ERSTELLEN. Wenn diese nicht angezeigt wird, können Sie die Symbolleiste im Menü ANSICHT unter Symbolleisten auswählen.

Alle Programme in diesem Buch verwenden ausschließlich die standardisierten C++-Sprachmittel. Sie sind deshalb unabhängig vom Betriebssystem und können beispielsweise auch auf UNIX- oder Mac-Rechnern übersetzt und ausgeführt werden. Aus dem Grund muss ein Projekt als Konsolenanwendung festgelegt werden. Konsolenanwendungen sind vollwertige Windows-Anwendungen, allerdings ohne grafische Benutzeroberfläche.

Anhang B

Glossar

Adapterklasse ist ein Klassen-Template der Standardbibliothek, das aus einem sequenziellen Container konstruiert wird. Es erhält den Container-Typ als Template-Argument. Der Konstruktor speichert einen Container dieses Typs in einem protected-Datenelement.

Allocator-Klasse ist ein Klassen-Template, das den Speicher von Objekten dynamisch verwaltet und mit deren Typ parametrisiert ist. Die Standard-Allocator-Klasse `allocator<T>` verwendet die globalen Operatoren new und `delete`.

Alternativen werden die möglichen Datentypen einer Variante genannt.

Anfangswert ist ein Wert, der einem Objekt bei der Initialisierung zugewiesen wird. Ist das Objekt vom Typ einer Klasse, so wird die Initialisierung durch einen Konstruktor der Klasse vorgenommen.

ANSI (American National Standards Institute) – amerikanisches Standardisierungsgremium. In Deutschland entspricht dies dem **D**eutschen **I**nstitut für **N**ormung (DIN).

ANSI-Zeichensatz ist ein 8-Bit-Code zur Darstellung von Zeichen. Er enthält den ASCII-Code und weitere Zeichen, wie z.B. deutsche Umlaute.

any ist eine Klasse zur Darstellung eines Objekts, das irgendein Objekt enthält oder leer ist. Das enthaltene Objekt kann einen beliebigen Typ haben.

Argument ist ein Ausdruck, der beim Aufruf an eine Funktion oder bei der Instantiierung an ein Template übergeben wird.

Arithmetik → Zeiger, → Datentyp, arithmetischer

Array → Vektor

ASCII-Code (**A**merican **S**tandard **C**ode for **I**nformation **I**nterchange) ist ein 7-Bit-Code zur Darstellung von Zeichen. Er definiert die Codes von 32 Steuerzeichen (Codes: 0–31) und 96 druckbaren Zeichen (Codes: 32–127).

Aufruf → Funktionsaufruf

Aufrufumgebung ist beim Exception-Handling Teil eines Programms, in dem ausgelöste Exceptions aufgefangen und Fehler behandelt werden.

Aufzählungstyp ist ein selbst definierter ganzzahliger Datentyp. Bei der Definition werden die möglichen Werte und Namen für diese Werte festgelegt.

Ausdruck ist eine Konstante, Variable, Funktion oder allgemein eine Kombination von Operatoren und Operanden. Jeder Ausdruck hat einen Typ und – sofern dieser Typ nicht `void` ist – einen Wert.

Ausnahmebehandlung → Exception-Handling

auto ist ein Platzhalter für einen Typ. Bei der Definition einer Variablen wird der Typ aus dem Typ des Initialisierungswerts automatisch abgeleitet. Ist der Return-Typ einer Funktion als `auto` deklariert, so ermittelt der Compiler den konkreten Typ aus dem Typ des Return-Werts der Funktion. → Structured Bindings

automatisch → Lebensdauer

Backslash ist das Zeichen \. Es kennzeichnet in C++ den Beginn einer Escape-Sequenz. Strings sowie der Ersatztext von Makros können nach einem Backslash am Ende einer Zeile in der nächsten Zeile fortgesetzt werden.

Basisinitialisierer wird bei der Definition des Konstruktors einer abgeleiteten Klasse angegeben und besteht aus dem Namen der Basisklasse und in runden Klammern eingeschlossenen Argumenten für einen Konstruktor der Basisklasse.

Basisklasse ist eine Klasse, aus der eine andere Klasse direkt oder indirekt abgeleitet ist. Eine Klasse A heißt indirekte Basisklasse einer Klasse C, wenn eine von A abgeleitete Klasse B die Basisklasse der Klasse C ist.

Basisklasse, virtuelle ist eine als `virtual` deklarierte Basisklasse. Kommt sie im Vererbungsdiagramm als indirekte virtuelle Basisklasse mehrfach vor, so sind ihre Datenelemente in der mehrfach abgeleiteten Klasse nur einmal enthalten.

Basisklassenzeiger ist ein Zeiger auf eine Basisklasse. Er kann ein Objekt vom Typ der Basisklasse und aller davon abgeleiteten Klassen adressieren.

Bedingung ist ein boolescher Wert, der in einer Verzweigung oder Schleife abgefragt wird. Mit Hilfe der booleschen Operatoren können mehrere Bedingungen als zusammengesetzte Bedingung formuliert werden.

Bedingungsvariablen können Threads in Abhängigkeit vom Wert einer Bedingung blockieren und Blockierungen aufheben. Auf diese Weise sind Methodenaufrufe bei der Kommunikation von Threads synchronisierbar. Zur Darstellung in einem C++-Programm ist in der Standardbibliothek die Klasse `condition_variable` definiert.

Bewertung, bedingte ist eine Verzweigung, die mit dem Auswahloperator ? : einen von zwei Ausdrücken auswählt.

Bezeichner → Name

binär → Operator, binärer

Binärmodus ist ein Eröffnungsmodus für eine Datei, bei dem alle Bytes unverändert in die bzw. aus der Datei übertragen werden. Für den wahlfreien Dateizugriff muss eine Datei im Binärmodus geöffnet sein.

Bindung hat ein Name, wenn er dieselbe Entität bezeichnet wie ein gleicher Name, der in einem anderen Geltungsbereich deklariert ist. Bei externer Bindung wird der Bezeichner dem Linker bekannt gegeben, bei interner nicht. Funktionsparameter oder Typnamen haben keine Bindung.

Bitcodierung verwendet einzelne Bits zur rationellen Darstellung von Informationen auf wenig Speicherplatz. Der Zugriff auf einzelne Bits geschieht mit Hilfe von Bit-Operatoren.

Bitfeld ist eine zusammenhängende Bitfolge innerhalb eines Rechnerwortes. Sofern das Bitfeld einen Namen besitzt, kann es mit diesem angesprochen werden. Ein namenloses Bitfeld erzeugt eine Lücke im Rechnerwort.

Bit-Maske ist ein ganzzahliger Wert, der zur Bitcodierung verwendet wird, um bestimmte Bits zu setzen, zu löschen oder zu invertieren.

Bitset ist ein assoziativer Container, der Bitfolgen beliebig vorgegebener Länge darstellt und Bit-Operatoren zur Manipulation der Bits zur Verfügung stellt. Er ermöglicht, Daten mit minimalem Speicherverbrauch darzustellen.

Block ist im Quellcode eines Programms eine Folge von Anweisungen, die in geschweiften Klammern { } eingeschlossen ist. Syntaktisch ist ein Block äquivalent zu einer Anweisung. → blockorientiert

blockorientiert sind externe Massenspeicher, wie Festplatten. Die Daten werden in Blöcken übertragen, deren Größe ein Vielfaches von 512 Byte ist.

bool ist in C++ der Datentyp zur Darstellung von booleschen Werten. Eine Variable vom Typ `bool` belegt zwei Byte.

boolesch ist ein Wert, der „wahr" (`true`) oder „falsch" (`false`) ist, wie z.B. das Ergebnis eines Vergleichs. Ein numerischer Wert wird als „falsch" interpretiert, wenn sein Wert 0 ist, ein von 0 verschiedener Wert als „wahr".

byte ist ein Typ zur Darstellung eines Bytes im Speicher. Er ist in der Header-Datei `<cstddef>` als ein `enum` mit dem Basistyp `unsigned char` definiert.

Call by Reference heißt ein Funktionsaufruf, in dem die Funktion direkt mit dem übergebenen Argument arbeitet und es insbesondere verändern kann. Der entsprechende Parameter ist ein Zeiger oder eine Referenz.

Call by Value heißt ein Funktionsaufruf, bei dem der Wert des Arguments in den entsprechenden Parameter kopiert wird. Die Funktion kann in dem Fall das ursprüngliche Argument nicht verändern.

Cast ist eine Typkonvertierung, die explizit mit einem Cast-Operator veranlasst wird, oder implizit durch den Compiler vorgenommen wird, z.B. wenn in einem Ausdruck Operanden unterschiedliche Datentypen haben.

Cast, dynamischer ist ein expliziter Cast mit dem Operator `dynamic_cast<>`, der speziell für Down-Casts in Klassenhierarchien eingesetzt wird. Der Operator prüft zur Laufzeit, ob die gewünschte Konvertierung zulässig ist.

Cast, statischer ist ein expliziter Cast mit dem Operator `static_cast<>`. Es wird zur Laufzeit nicht überprüft, ob die gewünschte Konvertierung zulässig ist.

C-Cast ist der aus der Programmiersprache C übernommene Cast mit dem Operator `(typ)`, wobei `typ` der Datentyp ist, in den konvertiert wird.

char ist in C++ ein Datentyp zur Darstellung von Zeichen, deren Codes in einem Byte gespeichert werden. Die aktuellen Grenzen des Wertebereichs können mit den Konstanten `CHAR_MIN` und `CHAR_MAX` ermittelt werden.

Code → Zeichencode, → Maschinencode, → ASCII-Code

Comparator-Klasse ist ein Klassen-Template, das zum Vergleichen von Objekten eingesetzt wird und über deren Typ parametrisiert ist. Die Standard-Comparator-Klasse `less<T>` verwendet den Operator < des Typs `T`.

Compiler ist eine Software, die den Quellcode einer Übersetzungseinheit in Maschinencode übersetzt.

Compilierung, bedingte bezeichnet die Möglichkeit, in Abhängigkeit von einer Bedingung bestimmte Teile einer Quelldatei zu übersetzen, andere dagegen nicht. Sie wird mit den Präprozessor-Direktiven `#if`, `#elif` und `#endif` programmiert.

Container speichert Objekte gleichen Typs und bietet Operationen zur Verwaltung dieser Objekte. Die C++-Standard-Bibliothek enthält Klassen-Templates zur Darstellung von sequenziellen und assoziativen Containern.

C-String ist eine in einem `char`-Vektor gespeicherte Zeichenfolge, die mit dem Stringendezeichen `'\0'` abschließt.

C++-Standardbibliothek enthält in Header-Dateien deklarierte Klassen und globale Funktionen. Auch die Header-Dateien und globalen Funktionen der C-Standard-Bibliothek wurden in den C++-Standard übernommen.

Datei speichert Daten permanent auf einem externen Speicher. Der Dateizugriff erfolgt wahlfrei, d.h. an einer beliebigen Dateiposition, oder sequenziell, das heißt, beginnend beim Dateianfang wird nacheinander gelesen/geschrieben.

Dateiposition, aktuelle ist die Position des Bytes, das als nächstes aus einer bzw. in eine Datei übertragen wird. Das erste Byte in einer Datei hat die Position 0. Mit jedem übertragenen Byte erhöht sich die Dateiposition um 1.

Dateipuffer ist ein temporärer Zwischenspeicher für Daten, die in eine Datei geschrieben oder aus ihr gelesen werden.

Dateisystem → Filesystem

Dateizugriff → Datei

Datenabstraktion bezeichnet in der OOP die Möglichkeit, Klassen zur Beschreibung von Objekten zu bilden und Klassenhierarchien aufzubauen.

Datenelement stellt eine der Eigenschaften einer Klasse dar. Es wird in der Klassendefinition mit einem Namen und Datentyp deklariert. Der Speicher für ein Datenelement wird erst beim Erzeugen eines Objekts der Klasse reserviert.

Datenelement, redefiniertes ist ein Datenelement einer abgeleiteten Klasse, das in der Basisklasse bereits mit gleichem Namen definiert ist.

Datenelement, statisches → Klassenvariable

Datenkapselung bezeichnet die Möglichkeit, Daten von Objekten zu verbergen. Sie wird durch private- und protected-Deklarationen realisiert.

Datensatz fasst verschiedene, logisch zusammengehörige Daten zusammen. Er wird traditionellerweise als Struktur, die nur öffentliche Datenelemente und keine Methoden enthält, dargestellt.

Datenstruktur legt fest, wie Daten zu Einheiten zusammengefasst, gespeichert und bearbeitet werden; etwa als Vektoren, Listen oder Bäume. In der OOP wird eine Datenstruktur immer zusammen mit ihren Operationen gesehen.

Datenstruktur, rekursive ist eine Datenstruktur, die einen Zeiger auf eine Datenstruktur desselben Typs enthält.

Datentyp bestimmt die Art der internen Darstellung von Daten und die Größe des dazu benötigten Speicherplatzes. Neben den elementaren Datentypen gibt es die zusammengesetzten Datentypen zur Darstellung von Zeigern, Referenzen, Vektoren, Strukturen, Unions, Bitfeldern und Klassen.

Datentyp, arithmetischer ist ein ganzzahliger Datentyp oder ein Gleitpunkttyp. Mit diesen Datentypen kann „gerechnet" werden.

Datentyp, elementarer ist entweder ein arithmetischer Datentyp oder der Typ `void`.

Datentyp, ganzzahliger ist einer der Datentypen `bool`, `char`, `wchar_t`, `short`, `int` oder `long`.

Deadlock entsteht, wenn sich Threads gegenseitig blockieren. Das ist beispielsweise der Fall, wenn ein Thread im Besitz eines Mutex ist und diesen nicht wieder freigibt. Dann werden alle anderen Threads blockiert, die versuchen, in den Besitz des Mutex zu kommen.

Default-Argument ist ein Wert, den der Compiler beim Funktionsaufruf oder bei der Instantiierung eines Templates für ein fehlendes Argument einsetzt. Default-Argumente müssen bei der Deklaration angegeben werden.

Default-Destruktor ist die Minimalversion eines Destruktors, die vom Compiler erzeugt wird, wenn für eine Klasse kein Destruktor definiert ist.

Default-Konstruktor ist ein Konstruktor, der keine Parameter besitzt. Falls für eine Klasse kein Konstruktor definiert ist, erzeugt der Compiler eine Minimalversion des Default-Konstruktors als `public`-Element.

Definition einer Funktion besteht aus dem Funktionskopf und dem Funktions-block. Der Compiler erzeugt aus der Definition den Maschinencode der Funktion.

Definition einer Klasse beginnt mit dem Schlüsselwort `class`, gefolgt vom Namen der Klasse und einem Block, in dem die Elemente der Klasse als `private`, `protected` oder `public` deklariert sind.

Definition eines Objekts ist eine Anweisung, die den Namen und den Datentyp des Objekts festlegt. Dabei wird der entsprechende Speicherplatz reserviert und ggf. initialisiert. → Initialisierung

Deklaration ist eine Anweisung, die dem Compiler die Bedeutung eines Namens bekannt gibt. Bei einer Variablen wird auch ihr Typ bekannt gegeben. Bei einer Funktion wird außerdem der Typ jedes ihrer Argumente angegeben.

Deklaration, komplexe ist eine Deklaration, in der mehr als einer der Operatoren `[]`, `()`, `*` und `&` vorkommt.

Destruktor ist eine Methode, die aufgerufen wird, um ein Objekt zu zerstören. Der Name eines Destruktors ist der Klassenname mit führendem `~`. Ein Destruktor besitzt keinen Parameter und keinen Ergebnistyp.

Destruktor, virtueller ist ein als `virtual` deklarierter Destruktor. Eine Basisklasse sollte ihn stets besitzen, damit der passende Destruktor aufgerufen wird, wenn ein Objekt über einen Basisklassenzeiger angesprochen wird.

Dezimalzahl → Konstante, dezimale

Directory → Verzeichnis

Direktive → Präprozessor

`double` ist ein Datentyp zur Darstellung von Gleitpunktzahlen, die mit einer Genauigkeit von 15 Stellen in 8 Byte gespeichert werden.

Down-Cast ist eine Typumwandlung, die in einer Klassenhierarchie „nach unten" geht. Sie ist nur explizit durch eine Cast-Konstruktion möglich.

dynamisch → Speicherverwaltung, dynamische → Element, dynamisches

Editor → Texteditor

Element einer Klasse ist eine Methode oder ein Datenelement der Klasse.

Element, dynamisches ist ein Datenelement, dessen Speicher zur Laufzeit dynamisch reserviert wird. Die entsprechende Klasse besitzt lediglich einen Zeiger auf den dynamisch reservierten Speicher.

Element, redefiniertes ist ein Element einer abgeleiteten Klasse, das mit gleichem Namen auch in der Basisklasse definiert ist.

Element, statisches ist ein statisches Datenelement oder eine statische Methode einer Klasse.

Elementfunktion → Methode

Elementinitialisierer wird bei der Definition eines Konstruktors angegeben und besteht aus dem Namen eines Datenelements und dessen Anfangswert, der in runden Klammern eingeschlossen wird.

Entität ist ein Wert, ein Objekt, ein Element einer Klasse, ein Vektorelement, eine Funktion, ein Typ, ein Template oder ein Namensbereich.

Entwicklungsumgebung, integrierte bietet eine einheitliche Benutzeroberfläche, um ein Programm zu editieren, zu kompilieren, zu linken und auszuführen. Außerdem können Tools, wie z.B. Debugger, gestartet werden.

Eröffnungsmodus legt fest, ob eine Datei zum Lesen und/oder Schreiben geöffnet wird, und zwar im Text- oder Binärmodus, und ob die Schreib-/Leseposition auf den Dateianfang oder das Dateiende gesetzt wird.

Escape-Sequenz stellt ein nicht druckbares Zeichen, ein Sonderzeichen oder ein Zeichen mit einem bestimmten Zeichencode dar. Sie beginnt stets mit dem Backslash \.

Escape-Sequenz, hexadezimale stellt ein Zeichen mit einem hexadezimalen Zeichencode dar, z.B. \x41 (zwei Hex-Ziffern) für A (dezimal 65).

Escape-Sequenz, oktale stellt einen Zeichencode als Oktalzahl dar. z.B. \101 (drei Oktalziffern) für das Zeichen A (dezimal 65) im ASCII-Code.

Exception stellt eine Fehlersituation dar. Mit der throw-Anweisung wird ein Objekt eines bestimmtem Typs, das den Fehler beschreibt, „ausgeworfen". Dieses wird von einem passenden Exception-Handler in der Aufrufumgebung „aufgefangen".

Exception-Handler ist ein catch-Block mit einer Exception-Deklaration, in der der Typ der aufzufangenden Exception deklariert ist. Innerhalb des Blocks stehen die Anweisungen, die den entsprechenden Fehler behandeln.

Exception-Handling ist ein Konzept zur Fehlerbehandlung. Fehler, die in einem bestimmten Programmteil auftreten, werden an eine Aufrufumgebung zur Durchführung einer zentralen Fehlerbehandlung gemeldet.

Exception-Spezifikation gibt bekannt, welche Art von Exceptions eine Funktion auslösen kann. Sie steht im Prototyp der Funktion mit dem Schlüsselwort throw und einer in Klammern eingeschlossenen Liste von Fehlertypen.

explizit inline heißt eine Methode, die außerhalb der Klasse definiert ist und der das Schlüsselwort inline im Funktionskopf vorangestellt ist. Innerhalb der Klasse wird die Methode wie jede andere Methode deklariert.

exponentiell → Notation, exponentielle

extern ist ein Speicherklassen-Spezifizierer, der den programmglobalen Zugriff auf eine Variable oder eine Funktion festlegt.

Fehlerklasse ist eine Klasse, die eine Fehlersituation darstellt. Sie braucht weder Datenelemente noch Methoden zu besitzen. Objekte einer Fehlerklasse werden in einer throw-Anweisung „ausgeworfen" und speichern üblicherweise Informationen über eine Fehlerursache.

Feldbreite legt bei der Ausgabe die Anzahl der Zeichen fest, die mindestens ausgegeben werden. Bei der Eingabe legt die Feldbreite fest, wie viele Zeichen maximal eingelesen werden sollen.

Festpunktdarstellung stellt Gleitpunktzahlen mit ihrem ganzzahligen Anteil, einem Dezimalpunkt und einer festgelegten Anzahl von Nachpunktstellen dar. Die Anzahl der Nachpunktstellen wird durch die Genauigkeit festgelegt.

File-Stream ist ein Objekt vom Typ einer der File-Stream-Klassen ifstream, ofstream und fstream. Diese ermöglichen die komfortable Handhabung von Dateien und stehen in der C++-Standard-Bibliothek zur Verfügung.

Filesystem ist eine mit C++17 neu eingeführte Bibliothek, die den portablen Zugriff auf Dateisysteme ermöglicht. So können beispielsweise Verzeichnisse oder ganze Teilbäume eines hierarchischen Dateisystems bequem durchlaufen werden.

Filter ist ein Programm, das Zeichen von der Standardeingabe liest, diese verarbeitet und zur Standardausgabe schickt.

float ist ein Datentyp zur Darstellung von Gleitpunktzahlen, die mit einer Genauigkeit von 6 Stellen in 4 Byte gespeichert werden.

Formatierungsflag ist ein einzelnes Bit innerhalb einer ganzzahligen Variablen, das zur Formatierung bei der Ein-/Ausgabe mit Streams dient. Die Formatierungsflags sind in der Basisklasse ios der Streamklassen definiert.

friend-Funktion ist eine Funktion, die direkt auf die privaten Elemente einer Klasse zugreifen kann. Zu dem Zweck wird sie in der Klasse als friend deklariert, das heißt, ihrem Prototyp wird das Schlüsselwort friend vorangestellt.

friend-Klasse ist eine in einer anderen Klasse als friend deklarierte Klasse. Alle ihre Methoden sind friend-Funktionen der Klasse, die die friend-Deklaration enthält.

Funktion ist ein „Unterprogramm", das eine bestimmte Aufgabe löst. Die Definition besteht aus dem Funktionskopf und Funktionsblock. Bei ihrem Aufruf verzweigt die Programmausführung zum Maschinencode der Funktion und kehrt nach Verlassen der Funktion zurück in die aufrufende Funktion.

Funktion, rekursive ist eine Funktion, die sich selbst aufruft. Der Selbstaufruf kann auch indirekt erfolgen, indem die Funktion zunächst eine andere oder mehrere andere Funktionen aufruft, bevor sie selbst wieder aufgerufen wird.

Funktionsaufruf ist ein Ausdruck vom Typ der Funktion, dessen Wert der Return-Wert der Funktion ist. Der Ausdruck besteht aus dem Namen der Funktion und ihren Argumenten, die in runden Klammern eingeschlossen sind.

Funktionsblock besteht aus den Anweisungen, die eine Funktion ausführt. Er wird in geschweiften Klammern eingeschlossen.

Funktionskopf besteht aus dem Typ und dem Namen der Funktion sowie einer in runden Klammern eingeschlossenen Parameterliste.

Funktions-Template ist eine Funktionsdefinition, wobei statt eines konkreten Typs ein Parameter eingesetzt ist. Erst bei der Instantiierung wird der Maschinencode einer einzelnen Funktion anhand des Templates erzeugt.

Ganzzahl ist eine Zahl ohne gebrochenen Anteil, wie z.B. 12. Jede Ganzzahl wird intern binär dargestellt. Boolesche Werte und Zeichen werden intern auch als Ganzzahlen behandelt.

Ganzzahldivision entsteht bei der Division mit dem Operator /, wenn beide Operanden einen ganzzahligen Typ haben, z.B. 9/2. Das Ergebnis wird stets zur Ganzzahl abgeschnitten.

Ganzzahlerweiterung wird in Ausdrücken bei der Typanpassung ganzzahliger Operanden eingesetzt: Operanden mit einem kleineren Typ als int werden in den Typ int konvertiert.

Geltungsbereich ist der Bereich, in dem eine Entität direkt mit ihrem Namen angesprochen werden kann. Beispielsweise hat ein innerhalb eines Blocks deklariertes Objekt einen lokalen Geltungsbereich. Für Objekte, die außerhalb jeder Funktion nicht als static definiert sind, ist der Geltungsbereich global.

get-Zeiger enthält die aktuelle Dateiposition einer zum Lesen geöffneten Datei.

Genauigkeit legt bei der Darstellung von Gleitpunktzahlen die Anzahl Dezimalziffern fest, anhand der zwei Gleitpunktzahlen unterschieden werden können. Bei der Ausgabe von Gleitpunktzahlen legt die Genauigkeit die Anzahl der Dezimalziffern fest, die angezeigt werden.

Gleitpunktkonstante ist eine Zahl zur Basis 10 mit gebrochenem Anteil. Sie wird in Festpunktdarstellung oder in exponentieller Notation geschrieben und hat den Typ double. Der Typ kann durch Anhängen von f oder F bzw. l oder L als float bzw. long double festgelegt werden.

Gleitpunkttyp ist ein Datentyp zur Darstellung von Gleitpunktzahlen, nämlich float, double oder long double. Die Gleitpunkttypen unterscheiden sich durch die Größe des belegten Speicherplatzes und ihre Genauigkeit.

Gleitpunktzahl → Gleitpunktkonstante

global → Geltungsbereich

Hashing ist eine Organisationsform für Dateien auf dem externen oder internen Speicher, die den schnellen Zugriff auf Datensätze ermöglicht. Eine Hash-Funktion berechnet aus dem Schlüssel eines Datensatzes seine Adresse in der Datei. Um den schnellen Zugriff zu gewährleisten, muss die Hash-Funktion weitgehend injektiv sein und ihre Werte gut streuen.

Hat-Beziehung besteht zwischen zwei Klassen, wenn die eine Klasse ein Datenelement vom Typ der anderen Klassen besitzt.

Header-Datei ist eine Textdatei mit Informationen, die in verschiedenen Quelldateien gebraucht werden, wie Typdefinitionen oder Prototypen. Der Name einer Header-Datei endet entweder mit .h oder er hat keine Endung.

Heap ist ein Hauptspeicherbereich, der zur dynamischen Speicherreservierung genutzt wird. Je nach Betriebssystem und dessen Konfigurierung kann der Heap durch Auslagerung zusätzlich freien Speichers auf der Festplatte belegen. Als Heap wird auch eine spezielle Datenstruktur bezeichnet, die einen sehr schnellen Sortier-Algorithmus ermöglicht.

Hexadezimalzahl → Konstante, hexadezimale

Hierarchie, von Datentypen ist eine vertikale Anordnung von arithmetischen Datentypen, die zur impliziten Typumwandlung maßgeblich ist.

IEEE-Format (Institute of Electrical and Electronical Engineers) wird zur Darstellung von Gleitpunktzahlen verwendet und beruht auf einer Zerlegung in ein Vorzeichen, eine Mantisse und einen Exponenten zur Basis 2.

Implementierung einer Klasse bedeutet, eine Klasse einschließlich aller Methoden vollständig zu definieren. Unter der Implementierung einer Funktion versteht man das Erstellen der Funktionsdefinition.

implizit inline heißt eine Methode, die bei ihrer Deklaration innerhalb der Klasse auch sofort definiert wird. Hierbei kann das Schlüsselwort `inline` weggelassen werden.

Include-Datei → Header-Datei

Index ist eine Nummer, die ein Vektorelement eindeutig identifiziert. Die Indexierung beginnt stets bei 0. In der Dateiverarbeitung ist ein Index eine Datei mit Schlüsseln und Adressen von Datensätzen aus einer anderen Datei.

Initialisierung ist die Zuweisung von Anfangswerten an ein Objekt bei seiner Definition. Ist das Objekt vom Typ einer Klasse, so werden den Datenelementen Anfangswerte durch einen Konstruktor zugewiesen.

Initialisierungsliste besteht aus einer in geschweiften Klammern eingeschlossenen Folge von Anfangswerten bzw. Konstruktoraufrufen zur Initialisierung einer Struktur oder eines Vektors.

Inkludieren bedeutet das Kopieren einer Header-Datei durch den Präprozessor in den Quellcode einer Übersetzungseinheit.

inline heißt eine Funktion, deren Maschinencode vom Compiler direkt an die Stelle ihres Aufrufs eingefügt wird. Sie wird mit dem Schlüsselwort `inline` definiert, das dem Funktionskopf vorangestellt wird.

Instanz einer Klasse ist ein Objekt vom Typ der Klasse.

Instantiierung eines Templates bezeichnet die Erzeugung einer Funktion oder Klasse anhand des Templates und der übergebenen Template-Argumente.

int ist ein elementarer Datentyp zur Darstellung von positiven und negativen Ganzzahlen. Sein Speicherbedarf ist so groß wie ein Maschinenregister.

I/O-Streambibliothek enthält vordefinierte Klassen in einer Klassenhierarchie zur Darstellung des Ein-/Ausgabesystems von C++. Hierzu gehören z.B. die Klasse `istream` zum Einlesen (z.B. von der Tastatur), `ostream` für die Ausgabe (z.B. auf dem Bildschirm) und `fstream` zur Dateiverarbeitung.

ISO (International Organization for Standardisation) ist ein Gremium, das internationale Standards entwickelt. Anfang 1998 wurde der erste ISO-Standard (CD 14882) für die Programmiersprache C++ verabschiedet.

Ist-Beziehung kennzeichnet die Beziehung zwischen einer Basisklasse und einer davon abgeleiteten Klasse: Ein Objekt der abgeleiteten Klasse „ist" ein spezielles Objekt der Basisklasse.

Iterator ermöglicht das Positionieren und Durchlaufen von Containern. Er heißt bidirektional, wenn vorwärts/rückwärts gelaufen und schreibend/lesend auf Objekte zugegriffen werden kann. Bei Random-Access-Iteratoren ist zusätzlich das wahlfreie Positionieren möglich.

Klasse ist ein Datentyp, der die Eigenschaften und die Fähigkeiten von Objekten dieses Typs festlegt. Die Eigenschaften der Klasse werden durch ihre Datenelemente, die Fähigkeiten durch Methoden dargestellt.

Klasse, abgeleitete wird aus einer oder mehreren bereits existierenden Klassen konstruiert. Sie „erbt" die Daten und Methoden ihrer Basisklassen und kann zusätzlich um weitere Eigenschaften und Fähigkeiten ergänzt werden.

Klasse, abstrakte ist eine Klasse, von der keine Objekte erzeugt werden können, wie z.B. eine Klasse mit rein virtuellen Methoden oder mit einem als `protected` deklarierten Konstruktor.

Klasse, konkrete ist eine Klasse, von der Objekte erzeugt werden können.

Klasse, polymorphe ist eine Klasse mit mindestens einer virtuellen Methode.

Klassenarray ist ein Vektor, dessen Elemente vom Typ einer Klasse sind.

Klassenhierarchie entsteht, wenn Klassen abgeleitet werden. Dabei können abgeleitete Klassen als Basisklassen weiterer Ableitungen verwendet werden.

Klassen-Template legt die Definition einer Klasse fest, wobei statt eines konkreten Typs ein Parameter eingesetzt wird. Erst bei der Instantiierung wird für einen bestimmten Typ eine einzelne Klasse anhand des Templates erzeugt.

Klassenvariable ist ein als `static` deklariertes Datenelement einer Klasse. Dieses wird unabhängig von der Anzahl Objekte der Klasse nur einmal gespeichert und hat eine statische Lebensdauer.

Kommandozeile besteht aus Zeichenfolgen, die beim Start eines Programms als Argumente übergeben werden. Zur Verarbeitung der Argumente muss die Funktion `main()` mit Parametern definiert werden.

konstant → const

Konstante ist eines der Schlüsselworte `true` oder `false`, eine Zahl, ein Zeichen oder eine String-Konstante. Entsprechend unterscheidet man boolesche und numerische Konstanten, Zeichen- und String-Konstanten.

Konstante, boolesche ist eines der Schlüsselworte `true` oder `false`, die beide den Typ `bool` haben. Der Wert `true` wird intern durch die Zahl 1 und `false` durch 0 dargestellt.

Konstante, dezimale ist eine Ganzzahl, die zur Basis 10 dargestellt wird. Sie beginnt mit einer von 0 verschiedenen Ziffer, wie z.B. 123, und hat normalerweise den Typ `int`. → Konstante, ganzzahlige

Konstante, ganzzahlige ist eine Dezimalzahl, eine Oktalzahl oder eine Hexadezimalzahl. Sie hat normalerweise den Typ `int`. Durch Anhängen von `L` oder `l` kann der Typ als `long` bzw. `U` oder `u` als `unsigned` festgelegt werden.

Konstante, hexadezimale ist eine Ganzzahl, die zur Basis 16 dargestellt wird. Sie beginnt mit den beiden Zeichen `0x` oder `0X`, z.B. `0x2a0` oder `0X4B1F` und hat normalerweise den Typ `int`. Die hexadezimalen Ziffern können groß- oder kleingeschrieben werden. → Konstante, ganzzahlige

Konstante, klassenspezifische ist eine Konstante eines Aufzählungstyps, der in einer Klasse definiert ist. Ihr Geltungsbereich ist auf die Klasse beschränkt.

Konstante, numerische ist eine ganzzahlige Konstante oder eine Gleitpunktkonstante.

Konstante, oktale ist eine Ganzzahl, die zur Basis 8 dargestellt wird. Sie beginnt mit einer führenden 0 (z.B. 0177) und hat normalerweise den Typ `int`.

Konstante, symbolische ist ein Makro, der als Konstante definiert ist.

Konstruktor ist eine Methode ohne Return-Wert, die zur Initialisierung eines Objekts aufgerufen wird. Ihr Name ist der Klassenname. Konstruktoren derselben Klasse unterscheiden sich durch ihre Signatur.

Konvertierungsfunktion ist eine Operatorfunktion, die als Methode definiert ist und ein Objekt der Klasse in einen anderen Datentyp umwandelt.

Konvertierungskonstruktor führt eine Typumwandlung eines anderen Datentyps in die aktuelle Klasse durch, indem er aus dem übergebenen Argument des anderen Typs ein neues Objekt der Klasse erzeugt.

Kopierkonstruktor ist ein Konstruktor, der ein neu anzulegendes Objekt mit einem bereits existierenden Objekts desselben Typs initialisiert. Für Klassen mit dynamischen Elementen muss er selbst definiert werden.

Länge eines Vektors oder Containers ist die Anzahl der im Vektor bzw. Container enthaltenen Objekte. Bei einem C-String zählt das Stringende-Zeichen nicht mit.

Lambda-Funktion ist eine lokale, anonyme Funktion, die auf Objekte ihrer Umgebung zugreifen kann.

Laufbedingung ist ein boolescher Ausdruck, der die Anzahl von Schleifendurchläufen festlegt.

Lebensdauer eines Objekts beginnt mit seiner Erzeugung und endet mit seiner Zerstörung. Sie ist *statisch*, wenn das Objekt nach der Erzeugung während der gesamten Programmausführung existiert, und *automatisch*, wenn das Objekt bei jedem Eintritt in den Block neu erzeugt und am Ende des Blocks zerstört wird. Ein mit dem Operator new erzeugtes Objekt hat eine *dynamische* Lebensdauer.

Linker ist eine Software, die Objektdateien mit Funktionen der Standardbibliothek und mit selbst erstellten, schon früher kompilierten Programmteilen zu einer ausführbaren Datei bindet.

Liste, inhomogene ist eine lineare Liste, deren Elemente verschiedene Datentypen haben können. Normalerweise werden die zu speichernden Daten als Objekte von Klassen aus einer Klassenhierarchie dargestellt.

Liste, lineare besteht aus endlich vielen, linear angeordneten Listenelementen. Die Listenelemente enthalten normalerweise Daten desselben Typs. Ein Beispiel für eine lineare Liste ist ein Vektor.

Liste, verkettete ist eine lineare Liste, deren Elemente dynamisch alloziert werden. Jedes Listenelement enthält neben den zu speichernde Daten einen Zeiger auf das nachfolgende Listenelement.

Literal → Konstante

Lock vermeidet Deadlocks in einem Programm, wenn eine Exception auftrat und ein Mutex nicht freigegeben werden kann. Ein Lock ist durch ein Objekt der Template-Klasse `lock_guard<mutex>` darstellbar und erhält bei seiner Vereinbarung den Mutex als Argument. Beim Erzeugen bzw. Zerstören des Locks wird für diesen Mutex die Methode `lock()` bzw. `unlock()` aufgerufen.

lokal → Geltungsbereich

long ist ein elementarer Datentyp zur Darstellung von positiven und negativen Ganzzahlen. Sein Speicherbedarf beträgt mindestens 4 Byte.

long double ist ein Typ zur Darstellung von Gleitpunktzahlen. Sie werden mit einer Genauigkeit von 19 Stellen in 10 Byte gespeichert.

L-Wert ist ein Ausdruck, der ein Objekt im Speicher des Rechners bezeichnet, wie z.B. ein Variablenname oder ein Ausdruck mit Referenztyp.

Manipulator ist eine Funktion zur Formatierung von Ein-/Ausgaben, die in einen Stream „eingefügt" wird. Die Verwendung von Manipulatoren ist einfacher als die direkte Veränderung von Formatierungsflags.

Makro ist ein mit der #define-Direktive definierter Name für eine Konstante oder eine Befehlsfolge. Es kann auch mit Parametern definiert werden, die beim Aufruf durch die aktuellen Argumente ersetzt werden.

Map ist ein assoziativer Container, der Objekt/Schlüssel-Paare in einer Baumstruktur effizient verwaltet. Der Schlüssel ist eindeutig und dient zur Identifizierung eines Objekts. Er wird separat gespeichert.

Marke ist ein Name gefolgt von einem Doppelpunkt. Dadurch wird eine Stelle im Programm gekennzeichnet, zu der die Programmausführung mit einer goto-Anweisung innerhalb einer Funktion verzweigen kann.

Maschinencode wird vom Compiler bei der Übersetzung einer Quelldatei erzeugt und als Objektdatei gespeichert.

Matrix ist ein zweidimensionaler Vektor. Jedes Matrixelement ist durch seinen Zeilen- und Spaltenindex eindeutig bestimmt. Die Indexierung beginnt bei 0.

Mehrfachvererbung liegt vor, wenn eine Klasse mehrere Basisklassen hat. Dann erbt die abgeleitete Klasse die Elemente jeder Basisklasse.

Mehrfachzuweisung ist ein Ausdruck, in dem der Zuweisungsoperator mehrfach vorkommt, wie z.B. bei i = j = 7.

Methode ist eine zu einer Klasse gehörende Funktion, die mit den Datenelementen der Klasse bestimmte Operationen ausführt.

Methode, rein virtuelle ist eine virtuelle Methode, für die in der VMT der NULL-Zeiger eingetragen ist. Sie legt die Schnittstelle für allgemeine Operationen fest, die erst in abgeleiteten Klassen implementiert werden.

Methode, statische ist eine Methode, die in einer Klasse als static deklariert ist und auf Klassenvariablen zugreifen kann. Sie hat keinen Zugriff auf Elemente der Klasse, die selbst nicht statisch sind.

Methode, virtuelle ist eine als virtual deklarierte Methode, die üblicherweise in abgeleiteten Klassen redefiniert wird. Beim Aufruf über einen Basisklassen-Zeiger wird dann die für das Objekt passende Version der Methode ausgeführt.

Methodentabelle, virtuelle (VMT) ist ein Vektor mit den Adressen der virtuellen Methoden einer polymorphen Klasse.

Modifizierer ist eines der Schlüsselworte unsigned oder signed.

Modul ist eine vom Compiler in Maschinencode übersetzte Quelldatei.

Modulodivision wird mit dem Operator % ausgeführt und liefert den Rest der ganzzahligen Division. So ergibt z.B. 9%4 die Zahl 1.

Move-Konstruktor erzeugt aus einem als Argument übergebenen Objekt obj, das ein R-Wert ist, ein neues Objekt, in das die Datenelemente von obj verschoben werden. Typischerweise werden Move-Konstruktoren für Klassen mit dynamischen Elementen eingesetzt, um tiefe Kopien auf dem Heap zu vermeiden.

Move-Zuweisung weist ein rechts vom Zuweisungsoperator stehendes Objekt, das ein R-Wert ist, dem links stehenden Objekt zu. Typischerweise wird die Move-Zuweisung für Klassen mit dynamischen Elementen definiert, um tiefe Kopien auf dem Heap zu vermeiden.

Multimap ist ein assoziativer Container, der Objekt/Schlüssel-Paare in einer Baumstruktur effizient verwaltet. Der Schlüssel wird separat gespeichert. Es kann mehrere Objekte mit demselben Schlüssel geben.

Multiset ist ein assoziativer Container, der Objekte mit sortierbaren Schlüsseln in einer Baumstruktur effizient verwaltet. Der Schlüssel ist ein Datenelement eines Objekts. Objekte können in einem Multiset mehrfach vorkommen.

mutable ist ein Speicherklassen-Spezifizierer, der einem nicht-statischen und nicht-konstanten Datenelement einer Klasse vorangestellt werden kann. Eine Read-only-Methode der Klasse kann dann das Datenelement ändern. Mit dem Aufruf dieser Methode ist so auch ein als `const` deklariertes Objekt der Klasse veränderbar.

Mutex verhindert konkurrierende Speicherzugriffe von Threads in einem Programm. Er ist durch ein Objekt der Klasse `mutex` darstellbar. Ein Thread erhält den Mutex durch einen Aufruf der Methode `lock()` und gibt ihn mit dem Aufruf von `unlock()` wieder frei.

Name bezeichnet eine Marke oder eine Entität, wie z.B. ein Objekt. Jeder Name muss vor seiner Verwendung deklariert werden.

Namensbereich wird gebildet, um Namenskonflikte bei globalen Bezeichnern auszuschalten. Elemente eines Namensbereichs können innerhalb dieses Bereichs unmittelbar mit ihrem Namen angesprochen werden.

New-Handler ist eine Funktion, die aufgerufen wird, wenn versucht wird, mit `new` Speicher dynamisch zu reservieren, jedoch nicht genügend Speicherplatz auf dem Heap verfügbar ist. Er löst standardmäßig eine Exception aus.

Notation, exponentielle ist eine Schreibweise für Gleitpunktkonstanten, z.B. stellt 1.2E-5 die Zahl $1.2*10^{-5}$ dar. Für E darf auch e geschrieben werden. Der Dezimalpunkt oder die Angabe von E bzw. e ist notwendig.

Nullerweiterung ist ein Verfahren, das einen unsigned-Typ in einen größeren ganzzahligen Typ umwandelt: Das Bitmuster der umzuwandelnden Zahl wird auf die Länge des neuen Typs gebracht und von links mit Nullen aufgefüllt.

Objekt ist eine Variable vom Typ einer Klasse. Beim Anlegen eines Objekts wird der Speicherplatz für die Datenelemente der Klasse reserviert.

Objekt, konstantes → `const`

Objektdatei → Modul

objektorientiert ist ein Konzept für Programmiersprachen, das Datenabstraktion, Datenkapselung, Vererbung und Polymorphie unterstützt.

Oktalzahl → Konstante, oktale

Operand ist ein Ausdruck, der unmittelbar vor oder hinter einem Operator steht und mit dem der Operator eine Operation ausführt.

Operator führt mit seinem/seinen Operanden eine Operation aus. Beispielsweise addiert der Operator + seine beiden Operanden. Ein unärer Operator besitzt nur einen Operanden, ein binärer Operator zwei.

Operator, arithmetischer ist ein Operator, dessen Operanden einen arithmetischen Datentyp haben, wie z.B. +, -, * und /.

Operator, überladener ist ein Operator, der für verschiedene Datentypen definiert ist. Für die elementaren Datentypen sind die meisten Operatoren bereits überladen.

Für eine Klasse wird ein Operator überladen, indem eine entsprechende Operatorfunktion definiert wird.

Operatorfunktion ist eine globale Funktion oder Methode, die die Anweisungen festlegt, die ein Operator ausführen soll. Ihr Name beginnt mit dem Schlüsselwort `operator`, dem das Operatorsymbol folgt.

optional ist ein Template, das einen anderen Datentyp mit der zusätzlichen Fähigkeit erweitert, auch den Zustand „kein Wert" zu repräsentieren.

Paar besteht aus zwei Werten, die verschiedene Typen haben können, beispielsweise ein Schlüssel/Objekt-Paar. Zur Darstellung von Paaren ist in der C++-Standardbibliothek das Template `pair` definiert.

Parameter ist eine lokale Variable, die im Kopf einer Funktion innerhalb von runden Klammern deklariert ist. Sie wird beim Aufruf der Funktion erzeugt und mit dem Wert des entsprechenden Arguments initialisiert.

Parameterliste enthält die Namen und Typen der Parameter einer Funktion. Mehrere Parameter werden durch Kommas getrennt. Die Liste kann auch leer sein, was gleichbedeutend mit der Typangabe `void` ist.

Persistenz eines Objekts bedeutet das Speichern des Objekts in einer Datei, so dass das Objekt beim Einlesen wieder exakt rekonstruiert werden kann.

Pfad identifiziert eine Datei in einem Dateisystem und besteht aus einer Folge von Namen. Der erste Name ist ein optionaler *Wurzelname* (engl. *root-name*), wie beispielsweise die Laufwerksangabe „C:" unter Windows.

Polymorphie (griech. Vielgestaltigkeit) bezeichnet in der OOP die Möglichkeit der Ausführung von Anweisungen, die zur Laufzeit verschiedene Wirkungen haben können. → Methode, virtuelle

Portabilität bezeichnet die Übertragbarkeit von Programmen auf verschiedene Rechner.

Positionierungsflag ist eines der drei Flags `ios:begin`, `ios:cur` oder `ios:end` vom Typ `ios:seekdir`. Mit ihnen kann die wahlfreie Positionierung relativ zum Dateianfang, zur aktuellen Dateiposition oder zum Dateiende erfolgen.

Postfix-Notation inkrementiert eine Variable um 1, z.B. `i++`.

Präfix-Notation inkrementiert eine Variable um 1, z.B. `++i`.

Präprozessor ist ein Teil der ersten Übersetzungsphase, bei der noch kein Objektcode erzeugt wird. Die vom Präprozessor auszuführenden Aktionen heißen Direktiven und beginnen mit einem Doppelkreuz #.

Priorität → Vorrang

private-Deklarationteil besteht aus den Elementen einer Klasse, die als `private` deklariert sind. Der Zugriff auf die privaten Elemente ist nur innerhalb von Methoden derselben Klasse möglich.

Projekt wird in einer integrierten Entwicklungsumgebung zur Verwaltung verschiedener Quelldateien, Header-Dateien und Bibliotheken angelegt.

Prototyp deklariert eine Funktion, d.h. gibt den Namen und Typ der Funktion sowie den Datentyp jedes Arguments bekannt.

Pseudo-Position ist ein vordefinierter Wert, der als Position nicht vorkommen kann und so eine erfolglose Aktion bzw. einen Fehler anzeigt. Bei Vektoren wird üblicherweise der Wert -1 und bei Zeigern der Wert NULL verwendet.

public-Deklarationsteil → Schnittstelle, öffentliche

put-Zeiger enthält die aktuelle Dateiposition einer zum Schreiben geöffneten Datei.

Quellcode ist ein in einer Programmiersprache erstellter Programmtext.

Quelldatei ist der in einer Textdatei abgelegte Quellcode eines Programms oder eines Programmteils.

Read-only wird ein Objekt, eine Referenz, ein Zeiger oder eine Methode genannt, die mit dem Schlüsselwort `const` als konstant vereinbart ist. Dann ist nur der lesende Zugriff erlaubt.

Redefinition → Element, redefiniertes

Referenz ist ein anderer Name für ein bereits existierendes Objekt. Bei der Definition einer Referenz wird also kein neuer Speicherplatz belegt.

Referenztyp ist ein abgeleiteter Typ der Form `T&`. Dabei darf `T` ein beliebiger Typ sein.

rekursiv → Funktion, rekursive → Datenstruktur, rekursive

Return-Wert ist der Wert, den eine Funktion mit der Return-Anweisung zurückgibt.

R-Wert ist ein Ausdruck, der kein L-Wert ist. Beispielsweise ist eine Konstante oder ein Ausdruck wie `x + 1` ein R-Wert.

Schleife wird gebildet, um eine Gruppe von Anweisungen mehrfach auszuführen.

Schlüssel dient zur Identifizierung eines Datensatzes, wie z.B. eine Kontonummer ein Konto identifiziert.

Schlüsselwort ist ein vordefiniertes Wort, mit dem z.B. eine Anweisung formuliert oder ein Typ spezifiziert werden kann.

Schnittstelle, öffentliche besteht aus den Elementen, die in einer Klasse als `public` deklariert sind. Ein Anwendungsprogramm, das mit einem Objekt arbeitet, kann nur auf die `public`-Elemente des Objekts zugreifen.

Schnittstelle, polymorphe wird durch mindestens eine rein virtuelle Methode festgelegt. Besitzen abgeleitete Klassen eigene Definitionen der virtuellen Methode, so wird die passende Version der Methode ausgeführt, wenn ein Objekt über einen Basisklassenzeiger bzw. -Referenz angesprochen wird.

Schreibweise, exponentielle → Notation, exponentielle

Seiteneffekt kann durch den Inkrement- und Dekrementoperator entstehen, wenn diese in einem komplexen Ausdruck den Wert einer Variablen verändern.

sequenziell → Datei

Set ist ein assoziativer Container, der Objekte mit sortierbaren Schlüsseln in einer Baumstruktur effizient verwaltet. Ein neues Objekt wird in einem Set nur dann eingefügt, wenn es im Container noch nicht vorhanden ist.

short ist ein Datentyp zur Darstellung von positiven und negativen Ganzzahlen. Sein Speicherbedarf beträgt mindestens 2 Byte. Die aktuellen Grenzen des Wertebereichs können mit den Konstanten `SHORT_MIN` und `SHORT_MAX` ermittelt werden, die in der Header-Datei `climits` definiert sind.

Signatur besteht aus der Anzahl, der Reihenfolge und dem Typ der Parameter einer Funktion. Der Typ einer Funktion gehört nicht zu ihrer Signatur.

Smart Pointer sind Objekte, die wie Zeiger einsetzbar sind und zusätzliche Aufgaben übernehmen können, wie etwa die Zerstörung von dynamisch allokiertem Speicher. Ein Smart Pointer kann im alleinigen Besitz des von ihm adressierten Objekts sein. Er kann sich aber auch ein Objekt mit anderen Smart Pointern teilen. Hierfür sind in der C++-Standardbibliothek verschiedene Klassen definiert.

Speicherklassen-Spezifizierer ist eines der Schlüsselworte `extern`, `static`, `mutable` oder `thread_local`.

Speicherreservierung, dynamische reserviert Speicher auf dem Heap zur Laufzeit des Programms und gibt diesen, wenn er nicht mehr benötigt wird, wieder frei. Hierfür stehen die Operatoren `new` und `delete` zur Verfügung.

Spezialisierung einer Template-Funktion oder der Methode eines Klassen-Templates ist die Überladung durch eine separat definierte Funktion/Methode.

Spezifikation → Exception-Spezifikation

Sprungtabelle → Zeigervektor

Stack ist ein Speicherbereich, der nach dem LIFO-Prinzip (*last in first out*) verwaltet wird, das heißt, das zuletzt auf den Stack gelegte Objekt wird als erstes wieder vom Stack genommen.

Stack-Unwinding findet beim Verlassen eines `try`-Blocks statt. Die Veränderungen des Stacks seit dem Eintritt in den `try`-Block werden dabei wieder rückgängig gemacht.

Standardausgabe ist eine beim Programmstart automatisch eröffnete Datei für die Ausgabe von Daten, i.A. der Bildschirm. Sie wird in C++ mit dem Stream `cout` angesprochen. → Standardstream

Standardeingabe ist eine beim Programmstart automatisch eröffnete Datei zum Einlesen von Daten, i.A. die Tastatur. Sie wird in C++ mit dem Stream `cin` angesprochen. → Standardstream

Standard-Header-Dateien sind die Header-Dateien der C++-Standardbibliothek. Diese besitzen keine Kennung und nehmen sämtliche Deklarationen im eigenen Namensbereich `std` vor.

Standardfehlerklasse ist eine Fehlerklasse aus einer standardisierten Hierarchie von Fehlerklassen zur Darstellung von logischen Fehlern und Laufzeitfehlern. Die gemeinsame Basisklasse ist die Klasse `exception`.

Standardklasse ist eine in der C++-Standardbibliothek vordefinierte Klasse.

Standardmethode ist der Default-Konstruktor, der Default-Destruktor, der Kopierkonstruktor oder die Zuweisung. Sofern nicht durch eine eigene Definition ersetzt, wird sie durch den Compiler automatisch erzeugt.

Standardstream ist eines der vier Objekte `cin` (Standardeingabe), `cout` (Standardausgabe), `cerr` (ungepufferte Fehlerausgabe) und `clog` (gepufferte Fehlerausgabe).

Standardzuweisung führt die Zuweisung von Objekten datenelementweise durch. Sie ist für jede Klasse automatisch definiert und muss für Klassen mit dynamischen Elementen durch eine selbst definierte Zuweisung ersetzt werden.

statisch → Lebensdauer, → Klassenvariable, → Methode, statische

Statusflag ist ein einzelnes Bit innerhalb einer ganzzahligen Variablen (sog. Statuswort), das den Status eines Objekts darstellt.

std ist ein Namensbereich, der alle in C++ standardisierten Namen enthält. Mit der Direktive using namespace std; können diese Namen in einem C++-Programm direkt verwendet werden.

Stream ist ein Objekt vom Typ einer Streamklasse, wie z.B. iostream.

String ist entweder eine String-Konstante oder ein Objekt vom Typ der Standardklasse string.

String-Konstante ist eine Folge von Zeichen, die in doppelten Hochkommas eingeschlossen wird. Intern wird die Zeichenfolge ohne Anführungszeichen, aber mit einem Stringendezeichen \0 gespeichert.

Stringendezeichen wird durch die Escape-Sequenz \0 (d.i. ein Byte, in dem alle Bits 0 sind) dargestellt und kennzeichnet das Ende einer String-Konstanten oder eines C-Strings.

String, leerer ist die String-Konstante "". Sie belegt genau ein Byte, da intern nur das Stringendezeichen gespeichert wird.

string_view ist eine Standardklasse, um Zeichenfolgen, die nur gelesen werden, effizient zu verwenden.

Structured Bindings ermöglicht die gleichzeitige Initialisierung mehrerer Objekte mithilfe der Datenelemente einer Struktur, eines Vektors oder eines Tupels. Die Typen der Objekte werden aus den Typen der Datenelemente automatisch abgeleitet.

Struktur ist ein mit dem Schlüsselwort struct definierter Datensatz.

Teilobjekt ist der von einer Basisklasse geerbte Teil eines Objekts vom Typ einer abgeleiteten Klasse oder ein Datenelement einer Klasse, das den Typ einer anderen Klasse hat.

Template ist eine parametrisierte Familie verwandter Funktionen oder verwandter Klassen. → Funktions-Template, → Klassen-Template

Template-Funktion ist die Instantiierung eines Funktions-Templates.

Template-Klasse ist die Instantiierung eines Klassen-Templates.

Textdatei ist eine Datei, die Zeichencodes enthält und bei der Steuerzeichen zum Kennzeichnen eines Zeilenwechsels gesondert interpretiert werden.

Texteditor ist eine Software, mit dem Texte eingegeben, editiert und in Dateien gespeichert werden können.

Textmodus ist der Eröffnungsmodus für eine Textdatei.

this ist ein konstanter Zeiger auf das aktuelle Objekt. Er wird einer Methode beim Aufruf als „verstecktes" Argument übergeben. Das aktuelle Objekt kann mit *this als Ganzes angesprochen werden.

Thread ist ein sequentieller Ausführungsfaden in einem Programm. Mit dem Aufruf von main() beginnt in einem C++-Programm die Ausführung des Haupt-Threads. In main() können weitere Threads gestartet werden. Hat ein Rechner nur einen Prozessor, so werden mehrere Threads „quasi-parallel" bearbeitet. Bei Mehrprozessor-Systemen sind mehrere Threads parallel ausführbar.

Thread-lokal heißt ein Objekt, wenn seine Deklaration den Speicherklassen-Spezifizierer thread_local enthält (wie z.B. thread_local static int var = 1;). Jeder Thread besitzt seine eigene Instanz und die Lebensdauer des Objekts ist die gesamte Lebensdauer des Threads.

Token ist ein kleinster Bestandteil im Quellcode eines Programms, wie z.B. ein Funktionsname oder ein Operator. Token können durch beliebig viele Zwischenraumzeichen getrennt sein.

Tupel ist eine Sammlung von Werten, die verschiedene Typen haben können. Zur Darstellung von Tupeln ist in der C++-Standardbibliothek das variadische Template `tuple` definiert.

Typ → Datentyp

Typ einer Funktion ist der Typ des Return-Wertes der Funktion.

Typableitung, automatische → auto → Structured Bindings

Typanpassung, implizite wird automatisch durchgeführt, wenn in einem Ausdruck die Operanden verschiedene Datentypen haben oder wenn bei einem Funktionsaufruf Parameter- und Argumenttyp nicht übereinstimmen.

Typumwandlung, explizite ändert den Typ eines Ausdrucks mit Hilfe eines Cast-Operators.

Typumwandlungen, übliche arithmetische sind die Ganzzahlerweiterung und weitere Typanpassungen gemäß der Hierarchie der Datentypen.

Überladen einer Funktion bedeutet, verschiedene Funktionen mit demselben Namen zu definieren. Der Compiler unterscheidet überladene Funktionen anhand ihrer Signatur. → Operator, überladener

Übersetzungseinheit ist eine zu übersetzende Quelldatei zusammen mit den inkludierten Header-Dateien.

unär → Operator, unärer

Unicode ist ein 16-Bit-Code zur Darstellung von Zeichen. Er enthält neben dem ANSI-Zeichensatz die Codes von ca. 35.000 Zeichen aus 24 Sprachen.

Union ist eine Klasse, deren Datenelemente auf demselben Speicherplatz abgelegt werden. Jedes Datenelement hat also dieselbe Adresse im Speicher.

Up-Cast ist eine Typumwandlung, die in einer Klassenhierarchie „nach oben" geht, wie z.B. bei der Zuweisung eines Objekts einer abgeleiteten Klasse an ein Objekt vom Typ der Basisklasse.

Variable speichert Daten, damit diese in einem Programm verarbeitet werden können. Mit ihrem Namen wird der Inhalt der Variablen angesprochen.

Variante ist eine Klasse, deren Datenelemente auf demselben Speicherplatz abgelegt werden. Im Gegensatz zur Union kennt eine Variante die Typen ihrer Datenelemente.

Vektor besteht aus mehreren Objekten gleichen Datentyps, die hintereinander im Speicher abgelegt sind. Die einzelnen Objekte im Vektor heißen Vektorelemente. Sie können über einen Index angesprochen werden.

Vereinbarung → Definition

Vererbung ermöglicht es, allgemeine Eigenschaften und Vorgänge mit Oberbegriffen zu versehen (Basisklassen) und durch Spezialisierungen (abgeleitete Klassen) in hierarchischen Beziehungen zu ordnen.

Vergleich ist ein boolescher Ausdruck mit einem Vergleichsoperator.

Verketten ist eine Operation, die einen String an einen anderen String hängt. In der Klasse `string` sind hierfür die Operatoren + und += definiert.

Verzeichnis (engl. *directory*) ist eine Sammlung von Verzeichniseinträgen, wobei jeder Eintrag eine bestimmte Datei kennzeichnet. Eine solche Datei kann auch wieder ein Verzeichnis sein.

Verzweigung lenkt die Programmausführung abhängig von einer Bedingung zu einer von mehreren Anweisungen.

virtuell → Methode, virtuelle, → Basisklasse, virtuelle

VMT → Methodentabelle, virtuelle

VMT-Zeiger ist ein Zeiger auf die virtuelle Methodentabelle einer Klasse. Jedes Objekt einer polymorphen Klasse besitzt einen VMT-Zeiger.

void ist der Typ eines Ausdrucks, der keinen Wert darstellt. Eine Funktion hat den Typ `void`, wenn sie keinen Return-Wert liefert. Ist im Prototyp anstelle von Parametern `void` angegeben, so erwartet die Funktion kein Argument.

volatile spezifiziert Variablen, die nicht nur durch das Programm selbst, sondern auch durch Ereignisse von außerhalb (z.B. Interrupts) veränderbar sind.

Vorrang bestimmt in einem Ausdruck mit mehreren Operatoren die Zuordnung der Operanden zu den Operatoren.

Vorzeichenerweiterung ist ein Verfahren, das einen `signed`-Typ in einen größeren ganzzahligen Typ umwandelt: Das Bitmuster einer Zahl wird auf die Länge des neuen Typs gebracht und mit dem Vorzeichenbit aufgefüllt.

wahlfrei → Datei

Warnung ist ein Hinweis vom Compiler auf einen möglichen logischen Fehler, wie z.B. die Verwendung einer nicht initialisierten Variablen.

wchar_t („wide character type") ist in C++ ein Datentyp zur Darstellung von Zeichen, deren Codes in mindestens zwei Bytes gespeichert werden. Zum Beispiel werden Zeichen des Unicodes mit dem Typ `wchar_t` dargestellt.

Zeichencode ist eine Zahl, die intern zur Darstellung eines Zeichens benutzt wird. Die Zuordnung ist durch den verwendeten Zeichensatz festgelegt. Beispielsweise entspricht dem Zeichen A im ASCII-Zeichensatz der Code 65.

Zeichenkette → String-Konstante

Zeichenkonstante ist ein Zeichen, das in einfachen Hochkommas eingeschlossen wird, z.B. `'A'`. Eine Zeichenkonstante hat den Typ `char`. Sie erhält den Typ `wchar_t` durch das Präfix L, z.B. `L'A'`.

Zeiger ist ein Ausdruck, der die Adresse und den Typ eines anderen Objekts repräsentiert. Man unterscheidet Zeigervariablen, die Adressen speichern, und konstante Zeiger, wie z.B. `&var`, wobei `var` ein L-Wert ist.

Zeiger, typenloser ist ein Zeiger vom Typ `void*`. Er repräsentiert eine Adresse im Speicher, ohne den Typ festzulegen. Beim Speicherzugriff muss deshalb der Typ explizit durch einen Cast festgelegt werden.

Zeiger-Arithmetik ermöglicht, Zeiger und ganzzahlige Werte zu addieren, zu subtrahieren und die Differenz von Zeigern zu bilden. Auch die Verwendung der Operatoren `++`, `--` und `+=` bzw. `-=` ist bei Zeigervariablen erlaubt.

Zeigertyp ist ein Typ der Form `T*`, wobei `T` ein beliebiger Typ ist.

Zeigervariable ist eine Variable, die die Adresse eines anderen Objekts speichern kann. Sie hat stets einen Zeigertyp und besitzt – im Gegensatz zu einer Referenz – eine eigene Adresse im Speicher.

Zeigervektor ist ein Vektor, dessen Elemente Zeiger sind. Üblicherweise adressieren die Vektorelemente dynamisch reservierte Objekte oder Funktionen. Im letzten Fall heißt der Vektor auch Sprungtabelle.

Zugriffsmethode heißt eine Methode, die den Wert eines Datenelements der Klasse zurückgibt oder überschreibt.

Zusammenfassung ist für Operatoren mit gleichem Vorrang definiert. Sie geschieht entweder von „links nach rechts" oder „von rechts nach links".

Zuweisung, einfache ordnet einem L-Wert mit dem Zuweisungsoperator = den Wert eines Ausdrucks zu. Der L-Wert, z.B. eine Variable, steht links und der Ausdruck steht rechts vom Zuweisungsoperator.

Zuweisung, virtuelle ist eine Zuweisung, deren Operatorfunktion als virtuelle Methode implementiert ist.

Zuweisung, zusammengesetzte ist ein Ausdruck mit einem zusammengesetzten Zuweisungsoperator, wie z.B. `i *= j + 3`.

Stichwortverzeichnis

Ian Goodfellow
Yoshua Bengio
Aaron Courville

Deep Learning
Das umfassende Handbuch

Mathematische Grundlagen für
Machine und Deep Learning

Umfassende Behandlung zeitgemäßer
Verfahren: tiefe Feedforward-Netze,
Regularisierung, Performance-Opti-
mierung sowie Convolutional, Rekur-
rente und Rekursive Neuronale Netze

Zukunftsweisende Deep-Learning-
Ansätze sowie von Ian Goodfellow neu
entwickelte Konzepte wie Generative
Adversarial Networks

Deep Learning ist ein Teilbereich des Machine Learnings und versetzt Computer in die Lage, aus Erfahrungen zu lernen. Dieses Buch behandelt umfassend
alle Aspekte, die für den Einsatz und die Anwendung von Deep Learning eine
Rolle spielen:

In **Teil I** erläutern die Autoren die mathematischen Grundlagen für Künst-
liche Intelligenz, Neuronale Netze, Machine Learning und Deep Learning.

In **Teil II** werden die aktuellen in der Praxis genutzten Verfahren und
Algorithmen behandelt.

In **Teil III** geben die Autoren Einblick in aktuelle Forschungsansätze und
zeigen neue zukunftsweisende Verfahren auf.

Dieses Buch richtet sich an Studenten und alle, die sich in der Forschung mit
Deep Learning beschäftigen sowie an Softwareentwickler und Informatiker,
die Deep Learning für eigene Produkte oder Plattformen einsetzen möchten.

ISBN 978-3-95845-700-3

Probekapitel und Infos erhalten Sie unter:
www.mitp.de/700

Ulla Kirch, Peter Prinz

C++
Das Übungsbuch

Testfragen und Aufgaben mit Lösungen

5. Auflage

Trainieren Sie Ihre C++-Kenntnisse

Mit kommentierten Musterlösungen

Für Studium und Selbststudium

Das Buch wendet sich an Leser, die ihre C++-Kenntnisse durch »Learning by Doing« vertiefen möchten. Es ist ideal, um sich im Stil eines Workshops auf Prüfungen oder auf die Mitarbeit in einem C++-Projekt vorzubereiten.

Der Aufbau dieses Übungsbuches lehnt sich an das Lehrbuch »C++ – Lernen und professionell anwenden« derselben Autoren an, das den neuesten ISO-Standard von 2017 (kurz C++17) berücksichtigt und ebenfalls im mitp-Verlag erschienen ist.

Alle Kapitel beginnen mit einer Zusammenfassung des Stoffes, zu dem anschließend Fragen und Aufgaben gestellt werden. Jedes Kapitel besteht neben der einführenden Beschreibung des Themas aus drei weiteren Teilen: Verständnisfragen, Programmieraufgaben und Musterlösungen zu allen Fragen und Aufgaben.

Mit jeweils 20 Verständnisfragen können Sie testen, wie gut Sie sich in dem jeweiligen Themenbereich auskennen. Sie finden Ja-Nein- und Multiple-Choice-Fragen sowie Lückentexte, die vervollständigt werden müssen.

Im Aufgabenteil können Sie dann Ihr Wissen praktisch umsetzen. In jedem Kapitel gibt es mindestens zehn Aufgaben mit steigendem Schwierigkeitsgrad. Dabei wurde stets darauf geachtet, dass diese typisch und praxisnah sind.

Umfangreich kommentierte Musterlösungen am Ende eines Kapitels geben Ihnen ein direktes und ausführliches Feedback zu Ihren Lösungsansätzen.

Nach dem Durcharbeiten des Buches verfügen Sie über fundierte Programmierkenntnisse und einen umfangreichen Fundus an Beispiel-Code.

ISBN 978-3-95845-802-4

Probekapitel und Infos erhalten Sie unter:
www.mitp.de/802

Peter Prinz

C

Das Übungsbuch

Testfragen und Aufgaben

mit Lösungen

2. Auflage

Trainieren Sie Ihre C-Kenntnisse
Mit kommentierten Musterlösungen
Für Studium und Selbststudium

Dieses Übungsbuch wendet sich an Leser, die ihre C-Kenntnisse durch »Learning by Doing« erwerben und vertiefen möchten. Es ist ideal, um sich anhand von Übungen auf Prüfungen oder auf die Mitarbeit in einem C-Projekt vorzubereiten.

Der Aufbau des Buches entspricht dem eines C-Lernbuches, beginnt also mit den Grundlagen und endet mit den komplexeren Themen. Es ist für alle Leser mit grundlegenden C-Kenntnissen geeignet.

Alle Kapitel beginnen mit einer Zusammenfassung des Stoffes, zu dem anschließend Fragen und Aufgaben gestellt werden. Jedes Kapitel besteht neben der einführenden Beschreibung des Themas aus drei weiteren Teilen: Verständnisfragen, Programmieraufgaben und Musterlösungen zu allen Fragen und Aufgaben.

Mit den Verständnisfragen können Sie testen, wie gut Sie sich in dem jeweiligen Themenbereich auskennen. Dabei treffen Sie auf Ja-Nein-Fragen, Multiple-Choice-Fragen und Aussagen, die vervollständigt werden müssen. Im Aufgabenteil können Sie dann Ihr Wissen praktisch umsetzen. In jedem Kapitel gibt es mindestens zehn Aufgaben mit steigendem Schwierigkeitsgrad. Bei der Auswahl der Problemstellungen für Aufgaben wurde stets darauf geachtet, dass diese typisch und praxisnah sind.

Umfangreich kommentierte Musterlösungen am Ende eines Kapitels geben Ihnen ein direktes und ausführliches Feedback zu Ihren Lösungsansätzen.

Nach dem Durcharbeiten des Buches verfügen Sie über fundierte Programmierkenntnisse und einen umfangreichen Fundus an Beispiel-Code.

Elisabeth Jung

Java 9
Das Übungsbuch

Über 200 Aufgaben mit vollständigen Lösungen

Trainieren Sie Ihre Java-Kenntnisse

Learning by Doing anhand praktischer Übungen

Mit vollständigen und kommentierten Lösungen

Dieses Buch ist kein Lehrbuch, sondern ein reines Übungsbuch und wendet sich an Leser, die ihre Java-Kenntnisse anhand zahlreicher praktischer Übungen durch »Learning by Doing« vertiefen und festigen möchten. Es ist ideal, um sich auf Prüfungen vorzubereiten oder das Programmieren mit Java praktisch zu üben.

Jedes Kapitel beginnt mit einer kompakten Zusammenfassung des Stoffes, der in den Übungsaufgaben dieses Kapitels verwendet wird. Anschließend haben Sie die Möglichkeit, zwischen Aufgaben in drei verschiedenen Schwierigkeitsstufen – von einfach bis anspruchsvoll – zu wählen. Anhand dieser Aufgaben können Sie Ihr Wissen praktisch testen. Am Ende des Kapitels finden Sie vollständige und kommentierte Musterlösungen.

Es werden folgende Themen abgedeckt:

Die Kapitel 1 bis 3 enthalten Aufgaben zur objektorientierten Programmierung mit Java, in den Kapiteln 4 bis 6 üben Sie die Java-GUI-Programmierung mit AWT und Swing, die Kapitel 7 bis 9 beschäftigen sich mit inneren Klassen, Generics, Reflection und Exceptions. Die wichtigsten Änderungen der Java-Version 7 werden im Kapitel 10 behandelt und das Kapitel 11 beschäftigt sich mit den neuen Sprachmitteln von Java 8: Lambdas und Streams.

Kapitel 12 bietet einen fundierten Einblick in die Neuerungen von Java 9 und behandelt die Erweiterungen in diversen APIs, sprachspezifische Erweiterungen, Reactive Streams und nicht zuletzt die Modularisierung der Java-Plattform.

Nach dem Durcharbeiten des Buches verfügen Sie über fundierte Programmierkenntnisse und einen umfangreichen Fundus an Beispielcode.

ISBN 978-3-95845-647-1

Probekapitel und Infos erhalten Sie unter:
www.mitp.de/647

Michael Weigend

Python 3
Lernen und professionell anwenden
Das umfassende Praxisbuch

7., erweiterte Auflage

Einführung in alle Sprachgrundlagen:
Klassen, Objekte, Vererbung, Dictionaries

Benutzungsoberflächen und Multimedia-
anwendungen mit PyQt, Datenbanken, XML
und Internet-Programmierung

Wissenschaftliches Rechnen mit NumPy,
parallele Verarbeitung großer Datenmengen,
Datenvisualisierung mit Matplotlib

Übungen mit Musterlösungen zu jedem Kapitel

Die Skriptsprache Python ist mit ihrer einfachen Syntax hervorragend für Einsteiger
geeignet, um modernes Programmieren zu lernen. Mit diesem Buch erhalten Sie einen
umfassenden Einstieg in Python 3 und lernen darüber hinaus auch weiterführende
Anwendungsmöglichkeiten kennen. Michael Weigend behandelt Python von Grund auf
und erläutert die wesentlichen Sprachelemente. Er geht dabei besonders auf die Anwendung von Konzepten der objektorientierten Programmierung ein.

Insgesamt liegt der Schwerpunkt auf der praktischen Arbeit mit Python. Ziel ist es, die
wesentlichen Techniken und dahinter stehenden Ideen anhand zahlreicher anschaulicher
Beispiele verständlich zu machen. Zu typischen Problemstellungen werden Schritt für
Schritt Lösungen erarbeitet. So erlernen Sie praxisorientiert die Programmentwicklung
mit Python und die Anwendung von Konzepten der objektorientierten Programmierung.

Alle Kapitel enden mit einfachen und komplexen Übungsaufgaben mit vollständigen
Musterlösungen.

Das Buch behandelt die Grundlagen von Python 3 (Version 3.6) und zusätzlich auch weiterführende Themen wie die Gestaltung grafischer Benutzungsoberflächen mit tkinter
und PyQt, Threads und Multiprocessing, CGI- und Internet-Programmierung, automati-
siertes Testen, Datenmodellierung mit XML und JSON, Datenbanken, Datenvisualisierung
mit Matplotlib und wissenschaftliches Rechnen mit NumPy.

Der Autor wendet sich sowohl an Einsteiger als auch an Leser, die bereits mit einer
höheren Programmiersprache vertraut sind. Zugleich bietet sich dieses Lehrbuch als
Textgrundlage oder nützliche Ergänzung zu Universitätskursen an.

ISBN 978-3-95845-791-1

Probekapitel und Infos erhalten Sie unter:
www.mitp.de/791

Robert C. Martin

Clean Code

Refactoring, Patterns, Testen
und Techniken für sauberen Code

- Kommentare, Formatierung,
  Strukturierung

- Fehler-Handling und Unit-Tests

- Zahlreiche Fallstudien,
  Best Practices, Heuristiken
  und Code Smells

Selbst schlechter Code kann funktionieren. Aber wenn der Code nicht sauber ist, kann er ein Entwicklungsunternehmen in die Knie zwingen. Jedes Jahr gehen unzählige Stunden und beträchtliche Ressourcen verloren, weil Code schlecht geschrieben ist. Aber das muss nicht sein.

Mit Clean Code präsentiert Ihnen der bekannte Software-Experte Robert C. Martin ein revolutionäres Paradigma, mit dem er Ihnen aufzeigt, wie Sie guten Code schreiben und schlechten Code überarbeiten. Zusammen mit seinen Kollegen von Object Mentor destilliert er die besten Praktiken der agilen Entwicklung von sauberem Code zu einem einzigartigen Buch. So können Sie sich die Erfahrungswerte der Meister der Software-Entwicklung aneignen, die aus Ihnen einen besseren Programmierer machen werden – anhand konkreter Fallstudien, die im Buch detailliert durchgearbeitet werden.

Sie werden in diesem Buch sehr viel Code lesen. Und Sie werden aufgefordert, darüber nachzudenken, was an diesem Code richtig und falsch ist. Noch wichtiger: Sie werden

herausgefordert, Ihre professionellen Werte und Ihre Einstellung zu Ihrem Beruf zu überprüfen.

Clean Code besteht aus drei Teilen: Der erste Teil beschreibt die Prinzipien, Patterns und Techniken, die zum Schreiben von sauberem Code benötigt werden. Der zweite Teil besteht aus mehreren, zunehmend komplexeren Fallstudien. An jeder Fallstudie wird aufgezeigt, wie Code gesäubert wird – wie eine mit Problemen behaftete Code-Basis in eine solide und effiziente Form umgewandelt wird. Der dritte Teil enthält den Ertrag und den Lohn der praktischen Arbeit: ein umfangreiches Kapitel mit Best Practices, Heuristiken und Code Smells, die bei der Erstellung der Fallstudien zusammengetragen wurden. Das Ergebnis ist eine Wissensbasis, die beschreibt, wie wir denken, wenn wir Code schreiben, lesen und säubern.

Dieses Buch ist ein Muss für alle Entwickler, Software-Ingenieure, Projektmanager, Team-Leiter oder Systemanalytiker, die daran interessiert sind, besseren Code zu produzieren.

Probekapitel und Infos erhalten Sie unter:
www.mitp.de/5548

ISBN 978-3-8266-5548-7